ISBN 978-0-267-57205-2
PIBN 10996617

1 MONTH OF
FREE
READING

at

www.ForgottenBooks.com

By purchasing this book you are eligible for one month membership to ForgottenBooks.com, giving you unlimited access to our entire collection of over 1,000,000 titles via our web site and mobile apps.

To claim your free month visit:

www.forgottenbooks.com/free996617

English
Français
Deutsche
Italiano
Español
Português

www.forgottenbooks.com

Mythology Photography **Fiction**
Fishing Christianity **Art** Cooking
Essays Buddhism Freemasonry
Medicine **Biology** Music **Ancient
Egypt** Evolution Carpentry Physics
Dance Geology **Mathematics** Fitness
Shakespeare **Folklore** Yoga Marketing
Confidence Immortality Biographies
Poetry **Psychology** Witchcraft
Electronics Chemistry History **Law**
Accounting **Philosophy** Anthropology
Alchemy Drama Quantum Mechanics
Atheism Sexual Health **Ancient History**
Entrepreneurship Languages Sport
Paleontology Needlework Islam
Metaphysics Investment Archaeology
Parenting Statistics Criminology
Motivational

Grad. R. K. #4
Mrs. Eliz. Rathbone
gr.
1-8- 1923
2 vols.

Vorrede.

Dies Werk, deſſen erſten Theil ich dem Publikum vorlege, iſt die Frucht einer Arbeit, die bereits vor geraumer Zeit begonnen, dann aber durch äußere und innere Störungen vielfach unterbrochen worden iſt; erſt in den letzten drei Jahren iſt es mir gegönnt geweſen, mit ungetheilter Thätigkeit zu ihr zurückzukehren und ſie dem Abſchluſſe entgegenzuführen. Kaum wird die Auswahl und Begränzung des Stoffes ſelber, wie ich ihn mir gewählt, einer weiteren Motivirung bedürfen; die Geſchichte der Auflöſung des alten Reiches, der Zeiten der Fremdherrſchaft und der Erhebung deutſcher Nation bildet ein natürlich abgegränztes hiſtoriſches Gebiet, deſſen ſelbſtſtändige und geſonderte Behandlung wohl mit gutem Grunde als ein literariſches Bedürfniß bezeichnet werden darf.

Die Fülle neuen und intereſſanten Quellenſtoffes, den uns zumal das jüngſte Jahrzehnt in Denkwürdigkeiten, Biographien, militäriſchen Schriften u. ſ. w. geliefert hat, konnte zu einer ſolchen Arbeit nur in hohem Grade ermuthigen; denn erſt jetzt ward die reiche Mannigfaltigkeit, welche die Geſchichte dieſer Zeiten bietet, uns zugänglich und eine hiſtoriſche Bearbeitung überhaupt erſt möglich. Je reicher aber die Quellen floſſen und je vollſtändiger zumal über einzelne Parthien das Material zuſammenkam, deſto lauter ſprach auch wieder das Bedürfniß, dieſen zerſtreuten und vielfältigen Quellenſtoff in ein gedrängtes Bild der Geſchichte jener Zeiten vereinigt zu ſehen — ein Unternehmen, welches des

Anziehenden und Neuen genug bot, um einen historischen Bearbeiter zu reizen.

Nun ist mir die weitere Gunst zu Theil geworden, über einzelne Abschnitte der Geschichte von 1786—1815 ungedruckte Ori-
ginalquellen, meistentheils vom reichsten und interessantesten Inhalt, benützen zu können, mit deren Hülfe von der Geschichte dieser Periode erst eine vollständige und vielfach berichtigte Darstellung zu gewinnen war. Die österreichisch=preußischen Zerwürfnisse in den Jahren 1787—1790, namentlich den merkwürdigen
Conflict der östlichen Mächte über die Theilung des osmanischen
Reiches habe ich aus der reichhaltigen Originalcorrespondenz dar-
stellen können, die zwischen Hertzberg, dem preußischen Gesandten
Diez und dem Grafen Goltz darüber geführt worden ist; die Mittheilungen daraus haben nicht nur bleibenden geschichtlichen Werth,
sondern treffen auch, oft in wahrhaft frappanter Weise, mit den
Fragen zusammen, welche in diesem Augenblicke das Interesse und
die Leidenschaften der europäischen Welt bewegen. Ueber die innere
Gestaltung des Fürstenbundes, die Versuche ihn auszubilden, namentlich über das Verhältniß Preußens zu Kurmainz, habe ich die
einschlagenden Correspondenzen Carl Augusts von Weimar, Hertzbergs, Lucchesini's, Dalbergs, des älteren Stein u. A. benutzt. Auch
der Reichenbacher Congreß hat dadurch im Einzelnen eine vollstän-
digere Darlegung erhalten. Die Geschichte vom Ausbruche der Revolutionskriege bis zum Frieden von Basel ist aus den Quellen geschöpft, deren Reichthum neuerlich aus Sybels trefflicher Geschichte
der Revolutionszeit einleuchtend geworden ist. Der Briefwechsel
des Herzogs Carl Wilhelm Ferdinand von Braunschweig, des Erbprinzen von Hohenlohe, Mansteins, Möllendorffs, Tauenziens,
Wurmsers, dann die diplomatische Correspondenz von Lucchesini,
Haugwitz, Hardenberg, die Verhandlungen über die polnischen
Wirren von 1793—1795, wie sie in den Depeschen von Möllendorff, Schulenburg, Buchholz niedergelegt sind, das Alles lag
in solcher Reichhaltigkeit vor, daß es überall möglich war, die innere Geschichte jener Tage aus den ächten und unmittelbaren
Quellen, nicht aus den pikanten Compilationen von oft zweifel-

hafter Glaubwürdigkeit zu schöpfen. Auch für die spätere Zeit, namentlich die Geschichte von 1805—1806, die Krisis von 1808 —1809, die ersten Anfänge deutscher Erhebung gegen die Fremd-herrschaft ist es mir gelungen, bedeutsame Ergänzungen beizubringen. Ich denke mir, schon dieser erste Band wird dem unbefan-genen Beurtheiler zeigen, daß der Werth dieses Quellenstoffes von mir nicht überschätzt worden ist. Wenn ich dem Terte oft umfas-sendere Anmerkungen beifügte, so sollte damit nicht etwa der Leser genöthigt sein, die Mühe der Erforschung mit durchzumachen, viel-mehr war es überall mein Bestreben, das Erforschte in möglichst freier und ungestörter Darstellung vorzuführen; allein es schien doch zu-gleich wünschenswerth, dem Leser die unmittelbare Einsicht in die Acten zu gewähren und ihm selber das Material an die Hand zu geben, wonach er sich sein Urtheil bilden kann.

Vielleicht macht das gesammte Ergebniß dieses urkundlichen Stoffes den Eindruck, den manche ähnliche Erforschung schon ge-weckt hat: daß die ängstliche Scheu vor dem hellen Lichte der Oef-fentlichkeit, die hier und da noch vorherrscht, nicht einmal klug handelt, wenn sie die geschichtlichen Schätze mißtrauisch unter dem Banne hält. Wenigstens haben wir an mancher historischen Ent-hüllung unserer Tage erfahren können, daß das Geheimthun die eigentlich ergiebigste Quelle des schwarzsichtigen Verdachtes ge-wesen ist; möglich, daß eine unbefangene Betrachtung auch aus den vorliegenden Mittheilungen sich überzeugt, wie die genaueste Darlegung des Details viel unbedenklicher ist, als jene unvoll-kommene Kenntniß, welcher durch alle Geheimnißkrämerei selten die Thatsachen, wohl aber häufig die erläuternden Motive vorenthal-ten werden können. Je störender da und dort noch jene Aengst-lichkeit der Erforschung unserer Geschichte in den Weg tritt, um so dankbarer bin ich für die vielseitige Förderung, die mir von öffentlichen Stellen, wie von einzelnen Personen zu Theil gewor-den ist. Ich habe bei der Aufsuchung dieses urkundlichen Stoffes fast durchaus die erfreulichsten Erfahrungen gemacht, mag ich da-bei an das reiche Material selber denken, oder an die freund-liche und vertrauensvolle Art, wie es mir geboten ward. Gern

ergreife ich diesen Anlaß, allen Denen, die meine Arbeit in dieser
Richtung gefördert, namentlich in Berlin, Weimar und Göttingen,
meinen wärmsten Dank auszusprechen.

Indem es meine Absicht war, von der Geschichte der Auflö=
sung des alten Reiches ein anschauliches Gesammtbild zu entwer=
fen, konnte ich nicht umhin, in meiner Darstellung weiter zurück=
zugreifen, als es die auf dem Titelblatte angegebene Gränze aus=
spricht. Die Zustände des Reiches seit dem westfälischen Frieden,
die Entwicklung der beiden Großmächte in Deutschland, die Ent=
artung der Verfassung und die zahllosen kleinstaatlichen Mißbil=
dungen durften nicht unerwähnt bleiben, wenn dem Leser ein recht
unmittelbares Verständniß der Umwälzungen zu Anfang unseres
Jahrhunderts gegeben werden sollte. Der gegenwärtigen Genera=
tion ist durch diese Umwälzungen der Zusammenhang mit den Zu=
ständen des alten Reiches so schroff abgerissen, die Ueberlieferung
davon so gewaltsam verwischt worden, daß schon darum für das
jetzt lebende Geschlecht eine einläßlichere Darstellung nothwendig
schien.

Von den drei Bänden, welche dies Werk umfassen wird, ent=
hält dieser erste die Geschichte bis zum Baseler Frieden; der zweite,
mit dessen Vollendung ich beschäftigt bin, wird die Zeit der Auflö=
sung des Reiches und des Rheinbundes, der dritte die Jahre der
nationalen Erhebung schildern.

Heidelberg, den 12. März 1854.

L. Häusser.

Inhalt.

Einleitung.

Erstes Buch.

Zweites Buch.

Vom Tode Friedrichs II. bis zum Frieden von Basel (1786—1795). S. 247—683.

Inhalt.

Erster Theil.

Bis zum Frieden von Basel.

(1795.)

Einleitung.

Das Reich nach dem westfälischen Frieden.

Die Verträge von Osnabrück und Münster hatten Deutschland den lange ersehnten Frieden gegeben, aber Land und Volk trugen allenthalben die traurigen Spuren einer dreißigjährigen Erschütterung, in welcher die Schrecken des Krieges mit denen einer Revolution gewechselt hatten. Ganze Landschaften, die blühendsten zumal, lagen in beispielloser Verwüstung, waren entweder von ihren Bewohnern verlassen, oder so tief verfallen, daß die Sorge und Arbeit mehr als eines Menschenalters nöthig war, auch nur die groben Spuren der Zerstörung zu verwischen. Der einst so mächtige Aufschwung des städtischen Lebens war gebrochen; Industrie, Handel und Schifffahrt hatten ihre alten Sitze für lange Zeit, zum Theil für immer, verlassen; die Macht der Hanse, schon im vorangegangenen Jahrhundert tief erschüttert, war nun vollends zu Ende gegangen; ihre ehemalige Weltstellung war theils den mächtig aufstrebenden Nachbarstaaten, theils den von Deutschland losgerissenen Gebieten anheimgefallen. Das alte Reich selber, durch alle Wechselfälle früherer Jahrhunderte in seinem Umfange nicht wesentlich beschränkt, hatte jetzt die ersten großen und bleibenden Verluste an Land und Leuten aufzuzählen. Denn nicht nur die Abfälle alter Zeiten, wie die schweizer Eidgenossenschaft.

erlangten jetzt erst ihre rechtliche Anerkennung, nicht nur die lo=
thringischen Bisthümer wurden aus einem bestrittenen Besitz ein
rechtmäßiges Eigenthum des westlichen Nachbarn, es ward zu=
gleich die fremde Oberherrlichkeit im Elsaß, in Pommern, in Bre=
men und Verden anerkannt und — was die schmerzlichste von
allen Einbußen — der kostbare Besitz der burgundischen Nieder=
lande war theils in fremde Hand gerathen, theils in die Bahnen
einer auf deutsche Kosten aufblühenden Sonderentwicklung hinein=
gedrängt worden. Mit der Herrschaft über die Ostsee hatte also
Deutschland zugleich den wichtigsten Zusammenhang mit der Nord=
see verloren und fand sich nun ausgeschlossen von dem Antheil
an Macht und Reichthum, den die Nationen auf den Meeren
und in den Colonien erwarben.

Auch für die äußere Form und Verfassung des deutschen Rei=
ches hat der westfälische Friede auf lange Zeit hin die Entschei=
dung gegeben. Es war fortan nicht mehr zweifelhaft, ob im
Reiche die einheitliche oder vielheitliche Ordnung der Dinge vor=
herrschen, ob Kaiserthum oder Fürstenthum überwiegen, ob eine
feste Staatseinheit oder ein loser dehnbarer Föderalismus die deut=
schen Lande zusammenhalten werde. Noch im sechszehnten Jahrhun=
dert hatte Karl V. einen mächtigen Anlauf zur Herstellung einer mo=
narchisch-militärischen Autorität genommen, wie sie sich damals in
den meisten Staaten Europa's festsetzte; ja noch im siebzehnten
konnte es eine Zeitlang scheinen, als werde Ferdinand II. die Ent=
würfe seines Ahnherrn mit besserem Erfolge wieder aufgreifen,
allein das eine wie das andere Mal behauptete die Vielheit der
Territorialgewalten, insbesondere das Fürstenthum, den endlichen
Sieg. Dieser Sieg, den die aristokratischen Elemente des deut=
schen Staatslebens über die monarchischen davon getragen, war
diesmal vollständig und unbestritten: um jeden Zweifel darüber
zu beseitigen, enthielt die Friedensacte von 1648 die Grundgesetze
einer aristokratisch-föderativen Verfassung, in der es fast weniger
auffallend erscheint, daß die monarchische Gewalt so sehr in Schat=
ten trat, als daß man sie überhaupt noch dem Namen nach beste=
hen ließ.

Denn ungeachtet der überlieferten Bezeichnungen von „Kai=

ſer" und „Reich" ſtellte Deutſchland nur noch eine lockere Föderation einzelner territorialer Gewalten dar. Von den Kurfürſtenthü-
mern und Fürſtenthümern geiſtlichen und weltlichen Urſprungs an
bis zu den reichsgräflichen, ſtädtiſchen und ritterſchaftlichen Territorien
herab hatte ſich eine bunte Maſſe von Gebieten ausgebildet mit beſonderen Grundgeſetzen, eigner Rechtspflege und Polizei, eignen
Steuern, eignen Kriegsordnungen, mit dem anerkannten Rechte,
Krieg zu führen, Frieden zu ſchließen und völkerrechtliche Bünd-
niſſe einzugehen. Gegenüber dieſer ſo vielfältigen Gliederung, die
in dem angebornen Individualismus der deutſchen Natur ihre
ſtarke Grundlage fand, vermochte der Grundſatz einer abgeſchwäch-
ten, mittelloſen Einheitsgewalt nur ein unzulängliches Gegengewicht zu üben; wie hätte, wo ſich alle Staatskraft und Staats-
thätigkeit in die einzelnen Kreiſe flüchtete und dort zum Theil zu
lebenskräftiger Entfaltung gedieh, eine kaiſerliche Macht ſich behaupten ſollen, deren Träger zudem von ganz andern, außerdeut-
ſchen Intereſſen dynaſtiſcher und territorialer Art beſtimmt waren?

Vielmehr zeigt uns die nächſte Epoche deutſcher Entwicklung
durchgängig in ſehr beſtimmten Zügen das eine Ergebniß: während die Formen und Ueberlieferungen des alten Reichs einer un-
ausweichlichen Verweſung verfallen, gewährt die Geſchichte einzelner Territorien ein reiches Bild lebendiger und bewegter Entfaltung; hier gedeiht die Heereskraft und der Waffenruhm, hier wird
Cultur und Wohlſtand gefördert, hier entwickeln ſich die Bedingungen eines ſtaatlichen Lebens, hier iſt den Einzelnen Rechts-
ſchutz und Sicherheit gegeben, indeß im großen Umkreiſe des Reiches Staatsgewalt, Geſetzgebung, Rechtspflege und Waffenmacht
immer kläglicher verfielen. Denn mit der Einſchränkung der kaiſerlichen Autorität über das Ganze hielt das Wachsthum der lan-
desfürſtlichen Macht im Einzelnen vollkommen gleichen Schritt.
Die nächſten öffentlichen Acte, welche den Friedensverträgen von
1648 folgen, bilden zugleich deren Ergänzung. Die Wahlcapitulation von 1658 beſtätigte den Fürſten nicht nur ihre früheren
Rechte gegenüber dem Kaiſer, ſondern erweiterte zugleich ihre Selbſt-
herrlichkeit gegenüber ihren Unterthanen. Man begnügte ſich nicht,
den Landſtänden die Diſpoſition über die Landesſteuern zu entziehen, es ſollte zugleich jeder Verſuch eines geſetzlichen Wider-

1*

standes gegen die Uebergriffe der neuen Herrschaftsgelüste unmöglich gemacht werden. „Wenn Jemand" — so lautete die bezeichnende Stelle — „von den Landständen oder Unterthanen beswe-
gen bei den Landständen oder Unterthanen etwas anbringen oder
suchen würde, so sollte er ab= und zur schuldigen Parition an seinen Landesherrn gewiesen werden." Schon war der alte Widerstand der ständischen Korporationen gelähmt und die Beispiele der
Zeit selbst, wie sie auf dem gesammten europäischen Festlande vorlagen, waren für eine ständische Opposition nirgends ermuthigend.
Vielmehr ging der ganze Zug der Zeit nach Befestigung absolu-
ter Fürstengewalt, nach Einverleibung der rings umschlossenen und
schutzlosen reichsunmittelbaren Gebiete, nach Aufrichtung eines
Regiments, das seine Selbständigkeit auf ergiebige Finanzen und
stehende Truppen stützte, und das ermunternde Vorbild Frankreichs war für keinen der deutschen Landesherren völlig verloren.
Die allgemeine Reaction gegen Landstände und selbständige Körperschaften, die Uebergriffe gegen die Reichsstädte, die Auflegung
neuer Staatslasten gingen in Deutschland im Kleinen ganz denselben gewaltsamen Gang, wie ihn zur nämlichen Zeit Ludwig XIV.
im Großen durchführte. Das Verfahren der Fürsten gegen Erfurt,
Magdeburg, Münster, Braunschweig, Cöln u. s. w. ist im Einzelnen nicht besser motivirt und nicht weniger gewaltthätig, als die
Politik Ludwigs XIV., gegen die sich zuletzt der größere Theil von
Europa auflehnte; die Staatsraison und das car tel est notre
plaisir ist dort wie hier die letzte und einzige Rechtfertigung. Daß
in solcher Zeit die Fürstengewalt Schritt vor Schritt vorwärts
drang, den landständischen Widerstand brach, das Steuerbewilli-
gungsrecht in seinem Nerv durchschnitt, lag in der unvermeidlichen Verknüpfung der Verhältnisse. Einen erfolgreichen Widerstand dagegen zu leisten, war einer Bevölkerung nicht möglich,
die mit dem Wohlstand zugleich das eifersüchtige Freiheitsgefühl
der alten Zeit verloren hatte. Ein verarmter Adel, der im Dienst
der neuen Herren seine Existenz suchte, ein Bürgerstand ohne selbständigen Handel und Industrie, überhaupt ein Volk, das durch
Noth und Elend herabgekommen, durch die Strömung der Zeit,
wie durch die herrschende Lebensansicht zum passiven Gehorsam
und sich Unterordnen theils erzogen, theils gezwungen war — das
waren die Elemente nicht, die vor dem aufstrebenden Absolutis=

mus des Jahrhunderts eine Schranke aufzurichten vermochten. Vergebens versuchte der Kaiser noch einen schüchternen Widerstand, als er 1670 dem fürstlichen Verlangen, „die Unterthanen sollten die zur Verpflegung des Kriegsvolkes und zur Unterhaltung der Festungen erforderlichen Mittel gehorsam und unverweigerlich darreichen," vorerst noch die Zustimmung versagte; indem er sich den Zusatz gefallen ließ, „die Unterthanen sollten verpflichtet sein zu zahlen, was nach dem Herkommen und dem Bedürfniß erforderlich sei," gab er doch mit der andern Hand zu, was er mit der einen verweigerte.

Gegen fürstliche Gewalten, die fast sämmtliche Hoheitsrechte an sich gezogen, ohne deren Zustimmung der Kaiser weder Zölle, noch Reichssteuern, noch Lehenbriefe, noch Münzrechte ertheilen konnte, die über reiche Einnahmsquellen verfügten und aus deren Ertrag eine stehende Heeresmacht unterhielten, bot eine kaiserliche Autorität, wie sie die jüngsten Verträge begränzt, kein Gegengewicht mehr; die Verfassung des Reiches hatte fast aufgehört, eine monarchische zu sein, sie trug schon vorwiegend das Gepräge eines aristokratisch-republikanischen Gemeinwesens. Konnte doch aus der Wahlcapitulation von 1658 nur mit Mühe der Zusatz ferngehalten werden, daß der „Kaiser, wenn er nur einen Punkt der Capitulation überschritte, von selbst der Krone verlustig gehen solle"; so sehr hatten die Anschauungen Eingang gefunden, die Stellung des Kaisers beinahe nach dem Maßstabe eines republikanischen Magistrates zu bemessen!

Dieser Gang der Dinge hatte bereits vor den Verträgen von 1648 seine theoretischen Vertheidiger und Lobredner gefunden. Der bekannte Publicist Chemnitz, der unter dem Namen Hippolitus a Lapide schrieb, hatte diese Richtung des öffentlichen Lebens in ein gewisses System gebracht, und mochte man auch Vieles schief und einseitig nennen, was seiner Parteistellung und seinem Hasse gegen Habsburg angehörte, so blieb immer noch eine Auffassung übrig, welche den unwiderstehlichen Zug unserer politischen Entwicklung richtig faßte und mit jedem Tage eine entschiednere Bestätigung gewann. Gegenüber den jüngsten Versuchen, noch unter Ferdinand II., dem militärischen Cäsarismus

in Deutschland den Sieg zu verschaffen, war hier mit aller Leiden=
schaft und Bitterkeit das entgegengesetzte Extrem der Sondergewal=
ten, der partikularen Entwicklung, der kaiserlichen Ohnmacht auf=
gestellt und, anknüpfend an die herben Erfahrungen der letzten kai=
serlichen Regierung, eine Anklage gegen das Haus Habsburg ge=
richtet, deren gehässige Spitze außer der Dynastie zugleich die kaiser=
liche Gewalt selber traf. Man mochte von den Beweggründen
des Verfassers noch so gering denken, sein Buch war das Mani=
fest einer politischen Richtung, die in Münster und Osnabrück
zum vollen Siege gelangte und mit jedem Jahre Deutschland
mehr der Form zuführte, die Chemnitz verkündigt hatte.

Während das Reich auf diese Weise seine alte bindende Macht
eingebüßt, ja selbst durch den Eintritt fremder Mächte seinen na=
tionalen Charakter verloren hatte, waren die meisten Nachbarstaa=
ten, zunächst Frankreich und Schweden, an Ausdehnung und in=
nerer Einheit ungemein gewachsen und übten jenes natürliche
Uebergewicht, welches ihre abgerundete Lage, ihre monarchische
Einigung und Unumschränktheit gegenüber einem lockeren Föde=
rativstaate ihnen verleihen mußte. Indeß in Frankreich alle Staats=
kräfte in der Hand eines aufstrebenden, ehrgeizigen Königs zusam=
mengefaßt in e i n e r Richtung ausgebeutet, und diese Fülle von
Hülfsquellen von genialen Feldherren und Staatsmännern nutz=
bar gemacht wurden, war Deutschland durch politische und religiöse
Gegensätze dauernd entzweit, durch den Zwiespalt von Kaiser und
Fürstenthum, die Rivalität der Reichsstände, die Verschiedenheit
der Bekenntnisse nach allen Seiten hin auseinander gehalten. Die
letzten Formen des alten Reichsverbandes, der Reichstag und das
Reichskammergericht, geriethen in eine wahrhaft trostlose Stagna=
tion. Vergebens suchte man die Reichsjustiz wieder in einen nor=
malen Gang zu bringen, das große Reich vermochte kaum für ein
Dutzend Beisitzer die nöthigen Mittel beizuschaffen, indessen schon
1620 über 50,000 Stück Acten in den Kammergerichtsgewöl=
ben unerledigt lagen. Die Abfassung der „permanenten Reichs=
capitulation“, welche das Verhältniß von Kaiser und Reich ein
für allemal feststellen sollte, kam ebenso wenig zum Ziele, als die
„ordentliche Reichsdeputation“ mit der ihr aufgetragenen Erledi=
gung der unvollendeten Arbeiten. Der Reichstag selbst, durch

den sogenannten „jüngsten Reichsabschied" vom 17. Mai 1654
zum letzten Male verabschiedet, ward fortan zu einer permanenten
Versammlung und büßte damit den größeren Theil der Bedeutung
ein, die er für das öffentliche Leben des gesammten Deutschlands
noch gehabt hatte. Aus einer persönlichen Vereinigung der meisten oder sämmtlicher Reichsstände ward eine schwerfällige Versammlung diplomatischer Vertreter, der persönliche Verkehr und Mei-
nungsaustausch der Glieder des Reiches hörte auf und konnte durch
Gesandten mit Instructionen natürlich nicht ersetzt werden, die Frische
und Unmittelbarkeit, welche aus einer imposanten Versammlung
von Kaiser, Kurfürsten, Fürsten, städtischen Vertretern nie völlig
verschwand, konnte auf einem säumig besuchten Congresse von
Diplomaten nimmermehr heimisch werden, zumal wenn die unvermeidliche Weitläufigkeit der Formen einer solchen Versammlung
durch die pedantische und umständliche Richtung der Zeit noch
gesteigert ward. Es kam die Zeit, wo der unfruchtbare Haber
um die Erzämter, um den Rang, um den Excellenztitel die wichtigsten Geschäfte verdrängte, wo die Streitfrage, ob die fürstlichen
Gesandten nur auf grünen Sesseln zur Tafel sitzen sollten, oder
gleich den kurfürstlichen auf rothen, ob sie mit Gold oder Silber
bedient werden dürften, ob der Reichsprofoß am Maitag den kurfürstlichen Gesandten wirklich sechs, den fürstlichen nur vier Mai-
bäume aufstecken müsse — wo diese und ähnliche Streitfragen mit
religiöser Wichtigkeit behandelt wurden, die dringendsten Interessen
der Gesammtheit kaum zur Erörterung kamen. Und wäre diese
Pedanterie und Förmlichkeit nur auf den Reichstagssaal zu Regensburg beschränkt gewesen, hätte man nur dort sich bemüht, die
immer mehr schwindende Macht und Würde der Sachen durch
ängstliche Wahrung eitler Formen zu ersetzen! Aber es drang diese
Neigung in das gesammte deutsche Leben; die leeren Formen, das
weitläufige und schwerfällige Wesen verwuchsen um so inniger mit
uns, je mehr die Nation im Ganzen entwöhnt ward, große Interessen im großen Stile zu verfolgen, je mehr sich ihre ganze
öffentliche Thätigkeit seit 1648 um kleine Verhältnisse in kleinen
Kreisen bewegte.

Für die Entfaltung äußerer Macht und raschen Widerstandes
waren diese losen Formen um so ungünstiger, je fester und einiger

sich die nächsten Nachbarstaaten abgeschlossen hatten. Wie hätte diese lockere Föderation ohne einheitliche Executive, ohne eine tüchtige Heeresorganisation, ohne gemeinsamen Mittelpunkt dem Uebergewicht eines völlig consolidirten, militärischen Einheitsstaates, wie der Ludwigs XIV. war, widerstehen sollen? Zumal im Norden die Schweden, ins deutsche Gebiet weit hereingeschoben, im Südosten die Türken, deren Paschas noch zu Buda-Pesth saßen, als Frankreichs Verbündete das Reich bedrängten! In der That ist es weniger der Verwunderung werth, daß Deutschland in diesen Zeiten manch schwere Einbuße erlitt, als daß es, zwischen drei eng verbundene kriegerische und erobernde Völker eingeengt, für seine schwerfällige, unbewegliche und schutzlose Verfassung nicht noch härter büßen mußte. Daß Frankreich in dieser von kirchlichen und politischen Gegensätzen zerklüfteten Fürstenrepublik mit Geld und diplomatischen Künsten jenes Uebergewicht erlangen konnte', das von Ludwig XIV. bei der Kaiserwahl von 1657—1658, bei der Gründung des rheinischen Bundes geübt ward, daß es ungestört in den Friedensschlüssen von 1659 und 1668 sich eine furchtbare Gränze nach Osten zu schaffen vermochte, daß es in dem Kriege gegen Holland, als endlich Kaiser und Reich sich in Bewegung setzten, neue Vergrößerungen errang und Deutschland um die Früchte brachte, die der Brandenburger Kurfürst in seinen Siegen über die Schweden gewonnen, war gewiß kein unerwartetes Ergebniß, wenn man die Organisation Frankreichs mit der des Reiches, die Armeen und Feldherrn Ludwigs XIV. mit der Reichsarmee, Hof und Diplomatie des französischen Königs mit der Persönlichkeit und Umgebung Leopolds I. verglich, wenn man bedachte, daß hier dem „immerwährenden" Reichstag Schutz und Schirm des Landes überlassen war, dort ein Colbert und Louvois die Staats- und Heereskräfte leiteten. Frankreich hatte in diesen zwei Jahrzehnten von 1659—1679 die Schwäche und Unbeweglichkeit des Reiches kennen lernen; seine Reunionen und die Wegnahme von Straßburg bewiesen, daß diese Erfahrungen nicht verloren waren.

Freilich hat es in diesen Tagen der Bedrängniß an einzelnen Versuchen nicht gefehlt, der Noth des Reiches abzuhelfen, aber eben diese Versuche bewiesen am besten, wie wenig innerhalb der bestehenden Formen zu einem verständigen Ziele zu gelangen war.

Unter dem Eindrucke der Reunionen Ludwigs XIV. trat man im Anfang des Jahres 1681 darüber beim Reichstag in Berathung: ob nicht die Truppenzahl, die das gesammte Reich zu seiner Sicherheit bereit zu halten habe, sogleich bestimmt, das Contingent jedes Kreises festgestellt und eine aus gemeinsamen Beiträgen gebildete Kriegskasse errichtet werden solle. Bis diese Reichsdefensionalverfassung in den Grundzügen festgestellt war, ging aber Straßburg verloren, und die neue Einrichtung selbst war die nämliche, an welcher Feldherren wie Ludwig von Baden und Eugen von Savoyen sich vergebens versuchten, die nämliche, die später bei Roßbach eine unbeneidete Berühmtheit erlangt hat. Daß mit diesen Formen zu keinem erwünschten Ziele zu kommen sei, diese Erfahrung brach sich in diesen Zeiten der Noth immer mehr Bahn; sie spricht sich am bezeichnendsten darin aus, daß bei der Unbrauchbarkeit der vorhandenen Reichsordnung in andern Associationen ein Ersatz gesucht ward. So trat schon 1686, als sich der große europäische Bund gegen Ludwig XIV. bildete, eine Anzahl Reichsstände und Kreise mit dem Kaiser und auswärtigen Mächten zusammen, ließen bei ihrer Rüstung den Reichstag ganz aus dem Spiele und suchten durch eine freie Verbindung eine Wehrkraft herzustellen, die nach allen Erfahrungen das Reich als Gesammtheit nicht aufzubringen vermochte. Wir werden diesen Gedanken, daß statt der bestehenden Verfassung selbständige Associationen innerhalb des Reiches als Hülfsmittel zu benützen seien, bis zu dessen äußerer Auflösung wiederholt in charakteristischer Weise auftauchen sehen.

Unter dem Eindruck dieser verfallenden äußeren Ordnung des Reiches hat die geschichtliche Betrachtung häufig diesen Abschnitt unserer Entwicklung ungünstiger beurtheilt, als er es verdiente. War doch dies Zeitalter reich an bedeutenden Persönlichkeiten, und verdiente mit nichten den Vorwurf völliger Erschlaffung und Thatenarmuth. Eine Epoche, die einen Herrscher hervorbrachte, wie den großen Kurfürsten von Brandenburg, Kirchenfürsten wie Jo-

hann Philipp von Schönborn, Denker wie Leibniz, Soldaten wie
Derfflinger, war nicht unfruchtbar zu nennen. Die alte Kraft
deutschen Wesens war nicht verloren, auch wenn sie nur in engern
Kreisen sich geltend machte. Tapferkeit und kriegerische Talente,
Arbeitsamkeit und haushälterischer Sinn, schlichte Tüchtigkeit in
allen Zweigen fehlten nicht; nur war die ausgelebte Form des alten
Reiches der rechte Spielraum nicht mehr, sie zu üben. Der Werth
derselben beschränkte sich auf die erhebende und anspornende Erinnerung an die frühere Macht und Größe Deutschlands; eine Erinnerung, deren sittlichen Werth man freilich nicht zu gering anschlagen darf. So waren denn auch die Gedanken, welche die
besseren Zeiten erfüllt und gehoben hatten, keineswegs abgestorben;
nur suchten sie in den kleineren territorialen Gebieten zu der Entfaltung zu kommen, die ihnen das Reich nicht geben konnte.
Alles, was eine Nation im großen Ganzen erheben kann — Heeresmacht, bürgerliche Thätigkeit und Wohlfahrt, gesicherte Zustände
im Innern und gegen Außen, Pflege geistigen Lebens — das fand
z. B. in dem jungen preußischen Staate des großen Kurfürsten
einen so bedeutsamen Ausdruck wie irgendwo auf dem europäischen
Festlande; von dort aus wurde deutsche Waffenmacht zu Ehren
gebracht, von dort eine vaterländische Politik verfolgt, von dort
wirksam in den Gang der großen Geschichte Europas eingegriffen,
indeß sich die Organisation des Reiches zu dem Allem als unfähig erwies.

Wohl standen die großen Kriege von 1689—1697 und von
1701—1714 in ihren Erfolgen außer Verhältniß zu den Opfern
und Anstrengungen; aber sie waren darum keineswegs ohne bedeutsame Frucht. Hatte zu Ryswick das Reich, zu Rastatt und
Baden die allgemeine Lage Europas die Ungunst der Friedensver-
träge verschuldet, so waren deßwegen die Kämpfe selbst nichts weniger als vergeblich und ruhmlos. Während Frankreich verfiel,
gewann Deutschland, wenigstens in seinen einzelnen Theilen, an
kriegerischer Kraft und militärischer Organisation und die Thaten
deutscher Tapferkeit bei Höchstädt, Turin, Ramillies, Oudenarde,
Malplaquet dürften den schönsten Zeiten unserer Geschichte an die
Seite gestellt werden. Wie in früheren großen Tagen sah man
wieder deutsche Truppen aller Lande unter einem Banner fechten

und gegen Franzosen und Osmanen den alten Waffenruhm siegreich behaupten; unsere Heere durchzogen wieder wie in den glänzendsten Zeiten unseres Uebergewichts die eroberten fremden Lande; in Italien und am Ebro, in den Niederlanden und in der Türkei wurden Erfolge erstritten, deren moralische Frucht nimmer verloren war, auch wenn unsere Diplomatie an einem Tage einbüßte, was zehn glückliche Schlachten mit Ehren erstritten hatten. Wohl war die Politik wie die Kriegführung des „Reiches" kläglich genug; aber wie verschwand doch die Misère der Reichsarmeen vor dem überlegenen Eindruck dessen, was gleichzeitig Eugen, Marlborough, Markgraf Ludwig ebenfalls mit deutschen Truppen ausführten! Solche Thaten sind nie vergeblich, auch wenn ihnen der nächste Lohn entwunden wird. Verschwand nun doch der lange eingebildete Zauber französischer Unbesiegbarkeit; ward doch der Bewunderung und Anbetung des französischen Wesens endlich ein Ziel gesetzt! Denn in diesen Kriegen erwachte zuerst wieder mit neuer Stärke der gesunde nationale Gegensatz des französischen Wesens; unter dem doppelten Eindruck der Greuel von 1689 und 1693 und der Siege, die folgten, gewann das deutsche Wesen wieder eine Haltung und ein Gefühl des eignen Werthes, das in der nächsten Zeit nach dem westfälischen Frieden dem von allen Seiten einstürmenden Eindruck französischer Ueberlegenheit und französischer Vorbilder zu erliegen drohte.

Was in dieser Richtung Bedeutendes geschehen war, ließ sich nicht dem Reiche als Verdienst anrechnen. Denn während dessen gealterte Formen sich unfähig erwiesen, Schutz und Schirm nach Außen zu gewähren und im Innern die Keime eines gesunden und fortschreitenden Staatslebens zu entwickeln, brach sich der noch kräftige Lebenstrieb des deutschen Wesens seine besondere Bahn und strebte in kleinen Kreisen den Bedingungen eines eigenthümlichen Staats- und Culturlebens zu genügen. In keinem Theile Deutschlands geschah dies mit mehr Thätigkeit, Plan und Bewußtheit, als in dem jungen brandenburgisch-preußischen Staate, der eben dadurch eine Bedeutung und ein Interesse gewann, das die Verhältnisse seines äußern Umfangs weit überstieg. Dies Bestreben eines Gebietes und eines Fürstenhauses, zwar innerhalb Deutschlands aber im Gegensatze zur alten Reichsordnung, sich eine eigne, selbstgenügende Existenz zu schaffen, ist der Mittelpunkt, um den sich seit dem Ende des siebzehnten und namentlich im achtzehnten Jahrhundert die politischen Geschicke unseres Vaterlandes bewegen. Waren nun zwar die Formen der Reichsverfassung, wie sie namentlich seit 1648 bestanden, zu unmächtig, diesem Bestreben einen Damm zu setzen, so waren doch immer noch Kräfte genug thätig, dieser selbständigen Entfaltung territorialer Macht ein Gegengewicht zu bieten. Der Katholicismus ließ es nicht ruhig zu, daß sich eine so selbständige und unabhängige protestantische Fürstenmacht innerhalb des alten Reichsgebiets erhebe, die mittelalterlichen Richtungen sahen mit Feindseligkeit dieser Entfaltung einer ganz modernen Staatsordnung zu, die Erinnerungen und Ansprüche des alten Kaiserthums sahen in dem jungen Staate eine usurpatorische Tendenz, sich auf Kosten des Hergebrachten und Ueberlieferten zu vergrößern, die landesfürstliche Rivalität selbst nahm mit Widerwillen wahr, wie diese neue Macht darauf ausging, ein ganz anderes, auf sich selber gestelltes Uebergewicht zu erlangen, als es je die alte Kaisergewalt hatte zu üben vermocht.

Und selbst außerhalb des Reiches wirkten manche Interessen zusammen, diesem Streben territorialer Selbständigkeit, das die Form des Reiches vollends zersprengen mußte, zu begegnen. Man vergesse nicht, daß durch die Uebertragung ausländischer Kronen auf deutsche Fürsten das Reich selbst fast mehr einer europäischen Conföderation glich, als einem nationalen deutschen Staatsverbande. Denn so wie Oesterreich zugleich die Krone von Ungarn, Kurbrandenburg die Krone Preußen trug, so war Kursachsen in den Besitz der polnischen, Kurbraunschweig zur großbritannischen Königswürde gelangt. Von sechs weltlichen Kurfürsten waren also vier zugleich außerdeutsche Könige, während außerdem ein deutscher Pfalzgraf zugleich die Krone Schweden, ein Herzog von Holstein die von Dänemark trug. Diese europäische Verkettung des Reiches, wie sie dasselbe leicht in alle außerdeutschen Conflicte verflocht, trug auch wieder dazu bei, seine lockere Föderation zu schützen; denn ihr Fortbestehen war dadurch ein untrennbarer Bestandtheil des europäischen Gleichgewichts geworden und das hannoverisch-britische, das sächsisch-polnische u. s. w. Interesse, so verschieden sie sonst sein mochten, kamen doch in dem einen Punkte

ganz überein, daß man die „Verfassung" von 1648 schützen und
das Streben der brandenburgisch-preußischen Selbstherrlichkeit auf
jede Weise bekämpfen müsse. Ihr Interesse traf darin wieder ganz
zusammen mit der natürlichen Politik des habsburgischen Kaiserhauses: konnte dies seit 1648 nicht mehr daran denken, die früheren cäsarischen Entwürfe wieder aufzunehmen, so mußte es wenigstens mit aller Macht zu verhüten suchen, daß nicht das Uebergewicht und die leitende Rolle in den deutschen Dingen dem brandenburgisch-preußischen Staatswesen anheimfiel. „Erhaltung der
Verfassung von 1648" — war deßhalb auch hier wie bei den
deutsch-ausländischen Reichsständen das unvermeidliche politische
Programm gegenüber dem Reiche.

Gleichwol war dieser Zustand doch nur so lange haltbar, als
Brandenburg-Preußen selbst sich beschied, dieser Politik der Erhaltung der Reichsform sich freiwillig anzuschließen. Die beiden ersten Könige von Preußen thaten dies: Friedrich I. aus Gründen,
die in seinem Bemühen um die Königswürde und in seiner Persönlichkeit lagen, Friedrich Wilhelm I. aus aufrichtiger, ehrenwerther Anhänglichkeit an die überlieferte Form des Reichs und deren
kaiserliches Oberhaupt. Gab Preußen diese genügsame Stellung
auf, so war — allerdings um den Preis eines erbitterten Kampfes gegen Oesterreich, gegen die Mehrzahl der Reichsfürsten und
gegen die ausländischen mit Deutschland verflochtenen Mächte —
die Umgestaltung der Form des Reichsverbandes, ja die allmälige
Auflösung schwer aufzuhalten.

Dieser Umschwung trat mit dem Jahre 1740 ein. In diesem
Augenblicke bestieg ein Fürst den preußischen Thron, dem der Entschluß und die Kraft innewohnte, dem jungen Staate die Selbständigkeit und die weltgeschichtliche Stellung zu erkämpfen, zu
welcher ein großer Vorgänger die Fundamente gelegt hatte; und
es war dies zugleich derselbe Augenblick, wo der männliche Zweig
des Hauses Habsburg erlosch und damit in den deutschen wie in
den europäischen Verhältnissen sich eine Reihe günstiger Chancen
eröffnete, die dem kühnen Beginnen Erfolg verhießen.

Wir müssen, um einen deutlichen Einblick in diese große Umwälzung der deutschen Dinge zu gewähren, einen Rückblick thun auf die Entwicklung beider Theile, deren Verbindung und Gegensatz fortan die Geschichte Deutschlands bestimmt: auf das Kaiserthum in seiner Verbindung mit der habsburgisch=österreichischen Macht, und auf die Anfänge des brandenburgisch=preußischen Staates.

Erstes Buch.

Das deutsche Reich bis zum Tode Friedrichs des Großen. (—1786.)

Erster Abschnitt.

Oesterreich bis zum Tode Karls VI. (1740).

Unter den Gebieten und Ständen des Reiches, die zugleich eine deutsche und eine außerdeutsche Stellung einnahmen, stand in erster Linie Oesterreich und seine Dynastie. Ein Stück kerndeutschen Landes war hier durch dynastische Bande mit Gebieten und Stämmen halbslavischer, ganzslavischer, magyarischer und wälscher Nationalität äußerlich zusammengekittet, ohne daß — außer dem Herrscherhaus — irgend etwas Gemeinsames, sei es in Sprache, Cultur, religiöser oder politischer Meinung, die einzelnen Bestandtheile inniger verband. Was dies Verhältniß für das Reich besonders bedeutsam machte, war der merkwürdige Umstand, daß gerade mit diesem Lande und seiner Dynastie seit drei Jahrhunderten die römisch-deutsche Kaiserwürde verbunden war. Die Geschichte hat kein ähnliches Verhältniß aufzuweisen, das so eigenthümlich wie dieses verschlungen solche Gegensätze in sich enthielte und doch zugleich wieder so schwer zu lösen wäre.

Die absonderliche Stellung des deutschen Herzogthums Oesterreich ist so alt wie seine Existenz. Schon in dem Augenblick, wo es im zwölften Jahrhundert von Baiern getrennt und — bezeichnend genug nur aus dynastischen, nicht aus nationalen Interessen — zum eignen Herzogthum erhoben ward, erhielt es eine begünstigte Sonderstellung; sein Herzog schied sich durch eigenthümliche Vorrechte von allen andern Herzögen des Reiches, er war den Wehrpflichten und rechtlichen Verbindlichkeiten nicht wie die andern unterworfen, er genoß alle Vortheile, welche das Verhältniß zum

Reich gewährte, ohne auch nur einen kleinen Theil der Pflichten und Lasten zu tragen. Wie dann seit Ende des fünfzehnten Jahrhunderts im Reiche das Bedürfniß einheitlicher Organisationen sich Bahn brach, war es wieder Oesterreich, das den Reichsgesetzen wie den Reichsgerichten sich entzog. Darum konnte schon damals vorübergehend der Gedanke auftauchen, die österreichischen Lande zu einem eignen Königreich unter einem erblichen Fürsten des Hauses Habsburg zu erheben. Nun wuchs im Laufe der Zeit mit diesen Landen eine Reihe fremder Gebiete und Stämme zusammen und bildete eine der seltsamsten Länderanhäufungen, wovon die Geschichte zu berichten weiß. Die verschiedensten Raçen neben einander und durch einander, germanische Art und Cultur neben halber Verwilderung und rohen Nomadenzuständen, verfeinerte Lebensbedürfnisse neben ganz primitiver Rohheit, die raffinirten Künste der Civilisation neben träger Barbarei, die verschiedensten Gruppen religiöser Bekenntnisse, das deutsche Element selber durch dies Chaos wilder und unfertiger Massen oft nur in dünnen Adern der Culturentwicklung sich durchschlingend, das wirre Ganze eben nur durch die dynastische Einheit zusammengehalten — so war die äußere Gestalt der habsburgisch-österreichischen Ländermasse seit Jahrhunderten gewesen. Es scheint kaum zweifelhaft, daß ohne die stete Verbindung, die zwischen der Dynastie und dem deutschen Reiche durch den Besitz der Kaiserwürde hergestellt war, diese Ländergruppen, deutsche wie nichtdeutsche, längst einen ganz gesonderten, von Deutschland völlig abgelösten Gang der Entwicklung hätten einschlagen müssen. Deutschösterreich wäre dann für Deutschland in einem nicht viel andern Verhältniß gewesen, als was das losgerissene Elsaß und Lothringen in seiner Verbindung mit Frankreich, die Ostseeprovinzen in ihrer Verknüpfung mit Schweden und Rußland geworden sind.

Wo der Zusammenhalt so verschiedener Ländermassen eben nur durch die Dynastie vermittelt wird, da mußte der Charakter und die Art des Fürstenhauses von ungewöhnlicher Bedeutung für die geschichtlichen Erlebnisse der Länder selber sein. Das Haus Habsburg hatte nicht wie andere Geschlechter eine reiche Reihe großer Persönlichkeiten aufzuweisen; an den berühmten Gründer der Macht des Hauses schloß sich erst nach Jahrhunderten in Karl V. wieder eine wirklich hervorragende Erscheinung an und auch diesem folgt wieder bis zum Ausgang des Mannesstammes eine weite Oede von Persönlichkeiten ohne ungewöhnliche Gaben des Geistes und Charakters. Die gegenseitigen Heirathen im eignen Geschlecht, die Mischung mit dem spanischen Blute, die mönchische Erziehung seit dem sechszehnten Jahrhundert konnten nicht dazu beitragen, das Haus physisch und geistig zu verjüngen. Vielmehr schlug die angeborene Härte und Zähigkeit des Geschlechts in jene Starrheit und Monotonie aus, die an beiden Linien, der deutschen wie der spanischen, einen so bezeichnenden Charakterzug bildet. War die Physiognomie der Familie nicht reich an bedeutenden Zügen, so war die Gleichmäßigkeit und allgemeine Aehnlichkeit der meisten Persönlichkeiten ein um so eigenthümlicherer Zug. Die deutschen Ferdinande, wie die spanischen Philippe zeigen Generationen hindurch stets dasselbe Gepräge von kalter Strenge, despotischem Stolz, von Ungeschmeidigkeit, von rücksichtsloser, selbst grausamer Härte in der Verfolgung des engen Gedankenkreises, von dem sie beherrscht sind. Was von Frische, Heiterkeit und vorwärtsstrebendem Lebensmuthe in dem Ahnherrn Rudolf, in dem ritterlichen Maximilian so liebenswerth und populär gewesen, das schien seit der spanischen Vermischung völlig verschwunden; von dem religiösen und politischen Absolutismus in seiner starrsten Form beherrscht, wechseln unter den Persönlichkeiten des Hauses fast ausnahmslos jene düstern, strengen Gestalten, wie der spanische Philipp II. und der deutsche Ferdinand II., oder es schlägt gar der mönchische Fanatismus und die angeerbte Melancholie in eine wirkliche Geistesstörung über, deren trauriges Exempel Rudolf II. war. Daß solch ein Geschlecht besonders geeignet war, eine furchtbare Waffe in den Händen hierarchischer und absolutistischer Herrschsucht zu werden, das zeigt die Geschichte der akatholischen Bekenntnisse in Oesterreich, zeigt das Schicksal der provinziellen und nationalen Freiheiten in den einzelnen Territorien. Haben doch selbst die Sanftmüthigsten der Dynastie, wie Leopold I, gemäß der Tradition ihres Hauses, gegen Protestanten und Ungarn eine Gewaltthätigkeit und eine rücksichtslose Strenge walten lassen, wie sie sonst nur in der Geschichte wilder revolutionärer Zeiten zu finden ist.

Für die habsburgische Politik war das Interesse des Herrscherhauses der einzige Mittelpunkt, das allein Gemeinsame inmit-

2*

ten dieser verschiedenen Gebiete und Nationalitäten. Seine dynastische Macht strebte Habsburg durch Heirathen, diplomatische
Verträge, selbst durch große und gefahrvolle Kriege zu erweitern;
das nationale und populäre Interesse mußte nicht selten seinen
dynastischen Zwecken zu Liebe die schwersten Opfer bringen. Das
dynastische Interesse erforderte einerseits, die störende Selbständigkeit der nationalen Freiheiten und Rechte zu brechen, andererseits
die Verschiedenheit und Eifersucht der einzelnen Völker- und Ländergruppen nach dem Grundsatz des divide et impera zu erhalten.
So wurde gegenüber den provinziellen, den ständischen, den kor-
porativen Rechten, wo es die Herrscherstellung der Dynastie erforderte, vielfach nivellirend verfahren und doch zugleich mit be-
wußter Scheu die Verschmelzung der einzelnen Gebiete und Raçen
zu einem Gesammtstaat vermieden. Statt durch Hebung der materiellen und geistigen Kräfte, durch Erweckung und Pflege aller
Lebenstriebe im Volke, durch Cultur und freie Bewegung jene
Verschmelzung vorzubereiten, zog es die Dynastie vielmehr vor,
durch den Gegensatz und die Zwietracht der verschiedenen Nationalitäten sie sämmtlich zu beherrschen. Die große Ausdehnung der
ererbten Macht, ihre natürlichen, wie es schien, unerschöpflichen
Hülfsquellen, forderten zur unruhigen, schöpferischen Thätigkeit
nicht so sehr heraus, wie der beschränkte Umfang und die knappen
Mittel anderer Staaten; es schien genug, wenn man das Vorhandene erhielt, die alten Ueberlieferungen schützte und die Einflüsse neuer Gedanken und Gährungen nach Kräften abwehrte.
Man glaubte in Oesterreich nicht der Regsamkeit, der unermüdlichen Anspornung, der erfinderischen Thätigkeit zu bedürfen, woduch
andere kleine Gebiete sich zu einer unerwarteten politischen Macht
emporarbeiteten, man hatte ein großes Capital an Land und Leuten, man besaß ein anerkanntes Gewicht in den öffentlichen Dingen Europas; es schien hinreichend, wenn dies Vorhandene mit
Zähigkeit erhalten und allen neuen Strömungen der Widerstand
der Stabilität entgegengestellt ward.

So waltet im sechszehnten und siebzehnten Jahrhundert die
Dynastie in dem großen Erbreiche; sie vernichtet, so weit es mög-
lich ist, die Selbständigkeit und die nationalen Freiheiten der
Czechen, Magyaren und Deutschen, sie zerbricht die widerstrebende
Macht des Adels, aber sie hütet sich zugleich, auf diesen mittel-

alterlichen Trümmern einen modernen Gesammtstaat aufzurichten.
Sie hütet sich, die Kraft des Bürgers und Bauers großzuziehen,
durch Regsamkeit, angestrengte Arbeit, freiere Bewegung und Anspornung der Kräfte die Verschmelzung der einzelnen Stämme und
Lande zu fördern, sie zieht es vor, durch Trennung der einzelnen
Stämme sich die Leichtigkeit der Herrschaft zu sichern. In diesem
Sinne zerriß Ferdinand II. den Majestätsbrief der Böhmen, vertrieb und beraubte er den widerspenstigen Adel, reagirte Leopold
gegen die Ungarn, ihre Verfassung und ihre hervorragendsten
Häupter, in diesem Sinne bewahrten aber auch Beide mit ängstlicher Sorgfalt die alte Vielfältigkeit und Getheiltheit der Verhältnisse, wehrten jede neue Strömung ab, die gährend auf diese träge
Stabilität herüberwirken konnte, zehrten mehr von den vorhandenen Kräften des Erbstaates, als daß sie sich bemüht hätten, durch
angespannte Thätigkeit die intensive Kraft zu steigern.

Es schien eine Zeit lang, als werde die Reformation des
sechszehnten Jahrhunderts diese Politik vereiteln. Damals als die
deutschen Lande so gut wie Böhmen und Ungarn von der neuen
Lehre ergriffen, der ganze deutsche Adel Oesterreichs mit kaum nennenswerthen Ausnahmen abgefallen war von der alten Kirche und
seine Unterthanen zu gleichem Abfall mit fortriß, als überall die
Schule, die Gelehrsamkeit und die Volkserziehung dem Lutherthum
angehörte, als man in ganz Deutschösterreich, Kärnthen und Steiermark kaum noch ein Dutzend katholische Adelsfamilien fand und
Ferdinand (II.) selbst in seiner Steiermärker Hauptstadt sich völlig
isolirt fand mit seinem katholischen Bekenntniß, damals drohte der
Hauspolitik von Habsburg die allerernsteste Gefahr. Das Lutherthum im Zusammenhang mit der deutschen Bildung drohte die
Sonderstellung des habsburgisch-österreichischen Erbstaates zu erschüttern, zwischen den verschiedenen Nationalitäten eine gewisse
Gemeinsamkeit in Glauben und Bildung anzubahnen, und doch
zugleich durch den wach gewordenen nationalen und freiheitlichen
Trieb der Stämme und Körperschaften die Existenz und Herrschaft
des regierenden Hauses selber zu untergraben. Es ist bekannt,
mit welch zähen und gewaltsamen Mitteln zugleich diese Gefahr
bekämpft worden ist. Es bedurfte der systematischen Verdrängung
der protestantischen Schule und Bildung durch den Jesuitenunter-
richt, der Vertreibung des lutherischen Cultus erst aus den Kirchen,

dann aus den Häusern und Familien, der Absperrung vor jeder
aus dem übrigen Deutschland herüberwirkenden religiösen oder
geistigen Berührung, dann der erzwungenen Rückkehr zur alten
Lehre, der Schreckensmaßregeln, der Vertreibungen, der Confiscationen und Bluturtheile, um nach ungeheuern Kämpfen die katholische Einheit wieder aufzurichten und das Wort Ferdinands II.
an manchen Stellen buchstäblich zu erfüllen: „Besser eine Wüste,
als ein Land voll Ketzer."

Auf wenig Punkten in der Geschichte ist diese Politik der
Restauration mit solcher Gewalt und Zähigkeit gehandhabt wor-
den, wie in dem habsburgisch-österreichischen Staate und in wenig
Fällen hatte das Gelingen so entscheidende Folgen, wie gerade hier.
Nicht nur für Deutschland, welches ohne diese energische Gegenwirkung dem römischen Katholicismus völlig verloren gewesen
wäre, sondern namentlich für die österreichischen Länder selbst. Neben der materiellen Verwüstung, welche einzelne Provinzen, z. B.
Böhmen, in furchtbarer Weise getroffen, waren die moralischen
Folgen der durch Ferdinand II. vollbrachten Revolution unermeß-
lich. Die geistige Rührigkeit und Bewegung, wodurch sich in
alten Zeiten der deutsch-österreichische Stamm ausgezeichnet und die
noch im 16. Jahrhundert mit erneuter Frische sich kund gegeben,
war durch die Zeiten der Gewalt und Zerstörung auf lange Zeit
geknickt; es trat jene Dumpfheit und träge Stille ein, die zu beseitigen es im achtzehnten Jahrhundert einer neuen durchgreifenden
Revolution von oben bedurfte. Es war eine Entwicklung, die in
vollem Gange war, gewaltsam gestört worden und es trat ein
nur noch vegetirendes geistiges Leben an die Stelle. Indem man
die neue Lehre bis auf die Wurzeln ausrottete, zerriß man zugleich
die feinen Fäden der Sprache, Bildung und Erziehung, durch die
das Lutherthum die engere Berührung mit Deutschland vermittelt
hatte. Die Gegenreformation war hier mehr als irgendwo sonst
auf deutscher Erde ein Sieg des Romanismus über germanisches
Wesen und dessen nationale Bildung. Die volksthümliche Literatur und Erziehung, die in frischem Aufschwung begriffen war,
mußte der Jesuitenbildung weichen, deren hierarchischer Kosmopolitismus überall der natürliche Feind aller Nationalität, Mutter-
sprache und einheimischer Literatur gewesen ist. Die Oede an bedeutenden literarischen Erscheinungen im Zeitalter der Hugo Gro-

tius, Spinoza, Leibniz, Newton gab den besten Maßstab für
den Werth dieser priesterlichen Erziehung. War doch in zwei
Jahrhunderten nicht ein einziges selbständiges klassisches Werk,
nicht ein einziger großer literarischer Name aufgetaucht, und die
Nationalbildung zu Ende des 17. und zu Anfang des 18. Jahrhunderts so tief gesunken, daß man den jungen Nachwuchs von
höheren Beamten, Diplomaten u. s. w. auf protestantische Universitäten in Deutschland und Holland schickte, damit sie sich dort
ihre nothdürftige Berufsbildung erwerben konnten. Gegenüber dem
deutschen Wesen selbst war die Entfremdung so augenfällig, daß
ein aufrichtiger jesuitischer Geschichtschreiber aus der Zeit Leopolds I. offen erklärt: die deutsche Sprache sei in Oesterreich fast
in einem fremden Lande.

Gleichwol hatte dies deutsche Element, so sehr es durch die
herrschende Politik und durch Jesuitenbildung hintangedrängt war,
für Oesterreich und selbst für die überlieferte Staatskunst eine ungemeine Bedeutung. Denn so sehr man sich auch geschieden von
dem allgemeinen deutschen Entwicklungsgang, so wenig das oberste
Regiment und seine Träger von eigentlich deutscher Art und
Richtung waren, die deutschen Bestandtheile des bunten Reiches,
wenn auch an Umfang und Menschenzahl der Summe der außerdeutschen lange nicht gewachsen, waren doch die wichtigsten des
ganzen Ländercomplexes. Hier war doch eine gewisse überlieferte
Cultur vorhanden und, wenn man die fernliegenden italienischen
und niederländischen Nebenlande abzog, allein eine Cultur vorhanden; diese Gebiete setzten doch die habsburgische Ländermasse
mit der westeuropäischen Welt in unmittelbare Berührung und
schützten sie vor der Gefahr, der barbarischen Lethargie und Unbeweglichkeit des Südostens zu verfallen. Von hier aus ließ sich
doch ein Einfluß auf das ungeschlachte slavische und magyarische
Wesen üben, wie ihn jede auch unfertige Cultur über primitive
Rohheit üben muß. Diese deutschen Elemente waren doch die
einzigen, durch die man in der Verwaltung, im Heere, im bürgerlichen Leben die unbehauenen Stoffe der andern Stämme glät-
ten und abschleifen konnte. Denn war das deutsche Element auch
nicht stark genug, dem ganzen Reiche und seinen bunten Bestandtheilen ein gemeinsames germanisches Gepräge zu geben, so reichte
es doch vollkommen hin, den Kitt abzugeben zur Verbindung der

einzelnen nationalen Verschiedenheiten. Ohne diesen Kitt, ohne diese Vermittlung mit der westeuropäischen Welt war der habsburgische Staatencomplex nur zu sehr der Gefahr ausgesetzt, Zuständen zu verfallen, wie sie in Polen, Rußland und dem osmanischen Reiche damals existirten. Berührung und innere Verwandtschaft damit war ohnedies genug vorhanden. Schon aus dieser einen Ursache war die habsburgische Politik genöthigt, sich von den deutschen Dingen nicht völlig abzuwenden, sondern in der wenn auch oft nur äußerlichen Berührung damit ein Gegengewicht zu suchen gegen den natürlichen mechanischen Druck, den das Slaven- und Magyarenthum auf das Ganze auszuüben trachtete. Dazu kam noch, daß das Kaiserthum für die einzelnen lose verknüpften Theile des Reiches eine unverkennbare moralische Bedeutung besaß. Man sah in der Kaiserkrone immer noch die erste Würde der Welt, die Bevölkerung des Reiches betrachtete ihre Fürsten als die Herren in Deutschland und dies gab dem sonst sehr lockeren Gefüge der einzelnen Provinzen eine Einheit und einen Zusammenhang, welcher der Staatseinrichtung selber völlig abging.

Das Verhältniß zum römisch-deutschen Reiche war nach dem Allem ein so ganz eigenthümliches, daß sich in der Geschichte kein zweites damit vergleichen läßt. Die früheren Entwürfe, denen noch Karl V. und Ferdinand II. nicht fern standen, die Entwürfe, die dahin abzielten, eine wirkliche Herrschaft über Deutschland herzustellen und durch Absolutie, Militärgewalt und katholische Glaubenseinheit zu erhalten, mußten seit 1648 aufgegeben werden. Selbst auf die Ausübung einer kaiserlichen Autorität im alten Sinne mußte Habsburg verzichten, wenn es sich nicht unberechenbare Schwierigkeiten bereiten wollte. Aber deßwegen war die Kaiserkrone für Habsburg keineswegs werthlos. Sie gewährte neben der immer noch anerkannten völkerrechtlichen Geltung des römischen Kaiserthums zugleich die freilich sehr verringerten Rechte und Ansprüche des deutschen Königthums, das in jener Kaiserwürde aufgegangen war. Sie gab die legale Handhabe, auf die deutschen Dinge immer noch einzuwirken und sich an Deutschland eine Stütze und Stärke zu holen. Noch hatte das Kaiserhaus eine Anzahl zerstreuter Besitzungen im Süden und Westen des Reiches, die bis zur äußersten Westgränze Deutschlands reichten; noch besaß es eine Reihe natürlicher Verbündeten im Reiche, die einzeln

nicht schwer in die Wagschale fielen, deren Summe aber von Bedeutung war. Die deutsche Aristokratie, die in andern deutschen
Landschaften dem Absolutismus der Fürstengewalt unterlag, sah
in Oesterreich fortwährend das Land ihrer Hoffnungen und die
natürliche Hülfe ihrer Interessen; denn dort allein hatte der Adel
noch eine politische Bedeutung und stand unmittelbar neben der
Dynastie am Ruder der großen Staatsgeschäfte. Der Katholicismus und die darauf beruhende Stellung der geistlichen Fürsten
hatte nur in dem Träger des mittelalterlichen römischen Kaiserthums, also in der habsburgischen Macht und der dort herrschenden Politik, eine zuverlässige und zureichende Stütze. Die kleineren und hülfloseren Reichsstände, die von der landesfürstlichen
Politik der Abrundung und Vergrößerung am nächsten bedroht
waren, die Reichsgrafen, Reichsstädte und Reichsritter hatten
ohnedies keinen natürlicheren Protector als das Kaiserhaus, dessen Interesse hier vollkommen mit dem ihrigen zusammenfiel.

Aus eben diesem Grunde war es seit 1648 die natürliche
Politik der habsburgischen Kaiser, den Status quo der westfälischen Verträge zu erhalten. Die Hoffnung, das römische Kaiserthum und mit ihm die Ausschließlichkeit der römischen Kirche in
Deutschland zur Herrschaft zu bringen, war zwar durch den dreißigjährigen Krieg vereitelt, aber ebenso wenig hatten diejenigen
ihre Zwecke erreicht, welche die römische Kirche und das Kaiserthum völlig aus Deutschland zu verdrängen trachteten. Nachdem für den Kaiser die Aussicht einmal verloren war, die ungetheilte Herrschaft über Deutschland selber zu erlangen, mußte er
wenigstens mit allen Kräften hindern, daß sie nicht einem Andern
zufiel. Die Vergrößerungs- und Arrondirungsbestrebungen der einzelnen Landesherren, das Bemühen, ihre Macht äußerlich auszudehnen und im Innern über die Unterthanen mehr zu befestigen,
hatten fortan das natürlichste Gegengewicht an Oesterreich. Aber
aus eben diesem Grunde konnte es auch nicht in den habsburgischen Planen liegen, eine Veränderung der Reichsverfassung,
selbst wenn sie zur bessern Organisation des Ganzen hinstrebte, zu
unterstützen oder auch nur zu dulden. Das Streben des übrigen
Deutschlands, sich selber besser zu ordnen und zu gliedern, als
es in der Verfassung von 1648 geschehen war, führte unvermeidlich zu einer Entfernung, vielleicht Trennung von Oesterreich,

und drängte die habsburgische Politik aus ihren letzten vorge-
schobenen Posten im Reiche. Denn eine Verschmelzung, oder
auch nur ein ganz enger Anschluß des habsburgischen Reiches
an das deutsche, selbst wenn er durchführbar war, lag nicht einmal in den Wünschen und überlieferten Interessen dieser Politik: in der Alternative aber, entweder durch eine Umbildung der
Reichsverfassung den eignen Einfluß einzubüßen, oder durch die
Erhaltung der bestehenden Formen mit allen Mißbräuchen sich
im Zusammenhang mit Deutschland zu erhalten, konnte die habsburgisch-österreichische Politik über den einzuschlagenden Weg nicht
im mindesten zweifelhaft sein.

So mangelhaft das Reich organisirt war, so enthielt es doch
eine Summe von Kräften, welche die Verbindung mit ihm keineswegs werthlos machten. Der habsburgisch-österreichische Staat
zumal hatte in ganz Europa keinen natürlicheren Verbündeten als
das deutsche Reich, mit dem er eine Reihe von Gefahren gemein,
von dem er Viel zu hoffen, Nichts zu fürchten hatte. Die Franzosen
und die Osmanen waren dem habsburgischen und dem deutschen
Reiche in gleichem Maße bedrohlich und feindselig; wie nahe lag
es für Habsburg, an Deutschland einen Rückhalt zu suchen, das
Reich in seine Kriege zu verwickeln, es zur Abwehr nach Westen,
zu Diversionen gegen Frankreich zu gebrauchen, falls die Osmanen die Mauern von Wien bedrohten! Und gerade in diesem
Verhältniß stimmte das habsburgisch-östliche Interesse mit dem
des deutschen Reiches so vollkommen zusammen, daß nicht einmal
der Vorwurf laut werden konnte, Oesterreich reiße das Reich zu
Unternehmungen fort, die dessen eignen Interessen widersprächen.

Nur ließ sich ebensowenig läugnen, daß in diesem gemeinschaftlichen Thun die österreichische Politik in ihrer einheitlichen
Leitung, ihrer Bestimmtheit und ihrer festen Ueberlieferung ihre
Interessen viel besser wahrte, als das lose, schwerfällige, jeder consequenten Staatsleitung entbehrende deutsche Reich. Als die Macht
Ludwigs XIV. Deutschland anfing zu bedrängen, blieb die habsburgische Politik lange Zeit lau und unthätig, ließ sich sogar in
ein Bündniß mit Frankreich ein, und als sie sich endlich entschloß,
dem großen Kurfürsten von Brandenburg gegen den Reichsfeind
beizustehen, geschah dies so lässig und zweideutig, daß man darüber zweifeln konnte, ob nicht die österreichischen Heere dazu auf-

gestellt waren, die brandenburgischen zu beobachten oder gar in
ihrem Vordringen zu hemmen. Versichert doch eine österreichische
Quelle selber, Montecuculi habe geheimen Befehl gehabt, seine Waffen den Franzosen nur zu zeigen, nicht sie zu gebrauchen. Oesterreich sah den Reunionen lange Zeit unthätig zu, ließ die (freilich protestantische) Reichsstadt Straßburg ohne Hülfe — unein-
gedenk des tiefsinnigen Wortes, das Karl V. einst ausgesprochen:
wenn Straßburg und Wien zugleich bedroht sei, werde er zuerst
an den Rhein eilen. Selbst die Gefährdung der spanischen Niederlande sammt dem unschätzbaren Festungsgürtel in Flandern und
Hennegau, wodurch das habsburgische Hausinteresse selbst unmittelbar berührt war, wurde nur säumig abgewehrt, der ganze Krieg,
wie ihn Oesterreich am Rhein und im Westen führte, war matt
und schläfrig, man überließ es dort dem Reich und einzelnen
kriegstüchtigen Fürsten, sich selber zu schirmen. Welch ganz andere
Anstrengungen wurden von Seiten des Reichs gemacht, um Oesterreich gegen die Türken zu schützen! Es wird Niemand die hohe
Bedeutung verkennen, welche der Kampf gegen die Osmanen
hatte; es standen hier nicht nur die höchsten Interessen der westeuropäischen Cultur und Freiheit auf dem Spiele, sondern für
das deutsche Reich selbst hatten diese Kriege den großen nationalen Werth, daß sie überhaupt wieder einmal eine gemeinsame
Kraftentwicklung Aller, ein Zusammenstehen der verschiedensten
Stämme und Territorien hervorriefen, daß Kaiserliche mit Bran-
denburgern, Sachsen und Baiern wieder sich vereinten, die alte
deutsche Tapferkeit durch glanzvolle Siege zu verherrlichen; aber
augenfällig ist doch der Gegensatz zwischen dem dürftigen Kriege,
den Oesterreich im siebzehnten Jahrhundert im Westen zum Schutz
Deutschlands führt, verglichen mit den großen Anstrengungen, die
Deutschland selbst nach der lange nachwirkenden Erschöpfung des
Reichskrieges zum Schutze des Südostens gemacht hat. Man hat
es nicht selten als ein besonderes Verdienst der habsburgischen Politik gepriesen, daß sie deutsche Cultur und Freiheit gegen die Un-
gläubigen geschirmt; es scheint uns vielmehr, als habe das Reich
selbst in seiner verfallenen Gestalt noch das Beste und Wirksamste
gethan, das habsburgische Erbe gegen die osmanische Barbarei zu
schützen.

Welch andern Kraftaufwand entwickelte Oesterreich, wenn es

die Verfechtung eines Hausinteresses galt! Ein solches war die Streitfrage, die den furchtbaren spanischen Erbfolgekrieg hervorrief. Wohl war auch das Reich von dem Zuwachs von Macht, der Frankreich durch das Testament Karls II. bevorstand, nahe berührt, aber was Oesterreich zu so heftigem Kriegseifer trieb, war die Integrität des habsburgischen Erbes, und während das Reich in seiner damaligen Gestalt sich kaum entschlossen hätte, die Waffen zu ergreifen über die Frage, ob ein Bourbon oder ein Habsburger König von Spanien sein solle, war dies für die dynastische Politik Oesterreichs eine Angelegenheit vom ersten Range.

Greller noch als im Kriege trat in den diplomatischen Verhandlungen die Scheidung des österreichischen Hausinteresses von dem Vortheil und den Bedürfnissen des deutschen Reichs zu Tage. Wir brauchen nur zu erinnern an die Haltung, welche die Diplomatie des Kaisers zu Nymwegen und Ryswick einnahm, um das Verhältniß zu charakterisiren, in welches sich bei solchen Unterhandlungen Habsburg zu Deutschland setzte. Oder als bei den Conferenzen zu Gertruidenburg (1710) Ludwig XIV. tief gebeugt nicht nur zur Zurückgabe der Reunionen und Straßburgs, sondern selbst zur Wiederabtretung des Elsasses und der Festung Valenciennes sich verstehen wollte, da war es doch auch nicht das Interesse des Reichs, sondern nur das des habsburgischen Hauses, das zur Verwerfung dieser Anträge und zur Fortsetzung eines Krieges rieth, dessen Ausgang von allen diesen Forderungen keine einzige erfüllte! Es war nicht zu wundern, daß man in Deutschland, so beschränkt auch die kaiserliche Autorität schon war, sich doch immer noch nicht für sicher hielt, so lange dem Kaiser auch nur die Macht blieb, einen Frieden ohne die Mitwirkung des Reiches zu schließen.

Auch die pragmatische Sanction war nur eine Sache des Hausnicht des deutschen Reichsinteresses. Um dafür die werthlose Garantie Frankreichs zu erlangen, opferte Karl VI. in den wiener Präliminarien (1735) ein deutsches Reichsland, das Herzogthum Lothringen; die Entschädigung, die dafür in Toscana ward, kam wieder nur dem Hause, nicht dem Reiche zu gut.

Auf der andern Seite durfte man nicht vergessen, daß, so sehr auch im Einzelnen habsburgisch-österreichische und deutsche Interessen auseinander gingen, doch auch wieder die äußere Lage beider Territorien, so gut wie die inneren Berührungspunkte, ein enges Verhältniß erzeugen mußten. Wohl war die Politik Habsburgs der nationalen Entfaltung unserer inneren Verhältnisse schnurstracks entgegen, wohl nährte sie die kirchliche Entzweiung, verwickelte uns in weitläufige Kriege für ihr Interesse, schützte uns viel weniger, als wir sie schützen mußten, aber dennoch hatten das Reich und die habsburgischen Erbstaaten wieder darin unauflösliche Berührungspunkte, daß die Gränze, die sie beide schied, keine natürliche und geschichtliche war, daß beide meist dieselben Feinde zu fürchten und dieselben Gefahren zu bekämpfen hatten. Dieser große Complex mitteleuropäischer Länder, so verschieden er im Einzelnen nach Geschichte, Art, localen Bedürfnissen und Entwicklungsformen war, hatte doch wieder nach Osten wie nach Westen ganz die gleichen Feinde: er mußte fürchten, daß von der einen Seite die barbarische Rohheit und Despotie, von der andern die raffinirten Künste romanischen Cäsarismus hereinbrechen würden. Nach beiden Flanken hin gerüstet zu sein, östlich die Markscheide europäischer Freiheit und Cultur gegen asiatische Despotie zu bilden, westlich den vergiftenden Einfluß welschen Uebergewichts abzuwehren, das war namentlich seit Ludwig XIV. und Peter dem Großen ein durchaus gemeinsames österreichisch-deutsches Interesse. Zwar hatte die Hauspolitik weder im dreißigjährigen noch im siebenjährigen Kriege Bedenken getragen, diese halbwilden Horden Deutschland auf den Leib zu hetzen, aber das Interesse Oesterreichs wie Deutschlands blieb doch immer beiderseits, sich sowol nach Westen wie nach Osten hin Luft und Raum zu halten. Das deutsche Reich hatte den nächsten Stoß des französischen Angriffs abzuwehren, Oesterreich den des türkischen Andranges, dessen Erbe später Rußland ward; war für Oesterreich die Diversion von Werth, die das Reich im Westen machte, so war für das Reich der Widerstand nicht minder wichtig, den Oesterreich an einer andern Stelle leistete. Zumal so lange das Reich in seiner militärischen Organisation schlaff und verfallen war, konnte die bessere Rüstung Oesterreichs die Lücken der deutschen Organisation ebenso ergänzen, wie das deutsche Reich wieder, oder einzelne Reichsstände, mit Unterstützung an Geld und Leuten den Defecten österreichischer Kriegsrüstung zu Hülfe kamen. In solchen Zeiten äußerer Gefahr hat sich denn auch der enge Bund beider Länder in seinen Erfolgen zum Theil glänzend bewährt; wir erinnern nur an die Kriege am Anfange des achtzehnten und im zweiten Jahrzehnt des neunzehnten Jahrhunderts. In den Friedensverträgen freilich, welche diesen glorreichen Kämpfen folgten, hat sich auch ebenso einleuchtend gezeigt, daß die überlieferte Politik Oesterreichs und das nationale Interesse Deutschlands oft ebenso weit auseinanderliegen, als die Noth gemeinsamer äußerer Gefahr beide Gebiete im Kampfe vereinigt hat.

Drum darf man wohl sagen, daß in diesem Zeitraume die Beziehungen des habsburgischen Oesterreichs zu Deutschland, so natürliche Berührungspunkte vorlagen, doch mehr äußerlicher als innerlicher Natur gewesen sind. So unlösbar die habsburger und die deutsche Politik nach dem Ausgang des 30jährigen Krieges verknüpft blieben, so oft deutsche und österreichische Streitkräfte auch neben einander standen, so sehr in der Politik des Kaisers deutsche und habsburgische Interessen in einander flossen, eine tiefe, innere Verknüpfung fand nicht statt zwischen beiden Ländergruppen. Die Einwirkung deutscher Cultur auf Oesterreich war geschwächt; österreichische Cultureinwirkungen auf Deutschland fanden ohnedies nicht statt. Denn nicht nur in Confession und Erziehung war durch das in Oesterreich geltende System eine starke Scheidewand aufgerichtet gegenüber einem großen Theile des Reichs, auch die Art des bürgerlichen und politischen Zustandes war nicht geeignet, eine innigere Beziehung zum deutschen Wesen herzustellen. Die zähe Starrheit und Schwerfälligkeit der überlieferten Politik, das Verharren in der dumpfen Unbeweglichkeit, die das gewöhnliche Ergebniß priesterlicher Einflüsse ist, die ganze Art des Regiments, die durch die vereinigte Macht jesuitischer und adeliger Coterien getragen ward, paßte nicht zu den Bedürfnissen, wie sie sich in Deutschland geltend machten. Denn so starr sich auch dort die äußere Form des Lutherthums gestaltet, es war doch der größte Theil des Reiches viel zu sehr von dem protestantischen Geist der Beweglichkeit und Unruhe inficirt, viel zu lebhaft von den Einwirkungen der westlichen Staaten, Hollands, Frankreichs, Englands berührt, als daß sich auch dort ein ähnlicher Zustand hätte festsetzen können, wie in Oesterreich. Im deutschen Reich

tauchten vielmehr einzelne Fürsten auf, welche die alte Lethargie
glücklich bekämpften, die Stützen mittelalterlicher Feudalität und hierarchischer Herrschsucht beseitigten, eine moderne Staatseinrichtung
an die Stelle setzten, alte Mißbräuche verschwinden ließen und,
was die Hauptsache war, alle Kräfte und Thätigkeiten des Volkes selbst in eine wohlthätige Spannung und Erregung brachten.

Anders in Oesterreich. Die Regierung Leopolds I., die fast
ein halbes Jahrhundert ausfüllt, trägt, ungeachtet der persönlichen
Milde des Regenten, das Gepräge überlieferter Härte und Un-
beugsamkeit, wie die vorangegangenen Regierungen. Die widerstrebenden Nationalitäten des Reiches, die noch übrig gebliebenen
protestantischen Elemente der Bevölkerung müssen die ganze Grau-
samkeit althabsburgischer Politik empfinden. In den Einfluß des
Palastes theilen sich Priester und ein zum großen Theil neuerho-
bener oder neubekehrter Adel, in welchem sich neben den Resten
der deutschen Herrengeschlechter wälsche und slavische Elemente in
Fülle finden. Was die große Kriegsperiode von italienischen,
wallonischen, selbst spanischen Familien im kaiserlichen Lager gesammelt, was aus der böhmischen Katastrophe durch habsburgische und katholische Anhänglichkeit sich gerettet und bereichert, was
sich noch zeitig bekehrt hatte — das Alles war hier zu einer reichen, mächtigen Aristokratie vereinigt, die nur darum keine allzugroße Gefahr für das Kaiserhaus selbst enthielt, weil sie jung, aus
einer Revolution hervorgegangen, ohne nationale Solidarität und
durch die Dynastie emporgehoben war. Sie repräsentirte gleichsam
die bunte Völkermischung des ganzen Reiches und gab zugleich
durch ihre eigne Entstehung auf den Trümmern protestantischer
und provinzieller Unabhängigkeitskämpfe hinlängliche Bürgschaft,
daß sie mit der Erhaltung des neuen Zustandes, wie er aus der
jüngsten Revolution hervorgegangen, sich selber und ihr eignes
Interesse als unlösbar verflochten betrachte. Zu den Geschäften
herangezogen und die Gewalt mit der Dynastie vielfach theilend,
war dieser Adel gleichwol der einzige auf dem Festlande, der noch
eine politische Bedeutung, der politische Traditionen und eine staats-
männische Schule besaß.

Mit dieser Aristokratie zum Theil eng verbunden, zum Theil
wetteifernd um den Vorrang, stand dem Throne zunächst jener
Clerus, dessen Organisation allein schon ihm ein ungemeines Ueber-

gewicht gab, der die Kirche, die Schule, die Familie und das
Gewissen des kaiserlichen Herrn selber beherrschte. Das ganze
Bild des Regiments unter Leopold trägt dies Gepräge einer von
adeligen und priesterlichen Einflüssen umgebenen Palastregierung.
Wir sehen Männer wie Auersperg und Lobkowitz zum offenbaren
Verderben des Staates, vom Feinde erkauft, die Geschäfte leiten,
aber sie bleiben ungestört am Ruder; es müßte denn sein, daß
sie wie Lobkowitz sich die Protection des allmächtigen Clerus verscherzt hätten. Der Einfluß eines Jesuiten wie Pater Müller,
oder des Kapuzinerguardians Sinelli, oder der Beichtväter des Kaisers und der Kaiserin stand dem der ersten Minister mindestens
gleich, ja war ihm in den entscheidendsten Momenten meistens
überlegen. Diese Art Regierungswirthschaft mit ihrer sorglosen
Connivenz gegen Adel und Clerus, ihrer Toleranz gegen Mißbräuche, ihrer Nachsicht gegen gewissenlose Staatsausbeutung, ihrer
Vernachlässigung der wichtigsten Mittel der Staatsmacht und
Größe fing an, in der zweiten Hälfte des siebzehnten Jahrhunderts überall seltner zu werden; auch in Deutschland ward sie
mehr und mehr von den neuen, bürgerlichen, sparsamen, auf Thätigkeit und Anspannung der Massen, auf Beseitigung des Privilegiums gerichteten Staatsmaximen verdrängt, nur in Oesterreich
bewahrte sie sich noch ihr ungestörtes Asyl. Und bezeichnend war
es, daß sich außer Oesterreich kaum ein Land in Europa finden
ließ, wo dieses starre Festhalten adelig-priesterlicher Palastregierung
noch so unverändert war, als in dem gleichfalls habsburgischen
Spanien. Betrachtet man Leopold I. selbst, so wie ihn uns die
Zeitgenossen schildern, wie er mit phlegmatischer Gravität dem
Allem unbewegt zusieht und, während die Staatskräfte verfallen,
eifersüchtig über den äußeren Pomp des Thrones und der Majestät wacht, alle Selbstthätigkeit und alle kriegerischen Neigungen
seines Hauses abgestreift hat, wie er mit Gelehrten zierliche la-
teinische Correspondenzen führt, mit den Damen des Hofes italienische Comödien aufspielen und im engen Kreise des Hofes
und der Familie spanische Etiquette und spanische Sprache walten
läßt, so wird man in diesem Bilde weder die guten noch die
schlimmen Seiten eines deutschen Fürsten jener Tage, sondern
eben nur die Physiognomie erkennen, wie sie den Habsburgern
beider Linien, in Madrid wie in Wien, eigen war, und wie sie

allerdings in Italien und Spanien für heimischer gelten konnte,
als für deutsche Länder. Wohl hatten die Jesuiten von ihrem
Standpunkt nicht Unrecht, wenn sie diesen Kaiser mit verschwen=
derischem Lobe überschütteten und ihm den stolzen Beinamen des
„Großen" zutheilten. Denn allerdings war für die Art Staats=
einrichtung, wie sie den Jesuiten als erreichbares Ideal vor=
schwebte, Leopold der rechte Musterkaiser.

Während der Staatsschatz erschöpft war, die Truppen aus
Mangel an Sold oft die eignen Provinzen plünderten und der
Kaiser fast immer, wo es Staatsbedürfnisse galt, in Geldnoth war,
herrschte noch in Oesterreich die bigotte Verschwendung an den
Clerus, die duldsame Sorglosigkeit gegen die Staatsausbeutung durch
Minister und Adel. Während anderwärts dem Allem eine Schranke
gesetzt, in Staats= und Hofbedürfnissen knappe Sparsamkeit ein=
geführt ward, erhielt sich hier die fast orientalische Pracht äußerer
Repräsentation, wurde hier noch ein müßiger Hofstaat von mehr
als tausend Personen unterhalten. In Oesterreich kam es noch
vor, daß ein hoher Beamter, wie der Kammerpräsident Sinzen=
dorf, viele Jahre lang die kaiserliche Kammer um Tonnen Goldes
bestehlen konnte, bis er wegen „Diebstahl, Meineid und Betrug"
wenigstens den Gerichten übergeben ward. Und solche Verbrechen,
oder offenbare Verrätherei im Kreise des hohen Adels und Clerus
begangen, erfreuten sich einer gewissen Connivenz, oder wenn es
unmöglich war sie zu ignoriren, wenigstens einer milden Bestra=
fung, während die geringste Auflehnung für alte nationale Frei=
heiten oder das protestantische Bekenntniß von der ganzen uner=
bittlichen Härte der überlieferten Politik getroffen wurden.

Auch auf die Entwicklung des Volkes selbst wirkte dieser
Zustand nachhaltig herüber. Von jesuitischer Erziehung gebildet,
in seinen natürlichen Berührungen mit dem verwandten deutschen
Wesen gestört, absichtlich in einer gewissen trägen Ruhe und
Dumpfheit erhalten, in seinem ganzen Thun nur auf die nächsten
sinnlichen Bedürfnisse und deren Befriedigung gerichtet, mußte der
deutsche Bewohner des österreichischen Staates, bei ursprünglich
reicher Begabung und Regsamkeit, jene bequeme, träge, sinnliche
Richtung annehmen, gegen die erst von Joseph II. nachdrücklich
reagirt worden ist.

Es schien eine Zeitlang, als solle in dieser althabsburgi=

I.

schen Ueberlieferung eine Störung eintreten schon durch den er
sten Joseph (1705—1711), aber seine Regierung war zu kurz, da
System zu eingewurzelt, als daß die Wirkung hätte nachhalti
sein können. Sonst war Joseph I., bei allem autokratischen Stol
und aller unbeugsamen Härte, wie er sie namentlich gegen Baier
zeigte, der erste Habsburger seit Rudolf II., der das alte Weset
schien erschüttern zu wollen. Er war vor Allem frei von be
religiösen Bigotterie seiner Vorfahren; möglich, daß schon die po
litische Lage der Zeit, die ihn ganz auf die Verbindung mit der
protestantischen Staaten — England, Holland, Preußen — an
wies, zu dieser Milderung beigetragen. Aber Joseph war auch
selbst nicht mehr von jener unbedingten Gläubigkeit an das Ueber
gewicht der Jesuiten, wie seine Vorgänger. Er hatte keine pfäf
fische Erziehung mehr erhalten, war beweglich, wißbegierig, in
Leben und Verkehr mit Menschen geschult, von einem viel weite
ren Gesichtskreise als die Ferdinande und Leopolde, und fühlte sich
zugleich in seinem autokratischen Bewußtsein durch den Einflu
gestört, den Priester und Jesuiten am wiener Hofe besaßen und be
anspruchten. Geschah doch unter ihm zuerst das seit lange in Oester
reich Unerhörte, daß mit der römischen Kirche ein kleiner Krieg ent
stand, der zum Abbruch der diplomatischen Beziehung führte, daß Rom
den Kaiser mit dem Bann bedrohte und umgekehrt der Kaiser ernst
lich oder scheinbar die Miene annahm, als hätten diese alten Mit
tel des päpstlichen Stuhles für ihn ihre Furchtbarkeit verloren
Ließ doch der Papst am 1. August 1707 eine Bulle anschlagen
wodurch die Truppen des Kaisers, die Parma und Piacenza be
setzt, mit dem Kirchenbanne belegt wurden; aber freilich die Trup
pen, gegen die Rom seine Bulle aussandte — waren meistens
ketzerische Brandenburger, an denen die Schreckmittel der römi
schen Kirche wirkungslos abgleiteten! Ein solcher Fürst, der Ta
lent, Charakterenergie und Leidenschaft besaß, der statt träger mön
chischer Beschaulichkeit die Jagd und den Kriegsdienst liebte, be
zuerst anfing, den alten Wust finanzieller Mißbräuche etwas auf
zurütteln, der sich von Günstlingen und Priestern nicht leiter
ließ, sondern seinen eignen Eingebungen mit jugendlicher Rasch
heit und dem Eigensinn eines Autokraten folgte — ein solcher
Fürst konnte für das alte Oesterreich erschütternd, für den priester
lichen Einfluß zerstörend werden, und wäre es ohne Zweifel auch

geworden, wenn ihm mehr als sechs flüchtige stürmische Jahre
einer großen europäischen Kriegserschütterung zur Regentenarbeit
wären gegeben worden. In diesem beschränkten Zeitraume konnte
er nur stören, nicht zerstören, das Uebergewicht des alten Wesens
wohl hemmen, aber nicht ihm dauernd eine Schranke setzen. Indessen eine warnende Bedeutung hatte diese sechsjährige Regierung; sie zeigte, was auch aus diesem Hause und in diesem Lande
entstehen konnte, wenn die priesterliche Politik nur einmal es versäumt hatte, sich die Erziehung und den Willen des künftigen
Regenten vollständig zu sichern.

Völlig verloren war darum auch die nur sechsjährige Regierung
nicht. Oesterreich kehrte nie wieder zu den Zeiten Ferdinands II. III.
und Leopolds zurück; es war doch ein Riß geschehen in diese
alte Ueberlieferung, der sich nicht mehr heilen ließ. Auch Karl VI.
— obwol viel mehr althabsburgisch als sein Bruder Joseph, und
sein Leben lang vorzugsweise von dem einen Gedanken beherrscht,
die Integrität der habsburgischen Erbschaft zu erhalten, ja selbst
nach dem Badener Frieden noch mit dem kühnen Plane beschäftigt, die ganze Ländermasse, die einst beiden Linien angehört, durch
eine Verschwägerung mit den spanischen Bourbons wieder unter
einem Haupte zu vereinigen*), — Karl VI. unterschied sich, trotz
dieser habsburgischen Natur, doch sichtlich von seinen Ahnen, und
auch auf ihn war die heitere freiere Art seines Bruders nicht ohne
Einwirkung geblieben. Es ist bekannt, daß auch unter ihm, obwol
er viel devoter war als Joseph, die Jesuiten ihre verlorene Position,
wie sie sie einst unter Rudolf, den Ferdinanden und Leopold besessen,
nicht wieder erlangen konnten; dagegen erfolgten die ersten schüchternen
Schritte der Regierung, die auf eine Beschränkung des mönchischen
Wesens, auf eine Ueberwachung der Klöster, eine Abwehr hierarchischer Uebergriffe abzielten. Und indessen man hier Mißbräuchen anfing zu steuern, groben Ausartungen des mönchischen Wesens zum ersten Male entgegentrat, ward die Praxis gegen Akatholiken milder
und menschlicher, der grausame und unbarmherzige Fanatismus jesuitischer Erzieher und Berather hörte auf allmächtig zu sein. Die
Versuche Karls VI., an der Nordsee wie am adriatischen Meere,
in Ostende und Triest Sitze eines großen überseeischen Han-

---

*) S. die Mittheilungen in Ranke's preuß. Gesch. I. 197 f.

3*

dels zu schaffen, durch die orientalische Compagnie den Handel nach der Levante zu erlangen und sich von dem Uebergewicht der herrschenden Seemächte frei zu machen, diese Versuche — auch wenn sie ganz unzureichend waren, einen kräftigen Widerstand gegen das Monopol Hollands und Englands zu organisiren — legten doch Zeugniß ab von einem lebhafteren Thätigkeitstrieb und einem rührigeren Interesse an der Landeswohlfahrt, als es die früheren habsburgischen Fürsten irgendwie verrathen. Die alte Erstarrung wich doch, wenn gleich das zunächst Erreichbare selbst hinter den bescheidensten Erwartungen zurückblieb.

Am wohlthätigsten wirkte aber in diese erstarrten Verhältnisse eine Persönlichkeit herüber, die der gute Genius des Hauses Habs=burg ihm in der rechten Stunde an die Seite stellte — Eugen von Savoyen. Dieser unvergleichliche Geist mit seiner romanischen Unruhe, seiner Beweglichkeit und anregenden Kraft, der sich in so seltner Weise in ein fremdes Land und Volk hineingelebt, hat auf das in Lethargie versunkene habsburgisch=österreichische Wesen in wohlthätigster Weise zurückgewirkt. Von Geburt und Abstammung halb Franzose halb Italiener, aber durch Verhältnisse und Lebensstellung ganz mit dem habsburgischen und österreichi=schen Interesse verwachsen, der treueste Diener, den die Dynastie je gehabt, und zugleich der größte und verdienteste Feldherr und Staatsmann, der in Oesterreich aufgetaucht, griff Eugen mit un=gemeiner Frische und Rührigkeit in diesen alten Schlendrian her=ein, nicht ohne die hundertfältigsten Schwierigkeiten, selten so glück=lich sein Ziel ganz zu erreichen, aber doch meistens mächtig genug, in diesen vorhandenen Wust eine wohlthätige Gährung zu brin=gen. Eugen hatte noch eine lebendige Vorstellung von dem, was die Kaisermacht sein konnte; er würdigte noch die ganze Wich=tigkeit, die Oesterreich in seinem Verhältniß zum deutschen Reich und durch dieses zu gewinnen im Stande war. Er verachtete die Misère und Schwerfälligkeit der deutschen Institutionen, aber er würdigte zugleich so unbefangen, wie nie ein Ausländer, den ge=sunden Stoff, der noch in dieser pedantischen Umkleidung steckte, und er war der Mann, diesen Stoff mit größter Einsicht und Wachsamkeit für das österreichische Interesse zu benutzen. Er schei=terte freilich mit seinen wohlwollenden Absichten, das deutsche Reich gegen Frankreich in eine tüchtige Wehrkraft zu setzen, er ge=

rieth auch in Oesterreich selbst überall mit der Pedanterie der Formen, mit der Eifersucht der Mittelmäßigen, mit dem Haß der
Priester und Höflinge in Conflict, allein es kam doch in dieses
gealterte und erstarrte Wesen eine frische und anregende Strömung,
deren Wirkung nicht verloren war. Eugen sah mit voller Klarheit ein, daß man die Hülfsquellen und Arbeitskräfte des großen
Staates unverantwortlich vernachläſſigte, er bestärkte daher den Kaiser in seinen wohlwollenden Liebhabereien für Förderung des Handels und der einheimischen Industrie; er erkannte ebenso scharf, daß
die niederdrückenden Lasten der Feudalität und die überschwenglichen
Privilegien des Adels und der Geistlichkeit ein Krebsschaden der
österreichischen Zustände seien. Solche Anwandlungen, in denen
sich die physiokratischen Grundsätze der josephinischen Zeit bereits
ankündigen, waren freilich in Oesterreich nicht geringere Ketzereien, als Eugens Verachtung der alten Regierungsmaschine, namentlich des Hofkriegsraths, oder sein Widerwille gegen den kle-
ricalen Einfluß, der auch in seiner Beschränkung noch groß genug war. Kein Wunder, wenn dem unbequemen Dränger, der
die alten Schläfer aus ihrer behaglichen Ruhe so schonungslos
aufscheuchte, der glühende Haß eines großen Theils der Aristokratie, des Clerus und der bureaukratischen Pedanten entgegenstand; viel wunderbarer ist, daß ein einzelner Mann, noch dazu
ein Frembling, es wagen konnte, diesem so tief eingewurzelten
Wesen adelig-pfäffischer Herrschsucht und verknöcherten Formenwe-
sens mit solch kühnem Freimuth entgegenzutreten. Nur dem Sieger von Zenta, Höchstädt, Turin und Malplaquet war so etwas
möglich; nur der engverbundene Freund dreier Regenten, deren
Vertrauen er niemals mißbrauchte, durfte sich vermessen, den un-
versöhnlichen Groll aller derer herauszufordern, deren Macht und
Einfluß durch die Erhaltung der alten Zustände bedingt war.

Wenn man den Widerstand erwog, der von dieser Seite zäh
und weitverzweigt sich gegen Eugens Ketzereien geltend machte, wenn
man in Anschlag brachte, daß die ganze alte Maschine und Ueberlieferung, wenn auch zum ersten Male erschüttert, fortdauerte, so bleibt
es immer viel merkwürdiger, daß ein solcher Mann unter diesen
Verhältnissen eine mächtige Stellung erringen und behaupten konnte,
als es auffallend ist, daß die umgestaltende Wirkung seines Daseins nicht größer und tiefergehend war. Nahm ja ohnedies Eu-

gens Einfluß zugleich mit dem Ende der großen Kriege und dem Tode Josephs I. fühlbar ab, während die Macht der alten Elemente, die überlieferte Art des Regiments, der Hofkriegsrath u. s. w. fortbestanden. So blieb der schleppende und träge Gang der Verwaltung, die mißtrauische Lähmung selbständiger Talente, es blieben die groben Mißbräuche und Unterschleife, es blieben die theueren Vorrechte der großen Herren, die sie im Steuerwesen, in der Justiz u. s. w. hatten zu erringen wissen. Nach wie vor mußten sich die Privilegirten den schwersten Lasten des Staates zu entziehen, selbst vor der Rechtspflege sich sicher zu stellen, indessen der verderblichste Druck feudaler und hierarchischer Macht das Aufkommen eines rührigen und wohlhabenden Bauernstandes hinderte. War es zu wundern, daß dieser große mächtige Ländercomplex mit seinen reichen blühenden Provinzen, seinen noch unausgeschöpften Hülfsquellen durch Staaten von mäßigem Umfang, in denen aber eine wachsame, rührige und anregende Staatskunst regierte, an Macht und Stärke überholt ward? Konnte doch Eugen das Eine nicht einmal hindern, daß die gröbsten Unterschleife und Mißbräuche im Heerwesen fortdauerten, der Verkauf der Officierstellen, die Beförderungen, die Anwerbungen zu schmählichen Plusmachereien benutzt, und die Armee so tief herabgebracht ward, daß der große Besieger der Türken und Franzosen selber noch den Verfall der von ihm begründeten Kriegsmacht Oesterreichs erleben mußte! War doch die österreichische Armee, als der letzte habsburgische Kaiser starb, statt der angeblichen 135,000 Mann, die sie — dürftig genug — zählen sollte, in der That kaum halb so stark!

Der ganze Staat war für Karl VI. ein noch unbenutzter, ja in seinen reichen Hülfsquellen ungekannter Stoff. Die höchste Gewalt war zersplittert durch den Antheil, den man der Aristokratie einräumte; die Monarchie bestand aus einzelnen losen Provinzen, in denen die großen Herren ein ziemlich unabhängiges Regiment führten. Die Folgen der alten Politik, von dem vorhandenen Capital bequem zu zehren, statt neue Quellen zu eröffnen und alle Kräfte des Staates anzuspannen, traten jetzt in ihren nachtheiligen Wirkungen heraus, wo die politische Constellation eine andere geworden, die Stellung Oesterreichs selber zur europäischen Politik völlig verändert war.

In dieser Lage, deren traurige Frucht der ruhmlose Ausgang des Krieges von 1733—1735 und der schmachvolle Friede mit den Türken war, starb der letzte Habsburger. Welch andere Gestalt hätte die Weltgeschichte angenommen, wenn es einem Manne wie Eugen möglich gewesen wäre, seine Entwürfe einer Reorganisation Oesterreichs durchzuführen, wenn im Jahr 1740 der österreichische Staat so verwaltet und so gerüstet war, wie die kleine preußische Monarchie in dem Augenblick, als sie Friedrich Wilhelm I. seinem Nachfolger übergab! Wie vergeblich wären die Versuche Frankreichs, Baierns, Preußens gewesen, sich durch die Zerrüttung des österreichischen Staatswesens zu vergrößern, wenn man zeitig genug das habsburgische Oesterreich aus dem überlieferten Schlendrian herausgeführt hätte!

Aber der rechte Zeitpunkt war versäumt; was nun ferner geschah, die österreichischen Staatskräfte zu erwecken und nutzbar zu machen, das konnte wohl die Auflösung des Erbstaates hindern, aber die Folgen der begangenen Mißgriffe und Versäumnisse nicht mehr gut machen.

Denn in demselben Augenblick, wo der Tod des letzten männlichen Sprößlings aus dem habsburgischen Hause eine europäische Verwicklung hervorrief, waren bereits die Fundamente gelegt zu einem rivalisirenden, dem Einfluß Oesterreichs in Deutschland mit Plan und Bewußtsein gegenüberstehenden Staate, und der neue Regent dieses Staates, den das Schicksal wenige Monate vor Karls VI. Tode auf den Thron gerufen, war ganz der Mann dazu, diese Fundamente mit genialer Kühnheit auszubauen.

Zweiter Abschnitt.

Preußen bis zum Regierungsantritt Friedrichs II. (1740).

Wir wenden uns zu einem Staate, der nach seiner Entstehung, seiner Geschichte, den Mitteln seiner Macht und Vergrößerung sich durchaus in scharfen Gegensatz stellt zum habsburgischen
Oesterreich. Nicht einen bunten Complex verschiedener Länder und
Nationalitäten, einen unermeßlichen und unverbrauchten Stoff großer politischer Macht finden wir hier vor, sondern ein beschränktes
Gebiet, ein junges Staatswesen von ziemlich dünnleibiger geographischer Gestaltung, aber von der rührigsten intensiven Kraft und
Beweglichkeit. Nahmen wir dort wahr, wie die herrschende Politik sich lange Zeit begnügen durfte, in bequemer Sicherheit vom
Vorhandenen zu zehren, die überlieferte Macht, die überlieferte
äußere Ehre und Weltstellung wie ein Capital zu betrachten, das
der rührigen Vermehrung nicht bedurfte, so finden wir hier ein
aufstrebendes Staatswesen von knappen Mitteln, die es durch die
unermüdetste Thätigkeit muß zu vergrößern suchen, ein Staatswesen und ein Volk, das sich seine Geschichte, seinen Ruhm, seine
Weltstellung erst erringen muß, dessen Fürsten und Lenker darum
keinen Augenblick sich in die verderbliche Sicherheit des Genusses
einwiegen dürfen. „Toujours en vedette," so lautete das bezeichnende Vermächtniß, das der größte König dieses Landes seinem
Geschlechte hinterlassen hat.*)

---

*) S. Oeuvres de Frédéric le Grand. IX. 191. (Neue Berliner Ausgabe.)

Für die österreichisch-habsburgische Macht im alten Sinne
war der westfälische Friede die beengende Schranke geworden: für
das hohenzollernsche Brandenburg-Preußen war derselbe Friede der
Anfang einer selbständigen und eignen Macht. Das deutsche Landesfürstenthum war durch die Verträge von Münster und Osnabrück der kaiserlichen Obhut entwachsen; es hatte seine eigne politische Existenz, es konnte sich eine politische Geltung auch auf der
großen europäischen Bühne erringen. Nachdem Kaiser und Reich
ihre alte Bedeutung verloren, ging auf diese territoriale Fürstenmacht ein Theil des geschichtlichen Berufes über, dessen Träger die
alten jetzt ausgelebten Formen und Kräfte gewesen waren. Verstand
dies Landesfürstenthum diese günstige Lage zu nützen, nach Außen
seine Macht zur Anerkennung, deutsche Waffen und deutsche Politik zu Ehren zu bringen, verstand es im Innern eine weise und
verständige Ordnung der Dinge aufzurichten, die allgemeine Wohlfahrt zu pflegen und zu fördern, so mußten die Erfolge eines solchen Strebens nicht allein dem Gebiete selbst, wo solches versucht
ward, sondern der gesammten deutschen Entwicklung zu Gut kommen. Denn nachdem die alten Formen sich unfähig erwiesen,
Deutschland nach Außen zu schützen, im Innern die zersetzenden
Folgen kleinstaatlicher Ohnmacht abzuwehren, so mußte man es
als eine günstige Fügung preisen, wenn wenigstens das Landesfürstenthum, das auf den Trümmern des alten Reiches seine selbständige Existenz gewonnen, diese Interessen der Gesammtheit in
seinem engeren Kreise mit Wachsamkeit und Eifer wahrnahm. Diesen Beruf zu erfüllen hat man von verschiedenen Seiten versucht:
aber nirgends ist es mit solcher Bewußtheit und zäher Ausdauer
unternommen und deßhalb von gleichem Erfolge gekrönt worden,
wie von den hohenzollernschen Fürsten in Brandenburg-Preußen.

In einem Lande, das zum Theil noch einer deutschen Colonie
auf einem erst zu erobernden Boden glich, das ein vorgeschobener
Posten des Deutschthums nach den slavischen Gebieten hin war,
hatten die Fürsten des Hauses Zollern nach vieljähriger Zerrüttung
ein landesfürstliches Gebiet erkämpft, der feudalen Anarchie mit
Kraft gesteuert, der anmaßlichen Herrschaft unbändiger Junker ein
Ziel gesetzt und neben diesem kräftigen kampfgewohnten Walten
die friedlichen Künste des bürgerlichen Lebens und seiner Cultur
nirgends vernachlässigt. Diese Anfänge des zollernschen Hauses

in Brandenburg sind die charakteristischen Vorzeichen der künftigen Geschicke, des Landes sowol, das wie kein anderes in Deutschland durch seine Fürsten zu einem bedeutenden Dasein gehoben worden ist, als des Fürstenhauses selber, das wie wenige regierende Geschlechter durch eine Reihe von charaktervollen Persönlichkeiten ganz verschiedener Art und Bildung binnen eines langen Zeitraums sich auszeichnet und in fast allen diesen verschiedenen Persönlichkeiten einen und denselben stetigen Zug zur Schöpfung, Ordnung und rührigen inneren Entfaltung eines kräftigen monarchischen Staatswesens bewahrt hat.

Der Gegensatz dieses jungen Staatswesens zum habsburgischen Oesterreich spricht sich nicht nur in der Entstehung und den Anfängen beider Staaten aus, er geht durch Alles, was dem Staate und der Politik eigenthümlich ist, mit aller Schroffheit durch. Oesterreich eine lose Föderation verschiedener Nationalitäten und Provinzen, unter denen das deutsche Element nur einen, freilich wesentlichen, Faktor bildet; Preußen ein früh zu einer gewissen Einheit verschmolzener Staat von ganz überwiegend deutschem Wesen. In Oesterreich die Ueberlieferung des alten römischen Kaiserthums und das Bemühen, so weit es nur immer ausführbar ist, diese Ueberlieferung zu Gunsten der Haus- und Erbmacht zu benützen; hier das protestantische Landesfürstenthum im Gegensatze zum alten Romanismus und zum alten Reiche in seiner selbständigen und unabhängigen Stellung, wie sie seit 1648 anerkannt war. Dort die zähe Bewahrung der alten Zeit und ihrer Formen wie ihres Regiments, hier Alles modern und auf die Gestaltung einer modernen Staatsordnung berechnet. In Oesterreich eine mächtige, reiche Aristokratie, welche den Thron nicht nur umgiebt, sondern die Gewalt mit ihm theilt; in Brandenburg-Preußen die Aristokratie in ihrer Macht gebrochen, ohne großen Reichthum und ohne Einfluß beim Throne, sogar vorübergehend mit einer planmäßigen Ungunst behandelt und nur im Heere hervorragend und verdient, das ganze Regiment bürgerlich soldatisch, seine Träger und Leiter Emporkömmlinge aus den untern Schichten der Gesellschaft, die ihre Tüchtigkeit auf dem Schlachtfelde, im Bureau oder in der Wissenschaft geadelt hat. Den Lobkowitz, Auersperg, Haugwitz, Chotek, Kaunitz u. s. w. stehen hier die bescheidenen Namen der Derfflinger, Distelmeyr, Meinder, Fuchs, Spanheim, Ilgen und Coc-

ceji gegenüber; dem an diplomatischen und staatsmännischen Talenten reichen Adel des slavisch-deutschen Oesterreichs hat die bran-
benburg-preußische Ritterschaft in dem ganzen Zeitraume von 1640
—1806 nur den einzigen Hertzberg entgegenzustellen.

In Oesterreich ist der Katholicismus das alleingeltende Bekenntniß und der Einfluß kirchlich-hierarchischen Wesens auch über
das bürgerliche und sociale Leben ausgebreitet; in Preußen trägt
die herrschende Physiognomie ebenso bestimmt das Gepräge protestantischer Nüchternheit. In Oesterreich war die verschwenderische
Fahrlässigkeit mit den Staatsmitteln politische Tradition geworden
und man hatte sich gewöhnt sorglos aus unerschöpflichen Hülfsquellen zu schöpfen; in Preußen ging die karge Sparsamkeit so
ausgeprägt durch Alles durch, daß man zweifeln konnte, ob die
politische Nothwendigkeit oder die angeborne Neigung des hohenzollernschen Hauses mehr dazu beitrug. In Oesterreich hielt die
überlieferte Politik im Bunde mit Adel und Clerus das Volk geflissentlich in dumpfer Unbeweglichkeit und sinnlichem Genießen;
in Preußen ward ein nüchternes, arbeitsames Geschlecht zur äußersten Thätigkeit und Arbeit angespannt. Dort stand das feudale
Privilegium noch in voller Kraft und der Bauer und Bürger galt
noch als die misera plebs contribuens; in Preußen suchte die
herrschende Politik ihre Stärke darin, daß sie Bauer und Bürger
hob, ihn nach Kräften von der Last des Lehensdruckes zu befreien
suchte.

Wohl war die Form beider Staaten dieselbe, die damals fast
den ganzen Continent beherrschte, die absolute Monarchie. In
Preußen wie in Oesterreich, wie in fast allen deutschen Territorien,
regierte mit aller Unbedingtheit der Wille eines Einzigen; aber
die Art, wie dies geschah, war doch durchaus verschieden. Von der fast
orientalischen Ueberhebung, den Anklängen an spanische Despotie
war in dem brandenburg-preußischen Staate so wenig die Rede, wie
von dem launenvollen, verschwenderischen, von Maitressen, Günstlingen und kostspieligen Liebhabereien beherrschten System, das nach Versailler Vorbildern in die meisten deutschen Gebiete und Regierungen eingedrungen war; es war ein kerniger, schlichter und ächt
deutscher Schlag von Fürsten, der seit 1640 dort regierte, es waren
Fürsten, die mit den höchsten Rechten sich auch die höchsten Pflichten beilegten, die mehr in der Schule Hollands und Englands

als nach den Ueberlieferungen Roms und Spaniens erzogen wa=
ren, Fürsten, die sich als die ersten Diener des Staates, als die
berufenen Wächter des Gesammtwohles betrachteten, die zwischen
sich und ihren Unterthanen neben dem Gebot des unbedingten Ge=
horsams zugleich ein höheres sittliches Verhältniß gegenseitiger Ver=
pflichtung herstellten. Sie regierten nicht minder unbedingt wie
die andern, waren ebenso gewaltsam in ihren Mitteln, forderten harte
Lasten und Opfer von den ihnen Untergebenen, aber man ertrug
diesen Druck leichter und freudiger, denn das Alles diente nicht
dem eitlen Genusse, nicht der Laune des Einzelnen, ward nicht an
leere Liebhabereien vergeudet, sondern war das unentbehrliche Mit=
tel zur Erreichung eines sichtbaren und erhabenen Zieles, des Woh=
les der Gesammtheit. Der Staat war überall der letzte Zweck,
nicht die Dynastie, noch weniger der Hof und dessen müßige
Verschwender.

Das junge Brandenburg=Preußen war ein wesentlich prote=
stantischer Staat. Protestantisch nicht in dem unduldsam aus=
schließenden Sinne, wie das habsburgische Oesterreich katholisch
war; denn das katholische Element genoß in dem hohenzollernschen
Staate früh eine freiere Lebensluft, als das protestantische jemals in
dem habsburgischen erlangt hat, sondern in einer höheren Bedeu=
tung, als der ausschließlich confessionellen. In diesem höheren
Sinne haben die protestantischen Staaten des siebzehnten und acht=
zehnten Jahrhunderts, und auf dem Festland vorzugsweise Preußen,
eine weltgeschichtliche Bedeutung erlangt. Sie weckten die Kräfte
des Landes, während der priesterliche Absolutismus sie in Träg=
heit und Erstarrung hielt; sie spornten das Volk zu thätiger Ar=
beit an, während man es anderwärts in plattem Sinnengenuß
oder Armuth verkommen ließ; sie gestatteten dem geistigen Leben,
das man anderwärts niederdrückte, freien Spielraum genug, um
die Ausbildung einer selbständigen nationalen Cultur zu ermög=
lichen; sie pflegten Schulen und Universitäten, die sonst in Bar=
barei und Formalismus erstarrten; sie sorgten für die nüchterne
Prosa einer klaren und hellen Volkserziehung, wo man ander=
wärts an den leeren Prunk der Hofcultur oder fremdländischer
Nachahmerei die Kräfte des Landes hing; sie ließen Jeden
„nach seiner Façon" selig werden und zogen alle gedrückten und
verfolgten Elemente, die brauchbar und arbeitsam waren, an sich

heran, während man sie anderwärts in pfäffischer Verstocktheit aus-
stieß oder verfolgte. Sie zogen aus der Masse des Volkes in
Verwaltung, Gesetzgebung, selbst Kriegsleitung ihre besten Leute
heraus, während man anderwärts die politische Feudalität des
Mittelalters ähnlich begünstigte, wie die kirchliche.

In dieser intensiven Kraft lag das Geheimniß der Stärke des
kleinen Staates, lag die Möglichkeit eines Wetteifers mit dem gro-
ßen von der Natur reich und mächtig ausgestatteten Oesterreich.
Aber man durfte nie vergessen, daß dieser junge preußische Staat
auf einer schmalen Grundlage natürlicher Macht beruhte, daß das
Land klein von Umfang und spärlich ausgestattet, die Kräfte der
Einzelnen auf's Aeußerste gespannt, die natürliche Kargheit der
Mittel zum Theil nur durch eine künstliche und zusammengesetzte
Maschine ergänzt war. Durch die sorglose und träge Schwäche
der Andern, durch einzelne große und ausgezeichnete Männer war
hier ein kleines, an sich unzulängliches Gebiet zu einer großen geschichtlichen Stellung künstlich emporgehoben worden; darum war
die ganze Lage des Staates allezeit prekärer und gefährdeter als
die jedes andern. Die Mittelmäßigkeit der Regenten war hier
fühlbarer und bedenklicher als irgendwo. Denn hier war kein
großes, wenn auch unbenütztes Capital natürlicher Kräfte wie in
Oesterreich vorhanden, hier stützte man sich nicht auf hergebrachte
mächtige Verbindungen, auf alten Waffenruhm und große politische Ueberlieferungen, hier lehnte man sich nicht an das moralische
Ansehn des tausendjährigen Kaiserthums an, wie die Habsburger
in Oesterreich. Wohl sind auch in Oesterreich Regierungen wie
die der Ferdinande, Leopolds I. und Karls VI. nicht ohne nach-
haltigen Schaden vorübergegangen, allein das Ganze des Staates
blieb doch vor dem jähen Untergang bewahrt. In Preußen konnte
eine einzige mittelmäßige oder schlaffe Regierung das ganze Werk
des großen Kurfürsten und des großen Königs der Zerstörung zuführen. Niemand hat dies Gefühl der Unsicherheit lebendiger in
sich getragen, als der große König selber; sein Leben wie seine
Schriften legen davon unzweideutiges Zeugniß ab. Aus diesem
Gefühl der Besorgtheit entsprang jener denkwürdige Rath, den er
in einem seiner kleinen Aufsätze niedergelegt hat*): „dies Land muß

---

*) S. die oben angeführte Stelle.

dels zu schaffen, durch die orientalische Compagnie den Handel
nach der Levante zu erlangen und sich von dem Uebergewicht der
herrschenden Seemächte frei zu machen, diese Versuche — auch
wenn sie ganz unzureichend waren, einen kräftigen Widerstand
gegen das Monopol Hollands und Englands zu organisiren —
legten doch Zeugniß ab von einem lebhafteren Thätigkeitstrieb und
einem rührigeren Interesse an der Landeswohlfahrt, als es die
früheren habsburgischen Fürsten irgendwie verrathen. Die alte
Erstarrung wich doch, wenn gleich das zunächst Erreichbare selbst
hinter den bescheidensten Erwartungen zurückblieb.

Am wohlthätigsten wirkte aber in diese erstarrten Verhältnisse
eine Persönlichkeit herüber, die der gute Genius des Hauses Habsburg ihm in der rechten Stunde an die Seite stellte — Eugen
von Savoyen. Dieser unvergleichliche Geist mit seiner romanischen
Unruhe, seiner Beweglichkeit und anregenden Kraft, der sich in
so seltner Weise in ein fremdes Land und Volk hineingelebt,
hat auf das in Lethargie versunkene habsburgisch-österreichische
Wesen in wohlthätigster Weise zurückgewirkt. Von Geburt und
Abstammung halb Franzose halb Italiener, aber durch Verhältnisse
und Lebensstellung ganz mit dem habsburgischen und österreichischen Interesse verwachsen, der treueste Diener, den die Dynastie
je gehabt, und zugleich der größte und verdienteste Feldherr und
Staatsmann, der in Oesterreich aufgetaucht, griff Eugen mit ungemeiner Frische und Rührigkeit in diesen alten Schlendrian herein, nicht ohne die hundertfältigsten Schwierigkeiten, selten so glücklich sein Ziel ganz zu erreichen, aber doch meistens mächtig genug,
in diesen vorhandenen Wust eine wohlthätige Gährung zu bringen. Eugen hatte noch eine lebendige Vorstellung von dem, was
die Kaisermacht sein konnte; er würdigte noch die ganze Wichtigkeit, die Oesterreich in seinem Verhältniß zum deutschen Reich
und durch dieses zu gewinnen im Stande war. Er verachtete die
Misère und Schwerfälligkeit der deutschen Institutionen, aber er
würdigte zugleich so unbefangen, wie nie ein Ausländer, den gesunden Stoff, der noch in dieser pedantischen Umkleidung steckte,
und er war der Mann, diesen Stoff mit größter Einsicht und
Wachsamkeit für das österreichische Interesse zu benutzen. Er scheiterte freilich mit seinen wohlwollenden Absichten, das deutsche
Reich gegen Frankreich in eine tüchtige Wehrkraft zu setzen, er ge-

rieth auch in Oesterreich selbst überall mit der Pedanterie der Formen, mit der Eifersucht der Mittelmäßigen, mit dem Haß der
Priester und Höflinge in Conflict, allein es kam doch in dieses
gealterte und erstarrte Wesen eine frische und anregende Strömung,
deren Wirkung nicht verloren war. Eugen sah mit voller Klarheit ein, daß man die Hülfsquellen und Arbeitskräfte des großen
Staates unverantwortlich vernachläßigte, er bestärkte daher den Kaiser in seinen wohlwollenden Liebhabereien für Förderung des Handels und der einheimischen Industrie; er erkannte ebenso scharf, daß
die niederbrückenden Lasten der Feudalität und die überschwenglichen
Privilegien des Adels und der Geistlichkeit ein Krebsschaden der
österreichischen Zustände seien. Solche Anwandlungen, in denen
sich die physiokratischen Grundsätze der josephinischen Zeit bereits
ankünbigen, waren freilich in Oesterreich nicht geringere Ketzereien, als Eugens Verachtung der alten Regierungsmaschine, namentlich des Hofkriegsraths, oder sein Widerwille gegen den kle-
ricalen Einfluß, der auch in seiner Beschränkung noch groß genug war. Kein Wunder, wenn dem unbequemen Dränger, der
die alten Schläfer aus ihrer behaglichen Ruhe so schonungslos
aufscheuchte, der glühende Haß eines großen Theils der Aristokratie, des Clerus und der bureaukratischen Pedanten entgegenstand; viel wunderbarer ist, daß ein einzelner Mann, noch dazu
ein Frembling, es wagen konnte, diesem so tief eingewurzelten
Wesen adelig-pfäffischer Herrschsucht und verknöcherten Formenwe-
sens mit solch kühnem Freimuth entgegenzutreten. Nur dem Sieger von Zenta, Höchstädt, Turin und Malplaquet war so etwas
möglich; nur der engverbundene Freund dreier Regenten, deren
Vertrauen er niemals mißbrauchte, durfte sich vermessen, den un-
versöhnlichen Groll aller derer herauszufordern, deren Macht und
Einfluß durch die Erhaltung der alten Zustände bedingt war.

Wenn man den Widerstand erwog, der von dieser Seite zäh
und weitverzweigt sich gegen Eugens Ketzereien geltend machte, wenn
man in Anschlag brachte, daß die ganze alte Maschine und Ueberlieferung, wenn auch zum ersten Male erschüttert, fortbauerte, so bleibt
es immer viel merkwürdiger, daß ein solcher Mann unter diesen
Verhältnissen eine mächtige Stellung erringen und behaupten konnte,
als es auffallend ist, daß die umgestaltende Wirkung seines Daseins nicht größer und tiefergehend war. Nahm ja ohnedies Eu-

gens Einfluß zugleich mit dem Ende der großen Kriege und dem Tode Josephs I. fühlbar ab, während die Macht der alten Elemente, die überlieferte Art des Regiments, der Hofkriegs= rath u. s. w. fortbestanden. So blieb der schleppende und träge Gang der Verwaltung, die mißtrauische Lähmung selbständiger Talente, es blieben die groben Mißbräuche und Unterschleife, es blieben die theueren Vorrechte der großen Herren, die sie im Steuer= wesen, in der Justiz u. s. w. hatten zu erringen wissen. Nach wie vor wußten sich die Privilegirten den schwersten Lasten des Staates zu entziehen, selbst vor der Rechtspflege sich sicher zu stellen, indessen der verderblichste Druck feudaler und hierarchischer Macht das Aufkommen eines rührigen und wohlhabenden Bauern= standes hinderte. War es zu wundern, daß dieser große mäch= tige Ländercomplex mit seinen reichen blühenden Provinzen, seinen noch unausgeschöpften Hülfsquellen durch Staaten von mäßigem Umfang, in denen aber eine wachsame, rührige und anregende Staatskunst regierte, an Macht und Stärke überholt ward? Konnte doch Eugen das Eine nicht einmal hindern, daß die gröbsten Un= terschleife und Mißbräuche im Heerwesen fortdauerten, der Verkauf der Officierstellen, die Beförderungen, die Anwerbungen zu schmäh= lichen Plusmachereien benutzt, und die Armee so tief herabge= bracht ward, daß der große Besieger der Türken und Franzosen selber noch den Verfall der von ihm begründeten Kriegsmacht Oesterreichs erleben mußte! War doch die österreichische Armee, als der letzte habsburgische Kaiser starb, statt der angeblichen 135,000 Mann, die sie — dürftig genug — zählen sollte, in der That kaum halb so stark!

Der ganze Staat war für Karl VI. ein noch unbenutzter, ja in seinen reichen Hülfsquellen ungekannter Stoff. Die höchste Gewalt war zersplittert durch den Antheil, den man der Aristo= kratie einräumte; die Monarchie bestand aus einzelnen losen Pro= vinzen, in denen die großen Herren ein ziemlich unabhängiges Regiment führten. Die Folgen der alten Politik, von dem vorhande= nen Capital bequem zu zehren, statt neue Quellen zu eröffnen und alle Kräfte des Staates anzuspannen, traten jetzt in ihren nach= theiligen Wirkungen heraus, wo die politische Constellation eine andere geworden, die Stellung Oesterreichs selber zur europäischen Politik völlig verändert war.

In dieser Lage, deren traurige Frucht der ruhmlose Ausgang des Krieges von 1733—1735 und der schmachvolle Friede mit den Türken war, starb der letzte Habsburger. Welch andere Gestalt hätte die Weltgeschichte angenommen, wenn es einem Manne wie Eugen möglich gewesen wäre, seine Entwürfe einer Reorganisation Oesterreichs durchzuführen, wenn im Jahr 1740 der österreichische Staat so verwaltet und so gerüstet war, wie die kleine preußische Monarchie in dem Augenblick, als sie Friedrich Wilhelm I. seinem Nachfolger übergab! Wie vergeblich wären die Versuche Frankreichs, Baierns, Preußens gewesen, sich durch die Zerrüttung des österreichischen Staatswesens zu vergrößern, wenn man zeitig genug das habsburgische Oesterreich aus dem überlieferten Schlendrian herausgeführt hätte!

Aber der rechte Zeitpunkt war versäumt; was nun ferner geschah, die österreichischen Staatskräfte zu erwecken und nutzbar zu machen, das konnte wohl die Auflösung des Erbstaates hindern, aber die Folgen der begangenen Mißgriffe und Versäumnisse nicht mehr gut machen.

Denn in demselben Augenblick, wo der Tod des letzten männlichen Sprößlings aus dem habsburgischen Hause eine europäische Verwicklung hervorrief, waren bereits die Fundamente gelegt zu einem rivalisirenden, dem Einfluß Oesterreichs in Deutschland mit Plan und Bewußtsein gegenüberstehenden Staate, und der neue Regent dieses Staates, den das Schicksal wenige Monate vor Karls VI. Tode auf den Thron gerufen, war ganz der Mann dazu, diese Fundamente mit genialer Kühnheit auszubauen.

Zweiter Abschnitt.

Preußen bis zum Regierungsantritt Friedrichs II.
(1740).

Wir wenden uns zu einem Staate, der nach seiner Entstehung, seiner Geschichte, den Mitteln seiner Macht und Vergrößerung sich durchaus in scharfen Gegensatz stellt zum habsburgischen Oesterreich. Nicht einen bunten Complex verschiedener Länder und Nationalitäten, einen unermeßlichen und unverbrauchten Stoff großer politischer Macht finden wir hier vor, sondern ein beschränktes Gebiet, ein junges Staatswesen von ziemlich dünnleibiger geographischer Gestaltung, aber von der rührigsten intensiven Kraft und Beweglichkeit. Nahmen wir dort wahr, wie die herrschende Politik sich lange Zeit begnügen durfte, in bequemer Sicherheit vom Vorhandenen zu zehren, die überlieferte Macht, die überlieferte äußere Ehre und Weltstellung wie ein Capital zu betrachten, das der rührigen Vermehrung nicht bedurfte, so finden wir hier ein aufstrebendes Staatswesen von knappen Mitteln, die es durch die unermüdetste Thätigkeit muß zu vergrößern suchen, ein Staatswesen und ein Volk, das sich seine Geschichte, seinen Ruhm, seine Weltstellung erst erringen muß, dessen Fürsten und Lenker darum keinen Augenblick sich in die verderbliche Sicherheit des Genusses einwiegen dürfen. „Toujours en vedette," so lautete das bezeichnende Vermächtniß, das der größte König dieses Landes seinem Geschlechte hinterlassen hat.*)

---

*) S. Oeuvres de Fréderic le Grand. IX. 191. (Neue Berliner Ausgabe.)

Für die österreichisch-habsburgische Macht im alten Sinne
war der westfälische Friede die beengende Schranke geworden; für
das hohenzollernsche Brandenburg-Preußen war derselbe Friede der
Anfang einer selbständigen und eignen Macht. Das deutsche Landesfürstenthum war durch die Verträge von Münster und Osnabrück der kaiserlichen Obhut entwachsen; es hatte seine eigne politische Existenz, es konnte sich eine politische Geltung auch auf der
großen europäischen Bühne erringen. Nachdem Kaiser und Reich
ihre alte Bedeutung verloren, ging auf diese territoriale Fürstenmacht ein Theil des geschichtlichen Berufes über, dessen Träger die
alten jetzt ausgelebten Formen und Kräfte gewesen waren. Verstand
dies Landesfürstenthum diese günstige Lage zu nützen, nach Außen
seine Macht zur Anerkennung, deutsche Waffen und deutsche Politik zu Ehren zu bringen, verstand es im Innern eine weise und
verständige Ordnung der Dinge aufzurichten, die allgemeine Wohlfahrt zu pflegen und zu fördern, so mußten die Erfolge eines solchen Strebens nicht allein dem Gebiete selbst, wo solches versucht
ward, sondern der gesammten deutschen Entwicklung zu Gute kommen. Denn nachdem die alten Formen sich unfähig erwiesen,
Deutschland nach Außen zu schützen, im Innern die zersetzenden
Folgen kleinstaatlicher Ohnmacht abzuwehren, so mußte man es
als eine günstige Fügung preisen, wenn wenigstens das Landesfürstenthum, das auf den Trümmern des alten Reiches seine selbständige Existenz gewonnen, diese Interessen der Gesammtheit in
seinem engeren Kreise mit Wachsamkeit und Eifer wahrnahm. Diesen Beruf zu erfüllen hat man von verschiedenen Seiten versucht;
aber nirgends ist es mit solcher Bewußtheit und zähen Ausdauer
unternommen und deßhalb von gleichem Erfolge gekrönt worden,
wie von den hohenzollernschen Fürsten in Brandenburg-Preußen.

In einem Lande, das zum Theil noch einer deutschen Colonie
auf einem erst zu erobernden Boden glich, das ein vorgeschobener
Posten des Deutschthums nach den slavischen Gebieten hin war,
hatten die Fürsten des Hauses Zollern nach vieljähriger Zerrüttung
ein landesfürstliches Gebiet erkämpft, der feudalen Anarchie mit
Kraft gesteuert, der anmaßlichen Herrschaft unbändiger Junker ein
Ziel gesetzt und neben diesem kräftigen kampfgewohnten Walten
die friedlichen Künste des bürgerlichen Lebens und seiner Cultur
nirgends vernachlässigt. Diese Anfänge des zollernschen Hauses

als nach den Ueberlieferungen Roms und Spaniens erzogen wa=
ren, Fürsten, die sich als die ersten Diener des Staates, als die
berufenen Wächter des Gesammtwohles betrachteten, die zwischen
sich und ihren Unterthanen neben dem Gebot des unbedingten Ge=
horsams zugleich ein höheres sittliches Verhältniß gegenseitiger Ver=
pflichtung herstellten. Sie regierten nicht minder unbedingt wie
die andern, waren ebenso gewaltsam in ihren Mitteln, forderten harte
Lasten und Opfer von den ihnen Untergebenen, aber man ertrug
diesen Druck leichter und freudiger, denn das Alles diente nicht
dem eitlen Genusse, nicht der Laune des Einzelnen, ward nicht an
leere Liebhabereien vergeudet, sondern war das unentbehrliche Mit=
tel zur Erreichung eines sichtbaren und erhabenen Zieles, des Woh=
les der Gesammtheit. Der Staat war überall der letzte Zweck,
nicht die Dynastie, noch weniger der Hof und dessen müßige
Verschwender.

Das junge Brandenburg=Preußen war ein wesentlich prote=
stantischer Staat. Protestantisch nicht in dem unduldsam aus=
schließenden Sinne, wie das habsburgische Oesterreich katholisch
war; denn das katholische Element genoß in dem hohenzollernschen
Staate früh eine freiere Lebensluft, als das protestantische jemals in
dem habsburgischen erlangt hat, sondern in einer höheren Bedeu=
tung, als der ausschließlich confessionellen. In diesem höheren
Sinne haben die protestantischen Staaten des siebzehnten und acht=
zehnten Jahrhunderts, und auf dem Festland vorzugsweise Preußen,
eine weltgeschichtliche Bedeutung erlangt. Sie weckten die Kräfte
des Landes, während der priesterliche Absolutismus sie in Träg=
heit und Erstarrung hielt; sie spornten das Volk zu thätiger Ar=
beit an, während man es anderwärts in plattem Sinnengenuß
oder Armuth verkommen ließ; sie gestatteten dem geistigen Leben,
das man anderwärts niederdrückte, freien Spielraum genug, um
die Ausbildung einer selbständigen nationalen Cultur zu ermög=
lichen; sie pflegten Schulen und Universitäten, die sonst in Bar=
barei und Formalismus erstarrten; sie sorgten für die nüchterne
Prosa einer klaren und hellen Volkserziehung, wo man ander=
wärts an den leeren Prunk der Hofcultur oder fremdländischer
Nachahmerei die Kräfte des Landes hing; sie ließen Jeden
„nach seiner Façon" selig werden und zogen alle gedrückten und
verfolgten Elemente, die brauchbar und arbeitsam waren, an sich

heran, während man sie anderwärts in pfäffischer Verstocktheit aus-
stieß oder verfolgte. Sie zogen aus der Masse des Volkes in
Verwaltung, Gesetzgebung, selbst Kriegsleitung ihre besten Leute
heraus, während man anderwärts die politische Feudalität des
Mittelalters ähnlich begünstigte, wie die kirchliche.

In dieser intensiven Kraft lag das Geheimniß der Stärke des
kleinen Staates, lag die Möglichkeit eines Wetteifers mit dem gro-
ßen von der Natur reich und mächtig ausgestatteten Oesterreich.
Aber man durfte nie vergessen, daß dieser junge preußische Staat
auf einer schmalen Grundlage natürlicher Macht beruhte, daß das
Land klein von Umfang und spärlich ausgestattet, die Kräfte der
Einzelnen auf's Aeußerste gespannt, die natürliche Kargheit der
Mittel zum Theil nur durch eine künstliche und zusammengesetzte
Maschine ergänzt war. Durch die sorglose und träge Schwäche
der Andern, durch einzelne große und ausgezeichnete Männer war
hier ein kleines, an sich unzulängliches Gebiet zu einer großen geschichtlichen Stellung künstlich emporgehoben worden; darum war
die ganze Lage des Staates allezeit prekärer und gefährdeter als
die jedes andern. Die Mittelmäßigkeit der Regenten war hier
fühlbarer und bedenklicher als irgendwo. Denn hier war kein
großes, wenn auch unbenütztes Capital natürlicher Kräfte wie in
Oesterreich vorhanden, hier stützte man sich nicht auf hergebrachte
mächtige Verbindungen, auf alten Waffenruhm und große politische Ueberlieferungen, hier lehnte man sich nicht an das moralische
Ansehn des tausendjährigen Kaiserthums an, wie die Habsburger
in Oesterreich. Wohl sind auch in Oesterreich Regierungen wie
die der Ferdinande, Leopolds I. und Karls VI. nicht ohne nach-
haltigen Schaden vorübergegangen, allein das Ganze des Staates
blieb doch vor dem jähen Untergang bewahrt. In Preußen konnte
eine einzige mittelmäßige oder schlaffe Regierung das ganze Werk
des großen Kurfürsten und des großen Königs der Zerstörung zuführen. Niemand hat dies Gefühl der Unsicherheit lebendiger in
sich getragen, als der große König selber; sein Leben wie seine
Schriften legen davon unzweideutiges Zeugniß ab. Aus diesem
Gefühl der Besorgtheit entsprang jener denkwürdige Rath, den er
in einem seiner kleinen Aufsätze niedergelegt hat*): „dies Land muß

---

*) S. die oben angeführte Stelle.

benen, von einem Mittelpunkt aus geleiteten Staatswesen ver=
schmolzen.

Für die Geschicke Deutschlands ist barum dieser Regierungs=
wechsel von 1640 ein nicht minder folgenschweres Ereigniß gewe=
sen, als der Friede, der acht Jahre später geschlossen ward. Das
habsburgische Oesterreich war, wie wir gesehen haben, fortan aus
seiner alten kaiserlichen Stellung zurückgedrängt, es beschränkte sich
darauf, die ererbte Hausmacht zu schützen, und statt mit frischer
Spannkraft sich eine neue Stellung zu schaffen, zehrte es von den
alten Ueberlieferungen und ließ Land und Regiment der Erschlaf=
fung verfallen. Die andern deutschen Gebiete gelangten nur all=
mälig und spät dazu, von den Schrecken des furchtbaren Krieges
aufzuathmen; manche wollten nie mehr zur früheren Blüthe und
Lebenskraft kommen, in andern ward die verderbte Nachahmung
des französischen Despotismus dem Wohlstand und Gedeihen des
Volkes fast so verderblich wie der breißigjährige Krieg selber; we=
nigstens schärften sich die Wunden, statt zu heilen. Der einzige
Staat, der aus der Zerrüttung sich aufrichtete, in dem die Wunden
des Krieges am raschesten vernarbten, der Staat, in welchem ein
weises und schöpferisches Regiment mit bürgerlicher Arbeit und
kriegerischer Kraft harmonisch zusammenwirkte zum Gedeihen des
Ganzen, dieser Staat war nur Brandenburg=Preußen und sein
neuer Regent der einzige Fürst jener Zeiten, der frei von den
schlimmen Einflüssen fremder Nachahmung, kerndeutsch und tüchtig,
die wohlthätigen Wirkungen der fürstlichen Absolutie in großen
Ergebnissen veranschaulichte. Ein solches Staatswesen, über den
größten Theil des deutschen Nordens, vom Niemen bis zum Rhein
zwar nur sporabisch ausgebreitet, aber doch wieder so verzweigt,
daß keine rivalisirende Macht dort aufkommen konnte, von einem
arbeitsamen, nüchternen, kriegstüchtigen Volke bewohnt, im Gegen=
satze zur habsburgischen und katholischen Macht aufgewachsen und
mit allen den Elementen natürlich verbunden, die dazu in Oppo=
sition standen, mußte die ganze Gestalt der deutschen Dinge ver=
ändern. Denn es schuf ein volles Gegengewicht gegen die habs=
burgisch-österreichischen Einflüsse, es sprengte erst durch seine Macht=
entfaltung die Form des alten Reiches, es legte den Grund zu
einer bualistischen Entwicklung der Dinge, deren bestimmende
Macht bis heute fortdauert. Durch diese neue Macht ward der

westfälische Friede erst eine Wahrheit. Wenn dort der alte Reichsverband gelockert, dem Landesfürstenthum die volle Selbständigkeit
gewährt, und ihm selbst eine eigne auswärtige Politik fortan gestattet war, so erfüllte sich hier in Preußen mit praktischem Erfolge, was in jenem Friedensvertrage nur auf dem Papier niedergelegt ward.

Friedrich Wilhelm war weder Jesuitenzögling oder im Geiste
spanischer Politik aufgewachsen, wie seine habsburgischen Zeitgenossen, noch von dem Vorbild der neuen französischen Absolutie
Richelieus und Ludwigs XIV. erfüllt, wie ein großer Theil der
deutschen Regenten zu Ende des siebzehnten und im achtzehnten
Jahrhundert. Weder Rom oder Madrid, noch Versailles hatten
auf ihn eingewirkt, er verlebte seine Jugend unter den Eindrücken
holländischer Freiheit und Macht, die damals auf dem Höhepunkt
standen. Der Anblick eines rührigen, unermüdlichen Volkes, dessen
gesunde Schöpferkraft nicht durch feudale und nicht durch priesterliche Einflüsse verkümmert ward, der Eindruck eines Staates, der
auf engem Raume durch die intensive Kraft der Arbeit und des
Geistes zu europäischer Bedeutung herangewachsen war, das Vorbild eines Fürsten wie Friedrich Heinrich von Oranien — das
war die Schule gewesen, in welcher die gesunde Natur des großen brandenburgischen Fürsten sich zu seinem Regentenberufe gebildet hat.

Sein fürstlicher Absolutismus war nicht weniger streng, seine
Mittel nicht minder gewaltsam, als in allen den Staaten Europas, wo diese neue Form des Regiments damals sich festsetzte,
er schnitt in die alten Rechte der Provinzen, der ständischen
Corporationen, in die Privilegien des Adels nicht weniger scharf
ein, als die gleichzeitigen Könige im Norden, oder Richelieu in
Frankreich; aber die unbedingte Gewalt, die er sich schuf, ward
trotz aller einzelnen Härten eine Wohlthat für die Gesammtheit;
sie wälzte die Last der Adelsaristokratie ab, beseitigte die störenden
Sonderinteressen, sie hob die Arbeitskraft und das Selbstgefühl
von Bürger und Bauer, auf deren Wohlfahrt der neue Staat
fortan ruhte. So legte er die Grundlagen zu einer staatlichen
Größe, die das erste Exempel dieser Art war: gründete das Heer,
ordnete den Staatshaushalt, hob den Anbau des Landes, förderte
Gewerbe und Handel, eröffnete dem bedrohten Protestantismus

I.   4

ein sicheres Asyl, pflegte Wissenschaft und Kunst in einer eigenthümlich deutschen Richtung, während fast überall sonst das Volksthümliche vor dem Fremden weichen mußte.

Indessen das Reich seinem völligen Verfalle entgegenging
und gerade dies Aufstreben Brandenburg-Preußens mehr als alles
Andere dazu beitrug, diese Krisis zu beschleunigen und die alte,
freilich nur noch scheinbare Einheit des Reiches vollends aufzulösen, gedieh in diesem jungen Staate Alles, was von gesundem
deutschen Stoffe vorhanden war, zur trefflichsten Entfaltung. Hier
ward ein tief zerrüttetes Land durch ein weises und kraftvolles
Regiment dem Elende entrissen, die schlummernden Kräfte der Bevölkerung geweckt, hier ward deutscher bürgerlicher Fleiß und Wohlstand gepflegt, hier der deutschen Cultur ein weites, zum Theil
noch unbebautes Terrain erobert. In einem Augenblick, wo Oesterreich und das deutsche Reich dem Uebergreifen des französischen
Einflusses ruhig zusahen, griff Friedrich Wilhelm zu den Waffen,
und so klein seine Macht noch war, Deutschland hatte doch wieder einen Fürsten aufzuweisen, der sich gegen die Garanten des
westfälischen Friedens in Respect zu setzen verstand. In Zeiten,
wo die alte Handels- und Seemacht Deutschlands verloren war,
und in den früheren weltgeschichtlichen Sitzen fast die Ueberlieferung
abzusterben drohte, suchte er die Gunst der Lage Preußens an der
See rührig zu benützen, um den Grund zu einer Flotte zu legen,
die Anfänge einer Colonialmacht zu schaffen und auf der Ostsee,
deren Herrschaft damals unter den nordischen Mächten der Preis
eines noch unausgefochtenen Kampfes war, sein Uebergewicht zu
begründen. Friedrich Wilhelm erhob sich zuerst wieder — und in
Zeiten, wo Ludwigs XIV. Macht noch ungebrochen war — zu
dem kühnen Gedanken, die Fremden vom deutschen Boden zu vertreiben, und wenn er in den Kämpfen gegen die Schweden und
Franzosen zunächst seinem eignen brandenburgischen Interesse folgte,
so sind doch eben dadurch zugleich die wichtigsten Aufgaben einer
deutschen nationalen Politik mit einem Glanze aufgenommen worden, dessen sich im ganzen Zeitalter kein deutscher Fürst rühmen
durfte.

Erfüllte Friedrich Wilhelm in dieser Haltung nach Außen
seine deutsche Fürstenpflicht gewissenhafter und ehrenvoller als irgend ein Reichsstand, den Kaiser nicht ausgenommen, so ist doch

in der Art, wie er die Dinge anschaut und seine eigne Stellung
beurtheilt, eine bemerkenswerthe Veränderung gegen die frühere
Zeit eingetreten. Nicht sowol als Glied des Reichs oder gar als
Unterthan des Kaisers, am wenigsten aus Anhänglichkeit an
Habsburg wendet der große Kurfürst seine Waffen gegen Schweden und Franzosen, sondern in dem Bewußtsein eines selbständigen Fürsten, dessen brandenburgisch-preußisches Interesse nach
Außen allerdings mit dem des gesammten Reiches vollkommen
übereinstimmte. Aber die alte Ueberlieferung des früheren reichsfürstlichen Verhältnisses ist für ihn abgestorben: es kann in ihm
wohl die Frage auftauchen, ob er nicht auch im Bunde mit einer
auswärtigen Macht, sogar mit Frankreich, seine Verstärkung suchen
und sich auf Oesterreichs Kosten vergrößern solle? Es ist das neue
Territorialfürstenthum des westfälischen Friedens, das in ihm seinen ersten hervorragenden Repräsentanten hat. Die überlieferte
Devotion gegen Oesterreich besteht für ihn nicht mehr; er ist der
erste deutsche Fürst, der sich zu Oesterreich nicht wie der Kurfürst
zum Kaiser stellt, sondern vielmehr in das Verhältniß einer Allianz
mit Oesterreich tritt, wie es zwischen gleichberechtigten Staaten besteht. Und diese Allianz erhielt eben dadurch eine besonders verhängnißvolle Bedeutung für die Tradition preußischer Politik, daß
der habsburgische Alliirte im Kampfe den Kurfürsten matt unterstützte, im Frieden ihn die Früchte wohlverbienter Siege verlieren
ließ.

Aus jener Stellung nach Außen entsprang aber ganz besonders die Bedeutung Friedrich Wilhelms für Deutschland. Ohne
den moralischen Einfluß zu verkennen, den sein treffliches Regiment im Innern, seine sorgsame Pflege alles deutschen Wesens in
Leben, Wissenschaft und Kunst, seine Siege auf dem Schlachtfelde
ihm erworben haben, den mächtigsten Eindruck machte doch die
Thatsache, daß Deutschland seit lange keinen Fürsten hervorgebracht,
der in den großen europäischen Verhältnissen eine so selbständige
Bedeutung behauptete, wie der große Kurfürst. Allerdings war
Friedrich Wilhelm der einzige Staatsmann im großen Stile, den
das ganze Jahrhundert in Deutschland hervorgebracht, und die gesammte europäische Politik erkannte ihn als solchen an. Bewun-
berungswerth war es aber auch im höchsten Grade, wie er zwischen Polen und Schweden im Osten, zwischen Frankreich, Eng-

land, Holland und dem Kaiser im Westen durch alle Künste einer
kaltblütigen, feinen, Alles überschauenden Politik sich seine unabhängige Stellung erobert und in alle großen Fragen seiner Zeit
mitwirkend und nicht selten leitend eingreift — mit einem Lande
und einer angebornen kleinen Macht, die er eben erst schwedischen
Soldaten, polnischer Lehensherrlichkeit, feudalen Vorrechten hatte
abringen müssen. Nicht minder bewundernswerth war es, wie er
alle Bestrebungen der Großmächte, ihn ins Schlepptau zu nehmen,
mit sicherem Takte vereitelte und ohne Einem dienstbar zu sein
sich überall auf seine eigenen Füße stellte. In den diplomatischen
Correspondenzen jener Tage wird diese Meisterschaft des „alten
wetterfesten Steuermannes" bewundert und beneidet;*) die Politik
dieses jungen Staates hatte ihn rasch den alten Großmächten
ebenbürtig gemacht und die Stegreifdiplomaten, die der große Kurfürst nicht nach Rang und Stand, sondern nach ihrer Brauchbarkeit auswählte, erwarben damals dem brandenburgischen Kurstaat
den später verscherzten Ruf, nicht durch seine tapfern Truppen
allein, sondern in gleichem Maße durch seine feine Diplomatie
bedeutend zu sein. Man kann diese imposante Stellung des kleinen Staatswesens in den europäischen Händeln nicht rühmender
schildern, als es der Bericht eines britischen Diplomaten jener Tage
thut. „Die Wahrheit ist, sagt dieser, daß die jetzige Stellung des
Kurfürsten ihn mit Geringschätzung auf seine Nachbarn herabsehen
läßt. Er wird sich ihnen so theuer verkaufen, als ihm gut dünkt;
wohl wissend, er müsse in jedem Augenblick willkommen sein,
wenn es ihm gefällt in den Tanz einzutreten. Mittlerweile ist er
gegen plötzliche Ereignisse, welche eintreten könnten, hinreichend
gedeckt. Er besitzt ein gutes Heer und lebt so gleichsam mit auf-
gezogener Zugbrücke auf Bedingungen der Ehre und Selbstverthei-
digung. Nicht wenig fühlt er sich geschmeichelt, daß ihm zu gleicher Zeit den Hof machen die Botschafter des Kaisers, der Könige
von Frankreich und Dänemark, der Generalstaaten, des Hauses
Sachsen, des Herzogs von Hannover und des Bischofs von Münster. Deßhalb wird er um so beharrlicher und entschlossener auf
seiner eigenen Bahn."

So stolz und sicher freilich ward die Politik des jungen

---

*) S. Raumers Beiträge III. 432 ff., 439 ff.

Staates unter dem Nachfolger des großen Kurfürsten nicht geleitet. Die sparsame, rührige und schöpferische Thätigkeit im Innern ließ nach; der Einfluß des französischen Vorbildes von Versailles beherrschte auch den brandenburgischen Hof, und nach Außen, namentlich im Verhältniß zu Oesterreich, ward die unabhängige und selbständige Haltung Friedrich Wilhelms mit der Nachgiebigkeit der Schwäche vertauscht. Aber gleichwol hat der erste König von Preußen die Ueberlieferungen des großen Vorgängers keineswegs verlassen.

Indem er die Königswürde erwarb, that er mit einem vielleicht unklaren Instinct doch einen bedeutenden Schritt vorwärts auf der betretenen Bahn. Wohl gab er sich mit einer gewissen Unselbständigkeit an die österreichische Politik hin, aber indem er sich seinen Beistand mit der Königskrone bezahlen ließ, that er doch bewußt oder unbewußt einen bedeutungsvollen Schachzug gegen Oesterreich. Wie oft hatte man nicht in Wien gesagt, man dürfe an der Ostsee nicht einen neuen König der Vandalen aufkommen lassen, wie entschieden mißbilligten nicht die scharfsichtigsten Staatsmänner Oesterreichs den unheilbaren Mißgriff*), aber wie immer war das Hausinteresse in Wien mächtiger als alles andere; um das habsburgische Erbe beim Hause zu erhalten, sanctionirte man die politischen Tendenzen des großen Kurfürsten und räumte das letzte Hinderniß weg, das den emporstrebenden Rivalen noch hindern konnte, eine selbständige Stellung in Deutschland gegenüber von Oesterreich einzunehmen. Es war ein Schritt von ähnlicher Bedeutung, wie die Loslösung des großen Kurfürsten vom polnischen Lehensjoch; jetzt erst war ein preußischer Staat auch äußerlich festgestellt und, wie der bekannte Ausspruch lautet, den Nachfolgern die Pflicht auferlegt, sich zur Königswürde die Königsmacht zu erwerben.

Aber nicht allein in dem denkwürdigen Act von 1701 knüpfte Friedrich I. an die politische Tradition des Vorgängers an; dieser friedfertige und furchtsame Fürst bewahrte und erweiterte auch mit demselben glücklichen Instinct die militärische Erbschaft des großen Kurfürsten. Die Kriege des Hauses Habsburg, an denen Friedrich Theil nahm, haben wie fast immer, wenn die Noth der Zei-

*) Dohm, Denkwürdigk. IV. 136.

ten beide Staaten eng verband, ein Machtverhältniß begründet,
das in Mitteleuropa den Ausschlag gab; der äußere Vortheil des
Kampfes fiel zwar mehr in die Wagschale Oesterreichs als Preußens, aber man würde doch irren, wenn man vom Standpunkte
rein preußischen Interesses die Kriege, an denen damals brandenburgische Heere in Deutschland, Italien, den Niederlanden, der
Türkei Theil nahmen, für fruchtlos halten wollte. Nicht nur daß
die Königswürde der gewichtige moralische Lohn für die geleistete
Hülfe war, auch der militärische Ruf Preußens ward in diesen
Kämpfen ungemein vergrößert. Die Schlachten bei Höchstädt, bei
Turin, gegen die Osmanen wurden durch den glänzenden Antheil,
den die Preußen daran nahmen, für das militärische Ansehn des
jungen Staates nicht minder bedeutsam, als die Lorbeeren von
Fehrbellin.

Der gute Genius Preußens fügte es so, daß der lässigen und
verschwenderischen Verwaltung Friedrichs I. die strengste Sparsamkeit unter Friedrich Wilhelm I. folgte und die Anwandlungen französischen Monarchismus durch die nüchterne, hausgebackene Prosa
eines bürgerlich=soldatischen deutschen Königthums ersetzt wurden.
Während in Oesterreich unter der passiven Regierung Karls VI.
die Schöpfungen Eugens verfielen und als schlimme Frucht der
althabsburgischen Politik in allen Quellen des Staates Stockung
eintrat, während die Regenten der einst blühendsten Territorien
den gröbsten Excessen der versailler Nachahmung verfielen, sammelte hier ein thätiger und wachsamer Fürst die Mittel künftiger
Macht, füllte den Schatz, vergrößerte das Heer, stellte in allen
Zweigen der Verwaltung die strengste Ordnung her, erleichterte die
Lasten der Unterthanen, griff mit eiserner Hand durch, wo es
Mißbräuche zu beseitigen, die Tragkräfte des Staates zu steigern,
Vorrechte zu beschneiden, die Beamten zu überwachen und anzuspornen galt. In der Organisation der Verwaltung, in dem Verfahren gegen den Lehensadel, in dem Anbau wüstliegender Landstriche
lenkte Friedrich Wilhelm ebenso entschieden in die Bahnen des
großen Kurfürsten zurück, wie in dem scharf ausgeprägten Verhältniß zum deutschen Protestantismus. Das Schirmeramt über die
bedrängten Protestanten war noch zu keiner Zeit so entschieden
und consequent von Preußen gehandhabt worden, wie unter Friedrich Wilhelm I.; Preußen war jetzt völlig in die Lücke einer ersten

protestantischen Macht Deutschlands eingetreten, die erst durch den Verfall der größeren protestantischen Gebiete, dann durch die Bekehrung der Dynastien in Kursachsen und Kurpfalz entstanden war.

So herb und rücksichtlos das ganze Regiment des königlichen Zuchtmeisters war, es bot doch eine Menge von achtbaren und trefflichen Zügen, die den Neid vieler anderen deutschen Länder weckten; denn dort hauste der Despotismus der Zeit zum Theil in ebenso rauhen Formen, aber es fehlte der sittliche Hintergrund eines großen auf das Wohl der Gesammtheit gerichteten Staatszweckes.

In seinem Verhältniß zu Oesterreich glich Friedrich Wilhelm I. mehr seinem Vater als dem großen Kurfürsten. Nicht sowol aus persönlicher Unselbständigkeit, als vielmehr aus ehrenwerther Anhänglichkeit an die überlieferten Formen des alten Reiches und die Autorität des Kaisers neigte er entschieden zur österreichischen Politik. Er war wieder darin so ganz Reichsfürst im alten Stil, und jedem ausländischen Einflusse in Deutschland so abgeneigt, daß ihn alle Enttäuschungen nicht völlig irre machen konnten in seiner aufrichtigen und edlen Pietät für Kaiser und Reich. Denn ungeachtet aller der schweren Proben, auf welche durch die habsburgische Politik seine Uneigennützigkeit gestellt war, und trotz mancher Schwankungen in seinem Verhalten, die das Gefühl, schnöde mißbraucht zu werden, hervorrief, blieb er doch im Ganzen jenem denkwürdigen Bekenntniß treu:*) „meine Feinde mögen thun, was sie wollen, so gehe ich nicht ab vom Kaiser, oder der Kaiser muß mich mit den Füßen wegstoßen, sondern ich mit Treue und Blut sein bin und bis in mein Grab verbleibe."

Erst die letzte Zeit brachte darin eine Wendung hervor und rief die traditionelle Politik, wie sie vor hundert Jahren in dem jungen Staate aufgetaucht war, wieder in die frischeste Erinnerung. Die wiederholte Erfahrung des Königs, daß seine Loyalität ungroßmüthig ausgebeutet ward, namentlich die Art, wie man in der polnischen und niederrheinischen Verwicklung das preußische Interesse hintangesetzt, brach in seinen letzten Lebensjahren seine Geduld und preßte ihm mit einem Fingerzeig auf den Kronprinzen das berühmte Wort ab: „da steht Einer, der mich rächen

---

*) Ranke, preuß. Gesch. I. 385.

wird." Je argloser der praktisch verständige, aber offene und jeder Arglist unfähige Charakter Friedrich Wilhelms das Opfer diplomatischer Doppelzüngigkeit geworden war, um so stärker muß bei seiner reizbaren Natur nun der Rückschlag sein. Der letzte Rath, den er auf dem Sterbebette seinem Nachfolger ertheilte, empfahl zwar alle Rücksicht gegen den Kaiser als Reichsoberhaupt, aber fügte auch bedeutsam hinzu: „man dürfe nie vergessen, daß der Kaiser dem Hause Oesterreich angehöre, welches seinen eigenen Vortheil suche und den unabänderlichen Grundsatz verfolge, das Haus Brandenburg eher kleiner zu machen als größer."*)

Dies Vermächtniß aus dem Munde eines Königs, der unter allen preußischen Regenten vor 1740 am freundlichsten gegen Oesterreich gesinnt gewesen, war ein bedeutsamer Fingerzeig in die Zukunft. Der Conflict, der seit 1640 wach geworden, war durch die Persönlichkeiten der beiden letzten Fürsten verdeckt, aber nicht ausgeglichen worden; die widerstrebenden Interessen, zunächst der rivale Kampf um die Herrschaft in Deutschland, standen sich vielmehr wieder so schroff gegenüber, wie nur je in den Tagen des großen Kurfürsten.

Am 31. Mai 1740 starb Friedrich Wilhelm I. Sein Land zählte damals nicht mehr als 2 Millionen 240,000 Einwohner,**) aber es war wohlgeordnet, bildete ein starkes festgeschlossenes Ganze, der Schatz war gefüllt, das Heer schlagfertig. Der Erbe dieser Macht war Friedrich II. Am 20. Oktober desselben Jahres starb Kaiser Karl VI. und mit ihm erlosch der habsburger Mannsstamm; seine Hinterlassenschaft war: eine europäische Verwicklung, ein zerrüttetes, schlecht geordnetes Staatswesen, verworrene Finanzzustände, eine im Verfall begriffene Armee.

Damit war der Augenblick gekommen, wo sich eine neue Ordnung der Dinge in Deutschland vorbereitete.

---

*) Stenzel, Gesch. d. preuß. Staates IV. 56, 57.
**) Oeuvres de Frédéric II. 1.

Dritter Abschnitt.

Die Zeit Friedrichs II. und Maria Theresias.

Außerordentliche Persönlichkeiten kündigen sich in der Regel gleich bei ihrem Auftreten an; ihre ersten öffentlichen Handlungen geben dann dem ganzen künftigen Urtheil der Menschen seine Richtung. So bestieg Friedrich II. den preußischen Thron; seine ersten Thaten ließen den Aufgang einer neuen Zeit erwarten. Mit dem ganzen Bewußtsein des Königs und Herrn, ohne die tadelnswerthe Hingebung an die Freunde und Gesellschafter seiner Jugend, vielmehr von der strengen Gerechtigkeit des Herrschers erfüllt und doch zugleich von einer verständigen Milde und Menschlichkeit — so kündigten sich Friedrichs allererste Handlungen an, als er den ledig gewordenen Thron des Vaters einnahm. Es empfing ihn nicht der geläufige Jubel, der von dem Reize des Neuen bestimmt jede junge Regierung begrüßt; es ging vielmehr eine Ahnung durch die Gemüther, daß das Erbe an Wohlstand und kriegerischer Macht, wie es der Vater hinterlassen, hier auf einen Fürsten überging, der die Kraft und den Ehrgeiz besaß, dies Ueberlieferte in großer und eigenthümlicher Art zu erweitern. Denn zu der sparsamen, strengen Art der vorangegangenen hohenzollernschen Fürsten kam hier die schöpferische Kraft eines freien und großen Geistes, der, während das Talent Ererbtes nur nützte oder mehrte, ihm mit genialer Eigenthümlichkeit eine ganz neue, ungewöhnliche Bedeutung gab. Ohne das Pedantische und Bizarre des Vaters, und doch der Erbe seiner kernhaften, schlichten Mannestugenden schien der neue König gleich anfangs berufen, nicht

nur die überlieferte Macht an Geld und Soldaten in ganz uner=
warteter Weise zu vergrößern, sondern auch den Gedanken und
Ideen einer Zeit, deren Kind er war, eine Geltung zu schaffen,
die weit über den begränzten Raum des preußischen Staates hin=
ausging.

Wenige Monate nachdem er den Thron bestiegen, gab ihm
der Tod Karls VI. die glücklichste Gelegenheit, seinem Staate den
Zuwachs an Macht und europäischem Ansehen zu erwerben, den
die Königswürde von 1701 bedurfte, nicht besaß. Die Art, wie
er in diesem Kampfe gegen die habsburgische Hausmacht auftrat,
sich mit Frankreich verband, ein neues Kaiserthum ohne Macht
und Gefahr für ihn aufzurichten unternahm, und indem er
den alten Formen des Reiches einen tödtlichen Stoß ver=
setzte, dem preußischen Staate erst die europäische Stellung schuf,
der schon der große Kurfürst nahe genug gekommen, um die sich
dann die folgenden Regenten weniger im Großen bemüht,
als im Kleinen und Einzelnen vorgearbeitet — dies war Alles
von so tief eingreifender Bedeutung, daß für die europäischen
wie für die deutschen Geschicke fortan eine neue Entwicklung
begann.

Diese Uebersicht, die nur die wichtigsten Ergebnisse zusammen=
fassen soll, hat die einzelnen großen Vorgänge jener Zeit nicht zu
schildern; aber Eines darf sie auch nicht unterlassen hervorzuheben:
die bleibende geschichtliche Bedeutung, welche Friedrichs II. Per=
son und Regentenart für die gesammte Entwicklung der Zeit, ins=
besondere die deutsche, erlangt hat. Seit den Erschütterungen des
dreißigjährigen Krieges war kein Ereigniß und keine Persönlich=
keit dagewesen, die so entschieden darauf hingewirkt, die Formen
des alten Reiches zu zerrütten, dem Kaiserthum seinen letzten Zau=
ber zu nehmen, den Reichstag so jedes Restes von moralischem
Ansehen zu berauben, wie Friedrich II.; und doch war zugleich
seit Jahrhunderten kein Mann in Deutschland aufgetreten, der so
mächtig dazu beigetragen, dem ganzen Leben der Nation eine so
durchgreifende Förderung zu geben, wie er. Indem er die Auf=
lösung der alten Formen beschleunigte, ist durch ihn zugleich dem
geistigen und politischen Inhalte des nationalen Lebens eine Er=
weckung und Erweiterung gegeben worden, die wichtiger war als
die Fortbauer jener abgelebten Formen.

Mit Friedrich II. kam eine ganz neue Richtung in die gesammte europäische Politik; die alte absolute Monarchie ward durch eine neue verdrängt. Gegenüber dem bekannten l'état c'est moi tauchte hier ein Königthum auf, das sich als den ersten Diener des Staates betrachtete, das, getreu der Tradition der hohenzollernschen Vorfahren, den Wohlstand des Landes förderte, nicht die Verarmung, das die Duldung der Meinungen und Glaubensformen auf seine Fahne schrieb, nicht deren gewaltthätige Unterdrückung. Wie das versailler Königthum und seine Nachbeter den Werth der Monarchie in äußerem Prunke gesucht, so war hier weise Selbstbeschränkung und Einfachheit oberster Grundsatz; wie man dort im Scheine, zuletzt im leeren Pathos sich verloren, so war hier auf das Wesen, auf die schlichte Prosa und Wahrhaftigkeit der Dinge Alles berechnet. Wie dort orientalische Verweichlichung und weibisches Wesen den Thron und Hof umgab, so überwog hier die strenge männliche Erscheinung eines Heldenkönigs, der, um mit Fürst Kaunitz zu reden, wie kaum ein zweiter in der Geschichte, den Thron und das Diadem geadelt hat.

Diese neue Art des absoluten Königthums, die in dem großen Kurfürsten sich zuerst angekündigt, aber in Friedrich erst ihren genialen und vollständigen Ausdruck gefunden, wirkte umgestaltend auf die ganze damalige Geschichte. Anfangs mit Widerwillen, ja mit dem bittern Hasse betrachtet, den das Gefühl eigner Nichtigkeit erzeugte, aber gefürchtet, zuletzt bewundert auch von denen, deren Haß unvermindert blieb — so wurde er das europäische Vorbild eines neuen Königthums, das die alten Ueberlieferungen kühn durchbrach, dem persönlichen Werth der Monarchie eine neue Weihe gab, aber auch die Aufgabe und die Ansprüche an das Königthum außerordentlich steigerte. In den meisten Ländern Europas, in großen wie in den kleinsten, mit Glück oder Unglück nachgeahmt, nicht selten karrikirt, ward Friedrich nicht nur das gültige Muster eines neuen Königthums, sondern zum Schaden der Mittelmäßigkeit zugleich der populäre Maßstab königlichen Werthes und Verdienstes.

So fest und unbeschränkt Friedrich das Steuer des Staates führte, es sind doch überall durch ihn die Ueberlieferungen von der alten königlichen Gewalt und der alten Art von sklavischem Gehorsam durchbrochen worden. Ein König, der schon in seiner

ersten politischen Jugendschrift, im Antimacchiavell, die Meinung
aussprach, der Fürst sei nicht Herr seiner Unterthanen, sondern
deren Diener (domestique), und kein Mensch habe das Recht, sich
eine unbeschränkte Herrschaft über die Andern anzumaßen, der die
Wahrheit des Satzes anerkannte, es sei besser von Gesetzen abzuhängen, als von der Laune eines Einzigen *), ein solcher
König wurde nicht mit Unrecht von den Trägern der alten versailler Monarchie als ein gefährlicher Eindringling angesehen.
Und er blieb bei den Worten nicht stehen. Wie er sich gegen die alten
Anschauungen von der Gewalt und vom Gehorsam richtete, so
verließ er die politische Ueberlieferung seiner beiden Vorgänger,
lehnte sich gegen den Kaiser und die alte Reichsverfassung auf,
griff mit gewaltsam umgestaltender Hand in die alte Ordnung
der europäischen Verhältnisse ein, schuf eine neue Gruppirung der
Staaten und ihres Gleichgewichts. Aber auch die Gedanken und
Ansichten des Königs wirkten im Zusammenhang mit seinen Thaten bedeutungsvoll genug auf die Umwälzung der Geister, die mit
Friedrichs Zeitalter innerlich und äußerlich zusammenhängt.

Die Anschauung des Königs war zu groß und umfassend,
als daß er an die Vollkommenheit und Ewigkeit einer Staatsform hätte glauben können. Die Feudalität mit ihren vielen
aristokratischen Gewalten erschien ihm nur als eine Pflanzschule
bürgerlicher Unruhen, als eine Quelle allgemeinen Unheils für
die Gesellschaft.**) Ihre verderbliche Entartung nöthigte ihm ein
Geständniß ab, das wir bei dem größten und glücklichsten Vertreter deutschen Landesfürstenthums kaum erwarten sollten. In
Deutschland, sagt er, sind diese Vasallen unabhängig geworden;
in Frankreich, England und Spanien hat man sie unterworfen.
Das einzige Muster — fügt er hinzu — das wir von dieser ab-
scheulichen Regierungsform noch übrig haben, ist die Republik
Polen; und dabei scheint er kaum daran zu denken, daß ja
Deutschland selbst, wenn auch in anderer Weise entwickelt, einen
ähnlichen Wust aristokratischer Unförmlichkeiten darbot, wie der in
Auflösung begriffene Staat der Jagellonen.

---

*) S. Oeuvres de Frédéric VIII. S. 66. 92.
**) Die folgenden Anführungen sind aus dem Essai sur les formes de
gouvernement, s. Oeuvres de Frédéric T. IX. 195 ff.

Die repräsentative Monarchie, wie sie aus der englischen Revolution heraufwuchs, mußte dem Gedankenkreise des Königs fern
liegen; doch erkannte er richtig und betonte mit Nachdruck die
wunde Stelle, die dem constitutionellen Wesen Großbritanniens
im achtzehnten Jahrhundert Verderben drohte: die Corruption der
Vertretung. Um die Monarchie bewegten sich die Gedanken des
Königs; aber es hat nie ein Fürst auf einem Throne gesessen,
dessen Anforderungen an die Monarchie größer gewesen wären,
als die Friedrichs. Sie ist, sagt er, die schlechteste oder die beste
aller Regierungsformen, je nachdem sie geführt wird. Er verlangte
von einem rechten König eine Kenntniß, eine Fürsorge, eine Klugheit und Unabhängigkeit, wie sich selten in einer Persönlichkeit
vereinigt findet; er schilderte die Folgen eines abhängigen, unentschlossenen, verworrenen und planlosen Fürstenregiments so beredt
und treu, als wäre er selber noch lebender Zeuge des Verfalles
und Unterganges seiner glorreichen Monarchie gewesen. Eine Monarchie, in welcher durch die Unthätigkeit oder Unfähigkeit des Regenten die Gänge des Uhrwerks gestört sind, eine Monarchie, worin
man sich gewöhnt hat, die Interessen der Krone und die des Volkes als verschieden zu betrachten, erscheint ihm so verderblich, als
es nur immer die „abscheuliche Junkeraristokratie“ in Polen sein
mochte. „Der Fürst, sagte er, ist für die Gesellschaft, was der Kopf
für den Körper ist: er muß sehen, denken, handeln für die ganze
Gemeinschaft, um ihr alle Vortheile, deren sie fähig ist, zu verschaffen. Will man, daß die Monarchie den Sieg behalte über
die Republik, so muß der Monarch thätig und unbescholten sein,
und alle seine Kräfte zusammennehmen, um seinen Pflichten zu
genügen.“ Die Monarchie ist ihm eine lebendige und unermüdet
thätige Vorsehung auf Erden; aber ihre Stärke und Lebenskraft
sieht er nicht in irgend einem mystischen Zauber göttlichen Ursprunges, sondern nur in dem Grade ihres Verdienstes.

So stolz und gewichtig Friedrich den Monarchen in sich
fühlte, so liegen doch in dieser Auffassung Anklänge an eine neue
Zeit menschlicher Entwicklung, die neue Gedanken und neue Forderungen in die Welt warf, und mancher seiner Aussprüche liegt
nicht allzuweit weg von den Ideen, die bald nach seinem Tode
anfingen die Welt zu erschüttern. Der mystische, gleichsam übernatürliche Zauber ist von seinem Königthum abgestreift, es ist

eine ſichtbare menſchliche Inſtitution, deren Werth von dem Grade
ihres Verdienſtes abhängt. Der Monarch iſt ihm nur der „erſte
Diener des Staates”; er hält ihn für „verpflichtet, denſelben ſo
redlich, weiſe und uneigennützig zu verwalten, als wenn er jeden
Augenblick ſeinen Bürgern (citoyens) Rechenſchaft ablegen müßte.”
Er hält ihn für „ſtrafbar”, wenn er „das Geld ſeines Volkes
verſchwendet”, wenn er, ſtatt der Wächter guter Sitten zu ſein,
„die Volkserziehung durch ſein eigenes verkehrtes Exempel verderbe.” Er ſtellt an ſeinen König die Forderung, daß er ſich in
die Seele des armen Landmanns oder Arbeiters hineindenke und
ſich frage: wenn ich einer von denen wäre, deren Capital nur in
ihrer Händearbeit beſteht, was würde ich von meinem Fürſten
verlangen? Er ſpricht den inhaltſchweren Grundſatz aus: daß
kein Menſch dazu geboren und beſtimmt ſei, der Sklave der Andern zu ſein; er findet es unverzeihlich, in die Gewiſſen und Gedanken der Menſchen hinein regieren zu wollen; nur um uns die
Geſetze zu bewahren — ſo läßt er die Unterthanen zu ihrem König ſprechen — wollen wir dir gehorchen, damit du uns weiſe
regierſt und uns beſchirmeſt; daneben verlangen wir, daß du unſere Freiheit achteſt.

Hat Friedrich II. durch dieſe Ideen, wie durch ſeine äußeren
geſchichtlichen Thaten den Zuſammenhang der alten europäiſchen
Verhältniſſe durchbrochen und die hergebrachten Meinungen von der
Beziehung des Königthums zu den Regierenden aufs tiefſte er-
ſchüttert, ſo iſt ſeine beſondere Rückwirkung auf Deutſchland nicht
minder bedeutungsvoll geweſen. Es iſt ein bekanntes Wort von
Goethe, der ſchon als Zeitgenoſſe hier der gültigſte Zeuge iſt:
„der erſte und wahre höhere eigentliche Lebensgehalt kam durch
Friedrich d. Gr. und die Thaten des ſiebenjährigen Krieges in die
deutſche Poeſie.” Aber es war nicht die Poeſie allein, welche die
große Rückwirkung einer ſolchen Perſönlichkeit empfand. Unſer
ganzes Leben, unſere eigentliche Natur hat durch Friedrich eine
ungemeine Veränderung erfahren. Eine Perſönlichkeit wie die des
Königs, ſo außerordentlich überlegen den leeren Copien des Siècle
de Louis XIV., von denen die deutſchen Fürſtenhäuſer und ihre
Höfe noch erfüllt waren, ſo geſund und einfach und, ungeachtet
ſeiner franzöſiſchen Politur, ſo kerndeutſch, war an ſich ſchon ein
Ereigniß. Das Fürſtenthum nach verſailler Muſter erhielt erſt

jetzt in Deutschland den tödtlichen Stoß, nachdem in Friedrich der
Gegensatz hervorgetreten, der Gegensatz eines tüchtigen deutschen
Fürsten, an deffen Erscheinung sich die persönliche Achtung und
Liebe wieder aufrichten und nähren konnte. Daß dieser König mit
einer in Deutschland längst entwöhnten Kühnheit und einem stol=
zen Selbstgefühl den alten Autoritäten im Innern Trotz bot, wie
den auswärtigen Gewalten, daß er den Hochmuth der vornehmen
europäischen Politik züchtigte und gegen das vereinigte Europa
heldenmüthig sich behauptete, daß er die alte deutsche Waffenehre
wieder zur vollen glänzenden Anerkennung brachte, daß er allen
den Fremdlingen, die sich so lange übermüthig als die Herren ge=
berdet auf deutschem Boden, jetzt blutig heimzahlte und überall
als der Ueberlegene, Rasche, Unbezwingliche erschien, dem auch die
Gegner ihre Bewunderung nicht versagten, das war von un=
berechenbarer Wirkung für das ganze deutsche Leben. Hier ward
der schlimme Ruf unserer schwerfälligen und unbeholfenen Art zum
ersten Male glänzend widerlegt, hier ward nach langer Oede zum
ersten Male ein deutscher Mann mit seinem Volke der Gegenstand
des Neides und der Bewunderung eines ganzen Welttheils; hier
entfaltete sich nach einer langen Zeit von nationalem Unglück und
Demüthigung eine Größe, an der die Nation sich mit ganzer Ge=
nugthuung erheben konnte. Es wirkte auf alle Kreise diese Kühn=
heit und dies Selbstgefühl zurück, deffen Träger Friedrich gewesen;
der Deutsche richtete sich wieder einmal aus jener gedrückten und
demüthigen Stellung auf, welche die üble Frucht der letzten Zei=
ten war.

So ist denn auch in unserer ganzen Geschichte bis dahin
keine Persönlichkeit zu erwähnen, an deren Größe sich die ge=
sammte Nation so ohne Unterschied der Stämme, der Meinungen,
der religiösen Bekenntnisse wieder erhob. Der unermüdliche, thä=
tige und wachsame König in seiner schlichten, anspruchslosen
Erscheinung, seinem scharfen Auge, seinem unverwüstlich gesunden
Sinne, seiner Verachtung des Scheins, der Lüge, der Schmeiche=
lei, seiner Gerechtigkeitsliebe — ist in zahllosen Geschichten, Er=
zählungen und Anekdoten in alle Kreise des Volkslebens einge=
drungen und wie keine andere Persönlichkeit unserer Geschichte
das lebendige Eigenthum der Nation geworden. Er ist der ein=
zige Mann, dem es mitten in der Zerriffenheit gelang, im gan=

zen Kreise der Nation populäre Wurzeln zu schlagen, mit dem ein
wirklicher Cultus getrieben ward, wie mit keiner andern unserer
geschichtlichen Größen. Sein Bildniß war in die entlegen-
sten Gegenden eingedrungen; es ward in den Reichsstädten verehrt, die ihr Contingent zur Reichsarmee gegen ihn stellten, und
hing in katholischen Gegenden neben dem Bilde des Landespa-
trons. *)

Diese Wirkungen auf das öffentliche Leben in Deutschland
mußten sich geltend machen, wenn auch die alten Formen noch
fort vegetirten. Ihre allmälige Auflösung wurde von Friedrich
vorbereitet, aber noch nicht vollendet. Den bedeutendsten Schritt
in dieser Richtung that er gleich anfangs, als er die Bestrebungen unterstützte, die auf eine Auflösung der habsburgischen Hausmacht ausgingen. Die Trennung des habsburgischen Erbes, die
Abtretung wichtiger Stücke an Baiern, Sachsen und Preußen
selbst, die Uebertragung der Kaiserwürde auf die baierischen Wit-
telsbacher und die Protection dieser dann in sich machtlosen Würde
durch Preußen, dies mußte, wenn es gelang, die ganze Gestalt des Reiches verändern. Aber noch einmal erhob sich in Maria Theresia das Haus Habsburg in einem Glanze, wie seit Jahrhunderten nicht; die Unterstützung Englands, die klägliche Schwäche
der bairisch-französischen Allianz selber machte die Plane scheitern,
das habsburgische Erbe ward nicht aufgelöst, kam vielmehr mit
der Kaiserkrone an das lothringische Herzogsgeschlecht, das sich
durch Ehebande mit den Habsburgern verschmolzen, und der Plan
des wittelsbachischen Kaiserthums fiel ruhmlos zu Boden. Die
Kaiserwürde, wie sie jetzt auf die Lothringer überging, war damit
freilich keine andere und mächtigere geworden, als sie früher gewesen; aber ihr Verlust wäre für das Haus Habsburg-Lothringen
das entscheidende Symbol der Erniedrigung gewesen, ihre Behauptung gönnte dem äußeren Bestande der Reichsformen noch
eine kurze Frist.

Darin war allerdings eine durchgreifende Veränderung eingetreten, daß diese Reichsformen selbst in der Gestalt, wie sie
der westfälische Friede überliefert, eine allgemeine Geltung und
Anwendung nicht mehr gewinnen konnten. Dem Kaiser, der

---

*) Dohm, Denkwürdigk. I. 249.

selbst mehr auswärtiger als deutscher Fürst war, stand ein Landesfürst gegenüber, dessen überwiegende Stellung eine europäische,
nicht die eines deutschen Reichsstandes war. Neben dem König
von Preußen, als einer selbständigen nordischen Großmacht, die
in die Lücke Schwedens, Polens, Dänemarks eingetreten, konnte
der Kurfürst von Brandenburg nicht besonders in die Wagschale
fallen. Oder konnte man sich ernstlich einbilden, dieser Macht,
die sich zu einer schiedsrichterlichen Stellung in Europa erhoben,
die Geltung der deutschen Reichsgesetze, der Reichsgerichte, die
Befolgung kaiserlicher Anordnungen aufbringen zu wollen? Versuchte man es wirklich, wie es in den Anfängen des siebenjährigen Krieges geschah, so lief man nur Gefahr, die ganze Ohnmacht der alten Formen auf's kläglichste allen Augen bloßzustellen.
Während diese Formen in den regensburger Reichstagsbeschlüssen
von 1757 und in der Niederlage von Roßbach den empfindlichsten Stoß erlitten, der sie vor der Auflösung durch die Revolution
getroffen hat, standen sich theils innerhalb des Reiches, theils
außerhalb desselben zwei Großmächte gegenüber, deren vereinigte
Kriegsmacht stark genug war, den Gang der Dinge in Mitteleuropa zu bestimmen. Oesterreich, indem es den Namen des Kaiserthums noch so gut zu verwerthen suchte, als es ging, indem es
die alte Solidarität zwischen seiner Hauspolitik und dem Reiche
möglichst zu bewahren, alle Elemente, deren Interesse mit den
alten Formen verwebt war, an sich zu knüpfen, die Besorgtheit
reichsständischer Autonomie, des geistlichen Fürstenthums und des katholischen Glaubens in seinem Sinne zu leiten bemüht war; Preußen
in natürliche Opposition zu dem Allem gestellt, gegen die Formen
der Reichsverfassung mindestens gleichgültig, wenn nicht feindselig,
mit den Elementen der Opposition und den Ideen der jungen Zeit
auf's engste verbunden. Zu Oesterreich standen der Reichstag und
die Reichsgerichte, die kleinen Fürsten, Grafen, Reichsstädte, Ritterschaften und der gesammte Kirchenstaat; an Preußen schloß sich
der neue aufgeklärte Absolutismus, die Toleranz- und Humanitätsrichtung der Zeit, die Stimmung der jungen Generation an,
und deren Ausdruck, die junge Literatur.

So hatten sich die Dinge in den vierziger und funfziger Jahren des achtzehnten Jahrhunderts gestaltet; mit dem Auftreten
Josephs II. trat ein Wechsel ein, der die Stellungen vielfach ver-

I. 5

schob, ja die Rollen vorübergehend vertauschte und das preußische
Interesse auf einmal mit der Erhaltung der alten Formen des
Reiches verflocht; davon wird später noch die Rede sein.

War für Preußen mit dem Jahre 1740 ein bedeutungsvoller Wendepunkt eingetreten, so war dies in nicht geringerem Umfange mit Oesterreich der Fall.   Nicht nur eine neue Dynastie,
deren fast französische Beweglichkeit und deren unruhiger Unternehmungsgeist bisher ebenso weltkundig gewesen war, wie die
phlegmatische Starrheit der Habsburger, ward jetzt durch die letzte
habsburgische Prinzessin in das alte Erbe des Kaiserhauses eingeführt; auch diese letzte Fürstin des scheidenden Geschlechts selber
war eine andere, als ihre Ahnen seit Jahrhunderten gewesen. Es
drang ein neuer Lebensstrom in diesen alten Organismus ein, der
seine Kraft und Beweglichkeit erstaunlich förderte; es machte
sich mit einem Male das eifrige Bestreben geltend, das lange
Versäumte rasch, oft selbst mit ungeduldiger Hast, nachzuholen.   Das alte Oesterreich der Ferdinande und Leopolde verschwand; aus äußeren Erschütterungen und inneren Gährungen
begann ein neues zu entstehen.
    Noch war der österreichische Staat ein loses Gefüge einzelner
Provinzen mit ihren besondern mittelalterlichen Verfassungen; in
diesen Verfassungen die Aristokratie im Uebergewicht, die Landesverwaltung noch zum großen Theil in den Händen ständischer Ausschüsse, die untere Gerichtsbarkeit und Polizei bei den einzelnen
Herren und Körperschaften.   Auf dem Bürgerthum lastete eine
strenge Zunftverfassung; der Bauer war leibeigen.   Das Heer
bestand noch zum größten Theil aus unregelmäßigen Truppen
und auch die regulären enthielten seltsam zusammengeworfene
Bestandtheile.   Der Verkehr war gering, gute Straßen selten;
die Volkserziehung der Kirche völlig überlassen.   Die zwei Grundsätze — so schließt eine österreichische Quelle *) diese Schilderung —

---

*) Beidtel in den Sitzungsberichten der kaiserl. Akademie der Wissensch.
Philos. histor. Classe. Jahrg. 1851. S. 708. Diese trefflichen Arbeiten eines
einsichtsvollen österreichischen Beamten sind um so dankenswerther, je dürftiger
bisher die Quellen über diesen Theil der österreichischen Geschichte flossen.

welche man bei der Regierung als die leitenden annehmen konnte, waren bloß: Aufrechthaltung der katholischen Religion, sowie sorgfältige Beachtung des Herkommens und, insofern es mit diesen zwei Bestrebungen vereinbarlich war, ein Streben nach Erweiterung der Regentenmacht.

Die Gefahr, nach dem Tode Karls VI. die ganze Erbschaft des Hauses aufgelöst zu sehen, forderte ungewöhnliche Mittel und Kräfte heraus; aber das Vorbild Preußens zeigte auch, was ein kleiner Staat durch Einsicht und Thätigkeit seines Fürsten vermochte, es galt also, dieses Beispiel nachzuahmen. Und wie dort ein genialer junger König der Monarchie eine moralische Macht gibt, die sie nirgends auf dem Festlande besaß, so weiß zu gleicher Zeit in Oesterreich eine geistvolle Frau durch ihre weiblichen Tugenden wie durch ihre Regenteneigenschaften dem Throne wieder einen persönlichen Glanz und Zauber zu verleihen, wie ihn seit Maximilian dem „letzten Ritter" kein habsburgischer Fürst mehr um sich verbreitet hatte.

Maria Theresia brachte mit einem Male, durch die Noth zunächst gedrängt, in die erstarrte österreichische Staatsmaschine wieder Leben und Bewegung. Thätig, wohlwollend, von reinen Sitten und zauberischer Liebenswürdigkeit, Neuerungen und Verbesserungen wohl zugänglich, aber überall ungemein wachsam auf ihre monarchische Autorität und deren Gerechtsame, so wirkte sie fördernd und anregend auf den trägen alten Stoff, ohne darum die Geleise der überlieferten Politik mit den dornenvollen, undankbaren Wegen einer durchgreifenden Umgestaltung zu vertauschen. Manche Härte und Verkehrtheit der alten Zeit verschwand; in die Finanzverwaltung ward mehr Ordnung gebracht, die Arbeitskraft des Volkes gefördert, der Druck der Feudalität gemildert. Der heroische Sinn, den die junge Fürstin gleich anfangs bewies, als sich ein großer Theil von Europa gegen ihr Erbrecht erhob, hatte damals erfrischend auf die Länder und Völker der Erblande gewirkt und in ihnen eine jugendliche royalistische Begeisterung entzündet; gleichwie ihr großer Gegner in Preußen, schuf sie durch ihre Persönlichkeit der Monarchie einen sittlichen Rückhalt und eine Popularität, welche der Name und die Ueberlieferung allein nie geben kann.

Ihr Geschlecht, ihre Jugend und Schönheit, wie ihr Un-

5*

nur die überlieferte Macht an Geld und Soldaten in ganz uner=
warteter Weise zu vergrößern, sondern auch den Gedanken und
Ideen einer Zeit, deren Kind er war, eine Geltung zu schaffen,
die weit über den begränzten Raum des preußischen Staates hin=
ausging.

Wenige Monate nachdem er den Thron bestiegen, gab ihm
der Tod Karls VI. die glücklichste Gelegenheit, seinem Staate den
Zuwachs an Macht und europäischem Ansehen zu erwerben, den
die Königswürde von 1701 bedurfte, nicht besaß. Die Art, wie
er in diesem Kampfe gegen die habsburgische Hausmacht auftrat,
sich mit Frankreich verband, ein neues Kaiserthum ohne Macht
und Gefahr für ihn aufzurichten unternahm, und indem er
den alten Formen des Reiches einen tödtlichen Stoß ver=
setzte, dem preußischen Staate erst die europäische Stellung schuf,
der schon der große Kurfürst nahe genug gekommen, um die sich
dann die folgenden Regenten weniger im Großen bemüht,
als im Kleinen und Einzelnen vorgearbeitet — dies war Alles
von so tief eingreifender Bedeutung, daß für die europäischen
wie für die deutschen Geschicke fortan eine neue Entwicklung
begann.

Diese Uebersicht, die nur die wichtigsten Ergebnisse zusammen=
fassen soll, hat die einzelnen großen Vorgänge jener Zeit nicht zu
schildern; aber Eines darf sie auch nicht unterlassen hervorzuheben:
die bleibende geschichtliche Bedeutung, welche Friedrichs II. Per=
son und Regentenart für die gesammte Entwicklung der Zeit, ins=
besondere die deutsche, erlangt hat. Seit den Erschütterungen des
dreißigjährigen Krieges war kein Ereigniß und keine Persönlich=
keit dagewesen, die so entschieden darauf hingewirkt, die Formen
des alten Reiches zu zerrütten, dem Kaiserthum seinen letzten Zau=
ber zu nehmen, den Reichstag so jedes Restes von moralischem
Ansehen zu berauben, wie Friedrich II.; und doch war zugleich
seit Jahrhunderten kein Mann in Deutschland aufgetreten, der so
mächtig dazu beigetragen, dem ganzen Leben der Nation eine so
durchgreifende Förderung zu geben, wie er. Indem er die Auf=
lösung der alten Formen beschleunigte, ist durch ihn zugleich dem
geistigen und politischen Inhalte des nationalen Lebens eine Er=
weckung und Erweiterung gegeben worden, die wichtiger war als
die Fortdauer jener abgelebten Formen.

Mit Friedrich II. kam eine ganz neue Richtung in die ge=
sammte europäische Politik; die alte absolute Monarchie ward
durch eine neue verdrängt. Gegenüber dem bekannten l'état c'est
moi tauchte hier ein Königthum auf, das sich als den ersten Die=
ner des Staates betrachtete, das, getreu der Tradition der hohen=
zollernschen Vorfahren, den Wohlstand des Landes förderte, nicht
die Verarmung, das die Duldung der Meinungen und Glaubens=
formen auf seine Fahne schrieb, nicht deren gewaltthätige Unter=
drückung. Wie das versailler Königthum und seine Nachbeter den
Werth der Monarchie in äußerem Prunke gesucht, so war hier
weise Selbstbeschränkung und Einfachheit oberster Grundsatz; wie
man dort im Scheine, zuletzt im leeren Pathos sich verloren, so
war hier auf das Wesen, auf die schlichte Prosa und Wahrhaf=
tigkeit der Dinge Alles berechnet. Wie dort orientalische Ver=
weichlichung und weibisches Wesen den Thron und Hof umgab, so
überwog hier die strenge männliche Erscheinung eines Heldenkö=
nigs, der, um mit Fürst Kaunitz zu reden, wie kaum ein zweiter
in der Geschichte, den Thron und das Diadem geadelt hat.

Diese neue Art des absoluten Königthums, die in dem gro=
ßen Kurfürsten sich zuerst angekündigt, aber in Friedrich erst ih=
ren genialen und vollständigen Ausdruck gefunden, wirkte umge=
staltend auf die ganze damalige Geschichte. Anfangs mit Wider=
willen, ja mit dem bittern Hasse betrachtet, den das Gefühl eig=
ner Nichtigkeit erzeugte, aber gefürchtet, zuletzt bewundert auch
von denen, deren Haß unvermindert blieb — so wurde er das
europäische Vorbild eines neuen Königthums, das die alten Ueber=
lieferungen kühn durchbrach, dem persönlichen Werth der Monar=
chie eine neue Weihe gab, aber auch die Aufgabe und die An=
sprüche an das Königthum außerordentlich steigerte. In den mei=
sten Ländern Europas, in großen wie in den kleinsten, mit Glück
oder Unglück nachgeahmt, nicht selten karrifirt, ward Friedrich nicht
nur das gültige Muster eines neuen Königthums, sondern zum
Schaden der Mittelmäßigkeit zugleich der populäre Maßstab könig=
lichen Werthes und Verdienstes.

So fest und unbeschränkt Friedrich das Steuer des Staates
führte, es sind doch überall durch ihn die Ueberlieferungen von
der alten königlichen Gewalt und der alten Art von sklavischem
Gehorsam durchbrochen worden. Ein König, der schon in seiner

erſten politiſchen Jugendſchrift, im Antimacchiavell, die Meinung ausſprach, der Fürſt ſei nicht Herr ſeiner Unterthanen, ſondern deren Diener (domestique), und kein Menſch habe das Recht, ſich eine unbeſchränkte Herrſchaft über die Andern anzumaßen, der die Wahrheit des Satzes anerkannte, es ſei beſſer von Geſetzen ab= zuhängen, als von der Laune eines Einzigen *), ein ſolcher König wurde nicht mit Unrecht von den Trägern der alten ver= ſailler Monarchie als ein gefährlicher Eindringling angeſehen. Und er blieb bei den Worten nicht ſtehen. Wie er ſich gegen die alten Anſchauungen von der Gewalt und vom Gehorſam richtete, ſo verließ er die politiſche Ueberlieferung ſeiner beiden Vorgänger, lehnte ſich gegen den Kaiſer und die alte Reichsverfaſſung auf, griff mit gewaltſam umgeſtaltender Hand in die alte Ordnung der europäiſchen Verhältniſſe ein, ſchuf eine neue Gruppirung der Staaten und ihres Gleichgewichts. Aber auch die Gedanken und Anſichten des Königs wirkten im Zuſammenhang mit ſeinen Tha= ten bedeutungsvoll genug auf die Umwälzung der Geiſter, die mit Friedrichs Zeitalter innerlich und äußerlich zuſammenhängt.

Die Anſchauung des Königs war zu groß und umfaſſend, als daß er an die Vollkommenheit und Ewigkeit einer Staats= form hätte glauben können. Die Feudalität mit ihren vielen ariſtokratiſchen Gewalten erſchien ihm nur als eine Pflanzſchule bürgerlicher Unruhen, als eine Quelle allgemeinen Unheils für die Geſellſchaft.**) Ihre verderbliche Entartung nöthigte ihm ein Geſtändniß ab, das wir bei dem größten und glücklichſten Ver= treter deutſchen Landesfürſtenthums kaum erwarten ſollten. In Deutſchland, ſagt er, ſind dieſe Vaſallen unabhängig geworden; in Frankreich, England und Spanien hat man ſie unterworfen. Das einzige Muſter — fügt er hinzu — das wir von dieſer ab= ſcheulichen Regierungsform noch übrig haben, iſt die Republik Polen; und dabei ſcheint er kaum daran zu denken, daß ja Deutſchland ſelbſt, wenn auch in anderer Weiſe entwickelt, einen ähnlichen Wuſt ariſtokratiſcher Unförmlichkeiten darbot, wie der in Auflöſung begriffene Staat der Jagellonen.

---

*) S. Oeuvres de Frédéric VIII. S. 66. 92.
**) Die folgenden Anführungen ſind aus dem Essai sur les formes de gouvernement, ſ. Oeuvres de Frédéric T. IX. 195 ff.

Die repräsentative Monarchie, wie sie aus der englischen Revolution heraufwuchs, mußte dem Gedankenkreise des Königs fern liegen; doch erkannte er richtig und betonte mit Nachdruck die wunde Stelle, die dem constitutionellen Wesen Großbritanniens im achtzehnten Jahrhundert Verderben drohte: die Corruption der Vertretung. Um die Monarchie bewegten sich die Gedanken des Königs; aber es hat nie ein Fürst auf einem Throne gesessen, dessen Anforderungen an die Monarchie größer gewesen wären, als die Friedrichs. Sie ist, sagt er, die schlechteste oder die beste aller Regierungsformen, je nachdem sie geführt wird. Er verlangte von einem rechten König eine Kenntniß, eine Fürsorge, eine Klugheit und Unabhängigkeit, wie sich selten in einer Persönlichkeit vereinigt findet; er schilderte die Folgen eines abhängigen, unentschlossenen, verworrenen und planlosen Fürstenregiments so beredt und treu, als wäre er selber noch lebender Zeuge des Verfalles und Unterganges seiner glorreichen Monarchie gewesen. Eine Monarchie, in welcher durch die Unthätigkeit oder Unfähigkeit des Regenten die Gänge des Uhrwerks gestört sind, eine Monarchie, worin man sich gewöhnt hat, die Interessen der Krone und die des Volkes als verschieden zu betrachten, erscheint ihm so verderblich, als es nur immer die „abscheuliche Junkeraristokratie" in Polen sein mochte. „Der Fürst, sagte er, ist für die Gesellschaft, was der Kopf für den Körper ist: er muß sehen, denken, handeln für die ganze Gemeinschaft, um ihr alle Vortheile, deren sie fähig ist, zu verschaffen. Will man, daß die Monarchie den Sieg behalte über die Republik, so muß der Monarch thätig und unbescholten sein, und alle seine Kräfte zusammennehmen, um seinen Pflichten zu genügen." Die Monarchie ist ihm eine lebendige und unermüdet thätige Vorsehung auf Erden; aber ihre Stärke und Lebenskraft sieht er nicht in irgend einem mystischen Zauber göttlichen Ursprunges, sondern nur in dem Grade ihres Verdienstes.

So stolz und gewichtig Friedrich den Monarchen in sich fühlte, so liegen doch in dieser Auffassung Anklänge an eine neue Zeit menschlicher Entwicklung, die neue Gedanken und neue Forderungen in die Welt warf, und mancher seiner Aussprüche liegt nicht allzuweit weg von den Ideen, die bald nach seinem Tode anfingen die Welt zu erschüttern. Der mystische, gleichsam übernatürliche Zauber ist von seinem Königthum abgestreift, es ist eine sichtbare menschliche Institution, deren Werth von dem Grade ihres Verdienstes abhängt. Der Monarch ist ihm nur der „erste Diener des Staates"; er hält ihn für „verpflichtet, denselben so redlich, weise und uneigennützig zu verwalten, als wenn er jeden Augenblick seinen Bürgern (citoyens) Rechenschaft ablegen müßte." Er hält ihn für „strafbar", wenn er „das Geld seines Volkes verschwendet", wenn er, statt der Wächter guter Sitten zu sein, „die Volkserziehung durch sein eigenes verkehrtes Exempel verderbe." Er stellt an seinen König die Forderung, daß er sich in die Seele des armen Landmanns oder Arbeiters hineindenke und sich frage: wenn ich einer von denen wäre, deren Capital nur in ihrer Händearbeit besteht, was würde ich von meinem Fürsten verlangen? Er spricht den inhaltschweren Grundsatz aus: daß kein Mensch dazu geboren und bestimmt sei, der Sklave der Andern zu sein; er findet es unverzeihlich, in die Gewissen und Gedanken der Menschen hinein regieren zu wollen; nur um uns die Gesetze zu bewahren — so läßt er die Unterthanen zu ihrem König sprechen — wollen wir dir gehorchen, damit du uns weise regierst und uns beschirmest; daneben verlangen wir, daß du unsere Freiheit achtest.

Hat Friedrich II. durch diese Ideen, wie durch seine äußeren geschichtlichen Thaten den Zusammenhang der alten europäischen Verhältnisse durchbrochen und die hergebrachten Meinungen von der Beziehung des Königthums zu den Regierenden aufs tiefste erschüttert, so ist seine besondere Rückwirkung auf Deutschland nicht minder bedeutungsvoll gewesen. Es ist ein bekanntes Wort von Goethe, der schon als Zeitgenosse hier der gültigste Zeuge ist: „der erste und wahre höhere eigentliche Lebensgehalt kam durch Friedrich d. Gr. und die Thaten des siebenjährigen Krieges in die deutsche Poesie." Aber es war nicht die Poesie allein, welche die große Rückwirkung einer solchen Persönlichkeit empfand. Unser ganzes Leben, unsere eigentliche Natur hat durch Friedrich eine ungemeine Veränderung erfahren. Eine Persönlichkeit wie die des Königs, so außerordentlich überlegen den leeren Copien des Siècle de Louis XIV., von denen die deutschen Fürstenhäuser und ihre Höfe noch erfüllt waren, so gesund und einfach und, ungeachtet seiner französischen Politur, so kerndeutsch, war an sich schon ein Ereigniß. Das Fürstenthum nach versailler Muster erhielt erst jetzt in Deutschland den tödtlichen Stoß, nachdem in Friedrich der Gegensatz hervorgetreten, der Gegensatz eines tüchtigen deutschen Fürsten, an dessen Erscheinung sich die persönliche Achtung und Liebe wieder aufrichten und nähren konnte. Daß dieser König mit einer in Deutschland längst entwöhnten Kühnheit und einem stolzen Selbstgefühl den alten Autoritäten im Innern Trotz bot, wie den auswärtigen Gewalten, daß er den Hochmuth der vornehmen europäischen Politik züchtigte und gegen das vereinigte Europa heldenmüthig sich behauptete, daß er die alte deutsche Waffenehre wieder zur vollen glänzenden Anerkennung brachte, daß er allen den Fremdlingen, die sich so lange übermüthig als die Herren geberdet auf deutschem Boden, jetzt blutig heimzahlte und überall als der Ueberlegene, Rasche, Unbezwingliche erschien, dem auch die Gegner ihre Bewunderung nicht versagten, das war von unberechenbarer Wirkung für das ganze deutsche Leben. Hier ward der schlimme Ruf unserer schwerfälligen und unbeholfenen Art zum ersten Male glänzend widerlegt, hier ward nach langer Oede zum ersten Male ein deutscher Mann mit seinem Volke der Gegenstand des Reides und der Bewunderung eines ganzen Welttheils; hier entfaltete sich nach einer langen Zeit von nationalem Unglück und Demüthigung eine Größe, an der die Nation sich mit ganzer Genugthuung erheben konnte. Es wirkte auf alle Kreise diese Kühnheit und dies Selbstgefühl zurück, dessen Träger Friedrich gewesen; der Deutsche richtete sich wieder einmal aus jener gedrückten und demüthigen Stellung auf, welche die üble Frucht der letzten Zeiten war.

So ist denn auch in unserer ganzen Geschichte bis dahin keine Persönlichkeit zu erwähnen, an deren Größe sich die gesammte Nation so ohne Unterschied der Stämme, der Meinungen, der religiösen Bekenntnisse wieder erhob. Der unermüdliche, thätige und wachsame König in seiner schlichten, anspruchslosen Erscheinung, seinem scharfen Auge, seinem unverwüstlich gesunden Sinne, seiner Verachtung des Scheins, der Lüge, der Schmeichelei, seiner Gerechtigkeitsliebe — ist in zahllosen Geschichten, Erzählungen und Anekdoten in alle Kreise des Volkslebens eingedrungen und wie keine andere Persönlichkeit unserer Geschichte das lebendige Eigenthum der Nation geworden. Er ist der einzige Mann, dem es mitten in der Zerrissenheit gelang, im gan-

zen Kreise der Nation populäre Wurzeln zu schlagen, mit dem ein
wirklicher Cultus getrieben ward, wie mit keiner andern unserer
geschichtlichen Größen. Sein Bildniß war in die entlegen-
sten Gegenden eingedrungen; es ward in den Reichsstädten verehrt, die ihr Contingent zur Reichsarmee gegen ihn stellten, und
hing in katholischen Gegenden neben dem Bilde des Landespa-
trons. *)

Diese Wirkungen auf das öffentliche Leben in Deutschland
mußten sich geltend machen, wenn auch die alten Formen noch
fort vegetirten. Ihre allmälige Auflösung wurde von Friedrich
vorbereitet, aber noch nicht vollendet. Den bedeutendsten Schritt
in dieser Richtung that er gleich anfangs, als er die Bestrebungen unterstützte, die auf eine Auflösung der habsburgischen Hausmacht ausgingen. Die Trennung des habsburgischen Erbes, die
Abtretung wichtiger Stücke an Baiern, Sachsen und Preußen
selbst, die Uebertragung der Kaiserwürde auf die baierischen Wit-
telsbacher und die Protection dieser dann in sich machtlosen Würde
durch Preußen, dies mußte, wenn es gelang, die ganze Gestalt des Reiches verändern. Aber noch einmal erhob sich in Maria Theresia das Haus Habsburg in einem Glanze, wie seit Jahrhunderten nicht; die Unterstützung Englands, die klägliche Schwäche
der bairisch-französischen Allianz selber machte die Plane scheitern,
das habsburgische Erbe ward nicht aufgelöst, kam vielmehr mit
der Kaiserkrone an das lothringische Herzogsgeschlecht, das sich
durch Ehebande mit den Habsburgern verschmolzen, und der Plan
des wittelsbachischen Kaiserthums fiel ruhmlos zu Boden. Die
Kaiserwürde, wie sie jetzt auf die Lothringer überging, war damit
freilich keine andere und mächtigere geworden, als sie früher gewesen; aber ihr Verlust wäre für das Haus Habsburg-Lothringen
das entscheidende Symbol der Erniedrigung gewesen, ihre Behauptung gönnte dem äußeren Bestande der Reichsformen noch
eine kurze Frist.

Darin war allerdings eine durchgreifende Veränderung eingetreten, daß diese Reichsformen selbst in der Gestalt, wie sie
der westfälische Friede überliefert, eine allgemeine Geltung und
Anwendung nicht mehr gewinnen konnten. Dem Kaiser, der

---

*) Dohm, Denkwürdigk. I. 249.

selbst mehr auswärtiger als deutscher Fürst war, stand ein Landesfürst gegenüber, dessen überwiegende Stellung eine europäische, nicht die eines deutschen Reichsstandes war. Neben dem König von Preußen, als einer selbständigen nordischen Großmacht, die in die Lücke Schwedens, Polens, Dänemarks eingetreten, konnte der Kurfürst von Brandenburg nicht besonders in die Wagschale fallen. Oder konnte man sich ernstlich einbilden, dieser Macht, die sich zu einer schiedsrichterlichen Stellung in Europa erhoben, die Geltung der deutschen Reichsgesetze, der Reichsgerichte, die Befolgung kaiserlicher Anordnungen aufbringen zu wollen? Versuchte man es wirklich, wie es in den Anfängen des siebenjährigen Krieges geschah, so lief man nur Gefahr, die ganze Ohnmacht der alten Formen auf's kläglichste aller Augen bloßzustellen. Während diese Formen in den regensburger Reichstagsbeschlüssen von 1757 und in der Niederlage von Roßbach den empfindlichsten Stoß erlitten, der sie vor der Auflösung durch die Revolution getroffen hat, standen sich theils innerhalb des Reiches, theils außerhalb desselben zwei Großmächte gegenüber, deren vereinigte Kriegsmacht stark genug war, den Gang der Dinge in Mitteleuropa zu bestimmen. Oesterreich, indem es den Namen des Kaiserthums noch so gut zu verwerthen suchte, als es ging, indem es die alte Solidarität zwischen seiner Hauspolitik und dem Reiche möglichst zu bewahren, alle Elemente, deren Interesse mit den alten Formen verwebt war, an sich zu knüpfen, die Besorgtheit reichsständischer Autonomie, des geistlichen Fürstenthums und des katholischen Glaubens in seinem Sinne zu leiten bemüht war; Preußen in natürliche Opposition zu dem Allem gestellt, gegen die Formen der Reichsverfassung mindestens gleichgültig, wenn nicht feindselig, mit den Elementen der Opposition und den Ideen der jungen Zeit auf's engste verbunden. Zu Oesterreich standen der Reichstag und die Reichsgerichte, die kleinen Fürsten, Grafen, Reichsstädte, Ritterschaften und der gesammte Kirchenstaat; an Preußen schloß sich der neue aufgeklärte Absolutismus, die Toleranz- und Humanitätsrichtung der Zeit, die Stimmung der jungen Generation an, und deren Ausdruck, die junge Literatur.

So hatten sich die Dinge in den vierziger und funfziger Jahren des achtzehnten Jahrhunderts gestaltet; mit dem Auftreten Josephs II. trat ein Wechsel ein, der die Stellungen vielfach ver-

I.   5

schob, ja die Rollen vorübergehend vertauschte und das preußische
Interesse auf einmal mit der Erhaltung der alten Formen des
Reiches verflocht; davon wird später noch die Rede sein.

War für Preußen mit dem Jahre 1740 ein bedeutungsvol=
ler Wendepunkt eingetreten, so war dies in nicht geringerem Um=
fange mit Oesterreich der Fall. Nicht nur eine neue Dynastie,
deren fast französische Beweglichkeit und deren unruhiger Unter=
nehmungsgeist bisher ebenso weltkundig gewesen war, wie die
phlegmatische Starrheit der Habsburger, ward jetzt durch die letzte
habsburgische Prinzessin in das alte Erbe des Kaiserhauses ein=
geführt; auch diese letzte Fürstin des scheidenden Geschlechts selber
war eine andere, als ihre Ahnen seit Jahrhunderten gewesen. Es
brang ein neuer Lebensstrom in diesen alten Organismus ein, der
seine Kraft und Beweglichkeit erstaunlich förderte; es machte
sich mit einem Male das eifrige Bestreben geltend, das lange
Versäumte rasch, oft selbst mit ungeduldiger Hast, nachzuho=
len. Das alte Oesterreich der Ferdinande und Leopolde ver=
schwand; aus äußeren Erschütterungen und inneren Gährungen
begann ein neues zu entstehen.

Noch war der österreichische Staat ein loses Gefüge einzelner
Provinzen mit ihren besondern mittelalterlichen Verfassungen; in
diesen Verfassungen die Aristokratie im Uebergewicht, die Landes=
verwaltung noch zum großen Theil in den Händen ständischer Aus=
schüsse, die untere Gerichtsbarkeit und Polizei bei den einzelnen
Herren und Körperschaften. Auf dem Bürgerthum lastete eine
strenge Zunftverfassung; der Bauer war leibeigen. Das Heer
bestand noch zum größten Theil aus unregelmäßigen Truppen
und auch die regulären enthielten seltsam zusammengeworfene
Bestandtheile. Der Verkehr war gering, gute Straßen selten;
die Volkserziehung der Kirche völlig überlassen. Die zwei Grund=
sätze — so schließt eine österreichische Quelle *) diese Schilderung —

---

*) Beidtel in den Sitzungsberichten der kaiserl. Akademie der Wissensch.
Philos. histor. Classe. Jahrg. 1851. S. 708. Diese trefflichen Arbeiten eines
einsichtsvollen österreichischen Beamten sind um so dankenswerther, je dürftiger
bisher die Quellen über diesen Theil der österreichischen Geschichte flossen.

welche man bei der Regierung als die leitenden annehmen konnte, waren bloß: Aufrechthaltung der katholischen Religion, sowie sorgfältige Beachtung des Herkommens und, insofern es mit diesen zwei Bestrebungen vereinbarlich war, ein Streben nach Erweiterung der Regentenmacht.

Die Gefahr, nach dem Tode Karls VI. die ganze Erbschaft des Hauses aufgelöst zu sehen, forderte ungewöhnliche Mittel und Kräfte heraus; aber das Vorbild Preußens zeigte auch, was ein kleiner Staat durch Einsicht und Thätigkeit seines Fürsten vermochte, es galt also, dieses Beispiel nachzuahmen. Und wie dort ein genialer junger König der Monarchie eine moralische Macht gibt, die sie nirgends auf dem Festlande besaß, so weiß zu gleicher Zeit in Oesterreich eine geistvolle Frau durch ihre weiblichen Tugenden wie durch ihre Regenteneigenschaften dem Throne wieder einen persönlichen Glanz und Zauber zu verleihen, wie ihn seit Maximilian dem „letzten Ritter" kein habsburgischer Fürst mehr um sich verbreitet hatte.

Maria Theresia brachte mit einem Male, durch die Noth zunächst gedrängt, in die erstarrte österreichische Staatsmaschine wieder Leben und Bewegung. Thätig, wohlwollend, von reinen Sitten und zauberischer Liebenswürdigkeit, Neuerungen und Verbesserungen wohl zugänglich, aber überall ungemein wachsam auf ihre monarchische Autorität und deren Gerechtsame, so wirkte sie fördernd und anregend auf den trägen alten Stoff, ohne darum die Geleise der überlieferten Politik mit den dornenvollen, undankbaren Wegen einer durchgreifenden Umgestaltung zu vertauschen. Manche Härte und Verkehrtheit der alten Zeit verschwand; in die Finanzverwaltung ward mehr Ordnung gebracht, die Arbeitskraft des Volkes gefördert, der Druck der Feudalität gemildert. Der heroische Sinn, den die junge Fürstin gleich anfangs bewies, als sich ein großer Theil von Europa gegen ihr Erbrecht erhob, hatte damals erfrischend auf die Länder und Völker der Erblande gewirkt und in ihnen eine jugendliche royalistische Begeisterung entzündet; gleichwie ihr großer Gegner in Preußen, schuf sie durch ihre Persönlichkeit der Monarchie einen sittlichen Rückhalt und eine Popularität, welche der Name und die Ueberlieferung allein nie geben kann.

Ihr Geschlecht, ihre Jugend und Schönheit, wie ihr Un-

nur die überlieferte Macht an Geld und Soldaten in ganz unerwarteter Weise zu vergrößern, sondern auch den Gedanken und
Ideen einer Zeit, deren Kind er war, eine Geltung zu schaffen,
die weit über den begränzten Raum des preußischen Staates hinausging.

Wenige Monate nachdem er den Thron bestiegen, gab ihm
der Tod Karls VI. die glücklichste Gelegenheit, seinem Staate den
Zuwachs an Macht und europäischem Ansehen zu erwerben, den
die Königswürde von 1701 bedurfte, nicht besaß. Die Art, wie
er in diesem Kampfe gegen die habsburgische Hausmacht auftrat,
sich mit Frankreich verband, ein neues Kaiserthum ohne Macht
und Gefahr für ihn aufzurichten unternahm, und indem er
den alten Formen des Reiches einen tödtlichen Stoß versetzte, dem preußischen Staate erst die europäische Stellung schuf,
der schon der große Kurfürst nahe genug gekommen, um die sich
dann die folgenden Regenten weniger im Großen bemüht,
als im Kleinen und Einzelnen vorgearbeitet — dies war Alles
von so tief eingreifender Bedeutung, daß für die europäischen
wie für die deutschen Geschicke fortan eine neue Entwicklung
begann.

Diese Uebersicht, die nur die wichtigsten Ergebnisse zusammenfassen soll, hat die einzelnen großen Vorgänge jener Zeit nicht zu
schildern; aber Eines darf sie auch nicht unterlassen hervorzuheben:
die bleibende geschichtliche Bedeutung, welche Friedrichs II. Person und Regentenart für die gesammte Entwicklung der Zeit, insbesondere die deutsche, erlangt hat. Seit den Erschütterungen des
dreißigjährigen Krieges war kein Ereigniß und keine Persönlichkeit dagewesen, die so entschieden darauf hingewirkt, die Formen
des alten Reiches zu zerrütten, dem Kaiserthum seinen letzten Zauber zu nehmen, den Reichstag so jedes Restes von moralischem
Ansehen zu berauben, wie Friedrich II.; und doch war zugleich
seit Jahrhunderten kein Mann in Deutschland aufgetreten, der so
mächtig dazu beigetragen, dem ganzen Leben der Nation eine so
durchgreifende Förderung zu geben, wie er. Indem er die Auflösung der alten Formen beschleunigte, ist durch ihn zugleich dem
geistigen und politischen Inhalte des nationalen Lebens eine Erweckung und Erweiterung gegeben worden, die wichtiger war als
die Fortdauer jener abgelebten Formen.

Mit Friedrich II. kam eine ganz neue Richtung in die ge=
sammte europäische Politik; die alte absolute Monarchie ward
durch eine neue verdrängt. Gegenüber dem bekannten l'état c'est
moi tauchte hier ein Königthum auf, das sich als den ersten Die=
ner des Staates betrachtete, das, getreu der Tradition der hohen=
zollernschen Vorfahren, den Wohlstand des Landes förderte, nicht
die Verarmung, das die Duldung der Meinungen und Glaubens=
formen auf seine Fahne schrieb, nicht deren gewaltthätige Unter=
drückung. Wie das versailler Königthum und seine Nachbeter den
Werth der Monarchie in äußerem Prunke gesucht, so war hier
weise Selbstbeschränkung und Einfachheit oberster Grundsatz; wie
man dort im Scheine, zuletzt im leeren Pathos sich verloren, so
war hier auf das Wesen, auf die schlichte Prosa und Wahrhaf=
tigkeit der Dinge Alles berechnet. Wie dort orientalische Ver=
weichlichung und weibisches Wesen den Thron und Hof umgab, so
überwog hier die strenge männliche Erscheinung eines Heldenkö=
nigs, der, um mit Fürst Kaunitz zu reden, wie kaum ein zweiter
in der Geschichte, den Thron und das Diadem geadelt hat.

Diese neue Art des absoluten Königthums, die in dem gro=
ßen Kurfürsten sich zuerst angekündigt, aber in Friedrich erst ih=
ren genialen und vollständigen Ausdruck gefunden, wirkte umge=
staltend auf die ganze damalige Geschichte. Anfangs mit Wider=
willen, ja mit dem bittern Hasse betrachtet, den das Gefühl eig=
ner Nichtigkeit erzeugte, aber gefürchtet, zuletzt bewundert auch
von denen, deren Haß unvermindert blieb — so wurde er das
europäische Vorbild eines neuen Königthums, das die alten Ueber=
lieferungen kühn durchbrach, dem persönlichen Werth der Monar=
chie eine neue Weihe gab, aber auch die Aufgabe und die An=
sprüche an das Königthum außerordentlich steigerte. In den mei=
sten Ländern Europas, in großen wie in den kleinsten, mit Glück
oder Unglück nachgeahmt, nicht selten karrikirt, ward Friedrich nicht
nur das gültige Muster eines neuen Königthums, sondern zum
Schaden der Mittelmäßigkeit zugleich der populäre Maßstab könig=
lichen Werthes und Verdienstes.

So fest und unbeschränkt Friedrich das Steuer des Staates
führte, es sind doch überall durch ihn die Ueberlieferungen von
der alten königlichen Gewalt und der alten Art von sklavischem
Gehorsam durchbrochen worden. Ein König, der schon in seiner

erſten politiſchen Jugendſchrift, im Antimacchiavell, die Meinung ausſprach, der Fürſt ſei nicht Herr ſeiner Unterthanen, ſondern deren Diener (domestique), und kein Menſch habe das Recht, ſich eine unbeſchränkte Herrſchaft über die Andern anzumaßen, der die Wahrheit des Satzes anerkannte, es ſei beſſer von Geſetzen abzuhängen, als von der Laune eines Einzigen *), ein ſolcher König wurde nicht mit Unrecht von den Trägern der alten verſailler Monarchie als ein gefährlicher Eindringling angeſehen. Und er blieb bei den Worten nicht ſtehen. Wie er ſich gegen die alten Anſchauungen von der Gewalt und vom Gehorſam richtete, ſo verließ er die politiſche Ueberlieferung ſeiner beiden Vorgänger, lehnte ſich gegen den Kaiſer und die alte Reichsverfaſſung auf, griff mit gewaltſam umgeſtaltender Hand in die alte Ordnung der europäiſchen Verhältniſſe ein, ſchuf eine neue Gruppirung der Staaten und ihres Gleichgewichts. Aber auch die Gedanken und Anſichten des Königs wirkten im Zuſammenhang mit ſeinen Thaten bedeutungsvoll genug auf die Umwälzung der Geiſter, die mit Friedrichs Zeitalter innerlich und äußerlich zuſammenhängt.

Die Anſchauung des Königs war zu groß und umfaſſend, als daß er an die Vollkommenheit und Ewigkeit einer Staatsform hätte glauben können. Die Feudalität mit ihren vielen ariſtokratiſchen Gewalten erſchien ihm nur als eine Pflanzſchule bürgerlicher Unruhen, als eine Quelle allgemeinen Unheils für die Geſellſchaft.**) Ihre verderbliche Entartung nöthigte ihm ein Geſtändniß ab, das wir bei dem größten und glücklichſten Vertreter deutſchen Landesfürſtenthums kaum erwarten ſollten. In Deutſchland, ſagt er, ſind dieſe Vaſallen unabhängig geworden; in Frankreich, England und Spanien hat man ſie unterworfen. Das einzige Muſter — fügt er hinzu — das wir von dieſer abſcheulichen Regierungsform noch übrig haben, iſt die Republik Polen; und dabei ſcheint er kaum daran zu denken, daß ja Deutſchland ſelbſt, wenn auch in anderer Weiſe entwickelt, einen ähnlichen Wuſt ariſtokratiſcher Unförmlichkeiten darbot, wie der in Auflöſung begriffene Staat der Jagellonen.

---

*) S. Oeuvres de Frédéric VIII. S. 66. 92.
**) Die folgenden Anführungen ſind aus dem Essai sur les formes de gouvernement, f. Oeuvres de Frédéric T. IX. 195 ff.

Die repräsentative Monarchie, wie sie aus der englischen Revolution heraufwuchs, mußte dem Gedankenkreise des Königs fern
liegen; doch erkannte er richtig und betonte mit Nachdruck die
wunde Stelle, die dem constitutionellen Wesen Großbritanniens
im achtzehnten Jahrhundert Verderben drohte: die Corruption der
Vertretung. Um die Monarchie bewegten sich die Gedanken des
Königs; aber es hat nie ein Fürst auf einem Throne gesessen,
dessen Anforderungen an die Monarchie größer gewesen wären,
als die Friedrichs. Sie ist, sagt er, die schlechteste oder die beste
aller Regierungsformen, je nachdem sie geführt wird. Er verlangte
von einem rechten König eine Kenntniß, eine Fürsorge, eine Klugheit und Unabhängigkeit, wie sich selten in einer Persönlichkeit
vereinigt findet; er schilderte die Folgen eines abhängigen, unentschlossenen, verworrenen und planlosen Fürstenregiments so beredt
und treu, als wäre er selber noch lebender Zeuge des Verfalles
und Unterganges seiner glorreichen Monarchie gewesen. Eine Monarchie, in welcher durch die Unthätigkeit oder Unfähigkeit des Regenten die Gänge des Uhrwerks gestört sind, eine Monarchie, worin
man sich gewöhnt hat, die Interessen der Krone und die des Volkes als verschieden zu betrachten, erscheint ihm so verderblich, als
es nur immer die „abscheuliche Junkeraristokratie" in Polen sein
mochte. „Der Fürst, sagte er, ist für die Gesellschaft, was der Kopf
für den Körper ist: er muß sehen, denken, handeln für die ganze
Gemeinschaft, um ihr alle Vortheile, deren sie fähig ist, zu verschaffen. Will man, daß die Monarchie den Sieg behalte über
die Republik, so muß der Monarch thätig und unbescholten sein,
und alle seine Kräfte zusammennehmen, um seinen Pflichten zu
genügen." Die Monarchie ist ihm eine lebendige und unermüdet
thätige Vorsehung auf Erden; aber ihre Stärke und Lebenskraft
sieht er nicht in irgend einem mystischen Zauber göttlichen Ursprunges, sondern nur in dem Grade ihres Verdienstes.

So stolz und gewichtig Friedrich den Monarchen in sich
fühlte, so liegen doch in dieser Auffassung Anklänge an eine neue
Zeit menschlicher Entwicklung, die neue Gedanken und neue Forderungen in die Welt warf, und mancher seiner Aussprüche liegt
nicht allzuweit weg von den Ideen, die bald nach seinem Tode
anfingen die Welt zu erschüttern. Der mystische, gleichsam übernatürliche Zauber ist von seinem Königthum abgestreift, es ist

eine sichtbare menschliche Institution, deren Werth von dem Grade ihres Verdienstes abhängt. Der Monarch ist ihm nur der „erste Diener des Staates"; er hält ihn für „verpflichtet, denselben so redlich, weise und uneigennützig zu verwalten, als wenn er jeden Augenblick seinen Bürgern (citoyens) Rechenschaft ablegen müßte." Er hält ihn für „strafbar", wenn er „das Geld seines Volkes verschwendet", wenn er, statt der Wächter guter Sitten zu sein, „die Volkserziehung durch sein eigenes verkehrtes Exempel verderbe." Er stellt an seinen König die Forderung, daß er sich in die Seele des armen Landmanns oder Arbeiters hineindenke und sich frage: wenn ich einer von denen wäre, deren Capital nur in ihrer Händearbeit besteht, was würde ich von meinem Fürsten verlangen? Er spricht den inhaltschweren Grundsatz aus: daß kein Mensch dazu geboren und bestimmt sei, der Sklave der Andern zu sein; er findet es unverzeihlich, in die Gewissen und Gedanken der Menschen hinein regieren zu wollen; nur um uns die Gesetze zu bewahren — so läßt er die Unterthanen zu ihrem König sprechen — wollen wir dir gehorchen, damit du uns weise regierst und uns beschirmest; daneben verlangen wir, daß du unsere Freiheit achtest.

Hat Friedrich II. durch diese Ideen, wie durch seine äußeren geschichtlichen Thaten den Zusammenhang der alten europäischen Verhältnisse durchbrochen und die hergebrachten Meinungen von der Beziehung des Königthums zu den Regierenden aufs tiefste erschüttert, so ist seine besondere Rückwirkung auf Deutschland nicht minder bedeutungsvoll gewesen. Es ist ein bekanntes Wort von Goethe, der schon als Zeitgenosse hier der gültigste Zeuge ist: „der erste und wahre höhere eigentliche Lebensgehalt kam durch Friedrich d. Gr. und die Thaten des siebenjährigen Krieges in die deutsche Poesie." Aber es war nicht die Poesie allein, welche die große Rückwirkung einer solchen Persönlichkeit empfand. Unser ganzes Leben, unsere eigentliche Natur hat durch Friedrich eine ungemeine Veränderung erfahren. Eine Persönlichkeit wie die des Königs, so außerordentlich überlegen den leeren Copien des Siècle de Louis XIV., von denen die deutschen Fürstenhäuser und ihre Höfe noch erfüllt waren, so gesund und einfach und, ungeachtet seiner französischen Politur, so kerndeutsch, war an sich schon ein Ereigniß. Das Fürstenthum nach versailler Muster erhielt erst

jetzt in Deutschland den tödtlichen Stoß, nachdem in Friedrich der
Gegensatz hervorgetreten, der Gegensatz eines tüchtigen deutschen
Fürsten, an deſſen Erſcheinung ſich die perſönliche Achtung und
Liebe wieder aufrichten und nähren konnte. Daß dieſer König mit
einer in Deutschland längſt entwöhnten Kühnheit und einem ſtolzen Selbſtgefühl den alten Autoritäten im Innern Trotz bot, wie
den auswärtigen Gewalten, daß er den Hochmuth der vornehmen
europäiſchen Politik züchtigte und gegen das vereinigte Europa
heldenmüthig ſich behauptete, daß er die alte deutſche Waffenehre
wieder zur vollen glänzenden Anerkennung brachte, daß er allen
den Fremdlingen, die ſich ſo lange übermüthig als die Herren geberdet auf deutſchem Boden, jetzt blutig heimzahlte und überall
als der Ueberlegene, Raſche, Unbezwingliche erſchien, dem auch die
Gegner ihre Bewunderung nicht verſagten, das war von unberechenbarer Wirkung für das ganze deutſche Leben. Hier ward
der ſchlimme Ruf unſerer ſchwerfälligen und unbeholfenen Art zum
erſten Male glänzend widerlegt, hier ward nach langer Oede zum
erſten Male ein deutſcher Mann mit ſeinem Volke der Gegenſtand
des Neides und der Bewunderung eines ganzen Welttheils; hier
entfaltete ſich nach einer langen Zeit von nationalem Unglück und
Demüthigung eine Größe, an der die Nation ſich mit ganzer Genugthuung erheben konnte. Es wirkte auf alle Kreiſe dieſe Kühnheit und dies Selbſtgefühl zurück, deſſen Träger Friedrich geweſen;
der Deutſche richtete ſich wieder einmal aus jener gedrückten und
bemüthigen Stellung auf, welche die üble Frucht der letzten Zeiten war.

So iſt denn auch in unſerer ganzen Geſchichte bis dahin
keine Perſönlichkeit zu erwähnen, an deren Größe ſich die ge-
ſammte Nation ſo ohne Unterſchied der Stämme, der Meinungen,
der religiöſen Bekenntniſſe wieder erhob. Der unermüdliche, thätige und wachſame König in ſeiner ſchlichten, anſpruchsloſen
Erſcheinung, ſeinem ſcharfen Auge, ſeinem unverwüſtlich geſunden
Sinne, ſeiner Verachtung des Scheins, der Lüge, der Schmeichelei, ſeiner Gerechtigkeitsliebe — iſt in zahlloſen Geſchichten, Erzählungen und Anekdoten in alle Kreiſe des Volkslebens eingedrungen und wie keine andere Perſönlichkeit unſerer Geſchichte
das lebendige Eigenthum der Nation geworden. Er iſt der einzige Mann, dem es mitten in der Zerriſſenheit gelang, im gan-

zen Kreise der Nation populäre Wurzeln zu schlagen, mit dem ein
wirklicher Cultus getrieben ward, wie mit keiner andern unserer
geschichtlichen Größen. Sein Bildniß war in die entlegen-
sten Gegenden eingedrungen; es ward in den Reichsstädten verehrt, die ihr Contingent zur Reichsarmee gegen ihn stellten, und
hing in katholischen Gegenden neben dem Bilde des Landespa-
trons. *)

Diese Wirkungen auf das öffentliche Leben in Deutschland
mußten sich geltend machen, wenn auch die alten Formen noch
fort vegetirten. Ihre allmälige Auflösung wurde von Friedrich
vorbereitet, aber noch nicht vollendet. Den bedeutendsten Schritt
in dieser Richtung that er gleich anfangs, als er die Bestrebungen unterstützte, die auf eine Auflösung der habsburgischen Hausmacht ausgingen. Die Trennung des habsburgischen Erbes, die
Abtretung wichtiger Stücke an Baiern, Sachsen und Preußen
selbst, die Uebertragung der Kaiserwürde auf die baierischen Wit-
telsbacher und die Protection dieser dann in sich machtlosen Würde
durch Preußen, dies mußte, wenn es gelang, die ganze Gestalt des Reiches verändern. Aber noch einmal erhob sich in Maria Theresia das Haus Habsburg in einem Glanze, wie seit Jahrhunderten nicht; die Unterstützung Englands, die klägliche Schwäche
der bairisch-französischen Allianz selber machte die Plane scheitern,
das habsburgische Erbe ward nicht aufgelöst, kam vielmehr mit
der Kaiserkrone an das lothringische Herzogsgeschlecht, das sich
durch Ehebande mit den Habsburgern verschmolzen, und der Plan
des wittelsbachischen Kaiserthums fiel ruhmlos zu Boden. Die
Kaiserwürde, wie sie jetzt auf die Lothringer überging, war damit
freilich keine andere und mächtigere geworden, als sie früher gewesen; aber ihr Verlust wäre für das Haus Habsburg-Lothringen
das entscheidende Symbol der Erniedrigung gewesen, ihre Behauptung gönnte dem äußeren Bestande der Reichsformen noch
eine kurze Frist.

Darin war allerdings eine durchgreifende Veränderung eingetreten, daß diese Reichsformen selbst in der Gestalt, wie sie
der westfälische Friede überliefert, eine allgemeine Geltung und
Anwendung nicht mehr gewinnen konnten. Dem Kaiser, der

---

*) Dohm, Denkwürdigk. I. 249.

selbst mehr auswärtiger als deutscher Fürst war, stand ein Landesfürst gegenüber, dessen überwiegende Stellung eine europäische, nicht die eines deutschen Reichsstandes war. Neben dem König von Preußen, als einer selbständigen nordischen Großmacht, die in die Lücke Schwedens, Polens, Dänemarks eingetreten, konnte der Kurfürst von Brandenburg nicht besonders in die Wagschale fallen. Oder konnte man sich ernstlich einbilden, dieser Macht, die sich zu einer schiedsrichterlichen Stellung in Europa erhoben, die Geltung der deutschen Reichsgesetze, der Reichsgerichte, die Befolgung kaiserlicher Anordnungen aufbringen zu wollen? Versuchte man es wirklich, wie es in den Anfängen des siebenjährigen Krieges geschah, so lief man nur Gefahr, die ganze Ohnmacht der alten Formen auf's kläglichste allen Augen bloßzustellen. Während diese Formen in den regensburger Reichstagsbeschlüssen von 1757 und in der Niederlage von Roßbach den empfindlichsten Stoß erlitten, der sie vor der Auflösung durch die Revolution getroffen hat, standen sich theils innerhalb des Reiches, theils außerhalb desselben zwei Großmächte gegenüber, deren vereinigte Kriegsmacht stark genug war, den Gang der Dinge in Mitteleuropa zu bestimmen. Oesterreich, indem es den Namen des Kaiserthums noch so gut zu verwerthen suchte, als es ging, indem es die alte Solidarität zwischen seiner Hauspolitik und dem Reiche möglichst zu bewahren, alle Elemente, deren Interesse mit den alten Formen verwebt war, an sich zu knüpfen, die Besorgtheit reichsständischer Autonomie, des geistlichen Fürstenthums und des katholischen Glaubens in seinem Sinne zu leiten bemüht war; Preußen in natürliche Opposition zu dem Allem gestellt, gegen die Formen der Reichsverfassung mindestens gleichgültig, wenn nicht feindselig, mit den Elementen der Opposition und den Ideen der jungen Zeit auf's engste verbunden. Zu Oesterreich standen der Reichstag und die Reichsgerichte, die kleinen Fürsten, Grafen, Reichsstädte, Ritterschaften und der gesammte Kirchenstaat; an Preußen schloß sich der neue aufgeklärte Absolutismus, die Toleranz- und Humanitätsrichtung der Zeit, die Stimmung der jungen Generation an, und deren Ausdruck, die junge Literatur.

So hatten sich die Dinge in den vierziger und funfziger Jahren des achtzehnten Jahrhunderts gestaltet; mit dem Auftreten Josephs II. trat ein Wechsel ein, der die Stellungen vielfach ver-

I.

schob, ja die Rollen vorübergehend vertauschte und das preußische
Interesse auf einmal mit der Erhaltung der alten Formen des
Reiches verflocht; davon wird später noch die Rede sein.

War für Preußen mit dem Jahre 1740 ein bedeutungsvoller Wendepunkt eingetreten, so war dies in nicht geringerem Umfange mit Oesterreich der Fall. Nicht nur eine neue Dynastie,
deren fast französische Beweglichkeit und deren unruhiger Unternehmungsgeist bisher ebenso weltkundig gewesen war, wie die
phlegmatische Starrheit der Habsburger, ward jetzt durch die letzte
habsburgische Prinzessin in das alte Erbe des Kaiserhauses eingeführt; auch diese letzte Fürstin des scheidenden Geschlechts selber
war eine andere, als ihre Ahnen seit Jahrhunderten gewesen. Es
drang ein neuer Lebensstrom in diesen alten Organismus ein, der
seine Kraft und Beweglichkeit erstaunlich förderte; es machte
sich mit einem Male das eifrige Bestreben geltend, das lange
Versäumte rasch, oft selbst mit ungeduldiger Hast, nachzuholen. Das alte Oesterreich der Ferdinande und Leopolde verschwand; aus äußeren Erschütterungen und inneren Gährungen
begann ein neues zu entstehen.

Noch war der österreichische Staat ein loses Gefüge einzelner
Provinzen mit ihren besondern mittelalterlichen Verfassungen; in
diesen Verfassungen die Aristokratie im Uebergewicht, die Landesverwaltung noch zum großen Theil in den Händen ständischer Ausschüsse, die untere Gerichtsbarkeit und Polizei bei den einzelnen
Herren und Körperschaften. Auf dem Bürgerthum lastete eine
strenge Zunftverfassung; der Bauer war leibeigen. Das Heer
bestand noch zum größten Theil aus unregelmäßigen Truppen
und auch die regulären enthielten seltsam zusammengeworfene
Bestandtheile. Der Verkehr war gering, gute Straßen selten;
die Volkserziehung der Kirche völlig überlassen. Die zwei Grundsätze — so schließt eine österreichische Quelle *) diese Schilderung —

---

*) Beidtel in den Sitzungsberichten der kaiserl. Akademie der Wissensch.
Philos. histor. Classe. Jahrg. 1851. S. 708. Diese trefflichen Arbeiten eines
einsichtsvollen österreichischen Beamten sind um so dankenswerther, je dürftiger
bisher die Quellen über diesen Theil der österreichischen Geschichte flossen.

welche man bei der Regierung als die leitenden annehmen konnte, waren bloß: Aufrechthaltung der katholischen Religion, sowie sorgfältige Beachtung des Herkommens und, insofern es mit diesen zwei Bestrebungen vereinbarlich war, ein Streben nach Erweiterung der Regentenmacht.

Die Gefahr, nach dem Tode Karls VI. die ganze Erbschaft des Hauses aufgelöst zu sehen, forderte ungewöhnliche Mittel und Kräfte heraus; aber das Vorbild Preußens zeigte auch, was ein kleiner Staat durch Einsicht und Thätigkeit seines Fürsten vermochte, es galt also, dieses Beispiel nachzuahmen. Und wie dort ein genialer junger König der Monarchie eine moralische Macht gibt, die sie nirgends auf dem Festlande besaß, so weiß zu gleicher Zeit in Oesterreich eine geistvolle Frau durch ihre weiblichen Tugenden wie durch ihre Regenteneigenschaften dem Throne wieder einen persönlichen Glanz und Zauber zu verleihen, wie ihn seit Maximilian dem „letzten Ritter" kein habsburgischer Fürst mehr um sich verbreitet hatte.

Maria Theresia brachte mit einem Male, durch die Noth zunächst gedrängt, in die erstarrte österreichische Staatsmaschine wieder Leben und Bewegung. Thätig, wohlwollend, von reinen Sitten und zauberischer Liebenswürdigkeit, Neuerungen und Verbesserungen wohl zugänglich, aber überall ungemein wachsam auf ihre monarchische Autorität und deren Gerechtsame, so wirkte sie fördernd und anregend auf den trägen alten Stoff, ohne darum die Geleise der überlieferten Politik mit den dornenvollen, undankbaren Wegen einer durchgreifenden Umgestaltung zu vertauschen. Manche Härte und Verkehrtheit der alten Zeit verschwand; in die Finanzverwaltung ward mehr Ordnung gebracht, die Arbeitskraft des Volkes gefördert, der Druck der Feudalität gemildert. Der heroische Sinn, den die junge Fürstin gleich anfangs bewies, als sich ein großer Theil von Europa gegen ihr Erbrecht erhob, hatte damals erfrischend auf die Länder und Völker der Erblande gewirkt und in ihnen eine jugendliche royalistische Begeisterung entzündet; gleichwie ihr großer Gegner in Preußen, schuf sie durch ihre Persönlichkeit der Monarchie einen sittlichen Rückhalt und eine Popularität, welche der Name und die Ueberlieferung allein nie geben kann.

Ihr Geschlecht, ihre Jugend und Schönheit, wie ihr Un-

5 *

glück, trugen gleich mächtig dazu bei, ihr Sympathie zu erwer=
ben; ihr gewinnendes und herzliches Wesen eroberte ihr die Ge=
müther des Volkes, ihr hochherziger Muth weckte Bewunderung
und Enthusiasmus; ihre Frömmigkeit fesselte an sie den Clerus,
ihre Theilnahme an dem Loose der Soldaten erwarb ihr eine
militärische Popularität, wie sie kaum eine Frau in der Geschichte
besessen. Solch eine Persönlichkeit war im Hause Habsburg seit
Maximilian und dem ersten Rudolf, dem Gründer, nicht mehr
gesehen worden; Alles war begeistert und voll Bewunderung, selbst
die Ungarn vergaßen die blutigen Tage der Zeit Leopolds I. und
Josephs I. und standen in den Vorderreihen, als es galt, ihren
„König“ zu schützen. Willig ertrugen Alle den stolzen habsbur=
gischen Sinn und die ererbte Herrschsucht, die nur feiner aber nicht
minder stark in Maria Theresia wirkte und statt der herben, star=
ren Formen ihrer Ahnherren sich in die milden und gewinnen=
den Formen persönlicher Liebenswürdigkeit zu kleiden verstand.

Indem sie in dem Kampfe sich siegreich behauptete gegen Frank=
reich und den wittelsbachischen Kaiser und außer der Abtretung
Schlesiens die Integrität der Erbschaft rettete, ging sie ihrerseits
an moralischer Macht nur verstärkt aus dem Erbfolgekriege her=
vor, zumal sie Friedrichs II. Plan, die Verbindung Oesterreichs
mit der Kaiserwürde zu zerreißen, glücklich vereitelt, das Haus Lo=
thringen völlig in die Rechte der Habsburger eingewiesen und
ihren Einfluß auf Deutschland neu befestigt hatte.

Von besonderer Bedeutung war aber ihr Walten in den Erb=
staaten selber. Bis dahin existirte, wie wir früher wahrnahmen,
keine österreichische Monarchie, kein Gesammtstaat, nur ein locke=
rer Staatenbund, dessen Mittelpunkt in der Dynastie lag. Nur
am Hofe und im Palaste existirte eine Einheit; in der Verwal=
tung so wenig, wie in den bunt zusammengewürfelten Bevölke=
rungen. Nun begann ein allmäliges Aufgeben der alten Regie=
rungsmarimen, Reformen wurden in fast allen Verwaltungszwei=
gen vorgenommen, der Einfluß der Regierung auf Kirche, Schule,
Provinzialstände und Korporationen erweitert, die unteren Classen
auf Kosten der höheren gefördert, nach allen Seiten hin auf Ver=
mehrung der materiellen Staatskräfte hingewirkt. Maria Theresia
that den ersten Schritt, die Bänder dieser laxen Formen, bei denen
eine nachdrückliche Regierung nicht möglich war, straffer anzuziehen

und eine Einheit der Verwaltung herzustellen, bei welcher der
Staat das Bewußtsein und den Gebrauch seiner Kräfte erlangen
konnte. In den Zeiten Karls VI. war die Decentralisation der
Provinzen bis zur äußersten Schwäche und Getrenntheit gediehen;
die Gefahren, die mit dem Jahre 1740 eintraten, nöthigten von
selber zu einem Wechsel der Politik. Die schwankenden Stimmungen, die Neigungen zum Abfall, die sich damals in Böhmen
kundgaben, wurden von Maria Theresia mit der überlieferten
habsburgischen Strenge*) dazu benutzt, jeden Versuch provinziellen
oder körperschaftlichen Widerstandes in der Wurzel zu ersticken.
Aber auch in Ungarn, wo sie nicht mit der Strenge siegreicher
Waffenmacht verfahren konnte, erreichte sie auf einem andern Wege
ein gleiches Ziel. Indem sie mit feinem weiblichen Takte die Formen und den alten Schein der „Freiheit" schonte, untergrub sie um
so sicherer und nachhaltiger die Grundlagen dieser Sonderexistenz,
und während die kindische Kurzsichtigkeit der Magyaren sich gesichert fühlte, weil die Namen und Symbole des alten Wesens möglichst wenig alterirt wurden, brangen allmälig, ohne Geräusch und
ohne zu gewaltsamen Uebergang, eine Menge von Neuerungen
ein, die man als den ersten gelungenen Versuch, Ungarn mit der
Zeit zu incorporiren, betrachten durfte.

Aehnlich ging es in den andern Theilen der Monarchie. Noch
hatte sich in einem großen Theile der Länder als mittelalterliche
Errungenschaft eine gewisse Selbständigkeit und Freiheit einzelner
Gemeinden und Körperschaften erhalten, deren Verwaltung, Polizei und Rechtspflege zwar oft wunderlich verworren und formlos,
aber auch wieder volksthümlich und eingebürgert waren. Auch hier
wurde nun nach dem Muster der andern absoluten Staaten, namentlich Preußens, die mittelalterliche Vielfältigkeit beseitigt, die
überlieferte volksthümliche Verwaltung und Justiz durch eine ein-
förmige, gelehrt juristische ersetzt. Es ist ungemein interessant zu
beobachten, namentlich im Vergleich mit Joseph II., wie sicher und
planmäßig man dabei zu Werke ging. Um z. B. diese alten
Gemeindeverfassungen nach und nach zu beseitigen, ward erst durch
ein Gesetz (1749) die herkömmliche freie Wahl städtischer Stellen
an die Bestätigung geknüpft, dann durch ein Hofdecret vom Jahr

---

*) S. das Actenstück in Hormayrs Anemonen I. 172 ff.

1751 die Aufsicht über Gewicht und Maß von den städtischen Behörden zur Aufsicht den Kreisstellen übergeben, dann durch ein Patent vom Jahr 1753 die Leitung der Gewerbsachen durch die Städte beschränkt, endlich durch ein Gesetz vom folgenden Jahr die Zünfte abhängig gemacht. Dazu kam eine neue Organisation der peinlichen Rechtspflege, eine neue Dienstbotenordnung, die Zerstückelung der Gemeindeweiden, die Einführung des neuen Staatsschulwesens — lauter Schritte, durch die man stufenweise dem alten Gemeindewesen den Boden entzog und der neuen Bureaukratie Bahn brach.*) In ähnlicher Richtung wirkte auch die neue Gesetzgebung, die Gerichts- und Proceßordnungen, die, unmittelbar an die preußischen Grundsätze sich anlehnend, die localen Verschiedenheiten ausmerzten, Einförmigkeit und Gleichheit vorbereiteten und im Civil- und Criminalrecht, wie im Proceßwesen eine völlige Umgestaltung herbeiführten. Es ward nicht Alles, was auf diesem Gebiete eingeleitet war, vollendet, aber es geschah genug, um eine völlige Umwälzung nicht nur der gesetzlichen Ordnungen, sondern auch der Sitten und Anschauungen im Volke selber hervorzurufen.**)

Die ganze Verwaltung, bisher lose und ohne Einheit, ward durch Maria Theresia und ihren Minister, den Grafen Haugwitz, zum ersten Male centralisirt. Während es früher besondere Kanzleien nicht nur für Italien und Ungarn, sondern auch für Böhmen und für die ober-, inner- und vorderösterreichischen Lande gab, wurden diese letzteren jetzt vereinigt, für die Rechtspflege eine oberste Justizstelle geschaffen und alle anderen Geschäfte an das große Directorium in publicis et cameralibus gewiesen, dessen Chef Haugwitz selber war. Die neugeschaffene Behörde war, wie schon der Name andeutet, eine Nachbildung des preußischen Generaldirectoriums, nur daß in Oesterreich der Geschäftskreis derselben noch viel mehr erweitert, die Justiz in ihrer Wirksamkeit noch mehr beschränkt ward.***) Eine ähnliche Trennung ging fortan

---

*) S. darüber Beidtel in den Sitzungsberichten der Akademie der Wissenschaften 1852., S. 26—39.

**) Beidtel a. a. O. 1851. 806—818.

***) S. den Bericht des Großkanzlers Fürst in Ranke's hist. polit. Zeitschrift II. 692.

auch durch die Provinzialbehörden; neu eingerichtete Kammern hatten sich durchaus der Verwaltung der Provinzen und vor Allem der Finanzen zu widmen und standen unter der Leitung des Directoriums. Nun erst bestand eine Centralregierung in Oester-reich, von der die Initiative und Entscheidung in allen wichtigen Angelegenheiten ausging. Die neuen Provinzialgubernien wur-den aus den Begabtesten, nicht aus den Höchstgebornen zusam-mengesetzt; die alte aristokratische Verwaltung, wie sie sich un-ter Leopold I. bis auf Karl VI. festsetzt, verschwand, und eine neugeschaffene talentvolle Bureaukratie trat an die Stelle. Mit diesen bürgerlichen Elementen verbündet, durchbrach die neue cen-tralisirende Regierung den Widerstand der Aristokratie, stützte und begünstigte die Unterthanen gegen den grundbesitzenden Adel und half die gewichtigste der Umgestaltungen Maria Theresias durch-setzen: das neue Steuerwesen.

Auch hier war das Vorbild Preußens entscheidend. Nicht als wenn man die ängstliche Sparsamkeit und Ordnung in allen Zwei-gen der Verwaltung, die knappe, fast dürftige Ausstattung des Hofes und der Regierung, wie sie in Preußen bestand und bestehen mußte, nach Oesterreich übertragen hätte; der Hof blieb verschwenderisch und die Verwaltung sorglos, fast wie in den Tagen des alten Regiments. Man verließ sich auf den Reichthum unerschöpfter Hülfsquellen und that, als bedürfe man der kleinlichen Sorgfalt nicht, die das preußische Regiment auszeichnete. *) Drum befand sich auch in jedem kritischen Zeitpunkt die Regierung in Geldnö-then; schon nach dem Erbfolgekrieg war Oesterreich in einer Finanz-bedrängniß, die man in Preußen nicht kannte, und im siebenjäh-rigen Kriege behielt Friedrich, trotz aller ungeheuren Opfer, trotz der Ausplünderung und Verheerung des eignen Landes, gleichwol „den letzten Thaler" in der Tasche. Dazu war freilich nöthig, daß Friedrich selbst seine eignen Bedürfnisse auf einige hundert-tausend Thaler beschränkte, während in Wien der Hof viele Mil-lionen verschlang, oder daß er seine Staatsdiener knapp besoldete, während die Conferenzminister Maria Theresias Gehalte von 60 bis 70,000 Gulden bezogen. Geschenke, wie sie die Kaiserin ihren Ministern machte, die sich in die Hunderttausende beliefen, waren

---

*) S. die Angaben Fürst's a. a. O. 675.

in Preußen ebenso undenkbar, als wenn König Friedrich in einem
Jahr die Summe von 10,000 Ducaten im Spiel verloren hätte,
wie Kaiser Franz I., der noch dazu das ökonomischste Talent am
ganzen Hofe war. *)

Aber um diese Bedürfnisse zu decken und große Kriege zu
führen, war eine ganz andere Ausbeutung der Staatsquellen nöthig, als sie vor 1740 stattfand.   Durch eine geschickte Manipu-
lation wußte man die Contribution der einzelnen Lande zugleich
zu erhöhen und auf eine Reihe von Jahren sich zu sichern; die
versprochene Verminderung trat nicht ein. Vielmehr steuerten schon
um die Mitte des Jahrhunderts z. B. Böhmen, Steiermark und
Unterösterreich beinahe das Doppelte von dem, was sie unter
Karl VI. beigetragen hatten, und das Gesammteinkommen dieser
Contribution betrug um ein Viertel mehr als zu der Zeit, wo
man die Erblande noch in ihrer ganzen Integrität besessen, Serbien noch nicht an die Türken, Schlesien noch nicht an Preußen
verloren hatte.   Wohl zog das Mauthsystem alle Schattenseiten
einer solchen Einrichtung, Chikanen für den Verkehr, Immoralität
der Verwaltung und Schmuggel im Gefolge nach sich; dazu kamen lästige Consumtionssteuern und ein Lotteriespiel, das auch
dem kleinsten Einsatz des armen Mannes offen stand. Es gehörte
die ganze Beliebtheit der Kaiserin und die ganze Fülle von neu
erweckter Loyalität ·im Volke dazu, um diese lästigen Neuerungen
erträglich zu machen; daß ihr Druck peinlich empfunden ward,
darüber lassen die Zeugnisse der Zeitgenossen keinen Zweifel. Auf
der andern Seite erfolgten die ersten eingreifenden Schritte, die
Last der Feudalität vom Volke abzuwälzen. Auch wo nicht, wie in
Mähren, Böhmen und Krain, noch die volle Leibeigenschaft bestand,
waren die bäuerlichen Besitzverhältnisse bis 1740 traurig genug,
die herrschaftliche Justiz und Polizei, die Besteuerung, das Frohnd-
wesen u. s. w. ließen den Landmann wenig gedeihen. Das Interesse
der monarchischen Gewalt, wie der Finanzverwaltung gebot in
gleichem Maße hier eine Veränderung eintreten zu lassen. Mit der
festen Regulirung der Grundsteuer und der genaueren Controle über
die Gutsherren ward in dem ersten Jahrzehnt von Maria Theresias Regierung begonnen, um allmälig zur Beschränkung der

---

*) S. Fürst S. 675. 678. 683.

Frohnlasten und zur käuflichen Ablösung herrschaftlicher Lasten
vorzuschreiten.*)

Durch dies Alles gewann das Ganze des Staates ungemein
an Stärke und Zusammenhang. Wie durch die neue Organisation im Innern eine ganz andere Macht und Einheit des Regiments aufgerichtet ward, so wurden nach allen Seiten hin die
erweiterten Hülfsquellen benutzt, die Kraft und Beweglichkeit des
großen Ganzen zu erhöhen. Die Heeresmacht z. B., die unter
Karl VI. so tief verfallen war, ward durch Maria Theresia von
Grund aus organisirt. Eine Reihe von Verbesserungen, die man
in den ersten Kriegen an den Preußen kennen und schätzen gelernt, wurden herübergenommen, das Verpflegungssystem verbessert, Kasernen gebaut, durch Lascys Organisationstalent eine
ganz neue Art, die Armee zu bilden, eingeführt, alle Waffengattungen verbessert, das Festungswesen nach den Ansprüchen der neuen
Zeit umgestaltet, die Heeresmasse, die bei Karls VI. Tode lange
nicht 150,000 Mann stark war, auf 300,000 Mann gesteigert.
Die Kaiserin selbst verstand es meisterhaft, diesem neu geschaffenen
Heerwesen einen geistigen Aufschwung zu geben und zwischen
sich und der Armee ein Verhältniß ritterlicher Treue und Begeisterung herzustellen. Nicht nur, daß sie für Sold, Verpflegung und
Bekleidung des Soldaten eifrige Sorge trug, für Invaliden, Witt-
wen und Waisen Anstalten schuf, durch Auszeichnungen und Orden den militärischen Geist anspornte; auch persönlich stand sie
dem Heere näher und sichtbarer vor Augen, als irgend einer ihrer
Vorfahren seit dem ersten Maximilian. Sie hatte auch hier
dem Vorgang ihres großen Gegners in Preußen das Geheimniß
abgelernt, durch die Persönlichkeit der Monarchie eine höhere Weihe
zu verleihen.

In allen diesen Dingen gibt sich ein kühner und schöpferischer Herrschergeist kund, zugleich aber auch das eifersüchtigste Bemühen, der fürstlichen Gewalt nach allen Seiten hin ihre volle
Freiheit und Unbeschränktheit über die hergebrachten Schranken zu
sichern. Am bezeichnendsten tritt dies in dem Verhältnisse zur Kirche
und Geistlichkeit hervor. So sehr Maria Theresia an kirchlichem

---

*) Das Nähere hierüber s. in einem Aufsatze von Beidtel. Sitzungsber.
der Akademie 1852. S. 474 ff.

Eifer und ·Intoleranz gegen die Protestanten ihren habsburgischen
Vorfahren glich, so war sie doch nicht wie die Ferdinande und
Leopold geneigt; mit dem Clerus die Herrschaft zu theilen. Sie
hielt das landesherrliche Placet in der strengsten Form aufrecht, beschränkte die Wirksamkeit der Nuntien, verbot den directen Verkehr des
Clerus mit Rom, besteuerte ohne römische Einwilligung die Geistlichkeit des Reiches, ja sie fing an, fast in josephinischer Weise, in die
Organisation der Klöster, den Mißbrauch der Feiertage u. s. w.
da einzugreifen, wo es ihr das materielle Interesse der Staatsver-
waltung zu gebieten schien. Die neue Einrichtung des Schulwesens
bewies am sprechendsten, daß man entschlossen war, die alte cle-
ricale Macht gründlich zu verdrängen.   Schritt für Schritt ging
die kaiserliche Regierung vor, um aus den Kirchenschulen Staats-
schulen zu machen und die ganze Leitung des Unterrichts allmälig der Allgewalt des Staates in die Hand zu geben. *) Nachdem man fast dreißig Jahre lang in dieser Richtung thätig gewesen, erfolgte dann der letzte bedeutungsvolle Act, die Vertreibung
der Jesuiten — eine Handlung, die zwar den kirchlichen Anschauungen der Kaiserin völlig widersprach, zu der sie sich aber herbeiließ, weil Kaunitz geschickt das Verhältniß der monarchischen Autorität mit ins Spiel gebracht hatte.

So verknüpfte sich allenthalben mit den Traditionen der alten
habsburgischen Politik die richtige Erkenntniß in die Mittel und
Kräfte, wodurch die neue Zeit die Staatseinheit und Regierungsgewalt verstärkte, und die Bedeutung Friedrichs II. gab sich auch
darin zu erkennen, daß er mittelbar eine allmälige Umgestaltung
Oesterreichs hervorrief. Wohl sind dort noch die alten Ueberliefe-run-
gen, aber in ihrer Wirkung viel mächtiger, denn sie stützen sich auf
eine größere Centralisation des Reiches, eine compaktere Einheit des
Regiments, eine tüchtigere Organisation der Steuer- und Heeresmacht des Landes. _Auch in dem Verhältniß zum deutschen Reiche
tritt die alte Tradition in aller Schärfe hervor: das Bestreben,
habsburgische Hausinteressen mit Hülfe, ja nöthigenfalls auf
Kosten des Reiches durchzusetzen. Um dieser Interessen willen wird
für die Erhaltung der Integrität des habsburgischen Erbes Deutschland mit einem furchtbaren Kriege heimgesucht, Baiern namentlich

---

*) Darüber s. die interessanten Mittheilungen von Beidtel. S. 716—728.

von jenen barbarischen Banden des Ostens (unter Trenck, Menzel u. s. w.) überschwemmt und verwüstet. Noch greller gibt sich dies in den Ursachen des siebenjährigen Krieges kund. Wenn die Allianz zu ihrem Ziele kam, gegen die Friedrich II. 1756 nach Sachsen einbrach, so fiel ohne Zweifel Ostpreußen an Rußland, Pommern ganz an Schweden, Gebiete am linken Rheinufer an Frankreich, kurz Deutschland erlebte eine zweite Auflage des westfälischen Friedens, aber es ward ein österreichisches Interesse dadurch befriedigt: die Zertrümmerung Preußens und die Wiedererwerbung Schlesiens. Friedrich II. vereitelte das; bei Roßbach, Zorndorf, Minden ward der Uebermuth der Fremden gezüchtigt, aber Deutschland doch immerhin zur Wahlstatt eines furchtbaren Krieges gemacht, den französischen und russischen Räubereien preisgegeben und seinem Wohlstande Wunden geschlagen, die kaum nach Jahrzehnten vernarbten — Alles, um einem österreichischen Interesse zu genügen, für welches man Elisabeth von Rußland, die Pompadour, die schwedische Aristokratie, deutsche Minister wie Brühl hatte in Bewegung zu setzen wissen. In diesem Sinne hatte auch, der überlieferten Politik getreu, die Tochter Karls VI. die Uebertragung der Kaiserwürde auf Franz Stephan von Lothringen durchzusetzen gewußt; es galt, wie der siebenjährige Krieg am treffendsten beweist, nicht sowol dem alten Reiche einen kräftigen Schutz und Schirm zu gewähren, als in der hergebrachten Weise das Reich in die Hausinteressen Oesterreichs und deren Verfolgung zu verflechten.

So hat sich in den Ereignissen von 1740—1763 eine ganz eigenthümliche Gestaltung der deutschen Verhältnisse ausgebildet: die Form des Reiches selbst, in der lockeren Verbindung von 1648, ist in voller Zerrüttung begriffen und es konnte von einer politischen Macht und Geltung, so weit sie mit dem Bestand des Reiches verknüpft war, keine Rede mehr sein; dagegen haben sich zum Theil innerhalb desselben und mit deutschen Kräften zwei Großmächte ausgebildet, deren Vereinigung eine größere Fülle von politischer Selbständigkeit und militärischer Stärke darstellt, als Deutschland und das alte Reich sie seit Jahrhunderten hatten entwickeln können. Ohne diese beiden Staaten oder gar ihnen beiden feindselig gegenüber bedeutete das Reich nichts mehr; mit ihnen und unter ihnen vermochte Deutschland allein noch eine

Geltung zu gewinnen. Beide Großstaaten hatten aber aufgehört, Glieder des Reiches zu sein im alten Sinne des Wortes: Preußen fühlte sich zunächst als ein europäischer Staat, Oesterreich desgleichen: aber beide waren auch wieder gleichmäßig darauf hingewiesen, den brauchbaren Stoff an Kräften und Mitteln, der noch im übrigen Deutschland vorhanden war, in ihrem Sinne zu nützen und sich mit dem Reiche in dieser Richtung in engem Zusammenhang zu erhalten.

Darum war auch in diesem Verhältnisse beider Staaten zum Reich niemals dieses selber mit seinen bestehenden Formen und Interessen das eigentlich Maßgebende, sondern eben nur der Vortheil Oesterreichs oder Preußens. Es konnte z. B. im Interesse der wiener Politik liegen, in der Bewahrung der Formen des Reiches eine Verstärkung der eignen Macht zu finden, während man in Berlin umgekehrt von der Ueberzeugung ausging, nur durch die trotzige Geringschätzung und Schwächung der überlieferten Formen an Stärke zu gewinnen; es konnte aber auch ebenso vom Kaiser aus der Versuch gemacht werden, auf Kosten des Reiches und seiner Verfassung den österreichischen Einfluß zu erweitern, in welchem Falle dann sicherlich Preußen die Rolle der conservativen Politik übernahm und für die Aufrechthaltung des deutschen Reiches und seiner Freiheit in die Schranken trat. In der Periode des siebenjährigen Krieges kam der eine, zur Zeit des bairischen Erbfolgekriegs und des Fürstenbundes der andere Fall vor.

Es läßt sich denken, in welch seltsame und ungewöhnliche Lage das Reich selber durch dieses neue Verhältniß der Großmächte und ihre wechselnden politischen Strömungen gerathen mußte. Wir wollen versuchen von dessen Zustande, seinen einzelnen Gruppen, seinen Verfassungsformen, wie sie sich seit der Mitte des achtzehnten Jahrhunderts gestaltet hatten, ein übersichtliches Gesammtbild zu geben.

Vierter Abschnitt.

Das deutsche Reich und seine Verfassung.

Die Meinung, daß die Form des deutschen Reiches im Verfalle sei und den Bedürfnissen einer staatlichen Ordnung nicht genügen könne, war im siebzehnten und achtzehnten Jahrhundert eine allgemein verbreitete; daß dieselbe sich nicht wirksamer im Leben geltend machte, hatte weniger in der Langsamkeit und Schwerfälligkeit des deutschen Wesens seinen Grund, als in der Thatsache, daß sich in den einzelnen Territorien mannigfach ein regsames und gedeihliches Staatsleben entwickelte und für das Unzulängliche der Reichsordnung einen gewissen Ersatz bot. In Oesterreich und Preußen zumal lernte man den Verfall des Reichs leicht verschmerzen und lebte sich allmälig in die Gewohnheit ein, sich diese Staatenexistenz genügen zu lassen. Aus eben diesem Grunde war dort, wo sich ein solch particulares politisches Dasein nicht hatte entwickeln können, die Anhänglichkeit an das Reich noch am lebendigsten und die Sehnsucht nach einer Verjüngung desselben auf dem Boden der überlieferten Grundlagen noch keineswegs abgestorben.

Damit soll nicht gesagt werden, daß nicht das Reich immer noch eine moralische Bedeutung hatte, die über diese engen Grenzen hinausging und durch die Schwäche der Formen überhaupt nicht bedingt war. Es ist gewiß eine richtige Bemerkung,[*] daß

---

[*] S. Perthes, deutsches Staatsleben vor der Revolution, S. 13. Jeder Bearbeiter dieser Epoche, auch wenn Ziel und Plan vielfach verschieden sind,

das Bewußtsein, einstmals Träger des h. Reichs gewesen zu sein,
wesentlich dazu beigetragen hat, unser Volk auch in den Zeiten
der tiefsten Erniedrigung vor Selbstverachtung zu bewahren und
ihm in der Ansicht der europäischen Völker eine Stellung zu erhalten, auf welche die bestehenden Zustände keinen Anspruch gewährt hätten. Wenn auf dies gegenwärtige Geschlecht, dessen Zusammenhang mit dem alten Reiche doch so vielfach durchbrochen
ist, die Erinnerung an vergangene Herrlichkeit und Macht noch
solchen Einfluß übt, wie mußte der Stachel in den Gemüthern
derer wirken, die durch die noch bestehenden Umrisse und Formen
des alten Baues jeden Augenblick an die Vergangenheit gemahnt
wurden!

Aber die staatliche Form war tief verfallen. Das Kaiserthum
selber, so wie es sich seit lange ausgebildet, viel mehr der Schatten
des römischen Kaiserthums als das Erzeugniß alten deutschen
Königthums, hatte eben darum nicht sowol eine deutsche, als eine
europäische, völkerrechtliche Bedeutung. Die alte Lehensverbindung
bestand nur noch dem Namen nach; hätte nicht das bizarre, altfränkische Ceremoniel der kaiserlichen Belehnung noch daran erinnert, in der Wirklichkeit hielt dies Band das Ganze nicht mehr
zusammen und der Kaiser konnte nicht daran denken, etwa heim-
gefallene Reichslehen einzuziehen oder von den Landesherren als
von seinen Vasallen Lehenspflichten und Dienste zu fordern.
Selbst die Form der Belehnung ward von den größeren Territorien, wie Preußen, Hannover, im achtzehnten Jahrhundert verwei-
gert. Vielmehr zerfiel das ganze Reich in mehr als dreihundert
größere oder kleinere Gebiete, die theils von erblichen theils von
gewählten Fürsten, noch andere von republikanischen Gewalten wie
unabhängige Staaten regiert wurden; Gebiete, über welche das
Reichsoberhaupt als solches unmittelbar regiert hätte, existirten so
wenig als es äußere Mittel gab, aus denen der Kaiser sein Regiment oder seinen Hof hätte unterhalten können. Man schlug
das, was von kaiserlichen Einkünften aus älteren Zeiten noch
übrig geblieben und was aus einigen Reichsstädten, aus Urbarien,

---

wird sich dieser anregenden und stoffreichen Schrift zu Dank verpflichtet fühlen.
Auf der andern Seite haben wir das reichste Material in den immer noch unentbehrlichen Schriften beider Moser vorgefunden.

dem Judenzoll u. s. w. gezogen ward, noch auf etwa 13,000 Gulden an;*) dazu kamen noch als außerordentliche Beisteuer die Charitativsubsidien der Ritterschaft, die für diesen einzelnen Reichsstand nicht immer unbedeutend waren, aber doch lange nicht hinreichten, die kaiserliche Armuth nothdürftig zu verdecken. Was für Reichsbelehnungen entrichtet ward, war der Reichskanzlei und dem R.-Hofrath als Theil ihrer Besoldung angewiesen. Ueber alle wichtigeren Angelegenheiten, allgemeine Gesetzgebung und Polizei, Krieg und Frieden, konnte der Kaiser nur gemeinsam mit den Reichsständen Schlüsse fassen, und wenn der Krieg beschlossen war, reichten die Beisteuern an Geld und Leuten niemals hin, denselben mit einigem Erfolg zu führen. Fast jede neue Wahlcapitulation fügte neue Beschränkungen der kaiserlichen Gewalt hinzu; damit der Kaiser nichts Böses thue, sagt Dohm treffend, war ihm das Vermögen genommen, überhaupt etwas zu thun. Selbst die Wahl der Männer, durch welche er die Reichsgeschäfte betrieb, war ihm nicht selber überlassen; der Reichskanzler und alle Officianten des Reichs wurden vom Kurfürsten von Mainz als Erzkanzler aufgestellt und diesem so gut wie dem Kaiser verpflichtet.

Der Kaiser selbst aber war, wie wir bei der Entwicklung Oesterreichs wahrnahmen, zugleich mit ganz anderen Interessen als denen des Reichs verflochten, und während ihm die Reichsstände eine Würde übertrugen, die mehr Last als Macht gab, während sie von ihm Pflichten forderten, ohne ein billiges Maß von Rechten zu gewähren, während sie ihm gern die kostspielige Obliegenheit der Reichskriege überließen, ohne ihm zureichende Mittel zu geben, war das Kaiserthum von selber darauf angewiesen, seine Stärke zugleich anderswo als im Reiche zu suchen, seine staatliche Sonderexistenz, so weit sie an die habsburgische Hausmacht geknüpft war, auszubilden und, wo immer möglich, das Reich für seine besonderen Zwecke zu gebrauchen. In dieser Verflechtung mit der habsburgischen Hausmacht blieb aber das Kaiserthum, ohne wie in alter Zeit eine wirklich europäische Macht zu sein, doch ein wesentliches Glied der europäischen Politik. Auf seine Besetzung wirkten, z. B. gerade bei der Erwählung Franz I., ebenso sehr, ja viel wirksamer und unmittelbar als nationale Interessen

---

*) S. Dohm, Denkwürdigk. III. 4 f.

die Vortheile und Wünsche auswärtiger Großmächte, z. B. Großbritanniens, mit.

Das Bewußtsein, daß das Kaiserthum längst aufgehört hatte,
neben seiner weltgeschichtlichen Stellung zugleich die Bedeutung
eines nationalen deutschen Königthums zu haben, war auch seit
Jahrhunderten in die Kreise der Nation selber eingedrungen. Die
bekannten Versuche im fünfzehnten Jahrhundert, der obersten Reichsgewalt eine neue Stellung inmitten der Stände des Reichs zu
schaffen, gingen bereits aus diesem Gedanken hervor; nachdem
zum Schaden Deutschlands dieser Weg verlassen war, tauchten
Vorschläge und fromme Wünsche, auch wohl einzelne Associationen
auf, die darauf abzielten, den Dingen in Deutschland eine nationale Gestaltung zu geben, d. h. neben der Vielheit und Mannigfaltigkeit der einzelnen Gruppen und Territorien zugleich der Einheit wieder eine organische Grundlage zu schaffen. Der Gang
der Ereignisse im siebzehnten Jahrhundert, insbesondere der westfälische Friede hatte gegen solche Bestrebungen ein mächtiges Hinderniß aufgerichtet; die Erstarrung Oesterreichs auf der einen, die
selbständige Ausbildung Preußens auf der andern Seite mußte
jeden Versuch, der nicht von der gewaltsamen Zerstörung des Vorhandenen ausging, von vornherein scheitern machen.

Daß der Kaiser noch Adelsbriefe austheilte und Standeserhöhungen vornahm, bei der Errichtung von Zöllen und Münzstätten die formelle Genehmigung ertheilte, neu errichtete Universitäten mit Privilegien dotirte, Messen erlaubte, bedrängten Schuldnern gegen ihre Gläubiger Fristen (Moratorien) auswirkte, Concessionen und Bücherprivilegien vergab, uneheliche Kinder legitimirte, diese und ähnliche Rechte, deren Ausübung zudem meistens
mit den Ansprüchen der Landeshoheit in Conflict brachte, erinnerten zwar immer noch daran, daß eine einheitliche oberste Gewalt
dem Namen nach existirte, waren aber auch wieder ganz unzureichend, eine wirksame und lebendige Autorität des Kaiserthums im
Reiche herzustellen.

„Es ist oft schwer," sagt ein berühmter Publicist des vorigen
Jahrhunderts, *) „noch jetzt die fortwährende Einheit des deutschen
Reiches überall wahrzunehmen; unmittelbar ist sie eigentlich nur

---

*) Pütter, histor. Entwicklung der heut. Staatsverfassung. III. 215.

noch am kaiserlichen Hofe, am Reichstage und am Kammergerichte, also an den drei Orten, zu Wien, Regensburg und Wetzlar sichtbar." Aber gerade die Betrachtung dieser drei Orte brängte zu der Ueberzeugung, daß die einheitliche Form des Reiches in tiefem Verfalle begriffen sei.

Wir erinnern uns, welch eine Veränderung 1663 mit dem Reichstage vorgegangen, als er aus einer periodischen Versammlung eine „immerwährende" geworden war. Der Vorzug, den die alten Reichstage bei aller fehlerhaften Organisation immer noch gehabt, der Werth persönlichen Erscheinens und unmittelbaren Verkehrs unter den Reichsständen war nun verloren; es war eine schwerfällige Versammlung diplomatischer Vertreter daraus geworden, deren Zusammenhang und Geschäftsgang gleich wenig dazu angethan war, ihnen eine eingreifende politische Bedeutung zu verschaffen. Da saßen noch die drei alten Reichscollegien, das kurfürstliche unter dem Vorsitze von Kurmainz, welches zugleich das allgemeine Reichsdirectorium führte, das fürstliche unter der wechselnden Leitung von Oesterreich und Salzburg und das reichsstädtische unter der Führung von Regensburg, aber sie entbehrten des lebendigen Zusammenhanges, boten keine wirkliche Vertretung des Reiches mehr und waren in ein Labyrinth schwerfälliger Formen und pedantischer Ceremonien verstrickt.

Das kurfürstliche Collegium vereinigte zwar noch die durch ihr Wahlrecht, ihre Erzämter, ihre Privilegien hervorragende höchste Aristokratie des Reiches, wie sie in der goldnen Bulle eingerichtet war, aber die alte Einrichtung hatte, was die geistlichen Glieder anging, so wenig ihre Bedeutung bewahrt, wie die Leitung durch Kurmainz den gegenwärtigen Verhältnissen entsprach. Die geistliche Aristokratie der drei Kurfürsten von Mainz, Cöln und Trier, — was wollte sie in ihrer verfallenen politischen Macht bedeuten, gegenüber den weltlichen Gliedern des Collegiums, unter denen zwei Großstaaten wie Oesterreich und Preußen und ein Kurfürst saß, der zugleich die Krone von Großbritannien und Irland trug!

Auch das fürstliche Collegium bewies nur die Umgestaltung der Verhältnisse, zu denen die alte Form nicht mehr paßte. Die 33 bis 34 geistlichen Stimmen (Osnabrück wechselte zwischen beiden Kirchen, Lübeck war protestantisch) waren nur ein Schatten von dem, was sie einst gewesen. Die Kirchenspaltung des sechs-

zehnten Jahrhunderts, die Säcularisationen und Territorialverän=
derungen drückten namentlich auf diese geistliche Bank des Für=
stencollegiums; die Gebietsverluste des Reiches und die Lockerung
seines territorialen Zusammenhangs waren hier am empfindlichsten
zu spüren, denn eine Reihe von Ständen, wie der Erzbischof von
Besançon, die Bischöfe von Trient, Brixen, Basel, Lüttich und
Chur waren nur noch dem Namen nach zu ihnen zu zählen. Was
übrig blieb, das Erzstift Salzburg, der Hoch= und Deutschmeister,
der Johannitermeister, die Bischöfe von Bamberg, Würzburg,
Worms, Eichstädt, Speyer, Straßburg, Constanz, Augsburg, Hil=
desheim, Paderborn, Freisingen, Regensburg, Passau, Münster,
Fulda, die Aebte und Pröbste von Kempten, Elwangen, Berchtes=
gaden, Weißenburg, Prüm, Stablo und Corvey, — das war
keine mächtige Vertretung mehr, wie sie einst die Kirche im Reiche
gehabt. Wie im Kurfürstencollegium, so war hier der Verfall des
geistlichen Elements augenfällig und sprach sich auch in der immer
wieder erwachten Besorgniß vor neuen Säcularisationen aus. Dies
Gefühl der Schwäche und Unsicherheit war der Vorbote, daß die=
ser Rumpf des ehemaligen geistlichen Körpers die nächste gewalt=
same Erschütterung nicht überdauern werde.

Aber auch das weltliche Element im Fürstencollegium war
theils durch die Erhebung größerer fürstlicher Gebiete, wie Baiern
und Hannover zu Kurstaaten, merklich geschwächt, theils seltsam
genug zusammengesetzt; da saßen neben Aremberg, Lobkowitz, Salm,
Dietrichstein, Auersperg und Taxis die Kronen Oesterreich, Preu=
ßen, die Kurfürsten von der Pfalz, von Baiern, von Hannover,
von Sachsen und vereinigten in sich meist eine ganze Reihe fürst=
licher Territorien; von den 60 Stimmen, die man damals zählte,
hatte z. B. Oesterreich drei, Preußen sechs, Hannover sechs, der
zahlreichen abhängigen Stimmen nicht zu gedenken, die moralisch
gebunden waren, sich einer der Großmächte anzuschließen. *)

Dem Fürstencollegium gehörten auch jene Reichsprälaturen
an, die einer Anzahl von Aebten, Pröbsten, Landcomthuren und
Aebtissinnen in Schwaben und am Rhein zustanden, **) aber nur

---

*) Vgl. J. J. Moser, von den Reichsständen. 1767. 4.
**) Die namhaftesten waren in Schwaben: Salmansweiler, Weingarten,
Ochsenhausen, Elchingen, Ursperg, Schussenried, Petershausen, Gengenbach u. a.

Collegiatstimmen führten und auf zwei Bänke, eine schwäbische und rheinische, vertheilt waren. Endlich saßen in dem Collegium die „Reichsgrafen und Herrn", d. h. jener Theil des alten Reichs= adels, der an Stand und Rang zwar den Fürsten und gefürsteten Grafen nachstand, aber doch auch dem gewöhnlichen Ritteradel voranging und seit dem 17. Jahrhundert manchen Zuwachs er= halten hatte durch Familien, die wohl in den Fürstenstand erhoben worden, aber keine fürstlichen Virilstimmen erlangten. Diese Gruppe theilte sich in vier Curien: das wetterauische, das schwäbische, das fränkische und westfälische Grafencollegium, und hatte eine gewisse Berühmtheit erlangt durch das Uebermaß ihrer aristokratischen Prätensionen. Obwol unter diesen Reichsgrafen einzelne waren, die sich gegen ihren Lehnsherrn ausdrücklich verpflichten mußten, von Gerechtsamen nichts als das Recht der reichsgräflichen Unmittel= barkeit und die damit verbundene Stimme anzusprechen, übrigens „zu ewigen Zeiten an sothaner Grafschaft Einkünften und Rechten keinen Anspruch zu machen, auch nicht von den Gerichten und schul= digen Landeslasten zu erimiren, auch ihre Stimme nach des jedes= maligen Landesherrn Intention und Gutbefinden zu führen", so war doch gerade in diesem Kreise das Bemühen, sich geltend zu machen und zu überheben, besonders rege. Sie ahmten die Kurfürsten= und Fürstenvereine durch Grafenvereine nach, hatten eigne Direc= torien, suchten Gesandte zu halten und rührten die abgeschmackte= sten Streitigkeiten über das Ceremoniel an. Bei feierlichen Auf= zügen waren sie in der Regel die Störenfriede, indem sie irgend eine Streitfrage des Ranges oder der Reihenfolge dazwischen war= fen; hatte man doch z. B. an den gräflichen Höfen in der Wet= terau ernste Debatten, ob man einem gewöhnlichen Reichsritter die — Hand geben dürfe. Moser, der dies erzählt, fügt treffend hinzu: So entsteht daraus, daß jeder über sein Nest hinaus will, eine Confusion nach der andern.

Diese vielfältige Gliederung ist nicht selten als ein Vorzug der alten Reichsverfassung angesehen worden, während sie die ge= sunde Mannigfaltigkeit deutschen Wesens doch nur verzerrt und

---

Zum rheinischen Votum gehörten u. A. Kaisersheim, Odenheim, Werden, Essen, Queblinburg, Herford, Gandersheim.

ungesund darstellte. Denn eine selbständige politische Bedeutung
hatten z. B. im Fürstencollegium weder die geistlichen Stifter, noch
die kleinen Fürsten, noch die Prälaturen, noch die vier Grafen=
collegien; das entscheidende Gewicht übten doch nur die größe=
ren Territorien. Jene kleinen Gruppen hemmten und verwir=
ten höchstens, fachten endlose Streitigkeiten über Formen an,
während in jeder wichtigen Entscheidung in erster Linie immer
nur Oesterreich und Preußen, in zweiter Hannover, Sachsen,
Baiern, Pfalz in Frage kamen. Bei allem Werth, der auf jene
Mannigfaltigkeit in der Einheit, die unserm Volke eigen, zu legen
war, gab es eine Gränze, wo der verständige Grundsatz entartete
und nur Verkehrtheit und Schwäche erzeugte. So ganz verschie=
bene Gruppen und Stände neben einander aufgeschichtet ohne
andere Berechtigung, als geschichtlich überliefert zu sein, konnten
niemals einen lebenskräftigen Organismus des Ganzen bilden;
sie dienten nur dazu, die Bewegung des schwerfälligen Körpers
vollends zu hemmen und die Zerrüttung des Ganzen zu beschleu=
nigen. Denn je abgelebter solche Gewalten sind, denen nur der
Aberglaube an die alten Formen ein künstliches Dasein fristet, um
so leichter verliert sich ihr ganzes Thun in leerem Ceremoniel und
pedantischer Casuistik, wie dies in der letzten Periode des deut=
schen Reiches mit der Regensburger Versammlung der Fall war.
Wie hätte aber auch dieser bunte Körper, in welchem wirkliche
politische Kraft mit kleinstaatlicher Ohnmacht verquickt, neben
Oesterreich und Preußen in einer gewissen Gleichberechtigung Duo=
bezfürsten, heruntergekommene Bischöfe, winzige Aebte und ver=
armte Reichsgrafen hingestellt waren, eine gesunde Thätigkeit ent=
wickeln sollen! Dem Ehrgeiz der Kleinen und Schwachen mochte
diese Stellung schmeicheln, ein tüchtiges Staatsleben konnte daraus
sich nicht entwickeln. Oder waren alle diese Gruppen auch beim
besten Willen im Stande, einen großen und allgemeinen Zweck
zu fördern, gegenüber dem Widerstreben der wenigen Mächtigeren,
die überall den Ausschlag gaben? Wohl aber waren sie stark ge=
nug, um endlose Streitigkeiten über Formen zu wecken und, wie
dies in der berüchtigten westfälischen Grafenfrage geschah, die lang=
same Thätigkeit des Reichstags vollends noch auf Jahre lang
ganz zu lähmen.

　　Diesem Reichstagskörper oder seinen drei Collegien standen

gutachten" dem Kaiser übergeben, durch dessen bestätigende Ent=
schließung es zum „Reichsschlusse" erhoben ward.

Lähmender freilich als alle diese weitläufigen Formen wirkte auf
den Reichstag der Umstand, daß er längst aufgehört hatte, eine
lebendige Vertretung der Reichsstände zu sein. In alter Zeit hatte
das persönliche Zusammensein der Glieder des Reichs denn doch
anregend und fördernd gewirkt und die Schwerfälligkeit der For=
men häufig überwunden; ein ununterbrochener, aber spärlich be=
suchter diplomatischer Congreß, dessen Thätigkeit von entlegenen
Instructionen abhing, konnte beim besten Willen Einzelner zu
nichts recht Gedeihlichem gelangen. Kurz vor dem Ausbruche der
französischen Revolution (1788) bestand der ganze Reichstag aus
29 Personen, welche sämmtliche Stimmen führten, folglich alle
Reichstagsangelegenheiten verhandelten; theils Sparsamkeit, theils
ein natürliches Gefühl der Abhängigkeit bestimmte die kleineren
Reichsstände, auf eigene Gesandte zu verzichten und ihre Stimmen
den größeren zu übertragen. So zählte damals das fürstliche
Collegium statt der gesetzlichen 100 Stimmenden*) nur 14; die
52 Reichsstädte waren durch 8 Stimmen vertreten. Der preußische
Gesandte führte außer der brandenburgischen Kurstimme noch 10
Stimmen im Fürstenrath, theils im Namen fürstlicher Territorien,
die von Preußen erworben waren, theils übertragene; ebenso viel
führte der kurkölnische Gesandte; nach ihm kamen der hannoversche
mit neun, der bischöflich augsburgische mit acht, der kurpfälzische
und der österreichische jeder mit sieben. Die Stimmen der Reichs=
städte waren gar an Regensburger Magistratsmitglieder übertra=
gen, deren Gespräche auf der Trinkstube nicht in gutem Leumund
standen;**) ein Herr von Selzert z. B. vertrat beinahe die Hälfte
der Städte.***) Diese schmächtige Versammlung, von der man
ziemlich genau berechnen konnte, wie viele Stimmen Oesterreich,
wie viele Preußen zufielen, berieth dann Jahre lang über Verbes=
serungen der Reichsjustiz, die nie zu Stande kamen, über Besetzung
erledigter Reichsgeneralitätsstellen, über Recurse, die gegen kammer=
gerichtliche Urtheile eingelegt worden waren. Die Gewohnheit, das

---

*) Nämlich 34 geistliche, 60 weltliche Fürsten, 2 Curiatstimmen der Prä=
laten und 4 Curiatstimmen der Reichsgrafen.

**) Ranke, preuß. Gesch. III. 15 f.

***) S. J. E. Graf Görtz, Denkwürdigk. II. 232.

das Bewußtsein, einstmals Träger des h. Reichs gewesen zu sein,
wesentlich dazu beigetragen hat, unser Volk auch in den Zeiten
der tiefsten Erniedrigung vor Selbstverachtung zu bewahren und
ihm in der Ansicht der europäischen Völker eine Stellung zu erhalten, auf welche die bestehenden Zustände keinen Anspruch gewährt hätten. Wenn auf dies gegenwärtige Geschlecht, dessen Zusammenhang mit dem alten Reiche doch so vielfach durchbrochen
ist, die Erinnerung an vergangene Herrlichkeit und Macht noch
solchen Einfluß übt, wie mußte der Stachel in den Gemüthern
derer wirken, die durch die noch bestehenden Umrisse und Formen
des alten Baues jeden Augenblick an die Vergangenheit gemahnt
wurden!

Aber die staatliche Form war tief verfallen. Das Kaiserthum
selber, so wie es sich seit lange ausgebildet, viel mehr der Schatten
des römischen Kaiserthums als das Erzeugniß alten deutschen
Königthums, hatte eben darum nicht sowol eine deutsche, als eine
europäische, völkerrechtliche Bedeutung. Die alte Lehensverbindung
bestand nur noch dem Namen nach; hätte nicht das bizarre, altfränkische Ceremoniel der kaiserlichen Belehnung noch daran erinnert, in der Wirklichkeit hielt dies Band das Ganze nicht mehr
zusammen und der Kaiser konnte nicht daran denken, etwa heim-
gefallene Reichslehen einzuziehen oder von den Landesherren als
von seinen Vasallen Lehenspflichten und Dienste zu fordern.
Selbst die Form der Belehnung ward von den größeren Territorien, wie Preußen, Hannover, im achtzehnten Jahrhundert verwei-
gert. Vielmehr zerfiel das ganze Reich in mehr als dreihundert
größere oder kleinere Gebiete, die theils von erblichen theils von
gewählten Fürsten, noch andere von republikanischen Gewalten wie
unabhängige Staaten regiert wurden; Gebiete, über welche das
Reichsoberhaupt als solches unmittelbar regiert hätte, existirten so
wenig als es äußere Mittel gab, aus denen der Kaiser sein Regiment oder seinen Hof hätte unterhalten können. Man schlug
das, was von kaiserlichen Einkünften aus älteren Zeiten noch
übrig geblieben und was aus einigen Reichsstädten, aus Urbarien,

---

wird sich dieser anregenden und stoffreichen Schrift zu Dank verpflichtet fühlen.
Auf der andern Seite haben wir das reichste Material in den immer noch unentbehrlichen Schriften beider Moser vorgefunden.

dem Judenzoll u. s. w. gezogen ward, noch auf etwa 13,000 Gulden an;*) dazu kamen noch als außerordentliche Beisteuer die
Charitativsubsidien der Ritterschaft, die für diesen einzelnen Reichsstand nicht immer unbedeutend waren, aber doch lange nicht hinreichten, die kaiserliche Armuth nothdürftig zu verdecken. Was für
Reichsbelehnungen entrichtet ward, war der Reichskanzlei und dem
R.-Hofrath als Theil ihrer Besoldung angewiesen. Ueber alle
wichtigeren Angelegenheiten, allgemeine Gesetzgebung und Polizei,
Krieg und Frieden, konnte der Kaiser nur gemeinsam mit den
Reichsständen Schlüsse fassen, und wenn der Krieg beschlossen war,
reichten die Beisteuern an Geld und Leuten niemals hin, denselben
mit einigem Erfolg zu führen. Fast jede neue Wahlcapitulation
fügte neue Beschränkungen der kaiserlichen Gewalt hinzu; damit
der Kaiser nichts Böses thue, sagt Dohm treffend, war ihm das
Vermögen genommen, überhaupt etwas zu thun. Selbst die Wahl
der Männer, durch welche er die Reichsgeschäfte betrieb, war ihm
nicht selber überlassen; der Reichskanzler und alle Officianten des
Reichs wurden vom Kurfürsten von Mainz als Erzkanzler aufgestellt und diesem so gut wie dem Kaiser verpflichtet.

Der Kaiser selbst aber war, wie wir bei der Entwicklung
Oesterreichs wahrnahmen, zugleich mit ganz anderen Interessen als
denen des Reichs verflochten, und während ihm die Reichsstände
eine Würde übertrugen, die mehr Last als Macht gab, während
sie von ihm Pflichten forderten, ohne ein billiges Maß von Rechten zu gewähren, während sie ihm gern die kostspielige Obliegenheit der Reichskriege überließen, ohne ihm zureichende Mittel zu
geben, war das Kaiserthum von selber darauf angewiesen, seine
Stärke zugleich anderswo als im Reiche zu suchen, seine staatliche
Sonderexistenz, so weit sie an die habsburgische Hausmacht geknüpft war, auszubilden und, wo immer möglich, das Reich für
seine besonderen Zwecke zu gebrauchen. In dieser Verflechtung
mit der habsburgischen Hausmacht blieb aber das Kaiserthum,
ohne wie in alter Zeit eine wirklich europäische Macht zu sein,
doch ein wesentliches Glied der europäischen Politik. Auf seine
Besetzung wirkten, z. B. gerade bei der Erwählung Franz I., ebenso
sehr, ja viel wirksamer und unmittelbar als nationale Interessen

---

*) S. Dohm, Denkwürdigk. III. 4 f.

die Vortheile und Wünsche auswärtiger Großmächte, z. B. Großbritanniens, mit.

Das Bewußtsein, daß das Kaiserthum längst aufgehört hatte,
neben seiner weltgeschichtlichen Stellung zugleich die Bedeutung
eines nationalen deutschen Königthums zu haben, war auch seit
Jahrhunderten in die Kreise der Nation selber eingedrungen. Die
bekannten Versuche im fünfzehnten Jahrhundert, der obersten Reichsgewalt eine neue Stellung inmitten der Stände des Reichs zu
schaffen, gingen bereits aus diesem Gedanken hervor; nachdem
zum Schaden Deutschlands dieser Weg verlassen war, tauchten
Vorschläge und fromme Wünsche, auch wohl einzelne Associationen
auf, die darauf abzielten, den Dingen in Deutschland eine nationale Gestaltung zu geben, d. h. neben der Vielheit und Mannigfaltigkeit der einzelnen Gruppen und Territorien zugleich der Einheit wieder eine organische Grundlage zu schaffen. Der Gang
der Ereignisse im siebzehnten Jahrhundert, insbesondere der westfälische Friede hatte gegen solche Bestrebungen ein mächtiges Hinderniß aufgerichtet; die Erstarrung Oesterreichs auf der einen, die
selbständige Ausbildung Preußens auf der andern Seite mußte
jeden Versuch, der nicht von der gewaltsamen Zerstörung des Vorhandenen ausging, von vornherein scheitern machen.

Daß der Kaiser noch Adelsbriefe austheilte und Standeserhöhungen vornahm, bei der Errichtung von Zöllen und Münzstätten die formelle Genehmigung ertheilte, neu errichtete Universitäten mit Privilegien dotirte, Messen erlaubte, bedrängten Schuldnern gegen ihre Gläubiger Fristen (Moratorien) auswirkte, Concessionen und Bücherprivilegien vergab, uneheliche Kinder legitimirte, diese und ähnliche Rechte, deren Ausübung zudem meistens
mit den Ansprüchen der Landeshoheit in Conflict brachte, erinnerten zwar immer noch daran, daß eine einheitliche oberste Gewalt
dem Namen nach existirte, waren aber auch wieder ganz unzureichend, eine wirksame und lebendige Autorität des Kaiserthums im
Reiche herzustellen.

„Es ist oft schwer," sagt ein berühmter Publicist des vorigen
Jahrhunderts,*) „noch jetzt die fortwährende Einheit des deutschen
Reiches überall wahrzunehmen; unmittelbar ist sie eigentlich nur

---

*) Pütter, histor. Entwicklung der heut. Staatsverfassung. III. 215.

noch am kaiserlichen Hofe, am Reichstage und am Kammergerichte, also an den drei Orten, zu Wien, Regensburg und
Wetzlar sichtbar." Aber gerade die Betrachtung dieser drei Orte
drängte zu der Ueberzeugung, daß die einheitliche Form des Reiches in tiefem Verfalle begriffen sei.

Wir erinnern uns, welch eine Veränderung 1663 mit dem
Reichstage vorgegangen, als er aus einer periodischen Versammlung eine „immerwährende" geworden war. Der Vorzug, den die
alten Reichstage bei aller fehlerhaften Organisation immer noch
gehabt, der Werth persönlichen Erscheinens und unmittelbaren
Verkehrs unter den Reichsständen war nun verloren; es war eine
schwerfällige Versammlung diplomatischer Vertreter daraus geworden, deren Zusammenhang und Geschäftsgang gleich wenig dazu
angethan war, ihnen eine eingreifende politische Bedeutung zu verschaffen. Da saßen noch die drei alten Reichscollegien, das kurfürstliche unter dem Vorsitze von Kurmainz, welches zugleich das allgemeine Reichsdirectorium führte, das fürstliche unter der wechselnden Leitung von Oesterreich und Salzburg und das reichsstädtische
unter der Führung von Regensburg, aber sie entbehrten des lebendigen Zusammenhanges, boten keine wirkliche Vertretung des
Reiches mehr und waren in ein Labyrinth schwerfälliger Formen
und pedantischer Ceremonien verstrickt.

Das kurfürstliche Collegium vereinigte zwar noch die durch
ihr Wahlrecht, ihre Erzämter, ihre Privilegien hervorragende höchste
Aristokratie des Reiches, wie sie in der goldnen Bulle eingerichtet
war, aber die alte Einrichtung hatte, was die geistlichen Glieder
anging, so wenig ihre Bedeutung bewahrt, wie die Leitung durch
Kurmainz den gegenwärtigen Verhältnissen entsprach. Die geistliche Aristokratie der drei Kurfürsten von Mainz, Cöln und Trier,
— was wollte sie in ihrer verfallenen politischen Macht bedeuten,
gegenüber den weltlichen Gliedern des Collegiums, unter denen
zwei Großstaaten wie Oesterreich und Preußen und ein Kurfürst
saß, der zugleich die Krone von Großbritannien und Irland trug!

Auch das fürstliche Collegium bewies nur die Umgestaltung
der Verhältnisse, zu denen die alte Form nicht mehr paßte. Die
33 bis 34 geistlichen Stimmen (Osnabrück wechselte zwischen beiden Kirchen, Lübeck war protestantisch) waren nur ein Schatten
von dem, was sie einst gewesen. Die Kirchenspaltung des sechs-

zehnten Jahrhunderts, die Säcularisationen und Territorialverän=
derungen drückten namentlich auf diese geistliche Bank des Für=
stencollegiums; die Gebietsverluste des Reiches und die Lockerung
seines territorialen Zusammenhangs waren hier am empfindlichsten
zu spüren, denn eine Reihe von Ständen, wie der Erzbischof von
Besançon, die Bischöfe von Trient, Brixen, Basel, Lüttich und
Chur waren nur noch dem Namen nach zu ihnen zu zählen. Was
übrig blieb, das Erzstift Salzburg, der Hoch= und Deutschmeister,
der Johannitermeister, die Bischöfe von Bamberg, Würzburg,
Worms, Eichstädt, Speyer, Straßburg, Constanz, Augsburg, Hil=
desheim, Paderborn, Freisingen, Regensburg, Passau, Münster,
Fulda, die Aebte und Pröbste von Kempten, Elwangen, Berchtes=
gaden, Weißenburg, Prüm, Stablo und Corvey, — das war
keine mächtige Vertretung mehr, wie sie einst die Kirche im Reiche
gehabt. Wie im Kurfürstencollegium, so war hier der Verfall des
geistlichen Elements augenfällig und sprach sich auch in der immer
wieder erwachten Besorgniß vor neuen Säcularisationen aus. Dies
Gefühl der Schwäche und Unsicherheit war der Vorbote, daß die=
ser Rumpf des ehemaligen geistlichen Körpers die nächste gewalt=
same Erschütterung nicht überdauern werde.

Aber auch das weltliche Element im Fürstencollegium war
theils durch die Erhebung größerer fürstlicher Gebiete, wie Baiern
und Hannover zu Kurstaaten, merklich geschwächt, theils seltsam
genug zusammengesetzt; da saßen neben Aremberg, Lobkowitz, Salm,
Dietrichstein, Auersperg und Taris die Kronen Oesterreich, Preu=
ßen, die Kurfürsten von der Pfalz, von Baiern, von Hannover,
von Sachsen und vereinigten in sich meist eine ganze Reihe fürst=
licher Territorien; von den 60 Stimmen, die man damals zählte,
hatte z. B. Oesterreich drei, Preußen sechs, Hannover sechs, der
zahlreichen abhängigen Stimmen nicht zu gedenken, die moralisch
gebunden waren, sich einer der Großmächte anzuschließen. *)

Dem Fürstencollegium gehörten auch jene Reichsprälaturen
an, die einer Anzahl von Aebten, Pröbsten, Landcomthuren und
Aebtissinnen in Schwaben und am Rhein zustanden, **) aber nur

---

*) Vgl. J J. Moser, von den Reichsständen. 1767. 4.
**) Die namhaftesten waren in Schwaben: Salmansweiler, Weingarten,
Ochsenhausen, Elchingen, Ursperg, Schussenried, Petershausen, Gengenbach u. a.

Collegiatstimmen führten und auf zwei Bänke, eine schwäbische und rheinische, vertheilt waren. Endlich saßen in dem Collegium die „Reichsgrafen und Herrn", d. h. jener Theil des alten Reichsadels, der an Stand und Rang zwar den Fürsten und gefürsteten Grafen nachstand, aber doch auch dem gewöhnlichen Ritteradel voranging und seit dem 17. Jahrhundert manchen Zuwachs erhalten hatte durch Familien, die wohl in den Fürstenstand erhoben worden, aber keine fürstlichen Virilstimmen erlangten. Diese Gruppe theilte sich in vier Curien: das wetterauische, das schwäbische, das fränkische und westfälische Grafencollegium, und hatte eine gewisse Berühmtheit erlangt durch das Uebermaß ihrer aristokratischen Prätensionen. Obwol unter diesen Reichsgrafen einzelne waren, die sich gegen ihren Lehnsherrn ausdrücklich verpflichten mußten, von Gerechtsamen nichts als das Recht der reichsgräflichen Unmittelbarkeit und die damit verbundene Stimme anzusprechen, übrigens „zu ewigen Zeiten an sothaner Grafschaft Einkünften und Rechten keinen Anspruch zu machen, auch nicht von den Gerichten und schuldigen Landeslasten zu erimiren, auch ihre Stimme nach des jedesmaligen Landesherrn Intention und Gutbefinden zu führen", so war doch gerade in diesem Kreise das Bemühen, sich geltend zu machen und zu überheben, besonders rege. Sie ahmten die Kurfürsten- und Fürstenvereine durch Grafenvereine nach, hatten eigne Directorien, suchten Gesandte zu halten und rührten die abgeschmacktesten Streitigkeiten über das Ceremoniel an. Bei feierlichen Aufzügen waren sie in der Regel die Störenfriede, indem sie irgend eine Streitfrage des Ranges oder der Reihenfolge dazwischen warfen; hatte man doch z. B. an den gräflichen Höfen in der Wetterau ernste Debatten, ob man einem gewöhnlichen Reichsritter die — Hand geben dürfe. Moser, der dies erzählt, fügt treffend hinzu: So entsteht daraus, daß jeder über sein Nest hinaus will, eine Confusion nach der andern.

Diese vielfältige Gliederung ist nicht selten als ein Vorzug der alten Reichsverfassung angesehen worden, während sie die gesunde Mannigfaltigkeit deutschen Wesens doch nur verzerrt und

---

Zum rheinischen Votum gehörten u. A. Kaisersheim, Odenheim, Werden, Essen, Quedlinburg, Herford, Gandersheim.

Eifer und Intoleranz gegen die Protestanten ihren habsburgischen
Vorfahren glich, so war sie doch nicht wie die Ferdinande und
Leopold geneigt; mit dem Clerus die Herrschaft zu theilen. Sie
hielt das landesherrliche Placet in der strengsten Form aufrecht, be=
schränkte die Wirksamkeit der Nuntien, verbot den directen Verkehr des
Clerus mit Rom, besteuerte ohne römische Einwilligung die Geistlich=
keit des Reiches, ja sie fing an, fast in josephinischer Weise, in die
Organisation der Klöster, den Mißbrauch der Feiertage u. s. w.
da einzugreifen, wo es ihr das materielle Interesse der Staatsver=
waltung zu gebieten schien. Die neue Einrichtung des Schulwesens
bewies am sprechendsten, daß man entschlossen war, die alte cle=
ricale Macht gründlich zu verdrängen. Schritt für Schritt ging
die kaiserliche Regierung vor, um aus den Kirchenschulen Staats=
schulen zu machen und die ganze Leitung des Unterrichts allmä=
lig der Allgewalt des Staates in die Hand zu geben. *) Nach=
dem man fast dreißig Jahre lang in dieser Richtung thätig gewe=
sen, erfolgte dann der letzte bedeutungsvolle Act, die Vertreibung
der Jesuiten — eine Handlung, die zwar den kirchlichen Anschau=
ungen der Kaiserin völlig widersprach, zu der sie sich aber herbei=
ließ, weil Kaunitz geschickt das Verhältniß der monarchischen Au=
torität mit ins Spiel gebracht hatte.

So verknüpfte sich allenthalben mit den Traditionen der alten
habsburgischen Politik die richtige Erkenntniß in die Mittel und
Kräfte, wodurch die neue Zeit die Staatseinheit und Regierungs=
gewalt verstärkte, und die Bedeutung Friedrichs II. gab sich auch
darin zu erkennen, daß er mittelbar eine allmälige Umgestaltung
Oesterreichs hervorrief. Wohl sind dort noch die alten Ueberlieferun=
gen, aber in ihrer Wirkung viel mächtiger, denn sie stützen sich auf
eine größere Centralisation des Reiches, eine compaktere Einheit des
Regiments, eine tüchtigere Organisation der Steuer= und Heeres=
macht des Landes. Auch in dem Verhältniß zum deutschen Reiche
tritt die alte Tradition in aller Schärfe hervor: das Bestreben,
habsburgische Hausinteressen mit Hülfe, ja nöthigenfalls auf
Kosten des Reiches durchzusetzen. Um dieser Interessen willen wird
für die Erhaltung der Integrität des habsburgischen Erbes Deutsch=
land mit einem furchtbaren Kriege heimgesucht, Baiern namentlich

---

*) Darüber s. die interessanten Mittheilungen von Beidtel. S. 716—728.

von jenen barbarischen Banden des Ostens (unter Trenck, Menzel u. s. w.) überschwemmt und verwüstet. Noch greller gibt sich dies in den Ursachen des siebenjährigen Krieges kund. Wenn die Allianz zu ihrem Ziele kam, gegen die Friedrich II. 1756 nach Sachsen einbrach, so fiel ohne Zweifel Ostpreußen an Rußland, Pommern ganz an Schweden, Gebiete am linken Rheinufer an Frankreich, kurz Deutschland erlebte eine zweite Auflage des westfälischen Friedens, aber es ward ein österreichisches Interesse dadurch befriedigt: die Zertrümmerung Preußens und die Wiedererwerbung Schlesiens. Friedrich II. vereitelte das; bei Roßbach, Zorndorf, Minden ward der Uebermuth der Fremden gezüchtigt, aber Deutschland doch immerhin zur Wahlstatt eines furchtbaren Krieges gemacht, den französischen und russischen Räubereien preisgegeben und seinem Wohlstande Wunden geschlagen, die kaum nach Jahrzehnten vernarbten — Alles, um einem österreichischen Interesse zu genügen, für welches man Elisabeth von Rußland, die Pompadour, die schwedische Aristokratie, deutsche Minister wie Brühl hatte in Bewegung zu setzen wissen. In diesem Sinne hatte auch, der überlieferten Politik getreu, die Tochter Karls VI. die Uebertragung der Kaiserwürde auf Franz Stephan von Lothringen durchzusetzen gewußt; es galt, wie der siebenjährige Krieg am treffendsten beweist, nicht sowol dem alten Reiche einen kräftigen Schutz und Schirm zu gewähren, als in der hergebrachten Weise das Reich in die Hausinteressen Oesterreichs und deren Verfolgung zu verflechten.

So hat sich in den Ereignissen von 1740—1763 eine ganz eigenthümliche Gestaltung der deutschen Verhältnisse ausgebildet: die Form des Reiches selbst, in der lockeren Verbindung von 1648, ist in voller Zerrüttung begriffen und es konnte von einer politischen Macht und Geltung, so weit sie mit dem Bestand des Reiches verknüpft war, keine Rede mehr sein; dagegen haben sich zum Theil innerhalb desselben und mit deutschen Kräften zwei Großmächte ausgebildet, deren Vereinigung eine größere Fülle von politischer Selbständigkeit und militärischer Stärke darstellt, als Deutschland und das alte Reich sie seit Jahrhunderten hatten entwickeln können. Ohne diese beiden Staaten oder gar ihnen beiden feindselig gegenüber bedeutete das Reich nichts mehr; mit ihnen und unter ihnen vermochte Deutschland allein noch eine

Geltung zu gewinnen. Beide Großstaaten hatten aber aufgehört,
Glieder des Reiches zu sein im alten Sinne des Wortes: Preußen fühlte sich zunächst als ein europäischer Staat, Oesterreich
desgleichen: aber beide waren auch wieder gleichmäßig darauf hingewiesen, den brauchbaren Stoff an Kräften und Mitteln, der
noch im übrigen Deutschland vorhanden war, in ihrem Sinne zu
nützen und sich mit dem Reiche in dieser Richtung in engem Zusammenhang zu erhalten.

Darum war auch in diesem Verhältnisse beider Staaten zum
Reich niemals dieses selber mit seinen bestehenden Formen und
Interessen das eigentlich Maßgebende, sondern eben nur der Vortheil Oesterreichs oder Preußens. Es konnte z. B. im Interesse
der wiener Politik liegen, in der Bewahrung der Formen des Reiches eine Verstärkung der eignen Macht zu finden, während man
in Berlin umgekehrt von der Ueberzeugung ausging, nur durch die
trotzige Geringschätzung und Schwächung der überlieferten Formen
an Stärke zu gewinnen; es konnte aber auch ebenso vom Kaiser
aus der Versuch gemacht werden, auf Kosten des Reiches und
seiner Verfassung den österreichischen Einfluß zu erweitern, in welchem Falle dann sicherlich Preußen die Rolle der conservativen
Politik übernahm und für die Aufrechthaltung des deutschen Reiches und seiner Freiheit in die Schranken trat. In der Periode
des siebenjährigen Krieges kam der eine, zur Zeit des bairischen
Erbfolgekriegs und des Fürstenbundes der andere Fall vor.

Es läßt sich denken, in welch seltsame und ungewöhnliche
Lage das Reich selber durch dieses neue Verhältniß der Großmächte
und ihre wechselnden politischen Strömungen gerathen mußte.
Wir wollen versuchen von dessen Zustande, seinen einzelnen Gruppen, seinen Verfassungsformen, wie sie sich seit der Mitte des
achtzehnten Jahrhunderts gestaltet hatten, ein übersichtliches Gesammtbild zu geben.

Vierter Abschnitt.

Das deutsche Reich und seine Verfassung.

Die Meinung, daß die Form des deutschen Reiches im Verfalle sei und den Bedürfnissen einer staatlichen Ordnung nicht genügen könne, war im siebzehnten und achtzehnten Jahrhundert eine allgemein verbreitete; daß dieselbe sich nicht wirksamer im Leben geltend machte, hatte weniger in der Langsamkeit und Schwerfälligkeit des deutschen Wesens seinen Grund, als in der Thatsache, daß sich in den einzelnen Territorien mannigfach ein regsames und gedeihliches Staatsleben entwickelte und für das Unzulängliche der Reichsordnung einen gewissen Ersatz bot. In Oesterreich und Preußen zumal lernte man den Verfall des Reichs leicht verschmerzen und lebte sich allmälig in die Gewohnheit ein, sich diese Staatenexistenz genügen zu lassen. Aus eben diesem Grunde war dort, wo sich ein solch particulares politisches Dasein nicht hatte entwickeln können, die Anhänglichkeit an das Reich noch am lebendigsten und die Sehnsucht nach einer Verjüngung desselben auf dem Boden der überlieferten Grundlagen noch keineswegs abgestorben.

Damit soll nicht gesagt werden, daß nicht das Reich immer noch eine moralische Bedeutung hatte, die über diese engen Grenzen hinausging und durch die Schwäche der Formen überhaupt nicht bedingt war. Es ist gewiß eine richtige Bemerkung,*) daß

---

*) S. Perthes, deutsches Staatsleben vor der Revolution, S. 13. Jeder Bearbeiter dieser Epoche, auch wenn Ziel und Plan vielfach verschieden sind,

das Bewußtfein, einftmals Träger des h. Reichs gewefen zu fein,
wefentlich dazu beigetragen hat, unfer Volk auch in den Zeiten
der tiefften Erniebrigung vor Selbftverachtung zu bewahren und
ihm in der Anficht der europäifchen Völker eine Stellung zu erhalten, auf welche die beftehenden Zuftände keinen Anspruch gewährt hätten. Wenn auf dies gegenwärtige Gefchlecht, deffen Zu-
fammenhang mit dem alten Reiche doch fo vielfach durchbrochen
ift, die Erinnerung an vergangene Herrlichkeit und Macht noch
folchen Einfluß übt, wie mußte der Stachel in den Gemüthern
derer wirken, die durch die noch beftehenden Umriffe und Formen
des alten Baues jeden Augenblick an die Vergangenheit gemahnt
wurden!

Aber die ftaatliche Form war tief verfallen. Das Kaiferthum
felber, fo wie es fich feit lange ausgebildet, viel mehr der Schatten
des römifchen Kaiferthums als das Erzeugniß alten deutfchen
Königthums, hatte eben darum nicht fowol eine deutfche, als eine
europäifche, völkerrechtliche Bedeutung. Die alte Lehensverbindung
beftand nur noch dem Namen nach; hätte nicht das bizarre, alt-
fränkifche Ceremoniel der kaiferlichen Belehnung noch daran erinnert, in der Wirklichkeit hielt dies Band das Ganze nicht mehr
zufammen und der Kaifer konnte nicht daran denken, etwa heim-
gefallene Reichslehen einzuziehen oder von den Landesherren als
von feinen Vafallen Lehenspflichten und Dienfte zu fordern.
Selbft die Form der Belehnung ward von den größeren Territorien, wie Preußen, Hannover, im achtzehnten Jahrhundert verwei-
gert. Vielmehr zerfiel das ganze Reich in mehr als dreihundert
größere oder kleinere Gebiete, die theils von erblichen theils von
gewählten Fürften, noch andere von republikanifchen Gewalten wie
unabhängige Staaten regiert wurden; Gebiete, über welche das
Reichsoberhaupt als folches unmittelbar regiert hätte, exiftirten fo
wenig als es äußere Mittel gab, aus denen der Kaifer fein Regiment oder feinen Hof hätte unterhalten können. Man fchlug
das, was von kaiferlichen Einkünften aus älteren Zeiten noch
übrig geblieben und was aus einigen Reichsftädten, aus Urbarien,

---

wird fich diefer anregenden und ftoffreichen Schrift zu Dank verpflichtet fühlen.
Auf der andern Seite haben wir das reichfte Material in den immer noch unentbehrlichen Schriften beider Mofer vorgefunden.

dem Judenzoll u. s. w. gezogen ward, noch auf etwa 13,000 Gulden an;*) dazu kamen noch als außerordentliche Beisteuer die
Charitativsubsidien der Ritterschaft, die für diesen einzelnen Reichsstand nicht immer unbedeutend waren, aber doch lange nicht hinreichten, die kaiserliche Armuth nothdürftig zu verdecken. Was für
Reichsbelehnungen entrichtet ward, war der Reichskanzlei und dem
R.-Hofrath als Theil ihrer Besoldung angewiesen. Ueber alle
wichtigeren Angelegenheiten, allgemeine Gesetzgebung und Polizei,
Krieg und Frieden, konnte der Kaiser nur gemeinsam mit den
Reichsständen Schlüsse fassen, und wenn der Krieg beschlossen war,
reichten die Beisteuern an Geld und Leuten niemals hin, denselben
mit einigem Erfolg zu führen. Fast jede neue Wahlcapitulation
fügte neue Beschränkungen der kaiserlichen Gewalt hinzu; damit
der Kaiser nichts Böses thue, sagt Dohm treffend, war ihm das
Vermögen genommen, überhaupt etwas zu thun. Selbst die Wahl
der Männer, durch welche er die Reichsgeschäfte betrieb, war ihm
nicht selber überlassen; der Reichskanzler und alle Officianten des
Reichs wurden vom Kurfürsten von Mainz als Erzkanzler aufgestellt und diesem so gut wie dem Kaiser verpflichtet.

Der Kaiser selbst aber war, wie wir bei der Entwicklung
Oesterreichs wahrnahmen, zugleich mit ganz anderen Interessen als
denen des Reichs verflochten, und während ihm die Reichsstände
eine Würde übertrugen, die mehr Last als Macht gab, während
sie von ihm Pflichten forderten, ohne ein billiges Maß von Rechten zu gewähren, während sie ihm gern die kostspielige Obliegenheit der Reichskriege überließen, ohne ihm zureichende Mittel zu
geben, war das Kaiserthum von selber darauf angewiesen, seine
Stärke zugleich anderswo als im Reiche zu suchen, seine staatliche
Sonderexistenz, so weit sie an die habsburgische Hausmacht geknüpft war, auszubilden und, wo immer möglich, das Reich für
seine besonderen Zwecke zu gebrauchen. In dieser Verflechtung
mit der habsburgischen Hausmacht blieb aber das Kaiserthum,
ohne wie in alter Zeit eine wirklich europäische Macht zu sein,
doch ein wesentliches Glied der europäischen Politik. Auf seine
Besetzung wirkten, z. B. gerade bei der Erwählung Franz I., ebenso
sehr, ja viel wirksamer und unmittelbar als nationale Interessen

---

*) S. Dohm, Denkwürdigk. III. 4 f.

die Vortheile und Wünsche auswärtiger Großmächte, z. B. Großbritanniens, mit.

Das Bewußtsein, daß das Kaiserthum längst aufgehört hatte,
neben seiner weltgeschichtlichen Stellung zugleich die Bedeutung
eines nationalen deutschen Königthums zu haben, war auch seit
Jahrhunderten in die Kreise der Nation selber eingedrungen. Die
bekannten Versuche im fünfzehnten Jahrhundert, der obersten Reichsgewalt eine neue Stellung inmitten der Stände des Reichs zu
schaffen, gingen bereits aus diesem Gedanken hervor; nachdem
zum Schaden Deutschlands dieser Weg verlassen war, tauchten
Vorschläge und fromme Wünsche, auch wohl einzelne Associationen
auf, die darauf abzielten, den Dingen in Deutschland eine nationale Gestaltung zu geben, d. h. neben der Vielheit und Mannigfaltigkeit der einzelnen Gruppen und Territorien zugleich der Einheit wieder eine organische Grundlage zu schaffen. Der Gang
der Ereignisse im siebzehnten Jahrhundert, insbesondere der westfälische Friede hatte gegen solche Bestrebungen ein mächtiges Hinderniß aufgerichtet; die Erstarrung Oesterreichs auf der einen, die
selbständige Ausbildung Preußens auf der andern Seite mußte
jeden Versuch, der nicht von der gewaltsamen Zerstörung des Vorhandenen ausging, von vornherein scheitern machen.

Daß der Kaiser noch Adelsbriefe austheilte und Standeserhöhungen vornahm, bei der Errichtung von Zöllen und Münzstätten die formelle Genehmigung ertheilte, neu errichtete Universitäten mit Privilegien dotirte, Messen erlaubte, bedrängten Schuldnern gegen ihre Gläubiger Fristen (Moratorien) auswirkte, Concessionen und Bücherprivilegien vergab, uneheliche Kinder legitimirte, diese und ähnliche Rechte, deren Ausübung zudem meistens
mit den Ansprüchen der Landeshoheit in Conflict brachte, erinnerten zwar immer noch daran, daß eine einheitliche oberste Gewalt
dem Namen nach existirte, waren aber auch wieder ganz unzureichend, eine wirksame und lebendige Autorität des Kaiserthums im
Reiche herzustellen.

„Es ist oft schwer," sagt ein berühmter Publicist des vorigen
Jahrhunderts,*) „noch jetzt die fortwährende Einheit des deutschen
Reiches überall wahrzunehmen; unmittelbar ist sie eigentlich nur

---

*) Pütter, histor. Entwicklung der heut. Staatsverfassung. III. 215.

noch am kaiſerlichen Hofe, am Reichstage und am Kammergerichte, alſo an den drei Orten, zu Wien, Regensburg und
Wetzlar ſichtbar.“ Aber gerade die Betrachtung dieſer drei Orte
drängte zu der Ueberzeugung, daß die einheitliche Form des Reiches in tiefem Verfalle begriffen ſei.

Wir erinnern uns, welch eine Veränderung 1663 mit dem
Reichstage vorgegangen, als er aus einer periodiſchen Verſammlung eine „immerwährende“ geworden war. Der Vorzug, den die
alten Reichstage bei aller fehlerhaften Organiſation immer noch
gehabt, der Werth perſönlichen Erſcheinens und unmittelbaren
Verkehrs unter den Reichsſtänden war nun verloren; es war eine
ſchwerfällige Verſammlung diplomatiſcher Vertreter daraus geworden, deren Zuſammenhang und Geſchäftsgang gleich wenig dazu
angethan war, ihnen eine eingreifende politiſche Bedeutung zu ver-
ſchaffen. Da ſaßen noch die drei alten Reichscollegien, das kurfürſtliche unter dem Vorſitze von Kurmainz, welches zugleich das allgemeine Reichsbirectorium führte, das fürſtliche unter der wechſeln-
den Leitung von Oeſterreich und Salzburg und das reichsſtädtiſche
unter der Führung von Regensburg, aber ſie entbehrten des leben-
bigen Zuſammenhanges, boten keine wirkliche Vertretung des
Reiches mehr und waren in ein Labyrinth ſchwerfälliger Formen
und pedantiſcher Ceremonien verſtrickt.

Das kurfürſtliche Collegium vereinigte zwar noch die durch
ihr Wahlrecht, ihre Erzämter, ihre Privilegien hervorragende höchſte
Ariſtokratie des Reiches, wie ſie in der goldnen Bulle eingerichtet
war, aber die alte Einrichtung hatte, was die geiſtlichen Glieder
anging, ſo wenig ihre Bedeutung bewahrt, wie die Leitung durch
Kurmainz den gegenwärtigen Verhältniſſen entſprach. Die geiſtliche Ariſtokratie der drei Kurfürſten von Mainz, Cöln und Trier,
— was wollte ſie in ihrer verfallenen politiſchen Macht bedeuten,
gegenüber den weltlichen Gliedern des Collegiums, unter denen
zwei Großſtaaten wie Oeſterreich und Preußen und ein Kurfürſt
ſaß, der zugleich die Krone von Großbritannien und Irland trug!

Auch das fürſtliche Collegium bewies nur die Umgeſtaltung
der Verhältniſſe, zu denen die alte Form nicht mehr paßte. Die
33 bis 34 geiſtlichen Stimmen (Osnabrück wechſelte zwiſchen beiden Kirchen, Lübeck war proteſtantiſch) waren nur ein Schatten
von dem, was ſie einſt geweſen. Die Kirchenſpaltung des ſechs-

zehnten Jahrhunderts, die Säcularisationen und Territorialverän=
derungen drückten namentlich auf diese geistliche Bank des Für=
stencollegiums; die Gebietsverluste des Reiches und die Lockerung
seines territorialen Zusammenhangs waren hier am empfindlichsten
zu spüren, denn eine Reihe von Ständen, wie der Erzbischof von
Besançon, die Bischöfe von Trient, Brixen, Basel, Lüttich und
Chur waren nur noch dem Namen nach zu ihnen zu zählen. Was
übrig blieb, das Erzstift Salzburg, der Hoch= und Deutschmeister,
der Johannitermeister, die Bischöfe von Bamberg, Würzburg,
Worms, Eichstädt, Speyer, Straßburg, Constanz, Augsburg, Hil=
desheim, Paderborn, Freisingen, Regensburg, Passau, Münster,
Fulda, die Aebte und Pröbste von Kempten, Elwangen, Berchtes=
gaden, Weißenburg, Prüm, Stablo und Corvey, — das war
keine mächtige Vertretung mehr, wie sie einst die Kirche im Reiche
gehabt. Wie im Kurfürstencollegium, so war hier der Verfall des
geistlichen Elements augenfällig und sprach sich auch in der immer
wieder erwachten Besorgniß vor neuen Säcularisationen aus. Dies
Gefühl der Schwäche und Unsicherheit war der Vorbote, daß die=
ser Rumpf des ehemaligen geistlichen Körpers die nächste gewalt=
same Erschütterung nicht überdauern werde.

Aber auch das weltliche Element im Fürstencollegium war
theils durch die Erhebung größerer fürstlicher Gebiete, wie Baiern
und Hannover zu Kurstaaten, merklich geschwächt, theils seltsam
genug zusammengesetzt; da saßen neben Aremberg, Lobkowitz, Salm,
Dietrichstein, Auersperg und Taxis die Kronen Oesterreich, Preu=
ßen, die Kurfürsten von der Pfalz, von Baiern, von Hannover,
von Sachsen und vereinigten in sich meist eine ganze Reihe fürst=
licher Territorien; von den 60 Stimmen, die man damals zählte,
hatte z. B. Oesterreich drei, Preußen sechs, Hannover sechs, der
zahlreichen abhängigen Stimmen nicht zu gedenken, die moralisch
gebunden waren, sich einer der Großmächte anzuschließen. *)

Dem Fürstencollegium gehörten auch jene Reichsprälaturen
an, die einer Anzahl von Aebten, Pröbsten, Landcomthuren und
Aebtissinnen in Schwaben und am Rhein zustanden, **) aber nur

---

*) Vgl. J. J. Moser, von den Reichsständen. 1767. 4.
**) Die namhaftesten waren in Schwaben: Salmansweiler, Weingarten,
Ochsenhausen, Elchingen, Ursperg, Schussenried, Petershausen, Gengenbach u. a.

Collegiatstimmen führten und auf zwei Bänke, eine schwäbische und rheinische, vertheilt waren. Endlich saßen in dem Collegium die „Reichsgrafen und Herrn", d. h. jener Theil des alten Reichs=adels, der an Stand und Rang zwar den Fürsten und gefürsteten Grafen nachstand, aber doch auch dem gewöhnlichen Ritteradel voranging und seit dem 17. Jahrhundert manchen Zuwachs er=halten hatte durch Familien, die wohl in den Fürstenstand erhoben worden, aber keine fürstlichen Virilstimmen erlangten. Diese Gruppe theilte sich in vier Curien: das wetterauische, das schwäbische, das fränkische und westfälische Grafencollegium, und hatte eine gewisse Berühmtheit erlangt durch das Uebermaß ihrer aristokratischen Prätensionen. Obwol unter diesen Reichsgrafen einzelne waren, die sich gegen ihren Lehnsherrn ausdrücklich verpflichten mußten, von Gerechtsamen nichts als das Recht der reichsgräflichen Unmittel=barkeit und die damit verbundene Stimme anzusprechen, übrigens „zu ewigen Zeiten an sothaner Grafschaft Einkünften und Rechten keinen Anspruch zu machen, auch nicht von den Gerichten und schul=digen Landeslasten zu exiuiren, auch ihre Stimme nach des jedes=maligen Landesherrn Intention und Gutbefinden zu führen", so war doch gerade in diesem Kreise das Bemühen, sich geltend zu machen und zu überheben, besonders rege. Sie ahmten die Kurfürsten= und Fürstenvereine durch Grafenvereine nach, hatten eigne Direc=torien, suchten Gesandte zu halten und rührten die abgeschmackte=sten Streitigkeiten über das Ceremoniel an. Bei feierlichen Auf=zügen waren sie in der Regel die Störenfriede, indem sie irgend eine Streitfrage des Ranges oder der Reihenfolge dazwischen war=fen; hatte man doch z. B. an den gräflichen Höfen in der Wet=terau ernste Debatten, ob man einem gewöhnlichen Reichsritter die — Hand geben dürfe. Moser, der dies erzählt, fügt treffend hinzu: So entsteht daraus, daß jeder über sein Nest hinaus will, eine Confusion nach der andern.

Diese vielfältige Gliederung ist nicht selten als ein Vorzug der alten Reichsverfassung angesehen worden, während sie die ge=sunde Mannigfaltigkeit deutschen Wesens doch nur verzerrt und

---

Zum rheinischen Votum gehörten u. A. Kaisersheim, Odenheim, Werden, Essen, Quedlinburg, Herford, Gandersheim.

ungesund darstellte.   Denn eine selbständige politische Bedeutung
hatten z. B. im Fürstencollegium weder die geistlichen Stifter, noch
die kleinen Fürsten, noch die Prälaturen, noch die vier Grafen-
collegien; das entscheidende Gewicht übten doch nur die größeren Territorien.   Jene kleinen Gruppen hemmten und verwir-
ten höchstens, fachten endlose Streitigkeiten über Formen an,
während in jeder wichtigen Entscheidung in erster Linie immer
nur Oesterreich und Preußen, in zweiter Hannover, Sachsen,
Baiern, Pfalz in Frage kamen.   Bei allem Werth, der auf jene
Mannigfaltigkeit in der Einheit, die unserm Volke eigen, zu legen
war, gab es eine Gränze, wo der verständige Grundsatz entartete
und nur Verkehrtheit und Schwäche erzeugte.   So ganz verschie-
bene Gruppen und Stände neben einander aufgeschichtet ohne
andere Berechtigung, als geschichtlich überliefert zu sein, konnten
niemals einen lebenskräftigen Organismus des Ganzen bilden;
sie dienten nur dazu, die Bewegung des schwerfälligen Körpers
vollends zu hemmen und die Zerrüttung des Ganzen zu beschleunigen.   Denn je abgelebter solche Gewalten sind, denen nur der
Aberglaube an die alten Formen ein künstliches Dasein fristet, um
so leichter verliert sich ihr ganzes Thun in leerem Ceremoniel und
pedantischer Casuistik, wie dies in der letzten Periode des deutschen Reiches mit der Regensburger Versammlung der Fall war.
Wie hätte aber auch dieser bunte Körper, in welchem wirkliche
politische Kraft mit kleinstaatlicher Ohnmacht verquickt, neben
Oesterreich und Preußen in einer gewissen Gleichberechtigung Duo-
bezfürsten, heruntergekommene Bischöfe, winzige Aebte und verarmte Reichsgrafen hingestellt waren, eine gesunde Thätigkeit entwickeln sollen!   Dem Ehrgeiz der Kleinen und Schwachen mochte
diese Stellung schmeicheln, ein tüchtiges Staatsleben konnte daraus
sich nicht entwickeln.   Oder waren alle diese Gruppen auch beim
besten Willen im Stande, einen großen und allgemeinen Zweck
zu fördern, gegenüber dem Widerstreben der wenigen Mächtigeren,
die überall den Ausschlag gaben?   Wohl aber waren sie stark genug, um endlose Streitigkeiten über Formen zu wecken und, wie
dies in der berüchtigten westfälischen Grafenfrage geschah, die langsame Thätigkeit des Reichstags vollends noch auf Jahre lang
ganz zu lähmen.

Diesem Reichstagskörper oder seinen drei Collegien standen

im Namen des Kaisers der „Principalcommissarius", d. h. ein
Vertreter des Reichsoberhaupts aus fürstlichem Stande, und ein sog.
Concommissarius gegenüber. Bei der Eröffnung der Geschäfte trat
jener erste in der Regel mit einer kaiserlichen Hauptproposition vor
die Reichsstände und war es auch, der im Laufe der Verhandlungen die kaiserlichen Botschaften, Hofdecrete genannt, unterschrieb
und dem Reichstage überreichte. Darüber entspann sich nun die
Berathung in den einzelnen Collegien: war die Form an sich
schleppend, so wurde sie es noch mehr dadurch, daß bei mangelnder
Instruction häufig die Stimme suspendirt und das Protokoll offen
gehalten ward, oder daß sich ein Streit darüber entspann, ob in
dem gegebenen Falle die einfache Majorität zureiche, und nicht
vielmehr das jus eundi in partes erlaubt sei, ob diese oder jene
Stimme das Recht zu votiren habe? Waren die einzelnen Collegien für sich zum Ziele gelangt, so stand ein Schweres erst noch
bevor: aus ihren particularen Beschlüssen einen gemeinsamen
Reichsschluß zu bilden. Es erfolgten Relationen und Correlatio-
nen, zunächst zwischen den „beiden höheren Collegien", d. h. den
Kurfürsten und Fürsten; führten sie zu keinem Ziele und war selbst
die Vermittlung des Kaisers erfolglos, so blieb häufig die Sache
auf sich beruhen. Kamen die beiden höheren Collegien zu einem
Einverständniß, so begann das Geschäft der Relation und Corre-
lation mit den Reichsstädten. Es kam wohl vor, daß alle drei
Collegien ihre besonderen Meinungen hatten und behaupteten;
dann war natürlich eine Erledigung des Geschäfts nicht möglich;
aber auch wenn zwei von ihnen, entweder beide fürstliche, oder
eines derselben, mit dem städtischen sich geeinigt hatten, kam die
Sache in der Regel zu keinem Ende. Zwar wurden Fälle erwähnt, wo ohne die Einstimmigkeit der drei Collegien das Gutachten der zwei höheren und die abweichende Meinung der Städte
dem Kaiser überreicht wurden; allein gültiges Herkommen war es,
trotz aller Streitigkeiten darüber, doch, daß eine Majorität zweier
Collegien gegen eines nicht bestand. Weder die Städte wollten sich
von den beiden höheren Curien überstimmen lassen, noch ließen
diese letzteren es zu, daß die Städte mit den Kurfürsten oder Fürsten eine Mehrheit zu bilden ansprachen.

War das schwierige Werk gelungen, eine Vereinigung aller
drei Körper herzustellen, so wurde das Ergebniß in einem „Reichs-

gutachten" dem Kaiser übergeben, durch deſſen beſtätigende Ent-
ſchließung es zum „Reichsſchluſſe" erhoben ward.

Lähmender freilich als alle dieſe weitläufigen Formen wirkte auf
den Reichstag der Umſtand, daß er längſt aufgehört hatte, eine
lebendige Vertretung der Reichsſtände zu ſein. In alter Zeit hatte
das perſönliche Zuſammenſein der Glieder des Reichs denn doch
anregend und fördernd gewirkt und die Schwerfälligkeit der Formen häufig überwunden; ein ununterbrochener, aber ſpärlich be-
ſuchter diplomatiſcher Congreß, deſſen Thätigkeit von entlegenen
Inſtructionen abhing, konnte beim beſten Willen Einzelner zu
nichts recht Gedeihlichem gelangen. Kurz vor dem Ausbruche der
franzöſiſchen Revolution (1788) beſtand der ganze Reichstag aus
29 Perſonen, welche ſämmtliche Stimmen führten, folglich alle
Reichstagsangelegenheiten verhandelten; theils Sparſamkeit, theils
ein natürliches Gefühl der Abhängigkeit beſtimmte die kleineren
Reichsſtände, auf eigene Geſandte zu verzichten und ihre Stimmen
den größeren zu übertragen. So zählte damals das fürſtliche
Collegium ſtatt der geſetzlichen 100 Stimmenden[*] nur 14; die
52 Reichsſtädte waren durch 8 Stimmen vertreten. Der preußiſche
Geſandte führte außer der brandenburgiſchen Kurſtimme noch 10
Stimmen im Fürſtenrath, theils im Namen fürſtlicher Territorien,
die von Preußen erworben waren, theils übertragene; ebenſo viel
führte der kurkölniſche Geſandte; nach ihm kamen der hannoverſche
mit neun, der biſchöflich augsburgiſche mit acht, der kurpfälziſche
und der öſterreichiſche jeder mit ſieben. Die Stimmen der Reichsſtädte waren gar an Regensburger Magiſtratsmitglieder übertragen, deren Geſpräche auf der Trinkſtube nicht in gutem Leumund
ſtanden;[**] ein Herr von Selzert z. B. vertrat beinahe die Hälfte
der Städte.[***] Dieſe ſchmächtige Verſammlung, von der man
ziemlich genau berechnen konnte, wie viele Stimmen Oeſterreich,
wie viele Preußen zufielen, berieth dann Jahre lang über Verbeſſerungen der Reichsjuſtiz, die nie zu Stande kamen, über Beſetzung
erledigter Reichsgeneralitätsſtellen, über Recurſe, die gegen kammer-
gerichtliche Urtheile eingelegt worden waren. Die Gewohnheit, das

---

[*] Nämlich 34 geiſtliche, 60 weltliche Fürſten, 2 Curiatſtimmen der Prälaten und 4 Curiatſtimmen der Reichsgrafen.

[**] Ranke, preuß. Geſch. III. 15 f.

[***] S. J. E. Graf Görtz, Denkwürdigk. II. 232.

Stimmrecht zu übertragen und den Reichstag zu einer kleinen Versammlung diplomatischer Vertreter zusammenschrumpfen zu lassen, beweist aber zur Genüge, wie in den einzelnen Reichsständen selbst (zumal allen kleineren) die Einsicht allmälig durchbrang, daß der alten Stimmenvertheilung keine innere Wahrheit mehr zum Grunde lag.

Es wurde diese langweilige Stille der Versammlung in der Regel nur dann unterbrochen, wenn ein Formen= oder Rangstreit angefacht war. Fragen wie die, ob die fürstlichen Gesandten nur auf grünen Sesseln sitzen dürften, die kurfürstlichen aber auf rothen, oder ob das Vorrecht der kurfürstlichen Vertreter, ihren Sessel auf den Teppich zu stellen, nicht wenigstens dadurch ein Aequivalent erhalten müsse, daß die fürstlichen Stühle auf die Franzen gesetzt würden — Fragen dieser und ähnlicher Art versetzten noch im achtzehnten Jahrhundert den schwerfälligen Körper zu Regensburg in eine größere Aufregung, als die wichtigsten Staatsangelegenheiten der Zeit. Es kam vor, daß wegen eines Rangstreites, den der Gesandte eines winzigen Gräfleins angezettelt, feierliche Züge unterbrochen wurden und Halt machten, „bis die Sache redressirt war"; oder es wurden noch in der Mitte des achtzehnten Jahrhunderts darüber, daß ein geistlicher Vertreter bei einem Diner hintangesetzt worden, nicht weniger als zehn Staatsschriften im Druck veröffentlicht.*)

Unter den Formfragen hat in jener Zeit eine besonders sich eine traurige Berühmtheit erworben. Als auf Josephs Anregung die Kammergerichtsvisitationen wieder in Gang gebracht waren, erließ Kurmainz ein Schreiben an das westfälische Grafencollegium und berief für eine der Deputationen von diesem evangelischen Körper einen katholischen Vertreter (Juni 1774); derselbe erschien auch und seine nur von einem Mitgliede unterzeichnete Vollmacht ward angenommen, jedoch nicht ohne heftigen Widerspruch fast sämmtlicher protestantischen Abgeordneten. Auf katholischer Seite ward geltend gemacht, der Turnus der reichsgräflichen Vertretung erfordere diesmal einen katholischen Gesandten; die Protestanten bestritten dies nicht, betonten aber den Umstand, daß gerade das

---

*) Pütter, hist. Entwicklung II. 267. III. 60. J. J. Moser, von den deutschen Reichsständen S. 1032.

westfälische Grafencollegium evangelisch sei, und wollten in der Zulassung eines katholischen Vertreters im Namen einer evangelischen Körperschaft die Tendenz erkennen, die Protestanten um eine ihrer Stimmen zu bringen. Kurz nachher (1775) trat mit dem fränkischen Grafencollegium ein ähnlicher Fall ein. Darüber entspann sich denn der confessionelle Haber alter Zeiten, natürlich nicht ohne die Beimischung der politischen Rivalität Oesterreichs und Preußens. Wie dann zu Ende des Jahres 1778 der bisherige evangelische Reichstagsgesandte des westfälischen Grafencollegiums gestorben war und ein katholischer eintrat, dessen Vollmacht wieder nur von einem Mitglied unterzeichnet war, dagegen ein protestantischer mit einer vom Directorium ausgestellten Vollmacht zurückgewiesen ward, ergriff der Streit allmälig das gesammte Reich und verpflanzte sich mit allen erbitternden Wirkungen auf die ganze Versammlung. Noch zehn Jahre nachher war der Streit ungeschlichtet; volle fünf Jahre (1780—1785) war darüber die Thätigkeit des Reichstags in Stocken gerathen!

Wenn das junge Geschlecht, dessen Pietät für die alten Formen ohnehin schwächer war, diese Unfähigkeit mit dem Wirken eines Friedrich verglich, wer will sich wundern, daß es dann mit mehr deutschem Stolz auf den Sieger von Roßbach und Leuthen blickte, als auf die Versammlung, die gegen ihn als den Friedensstörer Execution anordnete?

Aber die Einsicht, daß diese Formen einer Verjüngung bedurften, war allmälig eine allgemeine geworden; sie sprach sich in der politischen Literatur, in den Staatsschriften und in den kaiserlichen Wahlcapitulationen aus. Man drang laut und vielfach auf die Auflösung des permanenten Reichstages, man hoffte eine Besserung von der Wiederherstellung periodischer Versammlungen. Indessen der größte Kenner des Staatsrechts jener Zeiten, J. J. Moser, meinte: es sei ein rechtes Glück, daß der Reichstag nun schon über hundert Jahre beisammen geblieben, da es sonst dem Kaiser schwer fallen würde, einen neuen zu Stande zu bringen. Und doch sei dieser Reichstag das letzte Band, welches die verschiedenen deutschen Lande an einander knüpfe; sollte auch dieses zerreißen, so „werde Deutschland eine Landkarte vieler vom festen Lande getrennten Inseln werden, deren Bewohnern Fähren und Brücken fehlten, die Verbindung unter sich zu erhalten."

Die Reichsstände klagten ben Kaiser an, und ber Kaiser die Reichsstände; Beide hatten bis zu einem gewissen Punkte Recht. Schon 1685 sprach ein kaiserliches Decret die Klage aus, daß „in wichtigen Reichstagsgeschäften nichts verhandelt und die edle Zeit mit allerhand Gezänk und unnöthigen Dingen zersplittert, dagegen die Stände des Reichs vielfach beeinträchtigt, unterdrückt und hülf= los gelassen würden." Schon damals beschwerte sich das Reichs= oberhaupt, daß „die unwiederbringliche Zeit und schwere Kosten verschwendet, nichts ausgerichtet, sondern nur den Fremden Anlaß gegeben werde, die deutsche Nation, deren vor Alters berühmte Consilia und Tapferkeit verächtlich zu verkleinern und zu verlachen, als wäre solche nunmehr in lauter Ceremonial= und Wortgezänke verwandelt." Aber es blieb beim Alten. Im Jahre 1742 verlang= ten die Kurfürsten vom Kaiser, er solle die „seither angewachsenen Mängel und Unordnungen" beseitigen; 1745 wiederholten sie ihr Verlangen — aber es blieb beim Alten. Von allen Seiten wuch= sen die Beschwerden über Langsamkeit, Erfolglosigkeit, über das Hereinziehen unnützer Dinge, über Zank wegen Formen und Ce= remonien, über Bruch des Amtsgeheimnisses — aber geändert wurde Nichts. Gab man von kaiserlicher Seite der Schwäche des monarchischen Ansehens und dem Treiben der landesherrlichen Selb= ständigkeit oder der planmäßigen Opposition der größeren Reichs= stände die Schuld, so wurde von den Reichsständen Beschwerde geführt über die Art, wie der Kaiser die Reichsjustiz des Kammer= gerichts durch den Reichshofrath paralysire, das Reichsdirectorium in seinem Sinne mißbrauche und vorzugsweise solche Dinge vor= bringe, die das besondere österreichische Interesse berührten. Der Reichstag sah sich in der auswärtigen Politik ganz vernachlässigt, durch kaiserliche Generale Uebergriffe begangen, in die wichtigsten Stellen Personen hereingebracht, die nicht dazu taugten, und klagte selber, er werde zu einem Congreß= und Bewilligungstag und habe den Charakter einer reichsständischen Versammlung verloren.

———————

Die Einrichtung, in welcher das einheitliche Element der Reichsverfassung noch ihren bedeutendsten Ausdruck fand, war das Reichskammergericht, dieses „Kleinod der deutschen Verfas=

sung", wie es von Publicisten des achtzehnten Jahrhunderts noch genannt ward.

Es war auch gewiß einer der glücklichsten Gedanken der Reformperiode des fünfzehnten Jahrhunderts gewesen, in einem solchen gemeinsamen Gerichtshofe, der weder vom Kaiser, noch von den Landesherren abhing, die Einheit des Reiches zu erneuern. Ein oberstes Gericht, das nur vom ganzen Reiche seinen Unterhalt erhielt, an dessen Besetzung alle Reichsstände Theil nahmen, vor dem jeder Deutsche Recht finden konnte auch gegen die widerrechtliche Gewalt seines Landesherrn, dessen Mißbräuche abzustellen in der Macht des Reiches selber lag, ein solches Gericht, das überall der Selbsthülfe und der Gewaltthat ein Ende zu machen bestimmt war, konnte gewiß als eine der vortrefflichsten Einrichtungen des alten Reiches und als ein bleibendes Denkmal der patriotischen Einsicht seiner Schöpfer gelten.

Aber die Wirklichkeit entsprach freilich diesem Bilde nicht. Schon den Gründern war es ja nicht gelungen, das Institut so hinzustellen, wie es in ihrem Plane lag; der Kaiser verzichtete nur mit Widerstreben auf seine oberstrichterliche Gewalt und sah in der Errichtung eines solchen unabhängigen Gerichtshofes eine Beeinträchtigung der eigenen Macht. Dieser Eifersucht auf die eigene Autorität verdankte dann früh ein anderes Institut seinen Ursprung, dessen Rivalität von vornherein die Wirksamkeit des obersten Reichsgerichts schwächte. Der Kaiser ließ nämlich an seinem Hofe durch diejenige Gerichtsbehörde, welche für österreichische Landessachen die höchste Instanz bildete, bisweilen auch Rechtshändel der Reichsstände aburtheilen, und obwol die Stände mit allem Recht sich dagegen auflehnten und darin den bedenklichen Anfang einer Doppeljustiz im Reiche erblickten, setzte der Kaiser sein Vorhaben dennoch durch und es entwickelte sich aus jenem österreichischen Oberlandesgericht der Reichshofrath als rivale Macht neben dem R.-Kammergericht. Beide höchste Gerichtshöfe standen einander unabhängig gegenüber; es konnten streitende Parteien sich an eines oder das andere wenden, und nur der frühere Spruch des Urtheils gab dann dem einen das Vorrecht, im gegebenen Falle der gültige Gerichtshof zu sein; im Uebrigen waren die Vorrechte, das Ansehen und selbst zum größten Theil die Gerichtsbarkeit beider gleich. Freilich war das Reichskammergericht vom Reich, der

Reichshofrath vom Kaiser zusammengesetzt — ein Unterschied, der nach einer oder der andern Seite hin den Grad des Vertrauens bestimmte, den der Gerichtshof genoß.

Dieses Doppelverhältniß, das wieder recht sprechend den Zwiespalt der österreichisch-kaiserlichen Interessen mit denen des Reichs darlegte, schwächte von Anfang an das sonst so schön entworfene Werk. Im Laufe der folgenden Zeit trugen dann die nämlichen Ursachen, die sonst zur Schwächung der einheitlichen Formen mitwirkten, auch zum Verfalle des Kammergerichts bei. Namentlich seit es, durch die Verheerungen des orleans'schen Krieges gezwungen, seinen alten Sitz zu Speyer mit Wetzlar vertauscht (1689), schien es zu keiner recht gedeihlichen Wirksamkeit mehr kommen zu wollen. Dieselben lähmenden Einflüsse territorialer Selbständigkeit, welche den Zusammenhang des alten Reiches überhaupt lockerten, verkümmerten nun auch die Wirksamkeit des Reichsgerichtes; alle größeren und zu einer gewissen Unabhängigkeit gelangten Territorien wußten sich entweder faktisch oder durch förmliche Privilegien der Wirksamkeit eines Gerichtes zu entziehen, das sowol durch seine Ueberordnung über die Landesfürsten, als durch den Schutz, den es bedrängten Unterthanen verhieß, mit den Vorstellungen und Ansprüchen des neuen landesfürstlichen Absolutismus unverträglich war. Die große Schwierigkeit, die sich in allen Verhältnissen des Reiches kund gab — Geld für allgemeine Zwecke zu bekommen — trat hier in erhöhtem Grade ein; denn indem man das Gericht Mangel leiden ließ, erreichte man zugleich den politischen Zweck, die Thätigkeit einer Justiz zu hemmen, die dem Souverainetätsgelüste unbequem war. Der Geldmangel minderte aber die Zahl der Arbeiter; die Unzulänglichkeit der Arbeitskräfte zog die Entscheidung der Rechtsfälle über Gebühr hinaus und untergrub das Vertrauen zu der Rechtspflege des Gerichts. Solchen Mängeln zeitig zu steuern und mit regem Gemeinsinn zu einer Reform des ehrwürdigen Instituts zusammenzuwirken, das war hier so schwer, ja aus manchen Gründen schwerer, als in allen andern Angelegenheiten des Reiches. Und in dem Gerichte selber wirkten die nämlichen Ursachen des Unfriedens, die den Reichstag lähmten; entstand doch wegen innerer Zänkereien 1704 ein Stillstand, der volle sieben Jahre den Fortgang der Justiz hemmte; oder in den vierziger Jahren war der leere Streit über die Führung des rhei-

nischen Vicariats Ursache, daß die Ausfertigungen des Kammergerichts eine Zeitlang unterblieben.

Weltkundig waren diese Mißbräuche, ja man führte Klage über
noch Schlimmeres: über Bestechlichkeit und Unredlichkeit der Justiz. In einem fürstlichen Gutachten von 1741 wird die „abscheuliche und sträfliche Ungerechtigkeit" gerügt, daß des Kaisers Recht
um Geschenke willen gebeugt werde. Der Kaiser wie die Reichsstände werden nicht undeutlich beschuldigt, mündliche oder schriftliche Recommandationen geübt zu haben; einzelne Personen des
Gerichts selbst aber waren im Verdacht, das Amtsgeheimniß schnöde
preiszugeben. *)

So minderte sich die sittliche Autorität des Gerichts, während es zu gleicher Zeit von materieller Noth bedrängt ward. Man
hatte 1720 eine neue Einrichtung getroffen, wonach 25 Beisitzer
mit 91,069 Thalern Einkünften das Gericht bilden sollten; diese
Summe einzubringen, waren Matricularbeiträge sämmtlicher Reichsstände im Betrag von 103,600 Thalern angesetzt. Aber es gelang nicht ein einziges Mal diese Summe vollständig zusammen-
zubringen. Man versuchte es 1732 mit einer neuen Feststellung,
deren Erfolg wieder unter dem Anschlag blieb. Seitdem wurde
die Auffindung neuer ergiebiger Quellen zum Unterhalte des Kammergerichts eines der stehenden Staatsprobleme. Die Einen schlugen Wiedereinführung der Sporteln, die Andern Stempeltaxen,
wieder Andere die Bildung eines Capitals vor, aus dessen Zinsen das Gericht unterhalten werden sollte; Einzelne machten den
naiven Vorschlag, durch ein den Juden im Reiche aufzulegendes
Kopfgeld die Reichsjustiz bezahlt zu machen, oder gar durch Gründung einer Reichslotterie; — aber während alle diese zum Theil
sehr wunderlichen Vorschläge sich durchkreuzten, nahmen die Rück-
stände immer zu, und das, was an Geld einging, reichte nicht
einmal mehr hin, 17 Beisitzer zu bezahlen.

Inzwischen war auch die Zuständigkeit des Reichskammerge-
richts immer mehr beschränkt, theils vom Kaiser aus durch den
Reichshofrath, theils von den Reichsständen aus durch ihre landesherrliche Justiz. Vor Allem waren alle Criminalsachen, dasjenige

---

*) S. J. J. Mosers Anmerk. zu Kaiser Karls VII. Wahlcapitulation III.
200. Vgl. F. C. v. Moser, Patriot. Archiv IV. 515.

ausgenommen, was Landfriedensbruch betraf, dem Reichskammergericht entzogen; ebenso die Kirchen=, Ehe=, Lehens= und Kreißfa-
chen, die Bann= und Achtangelegenheiten, Polizeisachen und alle
diejenigen Rechtshändel, welche die vom Kaiser ertheilten Freiheiten und Privilegien angingen, namentlich Schutzbriefe und Moratorien.

Dem steigenden Verfalle zu wehren, fehlte es zwar nicht an
frommen Wünschen, aber durchaus an dem durchgreifenden Entschluß und der Beweglichkeit des Handelns. Die heillose Schwerfälligkeit und Uneinigkeit des officiellen Deutschlands, die „Reichs-
=verwirrung", wie ein Publicist jener Tage den bestehenden Zustand
bitter aber wahr bezeichnet hat, gab sich kaum irgendwo in so ver-
zweifelter Gestalt kund, wie in den vielen vergeblich unternommenen Versuchen, das Reichsjustizwesen wieder zum Leben zu wecken.
Nachdem die alte Kammergerichtsordnung unbrauchbar geworden,
entwarf man 1598 eine neue, deren Entwurf 1603 dem Reichstage vorgelegt, dann bis zum dreißigjährigen Kriege verschoben
und schließlich dem permanenten Reichstag übergeben ward — um
von diesem nie erledigt zu werden. Glücklicherweise wurde man
nachgerade durch die Umstände genöthigt, den unerledigten Entwurf
einstweilen als wirkliches Gesetz zu gebrauchen.

So bilden auch die außerordentlichen „Kammergerichtsvisitationen" eine Reihe von mißlungenen Experimenten, die, alle Paar
Jahrzehnte von Neuem wieder aufgenommen, jedesmal mit der
nämlichen Erfolglosigkeit endeten. Eine gewisse Berühmtheit hat
die Visitation von 1767 erlangt, jener Erstlingsversuch Josephs II.,
sein kaiserliches Ansehen zur Abstellung von Mißbräuchen im Reiche
anzuwenden. Aller früheren Erfahrungen ungeachtet waren die
Erwartungen von einem günstigen Erfolge doch wieder rege geworden. Aber theils die unglaubliche Pedanterie und Umständ-
lichkeit in der Behandlung der Geschäfte, theils der Zwiespalt der
Höfe, der bei einzelnen Anlässen in den heftigsten Streit ausschlug,
machte alle diese Hoffnungen zu nichte. Nach neunjähriger Arbeit trennte sich (Mai 1776) die Commission, wie Dohm sagt,
„mit gegenseitiger Erbitterung"; das einzige Resultat war die Beseitigung einiger strafbaren Mitglieder und die Vermehrung der
Beisitzer auf die alte Zahl von 25. Die Revision und endliche
Entscheidung der verschleppten Processe, die man damals auf mehr

als 60,000 angab, blieb liegen, die neue Gerichtsordnung war ein unerledigter Entwurf. Daß der Reichstag die Frucht neunjähriger Arbeit nützen und die Sache zum Ziele führen werde, war nicht zu erwarten; denn der war damals durch den berüchtigten westfälischen Grafenstreit Jahre lang außer Thätigkeit gesetzt.

Ging das Reichskammergericht einer unvermeidlichen Auflösung entgegen, so war darum dessen Nebenbuhler, der Reichshofrath in Wien, nichts weniger als in gutem Gedeihen begriffen. War das Vertrauen auf die Justiz zu Wetzlar allmälig geschwunden, so konnte man von der Rechtspflege in Wien von vornherein nicht viel Vortreffliches erwarten. Hier waren die Richter vom Kaiser ernannt und von ihm abhängig; die Justiz war eine Administrativjustiz, deren Unbescholtenheit in noch viel schlimmerem Rufe stand, als die zu Wetzlar. Die Herrenbank bestand meist aus unfähigen Leuten vom Adel, denen man hier Versorgungen anwies; die Gelehrtenbank stand, einzelne ehrenvolle Ausnahmen abgerechnet, im schlimmsten Rufe der Bestechlichkeit. Schon um die Mitte des Jahrhunderts galt es als eine weltkundige Sache, daß bei diesem trägen, unfähigen und geldgierigen Gerichtshofe die Justiz verkauft und verrathen war;*) schon damals klagte ein scharfsichtiger Beobachter die adeligen Mitglieder der Unwissenheit an und nannte die Räthe der gelehrten Bank geradezu „feile Seelen." Den Präsidenten, einen Grafen Harrach, verglich F. C. von Moser, der selbst Mitglied war, mit dem Reichshofrathspräsidenten des chinesischen Reichs**) und sagte ihm nach, er besitze neben der Liebe zu den alten Sitten und Methoden eine gründliche Verachtung aller Neuerungen, wenig Achtung vor seiner eignen Würde, dagegen in der Beurtheilung der Moralität gewisser Grundsätze mehr Nachgiebigkeit, als sie der Chef eines Justiztribunals haben sollte. Wie der Proceßgang war, läßt sich danach beurtheilen. Die Reihenfolge der Behandlung von Processen hing nur von Gunst und Gewogenheit ab. „Ich würde," schreibt der Großkanzler Fürst, „einem Jeden rathen, sich seiner Sache selbst anzunehmen, ja die Richter absichtlich zu belästigen,

---

*) S. den Bericht des Großkanzlers Fürst in Ranke's histor. politischer Zeitschrift II. 679 f.
**) Patriot. Archiv X. 369.

wohl kaum Actenstücke, so grob in der Form und so beschämend
in ihrem Inhalt, wie die Rescripte Josephs, worin er die Miß=
bräuche des Reichshofraths rügte.*) Aber freilich der hohe Ge=
richtshof konnte in seiner Vertheidigungsschrift selber nicht leug=
nen, daß die „Accidentien und Geschenke" gebräuchlich seien, ja
er hatte die große Offenheit, als erlaubte Nebenverdienste dieser
Art z. B. „willkürliche Douceurs" bei Thronbelehnungen, „Er=
kenntlichkeiten" bei Vergleichen, Geschenke bei Mündigkeitserklärun=
gen ausdrücklich zu bezeichnen. Das Verfahren Josephs führte
hier so wenig zum Ziele, wie zu Wetzlar die Kammergerichtsvisi=
tationen; er griff die Sache mit seiner gewöhnlichen Hast und
Leidenschaftlichkeit auf und ließ sie dann, wie so Vieles, unbeen=
digt fallen. Einige Vereinfachungen des Geschäftsganges waren
die ganze Frucht des Sturmes, den der Kaiser in der ersten Hitze
über den Gerichtshof hatte ergehen lassen.

Jene Schilderungen der Zeitgenossen selber legen zugleich Zeug=
niß ab, wie tief das Bewußtsein des Verfalles in die Gemüther
eingedrungen war. Selbst Männer, die voll der lebendigsten Pie=
tät für das Alte und Ueberlieferte waren (dazu gehörten beide Mo=
ser gewiß), übergossen diese Formen mit Spott und Hohn und
erwarteten nichts mehr von einzelnen Ausbesserungen, wo das
Ganze so von Grund aus faul war. Wenn andererseits daran
erinnert ward, daß in diesen obersten Gerichtshöfen, namentlich im
Reichskammergericht, immer noch eine gewisse Gleichheit und Ein=
heit des Rechts ihre Stütze fand, Selbsthülfe und Gewaltthat ab=
gewehrt ward, so zeigt ein Blick auf die Zustände wie sie waren,
was es mit dieser Wirksamkeit der obersten Reichsjustiz in der Praxis
auf sich hatte. Wohl wurde noch im achtzehnten Jahrhundert ge=
gen Mecklenburg, Würtemberg, Nassau=Weilburg und Lippe noch
einmal Recht gefunden, ja noch in den siebziger Jahren auf Josephs
Andringen drei ganz heillose reichsgräfliche Tyrannen von Reichs=
wegen unschädlich gemacht, aber diese Fälle konnten mehr wie
Ausnahmen gelten und bewahrheiteten nur den alten Spruch, daß
man Mücken seige und Kameele verschlucke. Welche zahllose Ge=
waltthaten waren seit dem westfälischen Frieden in den deutschen
Reichslanden, fast keines ausgenommen, ungestraft verübt worden,

---

*) S. dieselben in Mosers patriot. Archiv VIII. 79 ff.

bis einmal die verspätete Rache Lippe-Detmold traf, oder ein paar
unverbesserliche Reichsgrafen daran gemahnt wurden, daß noch
eine höchste Autorität des Reiches über ihnen stehe! Drum hatten diejenigen Recht, welche nicht ohne bitteres Achselzucken des
alten Wortes gedenken konnten: die höchste Reichsjustiz sei ein
„Palladium der deutschen Freiheit."

Die Periode der Reform, welche im funfzehnten und sechszehnten Jahrhundert sich die Umgestaltung der Reichsverfassung
auf ständischen Grundlagen vorgesetzt und zu dem Ende den ewigen Landfrieden, das Kammergericht, das Reichsregiment aufgerichtet, schuf auch die Kreisordnung des Reiches, damit sie
ein Gegengewicht werde gegen die Vervielfältigung der landesherrlichen Selbständigkeit und gegen die Gefahren kleinstaatlicher Zersplitterung. Diese Kreiseintheilung bildete in dem Reiche wenigstens größere Gruppen, ordnete ihnen die übergroße Zahl einzelner Territorien und Landesherren unter und trug selbst in den Zeiten des Verfalles noch mit am meisten dazu bei, in der bunten
Mannigfaltigkeit von vielen hundert besonderen Gewalten den Gedanken einer einheitlichen Verbindung des Reiches im Gedächtniß
zu erhalten.

Auch von dieser Kreiseintheilung freilich galt, was bei allen
überlieferten Einrichtungen der Reichsverfassung wahrzunehmen war:
man hatte die alte Form bestehen lassen, ohne zur rechten Zeit ihre
Mängel zu beseitigen und sie den neuen Bedürfnissen anzupassen.
So hatte sich die Kreisverfassung bis in diese Zeit erhalten, zwar
nicht ohne manche wohlthätige Wirkung, wie sie im Geiste der
Einrichtung lag, aber doch im Ganzen auch ohne dem Zwecke
ihrer Schöpfung völlig zu genügen.

Nicht unbeträchtliche Theile deutschen Gebietes, wie Böhmen,
Mähren, die Lausitz, Schlesien, Preußen, standen außerhalb der
zehn Reichskreise; sie bildeten Provinzen der österreichischen und
preußischen Monarchien. Der burgundische Kreis, seit seiner Gründung wesentlich verkleinert, längere Zeit sogar vom Reiche ganz
getrennt und jetzt nur noch die österreichischen Antheile von Brabant, Mecheln, Limburg, Luxemburg, Geldern, Flandern, Hennegau und Namur umfassend, hieß zwar ein Kreis des deutschen

Reiches, war aber der That nach auch nur eine Provinz in dem
österreichischen Gesammtbesitze. Der österreichische Kreis, weitaus
der größte an Umfang (er umfaßte 2025 ☐Meilen), umschloß das
Erzherzogthum, Steiermark, Kärnthen, Krain, Istrien, Friaul, das
Litorale, Tirol und Vorarlberg, den Breisgau und Oberschwaben,
also eine kostbare Reihe überwiegend deutscher Lande und Völker;
aber auch hier war der Name „Kreis" eine Bezeichnung, welcher
die Wirklichkeit der Dinge wenig entsprach. Vielmehr war, wie
Moser sagt*), der österreichische Kreis „niemals in irgend einem
Stücke der Verfassung so beschaffen, wie es ein Kreis sein sollte;"
diese Lande bildeten den Kern der im Werden begriffenen österreichischen Monarchie, und es fanden auf sie die meisten Einrichtungen des Kreiswesens aus natürlichen Ursachen gar keine Anwendung.

Aber auch die übrigen, wie grundverschieden waren sie bei
näherer Betrachtung, und wie wenig entsprachen sie mehr dem
ursprünglichen Gedanken: eine gleichmäßige Eintheilung des Reiches in größere Ländergruppen darzustellen! Eine vielfach ähnliche
Bewandtniß, wie mit dem burgundischen und österreichischen Kreise,
hatte es mit dem niedersächsischen: auch hier war die Kreisverfassung dem überwiegenden Einflusse selbständiger territorialer
Macht unterlegen. Auf einem Flächenraume von 1420 ☐Meilen
waren in diesem Kreise nur wenige kleinere Herrschaften und nur
sechs Reichsstädte (Lübeck, Hamburg, Bremen, Goslar, Mühlhausen, Nordhausen) eingeschlossen; das ganz entschiedene Uebergewicht war bei Preußen, das mit Magdeburg und Halberstadt, und
bei Kurhannover, das mit den Fürstenthümern Bremen, Celle, Gru-
benhagen und Calenberg dem Kreise angehörte. Selbst Fürstenthümer, wie Braunschweig, die holsteiner Zweige und beide Mecklenburg, also noch lange nicht die kleinsten im Reiche, hatten keine
selbständige Bedeutung gegenüber den beiden Kreisständen, hinter
denen die preußische Monarchie und die hannoverisch-britische
Politik standen. Hier hatte daher die Kreisordnung den größten
Theil ihrer Bedeutung verloren; die „Kreistruppen", als solche,

---

*) J. J. Moser, von der deutschen Craysverfassung. S. 168. Außerdem
s. F. C. v. Mosers kl. Schriften VII. Für die statistischen Angaben ist meistens
Büsching, Erdbeschr (Bd. V—IX. Siebente Aufl. 1789.) benutzt.

wollten hier nichts heißen, dagegen hatten die einzelnen Territorien, wie Preußen, Hannover und Braunschweig, eine selbständige
Kriegsmacht ausgebildet, die gerade diesen Theil des Reiches außer
Oesterreich zum wehrkräftigsten und bestgerüsteten machte. Ein
ähnliches Verhältniß bestand im obersächsischen Kreise; von einem
Flächenraume von 1950 □Meilen nahmen Kursachsen und Preußen den größten Theil ein; alle übrigen, die kleinen thüringischen
Fürstenthümer, Schwedisch-Pommern, Anhalt, beide Schwarzburg
und andere noch kleinere Gebiete, bildeten zusammengenommen
dagegen noch kein Gegengewicht. Es leuchtet ein, wie die Kreisverfassung sich unter diesen Einflüssen gestalten mußte. Waren
die größeren Staaten einig, wie dies z. B. während des siebenjährigen Krieges im niedersächsischen Kreise der Fall war, so bildeten sie für sich die entscheidende Gewalt, und an die Stelle des
Kreises trat eine selbständige Staats- und Heeresmacht Preußens,
Hannovers und Braunschweigs; waren sie uneinig, wie dies zu
gleicher Zeit zwischen Brandenburg und Sachsen im obersächsischen
Kreise der Fall war, so war die natürliche Folge der Stillstand
oder die Zerrüttung der ganzen Kreisverfassung. Auch galt es
unter den Publicisten des vorigen Jahrhunderts als angenommen,
daß, wie Moser sich ausdrückt, die „Jalousie und differente Staats-
principia" in Ober- und Niedersachsen die Kreisverfassung längst
zerrüttet hatten.

Wenden wir uns von Niedersachsen westwärts, so ist das
Verhältniß schon ein anderes. Der westfälische Kreis zählte auf
einem Flächenraume von 1200 □Meilen keinen einzigen an Gebiet so überwiegenden Kreisstand, daß daneben alle anderen ihre
Bedeutung verloren hätten. Hier trug noch Alles mehr das Aussehen der alten Mannigfaltigkeit; das neue Streben, das auf Arrondirung und Gründung einer selbständigen Staatsmacht ausging, war hier noch nicht zur ausschließenden Herrschaft gelangt.
Wohl spann auch über diesen Kreis Preußen die Fäden seines Einflusses, da es ihm mit Cleve, Geldern, Meurs, Minden, der Grafschaft Mark und Ravensberg, mit Ostfriesland und einigen kleineren
Gebieten angehörte; aber die alten Formen hatten bennoch hier noch
mehr Lebenskraft bewahrt. Da breiteten sich noch die ansehnlichen
geistlichen Gebiete der Hochstifter Münster, Osnabrück, Paderborn,
Lüttich aus, da hatten die Abteien Corvey, Stablo, Malmedy,

Werben, Corneliusmünster, Effen, Thoren, Herford ihre Reichsunmittelbarkeit noch behauptet; da waren noch außer dem pfalzbaierischen Jülich und Berg, außer den naffauischen Landen, außer
Oldenburg und den Reichsstädten Dortmund, Aachen und Cöln
eine ansehnliche Zahl jener gräflichen Herrschaften vorhanden, die
den Fürsten zwar nicht gleich standen, aber doch mit ihnen eine
Stelle im Reichsfürstencollegium des Reichstags behaupteten. Die
Dynastien der Wied, Sayn, Lippe, Rittberg, Aspremont, Metternich, Manderscheidt, Limburg-Styrum, Ostein, Nesselrode u. a.
bildeten hier noch ein eigenthümliches Element, das in dieser Gestalt und Bedeutung in den beiden sächsischen Kreisen, wie in
Oesterreich nicht vorhanden war.

Allein das classische Gebiet der ins Seltsame gehenden Vielfältigkeit und Gebietszersplitterung bildeten doch die südwestlichen
Reichskreise. Hier war das Gebiet des ganzen Kreises um das
Drei- bis Vierfache kleiner, als in Nieder- und Obersachsen oder
in Oesterreich, aber die Zahl der reichsunmittelbaren Kreisstände
um's Doppelte, ja Drei- und Vierfache größer. Vom österreichischen
Kreise gar nicht zu reden (denn hier gab es faktisch nur einen Reichsstand, Oesterreich selbst), aber auch in Ober- und Niedersachsen betrug die Zahl der Stände nur 22 und 23, und unter diesen übten
wieder einer oder zwei ein ganz unbestrittenes Uebergewicht. Schon
in Westfalen vertheilten sich die 1200 ☐Meilen des Gebiets auf
52 Herrschaften, in Franken kamen auf 484 ☐Meilen 29 Gebiete,
in Schwaben gar, ohne die zahlreichen reichsritterschaftlichen Enclaven zu zählen, theilten sich 89 Reichsstände in ein Territorium
von 729 ☐Meilen. Während in den beiden sächsischen Kreisen
zwei oder höchstens drei Kurfürstenthümer fast alle andere Reichsstände absorbirten, war hier eine ungemessene Zahl von geistlichen
und weltlichen Fürsten, unter denen kaum einer oder der andere
von mittlerer Bedeutung war, mit Grafen und Herren, Rittern,
Städten und Abteien in ein sehr mäßiges, bis ins Unvernünftige
zersplittertes Gebiet zusammengedrängt.

Waren im kurrheinischen Kreise auf einem freilich kleinen
Raume den vier rheinischen Kurfürsten, deren politische Stellung
ihnen immer noch einiges Gewicht gab, doch nur 6 kleinere Reichsstände angehängt, oder übte im baierischen auf einem schon ansehnlichen Gebiete von 1020 ☐Meilen doch Baiern immer die

überwiegende Macht*), so drohte in den drei andern, dem oberrheinischen, fränkischen und schwäbischen, die Kleinstaaterei alle gesunde Staats = und Wehrkraft aufzuzehren. Im oberrheinischen Kreise z. B. waren Hessencassel und Hessendarmstadt schon die bedeutendsten Reichsstände; neben ihnen standen zum Theil in sehr zersplitterten und schlecht arrondirten Gebieten Pfalzzweibrücken, die an Kurpfalz gefallenen Fürstenthümer Simmern und Lautern, das zwischen beiden pfälzischen Linien getheilte Velbenz, Homburg, ein Theil von Naffau, dann die Hochstifter Worms, Speyer, Straßburg, Basel und Fulda, die Abtei Prüm, die Probstei Odenheim, das Johannitermeisterthum zu Heitersheim, eine Menge Grafschaften, wie Sponheim, Salm, Waldeck, Solms, Leiningen, eine Anzahl Herrschaften und die Reichsstädte Worms, Speyer, Friedberg, Wetzlar und Frankfurt, von denen nur die letzte noch etwas bedeutete. Ein ähnliches Verhältniß bestand im fränkischen Kreise, der sich auf einen Raum von 484 □Meilen beschränkte; da waren die beiden Stifter Würzburg und Bamberg entschieden das gewichtigste Element. Sie bildeten mit Eichstädt und dem Deutschorden die geistliche Bank; die hohenzollernschen Fürstenthümer in Franken, die hennebergischen und schwarzenbergischen Fürsten, Löwenstein und Hohenlohe die weltliche. Daran reihten sich, wie in Westfalen, eine ziemliche Anzahl Reichsgrafen und die Reichsstädte Nürnberg, Rothenburg, Windsheim, Schweinfurt und Weißenburg. Am buntesten aber hatte sich diese Ohnmacht der Mannigfaltigkeit im schwäbischen Kreise gestaltet. Auf einem Raume von 729 □Meilen waren dort vier geistliche Fürsten (Constanz, Augsburg, Elwangen, Kempten), dreizehn weltliche, unter benen Würtemberg, Baben und Fürstenberg die bedeutendsten, über 20 Abteien, eine be=

---

*) Der kurrheinische Kreis enthielt außer den Kurstaaten Mainz, Trier, Köln und Pfalz: das Fürstenthum Aremberg, Thurn und Taris (ohne Besitzungen im Kreise), die Deutschordensballei Coblenz, die naffauische Herrschaft Beilstein, die wied'sche Grafschaft Niederisenburg und das den Grafen von Sinzendorf zugehörige Burggrafthum Reineck. — Im baierischen Kreise bildeten das Erzstift Salzburg, die Hochstifter Freisingen, Regensburg, Passau, die Probstei Berchtesgaden, die Abteien S. Emmeran, Niedermünster und Obermünster die geistliche Bank; weltliche Kreisstände waren Baiern, Neuburg, Sulzbach, Leuchtenberg (alle drei dem pfalzbaierischen Hause zugehörig), die Grafschaften und Herrschaften Steinstein, Haag, Ortenburg, Ehrenfels, Sulzburg, Hohenwaldeck, Breiteneck und die Reichsstadt Regensburg.

trächtliche Zahl Grafschaften und 31 Reichsstädte*) zusammenge=
brängt — der winzigen ritterschaftlichen Territorien nicht zu ge=
benken, womit, wie der oberrheinische und fränkische, so auch der
schwäbische Kreis reichlich heimgesucht war.

Wenn anderwärts durch die selbstgenügsame Macht größe=
rer Territorien die Kreisverfassung zerrüttet ward, so wurde sie
hier durch die winzige Mannigfaltigkeit unzähliger kleiner Herr=
schaften erhalten. Die Schwäche der Einzelnen drängte dazu, in
der Association den nothwendigen Schutz zu suchen, zumal die po=
litische Lage Deutschlands gerade diesen Theil des Reiches den ge=
fährlichsten Angriffen von Außen bloßgestellt ließ. Konnte darum ir=
gendwo noch im Reiche von einer Lebensthätigkeit der Kreisverfassung
die Rede sein, so war es hier, wo die Noth dazu zwang. Hier suchte
man nicht nur die alten Formen zu erhalten, sondern um der eige=
nen Sicherheit willen neue Vereinigungen zu bilden. So entstan=
den jene Associationen der „vorderen Reichskreise“, deren z. B.
eine (die beiden rheinischen, der fränkische und schwäbische Kreis
mit Oesterreich) während des spanischen Erbfolgekrieges eine nicht
unbeträchtliche Kriegsmacht ins Feld gestellt hatte.

Diese militärische Seite der Kreisverfassung war denn auch
die wichtigste. Bei einem plötzlichen Angriff auf die westlichen
Gränzlande war durch jene Verbindung zu größeren Gruppen
wenigstens ein Schutz gegen den ersten Anbrang geschaffen; ohne
solche Associationen hätte ja keiner von den zahllosen Reichsstän=
den, welche in den vorderen Reichskreisen ohnmächtig neben ein=
ander lagen, sich auch nur nothdürftig schirmen können. Bei einem
Reichskriege war freilich das Heerwesen immer noch kläglich genug
beschaffen; aber ohne diese Kreisorganisation war auch das Wenige,
was noch geschah, nicht mehr zu Stande zu bringen. Oder wie

---

*) Von den reichsgräflichen Geschlechtern sind zu erwähnen: Taxis, Kö=
nigsegg=Aulendorf und Königsegg=Rothenfels, Truchses=Zeil, Truchses=Wald=
burg, Truchses=Wolfegg; drei Linien Fugger, Stadion u. s. w.; eine Anzahl
der Grafschaften war in den Händen Baierns, Badens und Fürstenbergs. Die
Reichsstädte sind: Augsburg, Ulm, Eßlingen, Reutlingen, Nördlingen, Hall,
Ueberlingen, Rothweil, Heilbronn, Gmünd, Memmingen, Lindau, Dünkels=
bühl, Biberach, Ravensburg, Kempten, Kaufbeuern, Weil, Wangen, Isny,
Leutkirch, Wimpfen, Glengen, Pfullendorf, Buchhorn, Aalen, Vopfingen, Bu=
chau, Offenburg, Gengenbach, Zell.

wollte, falls ein Reichskrieg beschlossen war, das Reich die Mittel an Menschen, Waffen und Geld zusammenbringen, wenn es mit diesen zahllosen einzelnen Herren die Sachen hätte zum Ende führen sollen! Die Kreisorganisation hob wenigstens einen kleinen Theil der Uebelstände, die mit der Kleinstaaterei in den vordern Reichskreisen verknüpft waren; indem die Kreistruppen wenigstens den Stamm einer militärischen Rüstung bildeten, die Kreistage für die Leistung an Geld und Mannschaft sorgten, war doch noch eine nothdürftige Ausrüstung herzustellen, die, den Einzelnen überlassen, geradezu unmöglich gewesen wäre. Von der Noth gedrängt, hatten sich schon zu Ende des siebzehnten und zu Anfang des achtzehnten Jahrhunderts die vorderen Reichskreise entschlossen, auch im Frieden eine kleine Militärmacht zu unterhalten, die, unter den Befehl des Kreisobersten gestellt, theils zur Handhabung der Sicherheit und Polizei gebraucht wurde, theils den Stamm bildete für die künftige Rüstung zum Kriege. In den vorderen Reichskreisen war diese Einrichtung immer eine Wohlthat, insofern sie Schlimmeres abwehrte; in den norddeutschen Kreisen freilich, wo entweder eine selbständige bedeutende Heeresmacht, wie in Preußen, existirte, oder, wie in Hannover und Braunschweig, für eine tüchtige militärische Ausbildung gesorgt war, brauchte man keine Kreistruppen und erwarb mit den eigenen Soldaten ganz andere Lorbeeren, als sich z. B. im siebenjährigen Kriege die in die Reichsarmee übergegangenen Kreiscontingente hatten erkämpfen können.

Aber auch außer dem militärischen Gebiete behauptete, wenigstens in den gedachten Gegenden, die Kreisverfassung noch einen gewissen Werth; sie war es allein noch, die inmitten zahlloser kleinstaatlicher Sondersouverainetäten die noch bestehenden Ordnungen des Reiches aufrecht erhielt. Zwar litten die Kreistage an dem nämlichen schwerfälligen und weitläufigen Ceremoniel, wie der Reichstag, dem sie überhaupt mannigfach nachgebildet sind, aber sie waren es doch, die noch hier und da den Schwachen schützten, der Reichsjustiz durch ihre Execution Nachdruck gaben, die Reichsumlagen und Kammerzieler zur Erhaltung des Reichsgerichts eintrieben, in Münz-, Verkehr- und Polizeiangelegenheiten den Beschlüssen des Reichstages theils Geltung verschafften, theils selbständig der wachsenden Auflösung entgegenwirkten. Wenn die

Reichsjustiz überhaupt noch eine Geltung hatte inmitten dieser Anarchie der Particulargewalten, wenn in die Reichskasse wenigstens noch ein Theil der ausgeschriebenen Umlagen floß, so hatten die Kreistage dabei das größte Verdienst. Und wie die äußere Sicherheit, wenn auch nur nothdürftig, geschirmt ward durch diese Organisation, so hatte es eine ähnliche Bewandtniß mit der Sicherheit im Innern. Wie hätte man sich nur gegen Diebe und Landstreicher sichern wollen, wenn z. B. in Schwaben den Fürsten, Prälaten, Aebten, Reichsstädten und Reichsrittern die alleinige Sorge dafür hätte überlassen werden sollen; oder welche Zerrüttung hätte den Handel, das Münzwesen, ja selbst den Verkehr mit Getreide und Lebensmitteln bedroht, wenn nicht bisweilen der Kreistag sich ermannt und eine gemeinsame Anordnung getroffen hätte! Indem die Kreisverfassung auf diese Weise die Selbständigkeit der unzähligen Sondergewalten mannigfach beschränkte, war sie doch zugleich eine Bürgschaft ihres Fortbestehens; denn fiel diese Organisation zusammen, so ward die bunte Anarchie zahlreicher, zum großen Theil lebensunfähiger Territorialgewalten sehr bald unerträglich und der Verlust ihrer Selbständigkeit war dann eine Forderung des öffentlichen Wohles.

———

Der Mangel einer einheitlichen Ordnung und Leitung eines Staates tritt in seinen nachtheiligen Wirkungen nirgends stärker hervor, als in den Verhältnissen nach Außen. So war denn auch der Verfall des alten Reiches an keiner Stelle fühlbarer, als wo es auf die Leitung der äußeren Politik und auf die Führung des **Kriegswesens** ankam. Der Zustand dieses letzteren namentlich hat schon den herben Spott der Zeitgenossen herausgefordert und kein Deutscher im achtzehnten Jahrhundert hielt es für unpatriotisch, die Reichsarmee in ihrer kläglich verfallenen Gestalt als ergiebigen Stoff für die Satire zu betrachten. Der Tag von Roßbach war im größten Theile des Reiches populär geworden, nicht nur weil der französische Uebermuth eine verdiente Züchtigung erfuhr, sondern auch weil man der Reichsarmee ihre Niederlage selbst da gönnte, wo man sein Contingent dazu stellte. Dafür ergötzte man sich an den Siegen des königlichen Helden, gegen den der Regensburger Reichstag Execution verhängt, und pries —

selbst in alten Reichsstädten — die Grobheit des brandenburgischen Reichstagsgesandten, der dem mit der „Insinuation" beauftragten Notarius die Thüre gewiesen hatte. Und allerdings war es eines der treffendsten Wortspiele des Zufalls, daß in dem Ausschreiben des Reichstages, das die Bildung einer „eilenden Executionsarmee" verkündete, durch einen Druckfehler daraus eine „elende" Armee gemacht war. Sagt doch selbst der treffliche J. J. Moser, der in den alten Formen eingelebt und heimisch war: „Die bei einem Reichskriege und einer Reichsarmee sich äußernden Gebrechen sind so groß, auch viel und mancherlei, daß man, so lange das deutsche Reich in seiner jetzigen Verfassung bleibt, demselben auf ewig verbieten sollte, einen Reichskrieg zu führen." *)

Allerdings war ein Rückblick auf die Vorgänge des letzten Jahrhunderts nicht geeignet, die Kriegslust des Reiches zu steigern. Entweder war in sehr bringenden Fällen, z. B. in den französischen Kriegen der sechziger und siebziger Jahre des siebzehnten Jahrhunderts und im nordischen Kriege, wo das Reich auf's lebhafteste interessirt war, der schwerfällige Körper nicht in Bewegung zu bringen, oder wenn er sich einmal durch die habsburgische Hauspolitik in Bewegung setzen ließ (z. B. 1734 und 1757), so wurde dabei weder Vortheil noch Ehre erworben. Das Jahrhundert von den Schlachten bei S. Gotthard, Fehrbellin und Zentha bis zu Roßbach, Zorndorf und Minden war für den deutschen Waffenruhm eines der reichsten, und namentlich die Schweden, Türken und Franzosen haben damals die alte deutsche Tapferkeit wieder anerkennen lernen; aber freilich auf die Reichsarmee fiel von diesen Lorbeeren nur der allergeringste Theil.

Was wäre aus Deutschland geworden, wenn es nicht damals die selbständigen Militärkräfte Oesterreichs und Preußens geschützt hätten, wenn unsere Sicherheit von den Beschlüssen der Regensburger Versammlung und von der Raschheit und Tüchtigkeit der Reichsarmee abhing! Im spanischen Erbfolgekriege z. B. hatte das Reich schon 1702 den Krieg beschlossen, gegen Ende des Jahres mußte der Kaiser wiederholt Beschleunigung anempfehlen, dann am 24. Febr. 1703 den Reichstag auffordern, „nunmehr die Kriegsmaterien und Anstalten unverlängt in die Hand

---

*) Moser, von den Reichstagsgeschäften S. 810.

zu nehmen" und einige Wochen später abermals „die Unverschieb=
lichkeit des Werkes vorstellen." Endlich im Juli 1703 kamen die
beiden höheren Reichscollegien zu einem Beschluß; aber erst am
11. März 1704 wurde daraus ein allgemeines Reichsconclusum.
Aber wie weit war noch von diesem zur Ausführung; und mit
welch unbeschreiblicher Misère hatte selbst ein ausgezeichneter Feld=
herr, wie Markgraf Ludwig, bei der Ausführung selber zu kämpfen!
Indessen begannen Eugen und Marlborough ihren Siegeslauf von
Höchstädt bis Turin, Ramillies, Oudenarde und Malplaquet —
und es waren meistens deutsche Truppen, denen sie diese Erfolge
verdankten. Dasselbe Material an Menschen, das als Reichsarmee
verkümmerte und in ganz Europa verspottet ward, wurde unter
andern Verhältnissen und in andern Händen der Kern der besten
Heere jener Zeit.

Die Schuld dieser kläglichen Dinge schob wie sonst einer dem
andern zu. Der Kaiser klagte, daß ihm die Reichsgesetze nicht
Macht genug ließen, die Zustände von Grund aus zu verbessern;
die Reichsstände klagten, daß der Kaiser selbst die vorhandene
Macht zur Bedrückung der Schwächeren mißbrauche, daß seine Ge=
nerale und Kriegsbeamten sich auf unverantwortliche Art bereicher=
ten und die Reichstruppen sich oft so aufführten, „daß man oft=
mals weit lieber feindliche Völker statt ihrer aufnähme."*) Es
war richtig, daß der Kaiser bisweilen bei Besetzung der Reichsge=
neralstellen eine kleine persönliche oder confessionelle Parteilichkeit
an den Tag legte. oder hie und da im Einzelnen einen Uebergriff
wagte, — auch hatte er (1702) dem verständigen Vorschlage, auch in
Friedenszeiten eine Reichsarmee von 8000 Mann aufzustellen, sich
widersetzt — aber wie wenig wollte das bedeuten gegenüber der
Weitläufigkeit der geltenden Formen, den zahlreichen politischen
und religiösen Clauseln, wodurch des Kaisers Macht beschränkt
war, dem Mangel an jedem Gemeinsinn, den gerade in solchen
Lagen die Reichsstände wie wetteifernd an den Tag legten! Der
Reichstag in seiner Schwerfälligkeit wollte von Allem mit unter=
richtet sein, Alles mit leiten; und doch, wenn auch die äußerste
Noth drängte, vermochte er gleichwol zu keinem Schlusse zu ge=
langen. Erfolgte endlich ein Beschluß, so stand er eben nur auf

---

*) J. J. Moser, von den Reichstagsgeschäften S. 811 ff.

dem Papier; Jeder suchte, wie Moser sagt, die Last von sich auf Andere abzuwälzen, viele Contingente wurden gar nicht oder nicht ganz gestellt, und oft war das, was gestellt war, an Mannschaft, Pferden, Equipagen, Sold und Proviant so schlecht beschaffen, daß man keinen Gebrauch davon machen konnte. Die Truppen einzelner Reichsstände standen auch wohl in so üblem Rufe, daß man ihnen die Winterquartiere verweigerte oder sich ihren Durchmärschen widersetzte. Die Kreise selbst machten in der Regel gewisse Vorbehalte; die Folge war, daß die Kreisgenerale dem Reichscommando nur bedingt gehorchten und die gegebenen Ordres nicht selten „examinirten", statt sie zu vollziehen. „Sehe man einen sauer drum an, so laufe oder schreibe er zu seinen Ständen und finde sonderbares Gehör." Sogar die Gemeinen, die aus dem Lager heim liefen, wurden freundlich behandelt, auf Requisition von den heimischen Behörden angelegentlich entschuldigt und zu Hause besser verpflegt als im Felde. Kein Wunder, wenn es dann dort alle Mühe kostete, zu hindern, daß nicht die Kreistruppen haufenweise zu ihren heimischen Fleischtöpfen entliefen. Wurde einer ausgemustert, so kam der Ersatzmann entweder später oder schlechter, oder gar nicht; rügte es der commandirende General, so that es noth, daß „er erst darum mit den Ständen libellirte." Wie unter diesen Umständen die Reichskriegskasse bestellt war, läßt sich denken; man könnte dafür eine reiche Blumenlese sammeln von fast komischen Zügen. Wenn z. B. selbst die an Oesterreich vermietheten Truppen Baierns und Würtembergs in der Schlacht bei Leuthen angewiesen waren, „langsam zu feuern, damit die Munition nicht mangeln möge",*) so darf man mit Sicherheit annehmen, daß in den reichsständischen Contingenten der Reichsarmee die Sparsamkeit noch weiter ging.

In den Zeiten der Bedrängniß durch Ludwig XIV. hatte das Reich sich zu dem Entschluß erhoben (1681), als einfachste Quote des Reichscontingents, als sogenanntes Simplum, die Zahl 40000 anzunehmen, und diese in der Art auf die Reichskreise zu vertheilen, daß Oesterreich 5230 Mann, der burgundische, schwäbische, die beiden sächsischen und der westfälische jeder etwas über 4000 M., der oberrheinische und kurrheinische je 3300, der fränkische 2800,

*) Archival. Notiz bei Pfister, deutsche Gesch. V. 367.

der bairische 2300 Mann zu stellen hatte. Ein Beispiel mag zeigen, wie wenig selbst dieser mäßige Anschlag eingehalten ward.*)
Der schwäbische Kreis, der als Simplum 4028, also in 3 Simplen 12084 Mann zu stellen hatte, rüstete nach einer Angabe
nur 3000 Mann aus, und selbst diese Zahl war noch höher als —
der wirkliche Betrag. Es fehlten im Ganzen 4124 Mann an
dem Contingent von 12084 Mann, und der Rest war von 4 geistlichen, 14 weltlichen Fürsten, 14 Prälaten, 4 Aebtissinnen, einigen
30 Grafen und Herren und etwa 30 Reichsstädten tropfenweise
zusammengeholt. Nach dieser Probe hat die Angabe, daß der
ganze Betrag von 3 Simplen statt 120000 Mann bisweilen nur
aus 20000 Mann wirklich bestand, alle Wahrscheinlichkeit für sich.
Denn während die kleinstaatlichen Gewalten aus Ohnmacht und
Saumseligkeit ihr Contingent nicht stellten, wollten die größeren
ihr Landesheer nicht durch die Absendung des Contingents zur
Reichsarmee schwächen und ihr Beispiel war wieder ein erwünschter Vorwand für die kleineren, ihre Pflichtversäumniß zu entschuldigen. Die Ausrüstung entsprach der Art der Zusammensetzung.
Jedes Contingent hatte seine eigene Art der Verpflegung, so daß
ein Regiment, das aus 12 solchen Contingenten bestand, an 12
verschiedene Orte schicken mußte, um Brod und Fourage zu bekommen. Jede Bewegung war dadurch gehemmt, jede rasche und
heimliche Operation unmöglich. Ebenso war die Bezahlung des
Soldes, die Kleidung, die Verpflegung der Kranken fast bei jedem
Reichsstande verschieden und meist darum die Quelle unsäglicher
Unordnungen. Das Caliber war so verschieden, daß z. B. bei
Roßbach von 100 Flinten kaum 20 Feuer gegeben haben! Und
wie wurden erst die Offiziere ernannt! Bei einer Compagnie des
schwäbischen Contingents stellte Gmünd den Hauptmann, Rotweil
den ersten, die Aebtissin von Rotenmünster ernannte den zweiten
Lieutenant, der Abt von Gengenbach den Fähnrich.**)
    Eine Armee dieser Art, so zusammengesetzt und jedesmal erst
beim Ausbruch des Krieges gebildet und geschult, hätte noch weniger leisten können, als sie wirklich geleistet hat, wenn sie nur

---

*) S. F. (F. v. Moser, kl. Schriften VIII. 2 ff.
**) Pütter, histor. Entwickl. III. 102. Schilderung der jetzigen Reichsarmee
in ihrer wahren Gestalt. Köln 1796.

aus biefen Contingenten ber einzelnen Reichsftände beftanden hätte.
Aber in ber Regel verband man mit ihr einerfeits eine Anzahl
faiferlicher Truppen, andererfeits fog. Auriliarvölfer, b. h. folche,
die entweder durch befondere Verträge zum Dienft gewonnen waren ober bie, wie z. B. bie preußifchen und hannoverfchen, ihren
Dienft gegen bas Reich lieber in biefer Geftalt von Hülfsvölfern
leifteten, als in unmittelbarer Verfchmelzung mit ben Reichscon-
tingenten. Diefe beffer geübten und gerüfteten Contingente fahen
benn auch mit Geringfchätzung auf bie buntfcheckige Schaar herab,
bie zum Theil aus allem möglichen Gefindel zufammengeworben,
fchlecht gefleidet und bewaffnet neben ihnen biente; an einen innern Zufammenhalt war bei biefen feltfamen Beftandtheilen nicht
zu benfen, vielmehr empfand jeber Theil Schadenfreude über bas
Unglück, bas bem andern wiberfuhr.

Der Zuftand ber „Reichsoperationsfaffe" war natürlich nicht
beffer als ber bes Heeres. Es follten verfaffungsmäßig außer ben
fog. Kammerzielern, ben regelmäßigen Beiträgen zur Unterhaltung
bes Kammergerichts, zur Beftreitung außerordentlicher Bebürfniffe
bie Römermonate von ben einzelnen Reichsftänden erhoben werben,
beren einer auf ungefähr 50,000 Gulden, etwas mehr als bas
Drittheil bes urfprünglichen Ertrags, veranfchlagt war. Statt
ber früheren Legftätten warb bie Stabtfämmerei zu Regensburg
mit ber Sammlung und Vertheilung beauftragt, wo es benn wohl
vorfam, baß burch einen Einbruch ins Rathhaus bie ganze Reichs-
friegsfaffe geftohlen warb. Der Voranfchlag war hier fo wenig
erreicht, wie bei ben Kammerzielern und ben Contingenten; bavon
werben wir unten Gelegenheit haben uns aus ber Praris zu
überzeugen.

So waren bie Verfaffungsformen und Inftitute befchaffen,
auf benen noch bie Reichseinheit in ihren unvollkommenen Ueber-
reften beruhte. Ein Reichsoberhaupt an ber Spitze, bas weber
bie gefetzgebende noch bie vollziehende Gewalt befaß, bas im Gebrauch aller Regierungsrechte eng befchränkt war und an Ein-
fünften vom Reiche nicht mehr zog als ein wohlhabender Privat-
mann; unter bemfelben Hunderte von Reichsftänden, bie nur burch
lofe Bande unter fich und mit bem Kaifer verfnüpft, an Macht
und Größe aber unter fich außerordentlich verfchieden waren.

Könige von europäischer Bedeutung, Kurfürsten und Herzöge, Grafen, Ritter, Reichsstädte und Reichsdörfer in bunter Mannigfaltigkeit neben einander; die Verbindung aller dieser Glieder zu einem
Ganzen, wie sie einst im Reichstage bestanden hatte, außerordentlich gelockert und seit der Umgestaltung des Reichstags zu einem
diplomatischen Congresse aller der lebendigen Berührung entbehrend,
welche das persönliche Zusammenkommen auf den alten Reichsta-
gen noch gegeben hatte.   Die alten Formen in eine bedenkliche
Erstarrung gerathen, die nur dann einer vorübergehenden Gährung
wich, wenn der Streit über Ceremonien die Reichspedanten aus
ihrer Unbewegtheit aufschreckte; überall neue Zustände ausgebildet, zu denen die alten Formen, so wie sie waren, nicht mehr
passen wollten.

Wohl rühmten diejenigen, die an der Möglichkeit einer friedlichen Reform nicht verzweifelten, daß diese Reichsverfassung noch
den Despotismus der Fürsten zügele, wenigstens die minder mächtigen durch Kaiser und Kammergericht in Schranken halte und
vor offenen Gewaltthaten schütze — aber wie widersprach dem die
fast allenthalben ausgebildete Selbständigkeit unbeschränkter Gewalten, oder wie selten wurde einmal an einem ohnmächtigen Reichsstand ein strafendes Exempel statuirt, und wie langsam war die
Reichsjustiz überhaupt, bei der ein Kläger selten ein Urtheil, noch
seltner dessen Vollziehung erlebte!   Wenn die Freiheit im Ganzen
noch besser geschirmt war, als in benachbarten Einheitsstaaten, so
war nicht sowol die Reichsverfassung die Ursache, als die ganz
Natur und Entwicklung des deutschen Volkes.   Ein Despotismus
so uniformer und monotoner Art, wie ihn Ludwig XIV. in Frank
reich begründete, war auf deutschem Boden überhaupt nicht mög
lich; diese Tendenz, das ganze politische, geistige und religiöse Le
ben eines Volkes von einem Mittelpunkte aus zu bestimmen un
wie eine Münze auszuprägen, fand an der Eigenthümlichkeit deut
schen Wesens den stärksten Widerstand.   Indem wir uns zu keine
Zeit von einer Hauptstadt oder einem Hofe aus unser Leben un
unsere Cultur beherrschen ließen, sondern uns in vielfältigen ein
zelnen Kreisen entwickelten, richteten wir die stärkste Schutzweh
gegen die Art von einförmigem Despotismus auf, wie sie i
Frankreich seit dem siebzehnten Jahrhundert besonders heimisch ge
worden war.   Es mochte bei uns an einzelnen Stellen ein gan

ähnliches Regiment geübt werden, wie es damals von Versailles ausging; aber es konnte nie jene allgemeine Geltung erlangen, die Mannigfaltigkeit war eben die Zuflucht der Freiheit. Wohl mochte die alte Reichsverfassung bisweilen noch die Kraft haben, ein bedrohtes Recht zu wahren, gegen Cabinetsjustiz zu schirmen, auch wohl einen kleinen unverbesserlichen Tyrannen zu züchtigen; aber wie wenig bedeuteten diese seltenen Fälle im Vergleich mit dem natürlichen Schutze, den unsere innerste Natur uns selber gab! Und dieser Natur gemäß uns in bunter Mannigfaltigkeit zu ent-wickeln, darin stötte uns allerdings die Reichsverfassung nur allzu wenig; sie ließ, indem sie in die eigenthümliche Freiheit des Ein-zellebens nicht eingriff, auch das ganze Unkraut lebensunfähiger Kleinstaaterei in aller Ueppigkeit aufwuchern.

Wie sich in Oesterreich und Preußen ein selbständiges und bedeutendes Staatswesen entwickelte, das in den Rahmen der alten Reichsverfassung nicht mehr paßte, haben wir früher gesehen; aber die Darstellung deutscher Zustände in dieser letzten Lebensperiode des Reiches ist damit noch nicht erschöpft. Neben jenen Groß-staaten, deren Stellung fast ebenso sehr eine außerdeutsche, wie eine deutsche war, existiren, von demselben laren Bande der Föde-ration umschlungen, eine zahlreiche Masse einzelner Territorien, von ebenso verschiedenem Umfang, wie verschiedenartiger Lebens-kraft, theils von reger Beweglichkeit, theils in ähnlicher Erstarrung begriffen, wie die Formen des Reiches selber.

Wir wollen einen Augenblick bei ihnen verweilen.

Fünfter Abschnitt.

Die einzelnen Stände des Reiches.

Mit dem Verfalle der Reichsverfassung hatte seit lange die Ausbildung der Landeshoheit gleichen Schritt gehalten; je mehr die einheitlichen Formen an Kraft einbüßten, desto unbeschränkter konnte sich die fürstliche Gewalt in den einzelnen Territorien geltend machen. So war es im achtzehnten Jahrhundert eine ausgemachte Sache, daß wenigstens die größten Reichsfürsten in ihrem Lande thun konnten, was sie wollten, und daß „von dem Bande, worin sie mit Kaiser und Reich stehen,*) wenig oder gar nichts mehr zu beobachten sei". Die Reichsstände zweiten Ranges strebten diesem Beispiele nach Kräften nach, und nicht selten war auch ihr Land und ihre Verbindung mit mächtigeren Höfen so beschaffen, daß man sie in diesem Streben nicht hemmen konnte. So blieb denn nur auf die kleinen und schwachen Reichsglieder eine fortdauernde Einwirkung des Reiches bestehen; auf sie übte der Kaiser, der Reichstag, das Reichskammergericht wohl noch eine gewisse Autorität, sie konnten auch mit den überlieferten Rechten und Verfassungen des Landes und der Unterthanen so leicht noch nicht fertig werden, wie die größeren. Neigung zu einem ähnlichen Verfahren war freilich auch bei den kleinsten vorhanden und unter einem recht unthätigen und sorglosen Reichsoberhaupt stand dem Gelingen nichts im Wege. Im Allgemeinen gab es solcher Gebiete nur noch wenige, wo die alten Rechte in der Hauptsache

---

*) S. J. J. Moser, von der Landeshoheit S. 40. 41.

erhalten waren und ein ungestörtes Verhältniß zwischen Regie=
rungen und Regierten bestand; in manchen Territorien hätten die
bedrängten Stände und Unterthanen gern Recht gesucht, aber sie
unterließen es in der Besorgniß, das Uebel ärger zu machen, „da,
wie Moser sagt, die Medicin oft schlimmere Folgen hatte, als die
Krankheit selber."

Diese mächtige Entfaltung der landesherrlichen Gewalt in den
einzelnen Territorien ist eine geläufige Klage der Publicisten des
achtzehnten Jahrhunderts. Selbst der loyale Pütter, indem er den
Eifer der besseren Regierungen rühmt, womit sie „Recht und Ge=
rechtigkeit handhabten, Kirchen und Schulen mit tüchtigen Män=
nern besetzten, Wege besserten, über Münze und Polizei wachten
und den Nahrungsstand der Unterthanen förderten", klagt doch
zugleich, daß einzelne Landesherren mit ihren Ländern und Unter=
thanen so schalteten, wie ein Gutsherr mit seinem Gute und den
dazu gehörigen Leibeigenen, daß sie nur persönliche Neigungen und
Leidenschaften befriedigten, ihr Land aussaugten und für nichts
Interesse zeigten, als für Jagd= und Soldatenwesen. Drum gebe
es auch Länder, wo der Unterthan mit Abgaben und Diensten bis
zum Unerträglichen beschwert werde, wo von Herren und Dienern fast
Alles für Geld, nichts ohne Geld zu haben sei, wo an Kirchen= und
Schulwesen, an Anlegung und Erhaltung von Verkehrsmitteln, an
Beförderung der materiellen Wohlfahrt kaum gedacht werde, wo Ge=
richtswesen, Münze und Polizei sich in der größten Unordnung befänden.

Der westfälische Friede schon hatte die Landeshoheit von den
meisten Schranken befreit, welche bis jetzt die freie Entfaltung
einer unbedingten Fürstengewalt noch aufgehalten hatten. Es kam,
gleichsam als Ergänzung, jene Bestimmung (§. 180) des Reichs=
abschieds von 1654, worin eine wichtige Stütze der alten Freiheit
beseitigt ward. Mit der an sich unverfänglichen Verfügung, daß
gegen die Executionsordnung des Reiches Klagen bei den Reichs=
gerichten nicht angebracht werden, die Unterthanen vielmehr schul=
dig sein sollten, „zur Unterhaltung der nöthigen Festungen und
Garnisonen ihren Landesfürsten und Herrschaften mithülflichen
Beitrag" zu leisten, war für die landesherrliche Gewalt ein großer
Schritt zu ihrer vollen Unabhängigkeit gethan worden. Während
die kaiserliche Gewalt verfiel, die Reichsgerichte ihre Geltung ver=
loren, war den Landesherren das Mittel gewährt, eine stehende

Militärmacht zu erlangen und damit ihre Selbständigkeit nach
oben und unten zu behaupten. Das Beispiel Frankreichs und
der von dort verbreiteten Staatsmaximen, die Vorgänge in Oesterreich und Preußen drängten immer weiter auf dieser Bahn. Die
Furcht vor dem Kaiser und Reichsgericht war kein Damm mehr
gegen die neue Souveränetät; daß, wie in alter Zeit, etwa die
Unterthanen zur Selbsthülfe greifen würden, war bei der Ermat-
tung nach dem dreißigjährigen Kriege nicht zu fürchten, zumal es
jetzt zureichende Mittel gab, solche Auflehnungen zu bändigen.

Die Erinnerung an die „alte deutsche Freiheit", wie sie durch
den furchtbaren Bürgerkrieg und die fremde Invasion mit allen
ihren sittlichen und materiellen Folgen bei den Unterthanen abge-
schwächt ward, verwischte sich bei den Dynastien noch viel mehr.
Das Gedächtniß daran, was die Landesherren einst gewesen und
was sie ihrem Lande schuldig waren, schwand in dem Maße, als
die französischen Anschauungen des Zeitalters Ludwigs XIV. immer
größeren Eingang fanden. Im achtzehnten Jahrhundert waren
selbst die biedersten Fürsten von altem deutschen Schlage, z. B.
Friedrich Wilhelm I. von Preußen, so antifranzösisch sie sonst dachten, doch von den französischen Staatsmaximen über die fürstliche
Gewalt völlig durchdrungen. Dazu kam die überwiegend soldatische Erziehung, die von Kindheit eingesogene Gewohnheit, Alles
auf militärischem Fuße zu behandeln, die steigende Einbildung von
der angeborenen Würde und das Bestreben, ihr einen glänzenderen
äußeren Ausdruck zu geben — Alles Dinge, die sich mit der alten
beschränkteren Form des Regiments nicht vertrugen und die alten
Rechte und ständischen Befugnisse nur als lästige Fesseln erscheinen ließen. Die Strömung der Zeit kam aber in ganz Europa
dem fürstlichen Souveränetätsgelüste zu Hülfe, sie unterstützte nirgends die Erhaltung der alten ständischen Rechte.

So kam der alte Satz: „der Reichsstand vermöge so viel in
seinem Lande, wie der Kaiser im ganzen Reiche", völlig außer
Geltung; vielmehr ward die Kluft zwischen beiden immer größer,
indem man auf landesherrlicher Seite seine Gerechtsame ebenso
rührig und erfolgreich ausdehnte, als dieselben auf Seiten des Kaisers immer mehr verkürzt wurden.

Der Gegensatz der alten Fürstengewalt zu der neuen spricht
sich auch in der politischen Literatur des achtzehnten Jahrhunderts

bezeichnend genug aus. Es gab eine Schule von Publicisten —
die „Ober= und Kerzenmeister der Souveränetätsmacherzunft" nennt
sie J. J. Moser*) — welche die officiellen Ansichten von der Sou=
veränetät der Landesherren in Systeme brachten und als das ächte
deutsche Staatsrecht verkündigten. Gegen sie gilt der Ausspruch
einer gewiß unverdächtigen Autorität, des bairischen Ministers
v. Kreitmayr. „Hätte der Regent, sagt er, ein ganz uneinge=
schränktes und solches Recht, daß er ohne Rücksicht auf das ge=
meine Beste nur selon le bon plaisir handeln und mit der soge=
nannten Machtvollkommenheit überall durchfahren könnte, so
brauchte man sich mit der schweren und weitläufigen Materie de
Regalıbus et juribus majestaticis nicht viel zu schleppen: die ganze
Lehre würde mit vier Worten: sic volo sic jubeo, absolvirt sein."
Ihnen gegenüber erinnerten die Moser und selbst Pütter daran,
daß die Landeshoheit nicht nur nach den Reichsgrundgesetzen und
Landessatzungen der alten Zeit, sondern selbst noch nach ein=
zelnen Bestimmungen des westfälischen Friedens eine eingeschränkte
sei und in Ansehung der Appellationen, Zölle, Steuern, Münzen,
des Reformationsrechts u. s. w. durchaus nicht als souverän gel=
ten könne.

Aber daß der Zustand, wie er war, von diesen älteren Ueber=
lieferungen weit verschieden sei, stellten auch sie nicht in Abrede.
„Die Souveränetätsbegierde, klagt J. J. Moser,**) bemeistert sich
immer mehr der fürstlichen Höfe; man hält Soldaten so viel man
will, man schreibet Steuern aus so viel man will, legt Accis und
andere Imposten auf, kurz man thut, was man will, läßt die
Landstände und Unterthanen, wann es noch gut geht, darüber
schreien oder macht ihnen, wenn sie nicht Alles, was man haben
will, ohne Widerspruch thun, auch die nöthigsten und glimpflich=
sten Vorstellungen zu lauter Verbrechen, Ungehorsam und Re=
bellion."

Allerdings boten die alten Landstände gegen die neue Staats=
gewalt keine Schutzwehr; allenthalben hatten die landesherrlichen
Autoritäten festen Boden gewonnen, sich gewisse feste Abgaben
gesichert, auch wohl neue Steuern, sogar solche, welche den Land=

---

*) Von der Landeshoheit S. 256.
**) A. a. O. 252. 253.

ständen in der Regel am verhaßtesten waren, wie die Consumtionssteuern, erhoben, und obwol es noch immer Rechtens war,
daß dazu die Genehmigung der Landschaft erforderlich sei, so geschah es dennoch auch ohne diese. Entweder waren die alten
Landstände ganz verschwunden und ihre Einberufung ruhte, wie
in den meisten Gebieten der österreichischen und preußischen Staaten, oder sie bestanden noch fort (wie in Kursachsen, Baiern u. s. w.),
aber nur ihre Harmlosigkeit fristete ihnen noch ihr Dasein, oder
sie suchten zwar ihre Gerechtsame nach alter Weise zu behaupten
(wie in Würtemberg, Mecklenburg), allein die seltenen Fälle, wo
ihnen dies gelang, kamen nicht in Anschlag gegenüber den vielen,
wo sich die Excesse der Gewalt durch ihren Widerstand nur steigerten.

Diese letzteren sind es, die vorzugsweise einem freimüthigen
und gewissenhaften Manne der alten Zeit, wie J. J. Moser, so
bittere Klagen abzwingen. Aus eigenen Erfahrungen schildert er
uns,*) wie vergeblich alle Vorstellungen waren, wie die alten
Mißbräuche blieben, man die ständischen Beschwerden verschleppte,
zu den Acten legte und wohl auch auf wiederholtes Anrufen Ver-
weise ertheilte, „daß man den Herrn so oft und zur Unzeit in-
commodire.“ ... „Noch glimpflicher, fügt er hinzu, und dennoch
kein Haar besser ist es, wenn der Landesherr eine Antwort ertheilt,
selbige auch wohl lauter Honig und süße Worte im Munde füh-
ret und doch am Ende auf ein pur lauteres Nichts hinausläuft.
Der in landschaftlichen Sachen Erfahrung hat, kann leicht ein
ganzes Lexicon von solchen Resolutionen, Redensarten, Tou-
ren, Versicherungen, Canzleitrösten, dilatorischen Antworten u. s. w.
zusammentragen; davon man aber hier nur aus dem Grunde ab-
strahiret, damit nicht ein oder der andere Hof, an welchem die
Ausstudirung neuer dergleichen Formeln ein Stück der wichtigsten
Staatsgeschäfte ist, meinen möchte, man habe ihn damit abschildern
wollen.“

Daß dies ständische Wesen so geräuschlos vor dem neuen
Regiment zusammenbrach, lag indessen keineswegs nur an der
Macht und Gewaltthätigkeit dieses letzteren, sondern das ständische

---

*) S. Moser, von der deutschen Reichsstände Landen, deren Landständen
u. s. w. 1769. S. 1311. 1313.

Wesen selber hatte sich überlebt. Indem es nur die Sonderinteressen der Einzelnen und der Körperschaften vertrat, beraubte es sich des populären Rückhalts, auf den sich eben der neue Absolutismus wesentlich mit stützte. Indem es überall die mittelalterlichen Sondergewalten eigensinnig festhalten wollte, widerstrebte es einer Einheit des Regiments, die keineswegs nur eine despotische Laune, sondern eine Wohlthat und Nothwendigkeit für die Gesammtheit war. Die alten Landstände waren es nicht, welche der feudalen Ueberbürdung der Unterthanen, welche der Leibeigenschaft, der nun ganz sinnlos gewordenen Steuerfreiheit zu Leibe gingen, das thaten nur die Fürsten. Dort, wo der neue Absolutismus in seiner gesündesten und uneigennützigsten Gestalt auftrat, gründete er die Einheit der Staatsgewalt, schuf Ordnung, brachte einen gewissen, wenn auch beschränkten Rechtsschutz für Alle zur Geltung, steigerte die Hülfsquellen des Staates, hob den Wohlstand der Bürger und Bauern, weckte in ihnen wieder das Gefühl ihres Werthes, gab dem Staate eine tüchtige militärische Rüstung, förderte die Volkserziehung und die Wissenschaft — Alles Wohlthaten, welche die Fortdauer der alten Zustände den gedrückten Bevölkerungen nimmer gewähren konnte.

Es ist keine Frage, daß dieses neue Regiment mit sehr verschiedenem Glück und Geschick in den einzelnen Theilen Deutschlands gehandhabt ward. An einzelnen Stellen behauptete noch das französische Wesen seinen alten Einfluß; verschwenderische Hofhaltungen, kostspielige Liebhabereien, Maitressenthum und Soldatenspiel saugten noch den Wohlstand der Länder auf, und obwol auch da meistens ein regerer Trieb des Schaffens und Reformirens geweckt war, herrschten doch noch die Versailler Muster im Ganzen vor. In andern Ländern war man geschickter, die Härten und Gewaltthätigkeiten der neuen Regierungsweise nachzuahmen, als deren wohlthätige Wirkungen zu erzielen. Wie verschieden war nicht vom Regiment des großen Königs in Preußen die bunte Wirthschaft, die dicht daneben in Sachsen getrieben ward, wie wichen die Regierungen von Kurpfalz und Hessencassel von dem Muster ab, das Friedrich II. aufstellte, und wie arg trieb es manche der kleineren Regierungen, z. B. die würtembergische, im Vergleich mit dem väterlich milden Regiment, das in Braunschweig, Baden, Weimar geübt ward! Aber unleugbar war es, daß die neue Ansicht der Dinge, die sich in das bekannte Wort: „Alles für das Volk, nichts durch das Volk" faffen ließ, eine ganz andere Generation von Fürsten großgezogen hatte, als sie unter den Eindrücken des „l'état c'est moi" zu Ende des siebzehnten und am Anfang des achtzehnten Jahrhunderts aufgetaucht waren. Es war ein Bewußtsein der Pflicht, ein Gefühl der Würde und segensreichen Bedeutung des fürstlichen Regiments in die regierenden Geschlechter eingedrungen, wie es so lebendig und thatkräftig weder vorher noch nachher vorhanden war. Blieb auch Friedrich unerreicht, so hatte doch das deutsche Fürstenthum seit lange nicht eine solche Reihe würdiger persönlicher Vertreter gehabt, wie damals; an Maria Theresia und, aller seiner Irrthümer ungeachtet, auch an Joseph II., an Carl August von Weimar, Carl Friedrich von Baden, Max Joseph III. von Baiern, Carl Wilhelm Ferdinand von Braunschweig, dann an einzelnen Persönlichkeiten aus der Reihe der geistlichen Fürsten in Cöln-Münster, Mainz, Würzburg-Bamberg läßt sich am besten erkennen, welch eine treffliche Schule aus der neuen Ansicht eines wohlwollenden, humanen und uneigennützigen Fürstenregiments im vorigen Jahrhundert erwachsen war. Wohl waren die herrschenden Maximen nicht frei von Einseitigkeit und doctrinärer Despotie; sie verleiteten gern zum Systematisiren und Experimentiren, aber gleichwol bleibt dieser Abschnitt das rühmlichste Blatt, das die ganze neuere Geschichte des deutschen Fürstenthums aufzuweisen hat. Die Humanität und Dulbung war in das ganze Regiment eingedrungen; überall machte sich eine gesündere und freiere Auffassung der menschlichen Dinge, ein lebendiger Sinn für die Interessen des Volkes und ein Trieb der Thätigkeit und Bewegung geltend, dessen Wirkung selbst in den am meisten erstarrten Gebieten des großen deutschen Landes allmälig fühlbar ward. Es wurde seit Friedrich II. guter Ton an den Höfen, den Aufwand zu beschränken, Wissenschaft und Kunst zu schützen, religiöse Dulbung zu handhaben und die neuen Ansichten vom Volkswohle als die herrschenden Staatsmaximen anzunehmen.

Nicht überall ward dabei die Eigenthümlichkeit deutschen Wesens mit dem richtigen Tacte geschützt; die Klage war gegründet, daß man zu viele Dinge unter eine Regel bringen und lieber der Natur ihren Reichthum benehmen, als das herrschende System ändern wolle. Nicht mit Unrecht klagte Justus Möser, daß man die Staatsverfassung auf einige allgemeine Gesetze zurückbringen wolle; „sie soll, sagt er, *) die unmannigfaltige Schönheit eines französischen Schauspiels annehmen, und sich wenigstens im Prospect, im Grundriß und im Durchschnitt auf einen Bogen Papier vollkommen abzeichnen lassen, damit die Herrn beim Departement mit Hülfe eines kleinen Maßstabs alle Größen und Höhen sofort berechnen können."

Dessenungeachtet ward ein großes Resultat erreicht: die alte Starrheit gerieth in lebendigen Fluß, der Bann eines dumpfen und schwerfälligen Lebens, die schlimmste Erbschaft der Vergangenheit, war gebrochen und eine Fülle von frischen Lebenskräften geweckt, deren Selbstthätigkeit einen neuen Aufschwung des deutschen Volkslebens vorbereitete.

Aber es wurden auch Bedürfnisse eines staatlichen und bürgerlichen Lebens wach, die bisher zum größten Theil geschlummert hatten; sie zu befriedigen waren eine große Menge kleiner Gebiete ihrer Natur nach außer Stande. Die zahlreichen geistlichen Territorien, die kleinen Grafschaften, die ritterschaftlichen Gebiete, die Reichsstädte waren seit geraumer Zeit ebenso wenig wie die Reichsverfassung dazu angethan, den staatlichen und gesellschaftlichen Forderungen des Jahrhunderts zu genügen. Je stärker diese Forderungen sich der Gemüther bemächtigten, um so mehr mußte die ganze Existenz jener winzigen Staatengruppen als eine Anomalie erscheinen. Ihr innerer Zustand war zum Theil nicht schlimmer, als in den vorangegangenen Zeiten, aber es war ein Umschwung in der politischen Gesellschaft eingetreten, dessen ganze Ungunst auf sie fallen mußte.

Wir wollen versuchen, die Lage dieser kleineren Territorien zu veranschaulichen.

Die geistlichen Staaten waren eine Eigenthümlichkeit des h. römischen Reiches; ihre Häupter repräsentirten noch die mittelalterliche Vermischung deutschen Staatswesens mit der römischen Kirche. Drei geistliche Kurfürstenthümer, ein Erzbisthum (Salz-

---

*) J. Mösers Werke, herausg. von Abeken. II. 21. 26.

burg), eine Reihe theils altangesehener, theils noch immer durch
Reichthum und Umfang hervorragender Hochstifter, wie Würzburg,
Bamberg, Münster, Osnabrück, Paderborn, Hildesheim, Lüttich,
Worms, Speyer, Straßburg, Basel, Constanz, Augsburg, Fulda,
Freisingen, Regensburg, Passau, Eichstädt, dann eine ansehnliche
Reihe von reichsunmittelbaren Abteien und endlich die beiden Or=
den der Johanniter und der Deutschherren — das waren die im=
mer noch nicht unbeträchtlichen Ueberreste des geistlichen Staaten=
thums, welche die Reformation überbaurt hatten. Aber die alte
Bedeutung war auch für diese verloren gegangen, seit die katho=
lische Einheit der abendländischen Welt durchbrochen und die ganze
politisch=kirchliche Gliederung des Mittelalters erschüttert war. Die
Zeit war längst vorüber, wo, gegenüber der streng aristokratischen
Ordnung mittelalterlicher Stände, die kirchlichen Stifter die einzige
Zuflucht waren für den begabten aber unbemittelten Theil der un=
tern Volksclassen, wo Talente ohne Stammbaum und ohne Ver=
mögen durch die kirchliche Laufbahn allein zu einer hohen gesell=
schaftlichen Stellung gelangen, ja, wie Peter Aichspalter, zu Für=
sten und Kurfürsten des h. Reichs, zu leitenden Rathgebern der
Kaiser und Herren der Welt sich emporschwingen konnten. Diese
demokratische und volksthümliche Bedeutung hatten die kirchlichen
Stifter ebenso verloren, wie sie die apostolische Einfachheit des
Hirtenamtes früherer Jahrhunderte abgelegt hatten. Sie waren
Fürstenthümer geworden, Fürstenthümer mit den meisten Schat=
tenseiten weltlicher Staaten, ohne doch ihrer Natur und ihrem
Umfange nach die Vorzüge dieser letzteren sich aneignen zu können.

So wie sich die geistlichen Staaten, namentlich die Bisthü=
mer und Kurfürstenthümer, im achtzehnten Jahrhundert gestaltet
hatten, mußte ihr Verhältniß zum großen Ganzen nothwendig ein
schiefes und viel angefochtenes sein. Sie hatten von dem popu=
lären Rückhalte der alten Zeit einen guten Theil verloren und
waren nur noch mit dem Interesse eines Standes im Reiche in=
nig und unmittelbar verflochten. Sie waren vorzugsweise eine
Zufluchtsstätte, die den deutschen Adel versorgte; die Domcapitel
namentlich erschienen wie große, opulente Pfründnerhäuser für die
jüngeren Söhne der adeligen Familien. Es galt für eine ange=
nommene Sache, daß ein herabgekommenes Herrenhaus, wenn es
auch nur nach mehreren Generationen einmal dazu kam, eine

Domherrenstelle oder gar einen geistlichen Fürstenhut zu erlangen, dadurch in den Stand gesetzt ward, seinen unvermeidlichen ökonomischen Verfall wenigstens auf eine Zeitlang noch abzuhalten. Was hier von Einzelnen galt, das konnte man mit Fug und Recht vom reichsunmittelbaren Adel im Ganzen behaupten. So lange die Kirchenstifter dazu verwandt wurden, die jüngeren Söhne der verarmten Freiherrn und Grafen zu unterhalten, so lange fristete der Reichsadel überhaupt noch seine Existenz; umgekehrt mußte die Auflösung und Säcularisirung der geistlichen Stifter den Ruin des Adels als unmittelbarste Folge nach sich ziehen.

Was aber die geistlichen Staaten dem Adel so schätzbar machte, das trug gerade nicht dazu bei, sie in den Augen der Anderen als unentbehrlich erscheinen zu lassen. Man hielt es für ein arges Vorrecht, welches der jüngere Adel auf diese Weise genoß: ohne Arbeit und Verdienst einem bequemen, oft verschwenderischen Müßiggange zu leben. Man wollte nicht einsehen, warum gerade dieser Adel, der allerdings nur selten respectable Proben von hervorragender Tüchtigkeit an Geist und Sitte lieferte, ein solches Privilegium behielt; man spottete über die bald rohe und ungeschlachte Art der Junker im geistlichen Gewand, bald über ihre französirte, weltmännisch-frivole Sitte und Art, zu welcher der geistliche Beruf in seltsamem Gegensatze stand.

Wie es immer ein Nachtheil für ein politisches Institut ist, wenn es nur einem einzelnen Bruchtheile der Gesellschaft dient, so haben auch die geistlichen Staaten des alten Reiches immer mehr die Last dieser Ungunst empfinden müssen. Ihr Verhältniß wäre z. B. ein ganz anderes gewesen, wenn sie, nachdem die mittelalterliche Bedeutung einmal verloren war, es wenigstens verstanden hätten, durch hervorragende Talente aus dem Volke die alternden Corporationen zu verjüngen. Statt die peinlichen Ahnenproben anzustellen, wäre es den Domcapiteln viel förderlicher geworden, wenn sie einen frischen Zusatz demokratischen Blutes sich beigelegt hätten. Talente ohne Ahnen konnten ihnen nur nützlich sein, während der Ruf, adelige Versorgungsanstalten zu sein, auf die ganze Auffassung und populäre Beurtheilung der alten Institute nicht anders als nachtheilig einzuwirken vermochte.

Der bedeutungsvollste Körper dieser geistlichen Fürstenthümer war eben das Domcapitel; es stand dem geistlichen Fürsten selber

wie ein Senat zur Seite. Aus der Wahl der Domherren ging
das Oberhaupt selbst hervor und sie hatten natürlich nicht ver=
säumt, dies Recht in ihrem eigenen Interesse auszubeuten. Das
Domcapitel hatte seine Besitzthümer, seinen Antheil an den Regie=
rungsrechten, eine gewisse controlirende Macht gegenüber dem geist=
lichen Landesherrn selber, und wie im Großen die Fürsten gegen=
über dem Kaiser jede neue Wahl zur Erlangung neuer Concessio=
nen in der Wahlcapitulation benutzten, so ähnlich im Kleinen die
Mitglieder des Capitels gegenüber dem erwählten Oberhaupt. An
sich schon hatte eine Körperschaft, die sich selber ergänzte und da=
durch eine ununterbrochene Stetigkeit bewahrte, eine natürliche Be=
deutung, die den geistlichen Fürsten in engen Schranken hielt.

So war denn aus den geistlichen Staaten fast allein der
straffe fürstliche Absolutismus ferngehalten worden; die Herren vom
Domcapitel bildeten ein Gegengewicht gegen die monarchische Auto=
rität, das viel mehr bedeutete, als die hie und da noch vegetiren=
den landständischen Körperschaften. Aber man würde sich gleich=
wol irren, wenn man daraus auf eine besonders gedeihliche Ent=
wicklung der Freiheit oder eines festen Rechtszustandes schließen
wollte. Die Capitel rekrutirten sich aus einer Anzahl adeliger
Familien, zum Theil solchen, die dem Lande wie seinen Interessen
fremd und fern waren. Was also hinter ihnen stand, war nicht
etwa die gewichtige und zahlreiche Aristokratie des Landes, sondern
eine Coterie von Familien, die in der Regel an dem Stift kein
anderes Interesse hatte, als es für ihre Angehörigen auszubeuten.
Das Streben des Capitels ging darum auch viel seltener darauf
aus, den Vortheil des Landes und des Stiftes, als den eigenen, zu
verfolgen; sein Gegensatz zum Landesherrn drehte sich in der Re=
gel um Conflicte, die solchen Interessen entsprangen, und nur all=
zuhäufig haben die gewöhnlichen Streitigkeiten zwischen Bischof und
Capitel keine andere Wurzel als die beiderseitige Rivalität, sich die
Einkünfte des Stiftes nach Kräften nutzbar zu machen. Ein tüchti=
ger und rühriger Fürst fand bei seinem Bestreben nach Reformen
und Erleichterungen am Domcapitel nicht selten den zähesten Wi=
derstand; ein eigensüchtiger gerieth mit ihm in Hader über die
beiderseitigen Vorrechte und Vortheile.*) Für das Erstere können

---

*) S. darüber Perthes, deutsches Staatsleben S. 107 ff.

die ehrwürdigsten geistlichen Fürsten des vorigen Jahrhunderts, z. B.
Franz Ludwig von Erthal, als Beispiel dienen; das Andere läßt
sich durch zahlreiche Streitigkeiten und Proceſſe zum Theil ſehr är-
gerlicher Art belegen.

Es leuchtet ein, welches der eigentliche wunde Fleck dieſer
geiſtlichen Staaten war. Sie litten nicht unter dem Drucke der
Abgaben, womit der hohe Militärſtand die Bevölkerungen der weltlichen Gebiete heimſuchte; der Militäretat in den geiſtlichen Landen war in der Regel unbedeutend. Sie hatten keine Maitreſſen-
regierungen, denn obwol die Sitten der geiſtlichen Herren oft welt-
lich genug waren, iſt doch auch kaum im ganzen achtzehnten Jahrhundert ein geiſtlicher Staat zu finden, wo die Staatsregierung ſo
herabgewürdigt war, wie es in Sachſen unter Auguſt dem Starken, in Würtemberg unter Eberhard Ludwig, in Pfalz-Zweibrücken
unter Herzog Carl der Fall war — anderer Beiſpiele nicht zu gedenken. Aber die Regierung des geiſtlichen Gebietes war häufig
außer innerer Verbindung mit dem bleibenden Intereſſe des Landes; der Fürſt war zu ſehr verſucht, nur für ſich zu ſorgen, das
Domcapitel zu ſehr darauf angewieſen, eben nur den Vortheil
der intereſſirten Familien wahrzunehmen. Was es hieß, einem
Fürſten preisgegeben zu ſein, der ohne jede innere Verknüpfung
das Land nur als brauchbares Mittel für außerhalb liegende Zwecke
betrachtete, das hat z. B. im Anfang des achtzehnten Jahrhunderts das Treiben des Kurfürſten Joſeph Clemens in Cöln zum
bitteren Nachtheil des Landes und Stiftes bewieſen. Was eine
geiſtliche Ariſtokratie, die im Lande nicht geboren und anſäſſig, oft
auch nicht einmal da wohnhaft war, ſondern nur deſſen Einkünfte
zog, dem Gedeihen des Landes ſelber zutrug, dafür waren die Be-
lege allerwärts zu finden. Hier drängte nicht, wie in den weltlichen Staaten, die Sorge um Dynaſtie und Nachkommenſchaft
darauf hin, auf eine ſorgfältige Hut der Hülfsquellen des Landes
zu denken, die Laſten des Volkes zu erleichtern, den Druck der Ariſtokratie und Feudalität zu mildern, die Kräfte des Bürgers und Bauers
zu heben, einen geordneten und ſparſamen Haushalt herzuſtellen —
dazu fühlte man ſich aus naheliegenden Gründen in den geiſtlichen
Staaten am wenigſten gedrungen. Vielmehr war die Erhaltung der
ariſtokratiſchen Mißbräuche, das Verharren im alten Wuſte hier durch
die Zuſammenſetzung der herrſchenden Klaſſe von ſelber begünſtigt.

Es hing dies zum Theil schon mit dem Wesen der Wahlstaaten selber zusammen. Wohl traten die großen politischen Nachtheile, von denen die Wahlstaaten von größerem Umfange heimgesucht wurden, hier in geringerem Maße ein, aber es blieben
deren immer noch genug übrig, um das Gedeihen des Ganzen
zu hemmen. Es war schon seit dem Ende des siebzehnten Jahrhunderts Brauch geworden, jüngere Prinzen aus mächtigen deutschen Fürstenhäusern zu einzelnen Kurwürden zu erheben und den
Glanz ihrer Stellung dadurch zu steigern, daß man eine Reihe
solcher Stifter auf einen Einzigen zusammenhäufte. Das war
z. B. dem baierischen Fürstenstamme mit dem Kurfürstenthume
Cöln lange Zeit gelungen, und einer aus dem Hause, Clemens
August, war nicht nur Erzbischof von Cöln (1724—1761), sondern zugleich Fürstbischof von Münster, Osnabrück, Paderborn
und Hildesheim, auch Hoch- und Deutschmeister. Es gab das
den Stiftern eine äußerlich glänzende Stellung, aber meistens um
einen hohen Preis. In der Regel waren die Lasten, die solch ein
hochgeborner Fürst dem Bisthum auferlegte, größer, sein Interesse
für das Wohlergehen des ihm untergebenen Landes geringer. Er
war mit den dynastischen Interessen seines Hauses verflochten,
wurde durch sie in Allianzen und Kriege verwickelt, deren Last das
Land tragen mußte, vernachlässigte dann wohl die Verwaltung
des Landes, in dem er sich selber wie ein Fremdling erschien, und
suchte, gestützt auf seine mächtige Verwandtschaft und Verbindungen, die etwa noch bestehenden ständischen Schranken gewaltsam wegzuräumen. Die Regierung des Kurfürsten Joseph Clemens war in dieser Hinsicht ein warnendes Exempel gewesen. Die
Wiederkehr ähnlicher Zeiten abzuwenden, tauchte noch gegen Ende
des vorigen Jahrhunderts in einem Hochstifte der Vorschlag auf*),
durch ein förmliches Statut sich darüber zu vereinigen, daß nie ein
Oberhaupt aus den größeren Fürstenhäusern, sondern stets aus
dem alten deutschen Adel gewählt werden solle. Aber die Erfahrung zeigte, daß auch der Adel zum Theil dem Stifte fremd war,
zahlreiche Pfründen auf einem Haupte zu vereinigen suchte und
den Ertrag dieser Pfründen bald da bald dort verzehrte. Unter
allen Umständen wurde jedoch durch dieses Verhältniß die Wahl

---

*) Dohm, Denkwürdigk. I. 364.

selber der Spielraum für auswärtige Intriguen. Ward z. B. in einem der bedeutendern Stifter ein Prinz aus einem der größeren Fürstenhäuser als Candidat genannt, so waren natürlich alle widerstreitenden dynastischen und politischen Interessen herausgefordert, dagegen zu agiren; selbst protestantische Mächte, wie Preußen, mischten sich dann auf's angelegentlichste in die Wahl eines Erzstiftes, wenn etwa die Ernennung eines österreichischen Prinzen bevorstand.

Es ist einleuchtend, daß bei solchen von außen hereinwirkenden Interessen der Vortheil des Landes nur eine untergeordnete Rolle einnahm. Hatte doch der Gewählte in der Regel die unterlegene Minderheit zu Gegnern, vielleicht zu Nachfolgern; wie unsicher war Alles, was er von selbständigen Werken begann! Nur selten traf es sich, daß die gewählten Regierungen eine lange Zeit ausfüllten;*) in der Regel war den geistlichen Regenten eine kurze Frist gegönnt, die ihnen kaum Zeit ließ, rasch und flüchtig aufzubauen, was die nächstfolgende Regierung meistens wieder zusammenriß. Denn die neue Regierung stand häufig im vollsten Gegensatze zur vorangegangenen und begann darum mit der ungeduldigen Zerstörung der Werke des Vorgängers. Welch ergiebiges Feld für die geistliche Neigung zur Intrigue, aber auch welch ein Zustand allgemeiner Unsicherheit, wenn gleichsam jede Regierung nur wie eine Uebergangszeit erschien und von der Ungeduld der lauernden und hoffenden Erben bereits umringt war!

Unter solchen Umständen war es das Natürlichste, daß bei den meisten geistlichen Regierungen der Reformeifer nicht allzu groß war; man war sich der Unsicherheit zu sehr bewußt. Es schien räthlicher, so lange die Gewalt dauerte, den Ertrag des Staates auszubeuten und zu genießen, als politische Neugestaltungen zu unternehmen, deren Dauer doch nur ephemer war. Die geistlichen Staaten waren deßhalb diejenigen, welche sich der neuen Staatsansicht, wie sie sonst das Jahrhundert fast allerwärts zur Geltung brachte, am längsten verschlossen. Hier war am wenigsten

---

*) Im Stift Würzburg z. B. sind vom Anfang des achtzehnten Jahrhunderts bis zum letzten Fürstbischof neun verschiedene Regenten aufzuzählen, in Bamberg in derselben Zeit sieben. Von den Erzstiftern hatten Kurmainz und Kurtrier im Laufe des Jahrhunderts jedes sechs verschiedene Regenten.

geschehen, die Ungleichheiten der Feudalität zu mildern; hier stand,
zum Theil noch in scharfem Gegensatze, einem verschwenderischen
und schwelgenden Stiftsadel und einem sorglosen Beamtenthum
ein gedrückter Bauernstand und ein Bürgerthum ohne Nerv und
Aufschwung gegenüber. Hier war noch am wenigsten gethan worden, eine wohlgeordnete Verwaltung, eine rasche und unbesto-
chene Justiz herzustellen, die Kräfte des Landes und Volkes zur
Selbstthätigkeit anzuspornen. Drum hatte auch die Bevölkerung
in den geistlichen Landen eine ganz andere Physiognomie als in
den besser regierten weltlichen Gebieten. Man genoß sorglos den
reichen Ertrag, den die üppige Natur der geistlichen Territorien
ohne besondere Opfer und Arbeit gab; es war hier nicht der
menschliche Fleiß, der die Natur bezwang, sondern die Verschwendung der Natur nährte die träge Sorglosigkeit. Die Fesseln wegzunehmen, die auf der Arbeit lasteten, und die Arbeitskräfte zur
höchsten Thätigkeit anzuregen, widersprach der geistlichen Politik
durchaus; man gewöhnte das Volk vom Vorhandenen zu zehren,
aber auch in den hergebrachten Geleisen zu verharren. Das Beispiel der zahlreichen Geistlichen und Mönche, die müßig gingen,
war zudem nicht ermuthigend für den Fleiß des Volkes; es verstand sich in geistlichen Landen von selbst, daß eine große Zahl
Menschen theils durch Stellen und Sinecuren, theils durch Wohlthätigkeitsanstalten und Almosen unterhalten ward, und die menschliche Trägheit gewöhnte sich leicht an den Gedanken, daß dies in
der Ordnung sei. Elend und äußerste Noth trat darum in den
geistlichen Landen selten ein, davor schützte der Reichthum der Natur selbst, aber Armuth war genug vorhanden, und was schlimmer war, es fehlte auch jener aufstrebende Wohlstand und jenes
Ehrgefühl der Arbeit, wie es in Gebieten von viel kargerer Begabung heimisch war. Die geistlichen Lande waren dafür das Pa-
radies geistlich-contemplativen Müßigganges und hochadeligen
Nichtsthuns, die rechte Heimathsstätte der Protection, der Sinecuren, der Vetterschaften und des großen und kleinen Bettels. Namentlich das Beispiel der mönchischen Trägheit mußte von unwi-
derstehlicher Macht sein; denn es schützte dagegen weder die angeborne Art eines rührigen und begabten Volksstammes, noch die
Ueberlieferung früheren Glanzes, der durch Arbeit erworben war.
Die regsten deutschen Volksstämme, z. B. der fränkische Schlag,

die blühendsten Reichsstädte alter Zeit erlagen dem übeln Vorbilde und waren nur ein Schatten von dem, was sie ehemals gewesen.

Daß dies sich so erhalten konnte, ward durch andere Umstände begünstigt. Die geistlichen Gebiete hielten sich lange möglichst abgesperrt von der Berührung mit andern Einflüssen; ein sicherer Instinct leitete sie z. B., auch das kleinste Eindringen protestantischer Elemente nach Kräften abzuwehren und dabei die alte mönchische Art des Schulunterrichts zu erhalten. Oder während man in den größeren weltlichen Territorien aus Staatsraison tolerant geworden war, kam es in einem geistlichen Erzstifte noch im achtzehnten Jahrhundert vor, daß man die paar protestantischen Gemeinden mit grausamer Härte ins Elend stieß; und während man dort Flüchtige aufnahm, neue Zweige der Industrie und des Handwerkes mit Opfern hereinzog, war man in den geistlichen Territorien bis zur Mitte des achtzehnten Jahrhunderts eifrig darauf bedacht, sich diese gefährlichen Elemente fern zu halten. Indeß man anderwärts bemüht war, alle vorhandenen Hülfsquellen in Umlauf zu setzen, Ackerbau, Industrie und Handel dadurch zu heben, wurden hier die reichen Einkünfte des Landes in Ueppigkeit — zum Theil außerhalb des Landes selbst — genossen und blieben der Arbeit der Bevölkerung entzogen. Bei dieser Staatskunst gelangte man freilich nicht dazu, in sandigen und versumpften Gegenden allmälig eine fleißige und wohlhabende Bevölkerung großzuziehen, wohl aber rechnete man auf tausend Menschen, die in geistlichen Landen die Quadratmeile bewohnten, 50 Geistliche und 260 Bettler! *)

Wir begreifen die Klage derer, welche sich nicht darüber trösten wollen, daß diese „gute alte Zeit" entschwunden ist. Allerdings war der Hofhalt und das Leben der herrschenden Classe nirgends üppiger als an den geistlichen Höfen, der Reichsadel niemals bequemer versorgt als in diesen Stiftern, aber gewiß auch das Wesen dieser geistlichen Staaten zu keiner Zeit dem nationalen wie dem kirchlichen Zwecke ihrer Gründung fremder geworden, als damals. Die Ueberzeugung, daß dem so sei, hatte sich der Zeitgenossen viel zu lebhaft bemächtigt, als daß diese geistlichen Gebiete die nächste politische Erschütterung hätten überdauern können.

---

*) Angabe bei Perthes S. 116.

In der zweiten Hälfte des vorigen Jahrhunderts schien das Bewußtsein davon auch über die geistlichen Fürsten selber zu kommen. Denn es bricht sich allmälig auch in den Stiftern die neue Politik Bahn; man fängt an im Stile der Zeit zu reformiren, ein thätiges und tolerantes Regiment verdrängt vielfach das alte Wesen, und jener aufgeklärte Absolutismus des Zeitalters, der die Mehrzahl der größeren weltlichen Territorien ergriff, drang auch in die geistlichen Gebiete ein. Seit langer Zeit hatte man so achtungswerthe und tüchtige geistliche Fürsten nicht gesehen, wie gerade in den letzten Jahrzehnten vor der französischen Revolution; aber sie konnten die Gefahr nicht beschwören, welche ihre Staaten bedrohte. Ihre Reformen kamen zu spät, um eine friedliche Umgestaltung vorzubereiten, sie kamen aber noch früh genug, um die alten Ordnungen vollends zu zerrütten und die gefürchtete Krisis zu beschleunigen.

In den Stiftern am Niederrhein und in Westfalen machte sich diese neue Richtung zum Theil mit besonderer Rührigkeit geltend. In Kurcöln zwar hatte sich bis über die Mitte des Jahrhunderts das alte Wesen in seinem vollen Glanze behauptet. Jener baierische Prinz Clemens August (1724—1761), der mit der cölner Kurwürde die sämmtlichen westfälischen Stifter vereinigte, war noch ein ächter Repräsentant des alten, stolzen Kirchenfürstenthums. Hier bestand noch eine vornehme und glänzende Hofhaltung, ein bis zur Verschwendung freigebiges Regiment, dessen Härten und Druck übrigens die milde, wohlwollende Persönlichkeit des Kurfürsten vielfach milberte; hier entstanden Schlösser und Prachtbauten, hier wurde die Kunst in königlicher Weise unterstützt, hier warb mit freigebiger Hand Allen gegeben, so lange die Mittel zureichten.*) Doch wandte sich der freigebige Sinn des Fürsten auch unmittelbar nützlichen Zwecken zu; die Straßen im Lande wurden verbessert, den ärmeren Classen Beschäftigung gegeben, dem Schulwesen eine größere Sorge als bisher gewidmet. Kein Wunder indessen, wenn der Nachfolger Max Friedrich (1761—1784), aus dem Geschlechte der Königsegg-Rothenfels, bei beschränkteren Mitteln su-

---

*) S. v. Mering, Geschichte der Burgen, Rittergüter u. s. w. in den Rheinlanden. 6. Heft. 1842. Desselben, Clemens August, Herzog von Baiern, Kurfürst und Erzbischof zu Cöln. Cöln 1851.

chen mußte, die vornehme Wirthschaft des Vorgängers vielfach zu beschränken, und wenn er denn dadurch das Mißvergnügen aller Derer herausforderte, denen ein geistliches Regiment, wie es Clemens August geführt, als das rechte Ideal kurfürstlicher Verwaltung erschien. Unter ihm sind denn auch schon die Anfänge einer Politik zu spüren, in denen sich die Rückwirkung von Friedrichs und Josephs Zeit erkennen läßt. Es werden Gelehrtenschulen errichtet, eine Akademie gegründet, das Volksschulwesen gefördert und — was am übelsten vermerkt ward von den Anhängern des Alten — ein Beitrag dazu von den Klöstern gefordert. Der Kurfürst suchte die Rechtspflege zu verbessern, verminderte die Ueberzahl der Feiertage und in dem Erziehungswesen des Clerus wurden die ersten Veränderungen vorgenommen. Diese josephinischen Anwandlungen erhielten eine natürliche Stütze an dem Nachfolger, dem letzten Kurfürsten Maximilian Franz, dem Bruder Josephs II., der unter den Eindrücken der brüderlichen Politik aufgewachsen und in seinem ganzen Thun von ihr abhängig war.

Viel ausgeprägter machte sich die neue Politik im Stifte Münster geltend, das zwar schon seit Joseph Clemens (1719) in dem Kurfürsten von Cöln zugleich seinen Bischof hatte, aber ungeachtet dieser persönlichen Verbindung unter einer besonderen Verwaltung stand. Münster war das einzige Stift, das die beneidenswerthe Einrichtung sich erhalten, die Mitglieder des Capitels nur aus dem einheimischen Adel zu wählen. Die Nachtheile einer gleichgültigen Fremdenregierung kannte man hier nicht; vielmehr stellte der Domherr Friedrich Wilhelm Franz von Fürstenberg, der seit dem siebenjährigen Kriege dort leitender Minister war, ein edles Beispiel jenes patriotischen Geistes auf, den der rechte und ächte Adel als sein schönstes Vorrecht betrachten sollte. *) Ganz in den Reformideen der Zeit aufgewachsen, aber mehr nach dem Vorbilde Friedrichs als Josephs II., voll warmen Eifers für die Hebung des Landes und doch ohne die ungeduldige Hast und Gewaltthätigkeit der despotisirenden und revolutionären Aufklärer, ist Fürstenberg eine der wohlthuendsten und ehrwürdigsten Persönlichkeiten unter den deutschen Staatsmännern des Jahrhunderts. Während Max Friedrich in Cöln nur schüchtern die neue Bahn betrat, macht

---

*) S. die Mittheilungen Dohms, Denkw. I. 319 ff.

die Regierung, die Fürstenberg in seinem Namen in Münster führte, eine der schönsten Episoden der Geschichte jener Zeiten aus. Das durch den Krieg schwer heimgesuchte Land wird gehoben, die Schuldenlast erleichtert, Ackerbau und Industrie mit wachsamer Fürsorge gefördert, in allen Kreisen des kleinen Staates Leben und Bewegung geweckt, für bessere Schulen und tüchtige Erziehung der Geistlichen gesorgt und in Verwaltung, Rechtspflege und Polizei ein Zustand hergestellt, wie er sonst in keinem dieser kirchlichen Gebiete existirte. Die münsterischen Gesetze z. B. über das Medicinalwesen galten nach dem Urtheile der Kenner für die besten in Europa.*) Die Verordnung über die Verbesserung der Schulen ward von einem Manne wie Dohm gerühmt, „daß sie der gesunden Vernunft ihr Recht herstelle, ohne der ächten Gelehrsamkeit etwas dafür abzuziehen." Fürstenbergs Verordnung von 1778 über die Bildung der Ordensgeistlichen ist in Form und Inhalt eines der schönsten Zeugnisse der ächten Humanität jener Tage; sie mag nicht überall ganz römisch sein, aber sie ist durchaus christlich.

Auch in Kurtrier wie in Cöln lagen die alte und neue Richtung des öffentlichen Lebens mit einander im Kampfe. Nach einer schlichten und altväterischen Regierung Franz Georgs von Schönborn war dort mit dem Kurfürsten Johann Philipp (von Walderndorff) (1756—1768) die prachtlustige und verschwenderische Sitte der Zeit eingezogen.**) Ein glänzender Hofstaat, muntere Gesellschaft, Jagd und Tafelfreuden, ein bisher ungekannter Luxus und eine wachsende Schuld bezeichnen das nachgiebige und freigebige Regiment dieses geistlichen Herrn. Die Nachfolge eines Prinzen, und zwar eines sächsischen Prinzen, Clemens Wenceslaus, schien nicht der Weg, in bescheidenere Bahnen einzulenken, und allerdings war der letzte Kurfürst von Trier bemüht, seinen Rang und seine Abstammung auch in der äußeren Haltung geltend zu machen; aber gleichwol stand auch seine Verwaltung unter den mächtigen Eindrücken der Zeit, der sie angehörte. Es hatte dies

---

*) S. die angeführten Actenstücke in den Materialien für die Statistik von Dohm. II. 134 ff.

**) Ueber die Kurfürsten von Trier s. von Stramberg's Rhein. Antiquarius. I. 1. 569 ff. I. 2. 53.

um so mehr Interesse, als Clemens persönlich ganz ein Kind der alten Zeit war. In den Traditionen seines Hauses aufgewachsen, von der vornehmen und feinern künstlerischen Bildung des Dresdner Hofes, dabei aber streng altgläubig und der Aufklärung der Zeit innerlich fremd, von mildem, wohlwollendem Wesen, auch biegsam genug, um sich dem Einflusse der Zeit hinzugeben, so schien Kurfürst Clemens eine rechte Persönlichkeit des Ueberganges aus der alten in die neue Zeit. Die wohlmeinenden Verordnungen, mit denen er begann, hinderten nicht, daß manch grober Mißbrauch fortdauerte, der Handel mit Stellen und Aemtern z. B., ungeachtet des Verbotes, in ärgerlichster Weise gehandhabt, die Erkaufung der unbequemen ständischen Abgeordneten mit einer gewissen Naivetät betrieben ward. Mit der Vollziehung des Befohlenen nahm man es gerade in den geistlichen Staaten nicht allzustreng; ist es doch einer der bezeichnendsten Züge geistlichen Regiments, daß Clemens eine eigene Verordnung erließ, wonach Verordnungen auch genau gehalten werden mußten! Gleichwol wird auch dieser Fürst, dessen vornehme Verwandtschaften, dessen feinere Genüsse, dessen Bauten und Hoffeste eher an einen königlichen als an einen geistlichen Haushalt erinnern, von der Bewegung der Zeit wie unwillkürlich mit fortgerissen, legt große Straßen an, sucht die Industrie und Arbeitskraft des Landes zu heben, gibt sogar die alte confessionelle Ausschließlichkeit der Trierschen Politik auf und läßt Protestanten ins Land, wie das Toleranzedict (1783) mit schätzenswerther Aufrichtigkeit sagt, „weil eines Theils durch die Entfernung alles Scheines des Verfolgungsgeistes unsere heilige Religion verehrungswürdiger gemacht werde, andern Theils aber durch die Niederlassung reicher Handelsleute und Fabrikanten das inländische Commercium befördert, der müßige Bettler beschäftigt und fremder Reichthum in das Vaterland gebracht werden möchte." So weitab Clemens Wenceslaus von den Ideen und Handlungen Josephs II. steht, dient er doch durch den Beitritt zum Emser Congresse der Politik des Kaisers, versucht Reformen im Unterrichtswesen, läßt sogar noch 1789 die Aebte der Klöster zusammentreten, um sie über deren Umgestaltung zu berathen — bis die Ereignisse, die gleichzeitig im Westen erfolgten, hier wie anderwärts auf diese flüchtigen Reformanwandlungen einen sehr fühlbaren Rückschlag üben.

Aber die milde und nachgiebige Regierung des Kurfürsten

9 *

hinderte nicht, daß auch hier dieselben Ursachen des Verfalles wirkten, die überall die Existenz der geistlichen Staaten untergruben; dies wird selbst von Zeugen eingeräumt, die ihrer ganzen Anschauung nach zu den warmen Verehrern der „guten alten Zeit" zu zählen sind. „Dem tiefen Verfalle der höhern Geistlichkeit — sagt einer von ihnen*), fast noch ein Zeitgenosse — dem Verfalle, der Trägheit der höheren Stände im Allgemeinen vermochte der Kurfürst nicht abzuhelfen; es versanken seiner Gewalt morsche Stützen; nicht gerade eine Veränderung wünschten die Massen, aber das Bestehende war ihnen verletzend, mitunter verächtlich geworden, alles Alte in Ungunst gerathen. Unbestimmtes Sehnen nach einem unbekannten Neuen hatte bereits das Innerste des Familienlebens sogar ergriffen, das Band der Verehrung, wodurch noch vor kurzen Jahren die Jugend dem reifen Alter, der Unterthan dem Herrscher verbunden, gelockert; keine Hausfrau wollte mehr altes Geräthe dulden, die kostbarsten Kunstgegenstände sind in Kirchen nicht allein der Verschönerungs- und Verbesserungswuth zum Opfer gefallen. Die Wehen einer neuen Zeit ließen nicht lange sich erwarten."

Auch Kurmainz hatte im achtzehnten Jahrhundert einen Fürsten aufzuweisen, der sich den Besten der Zeit würdig anreihte. Der Kurstaat war vom siebenjährigen Kriege schwer heimgesucht, mit Lasten und Schulden überbürdet, als 1763 Emmerich Joseph, aus dem Geschlechte der Breidbach-Bürresheim, zum Kurfürsten gewählt wurde. Kein großer schöpferischer Geist, aber ein edler, einsichtsvoller Mann, den die Tugenden des reinsten Wohlwollens und unbegränzter Herzensgüte schmückten, freigebig ohne Verschwendung, ein frommer Bischof und zugleich ein rühriger, wachsamer Regent, so hat Emmerich Joseph eilf gesegnete Jahre über den rheinischen Kurstaat gewaltet. Das Wort, das er seinem Minister Großschlag bei der Einführung in sein Amt aussprach: „Das Wohl der Völker ist die erste Regentenpflicht" ist durch alle seine Handlungen im Leben bestätigt, mochte es gelten die alten Wunden zu heilen, die Folgen unerwarteter Schläge, wie des Hungerjahres von 1771, abzuwenden oder durch Eifer und Fürsorge die Grundlagen künftigen Glückes zu legen. Die Verwaltung

---

*) v. Stramberg im Rhein. Antiquarius I. 2. 59.

Emmerich Josephs war eine der besten der ganzen Zeit; weder vorher noch nachher hatte Kurmainz so tüchtige Beamte, eine so gute Rechtspflege und einen so wohlgeordneten Staatshaushalt wie unter ihm; und doch galt es, die Nachwehen eines furchtbaren Krieges und eines argen Hungerjahres in dem kurzen Zeitraume von 11 Jahren zu verwischen. Es wurden neue Straßen angelegt, manche Fessel, die auf den Handel drückte, weggenommen, und wo es im Einzelnen zu helfen und zu erleichtern galt, war der Kurfürst allezeit bereit; es ward ihm viel schwerer, auch dem verschuldeten Unglück eine Bitte abzuschlagen, als dem unverschuldeten beizustehen. Auch Emmerich Joseph, wie Clemens Wenceslaus von Trier, war von den humanen und milden Ansichten des Zeitalters beherrscht, ohne in Glaubenssachen die Aufklärermeinungen zu theilen; gleichwol gab auch er dem Bedürfnisse nach, in das bestehende Kirchenthum reformirend einzugreifen, im Klosterwesen Veränderungen vorzunehmen, für eine wissenschaftliche Bildung des Clerus Sorge zu tragen und dem Schulwesen eine Theilnahme zu schenken, die, zumal in geistlichen Staaten, bis dahin sehr selten gewesen war.*) Tolerant gegen Andersgläubige, hatte der treffliche Kurfürst doch überall noch ein lebendiges Bewußtsein von dem geistlichen Berufe, den ihm seine Stellung zur Kirche anwies.

Dies sprach sich am deutlichsten in den Decreten aus, worin er reformirend in die Kirchenverhältnisse eingriff, namentlich in der schönen Verordnung von 1771, welche die Verbesserung der Klöster betraf.**) Emmerich Joseph ging davon aus, daß eben die wachsenden Angriffe auf die Religion und ihre Gebräuche dazu ermuntern müßten, „alle Unordnungen mit doppeltem Eifer zu ersticken und den Mißbräuchen bei Zeiten zuvorzukommen." Auch hielt ihn seine geistliche Stellung nicht ab, in einer denkwürdigen Verordnung dem übermäßigen Anhäufen des Landesvermögens in todter Hand entgegenzutreten, damit dem „bürgerlichen Nahrungsstande" kein Abbruch geschähe.

Ein solcher Fürst, der bis zum letzten Athemzuge dem Wohle

---

*) S. die Mittheilungen im Rhein. Antiquarius. I. 2. S. 201 ff.

**) Die im Folgenden angeführten Urkunden sind abgedruckt in Dohm's Materialien für die Statistik. II. 181 ff. 224 ff. 239 ff.

des Landes gelebt, der einen großen Theil seines Vermögens den
Armen und Wohlthätigkeitsanstalten vermacht, der noch in seinem
Testamente um die Bezahlung der Kriegsschulden und um die
Förderung des Schul= und Kirchenwesens Sorge getragen, ein
solcher Fürst hätte in jedem andern Staate auf eine lange Zeit
hinaus segensreich einwirken müssen. Daß dies nicht der Fall war,
davon trug theils die Kürze seiner Regierung die Schuld, die er
erst sechsundfünfzigjährig antrat, theils die allgemeine Beschaffen=
heit geistlicher Staaten. In diesem Erzstift, das man damals sammt
dem Eichsfeld und Erfurt auf kaum 320,000 Einwohner an=
schlug, gab es 2928 Personen geistlichen Standes und — die
Soldaten, Officiere und Schullehrer nicht mitgerechnet — außer=
dem noch gegen 2200 Beamte. Ungefähr 5100 Personen bedie=
nen, wie Dohm sich ausdrückt[*], mit Rechtssprechen und Geld=
eincassiren, Lehren und Beschützen, mit Tragen grauer, schwarzer
und weißer Röcke, mit Abscheerung ihres Hauptes oder Anhängen
eines Schlüssels an ihren Rock, die 318,000 Einwohner des
Staates, deren 62ster Mensch ein Besoldeter, deren 106ter ein
Geistlicher war. Mit Recht rühmte man an Emmerich Joseph,
daß er viele überflüssige Stellen beseitigt, daß er wachsam dem
Mißbrauche gesteuert — und gleichwol nehmen unter den Anek=
boten, die seine Milde und Herzensgüte verherrlichen, die Fälle
keine unwichtige Stelle ein, wo er lässigen oder unredlichen Be=
amten das Kassendeficit aus eigenen Mitteln ersetzte.

Auf die Regierung seines Nachfolgers, des Kurfürsten Frie=
drich Carl Joseph, die letzte des Mainzer Kurstaates, werden wir
noch weiter unten zurückkommen, als sie dem Andrange der Re=
volution von Westen als erstes widerstandloses Opfer erliegt.
Hier reihen wir an diese geistlichen Kurfürstenthümer nur noch
zwei der angesehensten fürstbischöflichen Staaten: Würzburg und
Bamberg. Ihre Regierung, damals über beide Stifter gemeinsam,
schließt sich auch am würdigsten an das Beispiel Joseph Emme=
richs an.

Franz Ludwig von Erthal[**], dessen segensreiches Regiment
16 Jahre (1779—1795) die beiden fränkischen Hochstifter leitete,

---

[*] Materialien zur Statistik II. 179.
[**] S. Bernhard's Franz Ludwig von Erthal. Tüb. 1852.

war einer der edelsten Repräsentanten jener humanen und volksfreundlichen Schule von Regenten, die sich an das große Muster
Friedrichs II. anreihte. Diesem hohen Vorbilde ähnlich, hielt er
als leitenden Grundsatz fest: „ich weiß nur zu wohl, daß ich der
erste Bürger und Diener des Staates bin," und betrachtete sich nur
als den „Verwalter, nicht als den Eigenthümer der öffentlichen Gelder." Und diesen Worten entsprachen alle seine Handlungen.
Wachsam gegen die Beamten, ohne Nachsicht gegen die faulen
und talentlosen Inhaber einträglicher Sinecuren, ein Feind des
Jagdunfuges und des beliebten Druckes, den die Privilegirten auf
dem Bauer lasten ließen, unermüdlich, wo es galt, der Erblichkeit
und Käuflichkeit der Stellen, den Unterschleifen und der Corruption entgegenzutreten — so wirkte der treffliche Fürstbischof, nicht
ohne manchen zähen Widerstand der Privilegirten, oft auch zum
unverhohlenen Verdrusse des hohen Adels und Clerus, aber mit
Recht verehrt und gepriesen von den Unterthanen beider Stifter,
die eine thätigere und sorgsamere Regierung noch nicht gesehen
hatten. Die wunden Stellen aller geistlichen Staaten, Verwaltung und Rechtspflege, wurden unter Franz Ludwig trefflich bestellt, in der Finanzverwaltung umsichtige Sorge getragen um
das Wohl des Volkes, das Armenwesen musterhaft geordnet, die
Schulen gehoben, die Universität Würzburg in dem freisinnigen
und duldsamen Geiste gefördert, der das ganze Regiment Franz
Ludwigs durchbrang. Man sperrte sich in den fränkischen Bisthümern nicht ab gegen die neue Strömung nationaler Cultur, die
überwiegend aus protestantischem Geiste erwachsen war, man strebte
vielmehr von ihr Nutzen zu ziehen und fand auch in dem wissenschaftlichen Geiste, den man gepflegt, das beste Gegengewicht gegen die modische und blinde Neuerung, die so leicht da Platz griff,
wo das Alte einmal aus den Fugen gewichen war. So standen
die geistlichen Stifter am Main in dem guten Rufe, eine Universität zu besitzen, die sich den neu aufgeblühten akademischen Anstalten im protestantischen Norden würdig anschloß; die Ansichten
des Fürstbischofs über das Volksschulwesen — das sonst keineswegs die Lichtseite geistlicher Fürstenthümer war — fanden weithin in Deutschland Anerkennung. Hier herrschte keine confessionelle Ausschließlichkeit, Proselytenmacherei war dem verständigen
Sinne Franz Ludwigs fremd, vielmehr lebten die beiden Bekennt-

niffe in erträglicher Duldung neben einander. Drum stand auch
namentlich die Stadt Würzburg in der ganzen Zeit in einem
Rufe, deſſen ſich ſonſt die Biſchofsſitze nicht rühmen konnten; man
pries die Stadt nicht nur wegen ihrer heitern Geſelligkeit, ſondern auch um des aufgeklärten und ungezwungenen Tones, um
des wiſſenſchaftlichen Intereſſes willen, das auch in den geiſtlichen
Kreiſen herrſchte.

So wohlwollend und freiſinnig wie Franz Ludwig, wie Emmerich Joſeph, wie Heinrich VIII. von Fulba*), hatte das geiſtliche Staatenweſen des deutſchen Reiches nicht viele Fürſten auf-
zuweiſen. In anderen Stiftern Süddeutſchlands ſah es zum Theil
noch wirr und bunt genug aus; dort wucherten die Mißbräuche
geiſtlichen Weſens in voller Ueppigkeit, ohne die milden Seiten
eines ſolchen patriarchaliſch-prieſterlichen Regiments. Dort hatte
ſich die alte Verwirrung der Verwaltung, die Sorgloſigkeit des
Haushaltes, die Gunſt des Privilegiums noch in unbeſchränkter
Geltung erhalten; indem man die „Aufklärung" fern hielt, blieb
man auch den materiellen und moraliſchen Verbeſſerungen fremd,
die davon abhingen. Und das ganze Weſen war darum nicht etwa
innerlich tüchtiger, weil man an den alten Formen mit ſtrengerer
Gläubigkeit feſthielt. Klagte man die „Aufklärung" der Zeit vielfach an, daß ſie neben der lichteren und verſtändigeren Denkweiſe
auch franzöſiſchen Sitten und Lebensanſchauungen Raum gebe,
ſo galt dieſer Vorwurf doch auch da, wo man von der Aufklärung der Meinungen und Anſichten ſich frei gehalten hatte. Der
größere Theil des Clerus war verweltlicht und hatte faſt die Erinnerung ſeines Urſprunges verloren, die Ariſtokratie, welche die
Stifter füllte, war in der Mehrzahl von derſelben Frivolität der
Sitten und der Leichtfertigkeit der Denkungsart angeſteckt, wie die
übrige vornehme Geſellſchaft. Schlichter und kernhafter Sinn,
altväteriſche Einfachheit und naive Religioſität war überall ſchwer
zu finden, mochte man in den „aufgeklärten" Regionen danach
ſuchen, oder in den anderen, wo ſich nicht ſelten mit der Bigotterie der alten Zeit die Regierungsmaximen Ludwigs XIV. und die
Hofſitten Ludwigs XV. zu einem unerbaulichen Ganzen verbanden.

---

*) S. über ihn Moſers patriot. Archiv II.

Die bemerkenswertheste Erscheinung ist aber immer die, wie wenig die Vortrefflichkeit der Personen dem inneren Verfall des Institutes vorbeugen konnte. Gewiß war keine Epoche der geistlichen Staaten reicher an ehrenwerthen und eifrigen Regenten und Staatsmännern, als die Zeit Emmerich Josephs, Franz Ludwigs und Fürstenbergs; aber gleichwol waren die geistlichen Staaten die ersten, welche der nächsten allgemeinen Erschütterung erlegen sind. Jene strebsamen Reformregierungen haben diese Krisis eher beschleunigt als aufgehalten. Indem sie die alten Zustände in eine gewisse Bewegung und Gährung brachten und bemüht waren, das Regiment der geistlichen Lande mehr auf den Fuß weltlicher Staaten zu setzen, erschütterten sie die überlieferte Dumpfheit und Passivität, weckten neue Bedürfnisse und förderten nur die allgemeine Einsicht, daß das geistliche Regiment sich überlebt habe. Die Privilegirten, der stiftsfähige Adel namentlich, fühlten sich durch die Reformen vielfach beeinträchtigt, der Bürger und Bauer nicht völlig befriedigt. Vielmehr ward dieser erst jetzt recht inne, an welch unheilbaren Mängeln das geistliche Staatenthum an sich leide, Mängeln, die ein Emmerich Joseph und Franz Ludwig mildern, aber nicht beseitigen konnte. Die Trägheit des Clerus, die Ueppigkeit des Adels, die Käuflichkeit der Verwaltung und Rechtspflege wurden erst recht Gegenstände allgemeinen Aergernisses, seit man in einzelnen geistlichen Staaten selber bessere Regierungen gesehen hatte. Die trefflichen Fürsten fanden eine wohlverdiente Anerkennung, die aber dem moralischen Credit der geistlichen Staaten nicht zu Gute kam.

Das Bewußtsein, daß dem so sei, war in den letzten Jahrzehnten vor der Revolution ziemlich allgemein geworden; es sprach sich auch in den immer wieder auftauchenden Gerüchten von Säcularisationsplanen und in dem Gefühl der Unsicherheit aus, das die geistlichen Regierungen selber zum Theil erfüllte. Als aber der Sturm von Westen kam, waren es vorzugsweise und im Grunde allein die geistlichen Gebiete, die sich willig und mit unverhohlener Sympathie der revolutionären Strömung hingaben. Der klarste Beweis, daß der politische und gesellschaftliche Zustand dort kein gesunder war.

Das deutsche Reich selber hatte, namentlich in einer Hinsicht, kein Interesse an dem Fortbestand der geistlichen Stifter;

ter; denn sie machten es schwach und ungeschützt im Westen. Wo sich jetzt, bei aller Buntscheckigkeit, wenigstens theilweise größere staatliche Gebiete als Gränzländer ausbreiten, Gebiete mit tüchtiger militärischer Rüstung und starken Gränzfesten, da waren zu jener Zeit die unzusammenhängenden Lande der geistlichen Herren von Cöln, Trier, Mainz, Osnabrück, Münster, Worms, Speyer u.s.w. verzettelt, Territorien ohne Arrondirung, ohne militärische Organisation und ihrer Natur nach auf ein friedfertiges, kriegsuntüchtiges Regiment angewiesen. Ein Blick auf die heutige Gränzwehr Deutschlands und den Schutz, den damals die kurkölnischen, kurtrierschen und kurmainzischen Truppen dem Reiche gewährten, die Vergleichung der Festungsreihe, die uns jetzt nach Westen schützt, z. B. des heutigen Coblenz, Mainz und Rastatt mit dem alten Coblenz, Mainz und Philippsburg reicht hin, um zu erkennen, wie die Schwäche des Reiches gerade an der verwundbarsten Stelle durch die Existenz der geistlichen Stifter am Rhein bedingt war. Die Ereignisse seit 1792 haben dies in so empfindlicher Weise aufgedeckt, daß schon aus diesen äußeren Gründen an eine Wiederherstellung der einmal zertrümmerten Priesterstaaten nicht mehr zu denken war.

Die geistlichen Staaten waren indessen nicht die einzigen Ueberreste der alten Zeit, die dem neuen politischen und socialen Bedürfnisse nicht mehr genügen konnten; es gab der kleinstaatlichen Mißbildungen manche andere im Reiche, die mit einer gesunden politischen Entwicklung noch unverträglicher waren, als selbst das Regiment der Domcapitel und stiftsfähigen Geschlechter. Neben den großen und mittleren Territorien, neben den geistlichen Fürsten existirten noch, gleichfalls als reichsunmittelbare und selbstherrliche Stände des Reichs, die zahlreichen Reichsfürsten winzigsten Umfangs, die Reichsgrafen, die Reichsritterschaft, die Reichsstädte und sogar noch einige Dörfer, die sich durch die Gunst der Verhältnisse ihre „Reichsunmittelbarkeit" erhalten hatten.

Einer der wunderlichsten Ueberreste der alten Zeit waren die kleinen Reichsfürsten und Reichsgrafen. In den Kreisen des Reichs, wo die größeren und arrondirten Gebiete theils die ausschließliche

Macht, theils das Uebergewicht behaupteten, also im österreichischen und den beiden sächsischen Kreisen, waren sie entweder wenig zahlreich oder fehlten ganz. Schon in Westfalen aber stoßen wir auf eine ansehnliche Zahl solcher Herrschaften, von Lippe, Wied und Sayn an bis zu den Herrschaften Gimborn (Walmoden), Wykradt (Quadt), Mylendonk (Ostein) und Hallermund (Platen) herab. Auch der oberrheinische Kreis zählte seine Leiningen, Wittgenstein, Wiedrunkel, seine Wild- und Rheingrafen, der fränkische seine Hohenlohe-Neuenstein, Castel, Wertheim, Erbach, Limburg, Seinsheim, und in Schwaben, wo die Parcellirung überhaupt am weitesten gediehen war, gehören die Fürstenberg schon zu den mächtigeren Reichsständen; an sie schließen sich in langer absteigender Reihe die Oettingen-Wallerstein, Taxis, beide Linien Königsegg, die Truchseß-Zeil und T.-Wolfegg, die verschiedenen Zweige der Fugger, die Stadion und andere an — der zahlreichen Gebiete nicht zu gedenken, die zwar die staatsrechtliche Eigenschaft solcher kleinen Fürstenthümer hatten, aber bereits an die größeren Reichsstände des Kreises übergegangen waren.

Der eigenthümliche Widerspruch in dem Dasein dieser Territorien war dadurch bedingt, daß zwar ihr Umfang durchschnittlich sehr klein, aber die Prätension ihrer Souveräne, im großen Stile zu herrschen, deßhalb nicht minder lebhaft war. Auch in diesen Gebieten, in denen höchstens für eine patriarchalisch-einfache Verwaltung Raum war, versuchte man zu regieren, bestand ein Hof, existirten Minister, wurden Rechtspflege, Kirchen- und Schulwesen, Finanzen und Militärsachen wie umfassende Departements gesondert, und je mehr die Kleinheit der Mittel einen Zweifel an der fürstlichen Herrlichkeit wecken mochte, um so eifersüchtiger ward auf die Machtvollkommenheit der von „Gottes Gnaden" eingesetzten Souveränetät gehalten. Es läßt sich denken, wie sich das „l'état c'est moi" in diesen Kreisen praktisch ausnahm; in der That fand sich hier der reichste Stoff für die satirischen Schilderer kleinstaatlicher Karrikaturen. Begnügten sich die Herren mit der Rolle, die ihnen die Natur anwies, größere Gutsherrn zu sein und als solche unter ihren Unterthanen ein patriarchalisches Regiment zu führen, so war der Zustand leidlich, wenn es gleich immer für die Nation ein Unglück war, daß sich so viele winzige, zu einer staatlichen Existenz unfähige Sondergebiete ausschieden

und aller der Vortheile entbehrten, die ein größeres staatliches Dasein dem Einzelnen wie der Gesammtheit gibt; allein jene schlichte
Patriarchalität war allenthalben im Aussterben, und es gab der
kleinen Fürsten nicht mehr viele, die sich dabei beruhigten, große
Landjunker zu sein. Der Umschwung in den Sitten, den Lebens-
anschauungen, der in den größeren Gebieten wahrzunehmen war,
ergriff auch diese kleineren und kleinsten. Die französische Art höfischer Verschwendung und Genußsucht im Stile Ludwigs XIV.,
die militärische Liebhaberei des Jahrhunderts, das Bestreben des
aufgeklärten Absolutismus, in den einzelnen Ländern eine selbständige Staatsmacht aufzurichten, das Alles machte sich in den
kleinen Grafschaften und Herrschaften ebenso fühlbar, wie in den
größeren Territorien. Nahm es sich schon in diesen größeren, z. B.
in Kursachsen, Kurpfalz, in Würtemberg u. a. seltsam und unglücklich genug aus, wenn der Regent sich nach den französischen
Staatsmaximen richtete; wie mußte das in Gebieten werden, die
höchstens nur wenige Quadratmeilen zählten, oder gar sich auf
„zwölf Unterthanen und einen Juden nebst einigen Höfen und
Mühlen" beschränkten! War es für die größeren Gebiete eine Calamität, wenn fürstliche Persönlichkeiten ans Ruder kamen, die, in
dem vornehmen und leichtfertigen französischen Stil erzogen, aller
gediegenen Bildung des Geistes und Herzens entbehrten, dagegen
mit höfischen und soldatischen Liebhabereien erfüllt waren, wie
mußte es werden, wenn diese Ansteckung auch die kleinsten Höfe
ergriff! Denn die Kleinheit schützte vor dem Uebel nicht; um den
Großen gleich zu scheinen, ahmte man ihre Unsitten am eifrigsten
nach, wie dies an zahlreichen Exempeln des vorigen Jahrhunderts nachzuweisen ist. Selbst die bessere Richtung, in welche seit
der Mitte des Jahrhunderts nach dem Vorgange Preußens und
Oesterreichs die meisten Dynastien und Regierungen einlenkten,
konnte diesen kleinen Gebieten nicht zu Gute kommen. Der schöpferische Geist bürgerlicher und militärischer Organisation und das
Streben der physiokratischen Reformer, in den größeren Territorien
von so anregender und wohlthätiger Wirkung, konnte hier nicht
viel Gutes fördern; es fehlte der Raum dafür.

Aber die Mehrzahl dieser kleinen Dynasten hatte auch nicht
einmal den Ehrgeiz, dem Vorbilde Friedrichs und Maria Theresias
zu folgen; vielmehr schien sich das alte Unwesen in dem Augen-

blick, wo es aus den größeren Territorien verscheucht ward, recht eigentlich in diese Miniaturstaaten zu flüchten. In ihnen war noch in der zweiten Hälfte des vorigen Jahrhunderts das Alles in voller Blüthe, was anderwärts schon besseren Staatsmaximen und humanerer Sitte gewichen war. Hier war noch jene prah-lende Armseligkeit großen Hof- und Beamtengefolges heimisch, hier war noch das Eldorado der fremden Abenteuerer und Schmarotzer, hier gab es zu einer Zeit, wo die größeren Territorien, geistliche wie weltliche, eine Reihe trefflicher Fürsten aufwiesen, kleine Ty-rannen, Jagdwütheriche und Bauernquäler, oder auch Persönlich-keiten, die in Trunk und Unsittlichkeit auf die traurigste Weise ver-kommen waren. In solchen Händen war, wie ein verdienter Dar-steller jener Zeiten sagt*), die souveräne Gewalt „ein furchtbares Spielwerk, ein schneidend Schwert in der Hand des schwachen Kindes, zum Ernst zu wenig, zum Scherz zu viel."

Je kleiner die Gebiete waren, desto drückender mußte der souveräne Dünkel für die armen Unterthanen sein. Hier ward denn das Viel-regieren und Sich-in-Alles-mischen mit der größten Emsigkeit betrie-ben; da es an Raum fehlte für eine Regententhätigkeit, wie man sie wollte, so machte man sich auf kleinem Raum so viel Geschäfte wie möglich. Wir sahen früher, wie selbst in den größeren Staaten die Neigung des Jahrhunderts, Alles zu normiren, an Allem seine experi-mentirende Neigung zu versuchen, die hergebrachte Eigenthümlichkeit und Freiheit im Einzelnen vielfach untergrub; es läßt sich denken, wie dies in den Duodezstaaten ward. Da verfiel man denn auf die Sta-tistik und Proscription der Hunde, von denen der Ritter von Lang erzählt. Nicht immer aber übte sich die Leidenschaft des Regierens in so harmloser Weise; die Geldnoth trieb oft zu seltsamen finan-ziellen Experimenten und fiskalischen Bedrückungen ohne Beispiel, und es war weder die milde Praxis der geistlichen Staaten, noch die verständigere Staatswirthschaft der größeren weltlichen Territorien, was die verderbliche Wirkung solchen Treibens mil-derte.

Diese reichsgräflichen Gebiete waren darum auch die einzigen, wo Kaiser und Reich noch zuletzt durch das unerträgliche Aerger-niß sich veranlaßt sahen, von Reichswegen einzuschreiten. Wohl

---

*) Perthes a. a. O. 153.

war ihre Schwäche mit Ursache, daß sich hier noch einmal die
Oberherrlichkeit der Reichsgewalt in wohlthätiger Weise geltend
machte, aber allerdings gab es auch nirgends sonst fürstliche Gewalten, welche durch den Mißbrauch ihrer Macht ein Einschreiten
so sehr herausforderten. Hier setzte es denn Joseph II. noch in
mehreren Fällen durch (1770, 1775, 1778), daß nach reichshof-
räthlichen Erkenntnissen die kleinen Tyrannen unschädlich gemacht
wurden. Aber wie arg hatten sie es treiben müssen, bis es zu
dem Aeußersten kam! Der Graf von Leiningen-Guntersblum, der
1774 als der Letzte seines Geschlechts starb, wurde wegen „schreck-
barer Gotteslästerung, attentirten Mordes, Giftmischerei, Bigamie,
Majestätsbeleidigung, Bedrückung seiner Unterthanen und uner-
laubter Mißhandlungen fremder, auch geistlicher Personen" verhaf-
tet und entsetzt; der letzte Wild- und Rheingraf, Carl Magnus,
warb wegen „der von ihm selbst eingestandenen schändlichen Be-
trügereien, unverantwortlichen Mißbrauchs der landesherrlichen
Gewalt und vielfältig begangener, befohlener und zugelassener Fäl-
schungen" eingesperrt, der Graf von Wolfegg-Waldsee warb wegen
„ahnbungswürdigen Betragens ernstgemessenst verwiesen und zur
wohlverdienten Strafe" auf zwei Jahre nach Waldburg in Verwahrung gebracht. Aber wie Mancher kam ungestraft weg, der
es bunt genug getrieben, auch wenn zu dieser äußersten Maßregel
kein Anlaß vorlag! Sah sich doch auch das Reichskammergericht
veranlaßt, einen Grafen von Sayn-Wittgenstein wegen seiner „un-
anständigen, einen landesverderblichen Mißbrauch der Landeshoheit
involvirenden Grundsätze" in eine Geldstrafe zu verfällen.

Eine ganz eigenthümliche Gruppe in der Mannigfaltigkeit
der alten Reichsstände und Corporationen bildet die reichsunmittelbare Ritterschaft*) in Schwaben, Franken und am Rhein.

---

*) Wir fügen, zur genaueren Kenntniß dieser merkwürdigen Körperschaft,
einige statistische Notizen bei. Die Ritterschaft in Schwaben theilte sich in
5 Cantone: Donau (darunter die Familien der Freiberg, Hornstein u. a.),
Canton Hegau-Algäu-Bodensee (z. B. die Bodmann, Enzberg, Reichlin-
Meldegg), Canton Neckar-Schwarzwald-Ortenau (Gemmingen, Leut-

Von dem gewöhnlichen landsässigen Adel war sie dadurch unter-
schieden, daß sie als Reichsstand angesehen ward, auf ihrem Gebiete nicht nur Gesetzgebungs- und Besteuerungsrecht übte, sondern
auch die Regalien der Münze, des Zolls, des Geleits, der Posten,
der Jagd, der Gerichtsbarkeit und Polizei, also eine Reihe von
Hoheitsrechten anzusprechen hatte, welche den Landsassen versagt
waren.*) Auf der andern Seite waren die Ritter den übrigen
Reichsständen doch auch wieder nicht ganz gleich; denn außerdem,
daß die Macht des einzelnen Ritters selbst der eines kleineren Fürsten weit nachstand, war auch die staatsrechtliche Stellung der
Ritterschaft eine andere: sie war der einzige unmittelbare Reichsstand, der auf dem Reichstage keinen Sitz hatte. So standen sie
ganz isolirt im deutschen Staatssysteme da, weder den größeren
Reichsständen noch deren Unterthanen ähnlich, weder Repräsentanten noch Repräsentirte auf dem deutschen Reichstage, zwar Glieder
des Reiches, aber ohne dem Reiche Steuern zu bringen; nach ihrer
eigenen Meinung dem Reiche nur verpflichtet mit Leib und Blut
zu dienen und außerdem bereit, dem Kaiser in Zeiten der Noth
eine freiwillige Steuer zu entrichten, wie sie wieder kein anderer
Reichsangehöriger zu bezahlen gewohnt oder verpflichtet war.**)
Nur in Franken, Schwaben und am Rhein hatte sich diese
mittelalterliche Körperschaft so erhalten; überall sonst im Reiche

---

rum, Kniestädt, Waldner, Wurmser u. s. w.), Canton **Kocher** (Welden, Adel-
mann, Racknitz, Sturmfeder, Wöllwarth u. a.), Canton **Kraichgau** (Gemmingen, Helmstädt, Massenbach, Göler u. s. w.)

Die Ritterschaft in **Franken** zerfiel in 6 Cantone: den C. an der **Bau-
nach** (die Rotenhan, Gutenberg, Hutten, Liechtenstein u. a.), C. am **Odenwalde** (Rüdt, Weiler, Stetten, Berlichingen, Gemmingen u. a.), C. **Ge-
bürg** (Pölnitz, Künsberg, Redwitz, Auffee u. a.), C. **Rhön-Werra** (Tann,
Bibra, Gleichen, Gebsattel u. a.), C. am **Steigerwald** (Seckendorf, Pölnitz
u. a.), C. **Altmühl** (Schenck, Eyb, Leonrod u. a.).

Die Ritterschaft am **Rhein** zerfiel in die drei Cantone: **Oberrhein**
(Dalberg, Elz, Ingelheim, Gagern, Walbrunn u. a.), **Niederrhein** (Kerpen,
Breidbach, Boos-Waldeck u. s. w.), und **Mittelrhein** (Waldbott-Bassenheim,
Stein, Bettendorf, Schütz u. a.). Vgl. Moser's vermischte Nachrichten von
reichsst. Sachen. 1772. Desselben Schrift von den Reichsständen S. 1310 ff.
Kerner, Staatsrecht der Reichsritterschaft. 1786.

*) S. J. J. Moser, vermischte Nachrichten von reichsritterschaftl. Sachen.
S. 49 f.

**) Kerner, Staatsrecht III. 2.

war der alte Ritteradel der Landeshoheit unterlegen und hatte aufgehört, unmittelbarer Reichsstand zu sein. In Schwaben, Franken und am Rhein freilich war in der nämlichen Zeit, wo sich
anderwärts größere fürstliche Gebiete abrundeten, durch das Zerschlagen der hohenstaufischen Hausmacht die Gefahr ferner gerückt,
von der fürstlichen Territorialgewalt verschlungen zu werden; das
Verschwinden eigener Herzöge von Franken und Schwaben gab
dort den schwächeren Ständen, den Grafen, den Rittern, den Städten
mehr Raum und Sicherheit, als sie irgendwo sonst gewinnen konnten. Gleichwol hatten die Ritter lange aufgehört, das zu sein,
was sie ehedem waren. Mit der Existenz des Kaiserthums unter
allen Reichsständen fast am innigsten verknüpft, hatten sie von
dessen Verfalle auch den Rückschlag am schwersten empfunden, und
während im 14. und 15. Jahrhundert die übrigen Stände mächtig aufblühten, blieb die Ritterschaft stehen, verlor in dem Umschwung der Zeiten ihr Waffenprivilegium an die neue Art der
Kriegführung und sträubte sich vergebens, in Gewaltthat und Selbsthülfe, gegen die neuen Ordnungen des Staates und der Gesellschaft. Eine gesunde Kraft verwilderte, weil ihr der Spielraum
einer natürlichen und normalen Thätigkeit fehlte. Wie dann das
Fehde- und Faustrecht verschwand, die neuen bürgerlichen Ordnungen Wurzel schlugen, die Landeshoheit immer mächtigere Ausbreitung gewann, und eine ganz neue Waffenkunst und Taktik die
alte verdrängte, da büßte der mittelalterliche Ritterstand seine ganze
militärische Bedeutung ein, und es konnte noch als eine besondere
Gunst des Schicksals gelten, daß nicht auch die alte Reichsunmittelbarkeit an die landesfürstlichen Gewalten verloren ging.

Die Theilnahme an dem Reichstage war der Ritterschaft ent-
gangen, in gewissem Sinne durch eigene Schuld, insofern ihre
Weigerung, zur Bezahlung des zehnten Pfennigs beizutragen, einer
der Gründe war, sie von den reichsständischen Berathungen fernzuhalten. Aber die Versuche, sie unter die Landeshoheit einzu-
schmelzen, waren doch auch mißlungen; noch zuletzt scheiterten die
Bemühungen in dem westfälischen Friedensgeschäft, und der abge-
schlossene Vertrag befestigte ihre Reichsunmittelbarkeit, statt sie zu
erschüttern.*) Zugleich war von den Ueberlieferungen der alten

---

*) Großen Werth legte man namentlich auf den Art. V. §. 28 des Osna-

Zeit eine in voller Kraft geblieben: das innige Freundschaftsverhältniß zum Kaiser. Der Kaiser nahm die Rolle eines Beschützers,
die ihm die Natur anwies, mit aller Sorgsamkeit wahr; und so
beschränkt seine Macht sein mochte, sie war gerade noch groß genug, der Reichsritterschaft schätzbare Vorrechte und Begünstigungen
zu schaffen. Sie genoß durch kaiserliche Feststellung ein Privilegium
gegen jeden Arrest, es hätte sich denn um ein gemeines Verbrechen,
wie Mord, Brandstiftung u. s. w. handeln müssen; sie hatte als
Körperschaft bei ritterschaftlichen Gütern, die in andere Hände überzugehen drohten, das Vorkaufsrecht. Sie besaß ferner den Blut-
bann, die Vollmacht, Bündnisse zu schließen, und das sogenannte
Collectationsrecht, wonach theils die Ritterschaft als Reichskörper,
theils die Einzelnen, wo es ihnen rechtlich zustand, Steuern auf-
legen durften. Andere Vorrechte, wie die Zollfreiheit, wurden zwar
angesprochen, aber nicht ohne Widerspruch ausgeübt.*)

Für alle diese Gunst war die Ritterschaft ihrerseits dem Kaiser
eng verbunden. Sie bildete den letzten Reichsstand, bei dem die
Unmittelbarkeit noch eine Wahrheit, und die Regierung durch den
Kaiser wörtlich zu nehmen war. Die Ritterschaft, wenn auch die
Einzelnen zu schwach waren, bildete doch in ihrer Gesammtheit
noch ein gewisses Gegengewicht gegen die Landeshoheit in Süddeutschland; ohne sie und ohne die geistlichen Stifter hätte der
Kaiser auch dort, wie im Norden, jeder reellen Regierungsthätigkeit
entbehren müssen. Aber nicht allein dieser Rest einer Regierungsgewalt machte dem kaiserlichen Interesse die Ritterschaft werth, der
Kaiser bezog zugleich in den freiwilligen Charitativsubsidien, welche
der gesammte ritterschaftliche Körper leistete, den einzigen Geldbei-
trag aus dem Reiche, der an sich nicht unbeträchtlich und zugleich
der Verfügung des Kaisers allein unterworfen war. Darum lag
ihm soviel daran, diese Ausnahmestellung der Ritterschaft zu
erhalten. Als sie z. B. zu Ende des siebzehnten Jahrhunderts

---

brücker Friedens, worin die Ritterschaft als libera et immediata imperii nobilitas
bezeichnet und ihr dasselbe Recht in Kirchensachen eingeräumt war, wie den
Kurfürsten, Fürsten und Reichsständen.

*) S. Mader, reichsrittersch. Magazin Th. VIII. 1 ff. Ueber die Steuer-
norm J. J. Moser's vermischte Nachrichten S. 948 ff. Ueber die Zölle s.
Kerner III. 197 ff.

daran dachte, die Theilnahme an dem Reichstage durch Bezahlung
eines Matrikularbeitrags zu erlangen, war es außer dem Wider=
stande anderer Reichsstände hauptsächlich der Kaiser, der es hin=
derte; er wollte nicht statt der Charitativsubsidien den kargen und
unsicheren Beitrag einer Matrikelquote eintauschen.

War so die Ritterschaft durch den Kaiser geschützt und ihre
Existenz mehr als jede andere im Reiche mit der Fortdauer des
Kaiserthums verknüpft, so hatte sie doch auch frühzeitig selber Sorge
getragen, sich gegen die Uebergriffe der Landesherren zu schirmen.
Die Bildung der Vereine war dadurch veranlaßt worden. Wie
sich im ganzen Reiche, je mehr die Föderation der Gesammtheit
sich lockerte, das Bedürfniß kund gab, durch Associationen, Kreis=
verbindung u. s. w. sich zu schirmen und zu stärken, so fand auch die
Ritterschaft darin ein Mittel des Schutzes und der Macht. Es
bildeten sich erst die Cantone,*) diese wieder bildeten, in die
Kreise Schwaben, Franken und Rhein vereinigt, drei größere Grup=
pen, aus deren Verbindung die gesammte ritterschaftliche Corpora=
tion erwuchs. So wurde, während der Einzelne keinen Tag sicher
gewesen wäre, von den Landesherren verschlungen zu werden, ein
Schutz für Alle geschaffen, der sie zwar nicht vor Uebergriffen
mancher Art sicherstellte, aber doch, so lange die alte Organisation
des Reiches noch dauerte, ihre Existenz verbürgte.

Jeder Canton oder Ritterort hatte seinen „Ortsvorstand“, der
aus einem Ritterhauptmann (Director), einigen Räthen und De=
putirten der Ritter, dann einigen gelehrten Beisitzern, den Syndi=
cis oder Consulenten und dem Cassen= und Schreiberpersonal be=
stand. In den Kreisen war dann ein Directorium aufgestellt, das
die Correspondenz mit dem Kaiser und dessen Räthen führte und
im Allgemeinen die Freiheiten und Gerechtsame der Ritterschaft
zu wahren hatte; in Schwaben ward dies Directorium vom Can=
ton Donau ständig geführt, in den beiden anderen Kreisen alter=
nirte es. Die Directorien der Kreise führten dann wieder im Tur=
nus das Generaldirectorium über die gesammte Körperschaft. Die
Cantone selber, wie die Kreise, traten denn auch, bei Wahlen des

---

*) Die schwäbischen kommen schon im Anfang des sechszehnten Jahrhun=
derts mit den nachherigen Benennungen vor, siehe Kerner, Staatsrecht II.
17 folg.

Vorstandes und wo es sonst außerordentliche Fälle geboten, in den Orts= und Kreisconventen zusammen.

Hatte diese Organisation zwar ihre Mängel, die sich in der schleppenden und oft parteiischen Leitung von Oben, in Uebergrif= fen der Vorstände und in Zwietracht und Ungehorsam der einzel= nen Glieder häufig genug kundgaben, so hatte sie doch auch den unverkennbaren Werth, die zahllosen kleinen Parcellen ritterschaft= licher Gebiete zu einem Ganzen zu verbinden und die ganze Cor= poration den natürlichen Gegnern, den Landesfürsten, gegenüber als eine Gesammtheit darzustellen. Die Verwirrung unter diesen einzelnen Herren, deren Zahl über tausend betrug, deren Besitzthum im höchsten Fall aus einigen Städtchen, Flecken oder Dörfern, oft auch nur aus einem mäßigen Grundbesitz und einigen Gefällen bestand, wäre noch viel größer gewesen, als sie war, wenn nicht die Organisation des Ganzen der natürlichen Schwäche und Zerris= senheit eine gewisse Gränze gesetzt hätte. Gegen Uebergriffe und Beeinträchtigungen der Mächtigeren war ohnedies ein Widerstand der einzelnen Landjunker nicht möglich; er konnte nur von dem gesammten Körper, hinter dem meistens Kaiser und Reichsgerichte standen, geübt werden.

An Zerwürfnissen fehlte es gleichwol zu keiner Zeit. Während der landsässige Adel mit Eifersucht das Vorrecht der Ritterschaft ansah und dessen geschichtliche Berechtigung bestritt, waren die größeren Landesherren unablässig bemüht, Rechte und Einkünfte des ritterschaftlichen Körpers zu verkürzen. Die Frage über die Gränzen der beiderseitigen Rechte ist ein stehendes Thema in der Publicistik des achtzehnten Jahrhunderts, und es geht eine Art von Zwiespalt durch die staatsrechtliche Literatur jener Zeit, je nach der Freundschaft oder Feindseligkeit gegen die ritterschaftlichen Privilegien. Schon zu Ende des sechszehnten Jahrhunderts klag= ten die Ritter über Beeinträchtigung ihrer Lehensgerechtsame, über Beschränkung ihrer Jagdrechte, über Auflegung ungewöhnlicher Zölle und Mauthen. Oder sie beschwerten sich über Entziehung der ihnen eigenen Leute, über die Hindernisse, die man der Be= steuerung ihrer Unterthanen und Hintersassen in den Weg lege, über Entziehung ritterschaftlicher Güter und Unterwerfung ihrer Eigenthümer unter die Landeshoheit. Dazu kamen religiöse Be= drängnisse, womit man das ritterschaftliche jus circa sacra zu kränken

suchte, überhaupt Klagen über das Bemühen der Landesherren, bald
in die Lehensrechte oder die Unterthanenverhältnisse der Ritter eigenmächtig einzugreifen, bald sie mit Zöllen und Abgaben zu beschweren, sie sogar zu den Landessteuern beizuziehen und die bürgerliche
und peinliche Gerichtsbarkeit auf ihre Kosten auszudehnen. Hörte
man die Beschwerden der Ritter, so blieb die landesherrliche Macht
bei formellen Chikanen nicht stehen, sondern bedrängte die Ritterschaft mit Gewalt und Waffen, ja suchte nicht selten ihre Schlösser und Gebiete mit „Raub, Sengen und Brennen" heim.*)

Die lauteste Beschwerde geht immer dahin, daß die Landesherren sich bestrebten, die Rechte der Ritterschaft an ihre Unterthanen zu verkürzen. Sie nennen als solche Rechte: die schuldigen
Frohnen, Dienste, Renten, die Zinsen, Gefälle und Gerechtigkeiten,
„wie die Lagerbücher und das alte Herkommen" sie vorschrieben,
dann Auslösung im Kriege, Beihülfe in Noth und, außer den
herkömmlichen Steuern, auch „in vordringenden Nöthen eine außerordentliche Collecte", endlich Zölle, Brücken-, Weg- und Ohmgelder, Accise, Abzug- und Nachsteuer.**)

Sah man das hundertfach durchbrochene und zusammenhanglose Territorium an, so wurden die endlosen Streitigkeiten begreiflich. Denn außerdem, daß diese kleinen ritterschaftlichen Gebiete
überall, wie Enclaven, zwischen den fürstlichen und städtischen
Territorien eingestreut lagen, kam es nicht selten vor, daß auf
einem ritterschaftlichen Gebiete zugleich Hoheitsrechte anderer Reichsstände hafteten und eine unerschöpfliche Quelle immer erneuerter
Händel über die Gränze der gegenseitigen Befugnisse wurden. Bald
strebte der Ritter die Ausübung des fremden Hoheitsrechtes zu
stören, bald war der Inhaber dieser Rechte bemüht, die ritterschaftlichen Gerechtsame vollends zu verschlingen. Auf allen Correspondenztagen der Ritterschaft kehrten dieselben Klagen wieder. Der
schwäbische Ritterkreis, obwol der größte und zahlreichste,***) ward
auch am meisten von den Landesherren des Kreises bedrängt; der

---

*) S. J. J. Mosers Beiträge zu reichsrittersch. Sachen S. 476 ff. F.
C. v. Mosers kleine Schriften XI. 73 ff.

**) F. C. v. Moser XI. 280 f.

***) Bei einer Steuer von 90,000 fl. zahlte Schwaben 42,352 fl. 58 Kr.,
Franken 31,764 fl. 42 Kr., der Rhein nur 15,882 fl. 20 Kr.

fränkische war, die Irrungen mit Brandenburg und Coburg ausgenommen, durch die Nachbarschaft der geistlichen Staaten etwas
besser geschützt, der rheinische dagegen, an Macht der schwächste,
hatte unaufhörlich zu klagen über die Beeinträchtigungen, die
ihm von Kurmainz, Trier, Pfalz, Darmstadt, Zweibrücken, Naffau
u. a. widerfuhren.

Der Kaiser blieb sich zwar consequent in dem Schutze, den
er der Ritterschaft gewährte. Außer dem, daß er die zweifelhaften
oder angefochtenen Rechte durch neue Privilegien bestätigte und
die Ritter durch Auszeichnungen ehrte, suchte er auch wohl auf
günstige Entscheidungen des Reichshofrathes hinzuwirken und legte
gegen solche Reichsgutachten, die der Ritterschaft unwillkommen
waren, das kaiserliche Veto ein. Aber gleichwol scheint es der
Ritterschaft bisweilen schlecht genug ergangen zu sein. Der ältere
Moser deutet wenigstens unverblümt darauf hin,*) daß bei streitigen Fragen der Reichstag selbst durch Geldspenden der größeren
Reichsstände gegen die Ritterschaft gestimmt werde, und meint:
„wenn wir in Deutschland eine englische Preßfreiheit hätten, ließen sich gar viele Betrachtungen machen, sowol in Ansehung der
ganzen Reichscollegien, als vieler einzelnen Mitglieder derselben.“

Andererseits waren sämmtliche auf dem Reichstage vertretenen
Stände, Kurfürsten, Fürsten und Städte einig in ihrem Interesse
gegen die Ritter und klagten sie wieder an, ihre Vorrechte unge-
bührlich ausdehnen zu wollen. Schon 1713 schloffen Pfalz, Würtemberg, Heffen und andere Länder eine Union gegen das Bestreben der Ritterschaft, sich der schuldigen Jurisdiction zu entziehen,
den Heimfall der Lehen zu hindern, die Zahlung der Zölle zu weigern, und erhoben die laute Klage (die ohne Zweifel begründet
war), „es sei bei den ritterschaftlichen Directorien gegen die von
Abel fast niemalen einige Justiz, viel weniger Execution zu erlangen.“ Im Jahre 1744 erhoben sich der ganze schwäbische und
oberrheinische Kreis, um die Ritterschaft wegen ähnlicher Beschwerden zu verklagen, und ein Jahr darauf traten die Städte mit der
Beschuldigung hervor, die Ritter suchten sich die Gewalt über Personen anzumaßen, die ihrer Jurisdiction unterworfen seien.**)

---

*) Neueste Gesch. der reichsunmittelb. Ritterschaft II. 6. 62. 576.
**) Moser a. a. O. 108 f. 348. 389.

Unter diesen Umständen war F. C. von Mosers Rath an die Ritterschaft freilich der beste:*) „sich unter einander zu einigen und übrigens nach dem Sprüchwort procul a Jove procul a fulmine sich mit den größeren Reichsständen so wenig als möglich zu thun zu machen." Aber dieser Rath war leichter zu geben, als zu befolgen, und die Ritterschaft, selbst wenn sie friedfertiger gewesen wäre als sie war, konnte es nicht hindern, daß ihr durchbrochenes und umschlossenes Territorium Verluste erlitt, zu welchen die neuen Erwerbungen in keinem Verhältniß standen. Selbst die kaiserlichen Privilegien, wonach die an einen Dritten veräußerten ritterschaftlichen Güter zurückgekauft werden konnten und die an andere Stände übergegangenen Besitzungen dem ritterschaftlichen Besteuerungsrecht unterworfen bleiben sollten, selbst diese wichtigen Vorrechte, welche das ritterschaftliche Territorium zu einem Gebiete umschufen, blieben in der Praxis nichts weniger als unangefochten.

Die äußeren Einbußen, die durch das Aussterben alter Familien, durch die Erhebung einzelner Rittergeschlechter in den Grafenstand, durch Verkürzung der zustehenden Rechte eintraten, waren freilich nicht die einzige Ursache der ökonomischen Zerrüttung, die im Ritterstande um sich griff. Einmal war auch hier das Unwesen aufgekommen, die Zahl derer, die keine Handbreit unmittelbaren Landes besaßen und doch die staatsrechtlichen Eigenschaften der Ritter ansprachen, die sog. Personalisten, ins Ungemessene anwachsen zu lassen, so daß mit der Minderung des Besitzthums die Vermehrung der Genießenden und Prätendenten vollkommen gleichen Schritt hielt. Dann war der Haushalt in der Regel ganz schlecht; die adeligen Herren selber, wie ihre Beamten, standen als Finanzmänner in gleich üblem Rufe. Daß die Ordnung des Schuldenwesens bei der Ritterschaft zu den schwierigsten Dingen der Welt gehöre, Execution und Zahlung fast unmöglich zu erlangen sei, das galt selbst bei den Vertheidigern des Ritterstandes**) als eine ausgemachte Sache. Aber es wurden noch schlimmere Dinge geübt; Berichte der Zeit***) klagen, daß ritter-

*) Kleine Schriften II. 29.
**) Maber, reichsrittersch. Magaz. VI. 455.
***) Mosers vermischte Nachrichten von reichsrittersch. Sachen S. 570 f.

schaftliche Beamte falsche Hypotheken machten, entweder auf er-
dichtete Schuldner oder ohne deren Wissen und Willen, und daß sie
zu solchem Betrug das Amtssiegel in schändlicher Weise mißbrauchten.

Der ökonomische Ruin ward indessen zugleich durch den sittlichen Zustand der Ritterschaft beschleunigt. Die Verluste vieler
Güter schrieb z. B. F. C. von Moser der „Schwelgerei und dem
Großthun" der Ritter selber zu, und sogar das Aussterben einzelner Familien gab man dem Sittenzustande des Adels Schuld.
„Die jungen Herren — klagt ein ritterschaftlicher Beamter *) —
zumal wenn sie das Unglück haben, ihre Väter zeitig zu verlieren,
lernen die französische und englische Lebensart kennen, verschwenden
ihre Kräfte zu bald, halten den Ehestand nicht heilig und erzielen
entweder keine rechtmäßige, oder nur eine schwächliche Nachkom-
menschaft, welche von Generation zu Generation abnimmt und
endlich gar verlöscht." Allerdings war die schlichte, altväterische
Sitte längst gewichen, und schon im 17. Jahrhundert verabredete
sich ein ritterschaftlicher Canton: **) „alles unordentlichen Lebens,
als Fressen, Saufen, Hurerei und anderer Laster müßig zu gehen
und sich fortan eines ehrbaren Lebens zu befleißen, auch der übermäßigen Pracht bei ihren Weibern und Töchtern, die es nunmehr
den Fürsten gleich und zuvor thun wollen, sich zu enthalten, endlich Siegel und Brief, Treu und Glauben besser als bisher in Acht
zu nehmen und nicht so schlechtlich in den Wind zu schlagen."

Solche Verabredungen sind in der Regel nur Symptome,
nicht Heilmittel des Verfalles; sie scheinen auch die Ritterschaft
nicht viel gebessert zu haben, zumal seit ein Theil des Ritteradels
seine natürliche Stellung völlig verließ und sie mit fürstlichen
Diensten vertauschte. F. C. von Moser gibt uns eine treue Schilderung von dem Ruin, der damit in die Ritterburgen Eingang
fand. ***) „Einem Fürsten, sagt er, dient man ja wohl eine Zeitlang um die Ehre; man sucht ihm gefällig zu werden, man opfert
seine letzten Kräfte, um der nächste an ihm zu sein, und die Hoffnung läßt den Muth niemals sinken, wenn auch Geld und Credit

---

*) Maber, Magazin III. 569.
**) J. J. Moser, Beiträge S. 464.
***) Kleine Schriften II. 10.

war ihre Schwäche mit Ursache, daß sich hier noch einmal die
Oberherrlichkeit der Reichsgewalt in wohlthätiger Weise geltend
machte, aber allerdings gab es auch nirgends sonst fürstliche Gewalten, welche durch den Mißbrauch ihrer Macht ein Einschreiten
so sehr herausforderten. Hier setzte es denn Joseph II. noch in
mehreren Fällen durch (1770, 1775, 1778), daß nach reichshof-
räthlichen Erkenntnissen die kleinen Tyrannen unschädlich gemacht
wurden. Aber wie arg hatten sie es treiben müssen, bis es zu
dem Aeußersten kam! Der Graf von Leiningen-Guntersblum, der
1774 als der Letzte seines Geschlechts starb, wurde wegen „schreck-
barer Gotteslästerung, attentirten Mordes, Giftmischerei, Bigamie,
Majestätsbeleibigung, Bedrückung seiner Unterthanen und uner-
laubter Mißhandlungen fremder, auch geistlicher Personen" verhaf-
tet und entsetzt; der letzte Wild- und Rheingraf, Carl Magnus,
ward wegen „der von ihm selbst eingestandenen schändlichen Be-
trügereien, unverantwortlichen Mißbrauchs der landesherrlichen
Gewalt und vielfältig begangener, befohlener und zugelassener Fäl-
schungen" eingesperrt, der Graf von Wolfegg-Waldsee ward wegen
„ahndungswürdigen Betragens ernstgemessenst verwiesen und zur
wohlverdienten Strafe" auf zwei Jahre nach Waldburg in Verwahrung gebracht. Aber wie Mancher kam ungestraft weg, der
es bunt genug getrieben, auch wenn zu dieser äußersten Maßregel
kein Anlaß vorlag! Sah sich doch auch das Reichskammergericht
veranlaßt, einen Grafen von Sayn-Wittgenstein wegen seiner „un-
anständigen, einen landesverderblichen Mißbrauch der Landeshoheit
involvirenden Grundsätze" in eine Geldstrafe zu verfällen.

Eine ganz eigenthümliche Gruppe in der Mannigfaltigkeit
der alten Reichsstände und Corporationen bildet die reichsunmittelbare Ritterschaft*) in Schwaben, Franken und am Rhein.

---

*) Wir fügen, zur genaueren Kenntniß dieser merkwürdigen Körperschaft,
einige statistische Notizen bei. Die Ritterschaft in Schwaben theilte sich in
5 Cantone: Donau (darunter die Familien der Freiberg, Hornstein u. a.),
Canton Hegau-Algäu-Bodensee (z. B. die Bodmann, Enzberg, Reichlin-
Meldegg), Canton Neckar-Schwarzwald-Ortenau (Gemmingen, Leut-

Von dem gewöhnlichen landsässigen Adel war sie dadurch unter-
schieden, daß sie als Reichsstand angesehen ward, auf ihrem Gebiete nicht nur Gesetzgebungs- und Besteuerungsrecht übte, sondern
auch die Regalien der Münze, des Zolls, des Geleits, der Posten,
der Jagd, der Gerichtsbarkeit und Polizei, also eine Reihe von
Hoheitsrechten anzusprechen hatte, welche den Landsassen versagt
waren.*) Auf der andern Seite waren die Ritter den übrigen
Reichsständen doch auch wieder nicht ganz gleich; denn außerdem,
daß die Macht des einzelnen Ritters selbst der eines kleineren Fürsten weit nachstand, war auch die staatsrechtliche Stellung der
Ritterschaft eine andere: sie war der einzige unmittelbare Reichsstand, der auf dem Reichstage keinen Sitz hatte. So standen sie
ganz isolirt im deutschen Staatssysteme da, weder den größeren
Reichsständen noch deren Unterthanen ähnlich, weder Repräsentanten noch Repräsentirte auf dem deutschen Reichstage, zwar Glieder
des Reiches, aber ohne dem Reiche Steuern zu bringen; nach ihrer
eigenen Meinung dem Reiche nur verpflichtet mit Leib und Blut
zu dienen und außerdem bereit, dem Kaiser in Zeiten der Noth
eine freiwillige Steuer zu entrichten, wie sie wieder kein anderer
Reichsangehöriger zu bezahlen gewohnt oder verpflichtet war.**)

Nur in Franken, Schwaben und am Rhein hatte sich diese
mittelalterliche Körperschaft so erhalten; überall sonst im Reiche

rum, Kniestädt, Waldner, Wurmser u. s. w.), Canton Kocher (Welden, Adel-
mann, Racknitz, Sturmfeder, Wöllwarth u. a.), Canton Kraichgau (Gemmingen, Helmstädt, Massenbach, Göler u. s. w.)

Die Ritterschaft in Franken zerfiel in 6 Cantone: den C. an der Bau-
nach (die Rotenhan, Gutenberg, Hutten, Liechtenstein u. a.), C. am Odenwalde (Rüdt, Weiler, Stetten, Berlichingen, Gemmingen u. a.), C. Ge-
bürg (Pölnitz, Künsberg, Redwitz, Auffee u. a.), C. Rhön-Werra (Tann,
Bibra, Gleichen, Gebsattel u. a.), C. am Steigerwald (Seckendorf, Pölnitz
u. a.), C. Altmühl (Schenck, Eyb, Leonrod u. a.).

Die Ritterschaft am Rhein zerfiel in die drei Cantone: Oberrhein
(Dalberg, Elz, Ingelheim, Gagern, Walbrunn u. a.), Niederrhein (Kerpen,
Breidbach, Boos-Waldeck u. s. w.), und Mittelrhein (Waldbott-Bassenheim,
Stein, Bettendorf, Schütz u. a.). Vgl. Moser's vermischte Nachrichten von
reichsst. Sachen. 1772. Desselben Schrift von den Reichsständen S. 1310 ff.
Kerner, Staatsrecht der Reichsritterschaft. 1786.

*) S. J. J. Moser, vermischte Nachrichten von reichsritterschaftl. Sachen.
S. 49 f.

**) Kerner, Staatsrecht III. 2.

war der alte Ritteradel der Landeshoheit unterlegen und hatte auf=
gehört, unmittelbarer Reichsstand zu sein. In Schwaben, Fran=
ken und am Rhein freilich war in der nämlichen Zeit, wo sich
anderwärts größere fürstliche Gebiete abrundeten, durch das Zer=
schlagen der hohenstaufischen Hausmacht die Gefahr ferner gerückt,
von der fürstlichen Territorialgewalt verschlungen zu werden; das
Verschwinden eigener Herzöge von Franken und Schwaben gab
dort den schwächeren Ständen, den Grafen, den Rittern, den Städten
mehr Raum und Sicherheit, als sie irgendwo sonst gewinnen konn=
ten. Gleichwol hatten die Ritter lange aufgehört, das zu sein,
was sie ehedem waren. Mit der Existenz des Kaiserthums unter
allen Reichsständen fast am innigsten verknüpft, hatten sie von
dessen Verfalle auch den Rückschlag am schwersten empfunden, und
während im 14. und 15. Jahrhundert die übrigen Stände mäch=
tig aufblühten, blieb die Ritterschaft stehen, verlor in dem Um=
schwung der Zeiten ihr Waffenprivilegium an die neue Art der
Kriegführung und sträubte sich vergebens, in Gewaltthat und Selbst=
hülfe, gegen die neuen Ordnungen des Staates und der Gesell=
schaft. Eine gesunde Kraft verwilderte, weil ihr der Spielraum
einer natürlichen und normalen Thätigkeit fehlte. Wie dann das
Fehde= und Faustrecht verschwand, die neuen bürgerlichen Ordnun=
gen Wurzel schlugen, die Landeshoheit immer mächtigere Ausbrei=
tung gewann, und eine ganz neue Waffenkunst und Taktik die
alte verdrängte, da büßte der mittelalterliche Ritterstand seine ganze
militärische Bedeutung ein, und es konnte noch als eine besondere
Gunst des Schicksals gelten, daß nicht auch die alte Reichsunmit=
telbarkeit an die landesfürstlichen Gewalten verloren ging.

Die Theilnahme an dem Reichstage war der Ritterschaft ent=
gangen, in gewissem Sinne durch eigene Schuld, insofern ihre
Weigerung, zur Bezahlung des zehnten Pfennigs beizutragen, einer
der Gründe war, sie von den reichsständischen Berathungen fern=
zuhalten. Aber die Versuche, sie unter die Landeshoheit einzu=
schmelzen, waren doch auch mißlungen; noch zuletzt scheiterten die
Bemühungen in dem westfälischen Friedensgeschäft, und der abge=
schlossene Vertrag befestigte ihre Reichsunmittelbarkeit, statt sie zu
erschüttern.*) Zugleich war von den Ueberlieferungen der alten

---

*) Großen Werth legte man namentlich auf den Art. V. §. 28 des Osna=

Zeit eine in voller Kraft geblieben: das innige Freundschaftsverhältniß zum Kaiser. Der Kaiser nahm die Rolle eines Beschützers,
die ihm die Natur anwies, mit aller Sorgsamkeit wahr; und so
beschränkt seine Macht sein mochte, sie war gerade noch groß genug, der Reichsritterschaft schätzbare Vorrechte und Begünstigungen
zu schaffen. Sie genoß durch kaiserliche Feststellung ein Privilegium
gegen jeden Arrest, es hätte sich denn um ein gemeines Verbrechen,
wie Mord, Brandstiftung u. s. w. handeln müssen; sie hatte als
Körperschaft bei ritterschaftlichen Gütern, die in andere Hände überzugehen drohten, das Vorkaufsrecht. Sie besaß ferner den Blut-
bann, die Vollmacht, Bündnisse zu schließen, und das sogenannte
Collectationsrecht, wonach theils die Ritterschaft als Reichskörper,
theils die Einzelnen, wo es ihnen rechtlich zustand, Steuern auf-
legen durften. Andere Vorrechte, wie die Zollfreiheit, wurden zwar
angesprochen, aber nicht ohne Widerspruch ausgeübt.*)

Für alle diese Gunst war die Ritterschaft ihrerseits dem Kaiser
eng verbunden. Sie bildete den letzten Reichsstand, bei dem die
Unmittelbarkeit noch eine Wahrheit, und die Regierung durch den
Kaiser wörtlich zu nehmen war. Die Ritterschaft, wenn auch die
Einzelnen zu schwach waren, bildete doch in ihrer Gesammtheit
noch ein gewisses Gegengewicht gegen die Landeshoheit in Süddeutschland; ohne sie und ohne die geistlichen Stifter hätte der
Kaiser auch dort, wie im Norden, jeder reellen Regierungsthätigkeit
entbehren müssen. Aber nicht allein dieser Rest einer Regierungsgewalt machte dem kaiserlichen Interesse die Ritterschaft werth, der
Kaiser bezog zugleich in den freiwilligen Charitativsubsidien, welche
der gesammte ritterschaftliche Körper leistete, den einzigen Geldbei-
trag aus dem Reiche, der an sich nicht unbeträchtlich und zugleich
der Verfügung des Kaisers allein unterworfen war. Darum lag
ihm soviel daran, diese Ausnahmestellung der Ritterschaft zu
erhalten. Als sie z. B. zu Ende des siebzehnten Jahrhunderts

---

brücker Friedens, worin die Ritterschaft als libera et immediata imperii nobilitas
bezeichnet und ihr dasselbe Recht in Kirchensachen eingeräumt war, wie den
Kurfürsten, Fürsten und Reichsständen.

*) S. Mader, reichsrittersch. Magazin Th. VIII. 1 ff. Ueber die Steuer-
norm J. J. Moser's vermischte Nachrichten S. 948 ff. Ueber die Zölle f.
Kerner III. 197 ff.

daran dachte, die Theilnahme an dem Reichstage burch Bezahlung eines Matrikularbeitrags zu erlangen, war es außer dem Wider= stande anderer Reichsstände hauptsächlich der Kaiser, der es hin= berte; er wollte nicht statt der Charitativsubsidien den kargen und unsicheren Beitrag einer Matrikelquote eintauschen.

War so die Ritterschaft durch den Kaiser geschützt und ihre Existenz mehr als jede andere im Reiche mit der Fortbauer des Kaiserthums verknüpft, so hatte sie doch auch frühzeitig selber Sorge getragen, sich gegen die Uebergriffe der Landesherren zu schirmen. Die Bildung der Vereine war dadurch veranlaßt worden. Wie sich im ganzen Reiche, je mehr die Föderation der Gesammtheit sich lockerte, das Bedürfniß kund gab, durch Associationen, Kreis= verbindung u. s. w. sich zu schirmen und zu stärken, so fand auch die Ritterschaft darin ein Mittel des Schutzes und der Macht. Es bildeten sich erst die Cantone,*) diese wieder bildeten, in die Kreise Schwaben, Franken und Rhein vereinigt, drei größere Grup= pen, aus deren Verbindung die gesammte ritterschaftliche Corpora= tion erwuchs. So wurde, während der Einzelne keinen Tag sicher gewesen wäre, von den Landesherren verschlungen zu werden, ein Schutz für Alle geschaffen, der sie zwar nicht vor Uebergriffen mancher Art sicherstellte, aber doch, so lange die alte Organisation des Reiches noch dauerte, ihre Existenz verbürgte.

Jeder Canton oder Ritterort hatte seinen „Ortsvorstand", der aus einem Ritterhauptmann (Director), einigen Räthen und De= putirten der Ritter, dann einigen gelehrten Beisitzern, den Synbi= cis oder Consulenten und dem Cassen= und Schreiberpersonal be= stand. In den Kreisen war dann ein Directorium aufgestellt, das die Correspondenz mit dem Kaiser und dessen Räthen führte und im Allgemeinen die Freiheiten und Gerechtsame der Ritterschaft zu wahren hatte; in Schwaben ward dies Directorium vom Can= ton Donau ständig geführt, in den beiden anderen Kreisen alter= nirte es. Die Directorien der Kreise führten dann wieder im Tur= nus das Generaldirectorium über die gesammte Körperschaft. Die Cantone selber, wie die Kreise, traten denn auch, bei Wahlen des

---

*) Die schwäbischen kommen schon im Anfang des sechszehnten Jahrhun= berts mit den nachherigen Benennungen vor, siehe Kerner, Staatsrecht II. 17 folg.

Vorstandes und wo es sonst außerordentliche Fälle geboten, in den Orts- und Kreisconventen zusammen.

Hätte diese Organisation zwar ihre Mängel, die sich in der schleppenden und oft parteiischen Leitung von Oben, in Uebergriffen der Vorstände und in Zwietracht und Ungehorsam der einzelnen Glieder häufig genug kundgaben, so hatte sie doch auch den unverkennbaren Werth, die zahllosen kleinen Parcellen ritterschaftlicher Gebiete zu einem Ganzen zu verbinden und die ganze Corporation den natürlichen Gegnern, den Landesfürsten, gegenüber als eine Gesammtheit darzustellen. Die Verwirrung unter diesen einzelnen Herren, deren Zahl über tausend betrug, deren Besitzthum im höchsten Fall aus einigen Städtchen, Flecken oder Dörfern, oft auch nur aus einem mäßigen Grundbesitz und einigen Gefällen bestand, wäre noch viel größer gewesen, als sie war, wenn nicht die Organisation des Ganzen der natürlichen Schwäche und Zerrissenheit eine gewisse Gränze gesetzt hätte. Gegen Uebergriffe und Beeinträchtigungen der Mächtigeren war ohnedies ein Widerstand der einzelnen Landjunker nicht möglich; er konnte nur von dem gesammten Körper, hinter dem meistens Kaiser und Reichsgerichte standen, geübt werden.

An Zerwürfnissen fehlte es gleichwol zu keiner Zeit. Während der landsässige Adel mit Eifersucht das Vorrecht der Ritterschaft ansah und dessen geschichtliche Berechtigung bestritt, waren die größeren Landesherren unablässig bemüht, Rechte und Einkünfte des ritterschaftlichen Körpers zu verkürzen. Die Frage über die Gränzen der beiderseitigen Rechte ist ein stehendes Thema in der Publicistik des achtzehnten Jahrhunderts, und es geht eine Art von Zwiespalt durch die staatsrechtliche Literatur jener Zeit, je nach der Freundschaft oder Feindseligkeit gegen die ritterschaftlichen Privilegien. Schon zu Ende des sechszehnten Jahrhunderts klagten die Ritter über Beeinträchtigung ihrer Lehensgerechtsame, über Beschränkung ihrer Jagdrechte, über Auflegung ungewöhnlicher Zölle und Mauthen. Oder sie beschwerten sich über Entziehung der ihnen eigenen Leute, über die Hindernisse, die man der Besteuerung ihrer Unterthanen und Hintersassen in den Weg lege, über Entziehung ritterschaftlicher Güter und Unterwerfung ihrer Eigenthümer unter die Landeshoheit. Dazu kamen religiöse Bedrängnisse, womit man das ritterschaftliche jus circa sacra zu kränken

10 *

suchte, überhaupt Klagen über das Bemühen der Landesherren, bald in die Lehensrechte oder die Unterthanenverhältnisse der Ritter eigenmächtig einzugreifen, bald sie mit Zöllen und Abgaben zu beschweren, sie sogar zu den Landessteuern beizuziehen und die bürgerliche und peinliche Gerichtsbarkeit auf ihre Kosten auszudehnen. Hörte man die Beschwerden der Ritter, so blieb die landesherrliche Macht bei formellen Chikanen nicht stehen, sondern bedrängte die Ritterschaft mit Gewalt und Waffen, ja suchte nicht selten ihre Schlösser und Gebiete mit „Raub, Sengen und Brennen" heim.*)

Die lauteste Beschwerde geht immer dahin, daß die Landesherren sich bestrebten, die Rechte der Ritterschaft an ihre Unterthanen zu verkürzen. Sie nennen als solche Rechte: die schuldigen Frohnen, Dienste, Renten, die Zinsen, Gefälle und Gerechtigkeiten, „wie die Lagerbücher und das alte Herkommen" sie vorschrieben, dann Auslösung im Kriege, Beihülfe in Noth und, außer den herkömmlichen Steuern, auch „in vordringenden Nöthen eine außerordentliche Collecte", endlich Zölle, Brücken=, Weg= und Ohmgelder, Accise, Abzug= und Nachsteuer.**)

Sah man das hundertfach durchbrochene und zusammenhangslose Territorium an, so wurden die endlosen Streitigkeiten begreiflich. Denn außerdem, daß diese kleinen ritterschaftlichen Gebiete überall, wie Enclaven, zwischen den fürstlichen und städtischen Territorien eingestreut lagen, kam es nicht selten vor, daß auf einem ritterschaftlichen Gebiete zugleich Hoheitsrechte anderer Reichsstände hafteten und eine unerschöpfliche Quelle immer erneuerter Händel über die Gränze der gegenseitigen Befugnisse wurden. Bald strebte der Ritter die Ausübung des fremden Hoheitsrechtes zu stören, bald war der Inhaber dieser Rechte bemüht, die ritterschaftlichen Gerechtsame vollends zu verschlingen. Auf allen Correspondenztagen der Ritterschaft kehrten dieselben Klagen wieder. Der schwäbische Ritterkreis, obwol der größte und zahlreichste, ***) ward auch am meisten von den Landesherren des Kreises bedrängt; der

---

*) S. J. J. Mosers Beiträge zu reichsrittersch. Sachen S. 476 ff. F. C. v. Mosers kleine Schriften XI. 73 ff.

**) F. C. v. Moser XI. 280 f.

***) Bei einer Steuer von 90,000 fl. zahlte Schwaben 42,352 fl. 55 Kr., Franken 31,764 fl. 42 Kr., der Rhein nur 15,882 fl. 20 Kr.

fränkische war, die Irrungen mit Brandenburg und Coburg aus=
genommen, durch die Nachbarschaft der geistlichen Staaten etwas
besser geschützt, der rheinische dagegen, an Macht der schwächste,
hatte unaufhörlich zu klagen über die Beeinträchtigungen, die
ihm von Kurmainz, Trier, Pfalz, Darmstadt, Zweibrücken, Nassau
u. a. widerfuhren.

Der Kaiser blieb sich zwar consequent in dem Schutze, den
er der Ritterschaft gewährte. Außer dem, daß er die zweifelhaften
oder angefochtenen Rechte durch neue Privilegien bestätigte und
die Ritter durch Auszeichnungen ehrte, suchte er auch wohl auf
günstige Entscheidungen des Reichshofrathes hinzuwirken und legte
gegen solche Reichsgutachten, die der Ritterschaft unwillkommen
waren, das kaiserliche Veto ein. Aber gleichwol scheint es der
Ritterschaft bisweilen schlecht genug ergangen zu sein. Der ältere
Moser deutet wenigstens unverblümt darauf hin,*) daß bei strei=
tigen Fragen der Reichstag selbst durch Geldspenden der größeren
Reichsstände gegen die Ritterschaft gestimmt werde, und meint:
„wenn wir in Deutschland eine englische Preßfreiheit hätten, lie=
ßen sich gar viele Betrachtungen machen, sowol in Ansehung der
ganzen Reichscollegien, als vieler einzelnen Mitglieder derselben.‟

Andererseits waren sämmtliche auf dem Reichstage vertretenen
Stände, Kurfürsten, Fürsten und Städte einig in ihrem Interesse
gegen die Ritter und klagten sie wieder an, ihre Vorrechte unge=
bührlich ausdehnen zu wollen. Schon 1713 schlossen Pfalz, Wür=
temberg, Hessen und andere Länder eine Union gegen das Bestre=
ben der Ritterschaft, sich der schuldigen Jurisdiction zu entziehen,
den Heimfall der Lehen zu hindern, die Zahlung der Zölle zu wei=
gern, und erhoben die laute Klage (die ohne Zweifel begründet
war), „es sei bei den ritterschaftlichen Directorien gegen die von
Adel fast niemalen einige Justiz, viel weniger Execution zu erlan=
gen.‟ Im Jahre 1744 erhoben sich der ganze schwäbische und
oberrheinische Kreis, um die Ritterschaft wegen ähnlicher Beschwer=
den zu verklagen, und ein Jahr darauf traten die Städte mit der
Beschuldigung hervor, die Ritter suchten sich die Gewalt über Per=
sonen anzumaßen, die ihrer Jurisdiction unterworfen seien.**)

---

*) Neueste Gesch. der reichsunmittelb. Ritterschaft II. 6. 62. 576.
**) Moser a. a. O. 108 f. 348. 389.

ſuchte, überhaupt Klagen über das P   f. C. von Moſers Rath an
in die Lehensrechte oder die Unter   ſich unter einander zu einigen
mächtig einzugreifen, bald ſie   ſchwort procul a Jove procul a ful-
ren, ſie ſogar zu den Lande   Reichsſtänden ſo wenig als möglich
und peinliche Gerichtsbar   dieſer Rath war leichter zu geben,
man die Beſchwerden be   Ritterſchaft, ſelbſt wenn ſie friedfertig
bei formellen Chikane   war, konnte es nicht hindern, daß ihr durch-
ſchaft mit Gewalt   ſchloſſenes Territorium Verluſte erlitt, zu welchen
ſer und Gebiete   gen in keinem Verhältniß ſtanden. Selbſt die
    Die laute   wonach die an einen Dritten veräußerten
herten ſich   Güter zurückgekauft werden konnten und die an
nen zu   übergegangenen Beſitzungen dem ritterſchaftlichen
Frohner   unterworfen bleiben ſollten, ſelbſt dieſe wichtigen
„wie   welche das ritterſchaftliche Territorium zu einem Ge-
dan   blieben in der Praxis nichts weniger als unan-
her
o   äußeren Einbußen, die durch das Ausſterben alter
    durch die Erhebung einzelner Rittergeſchlechter in den
    ſtand, durch Verkürzung der zuſtehenden Rechte eintraten,
    freilich nicht die einzige Urſache der ökonomiſchen Zerrüt
    die im Ritterſtande um ſich griff. Einmal war auch hier
    Unweſen aufgekommen, die Zahl derer, die keine Handbreit
unmittelbaren Landes beſaßen und doch die ſtaatsrechtlichen Eigen-
ſchaften der Ritter anſprachen, die ſog. Perſonaliſten, ins Unge
meſſene anwachſen zu laſſen, ſo daß mit der Minderung des Be
ſitzthums die Vermehrung der Genießenden und Prätendenten voll
kommen gleichen Schritt hielt. Dann war der Haushalt in r
Regel ganz ſchlecht; die adeligen Herren ſelber, wie ihre Beamten
ſtanden als Finanzmänner in gleich übelm Rufe. Daß die Ord
nung des Schuldenweſens bei der Ritterſchaft zu den ſchwierigſte
Dingen der Welt gehöre, Erecution und Zahlung faſt unmögli
zu erlangen ſei, das galt ſelbſt bei den Vertheidigern des Ritte
ſtandes**) als eine ausgemachte Sache. Aber es wurden no
ſchlimmere Dinge geübt; Berichte der Zeit***) klagen, daß ritter

*) Klei Schriften II. 29.
**) Mo sritterſch. Magaz. VI. 155.
***) D. ichte Nachrichten von sritterſch. Sachen S. 570 f.

⸗e Beamte falsche Hypotheken machten, entweder auf er⸗
⸗chuldner oder ohne deren Wissen und Willen, und daß sie
⸗ Betrug das Amtssiegel in schändlicher Weise miß⸗

⸗konomische Ruin ward indessen zugleich durch den sitt⸗
⸗Zustand der Ritterschaft beschleunigt. Die Verluste vieler
⸗uter schrieb z. B. F. C. von Moser der „Schwelgerei und dem
Großthun“ der Ritter selber zu, und sogar das Aussterben einzel⸗
ner Familien gab man dem Sittenzustande des Adels Schuld.
„Die jungen Herren — klagt ein ritterschaftlicher Beamter *) —
zumal wenn sie das Unglück haben, ihre Väter zeitig zu verlieren,
lernen die französische und englische Lebensart kennen, verschwenden
ihre Kräfte zu bald, halten den Ehestand nicht heilig und erzielen
entweder keine rechtmäßige, oder nur eine schwächliche Nachkom⸗
menschaft, welche von Generation zu Generation abnimmt und
endlich gar verlöscht.“ Allerdings war die schlichte, altväterische
Sitte längst gewichen, und schon im 17. Jahrhundert verabredete
sich ein ritterschaftlicher Canton:**) „alles unordentlichen Lebens,
als Fressen, Saufen, Hurerei und anderer Laster müßig zu gehen
und sich fortan eines ehrbaren Lebens zu befleißen, auch der über⸗
mäßigen Pracht bei ihren Weibern und Töchtern, die es nunmehr
den Fürsten gleich und zuvor thun wollen, sich zu enthalten, end⸗
lich Siegel und Brief, Treu und Glauben besser als bisher in Acht
zu nehmen und nicht so schlechtlich in den Wind zu schlagen.“

Solche Verabredungen sind in der Regel nur Symptome,
nicht Heilmittel des Verfalles; sie scheinen auch die Ritterschaft
nicht viel gebessert zu haben, zumal seit ein Theil des Ritteradels
seine natürliche Stellung völlig verließ und sie mit fürstlichen
Diensten vertauschte. F. C. von Moser gibt uns eine treue Schil⸗
derung von dem Ruin, der damit in die Ritterburgen Eingang
fand.***) „Einem Fürsten, sagt er, dient man ja wohl eine Zeit⸗
lang um die Ehre; man sucht ihm gefällig zu werden, man opfert
seine letzten Kräfte, um der nächste an ihm zu sein, und die Hoff⸗
nung läßt den Muth niemals sinken, wenn auch Geld und Credit

---

*) Mader, Magazin III. 569.
**) J. J. Moser, Beiträge S. 464.
***) Kleine Schriften II. 10.

verschwinden. Das Cabinet macht reich; der Hof macht selten reich. Der Fürst gibt dem Edelmann eine ehrliche Besoldung und hilft ihm durch Spiel und Gala sie ehrlich wieder verzehren. Man muß allmälig von dem Seinigen zusetzen, man borgt, der Gläubiger bringt auf seine Zahlung. Der Fürst erfährt's, die Kammer zahlt dem Ritter seine Schulden, bekommt dagegen seine Güter, und dieser einen vornehmen Dienst beim Stall, Hof, Küche oder Keller, welcher ihm, so lange er lebt, hinreichend ist, seine glänzende Knechtschaft zu vergessen."

Gereichte hier die Genußsucht und die Verfeinerung der Zeit zum Verderben, so gab es gerade in der Ritterschaft auch abschreckende Beispiele genug, an denen die Folgen der Rohheit und Verwilderung sichtbar wurden. Die gemeinen Verbrechen der Fälschung, des Betruges, der Falschmünzerei, des Mordes, ja der Blutschande und ähnlicher Greuel waren häufiger, als man denken sollte;*) sie entsprangen aus schlechter Erziehung und der Gewohnheit, in dem kleinen Kreise, in dem man Herr war, sich Alles für erlaubt zu halten. Diese Rohheit und Unbändigkeit machte auch die körperschaftliche Organisation nicht selten unwirksam; klagte doch Kaiser Karl VI. in einem öffentlichen Actenstück über den Ungehorsam und die Gewaltthätigkeit, welche die einzelnen Ritter gegen Vorstand und Directoren an den Tag legten, und Joseph II. nahm einmal Anlaß, das „höchst unanständige" Betragen der Ritterschaft eines Cantons mißfällig zu rügen.**) Wenn das die Beschützer des Ritterstandes thaten, wie mußte das Urtheil der Anderen lauten!

Wohl gab es einzelne Familien, in denen der tüchtige und edle Stoff, der in dem Ritterthume lag, weder verweichlicht noch verwildert war; aber die Beispiele waren nicht häufig. Verband sich freilich mit dem alten Bewußtsein, die Edelsten der Nation zu sein, und mit dem überlieferten Sinn für Freiheit und Ehre die gute Zucht der Väter, so wurde auch etwas Rechtes daraus. Die Exempel eines Breidbach, Erthal, Gagern und vor Allen Stein bewei-

---

*) Kerner, Staatsrecht II. 434. Vgl. Mader, Sammlung reichsgerichtlicher Erkenntnisse.

**) J. J. Moser, neueste Gesch. der Reichsv. II. 690. Dessen vermischte Nachrichten 579.

sen auf's Glänzendste, was aus dem Ritteradel zu machen war, aber diese Exempel bilden eben Ausnahmen. Ein großer Theil, statt in einem mächtigen nationalen Leben ein tüchtiges Element zu werden, ging in Standeshochmuth, Kleinstaaterei, rohen oder wüsten Sitten ökonomisch und sittlich zu Grunde.

Es erklärt dies die bezeichnende Erscheinung, daß kein Stand im alten Reiche bei der Mehrzahl der Nation so unpopulär war, wie der alte Reichsadel; daß ihn die nächste Umwälzung verschlungen hat, war zwar zunächst durch die auswärtige Einwirkung einer Revolution und eines fremden Eroberers veranlaßt, aber die Ursachen lagen tiefer. Die Privilegien des Adels, seine Steuerfreiheit, sein Vorrang in den bürgerlichen und militärischen Stellen, seine Versorgung durch die geistlichen Stifter, die Lasten, die er seinen Unterthanen in reicher Fülle auflegte, — diese ganze Summe von Gunst und Vorrecht wäre dem erwachenden Bewußtsein staatsbürgerlicher Gleichheit nimmer so gehässig gewesen, wenn der Ritteradel selber sich seines Vorrangs würdiger gezeigt hätte. Die Opposition gegen den Adel war schon im siebzehnten Jahrhundert in unserer Literatur sehr nachdrücklich hervorgetreten,[*] sie wuchs außerordentlich bei dem Anblick des unerquicklichen Bildes, welches die ökonomischen und sittlichen Zustände eines großen Theils der Ritterschaft gewährten. In den Anschauungen, die kurz vor der Revolution über den Adel herrschten, streiten sich Haß und Geringschätzung um den Vorrang;[**] es bedurfte nur eines äußeren Anstoßes und die Reichsritterschaft fiel ungeschützt und unbeklagt zu Boden.

Diese Stimmungen zu mildern, war die Beschaffenheit des ritterschaftlichen Staatswesens am wenigsten geeignet. Die ritterschaftlichen Enclaven schienen recht eigentlich bestimmt, die Folgen der kleinstaatlichen Misère aufzudecken. Wo sie zwischen die größeren Gebiete geistlicher und weltlicher Fürsten oder der Reichsstädte eingestreut waren, da schienen sie nur berufen, die gesunde staatliche Entwicklung zu hemmen. Laut klagte man, daß die ritterschaftlichen Gebiete den Verkehr störten, die öffentliche Sicherheit

---

[*] S. die Auszüge aus Opitz, Moscherosch u. a. Bei Perthes S. 236.
[**] Statt vieler anderen nennen wir nur die Schrift von Pfeiffer: der Reichscavalier. 1787.

beeinträchtigten, daß durch sie jede strenge Handhabung der Justiz
und Polizei unmöglich werde. In den ritterschaftlichen Gebieten, hieß
es, kann keine Commerz- und Zollordnung aufkommen, dort findet
man die trefflichen Schulen nicht, die überall ringsum bestehen. Wohl aber hausen dort die Vagabunden, Zigeuner, Bettel-
juden und Afterärzte. Und diese Klagen waren nur zu begründet. Man lese z. B. den Vertrag, den Kurpfalz 1779 mit der
kraichgauer Ritterschaft über die Herstellung der großen Landstraße
schloß*), um zu begreifen, welche Mühe und Umschweife es kostete,
damit eine Strecke von wenig Meilen dem Verkehr zugänglich
ward, und nicht etwa die große Handelsstraße von Nürnberg nach
dem Rhein an den paar Dörfern der Herren von Massenbach,
Gemmingen u. s. w. ein unüberwindliches Hinderniß fand. Auf
der anderen Seite thaten auch die angränzenden Reichsstände in
der Regel was an ihnen war, die verhaßten ritterschaftlichen Gebiete durch Hemmungen des freien Verkehrs zu isoliren. Drum konnte
schon das Handwerk dort nicht gedeihen; es hatte keinen Markt
und entbehrte des ungestörten Verkehrs nach Außen. Die Bewohner waren darum in der Regel auf den Ackerbau und solche Hand-
werkszweige reducirt, die sich noch neben dem Ackerbau treiben
ließen. Alles was Polizei und öffentliche Sicherheit anging, lag
in den ritterschaftlichen Territorien in tiefster Zerrüttung. Kam
ein Verbrechen vor, so sah man sich erst nach einem auswärtigen
Juristen um, eine eigene Organisation und rechtliche Ueberlieferung bestand so wenig, als ordentliche Zuchthäuser. Es kam
dann wohl vor, daß der Proceß so bunt geführt ward, daß
der Ankläger gerechten Anlaß hatte, Klage zu führen über die
Ordnungswidrigkeiten und Gewaltthaten, die er habe leiden müssen; oder umgekehrt ward das loseste Gesindel mit solch nachlässiger Toleranz behandelt, daß alle Nachbarn gerechte Klage führten, die ritterschaftlichen Orte seien die Zuflucht aller Diebe und
Gauner. Das Regiment, unter dem die Unterthanen standen,
war denn auch oft schlecht genug; wohl gab es auch noch ehrenwerthe Familien, die in der Weise alter Landjunker eine schlichte
patriarchalische Wirthschaft führten und wenig von sich reden machten; aber es fanden sich auch Andere, die ihre reichsunmittelbare

---

*) S. Maders Magazin II. 323 ff.

Stellung und die Lähmung aller öffentlichen Gewalt und Justiz des
Reiches schmählich mißbrauchten. Von ihnen werden unzählige
Bedrückungen der Unterthanen, Auflegung harter Frohnden und
Steuern, persönliche Quälereien in reicher Zahl erwähnt, nicht
selten auch bei verschiedener Confession der Herren und Unterthanen religiöse Unterdrückung geübt. Je kleiner der Kreis dieser
winzigen Tyrannen war, desto unerträglicher wurde natürlich für
jeden Einzelnen der Druck und die zum Theil ganz persönliche
Chikane und Verfolgung. Es muß arg getrieben worden sein,
denn nach den Schilderungen der Zeitgenossen standen viele ritterschaftliche Gebiete selbst tief unter jenen fürstlichen Landen, deren
Regierung nichts weniger als musterhaft war. In manchen Gegenden, sagt Moser, braucht man sich gar nicht nach der Ortsherr-
schaft zu erkundigen, man sieht es dem ganzen Dorfe an, daß es
ritterschaftlich ist.

<hr />

Nicht allein in diesen kleinstaatlichen Gruppen, die sich lange
überlebt hatten, war der Umschwung der alten Zeit wahrzunehmen,
auch bei einer einst sehr gewichtigen Körperschaft, den Reichsstädten, war der Verfall des alten Reiches und seiner Bestandtheile nicht zu verkennen. Von diesen deutschen Städten war einst
die große Bewegung des Welthandels ausgegangen; sie hatten
den Binnenverkehr an sich gerissen, sie beherrschten die Meere und
die Häfen des europäischen Nordens. Von ihnen ward im fünfzehnten Jahrhundert nicht nur die entdeckte und bekannte Welt
ausgebeutet, auch die ersten Entdeckungsfahrten nach der neuen
nur erst geahnten Welt gingen von ihnen aus. Die eigenthüm-
lichsten Züge des deutschen Wesens, die zähe Geduld und Ausdauer, die Sinnigkeit und Tiefe in der Arbeit, hatten sich damals
hinter die Mauern dieser Städte geflüchtet und wirkten dort vereint zu einem großen Ziele, indeß sich draußen die verlorene Kraft
des Einzelnen in Unbändigkeit und Selbsthülfe entkräftete. Welch
eine Fülle des Wohlstandes war in diese Städte damals zusam-
mengeströmt! Nicht nur die Pracht und Ueppigkeit eines Lebens-
genusses, wie ihn die Höfe und Burgen kaum kannten, war hier
eingekehrt; nicht nur in stolzen Bauten, Malereien und Zierra-
then kündigte sich der satte Reichthum dieser Sitze bürgerlicher Arbeit an, auch die Kunst und die Wissenschaft fand lange Zeit hier

die sicherste Pflege. Ja, es konnte vorübergehend die Furcht oder
Hoffnung auftauchen, es werde aus der Verbindung dieser städtischen Macht eine bleibende Umgestaltung der deutschen Reichsverfassung hervorgehen. Für den deutschen Südwesten wenigstens
und die Gebiete an der Nord- und Ostsee lag im vierzehnten
Jahrhundert die Wahrscheinlichkeit nahe genug, daß die städtischen Eidgenossenschaften Fürstenthum und Ritterschaft überwältigen und eine ähnliche Verbindung herstellen würden, wie die
Städte und Bauern Oberalemanniens sie in der schweizer Eidgenossenschaft gegründet hatten.

Wie weit lag von solchen kühnen Zielen das Städtewesen
des achtzehnten Jahrhunderts ab! Noch bestanden zwar einund-
funfzig reichsunmittelbare Städte, darunter neben vielen winzigen
und lebensunfähigen auch die Reste der einst großen und mächtigen, noch saßen sie in zwei Bänke (die schwäbische und rheinische) vertheilt auf dem Reichstage und bildeten ein besonderes
Collegium mit einer eigenen Stimme; aber wir haben bereits früher gesehen, wie wenig Werth diese Stellung noch hatte und wie
wenig Gewicht sie selber auf dies überlieferte Verhältniß legten.*)

Das sechszehnte Jahrhundert hatte die Reichsstädte noch in
dem Vollgenuß ihres Wohlstandes, ihres behaglichen Lebens, ihrer
Blüthe in Kunst und Wissenschaft gesehen, aber es war auch der
Zeitraum, in welchem der Umschwung begann. Es folgte rasch
nach einander eine ganze Reihe tiefeingreifender Ereignisse, welche
die Katastrophe vorbereiteten. Der Welthandel suchte sich neue
Wege, die Niederlande fielen vom Reiche ab, die nordischen Kö-
nigreiche emancipirten sich, Liefland ging verloren, die Privilegien

---

*) Auf der rheinischen Bank saßen: Aachen, Bremen, Cöln, Dortmund,
Frankfurt, Friedberg, Goslar, Hamburg, Lübeck, Mühlhausen, Nordhausen,
Speyer, Wetzlar, Worms; auf der schwäbischen: Aalen, Augsburg, Biberach,
Bopfingen, Buchau, Buchhorn, Dünkelsbühl, Eßlingen, Gmünd, Gen-
genbach, Giengen, Hall, Heilbronn, Isny, Kaufbeuren, Kempten, Leutkirch,
Lindau, Memmingen, Nördlingen, Nürnberg, Offenburg, Pfullendorf, Ra-
vensburg, Regensburg, Reutlingen, Rotenburg, Rotweil, Schweinfurt, Ueber-
lingen, Ulm, Wangen, Weil, Weißenburg, Wimpfen, Windsheim, Zell.
Davon wurden Aachen, Buchau, Buchhorn, Cöln, Gmünd, Gengenbach, Isny,
Offenburg, Pfullendorf, Rotweil, Ueberlingen, Wangen, Weil, Zell als katholische, Augsburg, Biberach, Dünkelsbühl, Ravensburg als paritätische Städte
betrachtet; der Rest war protestantisch.

der Hanse in England wurden beschränkt, und nirgends bot sich
ein Ersatz für die Einbuße des Binnenverkehrs, für den Verlust
der Herrschaft auf den Meeren und die Verkürzung der Handels=
monopole. Die Periode des confessionellen Habers zu Ausgang
des sechszehnten Jahrhunderts mußte diese Wunden nur schärfen;
die kirchliche Ausschließlichkeit zersplitterte vollends, was sich mit
aller Eintracht hätte zusammenfassen sollen. Die Austreibung der
Protestanten aus Cöln z. B. schlug der Stadt eine lange nachwirkende
Wunde, und neue Sitze bürgerlichen Fleißes, wie Crefeld, Elber=
feld, nährten sich mit den Kräften und Capitalien, welche die Un=
duldsamkeit verstoßen. Die Bedrückung der wälschen Reformirten
in Frankfurt a. M. legte den Grund zu der selbständigen Blüthe
von Hanau und Offenbach. *)

Es folgte der dreißigjährige Krieg, der, wie er dem ganzen
Reiche und dessen einzelnen Gebieten verderblich ward, so doch
die Städte mit der nachhaltigsten Verwüstung heimsuchte und bei=
nahe nicht eine ganz verschont ließ. Die Zeit nach dem westfä=
lischen Frieden schaffte aber keine Erholung. In sich so tief er=
schüttert und zum Theil für immer in ihrem Wohlstand gebro=
chen, schienen die Städte schon damals dem Schicksale der Ein=
verleibung in die fürstlichen Gebiete erliegen zu müssen, das sie
anderthalb Jahrhunderte später traf. Von der landesherrlichen
Macht allenthalben umdrängt, von ihrer Vergrößerungspolitik be=
droht und gequält, verlor damals manche früher gewaltige Stadt
ihre Unabhängigkeit, und man durfte sich fast darüber wundern,
daß die übrigen sie dem Namen nach behielten. Kaum fristeten
noch die Städte am Rhein eine bescheidene Existenz, als der furcht=
bare 'orleanssche' Krieg hereinbrach und die alten fränkischen Kö=
nigsstädte, wie Worms und Speyer, der völligen Zerstörung preis=
gab. Sie verloren ihre alte Bedeutung nun für immer und san=
ken zu Landstädtchen herab, in denen höchstens noch die alten
Dome an vergangene Herrlichkeit erinnerten. Denn die Zeit war
vorüber, wo sich die friedlichen Künste des Lebens, bürgerlicher
Fleiß, Wissenschaft und Kunst fast nur hinter den Mauern der
Reichsstädte in ungestörter Blüthe entfalten konnten; die größeren
fürstlichen Gebiete waren jetzt der Raum geworden, auf dem sich

---

*) Bartholds Geschichte der Städte IV. 433 ff.

das staatliche und Culturleben rührig und wohlthuend ent=
wickelte.

Im achtzehnten Jahrhundert hatte die große Mehrzahl ihre Be=
deutung verloren, auch wenn sie dem Namen nach die alte Reichs=
unmittelbarkeit, die Selbstregierung durch gewählte Magistrate be=
wahrt hatten, noch ihre Directorien und Kreistage hielten und auf
dem Reichstage eines der drei Collegien bildeten. Zu diesem stol=
zen Gehäuse der alten Zeit paßte indessen der Inhalt nicht mehr.
Nur noch wenige Städte, wie Ulm und Nürnberg, besaßen noch
ein reichsstädtisches Gebiet, waren aber dafür mit Schulden über=
häuft. Zum Theil war diese ökonomische Bedrängniß dadurch
verursacht, daß die Städte ihre alte Macht verloren hatten, der
Handel meistens ganz darniederlag, sie aber gleichwol nach
dem Maßstabe ihrer frühern Kräfte von Reichswegen tarirt und
besteuert wurden. Aber viel Schuld lag auch an ihnen sel=
ber. Ihre Verwaltung stand in ebenso schlechtem Rufe, wie
die Redlichkeit und Uneigennützigkeit ihrer Magistrate; das rief
denn bitteren Hader zwischen dem Regimente und der Bürger=
schaft hervor, bis am Ende eine kaiserliche Commission erschien
und in jahrelanger Untersuchung der Stadt neue Schuldenlasten
aufbürdete. Dazu kamen die unausgesetzten Bedrängnisse der an=
gränzenden Landesherren, denen die Städte zu widerstehen theils
zu schwach theils zu uneinig waren. Zwar hatte der westfälische
Friede auch ihre Landeshoheit ausdrücklich anerkannt, aber sie
ward zugleich von Kaiser und Reichsgerichten, die hier fast allein
noch eine wirksame Autorität entfalteten, und von den Landes=
fürsten in sehr bescheidene Gränzen eingeengt.

Innerhalb dieser engen Gränzen selber hatte der Verfall
lange begonnen. Ob aristokratisch oder demokratisch, war die
alte Verfassung in eine gleichmäßige Erstarrung gerathen; in
der Aristokratie klagte man über unerträgliche Despotie einer Co=
terie von Familien, in der Demokratie über unsaubere Wahl=
umtriebe und eigennützige Kameradschaften. Familienselbstsucht
und Nepotismus war in beiden gleich heimisch, und wir hören
nicht, daß die eine oder die andere Verfassungsform vor den ge=
läufigen Gebrechen, Begünstigung der Unfähigen, Ausbeutung des
Staatsvermögens, Käuflichkeit und Bestechlichkeit, hat schirmen
können. Wo das Uebel minder grell auftrat, war es Verdienst

der Personen; aber im Ganzen stand die städtische Administration und Justiz in einem so üblen Rufe, wie nur immer die der geistlichen Gebiete, der Grafschaften und der ritterschaftlichen Gebiete. Bald gingen bei Processen die Acten verloren, bald ließ man den Inquisiten laufen und der Kaiser oder der Reichshofrath mischte sich in die tief verfallene Rechtspflege, bald kamen bei Civilhändeln, namentlich bei Concursprocessen, die gröbsten Unredlichkeiten vor, kurz die Fälle, wo diese Rechtspflege die Einmischung des Reiches hervorrief, sind so häufig und noch häufiger als die Klagen über die Justiz- und Polizeianarchie auf den ritterschaftlichen Gebieten. Das Schulbenwesen, theils durch wirkliche Ueberbürdung und den Verlust des alten Wohlstandes, theils aber auch durch sorglose und unredliche Verwaltung hervorgerufen, war eine fast allgemeine Krankheit der Reichsstädte; selten daß eine verschont blieb von den kaiserlichen Commissarien, deren Kosten dann in der Regel den Bankerutt beschleunigten. Das früher so blühende bürgerliche Gewerbe war verfallen; der handwerktreibende Theil der Bevölkerung theils in eine tiefe Erschlaffung gerathen, theils durch eine verkehrte Zunftgesetzgebung gehindert, sich zu einer freien und selbständigen Thätigkeit zu entwickeln.*)

So war denn auch besonders seit dem westfälischen Frieden mit der materiellen Kraft zugleich das Selbstvertrauen und der kühne Freiheitsstolz der alten Zeit verloren gegangen. Die bekannten Episoden im vorigen Jahrhundert, wo einzelne kühne Freibeuter, z. B. im siebenjährigen Kriege, mit einer Handvoll Husaren die größeren Städte sogar zu hohen Brandschatzungen zwangen, bezeugen hinlänglich, wie sehr selbst die Erinnerung an die alten Zeiten verwischt war. Die städtischen Contingente waren denn auch an Material und Rüstung der Theil der Reichsarmee, der am meisten dazu beitrug, die ganze Einrichtung dem Gelächter preiszugeben, und es waren nicht etwa nur die Männer von Bopfingen, Aalen, Isny oder Giengen, welche diesen Spott herausforderten, sondern auch die Heereskraft größerer Städte war in ähnlichen tiefen Verfall gerathen. Das ganze Gedächtniß an die alte Zeit mit ihrem ungebeugten Freiheitssinne, ihrer Tapferkeit und ihrem Opfermuthe

---

*) J. J. Mosers reichsstädtische Regimentsverfassung S. 218 ff. 293 ff. Barthold IV. S. 483 ff.

schien erloschen; die förmliche und bedächtige Art der alten Zeit
war in wunderliche und pedantische Manieren umgeschlagen, denen
man die dumpfe Schwerfälligkeit des hergebrachten Lebens und
den engen Gesichtskreis anfühlte, in dem sich die städtische Bevölkerung selber festgebannt. Zur Charakteristik der Veränderung,
die mit diesen ehemaligen Sitzen bürgerlichen Unternehmungsgei-
stes vorgegangen war, wüßten wir kaum einen bezeichnendern Zug
zu nennen, als die Beschwerde, womit der reichsstädtische Körper
1790 vor den Reichstag trat. Die Städte klagen darin wegen
vielfältiger Beeinträchtigung durch das Postwesen; es werde dadurch das uralte und wohlhergebrachte Stadt- und Landbotenwe-
sen gestört. Sie bitten daher „die zum größten Nachtheil der bürgerlichen Nahrung errichteten Postwagen" entweder wieder abzustellen, oder doch dieselben auf alleinigen Transport der Reisenden
und ihres Gepäcks zu beschränken, auch keine neuen zu errichten
ohne Zustimmung der Reichsstände, deren Gebiet sie berühren.*)

Daß das alte städtische Leben verfallen sei und einer vollständigen Erneuerung bedürfe, diese Ueberzeugung verbreitete sich
immer allgemeiner, je tiefer und unheilbarer namentlich der materielle Wohlstand der Städte verfiel. Die Frage, wie dem Handel und Handwerk aufzuhelfen sei, beschäftigte die einsichtsvollsten
Patrioten, z. B. Justus Möser**), aber der Verfall schritt unaufhaltsam vorwärts. Innerhalb der überlieferten Formen war
dem herabgekommenen Geschlechte nicht mehr zu helfen; es mußte
eine andere Zeit kommen, die durch gewaltsame Erschütterungen
hindurch auf den Trümmern des alten die Grundlagen eines neuen
deutschen Bürgerthums legte.

Bezeichnend ist die Wahrnehmung, daß sich im achtzehnten
Jahrhundert ein regeres Leben fast nur in den fürstlichen Städten entwickelt. Während die Reichsstädte kümmerlich ihre Existenz
fristen, von den benachbarten Landesherren und dem eigenen Verfall bedrängt sich abschließen gegen die Strömung der Zeit, erhoben sich, wohl zum Theil künstlich gepflegt, neue Residenzstädte,
die Lieblinge des fürstlichen Wohlwollens, und wurden rasch zu

---

*) Reichstagsschriften Cart. 472 auf der Münchn. Bibl.
**) S. Mösers Werke, herausg. von Abeken. I. 96. 113. 147 f. 263.
337. 349.

bedeutsamen Mittelpunkten des geistigen Verkehrs der Zeit. Man konnte aus diesen extemporirten Städten freilich auch nicht entfernt das machen, was die alten Reichsstädte einst gewesen, zumal nicht selten die ganze Anlage geographisch verfehlt und mehr durch fürstliche Liebhabereien als durch natürliche Hülfsquellen bedingt war. Aber sie und noch mehr die, wieder zu selbständiger geistiger Thätigkeit aufblühenden, Universitäten übten doch einen Einfluß auf das Gesammtleben der Nation, wie ihn die Reichsstädte seit lange verloren hatten. Oder, um von den beiden Hauptstädten Oesterreichs und Preußens nicht zu reden, war nicht der Einfluß, den im Laufe des achtzehnten Jahrhunderts für unsere Gesammtentwicklung Städte wie Weimar, Jena, Göttingen, Königsberg u. a. übten, unendlich viel bedeutender als Alles, was die Reichsstädte dagegen einzusetzen hatten? An die Reichsstädte von wenigen tausend Einwohnern, an Bopfingen, Giengen, Jsny, Gengenbach und ähnliche konnte man auch nicht einmal die Anmuthung stellen, daß sie sich über den engen Kreis ihrer localen Misère erheben sollten; aber auch Nürnberg, Augsburg, Ulm, Frankfurt und Cöln hatten nicht die lebendige Beziehung mehr mit dem geistigen Leben der Nation, die sie früher gehabt. Eine gewisse Bedeutung behauptet im vorigen Jahrhundert nur Hamburg und auch dieses aus andern Gründen, als weil es eine Reichsstadt war.

Ein Zustand solcher Art konnte eine größere Erschütterung nicht mehr überdauern. Von der geistigen Bewegung der Nation abgesperrt, aller der Vortheile entbehrend, welche das Staatsleben auf einem größeren Raume gewährte, in materiellem Wohlstande tief herabgekommen und zugleich in Schlaffheit und Verknöcherung befangen, ohne lebendigen Trieb, aus der Zerrüttung sich emporzuarbeiten, sondern eben nur von dem Schatten alter Größe und Herrlichkeit zehrend — so konnten die Reichsstädte wohl noch in friedlichen Zeiten fortvegetiren, aber dem Sturme nicht mehr trotzen, den eine neue Weltepoche brachte. Sie theilten mit den geistlichen Staaten und den Gebieten der kleinen reichsunmittelbaren Herren das Loos, von Stoffen der Gährung am stärksten erfüllt und jeder revolutionären Berührung am meisten ausgesetzt zu sein. Drum erlagen sie auch mit jenen am raschesten dem ersten Einflusse der neuen Zeiten.

I.   11

Das Bewußtsein dieser Schwäche machte sich denn auch mit jedem Tage mehr geltend. Als im Anfange der neunziger Jahre über das tief zerrüttete Nürnberg wieder einmal eine Commission (des fränkischen Kreises) kam und die Gründe der ökonomischen Krisis prüfte, da tauchten von Seiten der Nürnberger wohl die alten Klagen auf: der geänderte Zug des deutschen Handels, der dreißigjährige Krieg, die Kriegsbedrängnisse der späteren Zeit, Theuerung und Getreidesperre, auch unbillige Matrikularanschläge hätten sie so tief herabgebracht. Aber mit Recht sucht die Commission die Quellen des Verfalles zugleich in den Bürgern selbst und schließt ihren Bericht mit dem ahnungsvollen Worte, das für den größten Theil der Städte galt: „Keine menschliche Kraft noch Weisheit kann den hereinbrechenden Umsturz und alles das unermeßliche Elend, was die Folge davon sein muß, abhalten, es sei denn, daß eine ganz neue Schöpfung in der gesammten Staatshaushaltung eintritt. Eine ganz neue Schöpfung muß es sein, welche die todten Kräfte beleben, die schlummernden wecken, ein richtiges und ungehindertes Zusammenwirken herstellen und Alles auf den Mittelpunkt des öffentlichen Wohles vereinigen kann."*)

Die wunderliche Zergliederung des Reiches in zahllose Sonderexistenzen war mit den kleinen Reichsstädten und ritterschaftlichen Enclaven noch nicht erschöpft; es gab selbst noch reichsunmittelbare Dörfer.**) Etwas mehr als ein Dutzend dieser Dörfer hatten sich in Schwaben und Franken die Reichsunmittelbarkeit gerettet, übten das Hoheitsrecht in Kirchensachen, errichteten Dorfordnungen, wählten ihre Schultheißen, setzten gerichtliche Personen ein und ab und handhabten auch eine Art von Rechtspflege. Ferner gab es Personen, Familien und Körperschaften, welche reichsunmittelbare Güter besaßen und, ohne Reichsstände zu sein, doch als reichsunmittelbar betrachtet wurden. Manche Kirche und Abtei, manche kleine Gutsherrschaft, auch einzelne Familien be=

---

*) Reuß, Staatscanzlei XXXIII. 46.
**) S. Jenichens Vorrede zu Lünigs wohl abgefaßten Schreiben. Bamberg 1751. In Franken waren es die Dörfer Gochsheim und Sennfeld; im Nordgau Kaldorf, Petersbach, Biburg, Wengen, Priesenstatt, Huttenheim, Maynberheim, Haidingsfeld, Sainsheim, Aahusen; in Schwaben Großgartach, Ufkirchen, Suffelheim, Gobramstein und einige andere.

fanden sich in diesem Verhältniß; zur Zeit, wo es galt, von ihnen Beisteuern ähnlicher Art, wie die ritterschaftlichen Charitativsubsidien zu erheben, da war, wie ein Publicist sagt, der kaiserliche Hof „in diesem Stück ebenfalls in Gnaden ihrer eingedenk."

Eine gesunde und natürliche Gliederung konnte man dies nicht mehr nennen. Vielmehr hatte der alte Moser vollkommen Recht, wenn er unmuthig ausrief:*) „Vormals wußte man von keinem fürstlichen Hause ohne Fürstenthum, keinem gräflichen ohne Grafschaft; nun ist das Alles anders, wir haben 150 Personalisten gegen einen Realisten. .... Es ist Alles bei uns in Confusion, so gut oder ärger, als Polen durch Verwirrung regiert wird."

Aeußerungen wie diese ließen sich eine ganze Reihe aufzeichnen; sie beweisen, wie wenig Illusionen über den Werth der bestehenden Formen sich die klarsten und einsichtsvollsten Köpfe damals machten. Und wenn ein Moser so urtheilte, dessen Bildung und Lebensansicht eben mit dieser alten untergehenden Zeit innig verflochten war, wie mußte das junge Geschlecht denken, das unter den Eindrücken der Thaten Friedrichs des Großen aufgewachsen und von den Richtungen der neuen Geistesbildung seit der Mitte des achtzehnten Jahrhunderts beherrscht war! Diesem jungen Geschlecht war auch die Pietät für die überlieferten Formen fremd, welche die ältere Generation unverkennbar noch erfüllte; ihm erschien das alte Reich nur wie eine wunderliche Ruine mittelalterlich-byzantinischer Zeiten, die es ohne Haß und ohne Liebe betrachtete. Von dem Geiste antiker classischer Bildung und moderner Speculation erfüllt, war das Interesse und die Thätigkeit dieser jungen Generation auf ganz andere Ziele gerichtet, als auf die politische und publicistische Betrachtung, der noch zwei so treffliche Kernnaturen der alten Zeit, wie die beiden Moser, ihr ganzes Leben gewidmet hatten.

Eine gewaltige Revolution des geistigen Lebens der Nation ward von diesem jungen Nachwuchse vorbereitet. Indessen der Dichter der Messiade das religiöse und nationale Pathos im deut-

*) Von den deutschen Reichsständen S. 1264.

schen Volke neu erweckte, in Form und Inhalt der Trivialität
der hergebrachten Bildung den Krieg erklärte und in der Jugend
namentlich sich einen begeisterten Anhang gleichen Sinnes groß-
zog, befreite uns Lessing von der Herrschaft französischer Muster
und Theorien und führte die Nation zu jener antiken Natur und
Einfachheit zurück, die unserem innersten Wesen verwandt war.
Diese unblutigen Kämpfe und Umwälzungen, die Emancipation
nationaler Kunst und Kritik von den Fesseln fremder Mode und
fremden Zopfes, das Wiederaufleben antiker Bildung, das Ringen gegen den starren und geistlosen Formalismus in der Kirche,
der Schule und dem Hause, die Erzeugung eigener und originaler
Kunstschöpfungen an der Stelle fremder Copien — diese ganze
Revolution, deren Verlauf wir hier nicht darzustellen haben, mußte
auch das politische Leben der Nation einer zwar langsamen aber
durchgreifenden Revolution entgegenführen. Welches der Ausgang
sein würde, ob das geistige Gebiet des Denkens und Dichtens
den Trieb politischen Handelns vollends absorbiren, oder ob die
literarische Umwälzung die Brücke werden würde zu einer neuen
Erweckung auch des äußeren nationalen Lebens, das lag im
Schooße der Zukunft; nur das Eine war klar, daß die überlieferten Formen des alten Reiches in der neuen Geistesbewegung keine
Stütze finden würden. Dieses junge Geschlecht, von den Anschauungen antiker Kunst erfüllt, von dem enthusiastischen Eifer der
Aufklärung und Humanität des Jahrhunderts begeistert, stand
den alten Formen zum wenigsten fremd, wenn nicht feindselig
gegenüber; ja, seine ausschließlich abstracte Bildung, wie seine
humane und weltbürgerliche Lebensansicht zog es vom Gebiete
äußerer politischer Dinge überhaupt ab. Die neue Bildung fand
ihren Stolz darin, nicht auf einer realen Grundlage nationaler
und politischer Zustände zu ruhen; sie rühmte sich mit einem
Eifer, der uns fast undeutsch klingt, ihrer weltbürgerlichen und
humanen Unbegränztheit. Das Wort von Herder, der spöttisch
fragt: „was ist eine Nation?" und darin nichts finden will, als
„einen großen ungejäteten Garten voll Kraut und Unkraut, einen
Sammelplatz von Thorheiten und Fehlern, wie von Vortrefflichkeit und Tugend," ist bisweilen als ein bezeichnender Ausdruck
dieses ungestümen kosmopolitischen Eifers angeführt und gerügt
worden. Aber auch Lessing, der unter allen Trägern der neuen

Bildung am meisten dafür gethan, den deutschen Geist aus fremden Banden zu lösen und wieder zu sich selbst zurückzuführen,
dem, wie jede Uebertreibung, so auch die des Kosmopolitismus
fremd war, zieht sich auf den Standpunkt nationaler Entsagung
zurück. „Ueber den gutherzigen Einfall, — ruft er bitter aus —
den Deutschen ein Nationaltheater zu verschaffen, da wir Deutschen noch keine Nation sind! Ich rede nicht von der politischen
Verfassung, sondern nur von dem sittlichen Charakter. Fast sollte
man sagen, dieser sei: keinen eignen haben zu wollen." Derselbe Mann, der sein Leben dem Kampfe für die geistige Erweckung der Nation geweiht, sprach das charakteristische Wort aus:
„ich habe von der Liebe des Vaterlandes keinen Begriff und sie
scheint mir auf's höchste eine heroische Schwachheit, die ich recht
gern entbehre."

Es bedurfte ohne Zweifel noch gewaltiger Durchgänge und
herber Prüfungen, bis diese weltbürgerliche Gleichgültigkeit des jungen Geschlechts überwunden war. Vielleicht war der völlige Umsturz
der alten Formen, eine neue Theilung deutschen Landes und Volkes, eine Fremdherrschaft und eine Unterdrückung, schlimmer als
die des dreißigjährigen Krieges, nothwendig, um die Ueberzeugung,
die im alten Reiche verloren gegangen, neu zu erwecken: daß die
Liebe zum Vaterlande etwas mehr sei, als eine „heroische Schwachheit." Für's Erste war bis dahin noch ein weiter Weg zurückzulegen. Wir irren so leicht bei der Beurtheilung der politischen
Handlungen jener Zeiten, indem wir den Maßstab unserer Betrachtung anlegen. Wir sind jetzt gewohnt, den westfälischen Frieden und was voranging, als eine Calamität Deutschlands zu betrachten, weil wir den letzten Ausgang dieser Entwicklung, den
Rheinbund und die Dreitheilung Deutschlands vor Augen haben;
uns erscheint französischer Schutz und französische Einmischung,
in welcher Gestalt sie sich auch geltend machen mag, als schmachvoll, weil wir unter den Erinnerungen bonapartescher Herrschaft
aufgewachsen sind. Aber diese Anschauungen sind Ergebnisse unseres Jahrhunderts, sie waren dem literarischen Geschlechte des vorigen fremd. Nicht die Kritiker und Poeten allein, auch die Geschichtschreiber und Politiker jener Tage sind von Meinungen beherrscht, wie sie in heutiger Zeit kaum Jemand wagen dürfte,
offen zu bekennen. Der Ansicht z. B., daß der westfälische Friede

die Grundlage „deutscher Freiheit" sei, begegnen wir in den meisten hervorragenden Schriftstellern jener Tage. Oder ein Mann wie Dohm konnte beim Abschluß des Fürstenbundes offen erklären, daß die Vereinigung Baierns mit Oesterreich dem französischen Interesse zuwider sei, indem sie das Eindringen der Franzosen in das Herz der österreichischen Erblande erschwere; und er durfte, ohne Spott und Erbitterung zu erregen, dies als einen Beweggrund geltend machen, jenen österreichischen Projecten entgegenzutreten.

Diese Stimmung der Geister macht es begreiflich, daß ein Mann wie Justus Möser im Großen und Ganzen doch eigentlich einen nur mäßigen Einfluß hat üben können. Ein Geist, wie der seinige, der, an die noch gesunden niedersächsischen Verhältnisse anknüpfend, vom Kleinen und Einzelnen zur Reform des Großen und Allgemeinen hinstrebte, dem die kosmopolitische Bildung des Jahrhunderts den feinen Takt für das Volksthümliche und Deutsche nicht abgestumpft, der mit dem richtigsten Verständniß für die Mannigfaltigkeit des deutschen Lebens der aufkeimenden Richtung des Uniformirens und Centralisirens entgegentrat, ein solcher Geist konnte in einer Zeit, wo der kosmopolitische Humanitätseifer in voller Blüthe stand, nur eben einen begränzten Einfluß gewinnen. Und doch ist in den kleinen Aufsätzen von ihm nicht nur das locale Leben seiner westfälischen Heimath mit dem feinen Sinn des Geschichtschreibers und Politikers behandelt, sondern die wichtigsten und eingreifendsten Fragen, welche die Erweckung des gesammten nationalen Lebens berührten, haben dort ihre Erörterung gefunden. Was er „patriotische Phantasien" nannte, ist von luftiger Phantasterei so frei, wie irgend etwas in dieser stürmischen und kraftgenialen Zeit; aber eben diese nüchterne Realität widersprach der vorwiegenden Neigung des jüngeren Geschlechts in der Literatur, und jene beredten Prediger der Humanität, denen eine Nation nur wie ein „ungejäteter Garten voll Kraut und Unkraut" erschien, trafen ohne Zweifel mit der herrschenden Stimmung der Geister näher zusammen, als der osnabrückische advocatus patriae.

Es stand eine Zeit bevor, die dem ästhetischen Genießen und der unthätigen Beschaulichkeit gewaltsam ein Ziel setzte; die künstlerische Selbstgenügsamkeit und die Schwärmerei des Weltbürgerthums ward unsanft genug aus ihrer Ruhe aufgeschreckt, und die Fragen, was eine Nation, was die Liebe zum Vaterlande werth sei, erhielten dann wieder eine praktische Bedeutung, welche sich die großen Träger der literarischen Umwälzung seit 1750 nicht träumen ließen. Was der Ausgang dieser Erschütterungen sein würde, das lag völlig im Ungewissen; nur über das Schicksal der alten Formen des Reiches konnte kaum ein Zweifel bestehen. Waren sie in sich selber nicht lebenskräftig genug, den ersten Sturm zu überstehen, so gab die Richtung der Geister in der Nation für ihr Bestehen eine noch geringere Bürgschaft.

Sechster Abschnitt.

Friedrich II. und Joseph II.

Während die alten Formen des Reiches und die einzelnen winzigen Gruppen von Tag zu Tag tiefer verfielen, waren jene neuen Kräfte innerhalb des Reiches emporgewachsen, von denen fortan die Macht und politische Entwicklung Deutschlands bestimmt war: Oesterreich und Preußen standen sich in ihrer äußeren Verknüpfung durch das Reich und zugleich in ihrem tiefen, rivalen Gegensatze gegenüber. Dieselben Jahre, welche die tiefe Zerrüttung der alten Ordnungen des Reiches und die Ohnmacht der Kleinstaaterei vor Aller Augen enthüllen, sind zugleich von weltgeschichtlicher Bedeutung durch das Entstehen und Wachsthum der neuen Staatsmächte. Es ist die Zeit, wo Friedrich II. unserem gesammten nationalen Leben eine andere Richtung gab, den Höfen und Regierungen das Vorbild einer neuen Staatsweisheit ward, deren Wirkungen bald bis in die kleinsten Kreise unseres politischen Lebens hereindrangen. Zwar liegt es jenseits der Gränze unserer geschichtlichen Aufgabe, diese Zeit im Einzelnen zu schildern, doch durften wir den großen und bleibenden Einfluß nicht unerwähnt lassen, den Friedrichs und Maria Theresias Zeiten auf das gesammte Dasein der deutschen Nation übten. Friedrich besonders, indem er erst seinem jungen Königthum eine breitere Grundlage an Macht und Umfang schuf, hierauf in den eilf Friedensjahren von 1745—1756 die innere Ordnung des Staatswesens aufrichtete und dann in einem furchtbaren Kampfe sieben Jahre lang gegen den größeren Theil von Europa das unübertroffene Muster

des Feldherrn und königlichen Helden aufstellte, war zu einem
Grade europäischer Anerkennung gelangt, wie es seit Jahrhunderten keinem deutschen Fürsten mehr gelungen war. Seine friedliche Regententhätigkeit hatte dazu ebenso viel mitgewirkt, wie seine
Siege; man war allenthalben eifrig bemüht, nicht nur die Armeen,
sondern auch die Staatsordnung nach preußischem Muster einzu-
richten. Der wachsame haushälterische König, der mit unermüdlicher Sorgfalt wüste Stellen seines Landes urbar machte, Colo-
nisten hereinzog, Ackerbau und Gewerbe unterstützte, jedem Zweige
bürgerlicher Thätigkeit seine Aufmerksamkeit schenkte und bei den
bescheidensten persönlichen Bedürfnissen die ganze Frucht seiner
Sparsamkeit wieder nur dem Ganzen zuwendete, ward im Großen
und Kleinen, mit Erfolg und auch oft genug ganz unglücklich,
allenthalben nachgeahmt. Man bewunderte diesen wohlgeordneten
Staat, seine straffe militärische Verwaltung, die finanzielle Pünktlich-
keit, den regen Arbeitstrieb der Bevölkerung, man pries das tolerante
und aufgeklärte Regiment des großen Königs, man rühmte mit Recht
die treffliche Rechtspflege, die allen Einzelnen eine höhere Sicherheit der Person und des Eigenthums gab, als sie irgendwo bis
dahin in einem absoluten Staate vorhanden gewesen und die eben
durch das Gefühl, nicht blos von Willkür, sondern von Gesetzen
und Rechten abzuhängen, jedem Einzelnen der Unterthanen ein
gewisses Selbstbewußtsein verlieh, wie es sonst nur unter dem
Schutze der Freiheit gedeiht.

In fast allen europäischen Staaten, den romanischen Ländern
des Südens und Westens, wie im scandinavischen Norden, in den
größeren und kleineren weltlichen Territorien Deutschlands, wie in
den geistlichen Landen, gibt sich diese bewundernde Nachahmung
von Friedrichs Regierungsweise kund. Die Erfolge freilich sind
so verschieden, wie es die nachahmenden Persönlichkeiten waren,
und wie es zu geschehen pflegt, war man in der Nachahmung
der Schattenseiten häufig nicht minder eifrig, als in dem Wetteifer
um die Vorzüge. Am gewöhnlichsten ward äußeren mechanischen
Hebeln das als Verdienst zugerechnet, was immer vorzugsweise
die gesegnete Wirkung von Friedrichs Persönlichkeit war. Denn
so merkwürdig die Maschine des preußischen Staates war, sie war
doch wieder zu complicirt und gespannt, um nicht manche Nachtheile zuzulassen, die eben nur das wachsame, tiefblickende Herrscher-

genie des Königs selbst abzuwenden oder zu mildern vermochte.
Dieser Mechanismus der preußischen Cabinetsregierung, den unter
Friedrich ganz Europa für unübertrefflich hielt, wirkte unter einem
verschiedenen Nachfolger geradezu verderblich und ward 20 Jahre
nach Friedrichs Tode als eine der unzweifelhaften Ursachen des
Untergangs der alten Monarchie angesehen. Ja, auch von Friedrich selber sind, wie Dohm sagt,*) Entscheidungen ausgegangen, die auf mangelhafter Kenntniß, auf Vorurtheilen, Neigungen
oder Abneigungen beruhten, und waren sie einmal ausgesprochen,
so mußten sie befolgt werden, denn strenge Consequenz und un-
veränderte Behauptung ihrer Verfügungen mußte gerade bei einer
Regierung, wie die Friedrichs war, für etwas höchst Wichtiges
gelten. Drum begreifen wir auch die Klage, die derselbe warme
Bewunderer Friedrichs ausspricht: wie unter einem Regenten, der
mit so großer Einsicht, so edlem Willen, so unglaublicher Thätigkeit 46 Jahre lang selbst regiert hat, doch so viel Gutes nicht
geschehen ist und so viel Schlechtes dem Regenten unbemerkt hat
einwurzeln können.

Mit allem Rechte rühmte man z. B. an der Verwaltung des
großen Königs, daß kaum irgendwo der Bauer in einem so erträglichen Zustande sich befinde, wie in Preußen, und doch stand
die Wirklichkeit weit hinter dem zurück, was der König erstrebte
und durch seine Anordnungen zu erreichen hoffte. Noch bestand
in einem großen Theile der Monarchie, namentlich in den alten
Provinzen, die Last der Erbunterthänigkeit; war zwar seit 1717
die persönliche Leibeigenschaft gefallen, so blieb doch auch die am
Boden des Gutes haftende Unfreiheit noch drückend genug. Die
feudalen Lasten und Abgaben in ihrer oft sehr unbestimmten Begränzung, das Fuhren- und Vorspannswesen, die gutsherrliche
Justiz u. s. w. bestanden fort und mußten auf die Dauer das
Aufkommen eines tüchtigen und selbständigen Bauernstandes hindern. Ein Vergleich des Zustandes in der Mark, in Pommern,
in Preußen und selbst in dem so sichtbar aufblühenden Schlesien
mit den Bauern im Halberstädtischen und Magdeburgischen, in
Ostfriesland und einzelnen Strichen am Rhein, wo mäßige Abgaben und festbegränzte Pflichten herrschten, fiel durchaus zu Gun-

---

*) Denkwürd. IV. 126. 370.

ften der letzteren aus; der Wohlstand war größer und darum auch
die Rührigkeit und geistige Cultur bedeutender. Es lag entschieden im Willen des Königs, jenen Zustand wenigstens zu mildern
und durch feste Normen die feudale Willkür zu zügeln. Wie viele
Mühe ward nicht angewendet, den Bauer zu heben, ihn vor
dem Uebermaß der Belastung zu schützen, gutsherrliche Mißhandlungen gründlich zu beseitigen, die Frohnen zu reguliren, das
Prügeln der Bauern abzuschaffen u. s. w. — und wie unvoll-
kommen ward des Königs treffliche Absicht erreicht!*) Der Mechanismus war stärker als sein edler Wille; gegenüber dem Adel
und Beamtenthum, so sehr beides gerade in Preußen disciplinirt
war, erwies sich doch selbst eine Persönlichkeit, wie die Friedrichs,
nicht selten als unzulänglich. Welche Gewähr gegen jene Uebel
gab aber die bestehende Maschine, wenn ein Geist und ein Wille,
wie der des großen Königs, nicht ausreichte, den eingewurzelten
Mißbrauch zu überwinden!

Es war einer der verhängnißvollsten Irrthümer der folgenden
Generation, daß sie dies Verhältniß völlig verkannte; sie hielt den
Mechanismus für unfehlbar, wo doch nur der wachsame Geist
eines unvergleichlichen Fürsten dessen natürliche Fehler gemildert
und beseitigt hatte. Dies zu erreichen, bedurfte es bei dem Umfange und den Mitteln des Staates der allereifrigsten Sorge; denn
Preußen war nicht so beschaffen, daß man, wie anderwärts, un-
bekümmert auf unerschöpfliche Hülfsquellen hin hätte sündigen
können. Treffend schildert ein preußischer Geschichtschreiber**) den
großen König mit den Worten: „Da saß der alte Meister in seinem
Sanssouci sorgenvoll und rechnete von früh bis spät und sah
nach, daß die Zähne des künstlichen, vielfach abgestuften Räderwer-
kes vollkommen in einander griffen, daß die Reibung nicht zu stark
würde, oder wohl gar die Zapfen aus den Löchern wichen; immer
half er Stockungen nach, änderte aber im Wesentlichen nichts,
denn er würde das Ganze vernichtet haben, was noch Dauer versprach, sondern suchte nur noch die Bewegung zu erleichtern und

---

*) S. die belehrende Ausführung in Stenzel preuß. Gesch. IV. 307—316.
Vgl. Dohm IV. 403 f.

**) Stenzel II. 5.

zu beschleunigen, ohne doch die Federkraft zu erhöhen, denn diese war auf's Aeußerste gespannt."

Diese äußerste Spannung war eine Folge des Mißverhältnisses, welches zwischen dem Umfange und den natürlichen Kräften der Monarchie und zwischen ihrer äußeren Weltstellung obwaltete. Ein Staat, der die am wenigsten begünstigten Landschaften Deutschlands umfaßte, ungleich bevölkert und zum Theil erst der Cultur erobert, von mäßigem Umfang und schlecht arrondirt, nach allen Seiten hin eifersüchtigen und feindseligen Nachbarn offen, ein solcher Staat, den nur das wachsamste und tüchtigste Regiment und nur die rührigste Arbeitskraft seiner Bewohner über die natürlichen Schwächen seiner Lage hinwegheben konnte, war mit einem Male in die Reihe der Großstaaten Europas eingetreten und mußte eine Heereskraft unterhalten, wie sie dieser Stellung entsprach. Unter den europäischen Großstaaten der jüngste und bei weitem kleinste, ohne überlieferte Allianzen, vielmehr mit Mißtrauen von Allen, mit Haß von den Meisten angesehen, konnte er nur durch die höchste Entfaltung aller Kräfte der Regierenden und Regierten auf solch angefochtener Höhe sich behaupten.

Der siebenjährige Krieg hatte Preußens moralische Macht in der Feuerprobe eines furchtbaren Kampfes gestählt und bewährt; aber die materiellen Folgen des Krieges, dem das Land als Schauplatz und als Nahrung gedient, waren darum doch nur sehr schwer und langsam zu verschmerzen. Die Finanzen des Landes waren so beschaffen, daß schon im Frieden alle Kräfte straff zusammengenommen werden mußten; ein Krieg, und zwar ein Krieg wie der siebenjährige, überstieg die Tragkräfte des Staates. War es der höchsten Bewunderung werth, daß König Friedrich nach allen Katastrophen des Kampfes doch den „letzten Thaler in der Tasche" behielt, so war es nicht weniger gewiß, daß dies nur bei tiefster Erschöpfung des Landes möglich war.

Niemand hat dies lebhafter und klarer erkannt, als Friedrich selbst. Seine eigene Darlegung*) zeigt am einleuchtendsten, welche Anstrengungen und welche Sparsamkeit nöthig waren, um das Land wieder zu Athem zu bringen. „Die Ruhe, sagt der König, war für Preußen nöthiger, als für die übrigen Staaten, weil es

---

*) Oeuvres T. VI. 73 ff. V. 4 ff. 233.

faſt allein die Laſt des Krieges getragen. Man kann ſich dieſen
Staat nur vorſtellen, wie einen Menſchen, der von Wunden zer=
riſſen, von Blutverluſt erſchöpft und in Gefahr war, unter dem
Druck ſeiner Leiden zu erliegen; er bedurfte einer Leitung, die ihm
Erholung gab, ſtärkender Mittel, um ihm ſeine Spannkraft wie=
derzugeben, Balſam, um ſeine Wunden zu heilen. Unter dieſen
Umſtänden hatte die Regierung die Aufgabe eines weiſen Arztes,
der mit Hülfe der Zeit und ſanfter Heilmittel einem erſchöpften
Körper ſeine Kräfte wiedergibt. Dieſe Betrachtungen waren ſo
mächtig, daß die innere Verwaltung des Staates meine ganze
Aufmerkſamkeit abſorbirte; der Adel war erſchöpft, die kleinen Leute
ruinirt, eine Menge von Ortſchaften verbrannt, viele Städte zer=
ſtört; eine vollkommene Anarchie hatte die Ordnung der Polizei
und Regierung umgeworfen; die Finanzen waren in größter Ver=
wirrung, mit einem Worte, die allgemeine Verwüſtung war groß.“
Dieſe geſpannte Lage macht es begreiflich, daß der König in den
Verſuchen zu helfen nicht immer im Falle war, die mildeſten und
glücklichſten Heilmittel anzuwenden, ſondern zu manchem Experi=
ment ſeine Zuflucht nahm, welches den Druck ſteigerte, ſtatt ihn
zu mindern. Schon war in Preußen das Mercantilſyſtem in einer
Stärke ausgebildet, welche bei allen Vortheilen, die man bezweckte
und erreichte, doch auch unvermeidliche große Nachtheile nach ſich
zog; nun kam noch als ſchlimme Nachwirkung der Noth des ſie=
benjährigen Krieges das berüchtigte Syſtem indirecter Abgaben,
über deſſen materielle und moraliſche Wirkungen von den Zeitge=
noſſen wie von den Späteren gleich ungünſtig geurtheilt wor=
den iſt.

Die Rückwirkungen des Krieges erſtreckten ſich aber auch auf
die Hauptſtütze der Weltſtellung Preußens, auf das Heer. Die
nächſte Generation hat ſich hier von demſelben Irrthum, der ſie
bei Beurtheilung der bürgerlichen Verwaltung leitete, verblenden
laſſen: ſie glaubte an die Unübertrefflichkeit des Inſtituts, bis eine
furchtbare Kataſtrophe aller Welt verkündete, daß die alten Formen
ſich überlebt hatten. War doch die Armee Friedrichs ſchon nach
dem großen Kriege das nicht mehr, was ſie vorher geweſen! „Das
Heer, ſagt der König ſelber,*) war in keiner beſſeren Lage, als

---

*) Oeuvres de Frédéric VI. S. 5.

das übrige Land; 17 Schlachten hatten die Blüthe der Officiere
und Soldaten vernichtet; die Regimenter waren zerrüttet und zum
Theil aus Deserteuren oder Kriegsgefangenen gebildet. Die Ordnung war fast ganz verschwunden und die Disciplin so sehr gelockert, daß die alte Infanterie nicht mehr werth war, als eine
neugebildete Miliz. Man mußte daher daran denken, die Regimenter zu ergänzen, Zucht und Ordnung wiederherzustellen, vor Allem
die jungen Officiere durch den Sporn des Ruhmes anzufeuern, damit diese herabgekommene Masse ihre alte Energie wieder erhielte."
Eine fast dreißigjährige Friedenszeit, nur unterbrochen durch den
demoralisirenden Scheinkrieg von 1778 und die wohlfeilen holländischen Lorbeeren von 1787, war freilich wenig geeignet, diese Aufgabe zu lösen. Des Königs eigener Lieblingsgedanke,*) durch die
Begünstigung des Adels bei den Officierstellen in dem Heere ein
natürliches Standes- und Ehrgefühl anzupflanzen und deßhalb lieber fremde Adelige als eingeborene Bürgerliche an die Spitze der
Soldaten zu stellen, dieser Gedanke, den der bisherige Zustand des
Bürgerthums und das hohe militärische Verdienst des preußischen
Adels zu rechtfertigen schien, hat gleichwol, wie die Erfahrung
der folgenden Zeit bewies, die Katastrophe eher beschleunigt als
aufgehalten.

Die Aeußerungen des großen Königs selbst sprechen ein sehr
lebhaftes Bewußtsein dieser Schwäche aus. „Da Preußen nicht
reich ist, sagt er, so müssen wir uns vor Allem hüten, uns in
Kriege zu mischen, bei denen nichts zu gewinnen ist. Da das
Land arm ist, muß der Regent dieses Landes sparsam sein und
in seinen Angelegenheiten die strengste Ordnung halten; gibt er
das Beispiel der Verschwendung, so werden seine Unterthanen, die
arm sind, ihm nachzuahmen suchen und sich dadurch ruiniren."
Ein andermal beklagt er die offene und ungeschützte Stellung gegen Oesterreich, wie gegen Rußland und Schweden; er hält zur
Sicherheit der Monarchie die Erwerbung Sachsens für unentbehrlich. Er warf wohl den Gedanken hin, daß man durch die Eroberung Böhmens und Mährens ein Tauschobject für Sachsen
gewinnen könne und dieses dann als das natürliche Gränzland
nach Süden befestigen müsse. Geschähe dies nicht, so könne jede

---

*) S. Oeuvres VI. 94.

feindliche Armee den Weg nach Berlin einschlagen ohne Hinderniß. Mit Oesterreich aber, bemerkt er an derselben Stelle, scheine es fast unmöglich, ein festes Band politischer Allianz zu schließen.*)

Diese Stellung Preußens, durch die natürliche Lage des Landes, die Erschöpfung des Krieges, den Mangel natürlicher Allianzen veranlaßt, muß man sich vergegenwärtigen, um ein Ereigniß zu begreifen, dessen verhängnißvolle Bedeutung kein Politiker der Zeit richtiger erkannte, als eben Friedrich II. Wir meinen die **Theilung Polens**, die Preußen und Deutschland die Wucht russischer Macht unmittelbar an die offenen Gränzen rückte und an die Stelle eines ungefährlichen, nichts weniger als offensiven Nachbarn einen compakten, rührigen und auf Eroberung angewiesenen Staat vor die Thore stellte: eine Wendung der Dinge, bei der Polen zu Grunde ging, die deutschen Großstaaten für die Abfindung mit dünnbevölkerten Quadratmeilen ihre natürliche Macht auf allen Seiten schwächten, und nur Rußland den vollen, ungetrübten Gewinn davon trug. Ein solch unberechenbarer Umschwung in der Politik Europas ward aber wesentlich mit herbeigeführt durch die Erschöpfung Preußens, durch sein Bedürfniß der Erholung und Ruhe, durch seine Entzweiung mit Oesterreich, „mit dem, wie der König sagte, dauernde Bande anzuknüpfen nicht möglich schien."

Wohl schwebte das Schicksal der Auflösung lange schon über Polen und war auf die Dauer allerdings kaum abzuwenden. Es schien dies Land von der ewigen Vorsicht zum warnenden Beispiel ausersehen, wohin die ungezügelte Herrschaft von Junkern und Priestern ein Volk führen muß. Lange bevor eine Politik, deren Mittel man noch weniger, als ihre Motive vertreten kann, dort gewaltsam in die Dinge eingriff, war das endliche Loos dieser zerrütteten Staatsverbindung mit Sicherheit vorauszusehen: erlag sie nicht einem gewaltsamen Stoße von Außen, so mußte sie an dem Prozesse innerer Zersetzung zu Grunde gehen, den der Mangel aller gesunden gesellschaftlichen Bildung und jeder staatlichen Organisation langsam, aber sicher, vorbereitete. Ein Volk von Sklaven, tumultuarisch geleitet von einer leichtfertigen und abenteuernden Aristokratie, in welcher sich die Untugenden der Barbarei mit Lastern der Civilisation verschmolzen, „rohes Sar-

---

*) Oeuvres de Frédéric T. IX. 187. 189 f.

matenthum und überfeines, verfaulendes Franzosenthum an einander geklebt", das Alles unter einer sogenannten Verfassung, welche die Anarchie der Einzelwillkür, die Gedanken- und Gesetzesverwirrung auf den Thron erhob — wer wollte von diesem unheilbaren Wuste eine gedeihliche Entwicklung erwarten? Zumal wenn die Masse des Volkes nicht nur aller Erziehung, sondern selbst des Bildungsbedürfnisses entbehrte, ohne blühenden und freien Landbau, ohne Schifffahrt und Handel, von Adeligen, Pfaffen und Juden um die Wette ausgepreßt und in slavischem Schmutze fast erstarrt, dahinvegetirte! Ein solches Volk, das, wie ein scharfsichtiger Beobachter sagt,*) gegen Abend an die mächtigsten und cultivirtesten Staaten des Erdbodens gränzte, gegen Morgen von einer ihm zwar ähnlichen wüsten Volksmasse berührt ward, deren Macht aber mit genialer Kraft in einer Hand vereinigt war, konnte inmitten dieser andringenden Gegensätze ein unabhängiges Leben sich nicht erhalten, und die Summe aller Anklagen gegen die perfide Politik der Nachbarn wiegt in der traurigen Geschichte von Polens Untergang so schwer nicht, wie der stete Vorwurf gegen die Polen selber, der aus ihrer Geschichte herausspricht.

Drum war die Auflösung dieses Reiches keine Angelegenheit von heute; schon um die Mitte des 17. Jahrhunderts konnte von einer Seite die Besorgniß einer Theilung Polens ausgesprochen werden, und seitdem waren eine Menge von Ursachen hinzugekommen, dies tragische Loos unvermeidlich zu machen. Möglich, daß noch ein Jahrhundert zuvor die Uebertragung der Krone an einen Fürsten und an ein Land, bei denen sie vor der kläglichen Lage eines machtlosen Wahlkönigthums sicher war, Polen ohne gewaltsame Katastrophen durch eine allmälige völlige Umgestaltung retten konnte, aber diese Zeit war versäumt worden. Welch anderes Verhältniß trat z. B. in Osteuropa ein, wenn statt des sächsischen Hauses das brandenburgische zum polnischen Throne gelangte und statt der Könige, die auf die letzten Wasas folgten, der große Kurfürst die polnische Macht mit der neugegründeten preußischen vereinigte!

Es könnte danach als eine müßige Frage erscheinen, von wem zuerst der äußere Anstoß zu der Katastrophe von 1772 aus-

---

*) S. die Notiz in Raumers Beiträgen zur neuesten Gesch. IV. 547. 548.

gegangen sei? Denn verfolgte irgend einer der mächtigeren Nachbarn Polens den Plan einer gewaltsamen Auflösung des Reiches
mit Ausdauer und Energie, so stand allen andern, wenn sie nicht
ihre ganze Kraft an die undankbare Aufgabe setzen wollten, mit
äußerer Macht Polen ein künstliches Scheinleben zu fristen, nur
der eine Weg offen: Theil zu nehmen an dem Gewinne einer
That, die schwer zu verhindern war. Lag doch die Frage kaum
so: „soll Polen aufgelöst werden, oder nicht?" sondern es drängte
sich immer unabweisbarer die peinliche Alternative auf: „soll Rußland die polnische Beute allein an sich nehmen, oder sie mit
den Andern theilen?" Darum halten wir es wohl für möglich,
daß der erste Gedanke, Polen zu theilen, von Friedrich II. ausgegangen ist; aber es scheint uns unzweifelhaft gewiß, daß der
erste Plan, Polen aufzulösen und ungetheilt zu erwerben, das eigentliche Werk Rußlands war.

Die russische Politik war es allein, die rührig und nachhaltig auf die innere Auflösung der polnischen Republik hinarbeitete,
bald brutal, bald geschmeidig sich in die inneren Verhältnisse ein-
drängte, die unvernünftige Intoleranz der Priester gegen die Akatholiken heuchlerisch im Namen religiöser Duldung auszubeuten
wußte, die Nation und deren oberste Gewalt durch einen leeren
und nichtigen König vollends in den Staub zog und allem Ungesunden und Verworrenen, was der innere Zustand und die Verfassung Polens barg, Schutz und Schirm angedeihen ließ. „Le
liberum veto doit conserver toute sa force" — dies eine Wort
Katharinens genügt, die eigenste Politik Rußlands gegen Polen
zu enthüllen. In dem nämlichen Augenblick freilich, wo die Fäden
dieser Staatskunst auch Leuten von mäßigem Scharfblick sichtbar
waren (1766), wetteiferten die Parteien in Polen, durch die Beschlüsse gegen die Dissidenten und das zähe Festhalten des liberum
veto zugleich ihren Fanatismus und ihre Unvernunft vor aller
Welt aufzudecken.

Das Verhalten Friedrichs II. zu der Katastrophe, die sich im
Osten vorbereitete, enthüllt in sehr deutlichen Umrissen die schwierige Stellung, in welcher sich Preußen als europäischer Großstaat
befand. Durch eine seltsame Fügung der Dinge waren die beiden
mächtigsten Staaten des Westens, Frankreich und England, so verschieden sie sonst waren, aus fast gleichen Ursachen zu einer Rolle

der Unthätigkeit und Schwäche verurtheilt, die weder ihrer Größe
noch ihrer Vergangenheit entsprach. War es in Frankreich die
sittliche Verfallenheit des Königthums, der Einfluß von Maitressen und Höflingen, was selbst alle Ueberlieferungen früherer Politik vergessen ließ, so brachte es in England das Regiment einer
höfischen Camarilla und ihrer unfähigen Werkzeuge dahin, daß die
Colonien in Amerika und der politische Einfluß in Europa fast
zu gleicher Zeit schmählich verloren gingen. So sah sich Preußen
in der Lage, auf jene Mächte im Westen, die ihm im schlesischen
und im siebenjährigen Kriege abwechselnd die Stützpunkte waren,
nicht mehr zählen zu können; es ist begreiflich, wie der große
König, oft selbst mit Verleugnung aller diplomatischen Klugheits-
rücksichten, dem Zorn der Verachtung Worte geben mochte, den er
gegen die Leiter der Politik in Versailles und London empfand.
Von Oesterreich — in der polnischen Sache dem natürlichsten Verbündeten Preußens — trennte noch die alte Feindschaft, wenn
auch der äußere Friede den Kampf beendet hatte.

So blieb nur die Verbindung mit Rußland selbst, eine Verbindung, fast mehr geeignet, Gefühle der Sorge als der Sicherheit
zu erwecken. Sollte die Allianz dauernd sein, so mußte Friedrich
in die Neigungen und Entwürfe der Czarin eingehen, für ihre
weiterstrebende Macht arbeiten, ihren Schwächen wie ihren gefährlichen Eroberungsgelüsten nachgeben. Es war, wie Dohm richtig
bemerkt,*) das erste Mal, daß Friedrich in eine Verbindung eintrat,
die ihm doch eine untergeordnete Stellung anwies, in der er nicht,
wie bisher, die Rolle des Leiters übte, sondern vielfach sich mußte
leiten lassen. So entstand der Vertrag vom 11. April 1764, der
auf acht Jahre Preußen und Rußland zu engem Bündniß vereinigte, in dessen berüchtigtem geheimen Artikel beide Mächte sich
verbanden, Alles zu verhindern, was die Anarchie in Polen zügeln, die königliche Gewalt stärken und dem wüsten Zustande
Polens, den man euphemistisch „la constitution et ses loix fon-
damentales" nannte, ein Ende machen könnte.

Rußland war in vollem Zuge, sein Uebergewicht inmitten
dieser allgemeinen Abspannung mit allem Erfolge geltend zu machen;
wer wollte es hindern, wenn es nach Polen und der Türkei zu-

---

*) Denkwürd. IV. 258 f.

gleich die Hand ausstreckte? Preußen, von Frankreich und England verlassen, mit Oesterreich innerlich entzweit, an Rußland
durch einen Bund gekettet und verpflichtet, mit Truppen oder Subsidien die russischen Eroberungsentwürfe gegen Polen und das
osmanische Reich zu unterstützen, konnte auf seine Hand jenes
Aeußerste nicht abhalten, auch wenn Friedrich hätte daran denken
dürfen, mit der Kühnheit und Jugendfrische, womit er einst Schlesien
überfallen, wenige Jahre nach dem siebenjährigen Kriege dem übermächtigen Nachbar den Handschuh hinzuwerfen. Gewiß, das isolirte Preußen mit seinen spärlichen natürlichen Hülfsquellen, das noch an allen
Wunden eines furchtbaren Krieges darniederlag, war physisch außer
Stande, mit offenem Visir zu hindern, was sich im Osten vorbereitete,
und den russischen Invasionsgedanken gegenüber etwa seine schützende
Hand zugleich über Polen und das osmanische Reich zu halten.
Seine Stärke bestand vornehmlich in seiner Wachsamkeit; vielleicht
blieb ihm keine Wahl, als das geringere Uebel zu wählen, um
das größere abzuwehren. Und wie viel scharfe Beobachtung, wie
viel Vorsicht, Geschmeidigkeit und selbst Duplicität war nöthig,
um den gefährlichen Verbündeten dauernd im Schach zu halten!
Daß Polen aufgelöst werden würde, war vor dem Vertrage von
1764 zu erwarten, nach demselben kaum mehr zu vermeiden; Friedrichs Berechnung ging daher nur auf das eine Ziel, die Auflösung
möglichst lange zu verhindern und, wenn sie unvermeidlich war,
ihr die möglichst günstige Wendung für Preußen zu geben. Die
Diplomatie jener Tage ist erfüllt von Haß und Mißtrauen gegen
den König; sie weiß nicht Worte genug zu finden, seine Uner-
gründlichkeit, Perfidie und Zweideutigkeit zu verurtheilen;*) aber
gleichwol scheint es uns unzweifelhaft, daß Friedrich seine staats-
männische Voraussicht und Ueberlegenheit fast in keiner Lage des
Lebens mehr bewährt hat, als in dieser von Anfang bis zu Ende
trostlosen Angelegenheit. Er allein war der Wachsame und Scharf-
sichtige, wo die Staatsmänner Frankreichs, Großbritanniens und
Oesterreichs unthätige Zuschauer waren oder nur müßige Klagen
in Bereitschaft hatten.

Friedrichs Taktik läßt sich aus seinen brieflichen Aeußerungen
verständlich herauslesen. „Ich beschränke mich darauf, schreibt er

---

*) S. die Gesandtschaftsberichte in Raumers Beiträgen IV.

im Nov. 1769, während Rußland die Türken bekriegte, die Con-
föderirten zu Frieden und Eintracht zu ermahnen; ich wünschte,
Europa bliebe in Frieden und alle Welt wäre zufrieden. Ich
glaube, ich habe diese Empfindungen vom seligen Abbé de St.
Pierre geerbt und es kann mir, wie ihm, begegnen, daß ich der
einzige meiner Secte bleibe. Es ist mir genug, diese Zeit der
Ruhe zu benützen, um die noch blutenden Wunden des letzten
Krieges allmälig zu heilen." „Es scheint mir, schreibt er im März
1771, es wäre meiner theueren Verbündeten würdiger, Europa
den Frieden zu geben, als einen allgemeinen Brand anzufachen."
Und als später der Schlag geschehen war, zeichnete er (Oct. 1773)
die Lage ohne Zweifel richtig, wenn er schrieb: „Ich weiß, daß
man in Europa allgemein glaubt, die Theilung in Polen sei eine
Folge politischer Kniffe, die man mir zuschreibt; gleichwol ist nichts
falscher. Nachdem ich vergebens verschiedene Auskunftsmittel vorgeschlagen, mußte zuletzt zu dieser Theilung geschritten werden,
als dem einzigen Mittel, einen allgemeinen Krieg zu vermeiden."

Die peinliche Lage Preußens zwischen dem ungeduldigen
Ehrgeiz der Russen, dem Mißtrauen der Oesterreicher und der unthätigen Schwäche Frankreichs und Englands zeichnet König Friedrich selbst mit den Worten: Preußen mußte fürchten, daß jene
ihm verbündete Macht, zu stark geworden, ihm mit der Zeit Gesetze vorschreiben wolle, wie den Polen. In dieser eigenthümlichen Situation konnte der große König einen Augenblick den langen Haber mit Oesterreich vergessen und daran denken, sich Oesterreich zu nähern, dessen Interessen und Besorgnisse in dieser Lage
mit denen Preußens völlig übereinstimmten. Die Zusammenkunft
Friedrichs mit Joseph II. (Aug. 1769), die freundlichen Besprechungen, die freilich zu keinem bestimmten Abschlusse führten, die
gegenseitige Courtoisie zwischen dem Berliner und Wiener Hofe
verkündeten diese Annäherung. Damals sprach Friedrich das merkwürdige Wort:*) „ich denke, wir Deutschen haben lange genug
unter einander unser Blut vergossen; es ist ein Jammer, daß wir
nicht zu einem besseren Verständniß kommen können." Auch Kaunitz meinte damals: die Vereinigung Oesterreichs und Preußens
sei der einzige Damm, welchen man dem Strome entgegensetzen

---

*) S. Raumer, Beiträge IV. 249. 274.

könne, der ganz Europa zu überfluthen drohe. Treffliche Worte, die nur leichter auszusprechen, als zu befolgen waren; die Geschichte und die Existenz Preußens wies bis jetzt in ihren größten Momenten auf den Gegensatz, nicht auf die Einigung mit Oesterreich hin, und Oesterreich sah, zumal seit 1740, in der Demüthigung Preußens immer ein größeres Interesse als in der Verbindung gegen den gemeinschaftlichen Feind. Dieser Rivalität zweier Mächte, deren keine von einem nationalen deutschen Interesse ausschließlich geleitet ward, dieses Ringen um Deutschland, nicht für Deutschland, dieser Wettstreit, die Macht der Nation nicht sowol zu mehren, als davon zu zehren, das war ja die Frucht einer dualistischen Entwicklung, die sich seit lange vorbereitet und die durch die einträchtige Anwandlung eines Augenblickes nicht zu beseitigen war. Es mußte eine recht bringende Gefahr für Beide eintreten, wenn die Erinnerungen der überlieferten Politik schweigen sollten.

Nun war die drohende Auflösung Polens und das Vorrücken Rußlands nach Westen eine solch bringende Gefahr für Oesterreich und Preußen, aber gleichwol beschränkte sich der Plan einer engeren Verbindung zwischen beiden auf eine flüchtige Aufwallung, die sehr bald der alten Rivalität wich, um in offene, feindselige Entzweiung umzuschlagen. Oesterreich begriff zwar die ganze Gefahr, die aus einer Theilung in Polen entstehen mußte, aber sein Mißtrauen gegen Preußen war so groß, wie seine Sorge vor Rußland, und in letzter Instanz ertrug der österreichische Hof sogar noch eher die Vergrößerung Rußlands als das Wachsthum Preußens.[*] Unter dem Eindruck dieser Stimmungen und besorgt, durch das Einverständniß Rußlands und Preußens leer auszugehen, ließ sich Oesterreich zu Schritten drängen, die seiner eigensten Politik widersprachen; die Besetzung des zipser Kreises (1770) trug z. B. wesentlich dazu, eben jene Theilung, die Oesterreich gern gehindert hätte, zu beschleunigen und die letzte Scheu abzulegen, die allenfalls noch die Alliirten von 1764 hätte vom entscheidenden Schritte abhalten können.

So erfolgte der Theilungsact von 1772, der Rußland ungefähr um 2200, Oesterreich um 15—1600, Preußen um 631 □.-Meilen vergrößerte. Bedenklicher als dies Verhältniß war es, daß

---

[*] Das beweisen die Aeußerungen in Raumers Beiträgen IV. S. 433, 449, 497.

dieser erste Act einer unerhörten Politik zu immer weiteren Wie-
derholungen drängen mußte; denn die Lebensfähigkeit Polens war
nach dieser Beraubung vollends erschüttert und der letzte Zauber
einer Unabhängigkeit dahin. Drum mußten die Theilungen sich
fortsetzen, bis das Schicksal Polens erfüllt war; wer dann schließlich den Gewinn davon trug, das mußte die Zeit lehren. Öster-
reich sah 1772 verstimmt einer Katastrophe zu, die es doch gern
gehindert hätte, deren Vortheile mitzugenießen es sich beeilte, sobald sie unvermeidlich schien; Rußland war über den Ausgang
nur halb befriedigt, da seine Politik dahin gestrebt hatte, nicht
sowol Polen zu theilen, als es sich völlig und allein zu unterwerfen; Preußen zuletzt am eifrigsten bei der Theilung, da ihm
das Loos einmal über Polen geworfen schien und es alle seine
Thätigkeit glaubte daran setzen zu müssen, von dem unabwendbaren
Gewaltact wenigstens den größten Antheil zu ziehen. In gewisser
Hinsicht gelang das. Denn so bedeutsam für Rußland das Vordringen nach Westen war, der Besitz von Marienburg, Pomerellen, Kulm
und Ermeland war für Preußen allerdings eine wichtige Erwerbung,
vorausgesetzt, daß man die übrigen Nachtheile der That von 1772
nicht in Rechnung brachte. In jedem Falle trug aber auch Preußen den größten Antheil an dem Gehässigen der That; denn es
zeichnete die Lage vollkommen richtig, wenn ein englischer Diplomat (1774) schrieb: ich kenne keinen Hof in Europa, der eine
Thräne vergießen wird, was sich auch in Berlin ereignen möge.*)

Am raschesten trat in dem Verhältniß zu Oesterreich nach
den flüchtigen Freundschaftsanwandlungen von 1769 und 1770
wieder die alte Entfremdung ein.

Die Erhebung Josephs II. zum römischen König (1764) und
bald nachher, als Franz I. rasch hinwegstarb, zum Kaiser (1765),
schien anfangs in dem persönlichen Vernehmen beider Höfe eher
eine freundliche als eine feindselige Umstimmung hervorzurufen.
Josephs erste Bemühungen, ohne Erblande und eigene Staatsmacht (denn die hielt seine Mutter noch in Händen) sich eine politische Geltung zu verschaffen, waren zudem nicht geeignet, große
Besorgnisse zu erwecken. Sein Bestreben, der Kaiserwürde wieder
eine selbständige Bedeutung zu geben, hatte nur eben den Werth,

---

*) Raumers Beiträge V. 265.

aller Welt kund zu thun, daß innerhalb dieser alten Formen ein
jugendlicher, ehrgeiziger und strebsamer Charakter nicht im min-
besten weiter kam, als die träge und phlegmatische Politik der
vorangegangenen Kaiser; die Unruhe des preußischen Rivalen zu
erregen, dazu waren diese Erstlingsversuche nicht angethan. Sie
hatten vielmehr auch für Joseph selber die warnende Bedeutung,
fortan vermittelst der kaiserlichen Formen keinen Einfluß mehr suchen zu wollen. Der trostlose Ausgang der von Joseph so wohlwollend angeregten Versuche, die Reichsjustiz zu reformiren, den
groben Mißbräuchen des Reichshofraths abzuhelfen, im Reichskammergericht den alten Wust durch eine umfassende Visitation zu säu-
bern, setzte den jungen Kaiser über den Zustand der Reichsverfassung erst ins Klare, und er war nicht der Mann, der nur Eines
unternahm oder mit zäher Hartnäckigkeit ein einmal Begonnenes
bis zu Ende durchführte.

Vielmehr war dies Scheitern des ersten Anlaufes gerade die
Ursache seiner veränderten Politik. Seine Meinung über den
Werth der Reichsverfassung und die Bedeutung der Kaiserwürde
in Deutschland näherte sich der geringschätzenden Ansicht Friedrichs II.; wie dieser suchte er die Mittel der Macht nicht in den
verknöcherten Formen des Reiches, sondern in der materiellen Vergrößerung seines Gebietes, in Erwerbung neuer Besitzungen, Arrondirung der alten. Die Theilung Polens mußte diese Neigung
mehr reizen als befriedigen; es galt für die Einbuße Schlesiens,
für den an Preußen verlorenen Einfluß in Deutschland einen Ersatz zu finden. So entstand der Gedanke, das Aussterben der jüngeren wittelsbachischen Linie zur Erwerbung Baierns zu benützen.

Zur Zeit, als dieser Plan auftauchte, war das Verhältniß
Oesterreichs und Preußens, noch bevor der Tod Maximilian Josephs von Baiern (1777) die Ausführung zur Reife brachte, nicht
weit von offener Feindschaft entfernt. Fürst Kaunitz beschuldigte
damals, in einem Gespräch mit einem englischen Diplomaten, den
König von Preußen, er hetze Frankreich zum Kriege — eine Behauptung, welche eben nur die handgreifliche Absicht verrieth, England gegen Preußen aufzuhetzen. „Gute Menschen, setzte der
österreichische Staatsmann mit moralisirender Salbung hinzu, berechnen die wilden und fast wahnsinnigen Ausschweifungen eines
Gemüthes nicht, wie das jenes Fürsten, wo nur Leidenschaft und

räuberischer Ehrgeiz regieren. Sollte ich einen Grund für das
Benehmen des Königs von Preußen gegen England aufsuchen,
so würde ich ihn weder in scharfsinniger Voraussicht, noch in gesunder Staatskunst finden. Er liegt in dem persönlichen Charakter des Mannes, seiner Stimmung, seiner mürrischen Einsamkeit,
seinem Menschenhasse, seiner steten Verachtung sittlicher Pflichten,
der Abnahme seiner Gesundheit, seinen besonderen und unversöhn-
lichen Feindschaften."*) So sprach der leitende österreichische Minister, als man sich mit Preußen noch in vollem Frieden befand,
Wochen lang bevor der Tod Max Josephs von Baiern zur alten
Entzweiung neuen Stoff zuführte! Damals sprach Kaunitz auch
ein merkwürdiges Wort aus über die zukünftige Politik gegenüber
von Preußen. „Oesterreich, sagte er, ist entschlossen, keinen Krieg
mit Preußen anzufangen; zwingt uns aber Preußen, das Schwert
wieder zu ziehen, so werden nicht zwanzig Kriegsjahre und nicht alle
Unfälle, welche daraus hervorgehen mögen, dasselbe wieder in die
Scheide bringen, bevor die Entscheidung offenbar, vollkommen und
unwiderruflich für einen oder den anderen der Kämpfer ausgefal-
len ist."

Der Tod des letzten Kurfürsten von Baiern und der offene
Versuch Oesterreichs, sich aus der Hinterlassenschaft zu vergrößern,
schien dann einen Augenblick den Kampf des schlesischen und
siebenjährigen Krieges erneuern zu wollen, und hätte ihn auch
erneuert, ohne die ausgeprägte Neigung zur Erhaltung des Friedens, worin sich diesmal Friedrich II. und Maria Theresia begegneten. Als der Kaiser ungescheut versuchte, einen Theil von
Baiern diplomatisch zu erschleichen, war es nur Friedrich, der dies
Beginnen durchkreuzte. Von seiner eigenen Diplomatie unzulänglich bedient, wählte er den Grafen Görtz, um diesen auf seine
Hand die Gegenmine legen zu lassen. Die politischen Rollen
wurden in seltsamer Weise vertauscht. Friedrich II., sein Leben-
lang ein Verächter der deutschen Reichsverfassung, tritt jetzt auf einmal als ihr Schützer auf; Oesterreich, das sich so viel zu Gute
that auf die Erhaltung der alten Formen, verfolgt eine revolutionäre Politik, die sich auf keinen andern Titel mit Grund und
Wahrheit stützen konnte, als auf das Recht des Stärkeren. Deut-

---

*) S. die angeführten Beiträge V. S. 310—317.

sche Unterthanen werden verhandelt wie russische Bauern, in einem diplomatischen Areopag, in dem das Ausland mit sitzt und stimmt. In Baiern selbst wirkt adelige und priesterliche Abneigung gegen Joseph „den Neuerer" ebenso viel mit, wie der berechtigte Widerwille des Volkes, sich von der gewissenlosen Schwäche des Landesherrn verkauft zu sehen. Als schlimme Beigabe kam hinzu die nun anerkannte Intervention Rußlands, deren Bedeutung Deutschland bald sollte kennen lernen.

Oesterreich trug schließlich im Teschener Frieden eine kleine Erwerbung davon, zum lebhaften Verdruß der erbitterten Baiern, die lieber einen Kampf auf Leben und Tod, Aufgebot der Massen und neue Sendlinger Volkskämpfe hervorgerufen hätten; aber was Oesterreich davon trug, stand doch außer Verhältniß zu dem, was es hatte erlangen wollen. Joseph hatte die schlesische Expedition Friedrichs copirt, gegen einen viel schwächeren Gegner und unter nicht ungünstigen Umständen, und war am Ende mit einer Abfindung zur Ruhe gebracht worden. Das war lange kein Ersatz für den moralischen Nachtheil, den der baierische Erbfolgestreit Oesterreich in Deutschland brachte. Der ganze dynastische und particulare Widerwille gegen die frühere habsburgische Vergrößerungspolitik war mit neuer Stärke erwacht und Preußen in den Stand gesetzt, im Bunde mit diesen Elementen gegen Oesterreich eine imposante Stellung im Reiche zu gewinnen. Einem lange erwünschten Ziele, die kleineren deutschen Fürsten ins Schlepptau zu nehmen, war dadurch die preußische Politik um ein gutes Stück näher gekommen.

Es dauerte nicht lange und es bot sich ein genügender Anlaß, diese Politik zur vollen Geltung zu bringen. Inzwischen trat anderthalb Jahre nach dem Teschener Frieden ein Ereigniß ein, das die Wahrscheinlichkeit eines gewaltsamen Zusammenstoßes beider Großmächte unzweifelhaft näher rückte: der Tod Maria Theresias. „Nun beginnt eine neue Ordnung der Dinge," sagte damals Friedrich II. und gleich die nächsten Ereignisse schienen diese Prophezeiung zu bestätigen.

Joseph II. war nun erst Alleinherrscher in der österreichischen Monarchie geworden.

Dem friedfertigen und vorsichtigen Frauen=Regimente der Maria Theresia und ihren bedächtig unternommenen Reformen folgte nun in Oesterreich eine wesentlich revolutionäre Regierung, die das alte Wesen von Grund aus zerrüttete, den zähen und erstarrten Stoff den gewaltsamen Experimenten physiokratischer und encyklopädistischer Aufklärung unterwarf und eine Verwirrung und Gährung hervorrief, deren Nachwirkungen weit über die Regierungszeit Josephs II. hinausreichten. Erst jetzt streifte Oesterreich das Mittelalter völlig ab und trat aus der Zeit der Ferdinande in das achtzehnte Jahrhundert hinüber. Erst jetzt ward auch diese bunte Ländermasse dem System des „aufgeklärten" Despotismus zugänglich gemacht und Oesterreich allmälig dem Niveau der übrigen Staaten und ihrer Bildungsfähigkeit näher gerückt.

Joseph kam wie ein Fremdling in diese alte österreichisch= habsburgische Welt. Von jener Unruhe und Beweglichkeit, die seinen lothringischen Ahnen eigen war, erfüllt und der starren Monotonie seiner mütterlichen Vorfahren durchaus entgegengesetzt, voll Widerwillen gegen Clerus und Adel, welche die Stützen des alten habsburgischen Regiments gewesen, fand er sich auf einen Boden verpflanzt, wo ihm Alles widerstrebte, wo seine Umgebung, seine Familie, seine Beamten ihm versagten, wo er fast Niemandem vertrauen konnte, als sich selbst. Kaum ließ sich ein seltsamerer Gegensatz denken, als dieses alte halb spanische halb römische Wesen der Habsburger, namentlich des siebzehnten Jahrhunderts, und die Aufklärung des achtzehnten, deren ächtester Zögling eben Joseph war. Das achtzehnte Jahrhundert mit seiner Philanthropie und Humanität, und doch wieder seiner Härte und Gewaltthätigkeit, wo es galt, die theuern Theorien durchzuführen, die Zeit voll wunderlicher Widersprüche, bald für die Freiheit schwärmend, bald brutal despotisch, hier von einem höhern Bewußtsein des Rechtes erfüllt, dort wieder jedes Recht mißachtend, tolerant und doch auch wieder unfähig, eine fremde Meinung zu toleriren, diese seltsame Zeit war kaum in einer bedeutenden Persönlichkeit so scharf ausgeprägt, wie in Joseph II.

Von den Erfolgen Friedrichs II. angespornt, hoffte Joseph ähnliche Früchte zu erzielen; aber der Boden war so verschieden, wie die Persönlichkeiten beider Fürsten. Während Friedrich in einen Staat eintrat, in dem Alles seit hundert Jahren gleichsam auf

ihn vorgearbeitet hatte, und wo jene Politik bereits an eine ge=
schichtliche Ueberlieferung anknüpfte, fällt Joseph ohne Vorarbeit mit
aller revolutionären Hast und Ungeduld in Verhältnisse herein,
die seit Jahrhunderten im schärfsten Gegensatze zu den jetzt gel=
tenden Meinungen des Zeitalters ausgebildet waren. Joseph war
durchaus Theoretiker und Doctrinär, Friedrich das praktische Ge=
nie seines Jahrhunderts; Joseph sanguinisch im Unternehmen,
unbeständig in der Durchführung, von einem zum andern über=
springend und hundert schwierige Dinge zugleich in Arbeit neh=
mend; Friedrich von der zähesten Ausdauer und Geduld, von un=
wandelbarer Consequenz; der Eine gibt sich den Strömungen des
Jahrhunderts mit einem jugendlichen Enthusiasmus hin, der An=
dere handelt mit einer staatsmännischen Ruhe und Sicherheit, die
das Produkt eigener Erfahrung und auf Geschichte und Ueberlie=
ferung gestützt war; bei Joseph überwiegt die Aufwallung der
humanisirenden und physiokratischen Richtung, bei Friedrich geht
Alles aus ruhigster, verständigster Berechnung hervor; dort ist sehr
Vieles eben nur Experiment, das rasch unternommen und ebenso
rasch wieder aufgegeben wird; hier erwächst Alles aus einer wohl=
erwogenen Staatskunst, die sich auf ihrem Terrain heimisch fühlt
und die Kräfte und Mittel genau kennt, die ihr zu Gebote stehen.
Drum stand Friedrich wie ein geistiger Herrscher der sittlichen und
politischen Umgestaltung der Zeit gegenüber; Joseph II. war von
den Stimmungen, so wie den Launen und Schwankungen des
Zeitalters wie ein Kind dieser Zeit getrieben und beherrscht.

Wohl war unter Maria Theresia die Regierung und Admi=
nistration der alten Zeit gefallen und eine größere Einheit her=
gestellt worden, aber immer noch war Oesterreich sehr weit ent=
fernt von dem Ideale der Centralisation und Uniformität, das
vor Josephs Seele stand. Noch war, trotz Maria Theresias finan=
ziellen Neuerungen, der Staat und seine Hülfsquellen lange nicht
so nutzbar gemacht, wie sie es werden konnten, noch hemmten
feudale Vorrechte des Adels und der träge Reichthum des Clerus
die freie und wohlhäbige Entfaltung des Ganzen, und es war der
barbarischen Gewohnheiten und Gesetze, des Aberglaubens und der
Unduldsamkeit noch eine reiche Fülle dem materiellen und sittlichen
Aufschwung des Ganzen als Hinderniß im Wege. Ein Regent,
der die störenden Einflüsse beseitigte, durch die der rasche Gang

des Regiments gehemmt ward, der den Bauer frei machte, den
Bürger emporhob, die faulen Privilegien wegräumte, der Duldung
und Humanität die Wege ebnete, unbenutzte Quellen des Natio-
nalwohlstandes eröffnete, die geistige Dumpfheit der Bevölkerung
überwand, einen erträglichen Rechtszustand begründete, die Volkserziehung förderte — ein solcher Regent konnte nicht nur zum
Wohlthäter der darniederliegenden Klassen der Bevölkerung, er
konnte zum Regenerator des Staates werden. Und aller großen
Mißgriffe ungeachtet, die Josephs doctrinärer Eigensinn, seine
Vorliebe für das Experimentiren und sein Hang zur geistlosen Einförmigkeit eines bureaukratischen Mechanismus hervorrief, hat
er gleichwol jene regenerirende Wirkung besessen und dem Staate
eine Beweglichkeit und Lebenskraft mitgetheilt, ohne welche er die
Erschütterungen der folgenden Jahrzehnte nimmer überdauert hätte.

Josephs Ungeduld freilich und seine Gewohnheit, zugleich das
Verschiedenartigste anzufassen, ehe einer der begonnenen Versuche völlig geglückt war, wenn er damit gleich eine wohlthätige Gährung
im großen Ganzen hervorrief, störte doch auch wieder im Einzelnen das Gelingen. Sein Bemühen, alle nationale und provin-
zielle Selbständigkeit in e i n e Uniform einzuzwängen, ein Bemühen, das, wenn nicht von vornherein verfehlt, doch jedenfalls
verfrüht war, schuf ihm die unüberwindlichsten Hindernisse; seine
unstete Art, gleichsam auf der Reise zu regieren, beim Anblick
des Mißliebigen rasch eine Menge von Entwürfen zu extempori-
ren, um sie dann rasch wieder fallen zu lassen und durch neue
zu ersetzen, und dann neben dieser sanguinischen Unbeständigkeit
doch der unzugängliche Eigensinn gegen jeden verständigen Rath, der
gegen seine „Philosophie" ging, das rief nicht selten eine Verwirrung hervor, in der zwar das Alte zu Grunde ging, aber das
Neue doch auch nicht Wurzel schlagen konnte. Und wie konnte es
anders sein bei einem unruhigen Kopfe, in welchem die verschiedensten Dinge, kleine Specialitäten und die umfassendsten politischen Entwürfe sich bunt durchkreuzten, von dem heute hastig ein
Gesetz erlassen ward, bis man sich morgen von der Unmöglichkeit der Ausführung überzeugte, der an einem Tage Eilboten durch
die Monarchie schickte zur Verkündung eines Befehls, den ein Eil-
bote des nächsten Tages wieder beschränken oder aufheben mußte!
Wohl war ein solches Regiment, das die Menschen und ihre Na-

tur in der Regel kaum in Rechnung brachte, dagegen auf die All-
macht des Papiers, der Ziffern und der Ordonnanzen Alles setzte,
mehr dazu geschaffen, eine Gährung und Verwirrung ohne Gleichen, als einen geordneten behaglichen Zustand herzustellen; allein
wenn auch nichts als jene Gährung erreicht worden wäre, so
war die Wirkung für die ganze Zukunft der Monarchie schon
groß und bedeutungsvoll genug.

Josephs gute Seiten traten im Einzelnen weniger hervor,
als die drückenden Wirkungen des Systems. Gewiß besaß der
Kaiser vielseitige Kenntnisse, einen durchbringenden Verstand, war
wißbegierig, voll Feuer und unermüdlicher Thätigkeit. Es schmückten ihn die königlichen Tugenden der Einfachheit und Selbstver-
leugnung, seine Sorge für Bauer und Bürger wurzelte in wirklich humanen und wohlwollenden Gesinnungen, er wollte mild
und gerecht regieren, den Druck des Vorrechts, das Privilegium
der Trägheit von dem Volke abwälzen. Aber das Alles sollte,
ohne Vorarbeit, im Sturme erreicht werden; die Aufgaben, zu
denen in einem viel kleineren und gleichartigeren Staate, wie Preußen, über ein Jahrhundert und drei hervorragende Regenten nöthig gewesen waren, wollte er mit der Ungeduld des Enthusiasten lösen. Sein Freisinn und seine Humanität war aber die des
achtzehnten Jahrhunderts, in welcher ein gut Stück Despotie und
Absolutismus versteckt war. Nun sollte rasch in einem Lande,
in dem seit Jahrhunderten der strengste Glaubensdruck geherrscht,
die Toleranz durch Verordnungen eingeführt, aus dem Leibeigenen
schnell ein freier Bauer werden; in einer Monarchie, in der alle
frischere Geistesbewegung seit lange verwelkt war, sollte durch die
Verkündung der Gedankenfreiheit ein neues selbständiges Geistesle-
ben im Nu zur Entfaltung kommen. Keine natürliche Verschiedenheit
der Nationalität, der Sitte, Sprache und Culturstufe sollte dabei in
Rechnung gezogen werden; in Belgien wie an der türkischen Gränze
sollte die gleiche Norm gelten, und mit einem gewaltsamen Sprunge
diese bunte Länder- und Völkerwelt aus der Zeit der Ferdinande,
aus der Periode priesterlich-aristokratischer Bevormundung in die
Aufklärungsform des achtzehnten Jahrhunderts umgeschmolzen
werden. An Abneigung und Widerstand konnte es nicht fehlen;
aber alles Widerstreben erbitterte den Kaiser, der von der Richtigkeit der Mittel ebenso lebhaft überzeugt war, wie von der Vor-

trefflichkeit des Zieles; er sah in jeder Klage, jeder Vorstellung
nur eben aufrührerische Widerspenstigkeit, wollte mit Gewalt seine
Entwürfe durchsetzen, wurde ungerecht und hart, wo er doch nur
humane und volksfreundliche Zwecke vor Augen hatte. Bisweilen
len gelang es denn doch ihn zu ermüden; die Widerstrebenden
wurden dadurch um so mehr ermuthigt und fanden natürliche
Verbündete in der großen Mehrzahl der Beamten und Werkzeuge,
zeuge, die theils die Absichten des Herrn nicht verstanden, theils
zu ihrer Ausführung nicht mitwirken wollten. Klagte doch der
Kaiser selbst sehr bald (1783), daß „er mit aller Sorgfalt und
Langmuth doch nichts erreiche, weil die meisten Beamten seine
Gesinnungen und Absichten nicht begriffen und sich deren Erreichung
chung nicht wahrhaft angelegen sein ließen, vielmehr nur gerade
rade so viel leisteten, um die Cassation zu vermeiden.“ So entstand
stand denn, wie ein einsichtsvoller Zeitgenosse sagt, ein Mittelzustand
stand zwischen Altem und Neuem, der wegen seiner Unentschiedenheit
heit auch die Besten verstimmte.*)

Selbst die ersten und wohlthätigsten Neuerungen, welche die
alte Intoleranz beseitigen, die Leibeigenschaft verdrängen sollten,
erreichten nur zum geringen Theil den Zweck, der ihnen vorgesetzt
war. Unbefangene Beobachter weissagten schon damals nur bescheidene
scheidene Erfolge. „Der Kaiser, sagt ein englischer Diplomat,**)
hegt strenge und feste Grundsätze über Gerechtigkeit und Billigkeit,
keit, und kein Herrscher kann ein größerer Feind der Unterdrückung
sein. Es ist jedoch eine gewisse Härte und Steifheit in ihm,
welche erst die Reife des Alters und der Erfahrung mildern kann,
und welche ihn jetzt zu schnell und zu oft zu dem Schlusse verleitet:
leitet: dies ist recht, also soll und muß es sein. Er achtet nicht
genug auf die allgemeinen Vorurtheile und Schwächen der Menschen,
schen, räumt ihnen zu wenig ein und bedenkt zu wenig, mit
welcher außerordentlichen Vorsicht allgemeine Neuerungen, selbst
wenn sie weise sind, eingeführt werden müssen. Er fühlt nicht
genug, daß der geringste Schein einer Unterdrückung ein wahres
Uebel ist, weil die Menge eben so sehr vor dem Scheine fliehet,
wie sie vor wirklicher Unterdrückung fliehen würde.“

---

*) Dohm, Denkwürdigkeiten II. 269 f.
**) Raumers Beiträge IV. 425.

Die Schonung der populären Gefühle war aber um so nöth=
ger, je gefährlicher der Kampf war, in den er sich mit dem ka=
then Clerus, nach seinem eigenen Ausdrucke, „den gefährlichsten
unnützesten Unterthanen in jedem Staate", begeben wollte.
habe — so lauten seine charakteristischen Aeußerungen — ein
:es Geschäft vor mir; ich soll das Heer der Mönche redu=
soll die Fakirs zu Menschen bilden, sie, vor deren gescho=
Haupte der Pöbel in Ehrfurcht auf die Knie niederfällt und
ch eine größere Herrschaft über das Herz des Bürgers er=
n haben, als irgend etwas, welches nur immer einen Ein=
auf den menschlichen Geist machen konnte. Seitdem ich den
n bestieg und das erste Diadem der Welt trage, habe ich die
sophie zur Gesetzgeberin meines Reiches gemacht. Zufolge
Logik wird Oesterreich eine andere Gestalt bekommen, das
en der Ulemas eingeschränkt und die Majestätsrechte in ihr
Ansehen wieder kommen."
Zwar hatte Maria Theresia, wie sie nach allen Richtungen
ie Zügel des Regiments straffer anzog und die Decentralisa=
der alten Zeit langsam umzugestalten suchte, so auch dem
s gegenüber ihre Autorität wachsamer zu wahren gesucht,
ihre Vorfahren; aber gleichwol war von allen Ueberlieferungen
lten Zeit keine so wenig erschüttert, als die Macht der Geist=
t. Das Selbstgefühl des absoluten Herrschers fühlte sich
ch in Joseph fast mehr gekränkt, als das humane und auf=
te Streben der Zeit durch den Aberglauben und die Into=
verletzt war. So folgten denn rasch auf einander die
egeln, welche die Selbständigkeit der römischen Kirchenmacht
chen, den Zusammenhang des Clerus mit Rom lockern und
er Regierungsgewalt unterordnen sollten. Zwei Decrete vom
1781 entbanden die geistlichen Corporationen von der Ver=
ng mit auswärtigen Oberen und stellten das kaiserliche Pla=
r päpstliche Breven und Bullen her; ein anderes dehnte dies
tätsrecht auch auf die apostolischen Briefe des Papstes aus.
Verordnung vom Oktober 1781 beschränkte die Recurse nach
auf die Ehesachen; später (1787) wurden auch die Gnaden=
Gunstbezeigungen des Papstes an die österreichischen Bi=
unter die landesherrliche Controle gestellt. Die bischöfli=
Hirtenbriefe, Anordnungen u. s. w. wurden durch ein Ge=

ſetz vom April 1784 der landesherrlichen Genehmigung unter=
ſtellt.

Zugleich mit dieſen erſten Schritten, in denen die abſolute
und einheitliche Regierungsgewalt der corporativen Selbſtändigkeit
der Kirche den Krieg erklärte, wurde auch gegen das geiſtliche Or=
denweſen eingeſchritten. Die rein contemplativen Orden ver=
ſchwanden ganz; auch unter den übrigen wurde thätig aufge=
räumt. Aber zu welch einer Armee war auch das Mönchsthum
in Oeſterreich herangewachſen! Man rechnete, daß Joſeph in acht
Jahren 700 Klöſter mit 36,000 Ordensleuten aufhob, und doch
blieben noch 1324 übrig, in den noch 27,000 Mönche und Non=
nen hauſten! Während die reicheren Klöſter angewieſen wurden,
Schulen anzulegen und zu unterhalten, wurde zugleich für alle
ein neuer Bildungsgang angeordnet. Der Beſuch des Colle=
gium germanicum in Rom ward unterſagt (Dec. 1781); dafür
dem Clerus eine eigene Erziehungsweiſe von Seiten der Regie=
rung vorgezeichnet. „Sie ſollten — hieß es in einer ſolchen Ver=
ordnung*) — ſich nach der Schrift und nach Kirchenvätern, wie
Baſilius und Auguſtin“ bilden, das „ſcholaſtiſche Getöſe, die ſpitzi=
gen Trugſchlüſſe, Händel und ſchimpfende Streitigkeiten“ ſollten
vermieden werden. Die Zöglinge ſeien beſonders zu gewöhnen,
genau darauf zu ſehen, „worin wir mit Leuten, die außer un=
ſerer Kirche ſind, übereinſtimmen, und worin wir mit ihnen un=
eins ſind. Bei ſolcher Betrachtung werden ſie einſehen, daß es
nicht ſo viele Punkte gibt, in welchen wir von ihnen unterſchie=
den ſind, als der Pöbel polemiſcher Theologen meint.“

Indem der Kaiſer auf dieſe Weiſe die ganze Hierarchie um=
geſtaltete, das Mönchsthum einſchränkte, die übermäßigen Dotatio=
nen der größeren Bisthümer verminderte, aus dem Kirchenvermö=
gen Schulen errichten ließ, der alten Intoleranz entgegentrat und
eine neue Art der Erziehung für den Clerus einführte, kam er
zunächſt nur mit der Geiſtlichkeit ſelbſt, den mächtigeren Biſchö=
fen und mit Rom in Colliſion; manche der Neuerungen trafen
verjährte Mißbräuche und kamen der Geſammtheit zu Gute.
Schwerlich iſt auch ihretwegen eine Mißſtimmung im Volke ent=
ſtanden, das ſich wohl kaum dadurch beeinträchtigt fühlte, daß der

*) S. Großhoffingers Geſchichte Joſephs II. Bd. II. 114.

geistliche Müßiggang beschränkt, der Clerus dem Staate untergeordnet, für größere Thätigkeit und eine vielseitigere Bildung der Geistlichen Sorge getragen, oder das Uebermaß der Einkünfte des hohen Clerus verkürzt ward. Aber Joseph ging weiter, er griff in den Cultus und in die innere Organisation des Kirchenthums ein, veränderte die Gebräuche am Altare, beschränkte die äußere Ausstattung des Gottesdienstes, erklärte den Verzierungen, den Prozessionen u. s. w. den Krieg, wollte bestimmen, wie die Monstranz gebraucht werden müsse und Aehnliches mehr. Kein Wunder, wenn das Volk selber an diesen Neuerungen, deren taktlose Ausführung meist die Verkehrtheit des Unternehmens noch überbot, argen Anstoß nahm, sich in der Uebung seines alten Glaubens gehemmt sah und seine Ungunst auch auf die unverfänglichen Schritte josephinischer Humanität und Toleranz übertrug.

Diese bitteren Eindrücke der Gegenwart ließen auch das wirklich Gute und Wohlthätige verkennen, bis eine spätere Zeit, in der die Früchte gereift waren, jene lebendige und warme Erinnerung an Joseph erweckte, wie sie aus dem Bewußtsein früheren Undankes entspringt. Denn Joseph hatte, bei aller Härte der Mittel und allem Eigensinn seines autokratischen Willens, doch ein warmes Mitgefühl für das Volk und dessen bedrängten Zustand. Seine Bemühungen, der Schutzlosigkeit der Unterthanen gegenüber der Gewaltthat abzuhelfen, seine Sorge für Beseitigung unbilligen Druckes, hoher Gerichtssporteln und Chikanen, sein Bestreben, die feudalen Lasten auf feste Normen zurückzuführen und die persönliche Unfreiheit völlig zu beseitigen — dies Alles war des höchsten Lobes werth, und doch fand des Kaisers unermüdeter Eifer weder bei seinen Untergebenen die rechte Unterstützung, noch bei den Erleichterten den wohlverdienten Dank. *)

Allerdings war der neue Zustand im Ganzen nichts weniger als behaglich. Aus der bisherigen Lethargie und der bequemen Gewohnheit eingewurzelter Mißbräuche aufgescheucht ward die Bevölkerung nicht allmälig in neue, bewegtere Verhältnisse eingeführt, sondern es trat ein allgemeines Chaos ein, in welchem nichts an seiner gewohnten Stelle blieb. Während das alte Kir-

---

*) Ueber die Einrichtungen, wodurch das Feudalwesen erschüttert ward, s. Beidtel in den Sitzungsber. der Akademie IX. 925 ff.

chenthum und Schulwesen verändert ward, kam zugleich eine ganz neue Gesetzgebung, Gerichtsordnung und Polizei, wurde das Armenwesen, die Gesundheitspflege u. s. w. nach den Humanitäts= ansichten des Jahrhunderts umgestaltet, und indeß in diesen Schö= pfungen Josephs, in Spitälern, Findel= und Waisenhäusern, sich seine freundliche und wohlwollende Natur kundgab, geschah wie= der dicht daneben Anderes, wo der Groll über den Widerstand und die Hindernisse ihn zum Härtesten vermochte. Da sollte die alte Trägheit, die abergläubische Intoleranz verschwinden, sollten alle Confessionen in friedlicher Eintracht zusammenleben, dort gab der Kaiser selbst das unerquickliche Beispiel äußerster Intoleranz gegen jede fremde Meinung. Indeß hier Eifer und Thätigkeit angefacht war, Handel und Industrie rasch aufblühen sollten, neue Straßen und Verkehrsmittel entstanden, wurde dort wieder das Volk durch das mißlungene Experiment neuer Steuerordnungen heimgesucht; oder während überall Milde und Humanität officiell an der Ta= gesordnung war, hatte das Militärwesen, die neue Criminal= und Polizeiordnung Josephs manche Seite, die von der Barbarei der alten Zeiten nicht abwich. Behaglich wird aber überhaupt ein Zustand niemals sein, in welchem vom obersten Regiment, von der Kirche und Schule an bis zur Gesetzgebung, Rechtspflege, Besteue= rung, bis zur Polizei, zum Forst= und Postwesen herab nichts auf der alten Stelle bleibt, das Meiste geradezu auf den Kopf gestellt, hundert liebgewonnene Gewohnheiten gekränkt, Altes und Eigen= thümliches beeinträchtigt wird, überhaupt Alles den Charakter des gewaltsamen und revolutionären Ueberganges aus einer alten in die neue Zeit an sich trägt.

Erst als der Sturm dieser Zeiten vorüber war, ward die Ge= neration, über die er hinweggegangen, des Wechsels sich bewußt und ward die wohlthätigen Wirkungen inne. Daß durch Aufhe= bung der Leibeigenschaft die öffentliche Wohlfahrt außerordentlich gewonnen, daß die Cultur des Bodens, daß Industrie, Handel und Schifffahrt einen Aufschwung erhalten, die Staatskräfte unge= mein gesteigert, und auf allen Gebieten des geistigen Lebens eine wohlthätige Erregung stattgefunden, leuchtete dann erst recht ein, als die natürlichen Härten einer solchen Revolution in Vergessen= heit geriethen. Wohl waren die einzelnen Institute, rasch und flüch= tig wie sie entstanden, auch wieder rasch zu beseitigen, und der

papierne Theil der neuen Organisation, ohne tiefere Wurzeln im
Volke, überdauerte kaum das Leben des Erschaffers. Aber Eines
war nicht mehr rückgängig zu machen: die vollständige Zerrüttung
der alten Staatsmaschine; dieselbe war so gründlich zerstört, daß
auch die eifrigste Restaurationspolitik an ihre Herstellung nicht mehr
denken konnte. Indem durch die heftige Gährung der josephinischen Revolution eine Reihe von schlummernden Lebenskräften geweckt und neue Bedürfnisse angeregt wurden, war die Rückkehr in
die alten Bahnen unmöglich geworden; es mußte ein neuer Weg
gesucht werden, der denn vielfach mit den von Joseph eröffneten
Bahnen zusammenstieß. Nach einer Seite namentlich war die stürmische Anregung des Kaisers nicht verloren: seine Tendenzen zur
Einheit und Centralisation der Monarchie ließen in der politischen
Tradition Oesterreichs einen Eindruck zurück, den selbst Josephs Mißlingen nicht schwächen konnte. Der Gedanke, den Föderalismus der
Provinzen gewaltsam zu überwinden, war einmal mit seiner ganzen verführerischen Macht geweckt; er mußte um so lebendiger bei
den Einen sich geltend machen, je drohender das Bestreben der
Anderen war, den lockeren Föderalismus vollends zur Trennung
zu erweitern. Drum ist dem josephinischen Thun neuerlich selbst
aus dem Munde solcher, die Josephs Ansichten über Adel, Clerus u. s. w. am wenigsten theilen, die Anerkennung zu Theil geworden, daß ihm bei allen Fehlern doch die sehr richtige Wür-
digung dessen nicht entging, was die Zukunft des österreichischen
Staates verlangte; indem die späteren Ereignisse in Galizien und
Ungarn die „beredteste Apologie" der politischen Absichten Josephs enthielten. *)

Auch das äußere Verhältniß Oesterreichs fing an durch Josephs Einfluß sich völlig umzugestalten.

Wir erinnern uns, die flüchtigen Anwandlungen eines österreichisch-preußischen Bündnisses (1769—1770) waren rasch in die
frühere Entfremdung umgeschlagen, und mit dem baierischen Erb-

---

*) Graf Ficquelmont in seiner bekannten Schrift: Lord Palmerston, Eng-
land und der Continent. I.

folgestreit brohte die Rivalität zum offenen Kampfe zu führen.
Wohl wandte die Friedensliebe der beiden alten Gegner, Friedrichs
und Maria Theresiens, dies Aeußerste ab, so sehr auch Joseph
dahin drängte, aber die Stimmung beider Großmächte war trotz
des Teschener Friedens so gespannt wie je. Friedrich II. bemühte
sich, sein Bündniß mit Rußland auch für die Zukunft fester zu
knüpfen, und dachte daran, eine der westlichen Mächte in den
Bund einzuschließen. So hoffte der große König den unruhigen
Ehrgeiz Katharinas und Josephs II. zugleich im Schach zu halten, die Integrität der Türkei zu schützen und die glorreiche Stellung eines „Schiedsrichters in den europäischen Dingen" ohne
kriegerische Kraftanstrengung zu behaupten.*) Die Erneuerung
des russisch-preußischen Bündnisses von 1764, die Beiziehung
Frankreichs oder Englands, die Aufnahme des osmanischen Reiches in die Allianz, das waren die Wege, auf denen Friedrich
sein Ziel am sichersten zu erreichen hoffte. Aber der Diplomat,
den der König zu diesem Ende nach Petersburg schickte (Herbst
1779), Graf Görtz, fand dort ganz entgegengesetzte Neigungen;
die Lieblingsentwürfe Katharinens, das osmanische Reich aufzulösen und ein byzantinisch-russisches am Bosporus aufzurichten,
stimmten wenig zu der Allianz mit Preußen, sie forderten ein Bündniß mit Joseph II., der in ähnlicher Weise durch die Auflösung
der Türkei sich zu vergrößern dachte, und dessen benachbarte Streitkräfte den russischen Planen eine ganz andere Mitwirkung verhießen, als das weit entlegene Preußen mit seinen spärlichen Subsidienzahlungen. Görtz fand daher in Petersburg die Stimmung entschieden einem österreichischen Bündnisse zugewandt; der
einzige Graf Panin verfocht noch die Allianz mit Preußen. So
scheiterte Friedrichs Versuch, eine Allianz mit Rußland ohne und
gegen Oesterreich zu bilden; nicht einmal die nähere Verbindung
Oesterreichs mit Rußland vermochte er zu hindern. Im Sommer
1780 fanden jene Besprechungen zwischen Joseph und Katharina
statt, welche das russisch-österreichische Bündniß einleiteten; vergebens suchte Friedrich durch die Absendung seines Neffen an den
russischen Hof die drohende Allianz zwischen Wien und Petersburg zu stören, Katharina erneuerte den preußischen Bund von

---

*) S. die Mittheilungen in Görtz Denkwürd. I. 106 ff.

1764 nicht mehr, trat aber zur österreichischen Politik in immer engere persönliche und politische Beziehungen.

So schlug denn auch ein anderer Plan Friedrichs fehl, an Rußland eine Stütze gegen den österreichischen Einfluß im deutschen Reiche zu erlangen. Er glaubte dies durch jene berüchtigte Stelle des Teschener Friedens, woburch Rußland diesen Vertrag garantirte und zugleich der westfälische Friede ausdrücklich von Neuem bestätigt war, erreicht zu haben. Die Erfahrung der nächsten Jahre bewies, daß damit eben nur Rußland durch eine Hinterthür als „Bürge des westfälischen Friedens" eingeführt und ihm die Erbschaft der Politik eröffnet war, die bisher Frankreich und Schweden als Garanten der Verträge von 1648 mit so großem Nutzen verfolgt hatten. Die preußische Politik ging aber noch einen Schritt weiter; um ein Gegengewicht gegen Oesterreich zu schaffen, sollte eine ganz unmittelbare Intervention Rußlands in den deutschen Dingen eingeleitet werden. Das was man Deutschland und deutsches Reich nannte, war so sehr zum bloß geographischen Begriff geworden, daß es kaum mehr für anstößig galt, das Schiedsrichteramt des Auslandes in die innern deutschen Angelegenheiten hereinzuziehen. Man überlegte damals kaltblütig in Berlin, ob man sich in seinem Widerstande gegen Oesterreich lieber auf einen der alten Garanten des westfälischen Friedens stützen, oder Rußland als neuen Bürgen beiziehen solle. Aus Gründen, die in der angedeuteten politischen Conjunctur der Zeit lagen, entschied man sich für Rußland, dem der Teschener Friede die Brücke gebaut zur Einmischung in die deutschen Dinge. Es entsprach der Herrschsucht und der Eitelkeit der russischen Kaiserin, auch hier die Hand im Spiele zu haben, und der preußische Gesandte in Petersburg übernahm es, die Mittel und Wege anzugeben, auf denen Rußland in die durch Frankreichs und Schwedens Schwäche erledigte Stelle eines Bürgen des westfälischen Friedens einrücken könne.*)

Es gelang in der That den Bemühungen Preußens, auch das deutsche Reich zum Tummelplatz der russischen Diplomatie zu machen; im Herbst 1781 erschien Graf N. Romanzof in Frankfurt, um von dort aus bei den verschiedenen kleinen Höfen der

---

*) S. Görtz Denkwürd. I. 141—146.

vorderen Reichskreise zu intriguiren und in Norddeutschland ward
ein H. v. Groß beauftragt, von Hamburg aus die gleiche Mission zu erfüllen. Die Instructionen, welche diesen diplomatischen
Agenten ertheilt wurden, waren unter Mitwirkung des preußischen
Gesandten ausgefertigt und die Berliner Politik glaubte sich nun
ihres Erfolges ganz sicher: mit Hülfe des russischen Einflusses
den österreichischen im Reiche zu paralysiren. Aber die bittere
Strafe folgte auf dem Fuße; die durch Preußen eingeführte Intervention im Reiche wandte sich, wie wir sehen werden, gleich
im ersten praktischen Falle gegen Preußen und unterstützte Oesterreich, den neugewonnenen Alliirten.

So befand sich also Friedrich II. im Anfang der achtziger
Jahre in völliger Isolirung. Zu Oesterreich war das Verhältniß
seit 1777 so gespannt wie je, von den westlichen Mächten war
Frankreich noch nicht ganz aus dem österreichischen Familienbunde
gelöst und außerdem auch in einer Lage, die zu einer engeren
Allianz nicht ermuthigen konnte; England legte, so lange Lord
North und seine Freunde regierten, eine fast lächerliche Gehässigkeit gegen Preußen an den Tag, und die flüchtige Hoffnung Friedrichs, bei der Erhebung des Whigministeriums (1782) einen Verbündeten an England zu finden, zerschlug sich fürs erste. Der Bund
mit Rußland aber, seit 1764 eine der Stützen von Preußens Haltung
nach Außen, war gelöst. Zwar wiederholte Rußland die früheren Versicherungen unveränderter Freundschaft, aber die Allianz
war gelöst, seit Rußland mit Oesterreich in ein engeres Verhältniß getreten war. Wohl fing der russisch-österreichische Bund an,
die Besorgnisse des europäischen Westens zu erregen, und als Katharina II. (1783) sich der Krim, Tamans und Kubans bemächtigte und die Pforte dies geschehen ließ, tauchte auch in Frankreich der Gedanke auf, durch einen engeren Bund mit Preußen
die Auflösung des osmanischen Reiches durch Joseph und Katharina zu hindern; allein die Verhandlungen darüber hatten kein
Ergebniß, weil Friedrich gerechte Bedenken hatte, sich mit der
scheuen und unsichern Politik der damaligen französischen Regierung tiefer einzulassen.*)

---

*) S. die Denkschrift von Vergennes von 1784 in Flassans hist. de la
dipl. française VII. S. 384 ff.

Diese isolirte Stellung Preußens mußte dem König um so
tklicher erscheinen, je rühriger Joseph II. bemüht war, die
heile der Lage auszubeuten. Durch das Kaiserthum und des-
erfassungsmäßige Macht eine gebietende Stellung in Deutsch-
zu erlangen, war ihm zwar mißlungen, er gab diesen Weg
und suchte durch Erweiterung seiner Hausmacht, durch
liche Erwerbungen den territorialen Einfluß zu befestigen,
ihm seine kaiserliche Würde nicht geben konnte. Der Ver-
Baiern an sich zu reißen, war zwar beim ersten Anlauf
eschlagen, aber er war doch auch nicht ganz ohne Früchte
eben. Kurz nach dem Teschener Frieden ward, in bescheid-
Form, etwas Aehnliches unternommen, indem Joseph sich
ihte, seinen jüngeren Bruder Maximilian zum Kurfürsten
Cöln und Bischof von Münster wählen zu lassen. Als
er des ansehnlichsten Gebietes am Niederrhein, als Mit-
or des westfälischen Kreises konnte dann der österreichische
rzog dem preußischen Einflusse an einer Stelle entgegenwir-
wo derselbe bis jetzt in unbestrittenem Uebergewicht gewesen
Es entstand darüber ein kleiner diplomatischer Krieg zwi-
Oesterreich und Preußen; süße und herbe Mittel, Beste-
g und Drohung wurden in Bewegung gesetzt, und es schien
Augenblick, als sollte es darüber zum gewaltsamen Con-
kommen (1780); wenigstens hoffte die unterliegende Partei
dies letzte Mittel.*) Aber Friedrich, der zwei Jahre zuvor
inem viel gewichtigern Anlaß nur ungern das äußerste Mit-
ewählt, hatte doch gerechte Bedenken, wegen einer Coadju-
ahl in Cöln und Münster einen vielleicht europäischen Krieg
sachen. Auf dem diplomatischen Schlachtfelde von Oester-
überwunden, fügte er sich in die geschehene Wahl des öster-
schen Erzherzogs und bemühte sich nur zu hindern, daß Mari-
n nicht auch in Lüttich, Paderborn und Hildesheim das Gleiche
hte, wie in Cöln und Münster.
In ähnlicher Weise wurden von Joseph die mannigfaltigen
n Mittel, deren Gebrauch zum Theil verjährt, in Anwendung
icht, um dem Kaiserhause wieder Einfluß, Stimmen und vo-
ire Vortheile zu erwerben. Ein alter längst verfallener Ge-

Dohm, I. 347. 348.

brauch war es, daß der Stifter oder Schirmvogt eines Klosters,
auch wohl ein fürstlicher oder kaiserlicher Wohlthäter und Beschützer, dem Stifte einen alten Diener oder hülfsbedürftigen Schütz-
ling zur Verpflegung zuwies, oder, wie der Ausdruck lautete, einen
Panisbrief für ihn ausstellte. Die Natural=Verpflegung ward
allmälig in eine Geldleistung umgewandelt und erhielt so das
Ansehen einer Steuer, welche den geistlichen Stiftern vom Kaiser
auferlegt ward; aber der Gebrauch war in Abnahme gekommen
und in den Grundgesetzen des Reiches, namentlich dem westfälischen Frieden, hatte das Recht der Panisbriefe keine ausdrückliche
Anerkennung mehr erlangt. Wie war man überrascht, als Joseph II.
nun, namentlich seit 1780, eine Reihe solcher Panisbriefe erließ,
ja zum Theil auf Stifter anwies, die längst säcularisirt oder protestantisch geworden waren! War es doch eine seltsame Zumuthung, von ehemals katholischen Stiftern im preußischen oder im
braunschweig=lüneburgischen Gebiete die Versorgung österreichischer
Invaliden zu verlangen, und Friedrich II. gab diesem Gefühl einen
richtigen Ausdruck, wenn er in einem Erlaß an die halberstädtische
Regierung das kaiserliche Beginnen „grundlos, unerhört und höchst
befremdend" nannte. So war denn auch der Erfolg des Schrittes kein anderer, als daß, wer irgend im Stande war, das Ansinnen Josephs abzuweisen, die Panisbriefe verweigerte und die unerwartete Contribution schließlich an den Schwächeren und Kleineren
haften blieb, denen die Macht und der Muth fehlte, sie zu versagen.

Solche Prätensionen blieben aber nicht vereinzelt. Bald
wurde durch ein kaiserliches Provisorium der Markgraffschaft Burgau
gegen altes Herkommen die „österreichische uneingeschränkte Landeshoheit" auferlegt, oder gar dem Reichshofrath förmlich verboten,
die burgauischen Insassen richterlich zu schützen; bald wurde bei
Werbung und Durchmärschen die Ohnmacht der Schwachen in
anstößiger Weise mißbraucht. So finden wir in den Reichstagsverhandlungen aus der letzten Zeit Josephs II. die Beschwerde der
vorderen Reichskreise*) über den sogenannten „Wiener Schub",
eine auch erst seit Josephs österreichischem Regierungsantritt auf-
gekommene Gewohnheit der Wiener Polizei, verlaufenes und her-
renloses' Gesindel, ja selbst ansässige, aber verarmte Bewohner der

---

*) Reichstagsschriften auf der Münchn. Bibl Cart. 472

tftadt dem bairifchen Kreife zuzufchieben, der dann, wie die
werbe am Reichstage fagt, „dies von Allem entblößte, hülfs=
ftige und vielfältig mit efelhaften Krankheiten angeftedte,
eben badurch fowol für die öffentliche Sicherheit, wie für die
nbheit gefährliche Gefindel" dem fchwäbifchen Kreife zuwies,
:s fchließlich zur Laft fiel. Auf demfelben Reichstage wird auch
dem fchwäbifchen Kreife Klage geführt über die gewaltthätigen
griffe öfterreichifcher Landvogteien, welche die Gerichtsbarkeit
irten, kreisftändifche Unterthanen mit Arreften, Einquartirung
). befchwerten, im Zoll= und Forftwefen eigenmächtig verführen,
)elsbefchränkungen und Zunftzwang auferlegten. Aehnliche Kla=
hörte man allenthalben, wo es in Schwaben noch kaifer=
Landgerichte oder öfterreichifche Lehenshöfe gab; es war der
'n kein Ende gegen ihre „fortwährenden Anmaßungen."
Die Anläffe diefes Habers waren an fich klein, aber fie wa=
.icht geeignet, die deutfche Politik Jofephs II. populär zu ma=
Diefe rechtswidrigen Uebergriffe, diefer gewaltthätige Ueber=
gegen Schwächere und Kleinere erbitterten um fo mehr, je
man die Erfahrung machte, daß der Kaifer vor dem Wider=
h des Mächtigen zurückwich.
Größeres Auffehen erregte fchon die Angelegenheit des Bis=
s Paffau. Das Stift hatte den größeren Theil feines Spren=
in Oefterreich, wo auch viele ihm zugehörige Güter lagen.
· Kaifer Karl VI. war mit Einwilligung des Stiftes ein Theil
Sprengels an das neucreirte Wiener Erzbisthum abgetreten,
zugleich von Oefterreich zugefagt worden, niemals, unter ir=
einem Vorwande, eine Zerftückelung des Hochftifts weder zu
ragen, noch zuzulaffen. Jetzt, als im März 1783 der Sitz
gt war, ließ Jofeph II. den im öfterreichifchen Gebiete gele=
t Sprengel ohne Weiteres von Paffau trennen und den Diö=

Aber die Gegenwirkung blieb doch nicht aus. Preußen trat auch in diesem Falle den Prätensionen Josephs gegenüber, wenn sich gleich der bedächtige König nicht von dem Stifte dazu drängen ließ, an den Besitzungen österreichischer Unterthanen in Schlesien Repressalien zu nehmen. Doch ließ sich der neugewählte Passauer Bischof, ein Graf von Auersberg, durch einen Vergleich von Joseph dazu nöthigen (Juli 1784), den Antheil des Sprengels, der im Oesterreichischen lag, abzutreten und für die Zurückgabe der Güter, die unstreitig rechtmäßiges Eigenthum waren, viermalhunderttausend Gulden zu bezahlen. Freilich war in einem Schreiben von Kaunitz an das Passauer Stift offenherzig der Grundsatz bekannt: es sei des Kaisers Pflicht, nach Zeiten, Umständen und andern aus dem festgesetzten Regierungssystem fließenden Verhältnissen, für die Religion und Seelsorge bedacht zu sein; alle Rechte müßten diesem weichen.

Diese widrige Art, gegen kleine und machtlose Reichsstände mit Drohung und Gewaltthat vorzuschreiten und die unerhörtesten Ansprüche mit handgreiflicher Rabulistik stützen zu wollen; stand gerade dem Kaiser am wenigsten an; sie widersprach den herkömmlichen Ueberlieferungen und entfremdete ihm die natürlichsten Verbündeten. Aehnliche Schritte, wie gegen Passau, wurden gegen die Stifter Lüttich, Constanz, Chur und Regensburg unternommen; bei Salzburg wurde wenigstens der Versuch gemacht und, wie es Josephs unstete Art war, auch wieder aufgegeben. Das Stift Paderborn ward wegen der Geldforderung eines jüdischen Lieferanten fast in ähnlicher Weise bedrängt, wie in unseren Tagen Griechenland von der britischen Politik wegen der angeblichen Forderungen eines portugiesischen Juden mißhandelt worden ist.

Wohl war durch solche Schritte zunächst das landesfürstliche Interesse bedroht und die Besorgniß der mit Oesterreich rivalisirenden Territorien erweckt; aber man hat offenbar aus Abneigung gegen das Landesfürstenthum und gegen die geistlichen Stifter nicht selten vergessen, daß auch das ganz unbefangene Rechtsgefühl in der Nation dadurch verletzt ward und man in Joseph allmälig immer mehr den ungeduldigen Despoten, als den Reformator erblickte. Allerdings muß man die officielle Phrase jener Zeit, das Gerede „von deutscher Freiheit", von „Aufrechterhaltung der Reichsverfassung" mit vorsichtigem Ohr aufnehmen, und na-

ich im Munde Friedrichs II. und seiner Staatsmänner hatte
einen seltsamen Klang; aber es war gleichwol richtig, daß
Ungeschicklichkeit Josephs II. mit einem Male die überlieferten
n vertauschte und dem König Friedrich den Beruf eines Be-
ers der deutschen Verfassung, also den leitenden Einfluß in
eutschen Dingen in die Hände spielte.

Die jüngste Zeit war freilich dazu angethan, die früher gel-
n Meinungen umzustimmen. Nicht Joseph allein, sondern
anze Haltung der Zeit forderte zu Vergleichungen heraus,
Friedrich II. nicht nur, wie in früheren Tagen, als den
ten und siegreichsten König, sondern auch, wenigstens in
schland, als das Vorbild einer gerechten und conservativen
if erscheinen ließen. Nur in Preußen existirte ein gewisser
szustand und eine gesicherte Wirksamkeit der Gerichte; selbst
erüchtigte Vorfall mit dem Müller Arnold vermochte diese
zeugung nicht zu erschüttern; der schmähliche Menschenverkauf,
t die Regierungen in Cassel und Stuttgart sich befleckten,
in der so philanthropischen Zeit doch nur in Friedrich einen
en gefunden, der nicht allein in Worten, sondern auch in
m dem Mißbrauch entgegentrat. Zu dem Verfahren der an-
ınsten katholischen Regierungen, in Ansehung des Kirchenthums, stand die Haltung des ketzerischen Königs und der
ß, den er dem katholischen Kirchengut gewährte, in einem
ırdigen Gegensatze. Der Jesuitenorden, dessen Mitglieder in
neisten katholischen Landen jetzt ebenso gewaltthätig und roh
delt wurden, wie man sich dort früher ihrem Einflusse in
r Unterwürfigkeit hingegeben, fand an Friedrich einen Schützer
die Modeverfolgung der Zeit. Selbst die Gegner Preußens
en nicht leugnen, daß in diesem Staate eine Rechtssicherheit
ine Achtung vor dem Rechte bestehe, wie sie unter allen
sfürsten gerade der Kaiser am wenigsten bethätigte.

Dies Alles wirkte zusammen, um das traditionelle Verhältniß
eiden Großmächte im Reiche mit einem Male umzugestalten.
am ein neuer Anlaß hinzu, der die Gefahren der josephini-
Politik für den Bestand des Reiches besonders dringend er-
en ließ.

Siebenter Abschnitt.

Der Fürstenbund. *)

Der Gedanke, selbständige Bündnisse innerhalb des Reiches zu errichten, lag um so näher, je mehr sich der Reichsverband selber auflockerte. So sind denn — älterer Vereine nicht zu gedenken — namentlich seit der Zeit, wo das Reich und seine Kriegsverfassung nicht mehr den zureichenden Schutz gewährte, Verbindungen einzelner Reichsstände zu einem bestimmten Zwecke nichts Ungewöhnliches. Sich im Innern gegenseitig zu schirmen, den äußeren Feind abzuwehren, die Kriegsverfassung in einen besseren Stand zu setzen, diese so häufig gebotenen Zwecke waren seit der zweiten Hälfte des siebzehnten Jahrhunderts viel sicherer auf dem Wege der besonderen Verbindung zu erreichen, als durch die verfassungsmäßigen Mittel, welche das Reich gewährte.

Ein neuer Antrieb dazu lag in der veränderten Ordnung der Dinge, wie sie sich durch die Erhebung Preußens, namentlich seit 1740 feststellte. Mit der Ausbildung zweier selbständigen Großmächte im Reiche hatte die Reichsverfassung ihre Eigenthümlichkeit vollends eingebüßt und mehr als je lag es an den einzelnen Reichsständen, in neuen Vereinigungen einen Ersatz für den Schutz und die Sicherheit der untergehenden Reichsordnung zu suchen.

---

*) Die folgende Darstellung ist vorzugsweise auf das urkundliche Material gestützt, welches W. A. Schmidt in der Gesch. der preußisch-deutschen Unionsbestrebungen 1851. I. veröffentlicht hat. Dazu vergleiche den Aufsatz von Gödecke in dem Archiv des histor. Vereins für Niedersachsen 1847.

nicht nur in den einzelnen Reichsständen, deren Selbständig=
nun von zwei großen Mächten erdrückt zu werden drohte,
ern auch in einer der beiden Großmächte selbst mußte der
nke solch einer Sonderverbindung leicht erwachen. Preußen,
ampfe gegen die Form des alten Reiches groß geworden und
Oesterreich immer noch vermittelst der Ueberlieferungen der
ten Reichsgewalt im Schach gehalten, mußte sich bemühen,
Reiche mit seiner österreichischen Leitung, seinen habsburgi=
Verbindungen und Traditionen ein Gegengewicht entgegen=
len durch einen engeren Bund, der die Elemente der Oppo=
t gegen Oesterreich unter preußische Fahnen schaarte. Hatten
nittleren und kleineren Reichsstände ein Interesse, sich durch
berverbindungen gegen beide Großmächte mehr Sicherheit zu
en, so war ebenso sehr Preußen veranlaßt, durch eine Ver=
ung mit den Mittleren und Kleinen seine Machtstellung zu
äßern.

In dieser doppelten Richtung bewegen sich die Versuche,
e im achtzehnten Jahrhundert zur Gründung solcher Verbin=
en gemacht worden sind.

Erst suchte Friedrich II., zu der Zeit als er das habsburgisch=
ingische Kaiserthum durch ein wittelsbachisches zu verdrängen
e, eine solche Verbindung zu gründen, die seinen neuen Kai=
hützen sollte. Die Ueberlieferungen des Reiches neigten noch
ch zu Oesterreich; man mußte suchen, dem neuen bairischen
rthum, durch welches Preußen seinen Einfluß im Reiche zu
bachte, eine Union im Reiche als Rückhalt aufzurichten.
n 1742, als das Glück der Waffen zuerst Karl VII. verließ, ent=
Friedrich II. solch einen Plan, wonach einzelne Kreise und Stände
Reiches sich vereinigen und den neuen Kaiser unter Mitwir=
Preußens schützen sollten; aber der Entwurf scheiterte, wie
rich damals klagte, „aus sclavischer Furcht der Reichsstände
em Hause Oesterreich.“ Der große König war indessen der

Subsidien, die nicht zu beschaffen waren; point d'argent, point de prince d'Allemagne, rief Friedrich ärgerlich aus, als ihm sein Entwurf zum dritten Male mißlungen war. *) Gleichwol erreichte des Königs Beharrlichkeit schließlich doch das Ziel; die Frankfurter Union (Mai 1744) verband den Kaiser, Preußen, Kurpfalz und Hessen-Cassel zu gegenseitigem Schutz und zur Aufrechthaltung der hergebrachten Verfassung des Reiches; Cöln, Sachsen, Lüttich sollten zum Beitritte eingeladen werden. Aber die neue Wendung der Dinge, die mit dem Tode Karls VII. zugleich das wittelsbachische Kaiserthum begrub, nahm auch der Union ihre Bedeutung; Friedrich überließ Oesterreich seine überlieferte Stellung im Reiche und zog sich auf die Politik seiner preußischen Monarchie zurück — um erst vierzig Jahre später aus dieser zuwartenden und indifferenten Haltung herauszutreten.

Während Friedrichs Unionsentwürfe schlummerten, tauchte aus der Mitte der kleineren Staaten der Plan einer Verbindung auf, welche die Reichsstände zweiten und dritten Ranges vor dem unruhigen Ehrgeiz der beiden Großmächte sicherzustellen bestimmt war. Unter dem Eindruck der Schrecken des siebenjährigen Krieges entwarf der hessen-kasselsche Minister von Schlieffen den Gedanken einer Union, welche die mittleren und kleineren Fürsten vereinigen und gegen die aufgenöthigte Theilnahme an den österreichisch-preußischen Kämpfen schützen sollte. Die Verbindung sollte eine rein defensive sein, aber doch durch gut geordnete Finanzen und ein schlagfertiges Heer unterstützt jedes gewaltsame Ansinnen ablеhnen, das sie in eine Theilnahme an den Kriegen zwischen den beiden Großmächten zu verflechten trachtete. Der Entwurf, im Jahre 1763 in Cassel, Mannheim und Zweibrücken angeregt und besprochen, führte indessen ebenfalls zu keinem bestimmten Ergebniß.

Die unruhige, gewaltsam übergreifende Thätigkeit Josephs II. fachte die alten Entwürfe von Neuem an, und zwar begegneten sich jetzt zum ersten Male die Gedanken Preußens und der kleineren Staaten. Anlässe zu schärferer Wachsamkeit lagen in Josephs Politik genug vor. Die bairische Verwicklung von 1777—1779 hatte eine Reihe von kleineren Reichsfürsten um ihre Existenz besorgt gemacht; schon hieß es, Würtemberg sei von ähnlichen Heim

---

*) S. Oeuvres de Frédéric. T. II, 141. III. 24. 31

Usansprüchen bedroht, wie Baiern. Die Coadjutorwahl in Cöln
ub Münster hatte diese Befürchtungen neu geweckt; das Vorschrei=
1 gegen die Kirchengüter, die Angriffe gegen geistliche Stifter,
ie Passau und Salzburg, erfüllten auch die geistlichen Fürsten
it Unruhe. Weiter klagte man, Oesterreichs Einfluß hemme den
eichstag, verleite den Reichshofrath zu ungesetzlichen Uebergriffen,
er suche durch die kaiserlichen Debitcommissionen überschuldete
eichsstände durch finanzielle Rücksichten vom kaiserlichen Hofe
hängig zu machen. Andere Beschwerden, wie die, daß Oester=
ch eine neue ihm ergebene Kurwürde an Würtemberg schaffen
ub durch eine römische Königswahl sich auch den künftigen Ein=
tß im Reiche sichern wolle, beruhten zwar zunächst nur auf Ver=
uthungen; aber die Aeußerung von Kaunitz in der Passauer
ache, die, übereinstimmend mit dem Verfahren gegen die General=
iaten, überlieferte Rechte und Verträge wie nicht vorhanden be=
ichtete, ließ das Aergste befürchten. Noch hatte man im Reiche
ine Ahnung, daß die Erwerbung Baierns auf dem Wege des
ausches von Neuem im Werke war; und doch wog dies allein
el schwerer, als alle jene kleinen Arrondirungsversuche zusammen=
nommen.

Mit dem Interesse der schwächeren Reichsstände traf aber das
reußische diesmal zusammen. Friedrich II. hatte schon in der
iirischen Sache den ersten Schritt gethan, sich in die Reichsan=
elegenheiten einzumischen; seitdem waren andere Gründe hinzuge=
ommen, sein zurückgezogenes Verhältniß zum Reiche aufzugeben.
ie Auflösung des Bundes mit Rußland, die Anfänge einer rus=
sch=österreichischen Allianz, Preußens Isolirung, Josephs Politik
n Reiche — das Alles war eine deutliche Aufforderung, eine
tütze preußischer Macht in Deutschland selbst zu suchen, wo die
itimmung sich lebhafter als je gegen Oesterreich wandte. So
um Friedrich zu den Gedanken zurück, die er vierzig Jahre zuvor
folglos betrieben hatte. Es war im Laufe des Jahres 1783, als
· gegen den Herzog von Braunschweig äußerte: es sei wohl jetzt
n der Zeit, einen Bund, ähnlich dem schmalkaldischen, zu schlie=
en; damals (Mai) wurde zuerst mit Hertzberg die Gründung
ner solchen Union vorläufig besprochen.

Fast gleichzeitig und, wie es scheint, davon ganz unabhängig,
uuchte ein ähnlicher Gedanke im Kreise der kleineren Fürsten auf;

Markgraf Karl Friedrich von Baden war es, der mit einem Projecte ähnlicher Art bei einzelnen kleineren Höfen anklopfte. Hier
war es nun lediglich die Besorgniß vor Oesterreich, was den Gedanken erweckte; die Uebergriffe des Reichshofraths, der schleppende
Gang des Reichstages, die Vorgänge in Passau und Aehnliches
wurden ausdrücklich als Grund angeführt, und auf das Schicksal
Polens, als ein warnendes Exempel für Deutschland, verwiesen.
Die Aufrechterhaltung der Reichsverfassung, d. h. die Sicherstellung
der dynastischen und partikularen Interessen der deutschen Kleinstaaten, wurde als Zweck eines solchen Bundes ausdrücklich bezeichnet. Man dachte zunächst an eine Verbindung der Fürsten,
namentlich der Häuser Sachsen, Braunschweig, Hessen und Holstein, indessen die Kurfürsten einen ähnlichen Verein abschließen
und aus der Verschmelzung beider die deutsche Union erwachsen
sollte. Gemeinsames Handeln auf dem Reichstage, Wiederbele-
bung der Thätigkeit dieses Körpers, Schutz aller weltlichen und
geistlichen Reichsstände, gegenseitiger friedlicher Austrag der Streitigkeiten, Unterstützung in Finanzsachen, um Oesterreichs Einfluß
fernzuhalten, Widerstand gegen neue, im österreichischen Interesse
zu schaffenden Kurwürden, Beschränkung der Uebergriffe des Reichshofraths, endlich die Bildung einer Bundeskasse und Bundesstreit-
macht mit der Verpflichtung, keine Truppen in fremden Sold zu
geben — das waren die wesentlichen Gesichtspunkte, von denen
dieser badische Entwurf ausging. Eine günstige Gelegenheit, die
den Reichsständen freie Hand ließ, etwa der Ausbruch des bevorstehenden Türkenkrieges, sollte zum Abschlusse der Union benützt
werden; auswärtige Stützen hoffte man an Preußen, an Frankreich, selbst an Rußland zu finden. Man sieht, der Gedanke des
Bundes ruht völlig auf der Anschauung des westfälischen Friedens
und suchte seine Berechtigung in der bekannten Bestimmung der
Verträge von 1648, welche den einzelnen Reichsständen das Recht
einräumte, Verträge unter sich und mit andern Staaten abzuschließen. Der nächste Zweck war auch nur die Sicherheit der kleineren Reichsstände: Preußen sollte nicht in die Union eintreten,
sondern, ähnlich wie Frankreich oder Rußland, eine Stütze gegen
Oesterreich sein.

Der Herzog von Braunschweig, an den der badische Entwurf
gebracht ward, äußerte sich im Allgemeinen dem Plane günstig;

doch war er durch seine Verhältnisse zu Hannover und Preußen gebunden. Er verglich halb scherzend die Ausführung mit dem Traume des Abbé St. Pierre und meinte, man müsse äußerst vorsichtig und geheim verfahren, zunächst sich auch nur auf die allgemeinsten Umrisse beschränken und die einzelnen Artikel, namentlich welche die Finanzen und die Heeresrüstung betrafen, erst dann ausarbeiten, wenn man über die Ausdehnung des Bundes und über die Mitglieder im Klaren sei. In Zweibrücken, Gotha, Weimar war man dem Plane geneigt, in Dessau wünschte man vorerst die Meinung des braunschweiger Hofes zu erfahren.

Es war im Januar 1784, als der Herzog von Braunschweig diesen Stand der Dinge dem preußischen Staatsminister Grafen Hertzberg mittheilte und damit die unmittelbare Betheiligung der preußischen Politik veranlaßte. Zwar blieb König Friedrich zunächst davon noch unberührt; Hertzberg setzte für's Erste nur den Prinzen von Preußen in Kenntniß und schien mit einer gewissen ängstlichen Eifersucht die Einmischung des Königs selber zu fürchten. Seine Meinung traf mit der des Herzogs von Braunschweig insofern überein, als auch er die äußerste Vorsicht anempfahl und den Zeitpunkt des Abschlusses noch nicht für gekommen hielt. Er dachte zunächst an ein ganz geheimes Bündniß „zwischen einigen wenigen patriotischen Fürsten, die sich auf einander völlig verlassen könnten," und zwar solle dies Bündniß sich auf Bedingungen beschränken, welche weder Aufsehen noch Vorwürfe erwecken könnten. Wenn dann ein Türkenkrieg ausbreche, durch den Tod Karl Theodors die zweibrücker Linie zur pfalz-baierischen Kurwürde gelange oder in Preußen ein Thronwechsel eintrete, dann möchte wohl der geeignete Zeitpunkt sein, eine größere und allgemeinere Verbindung zu gründen. Das Wesen und den Umfang eines solchen Bundes faßte aber Hertzberg verschieden auf von dem baiischen Entwurfe: er betrachtete Preußen nicht als den auswärtigen Beschützer des künftigen Bundes, sondern als dessen Oberhaupt. „Der hiesige Hof, sagt er, ist ganz dazu geneigt und entschlossen; er wird, sobald es die Umstände mit sich bringen, sich an die Spitze stellen, da er ohne Zweifel der einzige ist, der den Plan ausführen kann und will."

Wie die Andeutungen, die Friedrich II. schon im Laufe des Jahres 1783 gegeben, wenigstens in keinem unmittelbaren Zu-

sammenhange standen mit dem badischen Entwurf, so war wieder
von diesem das unabhängig und wesentlich verschieden, was um
dieselbe Zeit von der zweibrücker Linie des pfälzischen Hauses ausging.   Der zweibrücker Hof war seit den Ereignissen von 1777
unbedingt dem preußischen Einfluß hingegeben; es war die Rede
von einer Vermählung des nachherigen Königs Maximilian mit
einer preußischen Prinzessin, und das persönliche Verhältniß des
Prinzen von Preußen zu dem regierenden Herzog war ein sehr
freundschaftliches geworden.   Eine Sendung des zweibrückischen Ministers von Hofenfels nach Berlin (Herbst 1783) hatte diese Beziehungen noch enger geknüpft, und es konnte wohl als eine Frucht
dieser Sendung gelten, daß auch in Zweibrücken schon zu Ende
des Jahres 1783 ein Unionsentwurf auftauchte.   Hofenfels war
von Berlin zurückgekommen mit mündlichen Aufträgen des Prinzen
von Preußen an den Herzog; sowol in diesen Aufträgen, als in
den Besprechungen, die Hofenfels mit Hertzberg hatte, hatte auch
der Gedanke einer engeren Verbindung einzelner befreundeter Höfe
eine Stelle.   In Zweibrücken nahm man natürlich den Gedanken
bereitwillig auf.

Nur griff man ihn wieder anders an, als ihn der badische Entwurf gefaßt hatte.   In einer Denkschrift vom· 10. Febr. 1784 sind
die Ansichten, von denen man in Zweibrücken ausging, dargelegt.
Man war dort entschieden für eine Verbindung, aber man wollte
sie nicht so eng, wie Baden wollte, begränzt wissen; es sollten
alle Reichsstände außer dem Kaiser zusammenstehen und nach
gemeinschaftlichen Grundsätzen handeln.   Eine Particularunion
einzelner Fürsten erschien dort, gegenüber der kaiserlichen Macht,
nicht nur unzureichend, sondern, insofern sie die Thätigkeit Oesterreichs in erhöhtem Maße herausfordern mußte, sogar gefährlich.
Die früheren Erfahrungen bewiesen, daß solche Sonderverbindun-
gen den Zweck nicht fördern, sondern höchstens die Macht der auswärtigen Staaten, die man herbeigerufen, vergrößern könnten.
Nicht sofort eine kleine Fürstenunion zu schließen, sei daher rathsam, sondern sich Mittel zu schaffen, um zu einer allgemeineren
Verbindung zu gelangen.   Entwürfe dieser Art gelängen nicht durch
einen coup de main, sondern müßten von langer Hand vorbereitet, die Hindernisse allmälig weggeräumt und dann in einem günstigen Augenblick vollends ausgeführt werden.   Eine kleine Union,

die sich an die Unterstützung des Auslandes wende, würde nur zur Schwächung Deutschlands beitragen und den ehrgeizigen Absichten, z. B. Frankreichs, erwünschten Vorschub leisten. Träten dann auch sechs, selbst zehn wohlgesinnte Fürsten zusammen, der kaiserliche Hof würde dann die Verbindung als Complot bezeichnen und unter dem Vorwand, die allgemeine Ruhe und Sicherheit des Reichs zu schützen, seine Majestätsrechte nur weiter ausdehnen. Es sei viel sicherer, einem von lange her gebildeten österreichischen Entwurfe einen andern entgegenzustellen, durch den die Mittel der Vertheidigung nach und nach vorbereitet und, sobald die Umstände es geböten, die Ausführung beschleunigt werden könne. Denn daß die österreichischen Projecte so rasch zum Vollzug kommen und Deutschland etwa plötzlich das Schicksal Polens bereiten würden, sei kaum zu fürchten; das Interesse des Auslandes, die Wachsamkeit Preußens schütze davor. Aus diesen Gründen dürfte im Augenblick nichts rathsamer sein, als eine vertrauliche Correspondenz unter den Ständen, welche die Wahrung ihrer Freiheit zum Gegenstand habe; das werde weder Aufsehen erregen, noch den Widerstand des Kaisers herausfordern. Der Anfang könne damit gemacht werden, daß man auf dem Reichstage zusammenstehe, sich an „die Reichsconstitution halte" und sich nicht mehr, wie bisher, „zu blinden Nachbetern des kaiserlichen Ministers mache." Die religiösen Zwistigkeiten müßten dann freilich in den Hintergrund treten und eine gemeinsame Politik Alle zur Erhaltung des bestehenden Reichssystems vereinigen.

Man sieht, der zweibrücker Hof stimmte mit Hertzberg darin überein, daß es mit dem Abschluß des Bundes keine Eile habe, daß aber jedenfalls ein kleiner Bund schwächerer Fürsten dem gemeinsamen Zwecke eher schädlich als förderlich sei. Als der Zweck erscheint aber in dem zweibrücker Entwurf mit aller Bestimmtheit die Aufrechthaltung der Constitution, wie sie aus dem westfälischen Frieden hervorgegangen, also die Wahrung der fürstlichen Selbständigkeit gegenüber der Politik Josephs II. Um dies sicher zu erreichen, dachte man das Reich vollends zu einem Bunde selbständiger Fürsten aufzulockern, Oesterreich mit dem Kaiserthum bei Seite zu drängen und durch Preußen, den natürlichen Vertreter territorialer Selbständigkeit, zu bewachen. Gegenüber dem Rückfall Josephs II. in ältere habsburgische Kaisertendenzen wollte man das

System des westfälischen Friedens vollends ausbilden und, vom landesfürstlichen Standpunkte aus, gleichsam dessen letzte Consequenzen ziehen. Drum hat es nichts Auffallendes, daß ein solcher Entwurf vielfach mit den Gedanken des späteren Rheinbundes zusammentraf; von der Grundlage des westfälischen Friedens ausgehend mußte man, so wie die Dinge sich gestaltet hatten, schließlich beim Rheinbund anlangen.

Waren die bisherigen Entwürfe vorzugsweise von weltlichen und protestantischen Höfen ausgegangen, so tauchten auch im katholischen Lager ähnliche Bestrebungen auf; ja die geistlichen Reichsstände fühlten sich durch die jüngsten Vorgänge in Passau, Cöln, Münster u. s. w. noch unmittelbarer berührt als die weltlichen. Man sprach damals von einer Vereinigung unter ihnen, die bereits abgeschlossen sein sollte; man wollte wissen, zu Mainz habe ein Congreß stattgefunden, und der Bischof von Speyer sei das eifrigste Glied dieses geistlichen Fürstenbundes. Daß dieser Verein nicht in Preußen seine Stütze suche, sondern sich lieber an Frankreich anlehnen wolle, ward als natürlich angenommen und schien in dem confessionellen Verhältniß seine Erklärung zu finden.

Als Zeichen der Zeit bieten diese fast im nämlichen Augenblick und von einander unabhängig in verschiedenen Kreisen auftauchenden Entwürfe ein charakteristisches Interesse. Ihnen allen gemeinsam ist die landesfürstliche Eifersucht auf die territoriale Selbständigkeit, gegenüber einem jeden etwa drohenden Eingriff der kaiserlichen Macht; um diese Sonderexistenz sicherzustellen, wollen die Einen das Reich vollends in eine Anzahl Bundesgruppen auflösen, die Andern sich unter Preußens Leitung zu einer antiösterreichischen Verbindung vereinigen, Alle zusammen die Protection Rußlands oder Frankreichs gegen wiedererwachende kaiserliche Prätensionen zu Hülfe rufen. Es ist die Politik des westfälischen Friedens, die sich zum ernsten Widerstande rüstet, seit Joseph den ebenso ernsten Versuch gewagt, die österreichische Stellung im Reiche auf den Standpunkt vor 1648 zurückzuführen. Zwei Systeme, die in der deutschen Geschichte beide eine gleich traurige Bedeutung erlangt haben, scheinen hier noch einmal in ernsten Conflict gerathen zu wollen: das habsburgisch-österreichische Bemühen, Deutschland auszubeuten für die Vergrößerung und Abrundung der eigenen Hausmacht, und das entgegenstehende Bestreben des Landes-

fürstenthums, diese wieder auflebenden Kaisergelüste auf ein ge-
ringstes Maß zurückzuführen, nöthigen Falls ganz aus dem Reiche
hinauszudrängen. Beide Richtungen haben sich für die nationalen
und reindeutschen ausgegeben und für beide haben sich in älterer
und neuerer Zeit Verfechter gefunden; gleichwol wird eine unbefangene Betrachtung weder in dem Einen noch in dem Andern
das volksthümliche Interesse Deutschlands ausschließlich vertreten
oder auch nur vorzugsweise berücksichtigt finden. Dort suchte eine
östliche Macht und Dynastie, deren selbständige Abschließung eine
Calamität für unsere gesammte nationale Entwicklung war, noch
einmal mit allen Mitteln ihrer überlieferten Politik sich durch Bruch-
stücke des Reiches, dessen stufenweise Abschwächung sie mit verschuldet, zu arronbiren; hier bemühte sich das bynastische Sonderinter-
esse der Vielen und Einzelnen, Bünde und Sonderbünde abzuschließen, deren letztes Ergebniß die völlige Auflösung des alten
Reiches sein mußte. Wohl standen diese letzteren auf dem Boden
einer geschichtlichen und rechtlichen Entwicklung von fast anderthalb Jahrhunderten; sie konnten, ohne Spott und Widerspruch zu
erregen, in ihrem Sinne von ihrem Eifer für Aufrechterhaltung der
Reichsverfassung, d. h. der Verträge von 1648, reden. Gerade
darin liegt aber die vielleicht lehrreichste Frucht dieser Entwürfe
wie späterer Nachbildungen: es waren damit die letzten Consequenzen der aristokratisch vielköpfigen Territorialverfassung von 1648
mit aller Schroffheit dargelegt und auch dem Kurzsichtigsten deutlich gemacht, wohin dieser Dualismus zweier Großmächte, dieses
Zerren bynastischer Sonderinteressen um deutsches Land und Volk
schließlich münden mußte. Insofern hatten die Fürstenbünde des
achtzehnten Jahrhunderts so gut ihre mahnende Bedeutung, wie
der Rheinbund im Anfange des neunzehnten.

Alle jene Anregungen, wie sie Karl Friedrich von Baden gegeben, wie sie vom Prinzen von Preußen, von Hertzberg und dem
Hofe in Zweibrücken ausgingen, stellten indessen die Ausführung
in ziemlich ungewisse Ferne, und man darf wohl behaupten, daß
diese Entwürfe, gleich früheren Projecten, wieder zu den Akten gelegt worden wären, ohne die anspornende Thätigkeit, die jetzt von
anderer Seite kam.

Friedrich II. war es, welcher den Gedanken mit neuer Lebhaftigkeit aufgriff.

Die Besorgniß, daß Oesterreich jene Politik, die zwar im Teschener Frieden eine Niederlage erlitten, aber unmittelbar nachher
in der Cölner Coadjutorwahl u. s. w. Siege erfochten hatte, mit
zäher Ausdauer und vielleicht besserem Erfolge als 1777—1779
verfolgen werde, war in dem König wach geblieben; das Gefühl
seiner Isolirung, seit ihm die österreichische Staatskunst auch in
St. Petersburg den Vorrang abgewonnen, steigerte seine Befürchtungen. England und Frankreich waren für ihn die Stützen nicht
mehr, die sie ihm einst in verschiedenen Zeiten gewesen; Rußland war
aus einem engen Verbündeten ein lauer Freund geworden, Oesterreich blieb nach wie vor ein mit aller Thätigkeit und Umsicht ope-
rirender Gegner. In dieser Vereinzelung blieb der Einfluß in
Deutschland das letzte freie Feld für die preußische Politik und
Friedrich mußte am Abend seines Lebens darauf denken, in dem
Reiche, das er so lange gering geschätzt, dessen Freundschaft er allezeit französische, russische und britische Hülfe vorgezogen, eine politische Stütze zu finden. Der Gedanke mag ihn in der jüngsten
Zeit, zumal seit Rußland in der Türkei jene wichtigen Fortschritte
gemacht und dafür Oesterreich im deutschen Reiche freie Hand zu
lassen offenbar geneigt schien, viel beschäftigt haben, da er bald
mit dem Herzog von Braunschweig, bald mit seinen Ministern
davon sprach, man müsse einen neuen schmalkaldischen Bund
schließen. Was um dieselbe Zeit von den kleinen Höfen ausging
und zwischen Berlin, Carlsruhe und Zweibrücken verhandelt ward,
war ihm noch unbekannt; Hertzberg hatte, weil er die Sache nicht
für zu bringend hielt und Friedrichs persönliche Einmischung ihm
seine eigene Taktik stören konnte, dem König davon noch nichts
mitgetheilt. Indessen schrieb aber der Gesandte in Regensburg
auf's Neue beunruhigende Nachrichten über die Thätigkeit Oesterreichs, „sich in Deutschland durch Einziehungen, Säcularisationen,
römische Königs- und Bischofswahlen, ja wohl gar durch Wiedereroberung abgetretener Länder zu entschädigen.“

Dies Alles wirkte zusammen, um Friedrich zur Ergreifung
der Initiative zu bestimmen. In einer merkwürdigen Cabinetsordre
an den Minister von Finkenstein (6. März 1784) drang er mit
aller Entschiedenheit auf die Bildung eines Fürstenbundes. Er
schildert die politische Vereinzelung Preußens, die geringe Hoffnung, die Frankreich und England biete, das Erkalten Rußlands.

„Wir sind, schreibt er, ohne alle Verbündete; drum ist es von äußerster Wichtigkeit, mit allen unseren Kräften auf eine Verbindung der Art im Reiche hinzuarbeiten, wie sie einst im schmalkaldischen Bunde lag. Es ist die einzige Hülfe, die uns bleibt, weil wir nicht mehr völlig auf Rußland zählen können." Wie sehr die Sorge der Isolirung Preußens den greisen König beschäftigte, das spricht sich in dem Wunsche aus: wo möglich noch vor seinem Tode diesen Bund geistlicher und weltlicher Fürsten gegen Oesterreich abgeschlossen zu sehen. „Man muß, schreibt er seinem Minister, die Sache nicht lässig betreiben, sondern sie wo möglich zu überzeugen suchen, daß ihr eigenes Interesse einen solchen Bund gebiete. Bleiben wir müßig, so wird Niemand die Sache auf sich nehmen. Drum schmieden Sie das Eisen so bald als möglich und erinnern Sie sich, daß ich mich schon vorigen Herbst über Alles das gegen Sie ausgesprochen habe ...." „Allerdings, äußerte der König am folgenden Tage, ist das nicht eine Sache von vierzehn Tagen, so viele Köpfe unter einen Hut zu bringen, aber man kann wenigstens sondiren, zunächst etwa bei Hessen, Hannover und den Kurfürsten von Mainz und Trier ...." „Es ist Zeit, fügt er hinzu, die Gesinnungen zu prüfen, damit wir wissen, auf wen wir zählen können; es ist keine Bagatelle, vielmehr muß, wie die Sachen liegen, diese Angelegenheit mit der größten Emsigkeit betrieben werden."

Die Minister des Königs, Finkenstein wie Hertzberg, hielten die Sache nicht für so dringend; sie wollten temporisiren und eine günstige Gelegenheit abwarten, etwa den Tod Karl Theodors und die Erhebung der zweibrücker Linie zur pfalzbairischen Kur. Friedrich selber meinte wohl auch, „es sei besser für Preußen, wenn der alte Kurfürst beim Teufel sei, aber es könne noch lange dauern, denn das Sprüchwort sage: Unkraut verdirbt nicht" — indessen er wollte, um dieser günstigeren Gelegenheit willen, nicht den ganzen Plan vertagen. Er wies wiederholt auf die politische Isolirung Preußens hin, die ihm so bedenklich schien, daß er das bezeichnende Wort aussprach: „Wenn wir mit gekreuzten Armen zusehen und unsere Feinde arbeiten lassen, so sind wir verloren." Je umständlicher eine solche Unterhandlung sei — und Friedrich rechnete auf anderthalb bis zwei Jahre — desto früher müsse man die Sache angreifen.

Diesem Willen des Königs zu entsprechen, mußte etwas geschehen; das Ministerium richtete daher Instructionen an die preußischen Gesandten im Auslande und fing an, bei einzelnen Regierungen zu sondiren. Indessen diese Schritte geschahen ohne besonders lebhaften Eifer; Hertzberg namentlich beharrte auf seiner
zögernden Politik und erlaubte sich sogar, die eifrigen Instructionen, wie sie dem König vorgelegt worden, durch kühlere Privat-
briefe zu dämpfen. Die Gefahr, die man abwenden wollte, war
sein Bedenken, werde durch die Unionsprojecte nur beschleunigt.
Auch der Herzog von Braunschweig war dieser Ansicht; die Ohnmacht der Einen, äußerte er, und das Mißtrauen der Andern wird
Alles hemmen.

In der That entsprachen die ersten Schritte kaum diesen mäßigen Erwartungen. Die süddeutschen Entwürfe, die Hertzberg dem
König jetzt mittheilte (9. April) ließen auf Baden, Pfalz-Zweibrücken, Gotha, Weimar, Mecklenburg, Braunschweig, vielleicht
auch Hessencassel mit einiger Sicherheit zählen; dagegen schienen
zwei Regierungen, die zur Ausführung der Union unentbehrlich
waren, Sachsen und Hannover, ziemlich zweifelhaft. So rückten
denn die Dinge, ungeachtet der König so lebhaft gedrängt, Monate lang um keinen Schritt vorwärts; wohl aber dienten die unbestimmten Gerüchte, die über den Plan verlauteten, mehr dazu,
die Thätigkeit auf der andern Seite herauszufordern. Schon als
der zweibrückische Minister Hofenfels im Herbst 1783 in Berlin
gewesen, schöpfte man zu Wien Verdacht, und daß man auf der
richtigen Spur war, bewiesen die diplomatischen Gerüchte zu Versailles, es sei ein Fürstenbund im Werke, dessen Abschluß Zweibrücken betreibe, an welchem Preußen Theil nehmen solle. Der
französische Hof war darüber beunruhigt; denn so gern man dort
die kleineren Fürsten mit dem Kaiser entzweit sah, so wenig war
man davon erbaut, daß solch ein Bund wahrscheinlich ein Macht-
zuwachs für Preußen werden solle. Das zweibrückische Ministerium,
das immer mit ängstlicher Aufmerksamkeit auf Frankreich blickte,
hielt es für nothwendig, ausdrücklich beruhigende Versicherungen
nach Versailles zu richten. Ein Grund mehr für die zweibrücker
Politik, jenen Weg äußerster Vorsicht, den sie gleich anfangs angerathen, nicht zu verlassen; Hofenfels warf sogar den Gedanken
hin (Mai 1784), es sei besser, wenn Preußen und Pfalz-Zwei-

brücken, beide als die eifrigsten Gegner der österreichischen Politik
bekannt, anfangs bei den Vorbereitungen zu dem künftigen Bunde
gar nicht hervorträten, damit so dem Kaiser jeder Anlaß fehle, bei
den andern Höfen den Plan der Verbindung im Keime zu ersticken.
Eine Ansicht, die vollkommen den Hertzbergischen Anschauungen
entsprach! So wurde die Angelegenheit, in welcher der König so
dringend zur Raschheit gerathen, Monate lang verschleppt; wartete
man doch volle fünf Wochen, bis man nur die Denkschrift und
Depesche des zweibrückischen Ministers (vom Mai) dem König mittheilte. Von Hannover kamen höfliche, aber unbestimmte und auf-
schiebende Antworten, Sachsen wollte offenbar vermeiden', seine
neutrale Stellung zu verlassen, und von den meisten kleineren Höfen im Westen galt es für ausgemacht, daß sie ohne die Einwilligung und Anregung Frankreichs nichts in der Sache thun würden.

Wieder war es Friedrich II. selber, welcher der fast eingeschlä-
ferten Sache einen neuen Impuls gab. In einem Entwurfe, den
er am 24. Oct. 1784 seinen Ministern mittheilte, waren die Gesichtspunkte dargelegt, nach welchen der König den Beitritt der
einzelnen Fürsten glaubte erreichen zu können. Der Bund sollte
nicht offensiver Natur, sondern nur zu dem Zwecke geschlossen sein,
die Rechte und Freiheiten aller deutschen Fürsten, welcher Religion sie auch angehörten, zu schützen. Es soll durch ihn nur ein
ehrgeiziger und unternehmender Kaiser gehindert werden, die bestehende Reichsverfassung durch langsames Zerbröckeln der einzelnen
Theile allmälig zu zerstören und seine florentinischen oder mode-
nesischen Neffen in den deutschen Bisthümern und Abteien zu versorgen. Diese Gefahr und die weitere Befürchtung, daß die so
an das Haus Oesterreich gebrachten Stifter säcularisirt und eine
Menge von Stimmen dem kaiserlichen Interesse so gewonnen
würden, sollte nach des Königs Ansicht die geistlichen Fürsten dem
Bunde gewinnen. Aber auch alle anderen Reichsstände hätten ein
gleiches Interesse, sich vor Gefahren zu schützen, wie sie durch den
Angriff Oesterreichs auf die baierische Erbschaft und durch die bekannten Vorgänge am Reichstage und in der Reichsjustiz so nahe
gelegt seien. Der Vortheil eines solchen Bundes bestehe darin,
daß, wenn der Kaiser seine Macht mißbrauchen wolle, die vereinigte Stimme des ganzen deutschen Reichskörpers ihn zu gemäßigten Gedanken zurückführen könne.

Dieſem Willen des Königs zu entſprechen, mußte etwas geſchehen; das Miniſterium richtete daher Inſtructionen an die preußiſchen Geſandten im Auslande und fing an, bei einzelnen Regierungen zu ſondiren. Indeſſen dieſe Schritte geſchahen ohne beſonders lebhaften Eifer; Hertzberg namentlich beharrte auf ſeiner
zögernden Politik und erlaubte ſich ſogar, die eifrigen Inſtructionen, wie ſie dem König vorgelegt worden, durch kühlere Privat-
briefe zu dämpfen. Die Gefahr, die man abwenden wollte, war
ſein Bedenken, werde durch die Unionsprojecte nur beſchleunigt.
Auch der Herzog von Braunſchweig war dieſer Anſicht; die Ohnmacht der Einen, äußerte er, und das Mißtrauen der Andern wird
Alles hemmen.

In der That entſprachen die erſten Schritte kaum dieſen mäßigen Erwartungen. Die ſüddeutſchen Entwürfe, die Hertzberg dem
König jetzt mittheilte (9. April) ließen auf Baden, Pfalz-Zweibrücken, Gotha, Weimar, Mecklenburg, Braunſchweig, vielleicht
auch Heſſencaſſel mit einiger Sicherheit zählen; dagegen ſchienen
zwei Regierungen, die zur Ausführung der Union unentbehrlich
waren, Sachſen und Hannover, ziemlich zweifelhaft. So rückten
denn die Dinge, ungeachtet der König ſo lebhaft gedrängt, Monate lang um keinen Schritt vorwärts; wohl aber dienten die un-
beſtimmten Gerüchte, die über den Plan verlauteten, mehr dazu,
die Thätigkeit auf der andern Seite herauszufordern. Schon als
der zweibrückiſche Miniſter Hofenfels im Herbſt 1783 in Berlin
geweſen, ſchöpfte man zu Wien Verdacht, und daß man auf der
richtigen Spur war, bewieſen die diplomatiſchen Gerüchte zu Verſailles, es ſei ein Fürſtenbund im Werke, deſſen Abſchluß Zweibrücken betreibe, an welchem Preußen Theil nehmen ſolle. Der
franzöſiſche Hof war darüber beunruhigt; denn ſo gern man dort
die kleineren Fürſten mit dem Kaiſer entzweit ſah, ſo wenig war
man davon erbaut, daß ſolch ein Bund wahrſcheinlich ein Macht-
zuwachs für Preußen werden ſolle. Das zweibrückiſche Miniſterium,
das immer mit ängſtlicher Aufmerkſamkeit auf Frankreich blickte,
hielt es für nothwendig, ausdrücklich beruhigende Verſicherungen
nach Verſailles zu richten. Ein Grund mehr für die zweibrücker
Politik, jenen Weg äußerſter Vorſicht, den ſie gleich anfangs angerathen, nicht zu verlaſſen; Hofenfels warf ſogar den Gedanken
hin (Mai 1784), es ſei beſſer, wenn Preußen und Pfalz-Zwei-

ücken, beide als die eifrigsten Gegner der österreichischen Politik
kannt, anfangs bei den Vorbereitungen zu dem künftigen Bunde
r nicht hervorträten, damit so dem Kaiser jeder Anlaß fehle, bei
n andern Höfen den Plan der Verbindung im Keime zu ersticken.
ne Ansicht, die vollkommen den Hertzbergischen Anschauungen
tsprach! So wurde die Angelegenheit, in welcher der König so
ingend zur Raschheit gerathen, Monate lang verschleppt; wartete
an doch volle fünf Wochen, bis man nur die Denkschrift und
epesche des zweibrückischen Ministers (vom Mai) dem König mit-
:ilte. Von Hannover kamen höfliche, aber unbestimmte und auf-
iebende Antworten, Sachsen wollte offenbar vermeiden', seine
utrale Stellung zu verlassen, und von den meisten kleineren Hö-
n im Westen galt es für ausgemacht, daß sie ohne die Einwilli-
ng und Anregung Frankreichs nichts in der Sache thun würden.

Wieder war es Friedrich II. selber, welcher der fast eingeschlä-
ten Sache einen neuen Impuls gab. In einem Entwurfe, den
am 24. Oct. 1784 seinen Ministern mittheilte, waren die Ge-
htspunkte dargelegt, nach welchen der König den Beitritt der
zelnen Fürsten glaubte erreichen zu können. Der Bund sollte
ht offensiver Natur, sondern nur zu dem Zwecke geschlossen sein,
: Rechte und Freiheiten aller deutschen Fürsten, welcher Reli-
on sie auch angehörten, zu schützen. Es soll durch ihn nur ein
rgeiziger und unternehmender Kaiser gehindert werden, die beste-
nde Reichsverfassung durch langsames Zerbröckeln der einzelnen
neile allmälig zu zerstören, und seine florentinischen oder mode-
sischen Neffen in den deutschen Bisthümern und Abteien zu ver-
:gen. Diese Gefahr und die weitere Befürchtung, daß die so
das Haus Oesterreich gebrachten Stifter säcularisirt und eine
enge von Stimmen dem kaiserlichen Interesse so gewonnen
irden, sollte nach des Königs Ansicht die geistlichen Fürsten dem
unde gewinnen. Aber auch alle anderen Reichsstände hätten ein
iches Interesse, sich vor Gefahren zu schützen, wie sie durch den
igriff Oesterreichs auf die baierische Erbschaft und durch die be-
nnten Vorgänge am Reichstage und in der Reichsjustiz so nahe
legt seien. Der Vortheil eines solchen Bundes bestehe darin,
ß, wenn der Kaiser seine Macht mißbrauchen wolle, die verei-
gte Stimme des ganzen deutschen Reichskörpers ihn zu gemä-
gten Gedanken zurückführen könne.

In dem Augenblicke, wo Friedrich dem Unionsplane diesen neuen Impuls zu geben suchte, kamen Nachrichten aus Zweibrücken, deren Inhalt zu raschem Handeln drängte. Die österreichische Politik war nämlich in Zweibrücken nicht müßig gewesen. An einem Hofe, wo Maitressen und ihre Clientel die wichtigste Rolle spielten, wo (wie ein Augenzeuge sagt) „unverständige Bauten, kostbare Meublirung, zahllose Liebhabereien, Alles, was nur dem Gelde weh that, im Gange war, tausend Pferde im Marstalle, noch mehr Hunde in den Zwingern gefüttert wurden, und das ganze Land ein Thiergarten zum Verderben der Unterthanen war"[*), an einem solchen Hofe mußte es nicht allzuschwer sein, auch mit groben Künsten Boden zu gewinnen. Indem man die Hofjuden und Gelegenheitsmacher des Herzogs in das Interesse zog, dem geldarmen Herzog selber baares Geld und Pretiosen in Aussicht stellte, dem Pfalzgrafen Maximilian, dem Bruder des Herzogs, eine glänzende Stellung und eine österreichische Prinzessin als Gemahlin verhieß, ließ sich vielleicht an solch einem Hofe viel erreichen, zumal wenn die russische Diplomatie sich zur Mitwirkung hergab. Auch waren Leute, wie Graf Ludwig Lehrbach und Prinz Christian von Waldeck, durchaus die rechten Persönlichkeiten, um selbst auf dunkeln und unreinen Wegen unverdrossen ihr Ziel zu verfolgen. Daß es einen Augenblick schlimm genug ausgesehen und den Anschein gehabt, als solle nun Oesterreich doch seinen Zweck bei der zweibrücker Linie erreichen, so daß selbst Frankreich aufmerksam geworden und von seiner Nachgiebigkeit gegen den Wiener Hof zurückgekommen sei — das war die Botschaft, die jetzt ganz im Geheimen Hofenfels nach Berlin gehen ließ. Von dem Projecte eines Ländertausches zwischen Baiern und Oesterreich, wie es schon jetzt vorbereitet ward, hatte der wachsame Gegner der österreichischen Politik am zweibrücker Hofe noch nicht einmal Kenntniß; aber auch das, was er mit Augen gesehen, war für ihn Grund genug, in Berlin Sturm zu läuten.

Dem König kam diese Botschaft ganz erwünscht, um seine säumigen Minister für den eben wieder aufgenommenen Unionsplan zu erwärmen. „Feuer! Feuer! — hieß es in einem eigen-

---

*) Gagern, Antheil an der Politik I. 16.

händigen Schreiben an die Minister (29. Oct.) — man darf nicht
gleichgültig zusehen, wie Joseph II. die ersten Schritte thut, deren
Folgen dem Reiche und sämmtlichen Souveränen von Europa ver=
derblich sein werden." Die Minister konnten nun nicht länger zögern;
wenige Tage nachher legte Hertzberg den Entwurf des beabsichtigten
Bundes vor. Zunächst — das war die Meinung — solle man im
Verein mit Sachsen und Hannover die Thätigkeit des Reichstages
wieder zu beleben suchen, dann vor diesen Körper alle die Be=
schwerden bringen, die gegen die kaiserlichen Uebergriffe zu erhe=
ben seien, und falls der Kaiser sich dem widersetze, sofort zum Ab=
schlusse eines Bundes mit „den mächtigsten und zuverlässigsten"
Reichsständen schreiten, dem sich wohl die kleineren dann rasch an=
schließen würden. Dem Könige schien dieser Weg zu langsam
und weitläufig; er beschied die Minister zu sich nach Potsdam,
um persönlich mit ihnen über die leitenden Gedanken der Fürsten=
union zu verhandeln. Aus diesen Unterredungen im November
1784 ging eine Denkschrift hervor, welche die Grundlinien des
künftigen Bundes vorzeichnete. Die Denkschrift ist von bleiben=
dem geschichtlichem Interesse, weil sie in aller Consequenz die Auf=
fassung der landesfürstlichen Politik entwickelt, die vor und seit
1648 aus Deutschland eine Art von aristokratischer Republik ge=
macht hatte. Diese Fürstenrepublik zu erhalten und jedem Ver=
suche einer stärkeren monarchischen Einigung entschieden zu begeg=
nen, wird dort als eine Forderung zugleich des deutschen und euro=
päischen Interesses angesehen; der westfälische Frieden, sammt den
französisch=schwedischen Garantien, die goldene Bulle, die Wahlcapi=
tulationen und Reichstagsschlüsse werden als die Grundpfeiler der
deutschen Verfassung bezeichnet. Um diese für das deutsche wie
für das europäische Gleichgewicht gleich wichtige Ordnung zu er=
halten, hätten die Fürsten zu verschiedenen Zeiten von ihrem ver=
fassungsmäßigen Rechte Gebrauch gemacht: sich unter einander zu
verbinden. Wenn jemals, so sei eine solche Allianz im gegen=
wärtigen Augenblicke geboten, wo man Wahl= und Erbstaaten
willkürlich umgestalte, durch geheime Umtriebe Bisthümer und
Wahlstaaten in einzelnen mächtigen Häusern concentrire, wo ge=
rade katholische Fürsten die Säcularisation der Klöster als ein Mit=
tel der Vergrößerung benutzten, während den Protestanten dies
durch den westfälischen Frieden untersagt sei, wo der Reichstag

zur Unthätigkeit verurtheilt werde und die obersten Gerichte des
Reiches zu sichtbar von einem vorherrschenden politischen Einflusse
bestimmt würden, als daß man auf eine gute und unparteiische
Justiz rechnen könne. Einem Bunde der Reichsstände, in solch
einem Augenblicke geschlossen, zeichne sich der Zweck von selber vor.
Zunächst gelte es, die Thätigkeit des Reichstages durch gemeinsames Zusammenwirken wieder zu beleben, dann die Recurse zu er-
ledigen, die verschiedene Reichsstände gegen Urtheile der obersten
Gerichtshöfe an den Reichstag ergriffen hätten, ebenso die Frage
über die willkürliche Säcularisation der Klöster zur Verhandlung
zu bringen, die Unabhängigkeit der obersten Gerichtshöfe durch
deren bessere Besetzung sicherzustellen, jeden Eingriff in den Besitzstand und die Integrität geistlicher und weltlicher Fürstenthümer
durch verfassungsmäßige Mittel zu hindern und zugleich die Wahl-
freiheit der geistlichen Stifter herzustellen, in die man statt der
berechtigten Mitglieder des Reichsadels neuerdings versucht habe
die jüngeren Prinzen der großen Fürstenhäuser einzudrängen. Diese
Zwecke an die Spitze zu stellen, schien der preußischen Politik der
sicherste Weg, den Abschluß des Bundes zu erleichtern. Es waren darin populäre Gesichtspunkte aufgestellt, es war den weltlichen Fürsten die Sicherheit ihres Gebietes und ihrer Selbständigkeit verhießen, das Interesse der geistlichen Fürsten gegenüber der
revolutionären Politik des Kaisers gewahrt und dem Reichsadel
die Aussicht eröffnet, wieder ungetheilt in den geistlichen Stiftern
sich versorgen zu können. Ein solcher Bund konnte sich rühmen,
eine conservative Politik zu verfolgen und zugleich alle corporativen und particularen Interessen der einzelnen Reichsglieder gegenüber den monarchischen Anwandlungen des Kaiserthums sicherzustellen.

Man hätte denken sollen, nun wäre die Sache rasch zum
Abschluß gediehen, allein es trat abermals ein Stillstand von einigen Monaten ein. Es bedurfte erst eines sehr drastischen Mittels,
um dem schläfrigen Gange der Diplomatie neues Leben einzuhau-
chen. Im Januar 1785 war es, wo die ersten unbestimmten Nachrichten nach Berlin gelangten: Oesterreich stehe auf dem Punkte,
durch einen Ländertausch Baiern zu erwerben, und Rußland mache seinen ganzen Einfluß geltend, den Herzog von Zweibrücken zur Zustimmung zu nöthigen. Jetzt erhielt der Ruf:

„Feuer! Feuer!", den der König im October an seine Minister
gerichtet, mit einem Male die ernsteste Rechtfertigung; es blieb
kein Vorwand mehr, mit der Verfolgung des Planes länger zu
zögern.

Oesterreich hatte den Plan, sich durch Baiern zu arrondiren,
der 1777 gescheitert war, geschickt und vorsichtig wieder aufgenommen; es verfolgte den Gedanken eines Ländertausches, der schon
zur Zeit Josephs I. einmal aufgetaucht und auch in den Verhandlungen von 1777 angeregt worden war. Kurfürst Karl Theodor,
ohne Interesse für seine Dynastie und seine Agnaten, nur um die
Versorgung seiner Bastarde bekümmert, war nicht schwer dafür zu
gewinnen, seine Besitzungen in Ober- und Niederbaiern, der Ober-
pfalz, Neuburg, Sulzbach und Leuchtenberg, die ihm stets fremd
geblieben, hinzugeben für den blendenden Erwerb der österreichischen
Niederlande (außer Luxemburg und Namur), der ihm mit dem
lockenden Titel eines Königs von Burgund geboten ward. Der
Plan eines solchen Tausches, von Graf Lehrbach zu München in
aller Stille betrieben, schien jetzt um so sicherer gelingen zu müssen, als man sich in Wien Frankreichs Schweigen und Rußlands
Hülfe sicher glaubte. Der russische Gesandte beim oberrheinischen
Kreise, Graf Romanzoff, gab sich zu dem gehässigen Vermittleramte
her, den Herzog von Zweibrücken halb freundlich, halb drohend
dahin zu stimmen, daß er nachgebe und sich seine Ansprüche ab-
kaufen lasse. Das war die Botschaft, die der Herzog selber am
3. Januar 1785 nach Berlin meldete. „Ew. Majestät — hieß
es in dem verzweiflungsvollen Schreiben des Herzogs an Friedrich II. — sind allein im Stande, die umfassenden Entwürfe
eines Fürsten aufzuhalten, dessen verzehrender Ehrgeiz und dessen
Habgier mit seiner Macht zunimmt. Ihre Großmuth und erha-
bene Weisheit geben Ihnen den Willen, Ihre Macht die Mittel
dazu. Geruhen Sie, ich flehe Sie achtungsvoll und dringend darum an, sie dazu anzuwenden im Verein mit Frankreich, um die
Vernichtung eines Fürstenhauses abzuwenden, das Ew. Majestät
bereits so großmüthig gerettet haben."

Es ließ sich kaum ein erwünschterer Anlaß denken, um die
Pläne des Fürstenbundes in rascheren Gang zu bringen. Da war ja
mit einem Male die österreichische Politik gleichsam auf frischer That
ertappt, und alle jene Besorgnisse, die man gegen Joseph II. hatte

zu erwecken suchen, auf's entschiedenste bestätigt. Und wie waren durch den Ländertausch alle Interessen gleichmäßig berührt, um gegen Oesterreich mit Erfolg zu agitiren! Die Landesfürsten waren beunruhigt, indem solch ein Vorgang, wenn er gelang, ohne Zweifel bald nachgeahmt ward, um Oesterreich noch weiter zu vergrößern und auch andere Fürstenhäuser aus Deutschland hinauszudrängen. Man berechnete die Macht, die Oesterreich in Schwaben bereits besaß, die Gefahr, welcher die weltlichen Fürsten, die dreizehn geistlichen Stifter in Franken, Schwaben und Baiern, die 37 Reichsstädte dieser drei Kreise ausgesetzt waren. Hatten nicht die Vorgänge gegen Passau, Salzburg, Lüttich u. s. w. Beispiele genug gegeben, daß kein herkömmliches Recht die Gewaltschritte der österreichischen Politik aufzuhalten vermöge? Hatten nicht Wiener Hof- und Staatspublicisten über die „städtischen Rathsherren in ihren stattlichen Perücken, ihre Zunftschmäuse, ihre Patricier-Vorrechte und ihre verschwenderische Aristokratenwirthschaft" deutlich genug gesprochen, um zur Wachsamkeit zu mahnen?[*) Sollte nicht Oesterreich jüngst noch das Andenken seiner Anwartschaft auf Würtemberg erneuert haben? Schon sahen die Mißtrauischen, wenn der Tausch gelang, alle diese ehemaligen Territorien des deutschen Südwestens in die österreichische Hausmacht eingeschmolzen, Baden allenfalls auch durch einen Tausch beseitigt und die österreichische Gränze bis an den Rhein vorgeschoben. Waren aber auch solche Sorgen übertrieben, so gewann Oesterreich durch den Eintausch Baierns immerhin eine gewaltige Verstärkung. Herr dieses fruchtbaren Landes, auf den beiden Flanken durch die natürliche Lage Böhmens und Tirols befestigt, im Besitze fast der ganzen Donau, durch eine Reihe kaiserlicher und althabsburgischer Ansprüche und Rechte auch da von überwiegendem Einfluß, wo das Gebiet durch die kleinen geistlichen, weltlichen und reichsstädtischen Territorien durchbrochen war, seine Besitzungen im Breisgau, in der Ortenau, am Bodensee, an der Donau nun mit dem wohlabgerundeten Hinterlande in Zusammenhang setzend — war Oesterreich allerdings zu einer Machtfülle und Abrundung seines Besitzes gelangt, die ihm vom Rhein bis zur türkischen Gränze ein fast ununterbrochenes Gebiet und in der

---

*) S. Joh. v. Müllers Leben XXIV. 177 ff.

ganzen südlichen Hälfte Deutschlands die Herrschaft in die Hände
legte.

Dies zu hindern hatte die landesfürstliche Politik und das
Ausland ein gleich lebhaftes, bringendes Interesse. Indessen würde
man irren, wollte man nur von dieser Seite Opposition erwarten.
Auch das bessere Gefühl in der Nation ward verletzt durch diesen
Länderwucher und Menschenverkauf, zu dem ein Landesfürst im
Widerspruche mit seinem eigenen Lande die Hand bieten wollte,
ohne Scham und Pietät für den sechshundertjährigen Besitz seines Hauses. War es schon mehr als zweifelhaft, ob ein solcher
Tausch nach den Landes = und Reichsgesetzen rechtlich zuzulassen
sei, so gab sich — mit Ausnahme der österreichischen Politik und
ihrer Anhänger — über die moralische und politische Seite unter
den Zeitgenossen eine fast einstimmige Meinung kund, und wenn
Preußen bei diesem Anlaß Oesterreich gegenüber trat, so hatte es
zugleich alle landesfürstlichen Sympathien in Deutschland, das
Interesse des europäischen Gleichgewichtes und die populäre Stimmung der Nation auf seiner Seite. Und darin lag der große
Fehler von Josephs II. Politik; er half Preußen zum zweiten Male das zu sein, was es bereits im Teschener Frieden geworden, der Schützer der Reichsverfassung, in deren Bekämpfung
die preußische Monarchie einst groß geworden war. In dem Maße
als das Mißtrauen, das Josephs Politik weckte, Oesterreich selbst
seinen natürlichen und überlieferten Anhang entfremdete, erlangte
Preußen eine unbestrittene Hegemonie in Deutschland.

Friedrich II. würdigte diese Gunst der Lage vollkommen; er
sah in dem Abschlusse einer deutschen Fürstenunion ein politisches
Werk, welches unter Preußens Vermittlung die öffentliche Ordnung und das Gleichgewicht in Europa auf neuen Grundlagen
festhalten müsse. Drum faßte er die Sache mit jugendlichem Eifer auf; er trieb und drängte seine Minister, als könne man nicht
rasch genug die glückliche Gelegenheit des Augenblicks benützen.
Sein Protest gegen den angesonnenen Ländertausch bewies, daß
er entschlossen sei, das Patronat des Hauses Zweibrücken noch
einmal zu übernehmen, und wenn auch Rußland auf Oesterreichs
Seite stand, Frankreich lau und träge blieb, die Wirkung dieses
Schrittes war doch nicht verloren. Oesterreich und Karl Theodor
wußten nichts Besseres zu thun, als den Tauschplan so plump

und ungeschickt abzuleugnen, wie es nur der mitten in der Arbeit
ertappte Vollbringer einer verbotenen That thun konnte: die
Reichsstände geriethen in Bewegung, auch wo Eifersucht und Abneigung gegen Preußen vorherrschte, setzte man sich jetzt darüber
hinweg. So war es z. B. jetzt gleich anfangs kaum mehr zweifelhaft, daß auch Hannover an der neuen Verbindung gegen Oesterreich Theil nehmen würde.

Um die Mitte März war der „Entwurf einer reichsverfassungsmäßigen Verbindung der deutschen Reichsfürsten“ ausgearbeitet worden, den man als Grundlage der Unterhandlung an die
Höfe schicken wollte. Als Ziel war darin angegeben: „ein Bündniß zu errichten, welches zu Niemandes Beleidigung gereichen,
sondern lediglich den Endzweck haben solle, die bisherige gesetzmä-
ßige Verfassung des gesammten deutschen Reiches in seinem Wesen und Verbande, und Jeden sowol der hierin Verbundenen, als
auch jeden anderen Reichsstand bei seinem rechtmäßigen Besitzstande durch alle rechtliche und mögliche Mittel zu erhalten und
gegen widerrechtliche Gewalt zu schützen.“ Als Mittel zu diesem
Endzwecke waren bezeichnet: vertrauliche Correspondenz sowol über
die allgemeinen, als über die besonderen Angelegenheiten, gemeinsame Wirkung aller Bundesglieder, um den Reichstag in Thätigkeit zu erhalten, Reform und Unabhängigkeit der obersten Reichsgerichte, Hemmung der eigenmächtigen und unnöthigen Einquar-
tirungen oder Durchmärsche, gegenseitige Garantie, einen jeden
deutschen Reichsfürsten ohne Unterschied, gegenüber allen eigenmächtigen Ansprüchen, Säcularisationen, Vertauschungen u. s. w.,
in seinem Besitzstande zu erhalten. Ueber die Vorbereitungen und
die Mittel sollte in jedem besonderen Falle die Entschließung gefaßt werden; der Bund — so lautete die wiederholte Versicherung —
sollte „zu Keines Nachtheil noch Beleidigung, sondern lediglich zur
Erhaltung des alten gesetzmäßigen Reichssystems“ abgeschlossen und
sämmtliche Fürsten und Stände des deutschen Reiches, ohne Unterschied der Religion, demselben beizutreten eingeladen werden.
Dieser Entwurf ward gegen Ende März 1785 an die Höfe ver-
sandt und in dem Begleitschreiben vorläufig Weimar, Gotha, Zweibrücken, Braunschweig, Mecklenburg, Baden, Ansbach, Hessen und
Anhalt als die wahrscheinlich zuerst beitretenden Glieder des Bundes bezeichnet.

Von großem Interesse für Preußen war natürlich die Haltung
Hannovers. Bald nachdem es die Beweise von Oesterreichs
neuesten politischen Bemühungen in die Hände bekommen, wandte
sich das preußische Cabinet an das hannoversche Ministerium, um
zu hören, ob nicht auch der König-Kurfürst geneigt sei, sich mit
Preußen und andern patriotischen Reichsfürsten dahin zu verständigen, daß man durch gemeinschaftliche Maßregeln sowol auf dem
Reichstage, als auch mit andern kräftigeren Mitteln,
den österreichischen Projecten entgegentrete. Auch von Braunschweig aus kamen Winke nach Hannover; besonders bemerkte
man (Ende Februars) die Anwesenheit Hardenbergs, des spätern
Staatskanzlers, der damals noch in braunschweigischen Diensten
den rührigen Vermittler für die preußischen Vorschläge machte.
Von Berlin aus war man namentlich bemüht, dem einschläfern-
den Eindrucke zu begegnen, den das Ableugnen und Zurückziehen
des Wiener Hofes machen konnte; nachdrücklich wies man darauf
hin, daß dies nur ein Aufschub sei und bei erster Gelegenheit mit
List oder Gewalt das alte Project wieder aufgenommen würde.

Das hannoversche Ministerium nahm nun in seinem ersten
Berichte an Georg III. eine sehr vorsichtige Haltung ein; als Kurfürst, hieß es da, habe der König allerdings die Garantie des
Teschener Friedens zu behaupten, falls der Herzog von Zweibrücken jene Garantie beim Reichstage anrufe. Nachdrücklicher lautete ein Rescript vom 8. März, das Georg III. aus
dem St. Jamespalaste erließ; es war das erste bestimmte Lebenszeichen, das britisch-hannoversche Politik in dieser Sache von sich
gab. Es war darin der Ländertausch als rechtlich und politisch
unzulässig bezeichnet und auf den Gedanken eines Einverständnisses mit Preußen und Sachsen zur Abwehr ähnlicher Projecte bereitwillig eingegangen. Die drei Kurhöfe sollten ihre bevollmächtigten Minister an irgend einem beliebigen dritten Orte zusammentreten und über die zu nehmenden Maßregeln berathen lassen.
Rufe der Herzog von Zweibrücken die Bürgschaft der Reichsfürsten an, so sei das eine ganz natürliche Veranlassung zu einem
solchen engern Fürstenbunde, aber auch wenn er es nicht thue,
werde das Zusammentreten der drei befreundeten Höfe durch die
allgemein bekannte Richtung der österreichischen Politik hinlänglich gerechtfertigt sein. „Ob und inwiefern aber — fügte Kö-

nig Georg hinzu — von wegen unserer Krone an dieser Angelegenheit Theil werde genommen werden, darüber können wir uns
bei den jetzigen Euch sattsam bekannten Umständen noch zur Zeit
nicht herauslassen, sondern müssen Euch vielmehr ausdrücklich aufgeben, so zu agiren, als wenn eine Verbindung zwischen unseren
Reichen und Kurlanden überall nicht vorhanden wäre." Diese
Trennung zwischen der britischen und hannoverschen Politik wurde
auch wirklich eine Zeit lang festgehalten; mit England dauerte die
alte Spannung Friedrichs fort, während er sich mit dem Kurfürsten von Hannover in ein enges Bundesverhältniß begab. Doch
sprach Georg III. selber die Hoffnung aus, daß diese deutsche
Union auch das Vernehmen zwischen Preußen und Großbritannien wiederherstellen werde, und gewiß ist sie darauf nicht ohne
Einfluß gewesen. Friedrich II. war zunächst damit einverstanden,
daß man die britische Politik aus dem Spiele lasse, damit das englische Ministerium nicht von dem Bedenken ergriffen werde, England solle hier in weitläufige continentale Verwicklungen verflochten werden; der preußische Gesandte in London hatte darum die
bestimmte Weisung, dort die Sache ganz aus dem Gesichtspunkte des
deutschen reichsfürstlichen Interesses darzustellen. Es war nicht
schwer, aus allen den bekannten Vorgängen die bedenkliche Richtung der Politik Josephs II. darzulegen und es wahrscheinlich zu
machen, daß die Ableugnungen des Wiener Hofes nur darauf berechnet seien, die Wachsamkeit der Gegner einzuschläfern und die
vertagten Entwürfe zu gelegener Zeit wieder aufzunehmen.

Während nun die preußischen Agenten mit dem oben erwähnten Entwurfe bei den kleineren Höfen in Gotha, Weimar, Würzburg, Ansbach und Cassel eintrafen und dort erwünschte Aufnahme
fanden, kam für das Gelingen des Planes doch Alles auf die
Haltung der Kurhöfe in Dresden und Hannover an. In Dresden schien man sehr froh, durch das scheinbare Aufgeben des
Tauschprojects einen Vorwand zu haben, den Beitritt zum Bunde
für jetzt ablehnen und sich auf die beliebte Neutralität zurückziehen zu können. In Hannover lag zwar die Sache günstiger,
aber Preußen durfte doch in keinem Falle auf eine so willige Hingebung und Unterordnung zählen, wie bei den kleinen Höfen.
Georg III. hatte in dem angeführten Rescripte seine Geneigtheit
ausgesprochen, und ein Schreiben an seinen Sohn, den Herzog

von York, der Fürstbischof von Osnabrück war, stimmte mit dieser Gesinnung vollkommen überein. Allein die Regierung in Hannover beharrte in ihrer bedächtigen Haltung; ihrer Meinung nach mußte eine solche Union ganz allgemein gefaßt, gegen Niemanden namentlich gerichtet und nicht zu viele Objecte hinein verflochten sein. Man fand, daß der Entwurf, den Hertzberg herumgeben ließ, diesen Forderungen nicht ganz entspreche, sondern Manches eingemischt habe, worüber die Gesinnungen der Höfe nicht völlig gleichförmig sein dürften. Der Entwurf erschien „nicht ganz verwerflich, sondern so beschaffen, daß hin und wieder einiger Gebrauch davon gemacht werden könne, doch sei daran noch sehr vieles zu desideriren." Einer ähnlichen Meinung war auch Hardenberg; der Gegenstand des Bundes, meinte er, dürfe nur die Erhaltung der alten Reichsverfassung und ihrer Grundgesetze sein, man müsse daher so viel wie möglich vereinfachen und alle besonderen Sachen, die nicht allen beitretenden Fürsten genehm seien, daraus entfernt halten. Auch war man in Hannover mit der Taktik nicht einverstanden, bei vielen kleineren Höfen zugleich zu unterhandeln; man legte dort den größten Werth auf die Einigkeit der drei protestantischen Kurhöfe und zweifelte dann nicht, daß die andern nachfolgen würden. Alle diese Ausstellungen waren indessen für Preußen durch die erfreuliche Thatsache aufgewogen, daß Hannover den ernstlichen Willen hatte, dem Bunde beizutreten; es erklärte sich bereit, in Dresden für die Sache der Union thätig zu sein, und bot die Hand zu einer Besprechung preußischer, hannoverscher und sächsischer Bevollmächtigten, die etwa zu Nordhausen stattfinden könne (Anfang April). Zu gleicher Zeit begann Hannover mit Ernst und Eifer auf eine Wendung in Dresden hinzuarbeiten, und es gelang allmälig auch seinem Einflusse, die Neutralitätsneigungen des sächsischen Hofes zu überwinden.

Nun ließ sich auch Oesterreich vernehmen. Ein Circularschreiben, das Fürst Kaunitz (13. April) an die Gesandten im Reiche erließ, bezeichnete den Entwurf des preußischen Bündnisses als darauf berechnet, „des Kaisers Majestät als den Gegenstand der gemeinsamen Sorge, des gemeinsamen Argwohns, Mißtrauens und Hasses darzustellen; man wollte damit allen übrigen Reichsständen die Ehre erweisen, sie jener Animosität gegen das Reichsoberhaupt, die von jeher die Triebfeder der preußischen Politik ge-

weien, allgemein für fähig zu halten, und sie bewegen, gleichsam
als neue Romanenritter gegen vorgespiegelte Abenteuer, die außer
dem Munde des Verleumders sonst nie und nirgends existirt haben
und nie existiren werden, sich zu verbinden und auf die Fahrt zu
gehen." Zugleich war die österreichische Diplomatie in Dresden,
Stuttgart, Karlsruhe, Hannover bemüht, dem Bunde entgegenzuwirken: sie hatte dabei die Stirne, „heilig zu versichern", daß
der Kaiser an die vorgeblichen Säcularisations- und Tauschpläne
niemals gedacht habe.

Diese Schritte, wie das in den nächsten Monaten eifrig be-
triebene Bemühen, die Höfe einzeln abwendig zu machen, waren
verfehlt und trugen in ihrer Form vielleicht nur dazu bei, das
preußische Project zu fördern. Der Tauschplan hatte nun einmal
das Mißtrauen fast aller Höfe geweckt, man glaubte nicht an die
österreichischen Ableugnungen, vielmehr gingen gerade damals die
abenteuerlichsten Gerüchte durch die Welt, z. B. Kurfürst Karl
Theodor werde sich plötzlich von München nach Brüssel begeben
und dort seinen neuen Besitz antreten, indessen Oesterreich Baiern
in Beschlag nehme. Hannover war gewonnen, Sachsen war im
Begriff, ins Lager der Union überzugehen. Drum war auch Friedrich II. durch das Verhalten Oesterreichs innerlich befriedigt: wir
haben Alles gewonnen — schrieb er am 7. Juni — sobald unser
Bund den Kaiser mit Unruhe und Besorgniß erfüllt. Zwar fing
auch Rußland an sich zu regen und im Sinne Oesterreichs zu beschwichtigen, aber die Art seiner Mitwirkung verschlimmerte die
Lage der kaiserlichen Politik. Denn während die österreichischen
Diplomaten „heilig" versicherten, Kaiser Joseph habe nie an Tausch-
projecte gedacht, gestanden die russischen Unterhändler den Tauschplan offen ein und meinten, da ja das ein freiwilliges Abkommen zwischen dem Kaiser und Pfalzbaiern sei, werde die Reichsverfassung dadurch nicht alterirt werden. Empfindlicher konnte die
Taktik des Ableugnens nicht Lügen gestraft, wirksamer das Mißtrauen der Reichsstände nicht geweckt werden. Auf die Haltung
Hannovers und Sachsens namentlich war der Eindruck dieser verfehlten Schritte unverkennbar.

Damit waren freilich noch nicht alle Schwierigkeiten geebnet.
In Cassel war man erschrocken, als der preußische Gesandte Graf
Görtz den Gedanken eines engeren Anschlusses der hessischen Kriegs-

macht an Preußen hinwarf; man sah einen Widerspruch darin, zur Erhaltung der Reichsverfassung einen Bund schließen und in demselben Augenblick den einzelnen Fürsten die selbständige Verfügung über ihre Truppen entziehen zu wollen. Da tauchten denn die alten Neigungen wieder auf, mit Hannover und Braunschweig einen besonderen Bund zu gründen, der zwischen Oesterreich und Preußen seine eigene politische Stellung einnehme. Mit Hannover selber war noch manche Meinungsverschiedenheit über die Art der Behandlung auszugleichen; Hannover wollte bevollmächtigte Minister an einem neutralen Orte zusammentreten lassen, Preußen wünschte die Unterhandlung in Berlin geführt, und zwar durch Bevollmächtigte, die ihre Instructionen erst von den einzelnen Regierungen empfingen. Auf beiden Seiten verstand man sich indessen zu einer Concession: in Hannover gab man in Bezug auf den Ort, in Berlin in Betreff der Personen nach. So traf denn am 24. Juni der hannoversche geheime Rath Beulwitz in Berlin ein, um die Verhandlung mit Hertzberg, als Vertreter Preußens, und Graf Zinzendorf, dem Abgesandten Sachsens, zu beginnen. Beulwitz war von Georg III. angewiesen worden, den hannoverschen Grundsätzen und Absichten möglichst Eingang zu verschaffen und auch auf Sachsen in dem Sinne zu wirken. Das hieß: es sollten zunächst die drei Kurhöfe sich zu einem Bündniß vereinigen, aus dessen Acte wo möglich Alles ferngehalten und in geheime Artikel verwiesen werden würde, was den besonderen Zweck der Abwehr gegen Oesterreich und die Mittel des Widerstandes betraf. Es war darum in den Instructionen an Beulwitz großer Nachdruck darauf gelegt, die Verabredungen in eine Hauptconvention, in einen Separatartikel und in geheime Artikel zu vertheilen, und dem hannoverschen Bevollmächtigten angelegentlich aufgegeben, dafür zu wirken, daß die hannoverschen Entwürfe der Verhandlung zu Grunde gelegt würden.

Am 29. Juni fand die erste Conferenz in der Wohnung des Ministers Grafen von Finkenstein statt; außer ihm waren nur Hertzberg, Beulwitz und Zinzendorf anwesend. Beulwitz glaubte wahrzunehmen, daß zwischen den beiden preußischen Ministern eine unverkennbare Abneigung und Eifersucht bestehe; Finkenstein, von dessen Geschäftskenntniß und Thätigkeit der hannoversche Minister keine glänzende Schilderung entwirft, war nicht zu umge-

hen, weil er den näheren und öfteren Zutritt zum König besaß;
als der eigentlich thätige und bedeutende Staatsmann erschien aber
Hertzberg. Beulwitz spricht von seinen Talenten und Kenntnissen
mit großer Anerkennung, beklagt indessen theils die Ueberraschun-
gen seines lebhaften Geistes und seine aufbrausende Heftigkeit,
theils seine Vorurtheile in Sachen des deutschen Staatsrechtes.
Es verursachte dem in den Formen der alten Reichsjurisprudenz
wohl geschulten hannoverschen Minister ein leichtes Entsetzen, zu
sehen, wie brüsk und kurz angebunden Hertzberg die Formen der
bestehenden Reichsverfassung behandelte. Hertzberg wünschte z. B. in
einem Artikel die Abschaffung des Reichshofraths als einen Punkt
für die künftige Wahlcapitulation des Kaisers aufgenommen, oder
er war der Ansicht, daß die verbundenen Fürsten den Tausch von
Baiern auch dann hindern müßten, wenn sämmtliche Prinzen des
pfalzbaierischen Hauses dazu einwilligten — Vorschläge, welche dem
juristischen Gewissen des hannoverschen Staatsmannes ungemein
bedenklich erschienen. Ohne Bedeutung bei den Unterhandlungen
war der sächsische Minister von Zinzendorf; die Natur hatte ihn,
wie Beulwitz versichert, mit wenig Gaben des Geistes, sein eigner
Fleiß mit sehr geringen Kenntnissen und sein Hof fast mit keiner
bestimmten Instruction versehen, so daß seine Aeußerungen fast
ausschließlich in den Worten bestand: „ich nehme es ad referen-
dum." Während ihm Hertzberg als geborenem Oesterreicher nicht
traute, sprach sich in seinem eigenen Verhalten mehr ängstliche
Verlegenheit, als Eifer für die Sache aus; wo er einmal mit einem
eigenen Vorschlage auftauchte, da verrieth sich eben nur das Bestreben, wie Beulwitz sagt, „den etwas furchtsamen sächsischen Hof
mit den Fittigen des preußischen Adlers decken zu wollen."

So bestand denn die Verhandlung im Grunde nur zwischen
Beulwitz und Hertzberg. Man begann mit der Vorfrage, ob der
preußische oder der hannoversche Entwurf zu Grunde gelegt werden solle; da König Friedrich, um die Sache zum Abschluß zu
bringen, auf alle Formen nur geringen Nachdruck legte, so gelang es dem hannoverschen Minister gleich hier, seinen Willen
durchzusetzen, wenn auch nicht ohne sehr bemerklichen Widerwillen
Hertzbergs.*)

_____

. *) Dieser Mißmuth spricht sich auch in dem Berichte an den König (vom 1. Juli)

Diese Nachgiebigkeit trug indessen ihre Früchte; indem man den hannoverschen Entwurf zu Grunde legte, kam man gleich in den ersten Conferenzen vom 29. und 30. Juni über einen großen Theil der Bundesacte ins Reine; die ersten 7. Artikel des für die Oeffentlichkeit bestimmten Vertrags wurden bis auf die Einschaltungen einiger Worte, in denen sich theils Sachsens Vorsicht, theils Preußens Entschiedenheit ausprägte, unverändert nach dem hannoverschen Entwurfe angenommen. Erst bei dem achten Artikel gingen die Meinungen ernstlich auseinander. Preußen wollte hier einen Satz aufgenommen wissen, der davon sprach, kein deutscher Reichsstand dürfe sich „willkürliche Vertauschungsanträge alterblicher Lande aufbringen" lassen, während Hannover darin eine allzu deutlich betonte Anspielung auf Joseph II. erblickte und die Besorgniß aussprach, es möchte dadurch der Beitritt mancher Reichsstände gehindert werden. Seiner Ansicht nach genügte die Bestimmung, jeder Reichsstand solle in dem Gebrauche seiner Stimmfreiheit und dem Besitze seiner Lande und Leute gegen widerrechtliche Ansprüche und willkürliche Zumuthungen geschützt werden. Es schien sich daran der ganze Plan zerschlagen zu wollen, bis es nach drei Tagen dem hannoverschen Bevollmächtigten auch hier gelang, Hertzberg zur Nachgiebigkeit zu bewegen und durch einige harmlose Redactionsänderungen zu beruhigen. Besser glückte es Preußen, bei den geheimen Artikeln seinen Ansichten Geltung zu verschaffen. Hier wurde theils die Fassung vielfach im Sinne Preußens verstärkt, theils — wie in dem geheimsten Artikel — der hannoversche Entwurf wesentlich nach den preußischen Anträgen verändert. *) Ein Separatartikel,

---

aus: Le ministre d'Hanovre, heißt es da, au lieu d'accepter notre projet du traité d'association simple, concis et energique, adresse un projet d'un corps de traité avec 7 articles separés et secrets, dans lequel il a enveloppé les principaux points de notre projet dans le verbiage de l'Empire, tant par habitude que pour que le traité ne paraisse pas ouvertement dirigé contre l'Empereur. S. Schmidt S. 258.

*) Dahin gehören namentlich in dem (zweiten) geheimen Artikel (bei Schmidt S. 305) der gesperrt gedruckte Zusatz: „dem von dem gesammten Reiche und andern deutschen Mächten garantirten Teschenschen Frieden"; dann die Einschaltung: „sondern über kurz oder lang wieder vorgenommen werden möchte", ebenso die Worte, „noch solche geschehen lassen", und „mit allen

welcher das Rangverhältniß der kurfürstlichen Gesandten gegenüber dem Vertreter Oesterreichs auf dem Reichstage betraf, blieb auf Preußens Vorschlag weg; ein anderer geheimer Artikel, welcher gegen das Bemühen Oesterreichs, seine Prinzen in den geistlichen Stiftern unterzubringen, gerichtet war, fand bei Sachsen Bedenken und wurde deßhalb in eine Specialconvention Preußens und Hannovers umgestaltet.

Man sieht, es kostete selbst einem Manne, wie Friedrich II., Mühe genug, auch nur bei zwei der deutschen Reichsstände die Bedenken des Particularismus zu überwinden; aber er kam doch durch seine Raschheit, wie durch seine kluge Nachgiebigkeit, zum Ziele. Ihm mußte gegenüber von Oesterreich das Factum, daß der Bund abgeschlossen war, die Hauptsache sein; es kam dann wenig darauf an, wie im Einzelnen die Bestimmungen gefaßt waren. So sah denn auch Friedrich die Differenzen als unbedenklich an; sie waren ihm nichts als Bagatellen, wenn nur der Hauptzweck erreicht ward. Noch während der Unterhandlung hatte es einmal geschienen, als sollte alle Arbeit vergeblich sein. Der sächsische Gesandte hatte nach den ersten Sitzungen neue Instructionen von Dresden verlangt, und darüber waren die Verhandlungen auf einige Tage ausgesetzt worden; aber es verging eine, es verging eine zweite Woche und der Dresdener Hof gab kein Lebenszeichen von sich. Nahm man hinzu, daß die österreichisch-russische Gegenwirkung gerade jetzt eine besondere Rührigkeit entfaltete, und halb drohend, halb schmeichelnd ein Fürstenbund unter Josephs II. Aegide herumgeboten ward, so war es sehr natürlich, daß die preußischen

---

Kräften", dann der Satz „wegen der dagegen zu ergreifenden kräftigen und thätigen Maßregeln", ferner die Worte „solche mit möglichster und vereinigter Wirksamkeit ausführen zu wollen", ebenso das Wort „Zergliederungen". Alle diese Einschaltungen und noch einige weniger bedeutende wurden nach preußischem Antrag angenommen. Ebenso hatte der „geheimste Artikel" ein überwiegend preußisches Gepräge. Dort wurde insbesondere, wo es sich vom Angriffe auf das Land der Verbündeten handelte, der hannoversche Zusatz „in dem deutschen Reichsverband begriffenen Landen" nach Preußens Wunsch gestrichen, dagegen, wo von der Hülfeleistung die Rede war, die Clausel aufgenommen, „insofern es die Beschützung der eigenen Gränzen und das davon zugleich abhangende gemeinsame Wohl der übrigen verbundenen Mächte gestattet."

Minister höchst unruhig wurden und der Besorgniß nachgaben, Sachsen werde noch im letzten Augenblick ins entgegengesetzte Lager entwischen. Doch war der Verdacht diesmal ungegründet; Sachsen gab auf die österreichischen Anmuthungen einen sehr unverblümt ablehnenden Bescheid, und am 16. Juli waren endlich auch die ersehnten Instructionen eingetroffen. Diese Festigkeit machte in Berlin einen sehr guten Eindruck; man war nun zu jedem kleinen Opfer bereit, um den Abschluß zu beschleunigen. Sachsen hatte noch verschiedene Wünsche, auf deren Erfüllung bereitwillig eingegangen ward; außer einigen unbedeutenden Punkten, welche die Fassung des Vertrags angingen, legte es einmal darauf einen Werth, daß die Ausschließung der österreichischen Prinzen von den geistlichen Stiftern aus der Bundesakte wegblieb, und dann sah es gern seiner natürlichen Neigung zur Neutralität noch eine kleine Hinterthüre geöffnet. In beiden Fragen kam Preußen den sächsischen Wünschen entgegen. So war denn gleich nach dem Eintreffen der Instructionen von Dresden die Verständigung erfolgt; schon am 17. Juli waren die letzten Bedenken weggeräumt und in den nächsten Tagen der förmliche Abschluß vollzogen. Am 23. Juli erfolgte die Unterzeichnung; in den ersten Tagen des August verließen die Minister Hannovers und Sachsens Berlin. König Friedrich bezeigte sich namentlich gegen Beulwitz sehr gnädig. Er wünsche, äußerte er, daß die jetzigen deutschen Fürsten ihren Nachfolgern ihre Lande und Besitzungen wieder ebenso und in der Verfassung überlassen möchten, als sie solche von ihren Vorfahren erhalten hätten. Man müsse sich in keinen fremden Krieg mischen, sondern nur Deutschland, dessen Lande und Verfassung im jetzigen Zustande zu erhalten suchen und weder die Ländervertauschungen noch die Säcularisation der Bisthümer geschehen lassen. „Ich bin nun ein alter Mensch, waren die Worte des Königs, und weiß gewiß, daß ich diese meine Gesinnungen niemals mehr ändern werde." .. „Ich werde mich, fügte er gegen Beulwitz hinzu, Ihres Namens immer mit vielem Plaisir erinnern, nicht nur Ihres Namens, sondern auch Ihrer Person und Meriten."

Der „Associationstractat", den die drei Kurfürsten am 23. Juli abgeschlossen, zerfiel in eine Reihe einzelner Abtheilungen. In dem öffentlichen Vertrage, der aus eilf Artikeln bestand, vereinigten sich die Verbündeten zur Aufrechterhaltung des Reichssystems nach den bestehenden Gesetzen, versprachen einträchtiges Zusammenwirken auf dem Reichstage, Abwehr von Neuerungen und Willkürlichkeiten, Schutz der Reichsgerichte zur Handhabung einer unparteiischen und unbefangenen Rechtspflege, Erhaltung der Reichskreise in ihren Rechten, überhaupt Wahrung eines jeden einzelnen Reichsstandes in seinem Stimmrecht, seiner Besitzungen gegen jede willkürliche Zumuthung. Dazu sollten alle verfassungsmäßigen Mittel angewandt, Widerspruch und Gegenvorstellungen, Aufforderung der Reichsversammlung, Abmahnung vom gesammten Reiche versucht werden, und wenn dies nicht zureiche, so werde man sich „über die etwa zu ergreifenden weiteren reichsverfassungsmäßigen kräftigen und wirksamen Maßregeln und Mittel" näher unter einander zu verständigen suchen. In diesen Bund, der nur die Erhaltung der bestehenden Reichsverfassung bezwecke, sollten alle anderen gleichgesinnten patriotischen Stände, ohne Unterschied der Religion, eingeladen und aufgenommen werden.

Dieser öffentlichen Acte folgten zwei geheime Artikel; in dem einen waren die zum Beitritt einzuladenden Fürsten genannt; der andere enthielt die bestimmte Verpflichtung, dem beabsichtigten Ländertausch, sowie allen ähnlichen Projecten, allen Säcularisationen und Zergliederungen mit kräftigen und thätigen Maßregeln entgegenzutreten, und zwar hatte es Preußen durchgesetzt, daß die bedenkliche Clausel wegfiel, wonach es scheinen konnte, als werde man den Ländertausch nur dann hindern, wenn sich die Betheiligten nicht freiwillig fügten. Der „geheimste Artikel" setzte dann fest, daß für den Fall solche Schritte drohten und alle gutwilligen Vorstellungen erfolglos seien, die Verbündeten binnen zwei oder höchstens drei Monaten sich mit gewaffneter Hand zu Hülfe kommen würden; als Hülfscontingent für jeden der drei verbundenen Fürsten waren 15000 Mann festgesetzt. Diesem Allem schlossen sich dann noch die Separatartikel an, in welchen, für den Fall einer römischen Königswahl, die nöthige Abfassung einer Wahlcapitulation oder der Errichtung einer neuen Kurwürde, die Verbündeten sich zu verständigen und gemeinsam zu handeln versprachen.

Friedrich II. war sehr zufrieden mit dem glücklichen Abschluß; er bemerkte mit Genugthuung, daß schon der Anfang des Bundes

machte sich also auch bei diesem Anlasse geltend. Im Ganzen tritt
die eine bemerkenswerthe Wahrnehmung hervor, daß das Ausland
in dem Fürstenbunde etwas sah, was höchstens mit der Zeit daraus werden konnte: ein engeres Zusammenschließen der deutschen
Länder unter preußischer Leitung, wodurch der fremden Intervention im Reiche kein Raum mehr blieb. Das Ausland that durch
seine Besorgnisse dem Bunde zu viel Ehre an. Wohl mochte Friedrich an die Weiterbildung des Bundes in jenem Sinne denken,
zunächst war er aber nichts weiter, als ein Act der Abwehr von
Seiten der landesherrlichen Selbständigkeit, und dieselben particularen Interessen, die ihn hatten entstehen lassen, konnten ihn auch
rasch wieder lösen. Der Bund war so wenig gegen Frankreich
und dessen Einfluß gerichtet, daß einer der wärmsten Anhänger der
Politik, die den Fürstenbund geschaffen,*) vielmehr das offene Bekenntniß ablegt: es sei für das Gleichgewicht von äußerstem Interesse, daß Frankreichs Macht gegen Oesterreich nicht geschwächt
werde, Oesterreich vielmehr seine verwundbare Seite und Frankreich
seine Verbündeten im deutschen Reiche behalte, damit bei einem
künftigen Kampf die französischen Heere ohne Widerstand ins Herz
der österreichischen Monarchie eindringen könnten — just so wie
es nachher in den Jahren 1796 und 1800 gedroht hat, 1805 und
1809 geschehen ist!

Inzwischen waren im Laufe des Jahres 1785 und in den
ersten Monaten des nächsten Jahres dem Bunde beigetreten: Sach-
sen-Weimar und Gotha, Zweibrücken, Kurmainz, Braunschweig,
Baden, Hessen-Cassel, die anhaltschen Fürsten, der Herzog von York,
als Bischof von Osnabrück, der Markgraf von Ansbach und die
pfälzischen Agnaten; spätere Beitritte nach Friedrichs II. Tode erfolgten von den beiden Mecklenburg und dem Mainzer Coadjutor.
Natürlich waren die Kleinen und Wehrlosen die ersten, die sich
zudrängten; bei denen, die schon eine gewisse militärische Selbständigkeit besaßen und durch ihre geographische Lage für Preußen
und den Bund besonders bedeutend waren, dauerte es länger; so
namentlich bei Hessen-Cassel, das nur sehr schwer auf den Gedanken verzichtete, eigene Politik zu machen, und auch, als es beitrat,
nicht unterließ, von Preußen die Mitwirkung zur Erlangung einer

---

*) Dohm, Denkwürd. III. 251.

neuen Kurwürde zu fordern. Von hoher Bedeutung schien der
Beitritt von Mainz; derselbe löste die Verbindung auf, welche
bisher aus politischen und kirchlichen Motiven zwischen dem Kaiser und den geistlichen Kurstaaten bestand. Allerdings war der
Kurfürst persönlich mit dem Wiener Hofe überworfen und von den
landesfürstlichen Besorgnissen gegen Josephs II. Politik so lebhaft
durchdrungen, daß er bereits im April 1785 in Berlin angefragt,
ob, im Falle kriegerischer Unruhen im Reiche, auf Hülfe gegen
Oesterreich zu zählen sei; aber es bedurfte doch einer geschickten
und umsichtigen Leitung, um diesen plötzlichen Uebergang in eine
neue Politik zu vermitteln. Ein Unterhändler an einem geistlichen
Hofe befand sich auf einem schlüpfrigen Boden; es waren da so
viele kleine persönliche Interessen und Eitelkeiten zu beachten!
Auch in Mainz entsprang das Mißverhältniß zu Oesterreich ursprünglich aus kleinen Verstößen, die Oesterreich gemacht und durch
diplomatische Klatschereien und Zudringlichkeiten verschlimmert hatte;
es kamen dann die allgemeinen Gründe des Mißvergnügens hinzu, welche das gesammte Reichsfürstenthum mit Joseph II. über-
warfen, und die bei dem Kurfürsten von Mainz, vermöge seiner
geistlichen Stellung und seines eifersüchtig bewachten Einflusses, als
Erzkanzler des Reiches, eine besondere Bedeutung gewannen.*)
Die Weiber, Günstlinge und Räthe, die fast an jedem geistlichen
Hofe eine Rolle spielten, waren aus vielfältigen persönlichen Beweggründen von Oesterreich abgestoßen; einmal hatte die kaiserliche
Diplomatie den vergeblichen Versuch gemacht, durch plumpe Bestechung die Abgeneigten zu erkaufen, ein andermal war die kaiserliche Regierung wieder zur Unzeit sparsam gewesen und hatte durch
Entziehung einer Pension sich die Gunst einer einflußreichen Persönlichkeit verscherzt. Auf Kurfürst Friedrich Karl selbst war, abgesehen von der vorhandenen Abneigung gegen die Wiener Politik, auch dadurch zu wirken, daß man ihm mit dem Gedanken
schmeichelte, von Friedrich dem Großen als Verbündeter gesucht zu
werden, und seinen patriotischen Ehrgeiz mit der Aussicht reizte,
durch den Bund den Frieden und das Gleichgewicht in Deutschland zu erhalten. In dieser nicht so leichten und einfachen Mission hat der damals 27jährige Freiherr Karl vom Stein, der spätere

---

*) Eine treffende Zeichnung dieses Hofes s. in Pertz Leben Steins I. 41 ff.

Wiederhersteller der deutschen Unabhängigkeit, seine politische Erst-
lingsarbeit gethan; seit Juli 1785 befand er sich am kurfürstlichen
Hofe, wußte den wiederholten Versuchen der österreichischen Diplomatie mit Erfolg entgegenzuwirken und den Zutritt des Kurfürsten zu dem Bunde zu erlangen (Oktober). Friedrich II. war über
diesen Beitritt besonders erfreut; er sah dadurch die Aussicht eröffnet, die Mehrheit des Kurfürstencollegiums in seinem Sinne
leiten und weiteren Entwürfen Josephs dort entgegentreten zu können. Das Uebergewicht der Stimmen im Kurcollegium, schrieb
er, ist eine unübersteigbare Gränze gegen die Plane des Kaisers,
eine römische Königswahl vorzunehmen und eine neunte Kur zu
errichten.

Dagegen scheiterte der Versuch, Hessen-Darmstadt zum Beitritt
zu bewegen; theils die Abhängigkeit von Oesterreich, die erst durch
die verworrene Finanzwirthschaft herbeigeführt war, theils französische Einflüsterungen wirkten da zusammen. Auch die Bischöfe
von Eichstädt und Würzburg-Bamberg blieben neutral, wenn gleich
im Allgemeinen die geistlichen Reichsstände, bei aller Scheu, sich
unter die Leitung des ersten protestantischen Reichsfürsten zu begeben, das Bündniß nicht ungern sehen mochten.*)

Die Meinungen über den Werth des Bündnisses gingen schon
damals vielfach auseinander, wie sich dies theils in den diplomatischen Streitschriften, theils in den publicistischen Arbeiten der
Zeit kundgab. Im Ganzen war es nicht allzuschwer, die Politik
Preußens und des Fürstenbundes vom Boden der bestehenden
Reichsverfassung aus zu vertheidigen, zumal wenn ein Dohm gegen den Verfasser des „deutschen Hausvaters", Freiherrn D. v.
Gemmingen, für Preußen die Feder führte. Aber über den Werth
des Bundes war man nicht einmal in Preußen selbst übereinstimmender Ansicht. Der Bruder des Königs, Prinz Heinrich, der
französischen Allianz geneigt, sah in dem Bündnisse ein Hinderniß
engerer Verbindung mit Frankreich; der erste Cabinetsminister, Graf
von Finkenstein, galt ebenfalls nicht für einen Bewunderer des
Fürstenbundes, und Hertzberg, mehr vom König dazu gedrängt,

---

*) Dohm, Denkwürd. III. 103. 104.

als aus eigenem Antrieb für den Abschluß thätig, trug sich lange
Zeit mit der wunderlichen Idee, der Nachfolger sei geeigneter den
Bund zu Stande zu bringen, als der große König selber. Ein
angesehener preußischer Diplomat sah eine Last für Preußen darin,
daß es alle die Kleinen und Schwachen schützen und für jede Bagatelle seine Macht einsetzen solle, während doch außer Hannover,
Sachsen und Hessen alle übrigen Reichsstände bei ihrer kläglichen
Verfassung Preußen nichts nützen könnten und auch selbst bei
ihrer eigenen politischen Kannengießerei nicht einmal von gutem
Willen zu sein pflegten.*) Nur Friedrich hatte die Sache mit
dem lebhaftesten Eifer betrieben und rühmte sich, daß er die patriotische Pflicht erfüllt, „sein Vaterland in den Rechten und Pflichten zu erhalten, worin er es beim Eintritt in die Welt gefunden
hatte."

Auch die spätere Zeit hat vielfach abweichende Urtheile gefällt;
zum Theil allzu günstige, weil sie in den Bund Wünsche und
Bedürfnisse hineindeutete, die ihm fremd waren; zum Theil zu unbillige, weil sie auf das Gelingen der josephinischen Entwürfe größere Erwartungen baute, als dieselben erfüllen konnten. Man
sollte auf keiner Seite vergessen, daß der Bund zunächst bestimmt
war, den bairischen Ländertausch und ähnliche Uebergriffe des Kaisers zu hindern, und diesen Zweck hat er erreicht. Weitere Ziele
hatte diese fürstliche Allianz für die meisten Mitglieder nicht;
das Bedürfniß des Augenblickes hatte sie geschaffen und konnte sie
ebenso wieder lösen. Im Interesse des „Gleichgewichts" geschlossen, konnte z. B. das Bündniß in keinem Falle die Absicht haben,
dies Gleichgewicht zu Gunsten Preußens zu verändern und die
landesherrliche Selbständigkeit, deren eifersüchtiger Bewahrung es
seinen Ursprung verdankte, etwa einer preußischen Oberherrlichkeit
unterzuordnen. Wer die Schwierigkeiten bei dem Abschlusse, die ängstliche Sorge der Einzelnen um ihre Sonderstellung im Auge behielt,
der konnte keinen Augenblick sich dem Glauben hingeben, als hätte
die Allianz allenfalls die Grundlage eines preußisch=kaiserlichen
Einflusses in Deutschland werden können. Preußen mußte mit
dem moralischen Erfolge zufrieden sein: die Stellung des österreichischen Kaiserthums im Reiche erschüttert, dessen älteste Allianzen

---

*) Aus einer handschriftl. Correspondenz des Grafen Goltz mit Hertzberg.

gelockert und sich selber aus der Rolle eines rebellischen, mit der
Aechtung bedrohten Reichsfürsten in die Stellung eines Schirm-
herrn der deutschen Reichsverfassung emporgehoben zu sehen. Gleich
der erste Versuch, eine materielle Machtvergrößerung zu gewinnen,
durch Abschluß von Militärconventionen mit Braunschweig und
Hessen-Cassel, scheiterte; die beiden Verbündeten wollten ihre Contingente nicht unter Preußen stellen lassen, damit, wie der Herzog
von Braunschweig sich äußerte, es nicht den Anschein gewinne,
als sei der Bund nur ein Werkzeug Preußens.

Auf der anderen Seite haben manche Geschichtschreiber in dem
bairischen Ländertausch das Mittel nicht etwa nur einer Arrondirung Oesterreichs, sondern einer einigeren Organisation Deutschlands überhaupt erblicken wollen; sie haben laute Klage gegen diejenigen erhoben, die das gehässige Project, seine theils schleichen-
ben, theils gewaltsamen Mittel rechtzeitig durchkreuzten. Sie prie-
sen den deutschen Sinn Josephs II., seine Rathgeber und Helfer,
unter denen doch die Lehrbachs und Romanzoffs die erste Stelle
einnahmen, gegenüber dem engherzigen Particularismus Preußens
und der zweibrücker Pfalzgrafen. Es scheint uns, als entspräche
jenes Lob so wenig wie dieser Tadel den Verhältnissen, wie sie in
Wirklichkeit waren. Oder war etwa mit der Einschmelzung Baierns
die Einigung Deutschlands erreicht oder auch nur gefördert? Was
war denn wohl die nächste Folge des Ländertausches, wenn er gelang? Oesterreich war dann ohne Zweifel im Stande, seine Abrun-
bungsplane gegen Fürsten, Stifter und Städte in Süddeutschland
mit allem Nachdruck zu verfolgen, Preußen seinerseits darauf angewiesen, dasselbe im Norden zu versuchen. Es gab Staatsmänner und einflußreiche Personen genug in Preußen — man rechnete den Prinzen Heinrich und selbst einzelne Minister Friedrichs
dahin — die offen dazu riethen, diesen Weg einzuschlagen: man
solle Oesterreich sich im Süden ausbreiten lassen, während Preußen
das Gleiche im Norden thue. Der Dualismus in Deutschland
bildete sich dann in seiner schroffsten Gestalt aus, und dieselbe
Scheidung der politischen Interessen und Bestrebungen, die bis
jetzt Preußen und Oesterreich aus einander gehalten, dauerte in
höherem Maße fort. Die preußische Militärmonarchie absorbirte
die eine, der österreichische Absolutismus die andere Hälfte von
Deutschland; es erfolgte eine wirkliche Theilung, und aus dem

Allem, was an Volksart, Bildung, Religion den Norden und Süden an sich schon vielfach schied, wurden nun unvermittelte Gegensätze ohne Annäherung und Ausgleichung. Preußen suchte seine
Alliirten wahrscheinlich unter den westlichen Staaten, Oesterreich
schloß sich an Rußland an. Das Gelingen des Planes förderte
also die Einheit nicht, sondern vollendete nur die Halbirung. Die
trübsten Abschnitte der nächstfolgenden Geschichte, die Zeit des
Baseler Friedens, der Demarcationslinie, die Hinneigung Preußens
zu Frankreich, während Oesterreich gegen die Franzosen in Waffen
stand — das Alles wäre uns wohl auf diesem Wege ebenso wenig erspart worden, wie auf dem andern. Die föderativen Bestandtheile der deutschen Reichsverfassung wurden dadurch gründlich zerstört und doch die einheitlichen nichts weniger als gefördert.

Wir haben früher schon auf die Seite des Fürstenbundes hingedeutet, die uns als die am meisten charakteristische erscheint. Als
natürliche Folgerung des westfälischen Friedens und in gewissem
Sinne als der letzte Versuch, die zu Münster und Osnabrück fest-
gestellte Ordnung der deutschen Angelegenheiten auch für die Zukunft zu sichern, hat er ein unläugbares Interesse für die Geschichte der deutschen Staatsentwicklung. Es hat sich dieser Versuch zwar als vergeblich herausgestellt; gleichwol ist es von Interesse, in dem Werke selbst und der Beurtheilung der Zeitgenossen
die Ansichten zu erkennen, welche kurz vor dem Ausbruch der weltgeschichtlichen Katastrophe von 1789 die Fürsten, Staatsmänner
und Publicisten über die Reichsverfassung und deren Lebensbedin-
gungen gehegt haben. Deutschland erschien ihnen als eine locker
verbundene Föderation; die Erinnerungen der alten Königs- und
Kaisergewalt waren ihnen ebenso fremd, wie die später auftauchenden politischen Begehren nach einer strafferen Staatseinheit. Für
sie bestanden nur die Verträge von 1648 mit ihrem Schattenkai-
serthum, ihrer Territorialselbständigkeit, ihrem bis zum Unvernünf-
tigen ausgebildeten Individualismus der Gewalten, ihren auswärtigen Garanten dieser Verfassung. Würde es heutzutage die
politischen Anschauungen aller gewissenhaften Männer in der Nation verletzen, wenn man die fremde Intervention in unsere heimischen Dinge aufböte, so lag innerhalb des Kreises von Ansichten, wie sie die Entwickelung seit 1648 geboren, darin nichts Anstö-
ßiges. „Frankreich, sagt Johannes Müller in seiner Schrift über

I. 16

ben Fürstenbund *), hat bringende Interessen, daß Baiern bleibe,
wie es ist. Die Operationslinie von Wien bis an den Rhein
beträgt über zweihundert Stunden und läuft sechs Zehntheile des
Weges über fremden, bairischen oder schwäbischen Boden. Wenn
der König als Gewährleister des westfälischen Friedens erscheinen
müßte, so könnten Schwaben und Baiern ihm Alles erleichtern, allenthalben auf die österreichische Linie agiren, von der Gränze des
Königreiches allen Angriff entfernen, hingegen die Waffen des
Beschirmers der germanischen Freiheit in das Herz der Erblande
fördern. Dieses Alles ohne sehr große Mühe; das Land ist sehr
durchschnitten, voll Berge, überall Pässe, das Volk zu solchem
Kriege desto geschickter, da es die Eigenschaften hat, welche den
Franzosen fehlen, so daß der Krieg des Königs in Actionen aller
Art, in lebhaftem Angriff und in beharrlichem Treffen, durch seine
tapfere Nation und durch solche Hülfstruppen auf's Herrlichste
vollbracht werden könnte. Viel anders, wenn die Gränze der österreichischen Monarchie fünfzig Stunden vorwärts kommt, und nach
und nach die vorderen Lande mit ihr zusammenhängend werden,
wenn Baiern gehorcht, Schwaben zittert, wenn die Operationslinie sicher, alle Pässe besetzt sind, und gern oder ungern, Land
und Volk für Oesterreich streitet!" Oder wem das Wort eines
späteren bonapartischen Ministers vielleicht nicht vollwichtig sein
sollte, der höre einen anderen Staatsmann, dessen Bildung und
Gesinnung ihn den Besten seiner Zeit an die Seite stellt. „Daß
Frankreichs Macht — sagt Dohm **) — gegen Oesterreich nicht zu
sehr geschwächt werde, ist für das Gleichgewicht von Europa von
äußerster Wichtigkeit. Allen Mächten desselben muß daran gelegen
sein, daß Oesterreich seine schwache Seite durch den Besitz der Niederlande nicht verliere und durch den Erwerb von Baiern nicht
Frankreich auf immer außer Stand setze, im deutschen Reiche Alliirte
zu haben und, wenn unter diesen, wie natürlich, der Regent von
Baiern sich befindet, durch den Besitz der Donau bis ins Herz der
österreichischen Staaten vorzubringen."

Man mag an solchen Aeußerungen, deren sich viele zusam-
menstellen ließen, erkennen, welch eine Umwandlung der allgemeinen

_____

*) Sämmtl. Werke Bd. XXIV. S. 187 f.
**) Denkwürd. III. 251.

Anschauungen seitdem vor sich gegangen ist. Nicht als wenn solche
Meinungen heute außer dem Bereiche der Möglichkeit lägen, aber
selbst die verrannteste Rheinbundspolitik würde sie so aufrichtig
nicht mehr aussprechen. Wir sind dieser Anschauungsweise ent=
wachsen; damals war sie die herrschende und nach ihr wurde auch
der Fürstenbund beurtheilt. Indem derselbe bestimmt war, jede
Störung des „Gleichgewichts", wie es 1648 aufgerichtet worden,
zu hindern, verstand es sich von selbst, daß auch die Einmischung
der auswärtigen Bürgen im Nothfalle angerufen werden konnte,
und es lag allerdings ein gewisser Trost darin, daß der Zweck
diesmal mit deutschen Mitteln erreicht und die fremde Intervention
vermieden war. Insofern konnten sich seine Gründer sogar einer
deutschen That mit Recht rühmen; denn besser immer, die Fürsten=
republik von 1648 wurde mit eigenen Kräften aufrecht erhalten,
als mit französischen Diplomaten und Bajonneten! Daß dieser
Zustand die „deutsche Freiheit" sei, daß diese bunte Zusammenfü=
gung territorialer Gewalten ein der Pflege und Erhaltung wer=
thes Ganze bilde, dessen Fortdauer nicht nur von dem überliefer=
ten geschichtlichen Recht, sondern auch von einer gesunden und
richtigen Politik geboten werde — das waren nun einmal die gül=
tigen Vorstellungen selbst bei Solchen, die, wie z. B. Dohm, die
groben Mißbräuche und Abnormitäten der deutschen Verfassung
nicht verkannten.

In diesem Sinne war der Fürstenbund einer der letzten Er=
folge, welche die Territorialgewalten des alten Reiches im Geiste
der Verfassung von 1648 errungen haben. Mehr sollte er nicht
sein: gelang es ihm, die Gelüste kaiserlicher Restauration und habs=
burgischer Vergrößerungssucht abzuwehren, so war sein Zweck er=
füllt.

Wohl hat man, zum Theil schon in jener Zeit, noch etwas
Anderes darin erblicken wollen: den Keim einer staatlichen Bildung
und innigeren Organisation der verbündeten Staaten. Freilich
sind dabei die Urtheile vielfach von dem Einflusse späterer Ansich=
ten und patriotischer Wünsche bestimmt worden. Wir können we=
nigstens in dem Bunde und seiner Entstehungsgeschichte nichts
finden, was bei den Gründern und Theilnehmern auf solche Nei=
gung schließen ließe. Und wie sollte auch, nur geographisch be=
trachtet, dieses territorial so wenig abgerundete Bündniß solche

16*

Gedanken haben verfolgen können! Oder wie sollte das ganz im
Geiste territorialer Selbständigkeit geschlossene Bündniß auf eine
Beschränkung dieser letzteren ausgehen! Ein solcher Gedanke, hätte
er sich auch nur in der schüchternsten Einkleidung kund gegeben,
mußte den Plan des Bundes im Keime ersticken. Die Vorstellungen von einer einheitlichen Leitung auf Kosten der Sondersouveränetät, die gesammtstaatlichen, bundesstaatlichen und parlamenta-
rischen Ideen — wie sie seit den Freiheitskriegen lebendig geworden sind und binnen eines Menschenalters in der Nation so viel
Terrain gewonnen haben — waren dem damaligen Geschlechte
noch völlig fremd, und selbst die Wünsche, die sich auf den Reichstag und das Reichsgericht bezogen, sind eben auch nur aus der
eifersüchtigen Sorge um die landesherrliche Sondersouveränetät erwachsen.

Wenn sich Forderungen geltend machten für eine weitere Ausbildung des Bundes, so waren dies patriotische Phantasien Einzelner, welche ungehört verklangen. Das Bekannteste in dieser
Richtung ist die Flugschrift Johannes Müllers: „Deutschlands
Erwartungen vom Fürstenbunde." Ein Jahr nachdem er (1787)
sich zum Lobredner des Bundes aufgeworfen und mit lauter Stimme
das Wort ergriffen für die Erhaltung der Verfassung von 1648,
forderte der leichtbewegliche und wandelbare Mann die deutschen
Fürsten auf, die Reorganisation Deutschlands durch den Fürstenbund zu bewirken (1788). Seine Aeußerungen haben eben nur
die Bedeutung, die in seiner Persönlichkeit liegt, aber sie bieten
auch zugleich den bezeichnenden Beleg, wie hoch sich damals die
Reformwünsche der am weitesten gehenden Ansicht verstiegen.

Müller hatte 1787 gemeint, die Reichsverfassung sei, wie
alles Menschliche, der Besserung bedürftig, aber die besten Mittel
seien in ihr selber, sowol in ihren Formen, „die zu beseelen von
der Wärme unseres Willens abhängt, als in ihrem ursprünglichen
Freiheitsgeiste." In welcher Richtung jene Verbesserungen geschehen
hen sollten, darüber spricht die Schrift des folgenden Jahres
(„Deutschlands Erwartungen") sich aus. „Wenn die deutsche
Union, meint er dort, zu nichts Besserem dienen sollte, als den
gegenwärtigen Status quo der Besitzungen zu erhalten, so ist sie
unter den mancherlei politischen Operationen, die in Deutschland
vorgenommen wurden, wirklich die uninteressanteste; sie ist wider,

die ewige Ordnung Gottes und der Natur, nach der weder die physische noch moralische Welt einen Augenblick in statu quo verharren, sondern alles ein Leben ordentlicher Bewegung und Fortschreiten sein soll. — — Ohne Gesetz, ohne Justiz, ohne Sicherheit vor willkürlichen Auflagen; ungewiß unsere Söhne, unsere Ehre, unsere Freiheiten und Rechte, unser Leben einen Tag zu erhalten; die hülflose Beute der Uebermacht; ohne wohlthätigen Zusammenhang, ohne Nationalgeist zu existiren, so gut bei solchen Umständen einer mag — das ist unserer Nation status quo. Und die Union wäre da, ihn zu befestigen? Diese weltgepriesene Union reducirte sich also am Ende auf zwei Punkte: 1) zu machen, daß Baiern das Glück habe, statt Josephs II. den Herzog von Zweibrücken zum Landesvater zu bekommen; 2) wenn Kaiser Joseph mit rascher Hand, ohne zuvor ein Menschenalter hindurch über die Form zu beliberiren, einen eingewurzelten Mißbrauch hinwegreißen will, diesen Mißbrauch auf's Aeußerste zu vertheidigen, damit er doch seine 50 Jahre noch stehe und wirken möge." Indem Müller sich diese Seite des Fürstenbundes vor Augen hält, kann er die Sorge nicht unterdrücken: es möge der Bund, statt neue Lebenszeichen zu verrathen, „nur eben ein letzter Lebenshauch gewesen sein, wie ein ausgehendes Licht gemeiniglich noch ein Flämmchen wirft."

Die Vorschläge zur Reform, die er macht, lassen sich in den einen Satz zusammenfassen: „endlich einmal den Machtsprung zu thun, hinaus über die jahrhundertalten Pedanterien zu ordentlichen Kammergerichtsvisitationen, einer wohleingerichteten Reichshofrathsvisitation, festen Vorschriften und einem subsidiarischen Gesetzbuch; zu einer zweckmäßigen, billigen und beständigen Wahlcapitulation, einer thätigeren Reichstagsverfassung, einer guten Reichspolizei, einer angemessenen Defensivanstalt; zu ächtem Reichszusammenhange" — und, fügt er sanguinisch hinzu, „alsdann auch zu gemeinem Vaterlandsgeiste, damit auch wir endlich sagen dürften: wir sind eine Nation!"

Solche Hoffnungen, aus einem einzelnen erregbaren Gemüth hervorgegangen, lagen dem Fürstenbunde ebenso fern, wie es vergeblich war, an die alte Reichsverfassung Erwartungen auf eine Reform dieser Art zu knüpfen. Es stand eine Zeit europäischer Umwälzungen bevor, deren erschütternde Macht manchen Staat und manche Staatsordnung der alten europäischen Welt aus den Angeln gehoben hat. Auch die Verfassung des h. römischen Reiches deutscher Nation war bestimmt, diesem Sturme von Westen zu erliegen; der Fürstenbund ist so wenig im Stande gewesen, diese Katastrophe abzuwenden, daß seiner in den Tagen der Krisis kaum einmal Erwähnung geschieht. Nur kümmerliche Spuren seines vegetirenden Daseins werden wir noch im Anfange dieser Periode der Erschütterungen wahrnehmen können.

Zweites Buch.

Vom Tode Friedrichs II. bis zum Frieden von Basel. (1786—1795.)

Erster Abschnitt.

Oesterreich und Preußen bis zum Reichenbacher Vertrag (Juli 1790).

Der Abschluß des deutschen Fürstenbundes war der letzte politische Erfolg in Friedrichs II. ruhmreichem Regentenleben; ihn zu befestigen und auszubilden blieb ein Vermächtniß für den Nachfolger. Ein Jahr nach der Gründung des Bundes, am 17. August 1786, war die Regierung des größten deutschen Fürsten zu Ende gegangen.

Aus einem Lande von 2300 Quadratmeilen mit zwei Millionen und einigen hunderttausend Einwohnern war ein Staat von 3600 Quadratmeilen mit sechs Millionen Bewohnern geworden; das Heer, das ihm der Vater einst hinterlassen, war von 76,000 auf 200,000 Mann vermehrt, die Einkünfte von 12 Millionen Thalern beinahe auf das Doppelte gehoben,*) der Staatsschatz, aller furchtbaren Kriege ungeachtet, mit 60 bis 70 Millionen Thalern gefüllt. Der Anbau des Landes, die Thätigkeit seiner Bewohner, die Wachsamkeit und Ordnung der Verwaltung stand noch allenthalben in ebenso günstigem Lichte, wie die Heereskraft Preußens und seine diplomatische Leitung. Es genoß der Staat einen Ruf von Macht und Geschick, der im Auslande wenig bestritten, im Lande selbst wie ein unzerstörbares Capital betrachtet

---

*) Auf 22 Millionen Thaler (Grundsteuer 6½ M., Zölle und Regie 5½ M., Domänen und Forsten 10 M.) gibt Preuß IV. 289 das Staatseinkommen an.

ward. Denn der eitlen Selbstüberhebung, die in rasch entwickelten
und überzeitigten Staaten von kleinem oder mäßigem Umfang sich
am leichtesten einstellt, schien es fast hinreichend, von dieser moralischen Macht des preußischen Namens, die das Werk dreier bedeutenden Fürsten gewesen, in thatloser Selbstgenügsamkeit zu zehren.

Gerade in Preußen selbst hatte man, schien es, am raschesten
vergessen, wie viel von dieser Größe durch die Persönlichkeit des
Königs bedingt war. Denn nicht der Umfang des Staates, noch
seine geographische Lage und seine natürlichen Hülfsquellen hatten
den Nachfolger des „marquis de Brandenbourg" zum arbitre des
destinées de l'Europe gemacht; Friedrichs Feldherrngröße wie sein
schöpferischer, staatsmännischer Geist, seine königlichen Tugenden
unermüdlicher Thätigkeit und wachsamer Sorge hatten das Mißverhältniß verdeckt, das zwischen dem Lande selber und zwischen
seiner äußeren Weltstellung obwaltete. Der Mechanismus hatte
seine großen Mängel und bildete gleichwol wieder ein so zusam-
menhängendes Ganze, daß ohne eine großartige und weise Umgestaltung eine gründliche Abhülfe der einzelnen Schäden nicht zu
denken war; die Kräfte des Staates waren auf's Aeußerste angespannt und erforderten, um auf dieser Höhe der Leistungen zu bleiben, eine zugleich so geniale und so umsichtige Leitung, wie sie
von Friedrich geübt ward. Oder, wie Hertzberg sich ausdrückte,[*]
ein Herrscher von Preußen kennt seine Interessen zu gut, um nicht
einzusehen, daß ein so mittelmäßiger und künstlich zusammenge-
setzter Staat sich in seiner überlegenen Stellung nicht lange behaupten könnte, wenn er nicht allezeit durch diese Energie, diese
Thätigkeit und diese patriarchalische Regierung getragen würde,
durch die er einen so hohen und schnellen Flug gemacht hat.

Der große König selbst überschätzte am wenigsten das Ver-
gängliche dieser Macht; die wohlthätigen wie die harten Maßregeln, die er nach dem siebenjährigen Kriege nahm, seine auswärtige Politik seit 1764, sein Bemühen, eine feste und natürliche
Allianz zu finden, auf die Preußen sich stützen könnte, seine Unruhe und Besorgtheit über die Folgen der österreichisch-russischen
Annäherung, seine aufrichtigen Eingeständnisse der bedrängten Lage,

---

[*] Hertzberg, memoire sur la troisième année du regne de Fréderic Guillaume II., lu dans l'academie des Sciences, le 1. Oct. 1789.

worin sich das Land nach dem Kriege befand, beweisen hinlänglich, wie wenig er geneigt war, sich in das sorglose Gefühl unerschütterlicher Macht und Größe einzuwiegen. Ueberkam ihn doch die trübe Ahnung, daß Trägheit und Hochmuth der Nachgeborenen rasch zerstören könnte, was äußerste Thatkraft und ungewöhnliche Herrschergaben mühsam aufgebaut hatten! *)

Wohl war Friedrich auch nach dem furchtbaren Kriege unablässig thätig gewesen, die Wunden siebenjähriger Verwüstung zu heilen. Seine Bemühungen, die Landwirthschaft zu heben, durch Urbarmachung wüster Stellen und Brüche den Wohlstand zu fördern, seine Unterstützungen an verarmte Gemeinden, seine öffentlichen Bauten, seine gesteigerte Wachsamkeit in der Verwaltung, seine Anstalten zur Hebung von Handel und Gewerbe haben in den 23 Jahren nach dem Hubertsburger Frieden wohlthuende Früchte in Menge erzielt; aber es kam auch die französische Regie, das Tabaksmonopol, die hohe Besteuerung des Kaffeegenusses, Maßregeln, deren drückende Wirkung so groß war, wie ihre Impopularität. Ein überspanntes Merkantilsystem, über dessen staatswirthschaftliche Nachtheile schon den Zeitgenossen gerechte Bedenken aufstiegen, brachte die Kräfte des Landes vielfach in Stocken, die der König doch mit äußerster Rührigkeit zu wecken bemüht war. Nur diese höchste Wachsamkeit, sein sparsamer und sorgfältiger Haushalt, sein gerechtes Regiment und die auf allen Seiten sichtbare anspornende Macht einer aufgeklärten, fähigen und wohlwollenden Regierung vermochten einen Theil der Uebelstände zu mildern, die durch die fiskalischen Künste des Systems naturgemäß erzeugt wurden. Indem er selber das nachahmungswertheste Beispiel sparsamer Entbehrung aufstellte, mit äußerster Thätigkeit über Noth und Mißbrauch wachte, einem Jeden gleiches Recht und gleichen Schutz angedeihen ließ und alle Hülfsquellen eben nur wieder der Wohlfahrt und Größe des Staates selber zuwandte, erschienen wohl die Lasten leichter, die der hohe Preis dieser Macht

---

*) S. z. B. die Ode aux Prussiens (Oeuvres X. 37), wo es heißt:

Enfants chéris de Mars, comblés de ses faveurs
Craignez que la paresse
L'orgueil et la mollesse
Ne corrompent vos moeurs.

und Größe waren. Aber die Beschränkung der einfachsten und populärsten Lebensgenüsse, die Chikanen des Zoll- und Steuerwesens, die Eingriffe in die Verhältnisse des Privatlebens zogen gleichwol eine verhaltene Mißstimmung groß, die sich in den letzten Zeiten des großen Königs auch vernehmlich genug kund gegeben hat.

Daß die Armee nach dem Ende des siebenjährigen Krieges nicht mehr die alte war, hat Friedrich II. selbst unverhohlen ausgesprochen. Nur theilweise durch Aushebung aus den Landeskindern gebildet, aus aller Herren Ländern zusammengeholt, nicht selten aus dem Abhub der Gesellschaft ergänzt, konnte sie nur durch eine eiserne Disciplin und die strengste physische Züchtigung beisammengehalten werden; der schlimme Einfluß, den diese Bestandtheile übten, griff auch die einheimischen Elemente des Heeres an, zumal da durch eine weite Ausdehnung der Befreiungen alle gebildeteren Theile der Nation vom Soldatendienst fern gehalten und nur das rohere Volk hereingezogen ward. Friedrichs unablässige Wachsamkeit hielt diesen alternden, bunt zusammengewürfelten Körper aufrecht; daß das Heer gleichwol nur durch mechanische Hebel vor dem Verfalle bewahrt ward und die schlimmsten Gewöhnungen und Auswüchse unter Soldaten und Officieren heimisch waren, konnte er freilich nicht hindern. So knapp und spärlich Sold, Bekleidung u. s. w. zugemessen war, so bedenklich manche Mittel der Ersparniß auf die Sittlichkeit und das Ehrgefühl zurückwirkten, verschlang dies Heer gleichwol von den baaren Staatseinkünften die größere Hälfte, der drückenden Fourageverpflegung durch die Unterthanen, der Leistung des Vorspanns und ähnlicher Lasten nicht zu gedenken, die dem Gedeihen des Bauern- und Bürgerstandes unübersteigliche Schranken entgegenwarfen.*)

Eine Persönlichkeit, wie die des Königs, vermochte allerdings viele Mängel zu decken und manche Härten zu mildern; sie war es auch, die das Heer lebendig erhielt. Aber — fragten einsichtige Zeitgenossen mit Recht — kann man hoffen, daß alle Nachfolger Friedrichs so unermüdlich sein werden wie er, daß sie jährlich, gleich ihm, in allen Theilen des Staates die Inspectionen

---

*) S. Preuß, Friedrich d. Gr. IV. 306. 315 ff. Höpfner, der Krieg von 1806 und 1807. Bd. I. 46 f., 72 f.

vornehmen, daß sie alle Berichte über jedes einzelne Regiment lesen und prüfen, daß weder der Einfluß eines Höflings, noch eines Freundes, noch einer Geliebten einen Augenblick das Interesse des Heeres überwiegen, oder niemals irgend eine Parteilichkeit, Genuß oder Intrigue auf die Leitung des Ganzen einwirken werden?*) Solcher Stimmen ließen sich manche anführen, deren Warnungen damals ungehört verhallten; ja unter angesehenen militärischen Autoritäten galt die mangelhafte Ausstattung des preußischen Heerwesens als eine ausgemachte Sache. „Wenn — so äußert einer — nach dem Tode dieses Fürsten, dessen Genie allein dieses unvollkommene Gebäude erhält, ein schwacher König ohne Talent folgt, so wird man in wenigen Jahren das preußische Militär entarten und in Verfall gerathen sehen; man wird diese ephemere Macht in die Stärke zurückkehren sehen, welche ihre wirklichen Mittel ihr anweisen, und wird sie vielleicht einige Jahre Ruhmes sehr theuer bezahlen müssen." Aehnliche Prophezeiungen, zum Theil mit schadenfroher Hoffnung ausgesprochen, finden sich in diplomatischen Berichten jener Zeit. **)

Nur in Preußen selbst wiegte man sich gern in das Gefühl stolzer Sicherheit. Je rascher der Aufschwung der preußischen Macht gewesen, desto leichter stellte sich die Selbstüberhebung ein, die dem alten preußischen Staate später so verderblich ward; desto näher lag die Versuchung, nur sich selber und dem eigenen Verdienste beizumessen, was doch vorzugsweise die gesegnete Arbeit eines genialen Herrschers war. Die Berichte der Zeitgenossen lassen uns kaum daran zweifeln, daß die Verstimmung über die drückenden fiscalischen Künste sich bis zum stillen Groll gegen das Regiment des großen Königs steigerte und sich wohl in der geringschätzigen Beurtheilung des greisen Herrschers oder in der Sehnsucht nach einer neuen Regierung unverblümt aussprach. Es macht einen unheimlichen Eindruck, wenn man mit dieser Verkennung Friedrichs die eigene Selbstgenügsamkeit der öffentlichen Meinung Preußens vergleicht. Man fing an, den Werth eines solchen Königs zu unterschätzen; man gefiel sich in dem Glauben an die Vortrefflichkeit der mechanischen Staats- und Heeresordnung und beru-

---

*) Mirabeau de la monarchie prussienne IV. 2. 334 f.
**) S. Raumers Beiträge V. 288. 298.

higte sich in der Zuversicht, daß Preußen durch seine Verwaltung wie durch seine Armee nach wie vor der wohlgeordnetste und schlagfertigste Staat in Europa sei. Und wie wahr hatte doch der greise König gesprochen, als er dem jungen Rüchel sagte: „Denke Er nicht, ich habe immer so gesessen und gerufen: Ehre komm her! Hier liegt der König von Preußen! Na, sieht Er wohl, ich habe mir den Wind um die Nase wehen lassen."*)

Die gespreizte, fast übermüthige Haltung des Preußenthums jener Tage sprach sich am lautesten in der Hauptstadt aus, und dies war eben die Stätte, die schon den Zeitgenossen am lebhaftesten den Eindruck des Verfalles erweckte. Gerade dort hatte die Vorliebe des Königs für französische Bildung und Sitten die nachhaltigsten Wirkungen zurückgelassen; das altfränkische, pedantische aber kernige Geschlecht, das Friedrich Wilhelm I. erzogen, war nicht mehr, aber dafür eine schlimme Aussaat voltairescher Bildung und wälscher Sitte aufgewuchert. Die Aufklärung erschien dort in einer Gestalt, die einen Geist wie Lessing mit Ekel erfüllte; „sagen Sie mir, schreibt er an Nikolai, von Ihrer berlinischen Freiheit zu denken und zu schreiben ja nichts; sie reducirt sich einzig und allein auf die Freiheit, gegen die Religion so viel Sottisen zu Markte zu bringen als man will".**) Britische Staatsmänner, die Berlin damals sahen, urtheilen ähnlich; sie fanden eine Aufklärung dort, deren Quelle nur die Frivolität war, eine „Freiheit", die sich zunächst nur in zügellosen Sitten kundgab, im Uebrigen mit serviler Unterwürfigkeit der Gesinnung Hand in Hand ging. Freilich hatte der König später selbst einen Widerwillen gegen die Fremden, als er jene bekannte Marginalresolution auf das Anstellungsgesuch eines Franzosen schrieb: „ich will keine Franzosen mehr, sie sind gar zu liederlich und machen lauter liederliche Sachen" — aber sie hatten doch lange genug den Ton in der Hauptstadt angegeben, auf Bildung und Sitte fühlbar eingewirkt, zuletzt gar noch einen wichtigen Theil der Verwaltung — die Regie — beherrscht. Wohl war diese Umgestaltung des Lebens, welche die alträterische Einfalt durch Leichtfertigkeit verdrängte, lockere Sitten

*) S. E. F. W. Ph. v. Rüchel's milit. Biographie von Friedr. Bar. de la Motte Fouqué. I. 38.
**) S. Lessing's Werke XXVII. 200. (s. R.)

förderte, die frühere Nüchternheit und Sparsamkeit, in welcher Preußen groß geworden, durch die modische Genußliebe der Zeit ersetzte, wohl war dies Alles zunächst nur noch auf die Hauptstadt beschränkt, über deren Physiognomie damals die größten und kräftigsten Köpfe unserer Nation ein übereinstimmend verdammendes Urtheil fällten *), aber die Wirkung erstreckte sich doch rasch auf die officiellen und einflußreichen Kreise und vibrirte dann weiter ins Land hinein, um allerwärts die Wirkungen hervorzurufen, welche die folgende Geschichte bis 1806 darlegen wird.

Diese Lage Preußens erforderte eine Persönlichkeit von dem Gepräge der drei Regenten, um welche die preußische Geschichte von 1740—1786 sich dreht; der Staat bedurfte einer ebenso energischen als umsichtigen Leitung, es mußte die friedliche Reform des überlieferten Mechanismus durch eine weise und schöpferische Staatskunst vorbereitet, das geistige und sittliche Leben der Nation neu geboren und gestählt werden.

Der neue König Friedrich Wilhelm II. (geb. 1744) war der Sohn jenes früh verstorbenen Prinzen August Wilhelm, der während des siebenjährigen Krieges von seinem königlichen Bruder hart, vielleicht ungerecht, angelassen das Lager verließ und während der gefahrvollsten Zeiten des Krieges zu Oranienburg gestorben war (Juni 1758). Es scheint, dieser jüngere Sohn Friedrich Wilhelms I. war von weicherem und zerbrechlicherem Metall, als die übrigen Sprößlinge des starken, mannhaften Geschlechts, die vom großen Kurfürsten an bis zum großen König aus dem Hause Hohenzollern hervorgegangen sind. Vielleicht die Erinnerung an jenen Zwiespalt, vielleicht auch der Gedanke, daß die weiche Seele des Vaters auf den Sohn übergegangen, war die Ursache, daß Friedrich II. seinen jugendlichen Neffen lange Zeit nie mit rechter Freude und Vorliebe behandelte, ihn kaum zu den Staatsgeschäften heranzog **) und erst seit dem baierischen Erbfolgekrieg ihm eine freundlichere Anerkennung zuwandte. Eine unglückliche Ehe, deren Unfriede von beiden Theilen verschuldet war, wirkte verwüstend auf das Leben des jungen Fürsten ein, zumal das unselige Verhältniß

---

*) S. die Auszüge in Vehse's Geschichte des preuß. Hofes u. s. w. IV. 127—137. 169. 170.

**) S. Dohm IV. 564.

des Prinzen zu einem leichtfertigen, verschmitzten Weibe diese Zerrüttung unheilbar machte. Die Tochter des Kammermusikus Enke, erst mit dem Kammerdiener Rietz verheirathet, dann zur Gräfin Lichtenau erhoben, beherrschte mit allen Künsten, die einer intriguanten Buhlerin zu Gebote stehen, die nachgiebige Natur des preußischen Thronerben. Ein Aergerniß, das bis jetzt dem preußischen Hofe ganz fremd gewesen, das öffentliche Verhältniß zu einer anerkannten Maitresse, ward durch den Prinzen in dem früher so sittenstrengen und nüchternen Staate mit einer Oeffentlichkeit betrieben, die an das Beispiel des französischen Hofes erinnerte. Auch Friedrichs II. Jugend war reich an Verirrungen gewesen; aber das Unglück seiner Jünglingsjahre hat ihn gezüchtigt, der Umgang mit hervorragenden Geistern gab dem Sohne Friedrich Wilhelms I. einen Aufschwung und einen edlen Wetteifer, der die trüben Erinnerungen früherer Zeit verwischte.

Die weiche, biegsame Natur des Prinzen erlag den schlimmen Einwirkungen, die der Umgang mit frivolen Weibern und weibischen Männern üben mußte, und diese Einflüsse ließen denn auch seine guten Eigenschaften nicht zur rechten Entfaltung kommen. Friedrich Wilhelm war von edlem Gemüthe, trotz der Aufwallungen seines Jähzorns erfüllte ihn Milde und Wohlwollen, er war großherzigen Anregungen zugänglich, auch ritterlich und tapfer wie seine Ahnen; dazu hatte die Natur ihn mit einem kräftigen Körper ausgestattet, aber freilich auch mit einer so starken Zugabe von Sinnlichkeit und Genußliebe, daß in deren Befriedigung leicht die besseren Züge seines Wesens untergingen. Durch sein wirres Jugendleben gewöhnt, sein Wohlwollen an Weiber und Günstlinge zu vergeuden, in seiner Vereinzelung auf den Umgang mit selbstsüchtigen und mittelmäßigen Menschen angewiesen, in seiner Güte gränzenlos mißbraucht, bald zu sinnlichen Excessen hingedrängt, bald von der frömmelnden Heuchelei speculativer Mystiker ausgebeutet, entbehrte Friedrich Wilhelm durchaus der männlichen Strenge und Zähigkeit, durch die das Walten seiner Vorfahren geleitet war. Auch in jedem andern Staate hätte ein Regiment, das von einer solchen Persönlichkeit getragen war, erschlaffend wirken müssen; für Preußen und seine Lage im Jahre 1786 war eine Regierung dieser Art eine wahre Calamität, und es war schwer zu sagen, ob des Königs gute oder schlimme Züge, seine

Herzensgüte oder seine Sinnlichkeit, sein nachgiebiges Wohl=
wollen oder seine Genußliebe nachtheiliger auf das Ganze ein=
wirkten.

Die öffentliche Stimmung, die den neuen Regenten empfing,
war gleichwol eine durchaus günstige; die Eindrücke, wie sie Frie=
drichs letzte Zeit geweckt, waren stärker als die Besorgniß, welche
aus dem bisherigen Leben des Nachfolgers entstehen konnte.
Man erwartete von der Milde des wohlwollenden, gutmüthigen
Königs manche Erleichterung von dem Drucke, zu dem Friedrich II.
mehr durch die Nothwendigkeit als aus eigener freier Wahl war
vermocht worden; man hoffte auf eine Regierung, die durch hei=
tere und freigebige Nachsicht das knappe und strenge Regiment des
großen Königs werde vergessen machen.   Selten ist darum ein
neuer Herrscher mit solchem Beifall empfangen, Lob und Schmei=
chelei selten in so verschwenderischer Fülle einem Nachfolger ent=
gegengebracht worden, wie Friedrich Wilhelm II.; der „Vielge=
liebte" war der Beiname, womit ihn die öffentliche Stimme em=
pfing. Schon Zeitgenossen haben es beklagt*), daß man die ersten
Momente des neuen Königs mit diesem Schwall von Schmei=
chelworten übertäubte, und es läßt sich wohl glauben, daß sie auch
auf Friedrich Wilhelm nicht ohne die einschläfernde Wirkung ge=
blieben sind, welche die traurige Frucht solcher Künste ist. Be=
zeichnend aber ist die Thatsache, daß diese Stimmung äußersten
Lobes und Jubels erstaunlich rasch in das vollständige Gegentheil
umgeschlagen ist und unter dem Eindrucke der Enttäuschung spä=
ter eine Schmähliteratur auftauchte, wie sie kaum irgendwo ärger
zu finden war; — so daß sich schwer sagen läßt, was einen pein=
licheren Eindruck weckt, die taktlose Schmeichelei von 1786, oder
die schmutzigen Pamphlete, die schon zwei, drei Jahre nachher
über den König, seine Geliebten und seine Günstlinge verbreitet
wurden.

In diesem Jubel, womit der neue Herrscher begrüßt ward,
mischte sich in der Regel ein sehr starker Ausdruck preußischen
Selbstgefühls. Fast wie ein Mißton klangen in diese Stimmung die

---

*) Z. B. Kosmann in „Leben und Thaten Friedrich Wilhelms II." Berlin
1798. Daneben läßt sich eine ganze Literatur von Flug= und Festschriften
verzeichnen, womit der neue Monarch begrüßt ward.

Mahnungen Mirabeaus *), welche bei aller Bewunderung für
Friedrich II. die Schattenseiten von dessen Staatswirthschaft auf-
deckten und, um eine große Umwälzung abzuwehren, auf eine friedliche Reform des ganzen Staatswesens drangen. Es sollte nach
Mirabeaus Rath die „militärische Sklaverei" verschwinden, das
Merkantilsystem mit seinen nachtheiligen Wirkungen beseitigt, die
feudale Scheidung der Stände gemildert, das einseitige Vorrecht
des Adels in bürgerlichen und militärischen Aemtern aufgehoben,
Privilegien und Monopole vernichtet, das ganze System der Besteuerung verändert, dem Volke die Lasten abgenommen werden,
die seine freie Production hemmten, Verwaltung, Rechtspflege und
Schulwesen eine neue Förderung erhalten, die Censur fallen, überhaupt dem alten Soldaten- und Beamtenstaat ein frischer Antrieb
politischen und geistigen Lebens mitgetheilt werden. Es bedurfte
eindringlicherer Lehren, bis man die Bedeutung solcher Rathschläge
begriff. Erst zwei Jahrzehnte später hat sich eine Richtung des
Staatsruders in Preußen bemächtigt, die im Ganzen von ähnlichen
Anschauungen ausging; die Reformgesetze von 1807—1808 über
die Aufhebung der Unterthänigkeit, den „freien Gebrauch des
Grundeigenthums", die Beseitigung der feudalen Unterschiede,
die Städteordnung, die neue Heeresverfassung u. s. w. treffen in
der Idee wesentlich mit dem zusammen, was Mirabeau beim Regierungsantritt Friedrich Wilhelms gerathen hatte. Damals war
man unzugänglich für solche Mahnungen; das Gefühl der Sicherheit war noch zu groß, als daß nicht der unerbetene Rathgeber hätte Verdruß erregen sollen.

Wohl konnte es scheinen, als wolle die neue Regierung auf
die von dem französischen Publicisten vorgeschlagene Bahn einlen-
ken, aber schwerlich war sein gegebener Rath die Ursache. Es
war die Neigung einer jeden neuen Regierung, sich durch Abschaffung drückender Maßregeln des Vorgängers die öffentliche
Gunst zu erwerben, eine Neigung, die in dem persönlichen Wohlwollen Friedrich Wilhelms eine natürliche Unterstützung fand. So
fiel denn vor Allem die verhaßte französische Regie sammt dem

---

*) Außer dem bekannten Werk: la monarchie prussienne, namentlich:
Lettre remise à Fréderic Guillaume II. de Prusse le jour de son avenement aa
tröne. 1787.

Tabaks- und Kaffeemonopol; die französischen Angestellten wurden beseitigt und eine neue aus preußischen Beamten gebildete Behörde dem Accise- und Zollwesen sowie den verwandten Zweigen vorgesetzt. Nur war die drückende Steuer leichter abgeschafft als ersetzt; man mußte zu andern fiskalischen Künsten, zum Theil zur Besteuerung nothwendiger Lebensbedürfnisse, die Zuflucht nehmen, um den Ausfall, der entstanden war, zu decken (Januar 1787). Es ist begreiflich, daß die Popularität des ersten Schrittes dadurch fühlbar gemindert ward. Auch was sonst in dieser Richtung geschah, z. B. zur Erleichterung des Verkehrs und Verminderung der Durchgangszölle, beschränkte sich auf schüchterne Aenderungen, deren Erfolg natürlich weder den Erwartungen noch den Bedürfnissen entsprach. Wollte man die Mißstände beseitigen, so war eine vollkommene Umgestaltung der wirthschaftlichen Staatsmarimen in Preußen nothwendig; solch vereinzelte Maßregeln, die aus einem ehrenwerthen aber kurzsichtigen Wohlwollen entsprangen, beseitigten die Mängel der ganzen Organisation nicht, sondern minderten höchstens den Ertrag von Friedrichs scharf ausgeklügeltem System. Die neuen Hülfsmittel zur Deckung der Lücken waren dann bisweilen drückender als die alten.

Einen ähnlichen Charakter tragen die übrigen Erstlingsreformen der neuen Regierung; man gab dem flüchtigen Eifer, einzelne Mißstände zu beseitigen, augenblicklich nach, um dann bald die Dinge völlig so gehen zu lassen, wie sie waren. So wurde als zweckmäßige Neuerung ein Directorium des Krieges geschaffen, dessen Leitung der Herzog von Braunschweig und Möllendorf erhielten; die Aenderung war um so nothwendiger, da bisher Alles auf die Persönlichkeit des Königs allein gestellt war und Friedrich, unterstützt von einigen Inspectoren und Adjutanten, die ganze Kriegsverwaltung selber leitete. Auch wurde das Werbwesen im Auslande besser geordnet, gewaltsames Pressen von Rekruten untersagt, in der Vertheilung der Cantone manche Neuerung vorgenommen, Officiere und Unterofficiere vermehrt, ihre äußere Ausrüstung verbessert. *). Ferner sollte der rohen und barbarischen Behandlung des Soldaten gesteuert, der Soldat menschlich behan-

---

*) Ueber alles dies s. Hertzberg in dem Vortrage, den er am 23. Aug. 1787 in der Akademie über Friedrich Wilhelms erstes Regierungsjahr hielt.

delt, die eigennützigen Künste der höheren Officiere, wozu sie ihre
Stellung als Werb= und Aushebungsofficiere mißbrauchten, beseitigt werden. Alle die Reformen, deren wohlmeinende Absicht Niemand leugnen konnte, berührten freilich die Wurzel des Uebels
nicht, das Friedrich selber noch mit Besorgniß wahrgenommen
hatte; sie trafen nur die Oberfläche und bedurften selbst in dieser
bescheidenen Begränzung, wenn sie fruchtbar werden sollten, einer
größeren Energie und Wachsamkeit, als sie der neuen Regierung
eigen war.

Das Beispiel, das Friedrich II. durch aufmerksame Beachtung
der öffentlichen Bedürfnisse, durch Ermunterung und Unterstützung
derselben gegeben, schien für seinen Nachfolger nicht verloren. Es
wurde die Rechtspflege und Gesetzgebung durch Staatszuschüsse
unterstützt, die Industrie erhielt Hülfsgelder, es ward für die Naturalverpflegung der Reiterei, eine drückende Last des Landes, eine
Unterstützung aus der Staatskasse bezahlt. Was von diesen und
ähnlichen Ausgaben im ersten Jahre bewilligt ward, was in Festungsbau, Straßenanlagen, öffentlichen Bauwerken, provinziellen und localen Unterstützungen angewiesen ward, belief sich
nach Hertzbergs Angabe im ersten Regierungsjahre auf 3,160,000
Thaler. Auch der Volksunterricht ward nun reichlicher bedacht,
als unter Friedrich. Die Hoffnung zwar, Friedrich Wilhelm werde
einen regen Antheil an der Entwicklung deutscher Nationalbildung
nehmen und der Poesie eine Förderung angedeihen lassen, wie sie
von viel kleineren Höfen ausging, erfüllte sich nicht; was er
that, beschränkte sich auf einige Acte königlicher Freigebigkeit an
preußische Schriftsteller, unter denen nur Ramler einen ausgebreiteteren Namen hatte. Dagegen ward in das gesammte Erziehungswesen durch Errichtung einer gemeinsamen obersten Schulbehörde
(Febr. 1787) mehr Plan und Zusammenhang gebracht als bisher; der ganze Unterricht in seiner Abstufung von der Universität
bis zur Dorfschule herab sollte von diesem großentheils aus praktischen Schulmännern zusammengesetzten „Oberschulencollegium“
in einem Geiste geleitet, klassische und reale Bildung genauer gesondert und der Unterricht überall so gegeben werden, wie es
dem Bedürfniß gelehrter, bürgerlicher und bäuerlicher Erziehung
entsprach. Noch stand der Minister von Zedlitz, unter Friedrich
recht eigentlich der Minister der Aufklärung, an der Spitze des

gesammten Unterrichtswesens; das schien zu verbürgen, daß man im Großen und Ganzen die unter Friedrich eingehaltene Richtung nicht verlassen wollte.

Die Entlassung von Zedlitz, und noch bezeichnender, die Ernennung seines Nachfolgers sammt dem, was sich zunächst daran knüpfte (Juli 1788), ward der Wendepunkt für diesen Theil der inneren Politik.

Schon vor Friedrichs II. Tode war die Vermuthung laut geworden, daß sein Nachfolger sich zu der strenggläubigen Richtung mehr hingezogen fühle, als zu der voltaireschen Anschauung seines Oheims. Die Aufklärung der Zeit war in ihren letzten Ausläufern, wie Bahrdt und Consorten, in einer Gestalt aufgetreten, welche einen Rückschlag zu Gunsten der orthodoxen Auffassung sehr wohl erklärte; fühlte sich doch ein Mann wie Lessing, den man seit der Herausgabe der Wolfenbüttler Fragmente gern als den Führer der ganzen heterodoxen Richtung bezeichnete, angeekelt von diesem widrigen Gemisch von Flachheit und Trivialität, das sich namentlich in Berlin selber gern für Aufklärung ausgab. Drum lag eine Reaction der gläubigeren Richtung durchaus in der Zeit: verstand sie es, den lockeren, französirenden Ton der Hauptstadt zu bekämpfen, Ernst und Sittenstrenge neu zu erwecken, so war eine solche Rückwirkung für das gesammte Leben Preußens eine Wohlthat. Ein schlichtes, starkgläubiges Geschlecht, das aus der Religion Ernst machte und der wachsenden Zuchtlosigkeit entgegentrat — so war ja einst das Volk und das Regiment beschaffen gewesen, wodurch Preußen, im Gegensatz zur wälschen Ansteckung der meisten übrigen deutschen Lande, groß geworden war.

Das Leben Friedrich Wilhelms II. und seine Umgebungen ließen freilich auf eine ganz andere Gegenwirkung schließen. Nicht der strenge Ernst altväterischer Orthodoxie war da heimisch, sondern jene weibische Frömmelei, die mit Sinnlichkeit und Schwäche entweder Hand in Hand geht, oder deren Erbschaft antritt. Traf doch die stärkere Betonung strenger Rechtgläubigkeit mit dem Zeitpunkte zusammen, wo der König dem alten Verhältniß mit der Rietz ein Ehebündniß zur „linken Hand" mit dem Fräulein von Voß folgen ließ, der kleinen Aergernisse nicht zu gedenken, durch deren bereitwillige Unterstützung die Rietz sich unentbehrlich zu machen suchte. Solche Vorgänge weckten denn freilich eine üble Vorstel-

lung von dem plötzlichen Bemühen, die alte Glaubenseinfalt und
Frömmigkeit wieder zu beleben.

Wenn wir die Stimmung jener Zeit richtig verstehen, so galt
die lebhafte Opposition, die sich gegen die neue Richtung kundgab, eben diesem Widerspruche der Sitten mit der von oben an-
befohlenen Religiosität des Glaubens; sie entsprang nicht, wie
man es wohl gedeutet, lediglich aus einem tiefen Widerwillen gegen jede Altgläubigkeit. Man verwarf die neue Gläubigkeit, weil
die öffentlichen Sitten ihr Hohn sprachen, weil man die Rathgeber und Freunde Friedrich Wilhelms keiner wahrhaften religiösen Erregung für fähig hielt. Unter diesen Rathgebern sahen die
Zeitgenossen besonders zwei Männer als die Träger der neuen
Richtung an: den Major von Bischofswerder und den Geheimen
Finanzrath von Wöllner. Hans Rudolf von Bischofswerder,
um's Jahr 1741 im thüringischen Sachsen geboren, dann in militärischen und höfischen Diensten verschiedener Herren, hatte seit
dem baierischen Erbfolgekriege sich näher an den Prinzen von Preußen herangedrängt und war seitdem sein unzertrennlicher Begleiter und Rathgeber geworden. Von feinem intriguantem Geiste,
einer unergründlichen Zurückhaltung, mit dem Höflingstalente ausgestattet, unbedeutend zu erscheinen, und doch auch wieder sehr
geschickt, durch eine geheimnißvolle, mystisch = feierliche Außenseite
zu imponiren, voll Herrschsucht, ohne sie äußerlich an den Tag
zu legen, hatte er die arglose und offene Natur Friedrich Wilhelms völlig umstrickt, und höchstens der Einfluß der Rietz war
im Stande, vorübergehend den seinigen zu durchkreuzen. Johann
Christoph von Wöllner, 1732 zu Döberitz bei Spandau geboren,
von Hause aus Theolog und seit 1755 Pfarrer zu Behnitz, hatte
seit 1759 diesen Beruf aufgegeben und war der Gesellschafter eines
märkischen Adeligen, seines früheren Zöglings, geworden; bald
ward der Begleiter des jungen Itzenplitz der Mitpächter der Behnitz'schen Güter, später dessen Schwager. Früher nur durch gedruckte Predigten als Schriftsteller hervorgetreten, warf er sich nun
völlig auf Land = und Staatswirthschaft; seine literarischen Versuche auf diesem Gebiete machten ihn sogar zum Mitarbeiter der
Nicolaischen „allgemeinen deutschen Bibliothek." Seit 1782 un-
terrichtete er den preußischen Thronfolger in denselben Fächern, war
dann unter der großen Zahl derer, an die der neue König 1786

ben Abelstitel verschwendete, und erhielt neben der Stelle eines Ge=
heimen Oberfinanzraths zugleich die Intendantur über die könig=
lichen Bauten, sammt der Aufsicht über die sogenannte Disposi=
tionscasse. Dies bunte Leben zeugte von ähnlicher Geschicklichkeit,
Menschen und Verhältnisse zu lenken und auszubeuten wie bei
Bischofswerder; nur mischte sich in Wöllner die Natur eines In=
triguanten mit Frömmelei und pfäffischer Herrschsucht. Beide,
Bischofswerder und Wöllner, waren seit Jahren befreundet, die=
ser zum Theil durch die Unterstützung des Andern emporgekommen,
beide in die mystischen Gesellschaften verflochten, deren Geheim=
bündelei, deren Geistersehen und anderer Spuk einen so wunderli=
chen Gegensatz zu der Aufklärungssucht jener Tage bilden. Es
wird immer schwer zu ergründen sein, wie weit diese Männer
und ihre Genossenschaft das weiche Gemüth des Königs und seine
reizbare Phantasie zu rosenkreuzerischem Betrug mißbrauchten; un=
ter den Zeitgenossen bestand eine reiche Ueberlieferung über das
frevelhafte Gaukelspiel dieser Art, womit sie sich ihre Gewalt über
Friedrich Wilhelms Gemüth gesichert haben sollen. Eine Haupt=
quelle dieser Ueberlieferung ist freilich die Rietz, die mit der fröm=
melnden Genossenschaft um die Alleinherrschaft über den König
rang. Daß die beiden Männer solcher Künste fähig waren, ist
in hohem Grade wahrscheinlich; daß die Zeitgenossen sie deren
für fähig hielten, nicht zu bezweifeln. Die Beurtheilung und der
moralische Eindruck der kirchlichen Restaurationsmaßregeln richtete
sich aber durchaus nach der Ansicht, die man von der sittlichen
Würdigkeit der Urheber hatte.

Am 3. Juli 1788 ward Wöllner zum Justizminister ernannt
und ihm die Leitung der geistlichen Angelegenheiten anvertraut;
Zedlitz war der erste von den Ministern Friedrichs des Großen,
der weichen mußte. Wenige Tage später erschien (9. Juli) ein
Edict über das Religionswesen, welches man als Manifest des
neuen Regierungssystems ansehen durfte. Es war in diesem
merkwürdigen Actenstück*), das nach Form und Inhalt einen sehr
mäßigen Begriff von den neuen Staatsmännern erweckte, zunächst
zwar dem Einzelnen die volle Gewissensfreiheit garantirt, „so lange
ein Jeder ruhig als guter Staatsbürger seine Pflichten erfülle,

---

*) S. dasselbe in Mosers patr. Archiv IX. 453 ff.

seine jedesmalige besondere Meinung aber für sich behalte und sich sorgfältig hüte sie auszubreiten;" aber es war diese seltsame Verheißung zugleich von heftigen Ausfällen gegen die „zügellose Freiheit," gegen den Modeton der Lehrart begleitet, und die Neuerer beschuldigt, die elenden längst widerlegten Irrthümer der Socinianer, Deisten, Naturalisten und anderer Secten mehr wieder aufzuwärmen und solche mit vieler Dreistigkeit und Unverschämtheit durch den äußerst gemißbrauchten Namen „Aufklärung" unter das Volk auszubreiten. „Solche Irrthümer öffentlich oder heimlich auszubreiten, sollte den Geistlichen und Lehrern bei unausbleiblicher Cassation und nach Befinden noch härterer Strafe und Ahndung fortan verboten sein; denn es müsse eine allgemeine Richtschnur und Regel feststehen und diese sei bisher die christliche Religion nach ihren drei Hauptconfessionen gewesen, bei der sich die preußische Monarchie so lange immer wohl befunden habe, daher schon aus politischen Gründen der König nicht gemeint sein könne, dieselbe durch die Aufklärer nach ihren unzeitigen Einfällen abändern zu lassen." Wiederholt war dann dem Einzelnen seine Gewissensfreiheit zugesagt; ja aus „Vorliebe des Königs für die Gewissensfreiheit" sollten diejenigen Geistlichen, die notorisch von den Irrthümern angesteckt seien, noch in ihren Aemtern bleiben dürfen — falls sie sich in ihrer Amtsführung streng an den alten Lehrbegriff hielten, d. h. eine Lehre predigten, die mit ihrer Ueberzeugung im Widerspruche stand. Eine strenge Ueberwachung der Pfarrer und Lehrer und die Zurückweisung aller Candidaten, die von andern Grundsätzen ausgingen, sollte vor dem Eindringen der neuen Lehren schützen.

Es hat wenig Maßregeln gegeben, die ihren Zweck so völlig verfehlten, wie dies wunderliche Edict. Ist es an sich schon immer ein unglückliches Beginnen, durch äußere Verordnungen und mit polizeilichen Mitteln einen im Verfall begriffenen Glauben stützen zu wollen, so ging hier die sittliche Wirkung vollends verloren durch das Exempel, welches die glaubenseifrige Regierung selber gab. Ein Hof, an welchem die Rietz und Bischofswerder sich um die Herrschaft stritten, war nicht dazu angethan, eine neue Periode religiöser Wiedergeburt einzuleiten; seine verspätete Frömmelei war nur allzusehr verdächtig, die Frucht sinnlicher Entnervung zu sein. Und welche Blößen gab das Edict

. wie forderte es in seiner ganzen Haltung den Angriff und
t heraus! Wie nahe lag der Vorwurf, daß man mit solchen
ln nie und nimmer fromme Gläubigkeit erwecken könne, son=
höchstens zu der vorhandenen Verderbtheit noch ein neues Uebel
füge: die Gleißnerei pharisäischer Formen!
Das Unzulängliche der Maßregel fühlten die Urheber selbst,
dies drängte sie zu Weiterem. Jene stolze Sicherheit und Ge=
hätzung gegen Angriff und Kritik, die Friedrich II. fast in
n ganzen Regentenleben unwandelbar bewährt, fehlte den
zebern des Nachfolgers; schon gleich im Anfange, als sich
die Regie ein Streit in der Presse erhob, hatten sie eine Em=
lichkeit an den Tag gelegt, die für die Freiheit der Erörte=
nichts Gutes verhieß. Nun folgte das Censuredict vom
Dec. 1788; es beseitigte die Freiheit der Presse, wie sie sich
r letzten Zeit Friedrichs, freilich mehr auf dem literarischen und
ßen als dem politischen Gebiete, thatsächlich ausgebildet hatte.
der geläufigen Hindeutung auf den Mißbrauch, womit der
zwang sich zu allen Zeiten motivirt, war auch hier die strenge
ereinführung der Censur begründet; sie traf die leichte Ta=
eratur wie die schwerer wiegenden wissenschaftlichen Erzeug=
mit gleicher Schärfe und erreichte am wenigsten den Zweck,
man sich verständiger Weise hatte vorsetzen können. Jene frivole
nichtsnutzige Literatur fand überall Schlupfwinkel, aus denen
h über Preußen ausbreitete, und die Jahre nach dem Cen=
ct sind wahrhaftig nicht arm gewesen an Erzeugnissen der
tzigsten Gattung;*) aber der freimüthigen und wohlthätigen
erung der öffentlichen Zustände wurden Bande angelegt —
istigen Chikanen nicht zu gedenken, die man dem Buchhandel
dem literarischen Verkehr überhaupt bereitete. **)
Indem man so die Debatte abschnitt, vermochte man freilich

nicht, die Quellen der Unzufriedenheit zu verstopfen; vielmehr sprach sich diese in Schriften aus, denen der Reiz des Verbotenen nur eine größere Verbreitung sicherte. Da ward über die sorglose und verschwenderische Regierung geklagt; über die nutzlose Vermehrung des Adels im Huldigungsjahr 1786. Die Hoffnung einer Erleichterung der Abgaben, hieß es da, sei unerfüllt geblieben; man habe verschiedene Finanzoperationen versucht, ohne den rechten Punkt zu treffen. Das Lagerhaus übe nach wie vor den Druck seines Monopols. Die erhöhte Accise auf Weizenmehl diene zur Bedrückung Aller, man nehme ungescheut von einem und demselben Grundstücke doppelte Abgaben. Aehnliche Klagen richteten sich gegen die schlimmen Wirkungen des Zollsystems, die Stempeltare und namentlich die gedrückte Lage der Landwirthschaft. Als dringendste Wünsche in dieser letzten Richtung hörte man Abschaffung der Fouragelieferungen und Versorgung der Cavallerie aus öffentlichen Magazinen; Beseitigung der Vorspannfuhren, schleunigere Bezahlung der Entschädigungsgelder. Schutz gegen die Willkür der Aemter, die Vereinfachung der ökonomischen und Dorfpolizei, „damit nicht der arme Bauer aus den Händen der Justiz- und Oekonomiebeamten unter die unbarmherzigen Baubedienten, Deichinspectoren und Landreiter falle," ernsthafte Fortsetzung der Regulirung der Urbarien zur Abstellung des willkürlichen Drucks, Erleichterung der Jagdbeschwerden — solche und ähnliche Wünsche tauchten in Menge auf; die Censur vermochte kaum die verbotene Besprechung, geschweige denn die Unzufriedenheit selber abzuschneiden.

Wir haben früher darauf hingedeutet, wie häufig eine so einsichtsvolle und kräftige Regierung, wie die Friedrichs war, gleichwol hinter dem Ziele zurückblieb, das sie sich vorgesetzt; es läßt sich denken, wie es unter einem schlaffen Regiment werden mußte. Friedrich II. hatte sich z. B. unablässig bemüht, der willkürlichen Belastung des Bauern ein Ziel zu setzen; er hatte zu dem Ende unter andern schon in den siebziger Jahren verordnet, daß die Dienste der Unterthanen durch ordentliche Dienstreglements und Urbarien bestimmt werden sollten, eine Arbeit, die, als der große König starb, noch unvollendet war. Eine Verordnung Friedrich Wilhelms II. bestimmte, daß die begonnenen Urbarien nur dort, wo Processe seien, fortgesetzt werden sollten; damit war eine der wohlthätigsten Maßregeln zur Beschränkung gutsherrlicher Willfür beseitigt. Hätte man eine Dorfgeschichte, sagt die Schrift eines hohen Beamten jener Tage, so würde man darin lesen, daß der Hofdienst seit Jahren die größten Zerrüttungen angerichtet hat, daß solcher von den Unterthanen jederzeit mit Unwillen geleistet und aller Trieb zur Erfindung und Verbesserung dadurch erstickt wird. Untersucht man die Sache genauer, so findet man, daß die Leistung des Hofdienstes den Unterthanen ungleich mehr kostet, als derselbe zu Geld angeschlagen ist, und sie zu dessen Verrichtung an manchen Orten eine Meile und weiter reisen, auch wohl, wenn die Witterung der zu verrichtenden Arbeit ungünstig ist, ohne Arbeit und Entschädigung zurückkehren müssen. Der Hofdienst setzt die Güter der Unterthanen außer Werth und hilft dem Berechtigten wenig, weil die Leistung nicht so erfolgt, wie sie geschehen sollte.*)

So blieben alte Mißbräuche bestehen, indessen sich neue Stoffe gährender Unzufriedenheit ansammelten.

In der auswärtigen Haltung des neuen Königs ist die Zeit von 1786—1790 eine Zeit der Krisis gewesen. Die alten Ueberlieferungen preußischer Politik, zunächst Friedrichs II., sind noch keineswegs verwischt, aber sie werden doch nicht mehr mit der Sicherheit und Stetigkeit des großen Königs festgehalten; manche persönliche und dynastische Motive, z. B. in der holländischen Sache, wirken mächtig ein und zersplittern die Staatskräfte in fruchtlosen Unternehmungen. Schöpfungen, die Friedrich II. noch begonnen hatte, deren Vollendung aber ein Vermächtniß an den Nachfolger war, wie der Fürstenbund, werden vernachlässigt und sterben langsam ab. Doch überwiegt noch im Cabinet, zumal so lange Hertzberg einen leitenden Einfluß behält, die antiösterreichische Politik der letzten Jahre Friedrichs II. und scheint sich sogar in der orientalischen Angelegenheit zu einem besonders kühnen

---

*) S. Schreiben eines pr. Patrioten am 48. Geburtstage seines Königs, den 25. Sept. 1788. Philadelphia; Kosmann, Leben Friedrich Wilhelms II. Berlin 1798; v. Ernsthausen, Abriß von einem Polizei- und Finanzsystem. Berlin 1768.

Anlauf erheben zu wollen, aber mit dem Mißlingen dieses Ver-
suchs tritt auch die völlige Umkehr ein. Die überlieferte preußische
Politik schlägt mit einem Male in ein österreichisches Bündniß
um, dessen Vortheil vorzugsweise Oesterreich und Rußland zu Gute
kam; damit beginnen denn die Schwankungen der Unselbständigkeit, die Preußen zwischen den östlichen und westlichen Allianzen,
zwischen Bekämpfung und Bund mit der Revolution hin= und her-
treiben und deren Katastrophe mit dem Untergang der alten preußischen Monarchie zusammenfällt. Wir wollen die wichtigsten Momente dieser Zeit des Uebergangs, vom Tode Friedrichs des Großen bis zum Reichenbacher Vertrag (Juli 1790), im Einzelnen
verfolgen.

Die holländischen Wirren, die der preußischen Politik Friedrich Wilhelms II. den ersten Anlaß gaben, nach Außen aufzutreten, reichten noch in die Zeit Friedrichs II. zurück. Der alte Haber
zwischen dem republikanischen und monarchischen Element, das in
der Verfassung Hollands unversöhnt neben einander lag, war unter der Erbstatthalterschaft Wilhelms V., der mit der Schwester
Friedrich Wilhelms II. vermählt war, mit neuer Stärke erwacht,
nicht ohne die Schuld des Statthalters selbst, aber auch nicht ohne
die Einwirkung der Zeitbewegungen, namentlich der Eindrücke des
nordamerikanischen Unabhängigkeitskrieges. So standen sich denn
seit Jahren die einzelnen Landschaften, Gewalten und Stände gegenüber; die bürgerlichen Magistrate mit den Städten und Provinzen, die ihnen anhingen, neben ihnen eine modern demokratische
Partei gegen die Oranier, die von ihnen ernannten Beamten, den
Adel, die Truppen und einen Theil der untern Volksklassen, deren
Haß gegen die republikanisch=aristokratischen Autoritäten sie seit
lange mit dem oranischen Interesse verknüpft hatte. Die große
europäische Politik spielte vielfach in diese Verwicklungen herein;
die oranische Partei war der alten Ueberlieferung gemäß mit England verknüpft, die Gegner suchten und fanden bei Frankreich Unterstützung. Seit Josephs II. leidenschaftlichem Verfahren gegen
die Republik hatte der Einfluß Frankreichs, das die Kosten der
Vermittlung und des Friedens trug, einen bedeutenden Vorsprung
gewonnen und eine engere Allianz schien die Generalstaaten dauernd in das französische Interesse zu verflechten, indeß die schwächliche Kriegführung in den Jahren 1780—84 den Haß gegen Eng-

land und das Mißtrauen gegen den Oranier gleichmäßig gesteigert hatte.

Preußen, dem sowol das politische Interesse als das verwandtschaftliche Verhältniß die holländischen Angelegenheiten nahe legte, hatte unter Friedrich II. eine beobachtende Stellung eingenommen; der greise König war weit entfernt, den Frieden, um dessen Erhaltung sich seine Politik seit 1764 unablässig bemühte, durch einen Kampf für das Haus Oranien unterbrechen zu wollen. Er mahnte von unbesonnenen Schritten ab, suchte nach beiden Seiten hin gemäßigtere Gesinnungen zu wecken; seine Rathschläge stützten sich aber durchaus mehr auf die moralische Kraft seines Namens, als auf die Hindeutung, materielle Gewalt gebrauchen zu wollen. Indessen kam man dort von kleinen Zänkereien und feindseligen Demonstrationen zu immer heftigerem Streit, es gab blutige Auftritte, in denen sich der Bürgerkrieg ankündete. Die republikanische Partei suchte die Befugnisse des sogenannten Reglements von 1674, das Wilhelm III. einst unter dem Eindrucke der blutigen Katastrophe von 1672 dem Hause Oranien errungen hatte, zu schmälern; die oranische Partei ließ es ihrerseits, wo sie das Uebergewicht besaß, an Herausforderungen und Gewaltthätigkeiten nicht fehlen. Der Erbstatthalter selbst hatte, seit ihm der Oberbefehl über die Truppen im Haag entzogen war, die Provinz Holland verlassen und sich in Gegenden zurückgezogen, wo das Uebergewicht des Adels oder die günstige Stimmung der Bewohner ihm einen natürlichen Rückhalt gab, namentlich nach Geldern. Aber auch in dieser sonst für oranisch geltenden Provinz machte sich, zumal an den Gränzen der republikanisch gesinnten Landschaften, z. B. Overyssels, die Opposition gegen Oranien geltend. Zwei Städte im Norden, Hattem und Elburg, lehnten sich offen gegen das alte Herkommen auf; Hattem wollte ein vom Erbstatthalter eingesetztes Mitglied, weil es im Dienst des Prinzen stehe, nicht anerkennen; Elburg weigerte die Publikation eines von den Generalstaaten ausgegangenen Edicts. Es schien, als sollten sich die Kämpfe des sechszehnten Jahrhunderts erneuern; die beiden Städte erklärten, als man ihnen Execution drohte, sich bis auf den letzten Mann vertheidigen zu wollen, ja im Nothfall die Stadt anzuzünden, und aus Overyssel und Holland, den antioranisch gesinnten Landschaften, strömten Freischaaren herbei, die bedrohten Städte zu schützen.

Freilich bewies eben der Ausgang, daß die Zeit des sechszehnten Jahrhunderts vorüber sei; aller prahlerischen Drohungen ungeachtet wurden die Städte fast ohne Widerstand militärisch besetzt (Sept. 1786), indessen ein großer Theil der unzufriedenen Bewohner in den republikanisch gesinnten Landschaften Schutz suchte. Einzelne Ausschweifungen der Soldaten, noch mehr die Ausgewanderten selbst, wurden aber ein heftiges Gährungsmittel gegen das oranische Interesse. Immer mehr nahmen nun die Dinge das Ansehen eines Bürgerkrieges an: die Provinz Holland entsetzte den Erbstatthalter seiner Generalcapitainsstelle, warb Truppen und machte Anstalten, die bedrohte Sache der Republikaner oder „Patrioten" mit den Waffen in der Hand zu schützen.

Es war um die Zeit, wo Friedrich Wilhelm II. den Thron bestieg. Wohl wirkte auf ihn lebhafter, als auf Friedrich II., ein persönliches Interesse für das Schicksal seiner Schwester, einer kraftvollen, an Entschluß und Herrschsucht fast männlichen Persönlichkeit, die auch nicht unterließ, die Lage mit den düstersten Farben vorzustellen; allein im Wesentlichen war der neue König doch entschlossen, die Politik seines Vorgängers einzuhalten und sich nicht in einen Kampf einzulassen, der die preußische Politik von ihren östlichen Interessen abzog. Selbst die bedenkliche Wahrnehmung, daß Frankreich, selbst am Vorabend einer Revolution, die revolutionäre Partei in den Generalstaaten unter der Hand ermuthige und mit ihr Einverständnisse pflege, konnte in Berlin die Ansicht noch nicht ändern, daß eine Vermittlung ohne alle Androhung bewaffneter Intervention genügen werde. Die Sendung des Grafen Görtz, desselben Diplomaten, der früher in der bairischen Successionssache, dann am Petersburger Hofe gebraucht worden (Herbst 1786), hatte zunächst nur den Zweck, diesen friedlichen Ausgang durch gegenseitige Verständigung anzubahnen. Der außerordentliche Bevollmächtigte kam allerdings in einem sehr kritischen Augenblick in Holland an. Es war der Zeitpunkt, wo die Vorgänge in Hattem und Elburg die Gährung auf's Höchste steigerten, wo Holland rüstete und mit der Drohung hervortrat, sich von der Union zu trennen; der preußische Diplomat besuchte zudem zuerst den oranischen Hofhalt zu Loo in Geldern und ließ sich dort von der Prinzessin von Oranien die neuesten Vorgänge berichten.*)

---

*) So werthvoll die Mittheilungen von Görtz (Denkwürd. II. S. 202)

Gleichwol verließ man in Berlin noch nicht die Linie der gemäßigten und vermittelnden Politik, wie sie früher Friedrich II. eingehalten. Man suchte aufrichtig im Einverständniß mit Frankreich die Wirren friedlich auszugleichen und die Vorschläge, die man brachte, trugen dies Gepräge der Mäßigung. Wohl aber war auf französischer Seite das Bestreben unverkennbar, den Erbstatthalter als den Verbündeten des englischen Interesses völlig bei Seite zu drängen und durch Begünstigung der antioranischen Bewegungen die Republik noch enger als bisher in die französische Politik zu verflechten. Friedrich Wilhelm II. war von dem Gedanken bewaffneten Einschreitens damals noch so fern, daß er (19. Sept.) eigenhändig an seinen Gesandten schrieb: „Der Kaiser würde gern sehen, wie, ohne daß es ihm etwas kostet, sein Nebenbuhler sich schwächt, und einen günstigen Augenblick abwarten, um ihm irgend einen empfindlichen Streich zu versetzen. Ich kann keinen Krieg bloß um des Interesses der Familie des Statthalters willen anfangen, und wollte ich mich auf bloße Demonstrationen beschränken, so würden Frankreich und die Opposition solche leicht nach ihrem wahren Werthe anzuschlagen wissen, ich selbst mir aber nur schaden, wenn ich erst Demonstrationen machte und dann nicht handelte." In ähnlichem Sinne äußerte sich der König noch zwei Monate später; „mein Interesse, schrieb er am 26. Dec., erlaubt mir in der gegenwärtigen Lage nicht, den Prinzen mit gewaffneter Hand zu unterstützen." Ja, es entging ihm durchaus nicht, daß ein Theil der Schuld am Erbstatthalter liege, und die Hartnäckigkeit, womit der Hof zu Loo auch alle billigen Auswege der Vermittlung abwies, verstimmte den König sichtbar. Er beauftragte seinen Gesandten (Ende Dec.), den Prinzen und seine Gemahlin zur Nachgiebigkeit zu stimmen, und setzte eigenhändig unter die Depesche: „wenn der Prinz von Oranien nicht bald sein Benehmen ändert, so wird er sicherlich den Hals brechen."

Die heftigen Gegenvorstellungen der Prinzessin hätten in Friedrich Wilhelm so leicht keinen Umschwung bewirkt, wären nicht zwei Zwischenfälle eingetreten, welche die Lage wesentlich änderten. Zuerst scheiterte (Jan. 1787) der Versuch Preußens, im Einklang

---

sind, so tragen sie doch dies Gepräge der Einseitigkeit und einer vorgefaßten Meinung, die vom oranischen Standpunkt beherrscht war.

mit Frankreich zu vermitteln; Graf Görtz reiste ab, und der Parteikampf loderte heftiger als je auf, von den Rüstungen kam es bereits zu Gewaltstreichen beider Parteien und zu einem blutigen Zusammenstoß zwischen Bürgern und Soldaten (Mai). Dann unternahm in diesem Augenblicke heftigster Erregung die Prinzessin jene vielleicht wohlberechnete Reise nach dem Haag (Juni), angeblich um persönlich zu vermitteln, ward an der Gränze der Provinz Holland aufgehalten und zur Umkehr genöthigt. Was alle früheren Vorstellungen des Erbstatthalters und seiner Gemahlin, was die Rathschläge von Görtz und Hertzberg nicht vermocht, das erreichte jetzt der oranische Hof durch das mehr ungeschickte als beleidigende Benehmen, welches die Bürgerwache an der Gränze gegen die Prinzessin eingehalten. Mit ungemeiner Rührigkeit wußte man den an sich sehr unbedeutenden Vorfall von oranischer Seite auszubeuten und ihn, den auswärtigen Höfen gegenüber, als eine Kränkung und Beleidigung darzustellen, die weder beabsichtigt noch erfolgt war. Die britische Politik, namentlich durch den geschickten Harris (Lord Malmesbury) vertreten, verstand den zufälligen Anlaß sehr gewandt zu benutzen und ihren Zweck — die Trennung Hollands von Frankreich und die Verknüpfung der Republik mit dem englischen Interesse — zu erreichen. Friedrich Wilhelm, bisher den ungestümen Drängern unzugänglich, ließ sich jetzt von einem Gefühl beherrschen, das persönlich nicht zu tadeln, aber politisch vielleicht nachtheilig war. Sein königliches und ritterliches Ehrgefühl schien ihm gleich laut zu gebieten, die beleidigte Schwester nicht zu verlassen. Er verlangte wiederholt Genugthuung und als sie ihm geweigert ward, zog sich ein preußisches Truppencorps, unter dem Oberbefehl des Herzogs von Braunschweig, an der holländischen Gränze zusammen. Die „Patrioten" lebten der festen Meinung, Preußen werde den Krieg nicht wagen, und verließen sich auf die klägliche und hülflose Politik Frankreichs; diese Stütze war denn freilich ebenso werthlos, wie ihre eigene militärische Rüstung unzureichend, ihre Festungen, Truppen und Führer zu jedem ernstlichen Kampfe untüchtig waren. Am 9. Sept. 1787 überreichte der preußische Gesandte den Ständen von Holland das Ultimatum seines Königs; es fand keine genügende Antwort, und vier Tage später überschritten die preußischen Truppen, einige zwanzigtausend Mann stark, bei Nymwegen und Arnheim, die Gränze. Indeß Frankreich die schmachvolle Rolle spielte, die „Patrioten" erst zum Widerstand zu reizen und dann im Stich zu lassen, wirkten im Lande selbst theils Ueberraschung, lange kriegerische Ungewohntheit, schlechte Vorbereitung und Zweideutigkeit der Führer, theils die natürliche Untüchtigkeit von Bürgerwehren und Freischaaren gegen geordnete Truppen zusammen, dem preußischen Heere einen erstaunlich wohlfeilen Triumph zu verschaffen. Gorkum fiel ohne Widerstand, Utrecht ward preisgegeben, schon am 20. Sept. kehrte der Erbstatthalter nach dem Haag zurück, und vor der Mitte des Oktobers war auch Amsterdam von den Preußen besetzt, der ganze Aufstand ebenso schnell wie unblutig unterdrückt.

Das Wort des Königs, daß er nur um der Beleidigung seiner Schwester willen zu den Waffen gegriffen, ward im Verlauf des Kriegszuges treu gehalten. Mit mehr Großmuth, als sie in der Politik zuträglich ist, verzichtete Preußen auf den Ersatz der Kriegskosten und ließ sich weder politische, noch mercantile Begünstigungen gewähren. Doch schien der gewonnene Vortheil groß genug für die Opfer, die Preußen durch die Kriegsrüstung gebracht. Sein Ansehen war gehoben, das Frankreichs gedemüthigt, mit England ein freundlicheres Verhältniß als unter Friedrich vorbereitet; in Deutschland hatte es durch den Fürstenbund der österreichischen Politik den Vorrang abgewonnen, die preußische Politik erschien einmal wieder als die schiedsrichterliche in Europa, Preußens Waffenmacht als unüberwindlich.[*] Die unmittelbare Frucht des Siegeszuges war die engere Allianz mit Holland und mit England, die durch die Bündnisse vom April und August 1788 besiegelt ward.[**] Die Hoffnung auf diese Bündnisse war für Hertzberg vorzugsweise der Beweggrund gewesen, sich in diese holländischen Dinge tiefer einzulassen; wir werden bald sehen, welche weitgehenden Combinationen er darauf baute.

Der Erfolg hat freilich gezeigt, daß diese neuen Allianzen für Preußen von geringem Werthe gewesen sind; sie entschädigten nicht einmal für die pecuniäre Einbuße, die der Feldzug verursacht, geschweige denn für die moralischen Nachtheile, welche aus dem wohl-

---

[*] So urtheilt z. B. Ségur hist. des princ. événemens du regne de Frédéric Guillaume II. T. II. 15.

[**] Die Verträge finden sich bei Martens, Recueil III. 133 ff.

feilen Triumph von 1787 entsprungen sind. In der Republik
Holland zog man sich keinen Verbündeten groß; denn die Ereignisse
von 1787 sind dort erst der Keim einer antioranischen Revolution
geworden. Unter dem Eindrucke einer bewaffneten Restauration,
ihren Thaten der Gewalt und Rachsucht sind die Stimmungen
erwachsen, die sieben Jahre später den leichten Sieg der Revolution
herbeigeführt haben. Dann ist aber auch Preußen selbst durch
diese unblutige Besiegung der holländischen Patrioten in dem gefährlichen Gefühl der Sicherheit nur befestigt worden; statt die
Mängel des Kriegswesens kennen zu lehren, hat dieser glückliche
Triumphzug durch Holland Führer und Heer in jene Selbstgenügsamkeit vollends eingewiegt, die später so verderblich ward.
Denn nicht nur das Bewußtsein eigener Unüberwindlichkeit war
dadurch übermäßig gesteigert worden, auch die Geringschätzung gegen jede bürgerliche und revolutionäre Bewegung hatte sich daran
genährt. Man bemaß später die Revolution von 1789 nach der
Bewegung der holländischen Patrioten von 1787 und ist im
Jahre 1792 mit den Eindrücken nach Frankreich eingedrungen,
welche der leichte Siegeszug von Arnheim nach Amsterdam zurückgelassen hatte.

Die holländische Intervention zeigt uns die persönlichen Rei-
gungen des Königs und die Politik Hertzbergs noch in vollem
Einklang. Hatte Friedrich Wilhelm sich mehr von der augenblick-
lichen Erregung über die Begegnung seiner Schwester, als von
politischen Motiven zum Einschreiten bestimmen lassen, so war für
Hertzberg die holländische Verwicklung zugleich der erwünschteste
Anlaß, seinen Plan der auswärtigen Politik für Preußen zur Geltung zu bringen. Als den Lieblingsgedanken, der ihn seit Friedrich
Wilhelms Thronbesteigung erfüllte, bezeichnet Hertzberg selber den
Plan:*) die „glorreiche Rolle eines Schiedsrichters der europäischen Angelegenheiten und des Gleichgewichts“, die Friedrich II.
in den letzten Jahren seines Lebens so glücklich durchgeführt, auch
dem Nachfolger zu erhalten, und zwar in noch höherem Maße,
als es vor 1786 der Fall gewesen. Er hoffte auf diesem Wege
Preußen noch zu erwerben, was ihm fehlte, und seine geographischen Lücken auszufüllen. Die Intervention in Holland erschien

---

*) S. die Denkschrift in Schmidts Zeitschrift für Geschichtswissenschaft I. 23.

dem preußischen Staatsmann als der erste bedeutende Erfolg auf
dieser Bahn. Preußen, sagt er, hat dadurch Frankreich gedemü=
thigt, ihm seinen Einfluß in Holland und Deutschland entzogen,
dafür England die verlorene Verbindung mit Deutschland wieder=
hergestellt, ihm seine Besitzungen in Indien durch die Allianz mit
Holland und die Bündnisse von 1788 gesichert und den Grund
gelegt zu diesem großen Bundessystem, durch welches die drei ver=
bundenen Mächte, Preußen, England und Holland, sich nicht nur zu
gegenseitiger Vertheidigung beistehen, sondern auch das Gleichge=
wicht in ganz Europa gegen die Angriffe jeder anderen Macht
sicherstellen.

In diesem Sinne erschien die Intervention von 1787 und
die Tripelallianz des nächsten Jahres allerdings als ein Erfolg,
wenn auch die Erfahrung der folgenden Zeit dargethan hat, daß
dessen Werth weit überschätzt worden ist. Von diesem politischen
Gesichtspunkte aus erwogen, erschien Anderes, wie die weitere
Ausbildung des deutschen Fürstenbundes, als eine Angelegenheit
von untergeordneter Bedeutung. Wir erinnern uns, daß Hertzberg
von Anfang an nicht allzu eifrig dem Plane des Fürstenbundes
sich anschloß; er trug sich, wenn dies nicht eben nur ein Vorwand
der Verzögerung war, mit wunderlichen Vorschlägen, wie z. B.
dem, erst beim Eintritt neuer Eventualitäten, etwa des Todes von
Friedrich II., durch dessen Nachfolger die Fürstenassociation durch=
zuführen. Friedrichs II. persönliches Verdienst war es gewesen,
daß die Sache nicht einschlief; sein Neffe und Nachfolger legte
wohl ein Interesse dafür an den Tag und knüpfte auch einzelne
persönliche Einverständnisse an, aber er war nicht, wie Hertzberg in
einer seiner akademischen Festreden aus höfischer Gefälligkeit sagt,
der Gründer des Bundes. Es hatte auch nicht den Anschein, als
würde der Bund den großen König lange überleben. Wohl traten
unter der neuen Regierung die beiden Mecklenburg und der Coad=
jutor von Mainz dem Bündnisse bei, auch ließ sich Friedrich Wil=
helm II. bald nach seinem Regierungsantritt Bericht abstatten über
den Stand der Sache, aber dabei blieb es auch. Die Gefahr des
Ländertausches, die den Plan des Bundes zur Reife gebracht, war
nun vorüber; damit verlor sich auch in den meisten Kreisen das
Interesse für den Bund. In Berlin namentlich legte man, nach=
dem man Hannover und Sachsen gewonnen, eine Gleichgültigkeit

18 *

gegen die Kleineren an den Tag, die unter diesen höchst verstimmte.   Sie erwarteten vertraute Mittheilungen, hofften, daß
man sie zum Beitritt zu den geheimen Artikeln einlade und eine
stete Correspondenz über die Unionssache einleiten werde. Man
muß erlauben, schrieb Einer dieser Kleineren, daß wir Mindermäch-
tige ihnen hie und da gute Vorschläge machen, man muß uns
wie Ihresgleichen behandeln und so viel als möglich mit dem
Ausehen schmeicheln, als wenn wir an der Führung der Union
vielen Theil hätten.   Vorschläge dieser Art gingen von Fürsten,
wie dem Herzog von Weimar, von Staatsmännern, wie Graf
Görtz, aus;*) die Antworten, die man darauf in Berlin gab, bewiesen aber zur Genüge, daß dort keine Neigung vorhanden war,
diese Weiterbildung der Union in die Hand zu nehmen. Zugleich
kam ein störender Zwischenfall, der bei den Gegnern des Bundes
sichtbare Schadenfreude weckte.   Der Landgraf von Hessen-Cassel
hatte den Tod des Grafen von Lippe-Bückeburg (Febr. 1787) benützt, um veraltete Lehensansprüche, deren Ungrund rechtlich nachgewiesen und durch ein reichsgerichtliches Urtheil ausgesprochen
war, zum Nachtheil des unmündigen Nachfolgers gewaltsam geltend zu machen.   Ein nicht unbedeutendes Mitglied des Bundes,
der zur Erhaltung „deutscher Freiheit" und zur Garantie des bestehenden Rechtszustandes geschlossen war, brach plötzlich mit Heeresmacht in die kleine Grafschaft ein und schien ernstlich entschlossen, seinen Anspruch gegen Kaiser, Reich und Fürstenbund aufrecht
erhalten zu wollen.   Es dauerte Monate, bis er sich überzeugte,
daß er in diesem Falle Alles gegen sich haben werde, und durch
die Räumung der Grafschaft dem König von Preußen die Verlegenheit ersparte, als Mitglied des westfälischen Kreises gegen
eines der angesehensten Glieder des Fürstenbundes militärische
Execution zu üben.

Solche Vorgänge zeugten eben nicht von der Lebenskraft des
neuen Bundes, sie forderten den schadenfrohen Spott der Gegner
heraus.   Um so dringender erschien es den Wenigen, die bei der
Gründung des Bundes etwas mehr im Auge gehabt, als die Abwehr des Ländertausches, die weitere Ausbildung zu einem nationalen Einigungswerke nicht zu versäumen.   Es war besonders der

*) Schmidt, Unionsbestrebungen S. 396. Görtz, Denkwürdigk. II. 210 f.

Herzog Carl Auguft von Sachfen-Weimar, der diefen Gedanken mit Eifer verfolgte.*) Im Sommer des Jahres 1787 begab er fich nach Berlin, um feinen Anfichten über eine Ausdehnung des Bundes zur Reform der Reichsverfaffung dort Anerkennung zu erwirken; man gab ihm freundliche Zuficherungen, wir fehen aber nicht, daß die frühere Lauheit in regeren Eifer umgefchlagen wäre. Der Herzog ging dann zu Ende des Jahres nach Mainz, um bei dem erften geiftlichen Fürften des Reiches feinem Plane Eingang zu verfchaffen. Die unirten Fürften follten auf dem Reichstage den Antrag einbringen, daß vom gefammten Reiche die Verbefferung der Juftizformen, der Civil- und Criminalgefeße durch Deputationen vorbereitet und dann dem Reichstage zur Berathung vorgelegt werde; um die Arbeiten diefer Deputationen zu erleichtern, follten erfahrene Rechtsgelehrte in Mainz und an anderen Orten aufgefordert werden, über die Civil- und Criminalgefeßgebung, die Vifitation der Reichsgerichte, überhaupt über die Verbefferung der Juftiz Gutachten und Entwürfe vorzubereiten. Die bringendften Gebrechen der Juftizverfaffung follten fofort wegfallen, die Vifitation der Reichsgerichte hergeftellt, das Verfahren der Recurfe verbeffert werden. Zugleich, meinte der Herzog, follten die Fürften, auf eine Einladung des Kurfürften von Mainz in deffen Refidenz zufammentreten und die Punkte einer künftigen Wahlcapitulation einftweilen verabreden. Als folche Punkte bezeichnete Friedrich Karl von Mainz: Verbefferung der Juftiz, Herftellung der Vifitationen, Prüfung des angeblichen öfterreichifchen Privilegiums von 1156 und deffen willkürlicher Auslegung, Abwehr jedes erneuerten Verfuchs, den bairifchen Ländertaufch durchzufeßen, verfaffungsmäßige Abwehr gegen die öfterreichifche Tendenz, die wichtigeren Bisthümer an Prinzen des Haufes zu bringen, Erweiterung des Bundes, namentlich durch den Beitritt der geiftlichen Fürften, und Revifion der Bundesacte felber. Unter den politifchen Perfönlichkeiten der Zeit gab fich den Vorfchlägen Carl Augufts der fpätere Fürft Primas, damals Statthalter von Erfurt, Carl Theodor von Dalberg, am willigften hin. Seine

---

*) Im Folgenden ift außer den gedruckten Quellen namentlich auch die handfchriftliche Correfpondenz benüßt, die Carl Auguft mit Friedrich Wilhelm II, Hertzberg, dem Kurf. von Mainz, Dalberg u. A. führte.

Hoffnung war,*) daß „ der treffliche Fürstenbund nach und nach ein Bund des ganzen Reiches und sogar des Kaisers werde und daß dieser Bund nicht blos geheime Schrift bleibe, sondern Grundfeste gemeiner Wohlfahrt in Justiz, Verkehr, Kreisverfassung und Zollwesen werde." König Friedrich Wilhelm dagegen meint: Wenn wir Alle unirt wären, dann brauchten wir keinen Fürstenbund mehr; der ist aber nöthig, weil wir Alle nie eines Sinnes werden können. Dalbergs politische Autorität war in Berlin keine Empfehlung für die Vorschläge; man sah dort das flackernde Feuer von Dalbergs Begeisterung, seine weiche und unbeständige Hingabe an jeden neuen Eindruck ungefähr so an, wie sie sich in dem späteren politischen Leben des Mannes gezeigt hat. Ein preußischer Diplomat jener Tage meint, das „sentimental-politische Gewäsch von Freund Dalberg sei ein wiederholter Beweis, daß der Kurfürst von Mainz nicht so Unrecht habe, wenn er ihn nicht zum Coadjutor wolle;" und ein andermal wird geradezu die Besorgniß ausgesprochen, Dalberg möchte als Kurfürst Alles drunter und drüber bringen, vermöge der „Unionomanie, die ihn beseele". So lauteten die Urtheile in dem Augenblick, wo Preußen sich alle Mühe gab, Dalbergs Wahl zum Coadjutor durchzusetzen.

Der preußischen Politik lag das Bestehen des Fürstenbundes allerdings am Herzen; wir werden später sehen, wie sie, um dessen Dauer zu sichern, die Coadjutorwahl in Mainz in ihrem Sinne zu leiten suchte. Auch klopfte sie z. B. zu gleicher Zeit beim Fürstbischof von Speyer an, um dort durch die Wahl eines ergebenen Coadjutors dem Bunde Eingang zu schaffen; sie ließ Johannes Müller, der damals nach Rom reiste, in der Schweiz mit Steiger darüber verhandeln, ob nicht etwa der Zutritt der Eidgenossenschaft zur Union zu erlangen wäre.**) Aber die Thätigkeit Carl Augusts

---

*) Aus einem Schreiben Dalbergs an Carl August vom 12. Febr. 1787 und zwei Briefen des Freiherrn Joh. Friedrich vom Stein, vom 24. Februar und 1. März. Stein, damals Gesandter in Mainz, war der älteste Bruder des Ministers Karl vom Stein.

**) In dem Berichte Johannes Müllers heißt es: les dispositions sont très-bonnes; aber man müsse doch des Beistandes von Frankreich oder Oesterreich versichert sein, durch den Papst die katholischen Orte bearbeiten lassen, in der Neuenburger und Constanzer Sache den Schweizern gefällig sein u. s. w., wenn man zum Ziele kommen wolle. (Aus der angef. Correspondenz.)

war ihr unwillkommen; während Hertzberg nur an eine feste po=
litische Allianz dachte, die sich von den Alpen bis zum Meere
ausdehnen sollte, kam ihm der Herzog mit dem unbequemen Ge=
danken einer Umgestaltung der Reichsverfassung in die Quere.
Carl August war indessen in edlem patriotischem Eifer unermüdlich,
schrieb und reiste, so daß man ihn spöttisch den „Courier des Fürsten=
bundes" nannte, ging nach Darmstadt und Stuttgart, um die beiden
noch unbetheiligten Höfe hinzuziehen, aber seine Mühe war erfolglos.

Die Antwort, die Hertzberg auf die Vorschläge gab (Januar
1788), bewies unzweideutig, daß Preußen die weitere Fortbildung
des Bundes nicht wollte, und daß die Gründe und Bedenken, die
es vorschützte, eben nur gesuchte Vorwände waren, die innere Ab=
neigung zu verbergen. Man höre nur! Eine solche Versammlung
in Mainz — war der Sinn von Hertzbergs Gutachten — würde
eine ungesetzliche Trennung und gleichsam ein Gegenreichstag sein;
Alles, was der Bund gesetzlich thun könne, sei, die Materialien
der künftigen Reform durch ein geheimes Einverständniß vorzube=
reiten, was durch die bevollmächtigten Minister der Kurhöfe allen=
falls in Mainz geschehen könne. Alles Andere, was Lärm und
Gegenanstalten Oesterreichs hervorrufen könne, solle vermieden wer=
den. Man solle die Privilegien Oesterreichs ruhen lassen, sich be=
gnügen, Materialien zur Gesetzgebung zu sammeln; die Acte des
Fürstenbundes bedürfe keiner Revision, Maßregeln desselben wegen
des Tausches von Baiern seien nunmehr nicht dringend, wohl
aber könne man sich über gemeinsame Schritte einer etwaigen
Hülfsleistung gegen jede versuchte Zertrümmerung Baierns vorläufig
verabreden.

Diese Antwort war in der Hauptsache eine abschlägige, auch
wenn man durch scheinbares Eingehen die Schärfe der Ablehnung
milderte. Der Fürstenbund war eben von Anfang an für Hertz=
berg keine Sache ersten Ranges gewesen, und den Zweck, der ihm
dabei vor Augen stand, hatte der Bund zunächst erreicht. Im
Uebrigen stützte sich die europäische Politik des preußischen Staats=
mannes auf ganz andere Combinationen, als auf eine Association
der Reichsfürsten zum Zwecke der Verfassungsreform.

In Mainz erregte die Antwort sichtbare Verstimmung, und
König Friedrich Wilhelm hielt es für nöthig, in einem besonderen
Schreiben, das auftauchende Mißtrauen in die Fortdauer des Bun=

des zu bekämpfen.*) Er betheuerte darin auf's Bestimmteste, daß er die betretene Bahn nicht verlassen und daß er den Bund wie sein eigenes Werk aufrecht halten werde. Er lehnte den Vorschlag weiterer Besprechungen nicht ab, aber wiederholte doch die Gründe Hertzbergs gegen den Plan eines „allarmirenden Congresses" in Mainz, und meinte auch, der Hauptzweck des Bundes sei, die Besitzungen der Reichsfürsten gegen jeden Angriff und jede Verminderung sicherzustellen. Dem Herzog von Weimar sollte die ablehnende Antwort damit versüßt werden, daß man ihm vorschlug: die in Mainz beglaubigten Gesandten der drei Kurhöfe (Preußen, Sachsen und Hannover) möchten mit den übrigen Mitgliedern des Bundes eine ununterbrochene Correspondenz über dessen Angelegenheiten unterhalten. Aber Carl August täuschte sich darüber nicht, daß sein Plan vereitelt war; er machte seinem patriotischen Unmuth darüber in einem Schreiben an Hertzberg Luft. Wenn mich, schrieb er,**) gegenwärtig Jemand um Rath fragte, ob diese deutsche Union Energie genug hätte, die Rechte der Unterbrückten zu vertheidigen, ob darin ein Geist und allgemeine Grundsätze lebendig seien, nach denen der Bund das Ziel verfolgt, welches ihm die öffentliche Stimme zuschreibt; wenn man wissen wollte, ob diese vermeintlich vereinigten Fürsten vereinigt genug sind, um eine besondere Politik über irgend etwas Bedeutendes zu verfolgen, was über die Linie des gewöhnlichen Tagewerkes des Reichstages hinausgeht — dann würde ich dem Frager offen antworten: ich riethe ihm, sich ruhig zu halten, da Deutschland nicht im Stande sei, sich aus der untergeordneten Stellung zu erheben, in die es seine Unthätigkeit versenkt, sondern die Mehrzahl seiner Stände nicht Nerv genug habe, auf große Dinge auszugehen, und weit entfernt, einen guten Zeitpunkt zu nützen, in welchem sie sich als Nation erheben und die Einigung zu heilsamen Maßregeln gebrauchen könne, es vielmehr vorzöge, sich in den gegenwärtigen Zustand einzulullen und zu glauben, dies sei das höchste Ideal einer guten Verfassung, die auch nur anzurühren man sich wohl hüten müsse.

Der Herzog hatte gehofft, die Dinge im Reiche auf einen Punkt regerer und zugleich zuverlässigerer Wirksamkeit zu bringen.

---

*) Schreiben an Stein vom 29. Febr. (In der angef. Correspondenz.)
**) Brief vom 29. März 1788. (In der angef. Correspondenz.)

„Das System der Union — schrieb er an den sächsischen Minister von Löben*) — schien mir hierzu, nach Maßgabe der zu Mainz angegebenen Entwürfe, vorzüglich geschickt und als eine feste und unerschütterliche Grundlage, welche dem Charakter der deutschen Nation angemessen wäre, um als ein würdiges Denkmal derselben bestehen zu können. Alle Entwürfe hatten nur Einen Endzweck, nämlich die Vereinigung der verschiedenen wirkenden Kräfte auf Einen Punkt. So schmeichelte man sich, daß der Nationalgeist in unserem Vaterlande erweckt werden könnte, von dem leider auch die letzten Spuren täglich mehr zu erlöschen scheinen. Man hoffte, daß der träge Schlummergeist, der Deutschland seit dem westfälischen Frieden drückt, endlich einmal zerstreut werden könnte, und daß mit diesem Kranze die deutsche Union sich als ein wahres, wirksames Corps zur Aufrechterhaltung deutscher Freiheiten, Sitten und Gesetze zuletzt schmücken sollte.“

Die Antwort, welche der sächsische Minister darauf ertheilte, ist bezeichnend, weil sie rückhaltlos den Gedanken ausspricht, der die Gründer des Bundes bei dessen Abschluß leitete. Nicht die Verbesserung, äußerte er, sondern nur die Erhaltung der Reichsverfassung sei der Zweck des Fürstenbundes; jeder Versuch einer Verbesserung würde nicht nur an sich selbst mit unendlichen Schwierigkeiten verbunden sein, sondern er könnte auch zur Auflösung älterer und neuerer reichsständischer Verbindungen und vielleicht selbst zur Erreichung jener Absichten führen, die man dadurch zu vereiteln suche.

Wenn der Leiter der preußischen Politik sich mit einem Male so vorsichtig und beinahe scheu über das Vorgehen gegen Oesterreich aussprach, wie dies Hertzberg in den angeführten Verhandlungen gethan, so darf man daraus nicht folgern, daß der Gegensatz seiner Politik zu Oesterreich sich irgend gemildert hatte. Hertzberg war von der antiösterreichischen Richtung viel lebhafter durchdrungen, als jene mainzisch-weimarischen Vorschläge; nur war ihm die Erweiterung des Fürstenbundes nicht das rechte Mittel dazu, und er griff nach allen Vorwänden, um dem Drän-

*) Den 30. März.

eutschen Kirchenfürsten eingreifen. Ein solcher Versuch war vor-
:rsslich geeignet, der Opposition gegen Rom neue Stärke zu ver-
:ihen. Denn indem daburch zunächst das geistliche Hoheitsrecht
er größeren und mächtigeren Herren drohte verkürzt zu werden,
eß sich doch zugleich mit dem Kampf für dieses hierarchische In-
:reffe der Erzbischöfe der alte nationale Gegensatz gegen Rom leicht
ermischen und der ganzen Angelegenheit der Anschein geben, als
andle es sich hier um das große Interesse deutscher Unabhängig-
:it von römischer Herrschsucht und Ausbeutung. Auf die Unter-
ützung des Kaisers war, wenn man seine eigene Lage in Betracht
g, mit Gewißheit zu rechnen; in der That sprach er sich denn
uch alsbald dem bischöflichen Intereffe günstig aus. Der Papst
agegen wies die Vorstellungen der Erzbischöfe ab, und im Früh-
ihre 1786 erschienen die beiden Nuntien in München und am Rhein,
:nstlich entschlossen, sich als unmittelbare Vollmachtträger des
:mischen Stuhles zu benehmen. Dies veranlaßte die vier Erz-
ischöfe von Mainz, Trier, Cöln und Salzburg zu einem entschei-
:nden Schritte. Im August 1786 traten im Bade Ems ihre Be-
ollmächtigten zu einem Congreffe zusammen und stellten in einer
genen Punctation ihre bischöfliche Auffaffung des Kirchenrechtes
:r päpstlich-römischen gegenüber. Ausgedehntere episkopale Ge-
:alt, Beseitigung der Recurse und Executionen, Erweiterung des
ischöflichen Dispensationsrechts, Regelung des Instanzenzuges,
:erabsetzung der Annaten und Palliengelder — das waren die
:esentlichen Forderungen der Emser Punctation. Es sind, wie
:an sieht, dieselben Beschwerden, die schon auf den Concilien zu
:onstanz und Basel verhandelt waren; das Kirchenrecht der Basler
:eschlüffe reagirt noch einmal gegen die Concordate von 1448 und
:r alte Gegensatz der bischöflichen gegen die päpstliche Hierarchie,
:r das fünfzehnte Jahrhundert so heftig aufgeregt, wird hier von
:euem lebendig.

Die vier Erzbischöfe traten den Nuntien und ihrer Wirksam-
:it, gemäß den Ansichten, welche die Emser Punctation enthielt,
:it äußerster Schroffheit entgegen; sie fanden einen Rückhalt
:m Kaiser, der (Febr. 1787) ein entsprechendes Conclusum des
:eichshofraths veranlaßte. Andererseits nahm sich die pfalzbairische
:egierung ebenso entschieden der Ansprüche der Nuntiatur an, und
:uch Rom war nicht müßig, sein Interesse gegen die Erzbischöfe

zu verfechten. Gleichwol wäre in der damaligen Zeitlage der Kampf
ohne Zweifel gegen Rom entschieden worden, wenn die erzbischöf=
liche Opposition die rechte Klugheit und Energie gehabt hätte,
ihre Sache durchzuführen. Daß es ihnen an Klugheit fehlte, be=
wies die thörichte Engherzigkeit, welche es unterließ, die Bischöfe
in das gleiche Interesse gegen Rom zu verflechten, und damit den
sehr einleuchtenden Vorwurf der Gegner herausforderte: es handle
sich nur um einen herrschsüchtigen Anspruch der erzbischöflichen
Oligarchie, der gegenüber die Bischöfe ihre natürlichste Stütze in
Rom hätten. Aber auch die rechte Energie zur Durchführung
einer so ernsten Sache war in diesem Kreise kaum zu finden: der
Illuminatismus mit seiner kosmopolitischen Weltbildung, seiner
vornehm gnädigen Toleranz, seinem literarischen Dilettantenthum
konnte wohl Leute wie Karl Theodor von Dalberg hervorbrin=
gen, aber die Charaktere eines Hutten und Luther nicht, die das
Vollbringen einer solchen Aufgabe erforderte. So war denn auch
die nöthige Festigkeit und Eintracht unter den vier geistlichen Her=
ren zu vermissen; während die Nuntien, von Baiern unterstützt,
in die bischöflichen Gerechtsame von Trier (Augsburg) und Salz=
burg eingriffen, war die Haltung von Mainz und Cöln lau, bei=
nahe zweideutig zu nennen.

Das war der Augenblick, wo die erste protestantische Macht
für Rom eifrig und mit Erfolg intervenirte. Die Hertzbergische
Politik besorgte, es könnte sich durch den Streit über die Nun=
tiatur wieder ein engeres Verhältniß zwischen dem Kaiser und
den geistlichen Kurfürsten, namentlich Mainz, herstellen, ein Ver=
hältniß, das vielleicht den ganzen Erfolg des Mainzischen Bei=
tritts zum Fürstenbunde wieder aufhob; drum entschloß sie sich,
für Rom zu vermitteln und die Erzbischöfe, namentlich den von
Mainz, mit Rom wieder zu versöhnen. Der König sprach, ohne
sich, wie er sagte, zum Richter oder Schiedsrichter machen zu
wollen, die Ansicht aus, es sei besser, wenn man die Sache durch
Hartnäckigkeit nicht auf die Spitze treibe und dadurch ein Schisma
in der deutschen Kirche hervorrufe. Seine Diplomaten beurtheil=
ten die Emser Politik ohne Enthusiasmus und überaus nüchtern,
aber im Ganzen ohne Zweifel richtig. Etwas Priesterstolz, schreibt
Stein, mit des Kurfürsten Friedrich Karl angeborenem Stolz und
Uebermuth amalgamirt, möchte Mainz gar zu gern die deutsche

Tiara aufsetzen und würde es vielleicht gar gern sehen, wenn der König unbedachtsam genug wäre, diese Sache in das Geleise bringen zu wollen.*) Die ersten Zeichen dieser Politik kündigten sich in dem äußeren Verhältniß des Nachfolgers von Friedrich dem Großen zum römischen Hofe an. Derselbe Nuntius Pacca, dem die geistlichen Herren in Trier und Cöln mit unverhohlener Feindseligkeit entgegentraten, ward von der preußischen Regierung zuvorkommend behandelt und seiner Wirksamkeit im Cleveschen Lande kein Hinderniß bereitet; Rom war dafür dankbar und im Jahr 1787 führte der römische Staatskalender den preußischen Monarchen zum ersten Male mit seiner königlichen Würde auf. Die Sendung des Marchese Lucchesini an den Mainzer Hof enthüllte dann offen den preußischen Plan, die Emser Verbindung zu sprengen und den Kurfürsten Friedrich Karl wieder mit Rom auszusöhnen. Der Preis, den sich Preußen dafür vorbehielt, war die Zustimmung des Papstes zur Ernennung eines Coadjutors, der Preußen genehm war, und den man in der Person Karl Theodors von Dalberg glaubte gefunden zu haben. Von Dalberg war Preußen überzeugt, daß er den Fürstenbund nicht verlassen werde; fürchtete es sich doch fast vor seinem übermäßigen Unionseifer! Drum war er in diesem Falle der rechte Mann, was man auch sonst von ihm denken mochte. Wir gehen nicht näher in die einzelnen Vorgänge ein, welche die Wahl Dalbergs herbeiführten: es ist die gewöhnliche Geschichte der geistlichen Wahlen. Bemühungen um die Stimmen der einzelnen Wähler, Einfluß auf Weiber und Günstlinge, nöthigenfalls durch Geld erkauft, das waren die Mittel, durch die Dalberg, wie so vielen andern Fürsten der deutschen Kirche, der Weg zum erzbischöflichen Stuhle geebnet ward. Indessen war Lucchesini nach Rom gegangen, hatte dort, ohne Dalbergs zu erwähnen, die Curie für die Wahl eines Coadjutors günstig zu stimmen gewußt und ein Abkommen getroffen, das zugleich den preußischen und päpstlichen Wünschen entsprach. Der eine Theil der Verabredung setzte fest, daß der neu Gewählte den Grundsätzen des Fürstenbundes treu

---

bleiben solle, der andere verlangte, daß der Erzbischof und sein
Coadjutor die Emser Convention fallen laffen und sich mit dem
Status quo begnügen ʃollte. Da traf die Nachricht ein, daß
(1. April) Dalbergs Wahl gesichert war. Der erste Eindruck in
Rom war ihm nicht günstig, da die Curie wegen seines Illuminatismus nicht außer Sorge war; doch wußte es Lucchesini dahin zu bringen, daß auch ihm die Bestätigung unter den angegebenen Bedingungen versprochen ward. In Mainz dagegen war
man wegen des Ausdrucks „Status quo" nicht ganz beruhigt;
zwar gab (2. Mai) der Kurfürst eine Erklärung an Lucchesini, die
den römischen Forderungen in der Hauptsache entsprach, aber doch
den Wunsch beifügte, daß Rom sich verpflichten möge, die bischöflichen Rechte des Mainzer Stuhls in Pfalzbaiern nicht ferner verkürzen zu laffen. Das drohte die Unterhandlung hinauszuziehen,
drum ließ Friedrich Wilhelm II. durch Lucchesini dringend anempfehlen, man möge den preußischen Wünschen nachgeben und
nicht durch Zögern das Gelingen der ganzen Verhandlung auf's
Spiel setzen.*) So vereinigte man sich denn vorläufig; Dalberg
ward gewählt, Kurmainz gab die Emser Beschlüffe preis und begnügte sich mit der zweifelhaften Bürgschaft Lucchesini's, daß Rom
keine weiteren Eingriffe in seine erzbischöflichen Rechte versuchen
werde. Rom hatte seinen Zweck erreicht, die Emser Verbindung
aufzulösen, und Preußen schmeichelte sich mit dem Erfolg, die
engere Verbindung zwischen dem Kaiser und den Erzbischöfen gehemmt zu haben; diese letzteren, namentlich Mainz, trugen die
Kosten der Vermittlung. Bald zeigte sich denn, wie Rom das
Abkommen nicht dahin deutete, daß es seine kirchenherrlichen Ansprüche in Deutschland aufgeben wollte, vielmehr entstand aus
neuen Eingriffen neuer Haber, der nie zu einem festen Abschluß
kam, sondern erst durch die welterschütternden Ereigniffe seit 1789
allmälig in Vergeffenheit gerieth. Hertzberg selbst, nachdem er seinen nächsten Zweck erreicht, suchte die preußische Politik aus dem
mißlichen Handel herauszuwinden und überließ die streitenden Parteien sich selber.

———— ——-

*) Aus der Correspondenz Lucchesinis, die er von Rom aus mit Mainz
führte.

Wichtigere Angelegenheiten als die Frage, welches Kirchen=
recht in Deutschland gelte, nahmen die preußische Politik völlig
in Anspruch: das Vorgehen Rußlands gegen das osmanische
Reich und der Anschluß Josephs II. an die moskowitischen Erobe=
rungstendenzen. In keiner politischen Verwicklung jener Tage
läßt sich das Verhältniß der beiden Großmächte so genau beob=
achten, wie in dieser orientalischen Sache; in ihr nimmt auch
die Hertzbergische Politik ihren letzten mächtigen Anlauf, um dann
überwunden vom Schauplatze abzutreten. Wir wollen dem Ver=
lauf dieser Dinge, an die sich der Umschwung der österreichisch=
preußischen Politik im Jahre 1790 knüpft, genauer nachgeben;
unsere Darstellung ist aus den reichen handschriftlichen Quellen
geschöpft, welche uns über die preußische Politik im Orient wäh=
rend der Jahre 1787—1790 vorliegen.*)

Wir haben früher erzählt **), wie sich jene österreichisch=rus=
sische Verbindung anknüpfte, welche Friedrich II. vergebens zu hin=
dern trachtete, wir haben das östliche Bündniß auch in die innern
Angelegenheiten Deutschlands hereinspielen sehen, vornehmlich in dem
österreichisch=baierischen Handel, wo dann Preußen in dem Bunde
der deutschen Fürsten einen Ersatz für die verlorene Allianz im
Osten sucht. Inzwischen hatte Rußland, wie bereits erzählt
ward, den ganzen Vortheil der Verbindung mit Oesterreich zu sei=
nen Gunsten ausgebeutet, sich der Krim, Tamans und Kubans
bemächtigt und die Türken genöthigt, diese neue Erwerbung gut
zu heißen (Jan. 1784). Vergebens hatte Joseph II. einen Ersatz
in Deutschland und in Holland gesucht; sein unruhiger und lei=
denschaftlicher Eifer, irgendwo eine Vergrößerung zu finden, ent=
sprang eben aus dem Mißmuth über die ungleiche Verbindung
mit Katharina II., die den Russen den Weg nach Constantinopel
bahnte, ohne daß ihm selber dafür eine Entschädigung ward. In
der baierischen wie in der holländischen Angelegenheit war er ge=

---

*) Aus dem Nachlasse von Diez, dem ersten Gesandten in Constan=
tinopel, stammen die Handschriften, die mir hier benutzt haben: sie enthalten
sowol die Serien von Diez Depeschen nach Berlin, als die Originalien der
Hertzbergs Correspondenz an Diez, nebst einer Anzahl Actenstücke, welche
sich auf den Reichenbacher Vertrag beziehen. Diez stand auch in einer innern
handschriftlichen Correspondenz zwischen Hertzberg und dem Großen Witz

**) S. oben S. 196.

scheitert, und während Rußland seine ganze Kraft nach dem osmanischen Reiche hin wenden konnte, hemmte ihn der Widerstand auf allen Seiten, drohte die wachsende Gährung in den einzelnen Kronlanden seine ganze Thätigkeit gefangen zu nehmen. Joseph II. befand sich fast in einer ähnlichen Lage, wie zwölf Jahre zuvor Friedrich vor der polnischen Theilung; er war ebenso fest davon überzeugt, daß die türkische Nachbarschaft an der Donau der russischen vorzuziehen sei, wie damals Friedrich lieber Polens als Rußlands Nachbar geblieben wäre; aber es blieb ihm gerade, wie damals dem großen König, nur eben die Wahl zwischen einer entschlossenen Abwehr Rußlands und zwischen einer engen Verbindung, die ihn die Früchte von dessen Vergrößerung mit genießen ließ. Indessen ging Rußland immer entschlossener vor; die Reise der Kaiserin in die neue Provinz Taurien, das prahlende Gepränge russischer Macht, das entfaltet ward, die unverhohlene Hindeutung auf die Schöpfung eines neuen byzantinischen Reiches stellten es außer Zweifel, daß sich ein entscheidender Schlag vorbereitete. Auch Joseph II. begab sich (Mai 1787) nach Cherson; er hätte in diesem Augenblicke wohl die russischen Eroberungspläne lieber vertagt gesehen, da er sich nicht mehr darüber täuschte, daß nur Rußland der Löwenantheil zufallen würde, aber er war ebenso entschlossen, bei einem neuen Angriff auf die Türkei lieber energischen Antheil zu nehmen, als wieder, wie in den Jahren 1783—1784, leer auszugehen. Seine Besorgnisse über das Wachsthum russischer Macht verbarg er kaum, er sprach sie nicht nur gegen den französischen Gesandten Segur — wohl mit berechneter Offenherzigkeit — damals aus; auch in einem vertraulichen Schreiben an Kaunitz schrieb er auf dem Rückweg aus Taurien: „Die Vortheile, welche Rußland aus der Acquisition dieser Provinz hat, sind sehr wichtig für dieses Reich. Es kann die Osmanen nach Zerstörung ihrer Armada aufs Aeußerste bringen; es kann Stambul zittern machen, und damit erhält es den Weg nach Poros und dem Hellespont, dem ich aber auf der Seite Rumeliens zuvorkommen muß."

So lange Friedrich II. lebte, nahm Preußen zu diesen Dingen eine nur beobachtende Stellung ein; wäre der große König in seinen jungen Jahren vielleicht rascher entschlossen gewesen, eine active Rolle in diesen orientalischen Händeln zu spielen, so war er jetzt nach den Nachwirkungen des siebenjährigen Krieges zu einer Zeit, wo seine ganze Politik auf die Erhaltung des Friedens gestellt war, in jedem Falle nicht geneigt, zur Abwehr einer Krisis, die er für noch nicht so nahe hielt, sein Heer und seine Finanzen einzusetzen. Er nannte das „de faire le Don Quixote des Turcs." Zwar saß in den beiden letzten Jahren von Friedrichs Regierung ein preußischer Gesandter, Heinrich Friedrich von Diez, in Constantinopel, aber eben dieser klagte lebhaft über die unthätige Rolle, zu der man ihn verurtheilte. „Se. Majestät — schrieb er am 10. Juli 1786 an Hertzberg — hat zu wenig Neigung bezeigt die Türken zu unterstützen, als daß ich hätte wagen können, Vorschläge darüber zu machen. So habe ich mich darauf beschränkt, in meine Depeschen Gedanken einzustreuen, welche darauf hinweisen können, was sich zum Wohle der Pforte und Preußens etwa thun ließe. Aber ich war nicht so glücklich, sie nur zur Erörterung gebracht zu sehen. Ich bin daher zur Rolle eines traurigen Neuigkeitsträgers ohne System und ohne Thätigkeit verurtheilt und muß vor der Pforte und selbst vor meinem Dragoman die Gleichgültigkeit des Königs und meine Unthätigkeit verhehlen, damit ich wenigstens den Faden dann wieder aufnehmen kann, wenn die preußische Regierung sich entschließen sollte, ein dem osmanischen Reiche günstigeres System anzunehmen." Hertzberg vertröstete den Gesandten auf den bevorstehenden Regierungswechsel*), indessen Diez auf eigene Hand seine türkenfreundliche Politik trieb und sich theilweise tiefer einließ, als es im Willen Friedrichs und selbst im Plane Hertzbergs lag.

Der Tod des Königs brachte eine leise Wendung hervor. Diez erhielt eine Geldsendung; Hertzberg aber dachte an eine Vermittlung Preußens und regte bei Friedrich Wilhelm den Gedanken an, durch die Errichtung einer türkischen Gesandtschaft in Berlin eine engere Verbindung mit der Pforte vorzubereiten; Diez sollte, wie aus eigenem Antrieb, der türkischen Regierung den

---

*) Je crois aussi que dans le même cas (nach dem Tode Friedrichs) je pourrais prendre des mesures et pour jeter la base d'une liaison plus étroite entre la Prusse et la Porte et pour rendre l'état de celleci plus assuré et plus utile à ses amis. (Depesche Hertzberg's vom 6. Juni 1786) in einer Handschrift überschrieben: Ma correspondance avec Mr. le Comte de Hertzberg touchant mes negociations.

Hoffnung war,*) daß „der treffliche Fürstenbund nach und nach
ein Bund des ganzen Reiches und sogar des Kaisers werde und
daß dieser Bund nicht blos geheime Schrift bleibe, sondern Grundfeste gemeiner Wohlfahrt in Justiz, Verkehr, Kreisverfassung und
Zollwesen werde." König Friedrich Wilhelm dagegen meinte:
Wenn wir Alle unirt wären, dann brauchten wir keinen Fürstenbund mehr; der ist aber nöthig, weil wir Alle nie eines Sinnes
werden können. Dalbergs politische Autorität war in Berlin keine
Empfehlung für die Vorschläge; man sah dort das flackernde Feuer
von Dalbergs Begeisterung, seine weiche und unbeständige Hingabe an jeden neuen Eindruck ungefähr so an, wie sie sich in dem
späteren politischen Leben des Mannes gezeigt hat. Ein preußischer Diplomat jener Tage meint, das „sentimental-politische Gewäsch von Freund Dalberg sei ein wiederholter Beweis, daß der
Kurfürst von Mainz nicht so Unrecht habe, wenn er ihn nicht zum
Coadjutor wolle;" und ein andermal wird geradezu die Besorgniß
ausgesprochen, Dalberg möchte als Kurfürst Alles drunter und
drüber bringen, vermöge der „Unionomanie, die ihn beseele". So
lauteten die Urtheile in dem Augenblick, wo Preußen sich alle
Mühe gab, Dalbergs Wahl zum Coadjutor durchzusetzen.

Der preußischen Politik lag das Bestehen des Fürstenbundes
allerdings am Herzen; wir werden später sehen, wie sie, um dessen
Dauer zu sichern, die Coadjutorwohl in Mainz in ihrem Sinne zu
leiten suchte. Auch klopfte sie z. B. zu gleicher Zeit beim Fürstbischof
von Speyer an, um dort durch die Wahl eines ergebenen Coadjutors dem Bunde Eingang zu schaffen; sie ließ Johannes Müller, der damals nach Rom reiste, in der Schweiz mit Steiger darüber verhandeln, ob nicht etwa der Zutritt der Eidgenossenschaft
zur Union zu erlangen wäre.*) Aber die Thätigkeit Carl Augusts

---

*) Aus einem Schreiben Dalbergs an Carl August vom 12. Febr. 1787
und zwei Briefen des Freiherrn Joh. Friedrich vom Stein, vom 24. Februar
und 1. März. Stein, damals Gesandter in Mainz, war der älteste Bruder
des Ministers Karl vom Stein.

**) In dem Berichte Johannes Müllers heißt es: les dispositions sont très
bonnes; aber man müsse doch des Beistandes von Frankreich oder Oesterreich
versichert sein, durch den Papst die katholischen Orte bearbeiten lassen, in der
Neuenburger und Constanzer Sache den Schweizern gefällig sein u. s. w., wenn
man zum Ziele kommen wolle. (Aus der angef. Correspondenz.)

war ihr unwillkommen; während Hertzberg nur an eine feste politische Allianz dachte, die sich von den Alpen bis zum Meere ausdehnen sollte, kam ihm der Herzog mit dem unbequemen Gedanken einer Umgestaltung der Reichsverfassung in die Quere. Carl August war indessen in edlem patriotischem Eifer unermüdlich, schrieb und reiste, so daß man ihn spöttisch den „Courier des Fürstenbundes" nannte, ging nach Darmstadt und Stuttgart, um die beiden noch unbetheiligten Höfe hinzuziehen, aber seine Mühe war erfolglos.

Die Antwort, die Hertzberg auf die Vorschläge gab (Januar 1788), bewies unzweideutig, daß Preußen die weitere Fortbildung des Bundes nicht wollte, und daß die Gründe und Bedenken, die es vorschützte, eben nur gesuchte Vorwände waren, die innere Abneigung zu verbergen. Man höre nur! Eine solche Versammlung in Mainz — war der Sinn von Hertzbergs Gutachten — würde eine ungesetzliche Trennung und gleichsam ein Gegenreichstag sein; Alles, was der Bund gesetzlich thun könne, sei, die Materialien der künftigen Reform durch ein geheimes Einverständniß vorzubereiten, was durch die bevollmächtigten Minister der Kurhöfe allenfalls in Mainz geschehen könne. Alles Andere, was Lärm und Gegenanstalten Oesterreichs hervorrufen könne, solle vermieden werden. Man solle die Privilegien Oesterreichs ruhen lassen, sich begnügen, Materialien zur Gesetzgebung zu sammeln; die Acte des Fürstenbundes bedürfe keiner Revision, Maßregeln desselben wegen des Tausches von Baiern seien nunmehr nicht bringend, wohl aber könne man sich über gemeinsame Schritte einer etwaigen Hülfsleistung gegen jede versuchte Zertrümmerung Baierns vorläufig verabreden.

Diese Antwort war in der Hauptsache eine abschlägige, auch wenn man durch scheinbares Eingehen die Schärfe der Ablehnung milberte. Der Fürstenbund war eben von Anfang an für Hertzberg keine Sache ersten Ranges gewesen, und den Zweck, der ihm dabei vor Augen stand, hatte der Bund zunächst erreicht. Im Uebrigen stützte sich die europäische Politik des preußischen Staatsmannes auf ganz andere Combinationen, als auf eine Association der Reichsfürsten zum Zwecke der Verfassungsreform.

In Mainz erregte die Antwort sichtbare Verstimmung, und König Friedrich Wilhelm hielt es für nöthig, in einem besonderen Schreiben, das auftauchende Mißtrauen in die Fortdauer des Bundes zu bekämpfen.*) Er betheuerte darin auf's Bestimmteste, daß er die betretene Bahn nicht verlassen und daß er den Bund wie sein eigenes Werk aufrecht halten werde. Er lehnte den Vorschlag weiterer Besprechungen nicht ab, aber wiederholte doch die Gründe Hertzbergs gegen den Plan eines „allarmirenden Congresses" in Mainz, und meinte auch, der Hauptzweck des Bundes sei, die Besitzungen der Reichsfürsten gegen jeden Angriff und jede Verminderung sicherzustellen. Dem Herzog von Weimar sollte die ablehnende Antwort damit versüßt werden, daß man ihm vorschlug: die in Mainz beglaubigten Gesandten der drei Kurhöfe (Preußen, Sachsen und Hannover) möchten mit den übrigen Mitgliedern des Bundes eine ununterbrochene Correspondenz über dessen Angelegenheiten unterhalten. Aber Carl August täuschte sich darüber nicht, daß sein Plan vereitelt war; er machte seinem patriotischen Unmuth darüber in einem Schreiben an Hertzberg Luft. Wenn mich, schrieb er,**) gegenwärtig Jemand um Rath fragte, ob diese deutsche Union Energie genug hätte, die Rechte der Unterdrückten zu vertheidigen, ob darin ein Geist und allgemeine Grundsätze lebendig seien, nach denen der Bund das Ziel verfolgt, welches ihm die öffentliche Stimme zuschreibt; wenn man wissen wollte, ob diese vermeintlich vereinigten Fürsten vereinigt genug sind, um eine besondere Politik über irgend etwas Bedeutendes zu verfolgen, was über die Linie des gewöhnlichen Tagewerkes des Reichstages hinausgeht — dann würde ich dem Frager offen antworten: ich riethe ihm, sich ruhig zu halten, da Deutschland nicht im Stande sei, sich aus der untergeordneten Stellung zu erheben, in die es seine Unthätigkeit versenkt, sondern die Mehrzahl seiner Stände nicht Nerv genug habe, auf große Dinge auszugehen, und weit entfernt, einen guten Zeitpunkt zu nützen, in welchem sie sich als Nation erheben und die Einigung zu heilsamen Maßregeln gebrauchen könne, es vielmehr vorzöge, sich in den gegenwärtigen Zustand einzulullen und zu glauben, dies sei das höchste Ideal einer guten Verfassung, die auch nur anzurühren man sich wohl hüten müsse.

Der Herzog hatte gehofft, die Dinge im Reiche auf einen Punkt regerer und zugleich zuverlässigerer Wirksamkeit zu bringen.

---

*) Schreiben an Stein vom 29. Febr. (In der angef. Correspondenz.)
**) Brief vom 29. März 1788. (In der angef. Correspondenz.)

„Das System der Union — schrieb er an den sächsischen Minister von Löben*) — schien mir hierzu, nach Maßgabe der zu Mainz angegebenen Entwürfe, vorzüglich geschickt und als eine feste und unerschütterliche Grundlage, welche dem Charakter der deutschen Nation angemessen wäre, um als ein würdiges Denkmal derselben bestehen zu können. Alle Entwürfe hatten nur Einen Endzweck, nämlich die Vereinigung der verschiedenen wirkenden Kräfte auf Einen Punkt. So schmeichelte man sich, daß der Nationalgeist in unserem Vaterlande erweckt werden könnte, von dem leider auch die letzten Spuren täglich mehr zu erlöschen scheinen. Man hoffte, daß der träge Schlummergeist, der Deutschland seit dem westfälischen Frieden drückt, endlich einmal zerstreut werden könnte, und daß mit diesem Kranze die deutsche Union sich als ein wahres, wirksames Corps zur Aufrechterhaltung deutscher Freiheiten, Sitten und Gesetze zuletzt schmücken sollte."

Die Antwort, welche der sächsische Minister darauf ertheilte, ist bezeichnend, weil sie rückhaltlos den Gedanken ausspricht, der die Gründer des Bundes bei dessen Abschluß leitete. Nicht die Verbesserung, äußerte er, sondern nur die Erhaltung der Reichsverfassung sei der Zweck des Fürstenbundes; jeder Versuch einer Verbesserung würde nicht nur an sich selbst mit unendlichen Schwierigkeiten verbunden sein, sondern er könnte auch zur Auflösung älterer und neuerer reichsständischer Verbindungen und vielleicht selbst zur Erreichung jener Absichten führen, die man dadurch zu vereiteln suche.

Wenn der Leiter der preußischen Politik sich mit einem Male so vorsichtig und beinahe scheu über das Vorgehen gegen Oesterreich aussprach, wie dies Hertzberg in den angeführten Verhandlungen gethan, so darf man daraus nicht folgern, daß der Gegensatz seiner Politik zu Oesterreich sich irgend gemildert hatte. Hertzberg war von der antiösterreichischen Richtung viel lebhafter durchdrungen, als jene mainzisch-weimarischen Vorschläge; nur war ihm die Erweiterung des Fürstenbundes nicht das rechte Mittel dazu, und er griff nach allen Vorwänden, um dem Drän

---

*) Den 30. März.

gen nach Reformen auf deffen Grundlage auszuweichen. Sein
Ziel, Preußen im Vorsprung vor Oesterreich zu erhalten und ihm
die Rolle eines Schiedsrichters in den europäischen Dingen zu bewahren, glaubte er sicherer zu erreichen auf dem Wege auswärtiger Allianzen, wie die von 1788 mit den beiden Seemächten waren. Es tritt diese preußisch-österreichische Rivalität in kleinen
und großen Dingen hervor und ist der leitende Gedanke der preußischen Politik von 1787—1790. Am merkwürdigsten gab sie
sich kund in der Haltung beider Großmächte gegenüber dem Papst
und der katholischen Kirche; während Joseph II. in Oesterreich
einen hartnäckigen Krieg gegen die römische Hierarchie führte, stellte
sich eben deßhalb die erste protestantische Macht in Deutschland
auf die Seite des Papstes.

Die josephinische Aufklärung hatte, wie wir früher wahrnahmen, auch die geistlichen Fürstenhöfe zum großen Theil ergriffen
und sie zu Thaten der Reform und Toleranz veranlaßt, die den
römischen Ueberlieferungen entschieden widersprachen. Bei den mächtigeren geistlichen Fürsten kam zudem die Neigung des Jahrhunderts, die landesherrliche Allgewalt von allen hemmenden Schranken zu befreien, jener Reformthätigkeit zu Hülfe; sie widerstrebten
dem römischen Einflusse, weil sie ihre geistliche Souveränetät ähnlich vom Papst zu emancipiren dachten, wie die weltliche sich des
Kaisers entledigt hatte. So arbeiteten Absolutismus und Aufklärung zusammen, um innerhalb der katholischen Kirche eine Bewegung hervorzurufen, die in Rom bald mehr Sorgen weckte, als
die Ketzerei der Protestanten. Die Herstellung einer päpstlichen
Nuntiatur in Baiern, von Kurfürst Karl Theodor theils aus eigennützigen Beweggründen (er wollte die Geistlichkeit mit Hülfe Roms
zur Besteuerung beiziehen), theils aus Verdruß über die Reform-
bestrebungen der größeren geistlichen Höfe veranlaßt, gab den Anstoß, diese schon früher durch Hontheims Febronius und die Thätigkeit Josephs II. angefachte Bewegung mit neuer Stärke zu erwecken (1785). Die bairische Nuntiatur drohte im Namen Roms
unmittelbar in die Kirchenregierung einzugreifen und zwar auf
Kosten der bischöflichen Macht, namentlich von Salzburg, Augsburg u. s. w., und zu gleicher Zeit sollte auch am Rhein die hergebrachte Stelle des päpstlichen Nuntius mit diesen neuen Vollmachten bekleidet werden und in die Metropolitanrechte der größeren

deutschen Kirchenfürsten eingreifen. Ein solcher Versuch war vortrefflich geeignet, der Opposition gegen Rom neue Stärke zu verleihen. Denn indem dadurch zunächst das geistliche Hoheitsrecht der größeren und mächtigeren Herren drohte verkürzt zu werden, ließ sich doch zugleich mit dem Kampf für dieses hierarchische Interesse der Erzbischöfe der alte nationale Gegensatz gegen Rom leicht vermischen und der ganzen Angelegenheit der Anschein geben, als handle es sich hier um das große Interesse deutscher Unabhängigkeit von römischer Herrschsucht und Ausbeutung. Auf die Unterstützung des Kaisers war, wenn man seine eigene Lage in Betracht zog, mit Gewißheit zu rechnen; in der That sprach er sich denn auch alsbald dem bischöflichen Interesse günstig aus. Der Papst dagegen wies die Vorstellungen der Erzbischöfe ab, und im Frühjahre 1786 erschienen die beiden Nuntien in München und am Rhein, ernstlich entschlossen, sich als unmittelbare Vollmachtträger des römischen Stuhles zu benehmen. Dies veranlaßte die vier Erzbischöfe von Mainz, Trier, Cöln und Salzburg zu einem entscheidenden Schritte. Im August 1786 traten im Bade Ems ihre Bevollmächtigten zu einem Congresse zusammen und stellten in einer eigenen Punctation ihre bischöfliche Auffassung des Kirchenrechtes der päpstlich-römischen gegenüber. Ausgedehntere episkopale Gewalt, Beseitigung der Recurse und Executionen, Erweiterung des bischöflichen Dispensationsrechts, Regelung des Instanzenzuges, Herabsetzung der Annaten und Palliengelder — das waren die wesentlichen Forderungen der Emser Punctation. Es sind, wie man sieht, dieselben Beschwerden, die schon auf den Concilien zu Constanz und Basel verhandelt waren; das Kirchenrecht der Basler Beschlüsse reagirt noch einmal gegen die Concordate von 1448 und der alte Gegensatz der bischöflichen gegen die päpstliche Hierarchie, der das fünfzehnte Jahrhundert so heftig aufgeregt, wird hier von Neuem lebendig.

Die vier Erzbischöfe traten den Nuntien und ihrer Wirksamkeit, gemäß den Ansichten, welche die Emser Punctation enthielt, mit äußerster Schroffheit entgegen; sie fanden einen Rückhalt am Kaiser, der (Febr. 1787) ein entsprechendes Conclusum des Reichshofraths veranlaßte. Andererseits nahm sich die pfalzbairische Regierung ebenso entschieden der Ansprüche der Nuntiatur an, und auch Rom war nicht müßig, sein Interesse gegen die Erzbischöfe zu verfechten. Gleichwol wäre in der damaligen Zeitlage der Kampf ohne Zweifel gegen Rom entschieden worden, wenn die erzbischöf= liche Opposition die rechte Klugheit und Energie gehabt hätte, ihre Sache durchzuführen. Daß es ihnen an Klugheit fehlte, be= wies die thörichte Engherzigkeit, welche es unterließ, die Bischöfe in das gleiche Interesse gegen Rom zu verflechten, und damit den sehr einleuchtenden Vorwurf der Gegner herausforderte: es handle sich nur um einen herrschsüchtigen Anspruch der erzbischöflichen Oligarchie, der gegenüber die Bischöfe ihre natürlichste Stütze in Rom hätten. Aber auch die rechte Energie zur Durchführung einer so ernsten Sache war in diesem Kreise kaum zu finden: der Illuminatismus mit seiner kosmopolitischen Weltbildung, seiner vornehm gnädigen Toleranz, seinem literarischen Dilettantenthum konnte wohl Leute wie Karl Theodor von Dalberg hervorbrin= gen, aber die Charaktere eines Hutten und Luther nicht, die das Vollbringen einer solchen Aufgabe erforderte. So war denn auch die nöthige Festigkeit und Eintracht unter den vier geistlichen Her= ren zu vermissen; während die Nuntien, von Baiern unterstützt, in die bischöflichen Gerechtsame von Trier (Augsburg) und Salz= burg eingriffen, war die Haltung von Mainz und Cöln lau, bei= nahe zweideutig zu nennen.

Das war der Augenblick, wo die erste protestantische Macht für Rom eifrig und mit Erfolg intervenirte. Die Hertzbergische Politik besorgte, es könnte sich durch den Streit über die Nun= tiatur wieder ein engeres Verhältniß zwischen dem Kaiser und den geistlichen Kurfürsten, namentlich Mainz, herstellen, ein Ver= hältniß, das vielleicht den ganzen Erfolg des Mainzischen Bei= tritts zum Fürstenbunde wieder aufhob; drum entschloß sie sich, für Rom zu vermitteln und die Erzbischöfe, namentlich den von Mainz, mit Rom wieder zu versöhnen. Der König sprach, ohne sich, wie er sagte, zum Richter oder Schiedsrichter machen zu wollen, die Ansicht aus, es sei besser, wenn man die Sache durch Hartnäckigkeit nicht auf die Spitze treibe und dadurch ein Schisma in der deutschen Kirche hervorrufe. Seine Diplomaten beurtheil= ten die Emser Politik ohne Enthusiasmus und überaus nüchtern, aber im Ganzen ohne Zweifel richtig. Etwas Priesterstolz, schreibt Stein, mit des Kurfürsten Friedrich Karl angeborenem Stolz und Uebermuth amalgamirt, möchte Mainz gar zu gern die deutsche

Tiara aufsetzen und würde es vielleicht gar gern sehen, wenn der König unbedachtsam genug wäre, diese Sache in das Geleise bringen zu wollen.*) Die ersten Zeichen dieser Politik kündigten sich in dem äußeren Verhältniß des Nachfolgers von Friedrich dem Großen zum römischen Hofe an. Derselbe Nuntius Pacca, dem die geistlichen Herren in Trier und Cöln mit unverhohlener Feindseligkeit entgegentraten, ward von der preußischen Regierung zuvorkommend behandelt und seiner Wirksamkeit im Cleveschen Lande kein Hinderniß bereitet; Rom war dafür dankbar und im Jahr 1787 führte der römische Staatskalender den preußischen Monarchen zum ersten Male mit seiner königlichen Würde auf. Die Sendung des Marchese Lucchesini an den Mainzer Hof enthüllte dann offen den preußischen Plan, die Emser Verbindung zu sprengen und den Kurfürsten Friedrich Karl wieder mit Rom auszusöhnen. Der Preis, den sich Preußen dafür vorbehielt, war die Zustimmung des Papstes zur Ernennung eines Coadjutors, der Preußen genehm war, und den man in der Person Karl Theodors von Dalberg glaubte gefunden zu haben. Von Dalberg war Preußen überzeugt, daß er den Fürstenbund nicht verlassen werde; fürchtete es sich doch fast vor seinem übermäßigen Unionseifer! Drum war er in diesem Falle der rechte Mann, was man auch sonst von ihm denken mochte. Wir gehen nicht näher in die einzelnen Vorgänge ein, welche die Wahl Dalbergs herbeiführten: es ist die gewöhnliche Geschichte der geistlichen Wahlen. Bemühungen um die Stimmen der einzelnen Wähler, Einfluß auf Weiber und Günstlinge, nöthigenfalls durch Geld erkauft, das waren die Mittel, durch die Dalberg, wie so vielen andern Fürsten der deutschen Kirche, der Weg zum erzbischöflichen Stuhle geebnet ward. Indessen war Lucchesini nach Rom gegangen, hatte dort, ohne Dalbergs zu erwähnen, die Curie für die Wahl eines Coadjutors günstig zu stimmen gewußt und ein Abkommen getroffen, das zugleich den preußischen und päpstlichen Wünschen entsprach. Der eine Theil der Verabredung setzte fest, daß der neu Gewählte den Grundsätzen des Fürstenbundes treu

---

*) Die obigen Aeußerungen sind einem Briefe des Königs an Lucchesini vom Febr. 1787 und einem Schreiben Steins an Carl August vom 24. Febr. in der handschriftlichen Correspondenz entnommen.

bleiben solle, der andere verlangte, daß der Erzbischof und sein Coadjutor die Emser Convention fallen lassen und sich mit dem Status quo begnügen sollte. Da traf die Nachricht ein, daß (1. April) Dalbergs Wahl gesichert war. Der erste Eindruck in Rom war ihm nicht günstig, da die Curie wegen seines Illuminatismus nicht außer Sorge war; doch wußte es Lucchesini dahin zu bringen, daß auch ihm die Bestätigung unter den angegebenen Bedingungen versprochen ward. In Mainz dagegen war man wegen des Ausdrucks „Status quo" nicht ganz beruhigt; zwar gab (2. Mai) der Kurfürst eine Erklärung an Lucchesini, die den römischen Forderungen in der Hauptsache entsprach, aber doch den Wunsch beifügte, daß Rom sich verpflichten möge, die bischöflichen Rechte des Mainzer Stuhls in Pfalzbaiern nicht ferner verkürzen zu lassen. Das drohte die Unterhandlung hinauszuziehen, drum ließ Friedrich Wilhelm II. durch Lucchesini bringend anempfehlen, man möge den preußischen Wünschen nachgeben und nicht durch Zögern das Gelingen der ganzen Verhandlung aufs Spiel setzen. *) So vereinigte man sich denn vorläufig; Dalberg ward gewählt, Kurmainz gab die Emser Beschlüsse preis und begnügte sich mit der zweifelhaften Bürgschaft Lucchesini's, daß Rom keine weiteren Eingriffe in seine erzbischöflichen Rechte versuchen werde. Rom hatte seinen Zweck erreicht, die Emser Verbindung aufzulösen, und Preußen schmeichelte sich mit dem Erfolg, die engere Verbindung zwischen dem Kaiser und den Erzbischöfen gehemmt zu haben; diese letzteren, namentlich Mainz, trugen die Kosten der Vermittlung. Bald zeigte sich denn, wie Rom das Abkommen nicht dahin deutete, daß es seine kirchenherrlichen Ansprüche in Deutschland aufgeben wollte, vielmehr entstand aus neuen Eingriffen neuer Hader, der nie zu einem festen Abschluß kam, sondern erst durch die welterschütternden Ereignisse seit 1789 allmälig in Vergessenheit gerieth. Hertzberg selbst, nachdem er seinen nächsten Zweck erreicht, suchte die preußische Politik aus dem mißlichen Handel herauszuwinden und überließ die streitenden Parteien sich selber.

---

*) Aus der Correspondenz Lucchesinis, die er von Rom aus mit Mainz führte.

Wichtigere Angelegenheiten als die Frage, welches Kirchen=
recht in Deutschland gelte, nahmen die preußische Politik völlig
in Anspruch: das Vorgehen Rußlands gegen das osmanische
Reich und der Anschluß Josephs II. an die moskowitischen Erobe=
rungstendenzen. In keiner politischen Verwicklung jener Tage
läßt sich das Verhältniß der beiden Großmächte so genau beob=
achten, wie in dieser orientalischen Sache; in ihr nimmt auch
die Hertzbergische Politik ihren letzten mächtigen Anlauf, um dann
überwunden vom Schauplatze abzutreten. Wir wollen dem Ver=
lauf dieser Dinge, an die sich der Umschwung der österreichisch=
preußischen Politik im Jahre 1790 knüpft, genauer nachgehen;
unsere Darstellung ist aus den reichen handschriftlichen Quellen
geschöpft, welche uns über die preußische Politik im Orient wäh=
rend der Jahre 1787—1790 vorliegen.*)

Wir haben früher erzählt **), wie sich jene österreichisch=ruf=
sische Verbindung anknüpfte, welche Friedrich II. vergebens zu hin=
dern trachtete, wir haben das östliche Bündniß auch in die innern
Angelegenheiten Deutschlands hereinspielen sehen, vornehmlich in dem
österreichisch=baierischen Handel, wo dann Preußen in dem Bunde
der deutschen Fürsten einen Ersatz für die verlorene Allianz im
Osten sucht. Inzwischen hatte Rußland, wie bereits erwähnt
ward, den ganzen Vortheil der Verbindung mit Oesterreich zu sei=
nen Gunsten ausgebeutet, sich der Krim, Tamans und Kubans
bemächtigt und die Türken genöthigt, diese neue Erwerbung gut
zu heißen (Jan. 1784). Vergebens hatte Joseph II. einen Ersatz
in Deutschland und in Holland gesucht; sein unruhiger und lei=
denschaftlicher Eifer, irgendwo eine Vergrößerung zu finden, ent=
sprang eben aus dem Mißmuth über die ungleiche Verbindung
mit Katharina II., die den Russen den Weg nach Constantinopel
bahnte, ohne daß ihm selber dafür eine Entschädigung ward. In
der baierischen wie in der holländischen Angelegenheit war er ge=

---

*) Aus dem Nachlasse von Diez, dem preußischen Gesandten in Constan=
tinopel, stammen die Handschriften, die wir dabei benutzt haben; sie enthalten
sowol die Copien von D.'s Depeschen nach Berlin, als die Originalien von
Hertzbergs Correspondenz an Diez, nebst einer Anzahl Actenstücke, welche
sich auf den Reichenbacher Vertrag beziehen. Dazu kommt noch eine andere
handschriftliche Correspondenz zwischen Hertzberg und dem Grafen Goltz.

**) S. oben S. 196.

scheitert, und während Rußland seine ganze Kraft nach dem osmanischen Reiche hin wenden konnte, hemmte ihn der Widerstand
auf allen Seiten. drohte die wachsende Gährung in den einzelnen
Kronlanden seine ganze Thätigkeit gefangen zu nehmen. Je-
seph II. befand sich fast in einer ähnlichen Lage, wie zwölf Jahre
zuvor Friedrich vor der polnischen Theilung: er war ebenso fest
davon überzeugt, daß die türkische Nachbarschaft an der Donau
der russischen vorzuziehen sei, wie damals Friedrich lieber Polens
als Rußlands Nachbar geblieben wäre; aber es blieb ihm gerade,
wie damals dem großen König, nur eben die Wahl zwischen einer entschlossenen Abwehr Rußlands und zwischen einer
engen Verbindung, die ihn die Früchte von dessen Vergrößerung mit genießen ließ.   Indessen ging Rußland immer entschlossener vor: die Reise der Kaiserin in die neue Provinz Taurien, das prahlende Gepränge russischer Macht, das entfaltet ward
die unverhohlene Hindeutung auf die Schöpfung eines neuen byzantinischen Reiches stellten es außer Zweifel, daß sich ein entscheidender Schlag vorbereitete.   Auch Joseph II. begab sich (Mai
1787) nach Cherson: er hätte in diesem Augenblicke wohl die
russischen Eroberungspläne lieber vertagt gesehen, da er sich nicht
mehr darüber täuschte daß nun Rußland der Löwenantheil zufallen wurde. aber er war ebenso entschlossen. bei einem neuen Angriff auf die Türkei lieber energischen Antheil zu nehmen. als
wieder, wie in den Jahren 1783—1784. leer auszugehen. Sein
Besorgnisse über das Wachsthum russischer Macht verbarg er kaum.
er sprach sie nicht nur gegen den französischen Gesandten Segur
— wohl mit berechneter Offenherzigkeit — damals aus: auch in
einem vertraulichen Schreiben an Kaunitz schrieb er auf dem Rückweg aus Taurien. „Die Vortheile welche Rußland aus der Acquisition dieser Provinz hat. sind sehr wichtig für dieses Reich. Es
kann die Domänen nach Zerstörung ihrer Armada auf's Aeußerste
bringen. es kann Stambul zittern machen. und damit erhält es
den Weg nach Byzanz und dem Hellespont. dem ich aber auf der
Seite Rumeliens zuvorkommen muß."

Se lange Friedrich II. lebte, nahm Preußen zu dieser Frage eine nur beobachtende Stellung ein: wär der große König in
seinen jungen Jahren vielleicht rascher entschlossen gewesen. ein
active Rolle in diesen orientalischen Händeln zu spielen, so war

er jetzt nach den Nachwirkungen des siebenjährigen Krieges zu einer Zeit, wo seine ganze Politik auf die Erhaltung des Friedens gestellt war, in jedem Falle nicht geneigt, zur Abwehr einer Krisis, die er für noch nicht so nahe hielt, sein Heer und seine Finanzen einzusetzen. Er nannte das „de faire le Don Quixote des Turcs." Zwar saß in den beiden letzten Jahren von Friedrichs Regierung ein preußischer Gesandter, Heinrich Friedrich von Diez, in Constantinopel, aber eben dieser klagte lebhaft über die unthätige Rolle, zu der man ihn verurtheilte. „Se. Majestät — schrieb er am 10. Juli 1786 an Hertzberg — hat zu wenig Neigung bezeigt die Türken zu unterstützen, als daß ich hätte wagen können, Vorschläge darüber zu machen. So habe ich mich darauf beschränkt, in meine Depeschen Gedanken einzustreuen, welche darauf hinweisen können, was sich zum Wohle der Pforte und Preußens etwa thun ließe. Aber ich war nicht so glücklich, sie nur zur Erörterung gebracht zu sehen. Ich bin daher zur Rolle eines traurigen Reuigkeitsträgers ohne System und ohne Thätigkeit verurtheilt und muß vor der Pforte und selbst vor meinem Dragoman die Gleichgültigkeit des Königs und meine Unthätigkeit verhehlen, damit ich wenigstens den Faden dann wieder aufnehmen kann, wenn die preußische Regierung sich entschließen sollte, ein dem osmanischen Reiche günstigeres System anzunehmen." Hertzberg vertröstete den Gesandten auf den bevorstehenden Regierungswechsel*), indessen Diez auf eigene Hand seine türkenfreundliche Politik trieb und sich theilweise tiefer einließ, als es im Willen Friedrichs und selbst im Plane Hertzbergs lag.

Der Tod des Königs brachte eine leise Wendung hervor. Diez erhielt eine Selbsendung; Hertzberg aber dachte an eine Vermittlung Preußens und regte bei Friedrich Wilhelm den Gedanken an, durch die Errichtung einer türkischen Gesandtschaft in Berlin eine engere Verbindung mit der Pforte vorzubereiten; Diez sollte, wie aus eigenem Antrieb, der türkischen Regierung den

---

*) Je crois aussi que dans le même cas (nach dem Tode Friedrichs) je pourrais prendre des mesures et pour jeter la base d'une liaison plus étroite entre la Prusse et la Porte et pour rendre l'état de celleci plus assuré et plus utile à ses amis. (Depesche Hertzberg's vom 6. Juni 1766) in einer Handschrift überschrieben: Ma correspondance avec Mr. le Comte de Hertzberg touchant mes negociations.

I.   19

Vorschlag eingeben.*) Aber kaum drei Monate nachher waren diese Projecte wieder aufgegeben; man hatte sich in Berlin in die holländische Angelegenheit verwickelt und verschob den Plan, die Vermittlerrolle im Orient zu übernehmen, auf bessere Zeiten.**) Diez ward ungeduldig; er beklagte sich mit Recht, daß solche Schwankungen nicht dazu dienen könnten, das Vertrauen der Türken zu gewinnen, während Hertzberg meinte, es genüge, wenn man die „Freundschaft der Pforte pflege", auch wohl mündlich und gesprächsweise andeute, daß eine von Rußland und der Türkei verlangte Vermittlung Preußen bereitwillig finden werde, übrigens aber keine bestimmte Verpflichtung eingehe.***)

Die Pforte verkannte nicht, daß sich ein russisch = österreichischer Angriff gegen sie vorbereite; das Auftreten Katharinens in Taurien, die Anwesenheit Josephs ließ darüber keinen Zweifel mehr. Aber sie hatte, durch Diez zum Theil bestärkt, sich der Hoffnung hingegeben, in der Vermittlung Preußens eine zureichende Hülfe zu finden, bis die letzten Nachrichten aus Berlin diese Hoffnung vereitelten. Hatte sie drei Jahre zuvor ein äußerstes Beispiel nachgiebiger Schwäche gegeben, so ließ sie sich diesmal im Grolle über Rußlands Benehmen, über seine Wühlereien unter der christlichen Bevölkerung des Reiches, deren Mittelpunkt die russische Gesandtschaft selber war, zu dem verzweifelten Entschluß einer plötzlichen Kriegserklärung fortreißen (24. August 1787). †)

In Berlin war man von diesem schnellen Entschlusse unangenehm überrascht. Man hielt den Krieg für ein Wagstück und Hertzberg meinte, keine europäische Macht werde sich „aus Liebe für die Türken" compromittiren wollen; Diez erhielt daher Auf-

---

*) Depesche Hertzbergs vom 13. Febr. 1787. a. a. O.

**) Il faut nous le reserver pour des occasions essentielles. Vous serez aussi bien de detourner par les mêmes raisons l'ambassade turque. Elle nous coûterait trop et l'argent n'est plus si en abondance chez nous, que dans les temps passés. (Schreiben H.'s vom 24. April 1787.)

***) Schreiben H.'s vom 7. Juli.

†) „Elle se flatta de trouver cet ami dans le Roi de Prusse et c'est pour cela qu'elle sollicita ses bons offices si instamment. Or comme mes explications générales ne donnoient aucune espérance, s'écartant toujours de ses desirs, elle a franchi le pas et remis sa destinée à Dieu et à ses armes" — schreibt Diez unmittelbar nach der Kriegserklärung.

trag, den Türken keine Hoffnung zu wecken, einfacher Beobachter zu sein und nur eben genau Bericht zu geben von den Mitteln, Planen und Maßregeln, zu denen die Pforte greife. Der preußische Minister legte in diesem Augenblicke den Dingen am Bosporus noch kein großes Gewicht bei; er war fast berauscht von dem Erfolge seiner Politik in Holland, und seine Depeschen an Diez strömen über von Ausdrücken des Triumphes über die glänzende Rolle, die Preußen dort spiele. Er vergleicht Preußens Rolle mit der gebieterischen Politik jenes Römers Popilius Länas, der einen Kreis um Antiochus zog und ihm befahl, Frieden zu machen, bevor er aus dem Kreise heraustrete. „In meiner ganzen politischen Laufbahn — schreibt er am 6. Oct. — habe ich auf den Moment gelauert, Preußen diese Ehre zu verschaffen, und bin endlich dazu gelangt. Es ist wahr, es hat mich Mühe gekostet, und seit zwei Jahren habe ich dies System allein gegen alle Welt aufrecht erhalten. Frankreich verliert dadurch die Allianz mit Holland und den Rest seines Ansehens in Europa."

Indessen die Russen den preußischen Geschäftsträger in Constantinopel beschuldigten, er habe die Türken zum Kampfe ermuthigt, war Diez durch die Weisungen, die er von Berlin erhielt, zu einer Neutralität und Unthätigkeit gezwungen, die er allerdings nur mit Widerstreben ertrug. Hertzberg wiederholte die Erklärung, daß die Lage Preußens nicht gestatte, sich den Gefahren eines Krieges für ein so weit entferntes und halbbarbarisches Volk auszusetzen, trat aber zugleich mit einem eigenen seltsamen Plane hervor, der nach seiner Ansicht die ganze orientalische Verwicklung in endgültiger Weise lösen sollte.*) „Da wir — schreibt er — die holländischen Angelegenheiten so glücklich erledigt und nun die Hände frei haben, so möchte ich wohl, was in meinen Kräften liegt, thun, um den gegenwärtigen Türkenkrieg zu einer Verherrlichung meines Ministeriums zu benutzen. Sie können dazu mitwirken, aber Sie müssen mit größter Einsicht, Kraft und einem undurchbringlichen Geheimniß verfahren, dessen Mitwisser nur wir beide und die Personen, welche diese Briefe schreiben und chiffriren, sein dürfen. Es hat wenig Anschein, daß die Pforte sich gegen die beiden kaiserlichen Höfe wird behaupten können. Frank-

---

*) Schreiben Hertzbergs an Diez d. d. 24. Nov. 1787. a. a. O.

reich) wird für sie wenig oder nichts thun und kein anderer Hof
wird sich ohne Hoffnung auf große Vortheile für sie exponiren
wollen. Ich habe mir einen Plan ausgedacht, den Sie errathen
können, der aber das größte Geheimniß erfordert. Glauben Sie,
man könnte die Pforte dazu bringen, dem Kaiser die Moldau und
Wallachei und den Russen die Krim, Oczakow und Beffarabien
abzutreten, jedoch unter der Bedingung, daß Preußen, Frankreich
und andere Mächte, die ich beiziehen würde, dem osmanischen
Reiche seine dauernde Existenz jenseits der Donau in der Weise
garantirten, daß die Donau und die Unna die ewige Gränze zwischen dem osmanischen Reiche und der Christenheit bilden würden?
Ich sollte glauben, es wäre zugleich dahin zu bringen, daß um diesen
Preis Rußland auf die Vasallenschaft Georgiens und alles dessen, was jenseit des Flusses Cuban liegt, verzichte, sich nicht mehr
in die innern Verhältnisse der Türkei einmische und seine Han-
dels- und Schifffahrtsprivilegien auf Gränzen zurückführe, die billig und mit der osmanischen Souveränetät verträglich sind. Zugleich habe ich die Idee eines guten Aequivalents, welches von
Seiten der beiden kaiserlichen Höfe Preußen erhalten würde; die
Türkei würde dabei kein Opfer bringen, sie hätte Preußen nur
einen recht günstigen Handelsvertrag zu bewilligen und die freie
Schifffahrt im Mittelmeere vor den Barbareskenstaaten zu schützen.“
    Wenn man an die Erschütterungen der folgenden Zeit denkt,
und wie wenig solch diplomatische Abkommen in dem lebendigen
und wilden Drange entfesselter Kräfte und Leidenschaften den Charakter der „Ewigkeit“ sich bewahren können, so mag man sich kaum
eines Lächelns erwehren über die Art, wie Hertzberg die Lösung der
großen Weltfrage, der Zukunft des byzantinischen Ostens, ausge-
düftelt hatte; aber es ließ sich nicht leugnen, im Sinne der Gleichgewichtspolitik hatte diese Combination allerdings nichts Ungewöhnliches. Dem Einwande, daß die Türken sich so leicht die Abtretung
nicht würden gefallen lassen, begegnete der preußische Staatsmann
mit der Erwiederung, daß sie dann gewaltsam wahrscheinlich noch
mehr verlieren würden, ohne den unstreitigen Vortheil, durch jenes
Opfer den ruhigen Besitz des Restes und eine dauernd anerkannte
Gränze zu gewinnen. Es bedarf kaum der Bemerkung, daß es dabei Hertzberg keineswegs nur um den Ruhm zu thun war, die
orientalische Frage erledigt zu haben, sondern daß im Hintergrunde

seiner Berechnungen zugleich ein reeller Vortheil für Preußen lag.
Für die Abtretung der Moldau und Wallachei verlangte nämlich
Hertzberg von Oesterreich die Rückgabe Galiziens an Polen, und
dies letztere sollte dann an Preußen dafür Danzig, Thorn und
die Palatinate Posen und Kalisch abtreten. Damit erlangte
Preußen eine besser arrondirte Gränze, und die Erwerbungen der
ersten polnischen Theilung erhielten durch den unentbehrlichen Besitz von Danzig den rechten Abschluß, indeß zugleich der russischen Macht nach Südosten hin eine Gränze gezogen, Oesterreich
aber durch die Donauprovinzen nach dem Osten hingewiesen und
durch deren Erwerbung am unmittelbarsten dafür interessirt ward,
gegen weitere russische Vergrößerungen wachsam zu sein.

Solch verwickelte Combinationen, die Alles auf das diplomatische Abkommen stellten, hatte vom westfälischen Frieden an
bis zu den Verträgen von Utrecht, Aachen, Teschen die Politik
des Gleichgewichts gar manche entworfen; Hertzberg, indem er
dies Gewebe von Ländertäuschen und Gebietsabtretungen ausgesonnen, ließ sich darum nicht so leicht irre machen durch den Hin-
weis auf die Masse von Hindernissen, die zu überwinden waren.
Die lebhaftesten Einwände machte der preußische Gesandte in Constantinopel selbst. Er schilderte die Türken als durchaus unzugänglich für solch einen Vorschlag; selbst der Hinblick auf größeren Verlust werde sie nicht abhalten, lieber Alles auf's Spiel
zu setzen, als einem solchen Abkommen sich zu fügen. Sie seien
in einer so gereizten Stimmung, daß sie selbst kaum vom Frieden
wollten reden hören, am wenigsten von einem Frieden, der mit irgend einer Abtretung verbunden sei. Ein feiger Friede, glaubten sie,
werde den Appetit der Feinde nur steigern und das Verfahren der
Großmächte gebe ihnen einen so geringen Begriff von deren Loyalität, daß sie auf eine angebotene Garantie kein Vertrauen setzten.
Diez hält den Augenblick für durchaus dringend, den vereinten
Vergrößerungsentwürfen Oesterreichs und Rußlands entgegenzutreten; er würdigt mit vollkommener Klarheit die unvermeidliche
Wendung der Dinge im Osten und die Nothwendigkeit für Preußen, so lange es noch möglich war, dem moskowitischen Uebergewicht zu begegnen. Preußen, meint er, müsse sich mit Schweden,
Polen und Großbritannien zur Erhaltung der Türkei verbinden
und die österreichisch-russische Allianz mit äußerster Energie bekäm-

pfen. Die früheren Verhältnisse Preußens zu Rußland sah er als aufgelöst an, zumal seit die veränderte Stellung Preußens im deutschen Reiche die Beweggründe für ein russisches Bündniß sehr geschwächt habe. Die Macht Rußlands aber und Oesterreichs im Osten, nun gar vereinigt, könne nicht bedenklich genug angesehen werden;*) man müsse ihr mit allen Mitteln gegenübertreten, z. B. die Gährung in Ungarn zur Schwächung Oesterreichs benutzen und Ungarn als ein unabhängiges Königreich aufrichten, damit man nicht zu spät die schlimmen Folgen des Versäumnisses erfahre. Kein Augenblick sei dazu günstiger, als der gegenwärtige; Rußland und Oesterreich befänden sich theilweise in innerer Gährung, die Türkei und Polen würden sicher erkenntlich dafür sein, daß Preußen durch seine thätige Hülfe sie beide von der Wucht österreichisch=russischen Ehrgeizes befreit habe. „Mit einem Worte — so schließt Diez seine ausführliche Darlegung — es ist dies der glücklichste Augenblick für Preußen, eine ungemeine Größe zu erwerben und Europa Gesetze vorzuschreiben, indem es sich nicht blos an Ansehen, sondern auch an wirklicher Stärke zur ersten Macht Europas erhebt. Es ist wahr, es wird uns ein paar lebhafte Kriegsjahre kosten, aber das wäre nur ein Capital auf Interessen angelegt, denn dieser Krieg gäbe uns Ruhe für ein Jahrhundert und eine überlegene Macht gegen jeden Feind."

Hielt Diez die Hertzbergschen Vorschläge für unmöglich, so nannte Hertzberg zur Revanche die Diezischen Plane „unausführbare Ideen." Keine Macht werde sich gern in einen Krieg für die Türken einlassen, die sich ja selber nicht zu helfen wüßten, und bei denen man nie sicher sei, daß sie mit Preisgebung ihrer Verbündeten einen Separatfrieden schlössen. Eine Allianz mit Polen und Schweden gebe keine Macht, auch England sei nur zur See von Bedeutung, Preußen würde daher bei der Unzuverlässigkeit der Türken Alles aufs Spiel setzen. Er blieb bei seinen frü-

---

*) Si la Russie et l'Autriche en conservant leurs possessions actuelles parviendroient un jour à mettre à profit les ressources immenses, qu'elles ont, comme l'Empereur a déjà commencé à exécuter depuis plusieurs années, la Prusse aura tout à craindre de leur part. Or pour que ceci n'arrive point, il faudroit à bonne heure abattre leurs forces et diviser leurs pays en nous appropriant de bons morceaux qui puissent nous leur rendre superieurs pour toujours. Schreiben von Diez d. d. 8. März 1788.

heren Ansichten; führe die Türkei einen glücklichen Krieg, so brauche sie allerdings nichts abzutreten, aber die Vermittlung Preußens werde ihr dann doch von Werth sein; gestalte sich, wie es wahrscheinlich sei, der Krieg unglücklich, so werde es den Türken immer noch erwünscht sein müssen, mit jenen Abtretungen eine feste Gränze zu gewinnen.*)

Die Meinung, die Diez verfocht, war indessen nicht ganz vereinzelt; auch bei anderen preußischen Staatsmännern galt es für eine ganz nothwendige Sache, diesen Moment zu benutzen, um einerseits die Macht der österreichisch-russischen Allianz zu sprengen, andererseits Preußen eine bessere Abrundung zu schaffen. In einer diplomatischen Denkschrift jener Tage**) ist der Standpunkt dieser Meinung mit aller Offenheit erörtert. „Es ist eine unbedingte Nothwendigkeit für Preußen — so lautet die Schlußfolge — daß es sein Augenmerk auf eine mit Klugheit zur gelegenen Zeit zu erreichende Vergrößerung richtet. Bei seiner Lage, wo es von zwei stolzen und mächtigen Reichen, die immer weiter zu greifen bedacht sind, umschlossen ist, von Reichen, deren jedes für sich Preußen an Macht und Größe überwiegt, befindet es sich stets in einer bedenklichen und sorgenvollen Krisis und muß alle seine Kräfte anstrengen, um sich in Würde und Ansehen zu erhalten. Eine beständige Anspannung der zweckmäßigsten Mittel ist ihm durchaus nothwendig, denn jede selbst unbedeutend scheinende Erschlaffung kann für diesen Staat von den nachtheiligsten Folgen sein. König Friedrich II. war es vorbehalten durch seinen an Hülfsquellen unerschöpflichen Geist alles das zu ersetzen, was seinem Lande an Hülfsmitteln fehlte. Sein großes Beispiel, stets mehr zu bewirken, als gemeinhin menschliche Kräfte vermögen, diente allen Patrioten des Landes zur treuen Nachahmung, und es glaubte Jeder seiner Unterthanen, weil er ein Preuße, ein Diener und Werkzeug König Friedrichs war, unter seiner Leitung und Anordnung mehr leisten zu können, als jedes Individuum irgend einer andern Nation zu thun vermöchte. So unterzog sich der Diener

---

*) Schreiben H.'s vom 9. Febr. und 26. April. Er fügt hinzu: Je crois que vous devez goûter et approuver ce plan, si vous ne vous abandonnez à votre entêtement.

**) Aus der Correspondenz zwischen Goltz und Hertzberg.

des Staates mit Eifer und Lust den größten Beschwerden, jeder
Kriegsmann stritt mit ausnehmender Tapferkeit und überhaupt
Jeder erfüllte das volle Maß seiner Pflichten zur Erreichung des
großen Zweckes. Dieses außerordentliche zwischen König und Volk
obwaltende Vertrauen bewirkte Preußens Flor; willig ertrug Jedermann die Lasten, weil er sie den Zeitumständen angemessen und
nützlich für das allgemeine Beste hielt, wogegen aber auch der
König bei seiner genauen Landeskenntniß und Verbindung aller
Umstände gewiß war, daß Alles, was er wollte, geschehen konnte
und geschah. Wenn nun aber auf eine solche außerordentliche
Anspannung aller Kräfte und eine so weise Leitung nicht für alle
Zeiten zu zählen ist, so ist es zu Preußens Sicherheit höchst nothwendig, eine jede günstige Gelegenheit wahrzunehmen, wo es sich
auf Kosten seiner überlegeneren Nachbarn vergrößern kann, um zu
den Kräften dieser selbst in das nöthige Gleichgewicht zu kommen.
Nun ist kaum ein Zeitpunkt dafür besser zu finden, wie der gegenwärtige; versäumt Preußen diese Gelegenheit, seine Nachbarn
zu schwächen, so ist nichts gewisser, als daß es einst dafür büßen
muß und durch das zunehmende Uebergewicht seiner Feinde von
der Größe seines jetzigen Standpunktes herabzufallen Gefahr läuft.
Denn es ist der politischen Klugheit eines Staates nicht angemessen, sich nur auf die Vertheidigung zu beschränken und den schim-
mernden Namen eines mäßigen und friedliebenden Regenten durch
ruhige Zulassung unausbleiblich herannahender Gefahren allzu
theuer zu erkaufen.“

So die wortgetreuen Aeußerungen der Politiker des Angriffs.
Sie hielten Hertzbergs fein ausgesponnene Vermittelung für einen
bedenklichen Traum; nur mit den Waffen in der Hand, meinten
sie, könne Preußen der österreichisch-russischen Allianz seine Media-
tion aufdringen. Und diese Waffen müsse man denn auch mit
aller Energie handhaben, sich eng mit den Seemächten verbinden,
die dänisch-schwedische Flotte Rußland auf den Leib hetzen und
mit der eigenen ungetheilten Macht Oesterreich angreifen. Die
Vertheidiger dieser Meinung dachten an nichts Geringeres, als
an einen combinirten Angriff, den Schweden, Polen und die Türken gegen Rußland unternehmen sollten, indessen Preußen seine
Waffen gegen Oesterreich wende. Die Verdrängung Rußlands
vom schwarzen Meere, die Rückgabe Ingermannlands und Kare-

liens an Schweden schien, für den Fall eines glücklichen Kampfes, kein unwahrscheinlicher Siegespreis. Indessen würde dann Preußen seine ganze Macht gegen Oesterreich ins Feld führen; man berechnete, daß drei Feldzüge hinreichen würden, Oesterreich zu Paaren zu treiben. Im ersten sollte man Pleß und Königsgrätz gewinnen, der zweite auf die Eroberung von Brünn, Olmütz und ganz Mähren abzielen, der dritte ins Herz der österreichischen Staaten hineingespielt werden. Die Erwerbung des Restes von Schlesien und eines Theiles von Böhmen und Mähren dachte man sich als Entschädigung für Preußen.

Solche Wünsche waren freilich weit entfernt, den bestimmenden Einfluß auf das Berliner Cabinet zu erlangen; es waren verwegene Gedanken Einzelner, die selbst Hertzberg, der in Wien für den erbittertsten Feind Oesterreichs galt, keineswegs theilte. Aber es gewähren diese entgegengesetzten Meinungen auch heute noch ein Interesse, insofern sie die verschiedenen Richtungen erkennen lassen, in welchen sich nach dem Tode Friedrichs des Großen hervorragende preußische Staatsmänner bewegten. Während der folgenden türkischen Verwicklung ist dann, wie wir sehen werden, in der Haltung Preußens jener widersprechende Einfluß nicht zu verkennen, den die persönliche Ansicht Hertzbergs, des Ministers, und die Meinung von Diez, dem Gesandten, abwechselnd auf die diplomatischen Schritte übten.

Indessen war der Krieg von Seiten der Russen wie der Oesterreicher begonnen. Im Jahre 1787 war nichts Bedeutendes geschehen, außer einem glücklichen Schlag, den Souwarow gegen die Türken bei Kinburn ausführte; dagegen machte Oesterreich außerordentliche Rüstungen, und es blieb kein Zweifel mehr, daß es entschlossen sei, mit Rußland gemeinsam den Türkenkrieg auf's Thätigste zu führen. Die Abmahnungen Preußens beantwortete Joseph II. in einem merkwürdigen Briefe,*) der mit einer gewissen Naivetät den Grundgedanken seiner Politik ausspricht: sich irgendwo, gleichviel ob unter rechtlichen Vorwänden oder nicht, zu vergrößern. Er zählt alle die Erwerbungen Preußens und die Verluste Oesterreichs seit 80 Jahren auf, er meint, der Brocken von Polen, den man ihm zugeworfen, sei nicht als Abfindung zu

---

*) S. Lebensbilder aus dem Befreiungskriege II. 11 f.

rechnen, denn Preußen habe ein besseres Stück bekommen. Dieser Politik entsprach es vollkommen, daß der Kaiser, noch bevor der Krieg erklärt war, einen Handstreich auf Belgrad versuchte (Dec. 1787), und wie dieser mißlang, der Türkei im Februar 1788 den Krieg erklärte. In Berlin hatte man dies wohl erwartet, war aber davon um nichts weniger peinlich berührt. Die dortigen Staatsmänner fürchteten nicht sowol eine rasche Eroberung der Türkei, als einen schimpflichen Frieden, in welchem die Pforte überrascht Alles gewähren würde, was Rußland und Oesterreich zunächst erlangen wollten. Darauf waren die ersten Weisungen berechnet, die der preußische Gesandte in Constantinopel unter dem Eindruck der österreichischen Kriegserklärung erhielt.*) Er solle, hieß es, alles Talent und alle Geschicklichkeit anwenden, um zu hindern, daß die Pforte keinen übereilten Frieden schließe ohne preußische Vermittelung; er müsse den Türken klar machen, wie nur Preußen und England ein entschiedenes Interesse an der Integrität der Türkei hätten und sich nicht durch auswärtige und unpopuläre Einflüsse bestimmen ließen, wie die französische Politik. Nur ein Friede unter preußisch-englischer Vermittelung und Bürgschaft werde daher den Interessen der Türken entsprechen. Weiter sollte Diez gesprächsweise den Türken rathen, sich in keine große Schlacht einzulassen, deren Entscheidung leicht verderblich werden könne, sondern die Armee zwischen der Donau und dem Balkan aufzustellen, sich auf die Vertheidigung zu beschränken, die Kräfte der Feinde durch fliegende Corps zu theilen und zu ermüden, und so durch den kleinen Krieg und durch Mangel an Lebensmitteln und Magazinen die Feinde zu verderben.

Indessen hatte der König seinen Adjutanten, den Oberstlieutenant von Goetze, mit geheimen Weisungen an Diez abgesandt. Goetze reiste im tiefsten Incognito, in der Verkleidung eines Kaufmannes, Namens Schmidt; seine Beziehungen zu Diez sollten möglichst verborgen bleiben, zum Heere sollte er nur gehen, wenn es im tiefsten Geheimniß geschehen könne. Er brachte die vertraulichen Instructionen, im Namen des Königs selbst ausgefertigt,

---

*) Die folgenden diplomatischen Actenstücke befinden sich in einer D'.schen Handschrift: „mes negociations secretes pour la guerre entre les deux Cours Imperiales et la Porte ottomanne de 1787."

welche in die Politik Preußens einen vollkommenen Einblick ge=
währen.*) „Ich setze voraus, sagt eines dieser Schreiben, daß
die türkischen Minister, wenn Sie sie ermuthigen, meinen Beistand
verlangen und Ihnen ein Bündniß vorschlagen. Sie müssen dies
immer auf gute Art mit plausibeln Gründen zu vermeiden suchen,
ihnen vorstellen, daß sie stark genug sind, sich selber zu vertheidi=
gen, daß ich dagegen Gefahr laufen würde, zugleich durch die bei=
den kaiserlichen Höfe und durch Frankreich angegriffen zu werden,
während ich so schon durch meine bewaffnete Haltung eine bedeu=
tende Diversion zu Gunsten der Türken mache und den Kaiser
nöthige, eine Macht von 100,000 Mann in Deutschland zu las=
sen, die sonst ohne Zweifel mit gegen die Türken gebraucht wür=
den. Nach dem Abschluß des Friedens würde ich dann nicht ab=
geneigt sein, mich mit der Pforte zu verbinden und ihr für die
Zukunft ihre Besitzungen zu garantiren." Wiederholt wird dann
dem Gesandten eingeschärft, im Falle die Türken sich rasch zu einem
Frieden drängen ließen, diesen ja nicht ohne die Vermittelung Eng=
lands und Preußens schließen zu lassen. Sollte der Krieg die
Wendung nehmen, daß die Türkei sich zu einigen Opfern und Ab=
tretungen verstehen müsse, so war dem Gesandten ein Verhalten
vorgeschrieben, wie es den früheren Erörterungen Hertzbergs ent=
sprach. Diez sollte dann der Pforte klar machen, daß sie im Falle
solcher Abtretungen jedenfalls ein Aequivalent für Preußen bedin=
gen müsse; denn nur so sei Preußen im Stande, den beiden Kai=
serhöfen die Wage zu halten und den Türken ein nützlicher Freund
zu sein. Dies Alles solle D. mit möglichster Umsicht betreiben,
auch, wo es nöthig sei, das Geld nicht sparen,**) sich möglichst
enge an den britischen Gesandten anschließen, gegen die übrige
Diplomatie zurückhaltend sein, namentlich gegen den Vertreter Frank=
reichs, mit welchem seit der holländischen Verwicklung das Verneh=
men sehr kühl sei, und das sich auch, vermöge seiner Verkettung
in die österreichische Politik, am leichtesten werde dazu brauchen
lassen, den Türken einen ungünstigen Frieden zu vermitteln. Noch
bestimmter tritt in der „geheimsten Instruction" jener Plan Hertz=

---

*) S. das kön. Schreiben d. d. 3. April 1788 und vom nämlichen Tag
eine „instruction particulière et secretissime."

**) Es waren ihm 50,000 Dukaten angewiesen worden.

bergs in den Vordergrund, durch Abtretungen die beiden Kaiserhöfe zu befriedigen und zugleich Preußen eine Gebietserweiterung
zu verschaffen. Es wird als der wahrscheinlichste Fall angenommen, daß das Glück der Waffen den Angreifenden günstig sein
und die Türken nöthigen werde, die Donauprovinzen, vielleicht
auch Serbien und Bosnien abzutreten; dann werde die ganze
Existenz des türkischen Reiches prekär, zumal wenn ein Aufstand der Griechen die Bewegungen der Feinde unterstütze. In solch
einem Falle bleibe den Türken nichts übrig, als nur ihre Existenz
in Europa zu retten und ein allgemeines Arrangement zu treffen,
das sie vor neuen Angriffen sicher stelle. Die Grundzüge dieses
Arrangements kennen wir aus Hertzbergs früheren Aeußerungen:
Rußland sollte durch die Krim, Oczakow und Bessarabien, Oesterreich durch die Moldau und Wallachei nebst der Handels- und
Schifffahrtsfreiheit auf dem schwarzen Meere abgefunden werden,
Rußland dann auf die Oberherrlichkeit von Georgien verzichten,
auch nicht mehr, wie bisher, durch seine Consuln und Agenten
die Griechen zur Rebellion anstiften, vielmehr auf die feierlichste
Weise die Donau als bleibende Gränze der Türkei anerkennen.
Dieser Besitz, von Preußen und den Seemächten für immer garantirt und gegen jeden Angreifer geschützt, müsse den Türken werthvoller erscheinen, als der schwankende Besitz stets angefochtener und
schlecht verwalteter Provinzen. Jene Abtretungen sollten jedoch
unter der Bedingung erfolgen, daß Oesterreich seinen Antheil von
der polnischen Theilung an Polen zurückgebe und dieses dann
Preußen jene früher angedeuteten Abrundungen seines Gebietes
verschaffe. Nach dem Allem war es also die Aufgabe des Gesandten, einmal die Türken zur Festigkeit zu ermuthigen und einen
übereilten Frieden abzuwenden,[*] dann die preußische Vermittelung
annehmbar zu machen, die Türken von dem Werth der Garantie
und der Unterstützung Preußens zu überzeugen und endlich, für
den Fall unglücklicher Kriegführung, die Pforte auf den preußischen Entwurf der Ausgleichung vorzubereiten.

Man sieht, die Hertzbergischen Entwürfe hatten in Berlin ge-

---

[*] „sans me compromettre avec d'autres puissances", setzt die kön. Instruction hinzu.

siegt,*) und Diez mußte, wenn er bleiben wollte, sich der Aus=
führung von Gedanken bequemen, die er von Anfang an bekämpft
hatte. Er versprach seine Thätigkeit dafür anzuwenden, da es sich
nun nicht, wie er früher geglaubt, darum handle, sofort den Tür=
ken mit solchen Vorschlägen entgegenzutreten, sondern nur wenn
gewisse Voraussetzungen eingetroffen wären. Hertzberg schärfte
ihm dann wiederholt ein,**) den Türken gegenüber ja nicht zu
große Verpflichtungen einzugehen, namentlich nie zu vergessen, daß
der König sich nicht in einen Krieg einlassen wolle, der ihm zu=
gleich Rußland, Oesterreich und Frankreich auf den Hals hetze,
vielmehr den Türken klar zu machen, wie Preußen dadurch schon
dem osmanischen Reiche einen großen Dienst leiste, daß es die
österreichische Kriegführung theile und den Kaiser nöthige, eine
ansehnliche Armee in Böhmen und Oesterreich stehen zu lassen.

Indessen gestaltete sich der Krieg nicht so, daß man der Pforte
von Gebietsabtretungen hätte reden können. Kaiser Joseph hatte
über 200,000 Mann in einem ungeheueren Cordon, der sich von
Dalmatien bis nach den Karpathen hin ausdehnte, aufgestellt,
versäumte aber die beste Jahreszeit zum Angriff, verlor viel Zeit
mit umständlichen Arbeiten vor Semlin, fing Belgrad erst an zu
belagern und hob dann die Belagerung wieder auf; kurz bis zur
Mitte des Jahres beschränkte sich sein ganzer Erfolg auf die Ein=
nahme von Schabacz. Der Kaiser selbst war kein Feldherr und
hatte doch die bedenkliche Prätension, Alles leiten und Alles ver=
stehen zu wollen; sein militärischer Mentor Lascy, ein sehr ver=
dienter Administrator, aber kein großer General, ordnete sich dem
Starrsinne des Kaisers mit höfischer Geschmeidigkeit unter. Nun
kam die heiße Jahreszeit; Klima und schlechte Nahrung wurden
der kaiserlichen Armee bald verderblicher, als eine blutige Schlacht.
Schon im Juni zählte man 12,000 Kranke, im Juli steigerte sich
die Zahl auf 20,000, und manche Bataillone waren so gelichtet,
daß man aus drei kaum eines zusammensetzen konnte. Dieser

---

*) H. selbst begleitet die obigen Instructionen mit den Worten (d. d.
4. April): je me réfère en tout aux instructions qu'il vous porte que j'ai dres-
sées aussi bien que j'ai pu selon mes idées que le Roi a approuvées entièrement et qu'il soutiendra avec vigueur.

**) Depesche vom 24. Mai.

Gang der Dinge schien die Auffassung des preußischen Gesandten in Stambul vollständig zu rechtfertigen. Seine Vorstellungen bei der Pforte stützten sich denn auch wesentlich auf diese günstige Lage.*) Er schilderte mit lebendigen Farben die Verluste der Oesterreicher, mahnte die Türken, wie bisher jede große Schlacht zu vermeiden, sich auf den kleinen Krieg zu beschränken und den Feind durch Entbehrung und Klima zu schwächen. Obwol in diesem Augenblick von einem Frieden keine Rede war, so stellte er doch das dringende Verlangen, keine Unterhandlung ohne preußische Vermittelung einzugehen; denn Preußen sei die einzige Macht, welche mit der vollen Unparteilichkeit zugleich die besten Mittel zur Herstellung eines vernünftigen Friedens vereinige. Die Pforte, äußerte er, muß volles Vertrauen in uns setzen und uns offenherzig Alles mittheilen, was ihr begegnet und was man ihr vorschlägt, damit wir ihr unsere Ideen und Rathschläge darüber geben können. Wir müssen in allen diesen Dingen handeln, wie die innigsten Freunde, die nur ein Interesse haben und nichts ohne einander thun. Wir unsererseits werden nicht verfehlen, die Pforte von Allem zu unterrichten, was in Europa vorgeht und was man gegen sie ersinnt.

Man konnte es den Türken kaum verdenken, wenn sie, durch Erfahrungen belehrt, ein sehr geringes Vertrauen in die Loyalität der europäischen Mächte setzten. So waren sie denn auch keineswegs mit sich darüber im Reinen, ob nicht Preußen in heimlichem Einverständniß mit Oesterreich und Rußland handle, zumal bei jedem dringenderen Verlangen um eine thätige Hülfe der preußische Diplomat sich zurückzog, oder sich auf ganz allgemeine Zusagen beschränkte. Er versicherte unter Anderm, daß der König von Preußen nach Erlassung des österreichischen Kriegsmanifestes seine offene Mißbilligung gegen den Kaiser kundgegeben,**) und daß in diesem Augenblick ein Bündniß mit Holland und England abgeschlossen

---

*) S. die von ihm selbst aufgezeichneten „Insinuations faites à la Porte", worin er seine und seines Dragomans Verhandlungen mit der türkischen Regierung verzeichnet hat.

**) „Cette reponse était en propres termes: que le Roi regrettait beaucoup de voir s'étendre le feu de la guerre et qu'il souhaitait le retablissement de la paix. "

sei, das sich gegen die Eroberungsentwürfe der östlichen Mächte richte. Oder er rühmte, daß Preußen im benachbarten Polen große Getreideeinkäufe mache, um den Kriegführenden die Verpflegung ihrer Heere zu erschweren, und die Getreideausfuhr aus dem eigenen Lande verboten habe. Auch versäumte er nicht, den Türken zu Gehör zu reden, daß der Krieg nur entstanden sei, weil man die Kräfte des osmanischen Widerstandes zu gering anschlage, und dazu habe die eigene Politik der Pforte den Anstoß gegeben. Dieselbe habe durch jeden neuen Vertrag ihr moralisches Ansehen mehr erschüttert und die Gegner zu neuen Forderungen ermuthigt. Ein solches allmäliges Zerstören des äußeren Ansehens müsse einen jeden Staat vernichten. Darum müsse es das erste Gebot der türkischen Politik sein, sich nicht voreilig zu neuen Concessionen drängen zu lassen; das zweite: sich durch Vermittlung und Bürgschaft anderer Mächte vor neuen Angriffen sicherzustellen. An dies Alles knüpfte Diez wiederholte Schilderungen von dem kritischen Zustande der österreichischen Armee und der Schwierigkeit, den Krieg lange fortzusetzen; Schilderungen, welche, wie die Erfahrung zeigte, im Ganzen nicht übertrieben waren.*)

Aus den diplomatischen Actenstücken, die damals von Berlin und Constantinopel ausgingen, ergibt sich indessen klar, daß die Politik Hertzbergs mit der, welche Diez verfolgte, nicht vollkommen übereinstimmte. Hertzberg hatte nur ein sehr geringes Vertrauen auf die türkische Kriegstüchtigkeit und drängte mit ungeduldiger Hast auf die Vorlage seines Entschädigungsplanes; Diez seinerseits hatte ein viel besseres Vertrauen auf die Macht der Türken und arbeitete nur sehr vorsichtig, um nur für den äußersten Fall auf den Hertzbergschen Entwurf vorbereitet zu haben. Hertzberg warf Diez vor, er setze die Dinge zu rosig an und bestärke die Türken in ihrer erfolglosen Kriegslust; Diez versicherte seinerseits, daß noch nicht daran zu denken sei, mit dem Hertzbergischen Plane durchzubringen. Aus den Erörterungen Beider ist es deutlich herauszuhören, daß der Gesandte eine sofortige Verbindung Preußens mit der Pforte abgeschlossen, der Minister sie vermieden wünschte. Seit den ungünstigen Gefechten, die der Capudan Pascha zu Ende Juni mit der Flotte im schwarzen Meere

---

*) Insinuations a. a. O.

ben Russen geliefert, drängte Hertzberg mit neuem Eifer auf die Vorlage des Abtretungsplanes; Diez schrieb zurück, der Eindruck jener Niederlage sei in Constantinopel bei weitem nicht so stark, wie es auswärts scheinen könne, und die türkische Kriegslust sei ungeschwächt.*) Diese Verschiedenheit der Meinungen führte in dem Verkehr beider Staatsmänner bisweilen zur offenen Entzweiung; Hertzberg verbarg seinen Mißmuth darüber nicht, daß die Schilderungen des Gesandten so wenig zu seinen Planen paßten, und Diez bot schon im Herbst 1788 seine Entlassung an.

Für Hertzberg gab es in der ganzen Verwicklung nur einen Hauptzweck: der war aber nicht die Integrität des osmanischen Reiches, sondern die Erwerbung von Danzig und Thorn und die Verdrängung Oesterreichs aus Galizien. „Der König, schreibt er am 30. Aug., ist ganz eingenommen von meinem Plane und wünscht sehr ihn auszuführen. Jetzt sehe ich nur, daß die Oesterreicher und Russen durch ihre unbegreifliche Ungeschicklichkeit ihn hindern; denn es konnte noch Niemand erwarten, daß sie mit 300,000 Mann regulärer Truppen nicht im Stande sind, die Türken über die Donau zu werfen. Das ist die Folge des Mißgriffs, den der Kaiser beging, als er mit der traurigen Defensive begann." Er machte schnell neue Combinationen, wonach die Türken mit geringeren Opfern, als der Moldau und Wallachei, Oesterreich befriedigen und dasselbe zur Abtretung Galiziens vermögen sollten; doch sollte Diez den anderen Plan nie aus dem Auge verlieren, sondern die Türken wo möglich davon zu überzeugen suchen, wie für die zukünftige Sicherheit ihres Besitzes die Abtretung der Donauprovinzen kein zu hoher Preis sei. Auch für den Fall, daß die Türken den Krieg noch glücklicher führen und Eroberungen machen sollten, hat Hertzberg einen Plan bereit. Diez soll dann die Pforte dazu zu bringen suchen, daß sie von Oesterreich die Abtretung Galiziens verlange, und dafür eine gegenseitige Allianz mit Preußen zu Schutz und Trutz in Aussicht stellen.**)

In der That hatte sich im Herbst 1788 die Lage der kriegführenden Mächte ungünstiger gestaltet. Nachdem der Sommer für

---

*) Depeschen vom 15. Juli und 1. Sept.
**) Depesche vom 11. Sept.

die Oesterreicher fruchtlos, aber mit ansehnlichen Opfern verstrichen war, setzten sich im August die Türken in Bewegung, warfen die Kaiserlichen bei Orsova zurück, drangen ins Banat ein und zwangen sie, sich auf Karansebes zurückzuziehen. Wie tief die Armee zerrüttet war, bewies der panische Schrecken, der sich dort plötzlich auf blinden Lärm hin der Truppen bemächtigte und eine wilde verworrene Flucht gegen Temesvar zur Folge hatte (20. Sept.). Mit welcher Verachtung, bemerkt darüber ein österreichischer Offizier,*) hatte man nicht die türkischen Streitkräfte abgeschätzt, und jetzt floh ein Theil der österreichischen Armee blos auf den blinden Lärm hin, daß die Türken nahe seien; schien es nicht, als wollte ein boshafter Zufall das stolze Selbstvertrauen europäischer Kriegskunst verhöhnen und durch diesen letzten Act den ganzen Feldzug des Jahres 1788 mit dem Fluch des Lächerlichen belasten?

Zur nämlichen Zeit hatte Gustav III. von Schweden eine Diversion zu Gunsten der Türken gemacht, am Anfang Juli den Krieg erklärt und die Russen zu Land und zur See angegriffen, — ein Unternehmen, dessen Erfolg freilich tief unter den Erwartungen blieb. In Polen, um dessen Bündniß bald beide Theile warben, war der preußische Einfluß im Uebergewicht, und mit England hatte Preußen am 13. August ein Bündniß zu Berlin geschlossen, das unzweideutig gegen Rußland und Oesterreich gerichtet war; der Vertrag von Loo (13. Juni), worin sich die Cabinete von Berlin und Westminster zunächst nur über eine gemeinsame Schlichtung der holländischen Händel verabredet hatten, war hier zu einem Bündniß mit gegenseitiger Hülfe gegen jede Störung des Friedens und der Ruhe ausgedehnt.**) Rußland war bemüht, ein Gegenbündniß mit Polen herzustellen, und sondirte beim Reichstage über eine solche Allianz;***) der Einfluß Preußens vereitelte

---

*) Oester. Milit.=Zeitschr. 1831. III. 62

**) Beide Verträge f. bei Martens, Recueil des Traités T. III. 138 ff., 146 ff. Im letzteren sind 16,000 M. Fußvolk und 4000 M. Reiter als Hülfscontingent festgesetzt; Hertzberg bemerkt aber in einer Depesche vom 11. Sept.: Elle (l'Angleterre) nous a promis dans un article secret d'assister le Roi en cas de besoin de toutes ses forces maritimes et d'une armée alliée de 50,000 hommes.

***) „Dont l'unique objet serait la sureté et l'intégrité de la Pologne ainsi que la défense contre l'ennemi commun." Preußen reclamirte gegen die Aeußerungen, insofern sie im Munde Rußlands nur auf Preußen oder die Pforte be=

den Plan (Herbst 1788), und der polnische Reichstag bewies sich
zu einem Bündniß mit Preußen geneigt. Ebenso rühmte sich die
preußische Politik, sie habe durch eine gebieterische Vermittlung die
Dänen gehindert, Schweden während seines Angriffes auf Rußland in die Flanken zu fallen.

Selbst Hertzberg gewann eine günstigere Meinung von den
Türken. Ich sehe nun, schreibt er an Diez,*) daß Sie Recht
gehabt haben; die beiden Kaiserhöfe können den Krieg nicht führen, und die Türken wären wohl im Stande, die Krim wieder
zu nehmen. So müssen wir denn unseren ganzen Plan dahin
wenden, die Türken zu ermuthigen, daß sie den Krieg mit Kraft
fortsetzen, den Frieden nur unter der Bürgschaft Englands und
Preußens schließen und Ungarn erst räumen, wenn sich der Kaiser
verpflichtet, Galizien und was er diesseits der Karpathen besitzt,
an die Republik Polen abzutreten, wofür dann diese an Preußen
Danzig, Thorn und das Gebiet bis zur Wartha abtreten würde.
In diesem Falle können Sie der Pforte eine unbegränzte Defensivallianz Preußens und eine Garantie der türkischen Besitzungen
gegen Jedermann anbieten. Diez hätte zwar am liebsten seinen
früheren Gedanken — energische Theilnahme Preußens am Kriege
— ausgeführt und ließ auch wohl in seinen Briefen durchklingen,
wie nahe es jetzt liege, zu Schlesien noch Böhmen und Mähren
zu gewinnen, Polen und Schweden durch Vergrößerung auf Kosten Rußlands bauernd an sich zu knüpfen, aber er verfolgte doch
die von Berlin aus ihm vorgezeichnete Bahn. In den letzten
Wochen des Jahres 1788 glaubte er am Ziele zu sein; er rühmt
sich die Türken gedrängt zu haben und hofft die schriftliche Zusicherung dessen, was Hertzberg wünschte, zu erlangen.**)

Der Gang des Krieges in den letzten Monaten des Jahres
1788, namentlich der Umschwung der österreichischen Kriegführung, seit Laudon gerufen war, und die Einnahme von Oczakow

---

zogen werden könnten, und man gegen Beides sich verwahren müsse. Die Erklärungen des polnischen Reichstages (20. Okt. und 8. Dec.) entsprachen dieser
Ansicht Preußens vollkommen.

*) S. Correspondance, Depesche vom 16. Sept.

**) In der Depesche vom 22. Dec. heißt es: je montrai les dents aux Turcs,
je les brusquai et je suis venu à bout. Ils se sont trop ouverts pour qu'ils
puissent reculer et nous nous sommes emparés d'eux et de leurs affaires.

durch die Russen, kühlte die preußische Politik wieder merklich ab.
Man kam in Berlin von dem Gedanken eines engeren Bündnisses mit den Türken wieder zurück und meinte, es sei von Preußen genug geschehen, wenn man Schweden, Dänemark und Polen
dem russischen Bündniß entfremdet und den Kaiser genöthigt habe,
eine ansehnliche Armee in Böhmen und Mähren zu lassen.*) Hertzberg war darum der Ansicht, der Türkei das Dilemma vorzuhalten:
entweder den ersten Plan der Abtretung anzunehmen, und dafür
die Garantie Preußens für die fernere Integrität des Reiches zu
erlangen, oder gewärtig zu sein, daß Preußen sich den Gegnern
der Pforte anschließe. Nach den Schilderungen des Gesandten war
freilich die Zeit noch lange nicht gekommen, die solche Nachgiebigkeit von den Türken erwarten ließ; vielmehr hatte nach seiner
Versicherung durch den Thronwechsel und die Erhebung Selims III.
die Kriegspartei eine kräftige Stütze erhalten. Diez ließ sich von
dem Gedanken nicht zurückbringen, daß nur eine innige und thatkräftige Allianz Preußens mit der Pforte zum Ziel führen werde.
„Die Russen und Oesterreicher, äußerte er,**) werden unsere Feinde
für immer sein; nur ihre Schwächung kann uns vor ihren bösen
Absichten schützen, und ihre Schwächung bedingt die Sicherheit
und Größe Preußens. Darum gebietet es unser Interesse, jederzeit uns auf's Engste mit den Türken zu verbinden gegen Russen
und Oesterreicher.“ Hertzberg seinerseits kam auf seine früheren
Gedanken zurück; er versprach sich erst einen Erfolg, wenn einmal
die Türken bis zur Donau zurückgeworfen seien und ihnen keine
andere Rettung bliebe als die preußische Vermittlung.***)

Dieser Zwiespalt und das Schwanken in der politischen Haltung Preußens konnte nicht günstig auf die Verhandlungen wirken. An sich schon war die räumliche Entfernung ein Hinderniß
für rasche, zutreffende Entschlüsse; war in Berlin eine Instruction
entworfen, so hatten sich, bis sie nach Constantinopel kam, nicht
selten alle Voraussetzungen geändert, auf denen sie beruhte. Dazu
kam die innere Verschiedenheit der Ansichten, von denen der Minister und der Gesandte beherrscht waren: sie vertraten zwei wider-

---

*) Hertzbergs Depesche vom 10. Jan. 1789.
**) Schreiben vom 15. April 1789.
***) Note vom 4. April 1789.

20*

sprechende Systeme der Politik, denn während Diez durch eine
energische Kraftentwicklung gegen Rußland und Oesterreich im
Bunde mit Türken, Polen, Schweden und den Seemächten das
Uebergewicht Preußens auf dem Continent dauernd festzustellen
dachte, war Hertzberg jeder gewaltsamen Theilnahme an den politischen Wirren abgeneigt und hoffte nur durch geschickte Benutzung
der Conjuncturen eine erwünschte Arrondirung für Preußen zu
erlangen.*) War zwischen diesen abweichenden Richtungen an sich
schon schwer ein Vereinigungspunkt zu finden, so wuchs diese
Schwierigkeit noch durch die nicht ungeschickten Einflüsterungen
der österreichischen Politik in Berlin, deren Spuren bisweilen
Hertzbergs Berichte tragen, und durch das persönliche Mißverhältniß, in welchem Diez zu dem britischen Gesandten Ainslie,
dem Vertreter der nächsten verbündeten Macht, stand. Die Stellung von Diez war nach allem dem nicht beneidenswerth. Seit
er die Hindeutung auf ein engeres Bündniß gegeben, drängten
die Türken in ihn und verlangten genauere Zusagen; er mußte
dann wieder zurückziehen und mit der Lage Preußens die Unzulässigkeit einer offensiven Verbindung mit den Türken darthun.
Diese Schwankungen dienten natürlich nicht dazu, seine Stellung
und sein Vertrauen in Constantinopel zu verstärken, indessen auf
der andern Seite seine persönliche Neigung für eine active Theilnahme
am Kriege ihn in Berlin verdächtig machte, Preußen tiefer in die türkischen Dinge zu verwickeln, als im Plane der politischen Lenker lag.

Im Mai und Juni 1789 rechnete Hertzberg sicher darauf, die
Türken für sein Lieblingsabkommen zu gewinnen, und Diez hatte
alle Mühe, das Ungestüm des Ministers diesmal zu beschwichtigen.
Diez sollte zugleich versprechen und drohen, namentlich den Uebergang Preußens zu den kriegführenden Mächten in Aussicht stellen,
um die Pforte zur Nachgiebigkeit zu bewegen. Er hatte einen
Vertrag oder eine Verabredung im Auge, wonach Preußen zusagen würde, binnen Jahresfrist mit ganzer Macht den Türken beizustehen, falls die osmanischen Besitzungen jenseits der Donau
gefährdet seien; die Pforte sollte dann nur versprechen, keinen Se-

---

*) S'ils sont malheureux et repoussés jusqu' au Danube, alors le Roi se
montrera avec sa médiation armée et proposera aux parties belligérantes nôtre
plan général, schreibt H. am 4 April 1789.

paratfrieden zu schließen, und, wie auch die Dinge sich wenden möchten, jene polnisch-preußischen Entschädigungen stets im Auge behalten. Ein königliches Schreiben vom 18. Sept. bestätigte diese Auffassung ausdrücklich. „Sollten die Feinde, heißt es darin, die türkischen Truppen über die Donau zurückwerfen, so kann die Pforte auf meinen vollen Beistand zählen und ich biete ihr für diesen Fall ein Trutz- und Schutzbündniß an. Es ist mein ausdrücklicher Wille, daß Sie die Pforte versichern, ich würde sie im nächsten Frühjahr kräftig und wirksam unterstützen, wenn sie mir fest verspricht, keinen Frieden zu schließen ohne meine Vermittlung und ohne mich mit einzuschließen." Schon in einer Instruction vom 25. Mai hatte Diez die Ermächtigung erhalten, in dieser Richtung mit den Türken zu unterhandeln.

Die kriegerischen Vorgänge seit dem Sommer des Jahres 1789 versprachen die Erreichung dieses Zieles zu beschleunigen. Der Verbündete der Pforte, Gustav III., war nach einem kurzen Anlaufe kriegerischer Fortschritte im Juli und August zur See und zu Land geschlagen worden, und die Waffen der Türken selbst hatten keinen besseren Fortgang. In der Wallachei wurden sie von Suwarow und Coburg bei Fockschan (31. Juli) und bei Martinesti am Flusse Rimnik (22. Sept.) völlig geschlagen, indessen Laudon Belgrad belagerte und am 8. Okt. die wichtige Gränzfestung gewann. Der Eindruck dieser Niederlagen war so groß, daß selbst Diez jetzt glaubte, für die Abtretungsvorschläge Eingang zu finden. Hertzberg sah in dem Fall von Belgrad den „Gnadenstoß" für die Türken und hatte nur die eine Besorgniß, es möchte rasch ein übereilter und schimpflicher Friede abgeschlossen worden sein.*) Diese Sorge zwar war ungegründet, aber so rasch ging es auch bei den trägen und mißtrauischen Türken mit dem Abschlusse des Bündnisses nicht. Dieselbe Unordnung und Schwäche dieser „kindischen Regierung", wie Diez sagte, welche die klägliche Kriegführung verschuldet, trat auch einem raschen Abschlusse der Verhandlungen in den Weg. Diez selber kommt allmälig zu der Ueberzeugung, die Hertzberg längst gehegt, daß man durch Drohungen suchen müsse, die Osmanen zur Freundschaft zu zwingen.**)

---

*) Depesche vom 17. Okt.

**) „V. E. gagne du tems pour s'entendre avec les deux Cours imperiales,

War das Kriegsglück der Pforte nicht günstig, so kam indessen Hülfe von anderer Seite. In Polen hatte Preußen einen entschiedenen Erfolg über die russische Politik davongetragen. Schon früher war der Wunsch Katharinens, ein Bündniß mit den Polen einzugehen, durch Preußens Thätigkeit abgewiesen worden; die Polen hatten dann auch Beschwerde gegen die russischen Durchmärsche und die Besetzung einzelner polnischer Landstriche erhoben,*) und Rußland hatte es für gut gehalten, dieser Beschwerde nachzugeben. Nun tauchte der Plan eines polnisch-preußischen Bündnisses auf und fand im Reichstage einmüthige Beistimmung (Dec. 1789). In Rußland selber regte sich aber eine Opposition unter dem Adel und erhob Klage über die starken Aushebungen, die hohen Getreidepreise und den Mangel an baarem Gelde; Hertzberg gab sich der Hoffnung hin, daß diese Bewegung nicht ohne Folgen bleiben werde. Die wichtigste Diversion zu Gunsten der Türken war indessen der belgische Aufstand. Die preußische Politik erwartete davon einen bedeutenden Erfolg; man rechnete in Berlin jetzt darauf, daß die Moldau und Wallachei den Türken verbleiben und Oesterreich auch nur durch die Abtretungen des Passarowitzer Friedens für die Zurückgabe Galiziens genügend könne entschädigt werden.**) „Mein Plan ist, schreibt Hertzberg am 5. Dec., daß der König und die beiden Seemächte nun als Bürgen der belgischen Verfassung sich einmischen und die belgischen Provinzen dem Kaiser nur mit einer sehr beschränkten Verfassung unter unserer Garantie und der Bedingung zurückgegeben werden, daß Oesterreich die Moldau und Wallachei räumt und sich mit den Gränzen des Passarowitzer Friedens begnügt. Das setzt freilich immer voraus, daß die Pforte die Krim und Oczakow den Russen überläßt. Die Pforte müßte sich aber dann ganz an Preußen anschließen und etwa nach einem geheimen Artikel den Oberstlieutenant v. Götze zur Armee senden und ihm die Leitung der Kriegsoperationen überlassen. Geschieht dies Alles, so soll nach

---

car pour porter à la fin des fins ces gens à des cessions dont l'échange revienne à la Prusse, il faut les y forcer moyennant l'accord avec leurs ennemis. Sans cela ils nous échapperont" — schreibt Diez am 1. Jan. 1790.

*) Hertzberg, Recueil II. 488 ff.
**) Königl. Schreiben d. d. 4. Dec. 1789.

meiner Ansicht der König im März den kriegführenden
Mächten meinen früher dargelegten Plan vorschlagen,
sich aber zugleich mit einer Armee von 200,000 Mann
in vier Armeecorps in Bewegung setzen, um den anzu=
greifen, der nicht binnen vier Wochen unseren Vor=
schlag annimmt." Und drei Tage später schreibt Hertzberg:
„wir haben das große Hülfsmittel, daß alle belgischen Provin=
zen sich empört haben, was die Kräfte des Kaisers furchtbar
spaltet. Die Ungarn und Galizier stehen auf dem Punkte, das=
selbe zu thun, wenn die Pforte fest hält. Sparen Sie darum we=
der Geld noch Mühe, um die Hauptsache zu erreichen. Sobald
Sie mir die Antwort der Pforte schicken, werde ich Ihnen mit
einem Courier neue Instructionen schicken, die so präcis und be=
stimmt wie möglich sind. Die Polen warten nur auf unseren
Bund mit den Türken; auch herrscht zu Moskau eine große
Aufregung. Niemals sind die Chancen für uns so günstig ge=
wesen."

Indessen war Diez mit den Türken in lebhafter Verhandlung.
Aber die Dinge gestalteten sich nicht so einfach, wie der preußische
Diplomat erwartete. „Ich thue Alles, schreibt er am 1. Nov.,
um die Pforte zum Abschluß zu drängen. Ich mache jeden Tag
dem Ministerium, dem Serail und den Ulemas die stärksten Vor=
stellungen, aber ich erhalte keine genügenden Erklärungen." Einer
schob die Entscheidung auf den Andern, und was Diez anfangs
für Mangel an Entschluß und Ungeschicklichkeit gehalten, stellte
sich immer mehr als eine wohlberechnete Taktik heraus. Eine
ebenso überraschende als unerfreuliche Entdeckung gab dazu den
Schlüssel. Die Türken waren bereits im Besitz nicht nur des
Bündnißentwurfes, auf dessen Grundlage Diez unterhandeln sollte,
sondern selbst der geheimen Instructionen;*) sogar daß Diez
Auftrag hatte, zum Scheine zu drohen, Preußen werde sich mit
den Feinden der Türken verbinden, war ihnen nicht verborgen.
Die Gegner der preußischen Politik hatten sehr schlau operirt; sie
waren wahrscheinlich durch Bestechung des Dragoman in den Besitz
der Actenstücke gekommen, und Diez erfuhr das Ganze zuerst durch

---

*) „dont une partie était d'une nature fort peu ostensible," schreibt Hertz=
berg am 15. Dec.

Hertzberg, dem in Berlin türkische Uebertragungen der preußischen Noten vor Augen lagen.

So zögerten denn die türkischen Staatsmänner, wußten immer neue Vorwände zu finden, um die Verhandlung zu vertagen. Machte diese hinhaltende Taktik den preußischen Unterhändler ungeduldig, so wurde er zugleich durch das offenbar absichtlich ausgestreute Gerücht, es sei ein Waffenstillstand mit den Russen und Oesterreichern im Werk, beunruhigt. So hofften die Türken den Gesandten durch Ungeduld und Furcht nachgiebiger zu machen, und die Folge bewies, daß sie nicht falsch gerechnet hatten. Dieser wohlberechneten und geschickten Taktik gegenüber zeigte sich Diez nicht gewachsen. Seine Bestechungskünste kosteten Geld, halfen aber nichts; er ging weiter und versuchte allerlei verdächtige Manöver gegen den Reiseffendi ins Werk zu setzen, steckte mit Pfaffen und Höflingen zusammen, um eine Palastrevolution zu Stande zu bringen.*) Auf diesem schlüpfrigen Boden der Serailintriguen war Diez, bei aller Kenntniß des türkischen Wesens, doch nicht heimisch; das unglückliche Beginnen diente nur dazu, seine Lage zu verschlimmern.

So vergingen die letzten Monate des Jahres 1789, ohne daß die Unterhandlung einen Schritt vorwärts kam. Zwischen unbestimmten Zusagen und leeren Ausflüchten der Türken hin- und hergetrieben, ohne irgend einen festen Boden und unter stetem Wechsel der politischen Witterung hatte der preußische Diplomat zuletzt keine andere Auskunft mehr gefunden, als die drohende Erklärung, Alles abzubrechen, wenn man die Dinge nicht zu einem Abschluß bringe. Zu Anfang des neuen Jahres 1790 ist darum die Unterhandlung weiter vom Ziele als je; die Türken verstanden sich zu nichts Bestimmtem und Diez setzte eine peremtorische Frist bis zum 8. Januar, nach deren Ablauf er sich von allen früheren Zusagen werde entbunden ansehen und die Pforte ihrem Schicksal überlassen müsse. Da erfolgte denn am 9. Jan. von Seiten der Pforte die Ueberreichung eines Vertragsentwurfes, dessen Inhalt

---

*) Je mets toute mon espérance dans une revolution que je tâche de produire. J'ai pour cet effet instigué un certain Hussein aga etc., schreibt D. selbst am 22. Nov., und auch in anderen Briefen finden sich ähnlicher Aeußerungen manche.

freilich den preußischen Ansichten keineswegs entsprach. Vor Allem
sollte Preußen danach mitwirken, den Türken die Krim und die
anderen Verluste wieder zu verschaffen, und nur unter dieser Voraussetzung wollte die Pforte sich verpflichten, die Rückgabe Galiziens von Oesterreich zu verlangen.*) Diez lehnte dies ab und
erhielt ein paar Tage später einen neuen Entwurf mit einigen
unwesentlichen Aenderungen und dem wiederholten Versprechen, die
Allianz binnen kurzer Zeit zum Ziel zu führen; er fuhr inzwischen fort, mit Absicht das Gerücht zu unterhalten, daß er auf
dem Punkte stehe abzureisen. Die Unterhandlungen wurden von
Neuem aufgenommen; Diez rühmte sich zwar in seinen Noten der
Vortheile, die ihm seine Kenntniß des Türkischen gewähre, aber
er gab doch in wesentlichen Punkten nach und veränderte die ursprüngliche Absicht der ihm von Berlin gegebenen Vorschläge.
Der Hauptpunkt der Hertzbergischen Politik, die Erwerbung der
polnischen Gebiete durch die Rückgabe Galiziens, erschien in dem
späteren Vertrag in anderer Gestalt; daß die Pforte erst Frieden
schließen wolle, wenn sie sich der Krim wieder bemächtigt habe,
widersprach geradezu der wiederholt ausgesprochenen Meinung des
preußischen Ministers, und die schroffe Stellung, welche dem Vertrage nach Preußen zu Oesterreich und Rußland einnehmen sollte,
vertrug sich nicht mit der durch Hertzberg von Anfang an zäh fest-
gehaltenen Taktik, ohne Krieg durch kriegerische Demonstrationen
eine Gebietserweiterung für Preußen zu erlangen. Und selbst diesen Vertrag von zweifelhaftem Werthe kostete es Mühe zum Abschluß zu bringen. Mehrere Tage lang stockte die Unterhandlung
völlig; Diez war außer Stande eine Antwort zu bekommen und
es drang nur das beunruhigende Gerücht zu seinen Ohren, daß
die Türken gleichzeitig mit Oesterreich und Rußland unterhandel-
ten. Diez suchte die Türken zugleich durch die Lockspeise preußischer Macht zu gewinnen und durch die Drohung eines feindlichen Bruches einzuschüchtern; er wiederholte das Schauspiel

---

*) Surtout en ce que selon le 1. article on veut l'obliger de ne faire la
paix qu'après la conquête de la Crimée et de tous les autres pays perdus ce
qui implique la garantie de ces pays et que dans ce seul cas la Porte veut
ridiculement s'intéresser pour que la Gallicie soit rendue — schreibt D. am
15. Jan. an den König.

einer bevorstehenden Abreise; er erklärt am 26. Jan. binnen drei Tagen Constantinopel zu verlassen und verlangt seine Pässe. Kurz, er wandte nach seinem eigenen Ausdrucke alle Mittel an, welche ihm Vernunft und Politik menschenmöglich machten, um den Abschluß zu erlangen.

Am 31. Januar 1790 erfolgte die Unterzeichnung; Diez meldete mit triumphirendem Tone die „große Neuigkeit" nach Berlin, doch mit dem Beisatze, daß man aus seinen Depeschen ersehen werde, welch verzweifelte Mittel er noch habe anwenden müssen, um die Unterzeichnung zu gewinnen. *)

In Berlin war indessen bereits die Abberufung von Diez beschlossen. Die türkische Regierung selbst hatte Klage erhoben gegen einen Gesandten, der sich allerdings nur zu tief in mancherlei Machinationen eingelassen, die den Sturz des Ministeriums bezweckten. In Berlin selbst war man seit der unangenehmen Entdeckung von der Auslieferung der Depeschen, woran Diez freilich unschuldig war, verstimmt; jetzt kam die Beschwerde der Türken hinzu, die nicht verbargen, daß sie mit Diez nicht länger unterhandeln wollten. Schon am 12. Januar hatte sich Hertzberg in einem vertraulichen Schreiben an einen befreundeten Diplomaten dahin geäußert, daß man Diez der Pforte opfern müsse; **) nur wollte man nicht mitten in der eben begonnenen Unterhandlung ihn abberufen. Doch erfolgte die Zurückrufung; ein Schreiben Hertzbergs vom 27. Jan. kündigte dem Gesandten den Entschluß an und bezeichnete als Motive den Verrath der Depeschen und die Unzufriedenheit der Türken. Als Nachfolger ward der Major von Knobelsdorf geschickt.

Fast in dem Augenblick, wo diese Meldung von Berlin abging, schickte Diez den fertigen Vertrag vom 31. Januar an Hertzberg. Man nahm ihn dort nicht so triumphirend auf, wie Diez ihn angekündigt; vielmehr füllte der Vertrag das Maß der Unzufriedenheit mit dem Gesandten. „Was haben Sie gedacht — schrieb Hertzberg am 13. März — zu versprechen, der König werde so-

---

*) Par quels moyens désespérés j'ai forcé l'affaire.

**) — Vous pourriez faire connoître au Reis-Effendi que le Roi regrettait d'avoir appris que D. lui avait déplu et qu'il avait été sur le point de le rappeler pour le faire voir le grand cas que S. M. faisait de lui.

wol gegen Rußland als gegen Oesterreich den Krieg erklären und
erst nach der Wiedereroberung der Krim die Waffen niederlegen?
Das findet sich in keiner Ihrer Instructionen und bringt mich in die
größte Verlegenheit, sowol in Bezug auf die Ratification als in
Ansehung der Ausführung; wir wollten wohl gegen Oesterreich
Krieg führen, aber nicht auch gegen Rußland, und die Wiedereroberung der Krim zu versprechen ist uns 'unmöglich.*) Ich
weiß auch, daß die türkischen Minister sich rühmen, Sie vermöge
Ihres allzugroßen Drängens vollkommen düpirt zu haben; diese
versprechen uns nichts und Sie haben ihnen Alles versprochen!
Ich weiß nicht, was ich in dem Augenblicke thun soll; doch da
wir fünf Monate Zeit haben zur Ratification, werde ich diese so
lange als möglich verzögern, um die Ereignisse abzuwarten."

Hertzberg selber täuschte sich darüber nicht, daß wenig Aussicht sei, die kriegführenden Mächte lediglich durch kriegerische Demonstrationen zu einem Frieden zu bewegen, wie er den Wünschen
der Pforte entspreche. Doch sah man auch dem Kriege selbst ohne
Besorgniß entgegen, wenn man ihn gleich im Grunde nicht gewollt hatte. „Wenn uns die Oesterreicher zuerst angreifen —
schrieb Hertzberg **) —, so werden sie gut empfangen werden. Der
König wird sie mit drei Armeecorps von je 50,000 Mann und
30,000 M. Polen angreifen, während ein anderes Corps von 30,000
M. die Russen beschäftigt. Aber es muß alles Mögliche geschehen,
damit die Türken zu Ende Mai im Felde erscheinen und den Krieg
mit aller Kraft führen, so daß wenigstens 100,000 Oesterreicher und
100,000 Russen beschäftigt werden und der König nicht die ganze
Macht der beiden großen Monarchien allein auf sich hat." Auch
versichert der preußische Staatsmann, daß der König sehr bereit

---

*) Diez vertheidigt sich in einem Schreiben an den König (d. d. 8. Mai)
mit den Worten: Je dirai ici seulement que la reprise de la Crimée n'est
stipulée nulle part dans le traité et que la Porte ayant insisté à nommer les
ennemis aux quels V. M. voulait faire la guerre, ne je pouvois point m'y refuser
sans rendre suspectes mes vues. Aussi V. M. ne m'a-t-elle jamais dit aupara-
vant qu'elle voulait faire seulement la guerre à l'Autriche mais pas à la Russie.
Il faut même dans ce moment la plus grande circonspection pour cacher ici
cette idée afin que la Porte n'en prenne pas d'ombrage et ne se prête pas aux
propositions de paix favorables que la Russie vient de lui faire.

**) Schreiben vom 30. März.

sei*) zum Kriege, wenn die beiden Kaiserhöfe sich nicht zur Abtretung Galiziens, der Moldau und Wallachei verständen; aber die Türken müßten sich dann doch dazu verstehen, die Krim und die Gränzen des Passarowitzer Friedens aufzugeben.

Es war nicht zu leugnen, der preußische Gesandte, der den Vertrag vom 31. Januar abgeschlossen, hatte seine Vollmacht überschritten; denn abgesehen von einzelnen Abweichungen, in denen er seinen Instructionen eine etwas weite Deutung gab, hatte er die Hauptsache zu einem anderen Ergebniß geführt, als man in Berlin gewollt. Von einer preußischen Vermittlung und Bürgschaft, deren Lohn Danzig und Thorn sein sollten, war man nun doch zu einem engeren Verhältniß mit den Türken gekommen; aus einer Defensivallianz war ein Schutz- und Trutzbündniß geworden, und während der König seinem Botschafter früher ausdrücklich anbefohlen, ihn nicht in einen Krieg zugleich mit Rußland und Oesterreich zu verwickeln, so schien jetzt eben ein solcher Krieg so gut wie unvermeidlich und man fing in Berlin an, sich an den Gedanken zu gewöhnen, daß man im Mai 1790 gegen Oesterreich und Rußland zugleich die Waffen kehren müsse. War es Absicht, war es Zufall, die Dinge, wie sie geworden waren, sahen den ersten kriegerischen Entwürfen von Diez mehr ähnlich, als dem Projecte bewaffneter Vermittlung Hertzbergs. Und wer wollte, wenn einmal der erste Kanonenschuß gefallen war, den Lauf der folgenden Dinge berechnen? Denn wie gering man auch von der Kriegsleitung der Türken, Polen und Schweden denken mochte, vereinigt und von einer energischen Politik Preußens geführt, stellten sie doch eine Masse von Kräften ins Feld, die dem russisch-österreichischen Bündniß genug konnte zu schaffen machen. Dazu war Ungarn in heftigster Gährung, Belgien in offenem Aufstande und Abfall begriffen, Frankreich durch seine eigenen Erschütterungen außer Stande, Verpflichtungen gegen Oesterreich zu erfüllen, Preußen dagegen durch enge Bündnisse mit England, Holland, Polen und der Pforte verbunden; wohl konnte man mit Diez und Hertzberg sagen: noch nie ist der Moment günstiger gewesen für eine Erhebung Preußens auf Kosten der österreichischen und russischen

---

*) Am 3. April. Le Roi est fort porté pour faire la guerre et entrer en campagne vers la fin de mai etc.

Macht. Es ist gewiß, ein solcher Krieg mußte den größeren Theil von Europa ergreifen und vielleicht länger dauern, als die „paar Jahre", die ihm Diez prophezeit, aber es standen auch, wie in keinem früheren, neben der wohlgeordneten Rüstung an Heereskräften Verbündete zur Seite in den aufrührerischen Bewegungen, von denen ein guter Theil der österreichischen Monarchie ergriffen war. Daß die Politik Hertzbergs sich nicht bedenken werde, diese Aufstände als erwünschte Verbündete anzusehen, das haben wir bereits früher aus seinen eigenen vertraulichen Aeußerungen herausgelesen; jetzt eben im Laufe des Jahres 1789 ergab sich ein öffentlicher Anlaß, der beweisen konnte, daß der Leiter der auswärtigen Politik in Preußen, wo es den Vortheil und die Macht seines Landes galt, sich weder von Revolutionsfurcht noch von einer eingebildeten Solidarität monarchischer Interessen bestimmen ließ.

Locale Mißverhältnisse zwischen der Stadt Lüttich und dem Fürstbischof waren dort seit dem Jahre 1789 rasch zu politischen Bewegungen herangewachsen und hatten unter dem Eindrucke der Ereignisse im Westen in dem heißblütigen Wallonenvolke eine Miniaturrevolution hervorgerufen. Der Fürstbischof nahm seine Zuflucht zu der beliebten Taktik: er gab nach und adoptirte alle Neuerungen wie freiwillige Zugeständnisse — um bessere Zeit abzuwarten. Als er die Stadt in Vertrauen eingewiegt, verließ er heimlich das Gebiet, ließ beim Reichskammergericht ein Urtheil gegen das „verabscheuungswürdige Unterfangen" auswirken und Execution androhen. Die Angst vor der Revolution beflügelte diesmal den Schneckengang der kammergerichtlichen Verhandlungen. Aber Preußen gab den Klagen der Lütticher Gehör und schickte Dohm hin, um an Ort und Stelle die Sachlage zu prüfen. Der Ausgang freilich bereitete der preußischen Politik eine herbe moralische Niederlage, aber es hing auch dies wie vieles Andere mit dem Umschwunge in Preußen zusammen, den wir im Folgenden werden kennen lernen. Für jetzt schien kein Zweifel darüber, daß in dem bevorstehenden Kriege des Jahres 1790 Preußen mit allen Volksbewegungen in Ungarn, Polen, Belgien, Lüttich im engsten Bunde auf den Kampfplatz gehen werde. Die Abgeordneten der Brabanter wie der Ungarn fanden in Berlin freundliche Aufnahme, in Warschau wie in Lüttich stand die preußische Politik für die freieren Verfassungen und neugewonnenen Volksrechte ein.

Ward diese Politik so consequent festgehalten, wie sie kühn
angelegt war, welch andere Gestalt stand der europäischen Politik
in den nächsten Jahren bevor! Während, mit Hertzberg zu reden,
in Frankreich der revolutionäre Vulcan in sich selber austobte, unberührt und nicht genährt von auswärtiger Einmischung, wandte
sich fast die ganze vereinigte Macht Mitteleuropas, die Seestaaten,
Schweden, Polen die Pforte unter preußischer Leitung zum Kriege
gegen das schon tief zerrüttete Oesterreich und gegen Rußland, um
vielleicht, wie Diez früher hoffte, die Macht beider auf ein Jahrhundert unschädlich zu machen. Der Gedanke, Rußland wieder zu
Gunsten der Schweden, Polen und Osmanen um einen Theil der
Gebiete zu bringen, durch die es sich seit Peter dem Großen erweitert, lag, wie wir sahen, wenigstens einzelnen Personen als
letzter Wunsch im Sinne. Es ist ganz anders gekommen, und
das Jahr 1790 ist für die europäische Politik eben dadurch bedeutend geworden, daß eine geradezu entgegengesetzte Strömung damit begann. Die europäische Coalition gegen den Osten löst sich
überraschend schnell, fast lautlos auf; die bisher entzweiten Mächte
rüsten sich zu einer bewaffneten Einmischung in den westlichen Vulcan und bereiten dessen entzündenden Stoffen den Weg nach Außen; Rußland konnte ganz ungestört der Verfolgung seiner östlichen
Entwürfe nachgehen.

Zu dieser völligen Umkehr der politischen Lage wirkten zunächst zwei sehr verschiedene Ereignisse gleich mächtig mit: die
wachsende Ausbreitung der französischen Revolution und der Tod
Josephs II. In Frankreich waren alle die Experimente, durch die
man seit 1774 versucht hatte, dem tiefzerrütteten Staatswesen aufzuhelfen, mißlungen; sie hatten nur dazu gedient, die hülflose
Ohnmacht der alten Gewalt stufenweise zu enthüllen und den Zauber, der einst die alte Monarchie umgeben, völlig zu zerstören.
Die ökonomischen Verlegenheiten, die Händel mit den privilegirten Körperschaften, die fruchtlosen Verständigungsversuche mit Parlamenten und Notabeln waren seit 1789 in eine gewaltige Umwälzung umgeschlagen, welcher zuerst die überlieferte Autorität der
Monarchie, dann die Vorrechte des Feudaladels erlegen waren,
nun auch die mittelalterliche Kirche zu erliegen drohte. Aus dem
Streite über die Formen der Verwaltung und Verfassung, über
die Steuern und deren Vertheilung war eine furchtbare Revolu-

tion geworden, welche in Frankreich selbst bereits die Grundfesten der Gesellschaft erschütterte, und deren wachsende Macht den ganzen Zustand Europas umzugestalten drohte. Der feudalen Ordnung, auf welcher die alten Staaten Europas beruhten, war hier mit solch wilder Entschiedenheit und durchgreifender Consequenz der Krieg erklärt, daß für alle Gewalten und Stände der europäischen Welt, deren Existenz mit der feudalen Ordnung verknüpft war, ein gleich lebhaftes Interesse bestand, sich dem weiteren Vorschreiten der Revolution zu widersetzen. Gelang es, die Fürsten und Regierungen in dies Interesse hereinzuziehen, so war eine völlige Umkehr der europäischen Politik die nächste Folge: statt des Streites im Osten um türkisches und polnisches Gebiet entwickelte sich im Westen ein Kampf gegen die propagandistische Macht der Revolution.

Der Tod Josephs II. erleichterte diese Umwandlung. Es war dem Kaiser das traurige Loos geworden, alle seine Entwürfe gescheitert, sein ganzes Lebenswerk in wildester Zerrüttung zu sehen. Lauter unvollendete und zum Theil vergebliche Arbeit umgab ihn; in den wichtigsten Lebensfragen seiner Politik hatte er den Rückzug antreten müssen. In Ungarn regte sich theils der barbarische Widerwille gegen jede Ordnung, theils die nationale Antipathie und trotzte seinen Versuchen der Verschmelzung und Nivellirung; in Belgien wirkte die adelige und kirchliche Feudalität mit wirklich revolutionären Elementen zusammen, sein Werk zu zerstören; der österreichische Erbstaat, dessen Einheit und Uniformität das Ziel seines Lebens gewesen, war in voller Auflösung begriffen, der noch unbeendigte Türkenkrieg, von dessen Ausgang sich der Kaiser die eine Hälfte des osmanischen Reiches versprochen, zog sich in schleppender Einförmigkeit dahin und drohte ihm die vereinigte Macht Preußens und seiner Verbündeten auf den Nacken zu hetzen. Der Kaiser siechte hin, von körperlichem Leiden, Familienunglück und dem schmerzlichen Bewußtsein einer fruchtlosen Lebensthätigkeit gewaltsam aufgezehrt. Er starb am 20. Febr. 1790 und seine letzten Worte enthielten das wehmüthige Geständniß, „er habe das Unglück gehabt, alle seine Entwürfe scheitern zu sehen."

Die bleibende Wirkung, die Joseph für die österreichische Monarchie gehabt — eben die unwiederbringliche Zerrüttung und Durchgährung des alten Zustandes — verschwand in diesem Moment

vor dem unmittelbaren Eindruck chaotischer Verwirrung, den der
Anblick des Reiches gewährte. Die Niederlande waren in vollem
Aufstande, in Ungarn brohte ein Gleiches; Böhmen war in einer
Gährung, wie seit dem dreißigjährigen Kriege nicht mehr, bis nach
Kärnthen, Steiermark und Tirol erstreckte sich der Widerstand ge=
gen das kaiserliche System, und selbst im deutsch=österreichischen
Erzherzogthume und in Vorderösterreich, wo die verjährte Politik
jede selbständige Regung dauernd erstickt zu haben schien, zuckten
Lebenszeichen einer politischen Bewegung auf. Josephs gewaltsa=
mes Bestreben, den österreichischen Einheitsstaat zu erzwingen,
hatte gerade das Ergebniß gehabt, die einzelnen Nationalitäten
zum Bewußtsein zu wecken, indessen sein einförmiger und mechani=
scher Bureaukratismus die verschiedensten Stämme in ihrer Frei=
heit und Eigenthümlichkeit empfindlich verletzte.

Es war eine günstige Fügung für Oesterreich, daß eine Per=
sönlichkeit wie Leopold dem stürmischen und ungeduldigen Joseph
folgte. Leopold war wie Joseph ein Zögling jenes aufgeklärten
Absolutismus, der die Throne und Cabinete der Zeit beherrschte,
aber er war weder von dem humanitarischen Feuereifer seines kai=
serlichen Bruders erfüllt, noch seiner Natur nach zu so ungestü=
men und gewaltsamen Mitteln angelegt. Von stark sinnlicher An=
lage und nicht wie Joseph von Entwürfen und Thaten innerlich
aufgerieben, sondern weit nachgiebiger gegen den Genuß des Le=
bens, geschmeidig und mild in den Formen, und darum in der
Regel seines Zieles viel sicherer als Joseph, hatte er in Toscana
eine vielbewunderte Verwaltung im humanen und aufklärenden
Stile der Zeit geleitet. Daß diese humane und freisinnige Mode
jener Tage nicht allzu tief bei ihm ging und er keineswegs ge=
neigt war, im Kampfe dafür sein Leben einzusetzen, wie Joseph,
das bewies er in der Regierung, die er fortan in Oesterreich führte.
Sein Aufenthalt in Italien war von sichtbarem Einfluß auf sein
ganzes Leben; wie durch ihn die schlimmen Künste südlicher Des=
potie, die Spionage und geheime Polizei, erst recht organisirt wor=
den sind in Oesterreich, so war auf ihn auch etwas von jener
Ueberlieferung florentinischer Staatskunst übergegangen, die mit
Feinheit und Ausdauer die von Josephs Ungestüm verlorenen
Posten wieder zu erobern wußte.

Er begann damit, der furchtbaren Gährung im Innern durch

Nachgiebigkeit zu steuern; ohne das Ziel Josephs, die österreichische Staatsmacht und Staatseinheit, aufzugeben, hielt er es doch für gerathen, die straff angezogenen Bande der Centralisation etwas zu lockern. Den Ungarn ward versprochen, ihre aristokratische Feudalverfassung solle wieder hergestellt werden, den Belgiern das Gleiche in Aussicht gestellt, der Clerus und Abel aller Provinzen durch Verheißungen der Restauration beschwichtigt, die josephinische Steuerverfassung ward beseitigt. In Ungarn erstanden die Obergespannschaft des Bacser Comitats, die croatische Banuswürde, die königliche und Septemviraltafel, die höchsten Gerichtsstellen in Ofen von Neuem; die Krönung ward in alter Weise vorgenommen, der Landtag wieder eröffnet. Auch in Böhmen und Mähren ward dem aristokratisch ständischen Interesse nachgegeben; der Abel hoffte sogar eine Zeitlang, wenn auch vergebens, die Leibeigenschaft wieder aufleben zu sehen. In allen diesen Maßregeln gab Leopold dem feudalen Interesse auf Kosten der Masse des Volkes nach; nur die wachsame Sorge für die eigene Regierungsgewalt war die Schranke, welche weitergehende Concessionen aufhielt. Die Generalseminarien verschwanden, einzelne Klöster erhielten ihre Güter, der Paulinerorden seine Landstandschaft, das Kloster Mölk seine Vorrechte zurück, die Aufrechthaltung des Piaristenordens ward verfügt — aber vergeblich hoffte der Clerus auf die volle Restitution der Klöster und die Abstellung der geistlichen Hofcommission. Selbst in der äußeren Gestalt des Hofes verschwand die soldatische Schlichtheit Josephs und kehrte die reichere Repräsentation und äußere Pracht zurück. Die Büchercensur ward streng gehandhabt und ausdrücklich eingeschärft, die „Bücher und Brochüren nicht zuzulassen, welche die Religionslehren und das, was in die kirchliche Verfassung einschlägt, sammt den Dienern der Religion dem Gespötte preisgeben." *)

Das Wichtigste blieb aber die Lösung der auswärtigen Verwicklungen. So lange der Krieg mit der Pforte Heer und Finanzen aufzehrte, die Verhältnisse zu Polen und den Seemäch-

---

*) S. Sartori Leopoldinische Annalen. Zwei Theile. Augsb. 1792. 1793. Vgl. auch Beidtel über die Justizreformen unter K. Leopold II. in den Sitzungsberichten der Akademie IX. 233 f.

mächten in offene Feindseligkeit auszuschlagen drohten und ein
Krieg mit Preußen bevorstand, war an eine innere Beruhigung
der Monarchie nicht zu denken. Die Gefahr, den ganzen Bestand
der österreichischen Ländermacht vermindert, Galizien verloren, dafür Preußen mit neuen Abtretungen vergrößert und durch die
Clientel Polens, Schwedens, Hollands verstärkt zu sehen, wog
schwer genug, um für's Erste alle weitreichenden Entwürfe, wie
sie Joseph noch 1787—1788 gehegt, aufzugeben und vor Allem
den Bestand der Gesammtmonarchie sicherzustellen.

So entschloß sich Leopold zu einem versöhnlichen Schritte
gegen Preußen. Wie er in den innern Wirren durch die nachgiebige und versöhnliche Weise seines Auftretens Vertrauen gewonnen, so hoffte er durch ein mildes und friedfertiges Verhalten gegen Preußen den König mit Hertzbergs Politik zu entzweien.
Er wandte sich wenige Wochen nach Josephs Tod (25. März
1790) an Friedrich Wilhelm II. Im freundlichsten Tone der Nachgiebigkeit und der geschmeidigen Weise florentinischer Politik suchte
er die persönliche Stimmung des preußischen Monarchen, dessen
Friedensliebe und Großmuth für den Frieden zu gewinnen, der
ihm so außerordentlich nothwendig war. „Er habe — äußerte
er*) — im Kampfe gegen die Türken nichts erreichen wollen, als
sein gutes Recht, wie es ihm schon der Friede von Passarowitz
verheißen habe; nur die Besorgniß vor einer Theilnahme Preußens und Polens am Kampfe hätte ihn veranlaßt, lediglich zu
seiner Vertheidigung die Truppenmassen in Böhmen, Mähren und
Galizien zu sammeln. Er denke an keinerlei Vergrößerung; er
wolle nur seinen eigenen Heerd vertheidigen. Er werde gern die
Hände bieten zu Allem, was ein vollkommenes Vertrauen und
Beruhigung herstellen könne. Auch über den Fürstenbund hege
er andere Ansichten, als man sie bei ihm vorausgesetzt; zum Beitritte eingeladen, würde er nicht zögern Theil zu nehmen, falls
gegenseitige Gleichheit zwischen sämmtlichen Verbündeten bestehe.“

Die rauhe und trotzige Sprache, die noch jüngst Joseph II.
geführt, stimmte nicht mehr zu der Lage der österreichischen Monarchie; vielleicht führte der milde und friedfertige Ton des Nachfolgers besser zum Ziele. Die Antwort Friedrich Wilhelms II. stellte

---

*) Hertzberg, Recueil des deductions III. 61 f.

das freilich noch in einige Ferne; sie stieß zwar die von Leopold
gebotene Hand nicht zurück, aber es war doch noch die Politik
Hertzbergs, die daraus hervorklang. Die Schritte Preußens wurden durch die vorangegangenen Thaten der österreichisch-russischen
Politik motivirt; man erklärte sich bereit zum Frieden, aber auf der
Grundlage des Status quo vor dem Kriege. Zugleich ward jener
Lieblingsvorschlag Hertzbergs angeregt: eine dauernde Erledigung
der orientalischen Frage dadurch herzustellen, daß ein von allen
Seiten anerkanntes und verbürgtes Abkommen den ferneren Bestand des osmanischen Reiches begränze und sichere. Auch verwies der König auf seine Bündnisse mit Holland und England,
auf die Verträge mit Polen und der Pforte, die es ihm nicht
möglich machten, „auf bestimmtere Erklärungen sich einzulassen.“
Leopolds Antwort (28. April) war in sehr verbindlichem Tone
gehalten, aber ohne bestimmte Zusagen; den Vorschlag Englands,
sich zunächst über einen allgemeinen Waffenstillstand zu verständigen, berührte sie nur im Allgemeinen und verwies, ähnlich wie
die preußische Erklärung, auf die Verbindlichkeiten, in denen Oesterreich zu Rußland stand. Darauf erneuerte (9. Mai) Friedrich
Wilhelm sein bringendes Begehren um eine klare und unum-
wundene Antwort; er habe Verpflichtungen zu lösen, die keinen
Aufschub duldeten, und befinde sich in einer Lage, die mehr einem
Waffenstillstand als dem Frieden ähnlich sehe. Aus diesem Grunde
müsse er wünschen, daß Oesterreich seine militärischen Operationen
gegen diejenigen, für deren Loos Preußen sich interessire, einstweilen einstelle. Man könne sich ja über Präliminarien verständigen, deren weitere Erörterung einem Congresse überlassen würde,
und er, der König, selber habe sich gegen den Fürsten Reuß, den
Abgesandten, der ihm das kaiserliche Schreiben überbracht, darüber
mit aller Offenheit und Klarheit ausgesprochen.

Es waren die Vorschläge Hertzbergs, die Friedrich Wilhelm
dem österreichischen Botschafter mitgetheilt. Preußen verlangte
darin, daß die Pforte das Gebiet, das sie zwischen Donau und
Dniester im Kriege verloren, zurückerhalte; dagegen solle Oesterreich von der Wallachei und Serbien behalten, was ihm im Frieden von Passarowitz zugesagt war. Von Galizien solle Oesterreich den südöstlichen Winkel behalten, der von Ungarn und Sie-
benbürgen begränzt sich bis zum Dniester, zum Stry und dessen

Mündung in den Dniester ausdehnt, den Rest aber an Polen zurückgeben. Preußen solle dafür Danzig und Thorn erhalten, jedoch für's Erste die Pforte bestimmen, daß dieselbe für immer die Krim an Rußland, die Gränzen des Passarowitzer Friedens an Oesterreich überlasse, dann seine brandenburgische Kurstimme der Kaiserwahl Leopolds zuwenden und der Unterwerfung Belgiens nicht in den Weg treten. Oesterreich werde auf diese Weise genügend entschädigt, jeder Grund einer Eifersucht zwischen Oesterreich und Preußen beseitigt, das Gleichgewicht im Orient sichergestellt. Aber über dies Alles wünsche Preußen bald Bescheid zu erhalten, und die Annahme der Bedingungen solle jedenfalls vor Ende Mai erfolgen; das war, wie wir uns erinnern, der Zeitpunkt, auf den die Eröffnung der Feindseligkeiten festgesetzt war.

Die Antwort Leopolds auf diese Darlegung der preußischen Vorschläge beschränkte sich auf „vorläufige Betrachtungen" darüber (25. Mai); Oesterreich, hieß es da, sei bereit zu Friedensverhandlungen, die auf der Herstellung des Status quo vor dem Kriege beruhten; gegen die von Preußen ausgehenden Propositionen sprach sich die österreichische Antwort zwar in mildem Tone, aber sehr entschieden aus. Leopold fand den Verlust Galiziens durch die verheißenen türkischen Abtretungen in keiner Weise ersetzt: er sah in diesen letzteren nur Länderstrecken ohne Cultur, ohne Industrie, zum Theil ohne Bewohner, während Galizien, dessen Abtretung man verlange, durch seine Bevölkerung ebenso wichtig sei wie durch seine Einkünfte, und eine Abtretung des größten Theiles auch den Werth des übrigbleibenden verringern müsse. Galizien sei im Einverständniß mit Preußen, ja auf seine Veranlassung erworben und durch feierliche Verträge garantirt; der vorgeschlagene Tausch erscheine danach nur wie eine Vergrößerung Preußens auf Kosten Oesterreichs. In der Kaiserwürde erblickte Leopold nur eine Ehre, die aus persönlichem Vertrauen entsprang, nicht einen Zuwachs an Macht. Am wenigsten wollte er sich dazu verstehen, in der belgischen Verwicklung Anlaß zu irgend einer diplomatischen Entscheidung zu sehen; die Frage sei dort weder streitig, noch geeignet, wie ein Entschädigungsobject angesehen zu werden. Denn das Recht Oesterreichs sei dort unzweifelhaft und — so lautete die wörtliche Aeußerung — man kenne unter den europäischen Souveränen keinen, der gegen Oesterreich

einen ſo maßloſen Haß empfinde, daß er darüber alle die Betrachtungen vergeſſen könne, die einen Souverän abzuhalten vermöch-
ten, die empörten Unterthanen eines andern zu unterſtützen.

In einer Erwiederung Preußens (2. Juni) war noch einmal
verſucht, den Tauſch Galiziens gegen die Gränzen des Paſſaro-
witzer Friedens als vortheilhaft darzuſtellen, und zugleich die Hand
geboten zu einer für Oeſterreich günſtigeren Vertheilung Galiziens.
Dem Vorwurf Oeſterreichs, daß ja Preußen ſelbſt die Urſache gegeben zur Erwerbung Galiziens, ward mit der Erinnerung begegnet, daß vielmehr Oeſterreich durch die Wegnahme der Zipſer
Städte den erſten Anſtoß zur Theilung Polens gegeben habe. Ueber
Belgien und die Kaiſerwahl enthielt ſich die preußiſche Note in
weitere Erörterungen einzugehen; ſie bemerkte nur, daß, im Falle
die beiden Höfe ſich über die Hauptſache nicht einigten, die preußiſche Regierung in Anſehung jener Punkte vollſtändig freie Hand
habe.

So hatten die Verhandlungen zu keinem Ergebniß geführt, oder
doch nur zu dem einen, daß Oeſterreich einige Wochen Zeit gewonnen und Preußen von der raſchen Entſcheidung mit den Waffen noch zurückgehalten hatte. Nach den früheren Anſichten der
preußiſchen Politik beſtand nun kaum ein Grund mehr, dieſe
Entſcheidung zu verſchieben, zumal Oeſterreich fortfuhr, große
Truppenmaſſen in Böhmen und Mähren dicht an der ſchleſiſchen
Gränze zu vereinigen. In der That begannen denn auch ſeit
Ende Mai preußiſche Truppenbewegungen nach Schleſien, ſei es,
weil man, dem früheren Plane gemäß, eine ernſte Diverſion zu
Gunſten der verbündeten Pforte für nahe bevorſtehend hielt, ſei
es auch nur, weil man in Berlin hoffte, die begonnenen Verhandlungen an der Spitze einer großen Armee raſcher zum Ziele
führen zu können. Der König ſelbſt begab ſich mit dem Herzog
von Braunſchweig, mit Möllendorf und anderen Generalen nach
Schleſien, während Graf Henkel die in Oſtpreußen vereinigten
Truppen an der lithauiſchen Gränze zuſammenzog, und ein anderes Corps unter Uſedom und Kalkreuth ſich fertig machte, von
der Weichſel durch Polen den Marſch nach Schleſien anzutreten.

Nach dem letzten Briefwechſel zwiſchen Leopold und Friedrich
Wilhelm und nach dieſen militäriſchen Bewegungen ſchien der Krieg
kaum mehr zu vermeiden; bei der Lage Ungarns und Belgiens,

der inneren Beschäftigung Frankreichs, den Bündnissen Preußens im Westen und Osten, war auch eine günstigere Chance für die Eröffnung des Kampfes für Preußen kaum zu erwarten. Doch schienen die Bündnisse, die Preußen eingegangen, stärker und werthvoller, als sie waren. Mit Polen, das seit 1788 sich völlig der preußischen Politik angeschlossen und alle russische Ansinnen abgewiesen, war das Bündniß nun zu Warschau geschlossen (29. März 1790), auf welches seit zwei Jahren hingedeutet war. Beide Staaten vereinigten sich zu gegenseitiger Freundschaft, Garantie ihrer Besitzungen, und bei einem feindlichen Angriffe, von welcher Seite er auch komme, zunächst zu friedlicher Vermittlung, dann bewaffneter Hülfe, *) auch Abwehr jeder fremden Einmischung, namentlich in die inneren Angelegenheiten Polens, unter welchem Vorwand es auch geschehen möge. Ein Handelsvertrag sollte dem Bündniß nachfolgen; man hoffte damit den zahllosen Plackereien und gegenseitigen Chikanen zu begegnen, die durch die ungeschickte Abgränzung an der Weichsel herbeigeführt waren und schon in der letzten Zeit Friedrichs des Großen zu sehr peinlichen Zerwürfnissen Stoff gegeben hatten. Eben dies drängte aber auf die Abtretung von Danzig und Thorn hin. So lange beide Städte polnische Enclaven in Preußen blieben, war zugleich der preußische Handel gehemmt und der polnische durch die hohen Weichselzölle, die Preußen auflegte, in seiner Bewegung gestört; der unendlichen Quälereien und Störungen nicht zu gedenken, die aus einer so unnatürlichen Gebietsabgränzung an einem großen Strome von selber entsprangen. Drum sah Preußen, und ohne Zweifel mit Recht, nur in der Abtretung beider Städte eine natürliche Auskunft; es wollte dann auf Kosten Oesterreichs den Polen eine Entschädigung in Galizien verschaffen und zugleich eine freiere Handelsbewegung an der Weichsel einräumen. Der Entwurf des Handelsvertrages, den Preußen vorlegte, enthielt die Feststellung dieser Punkte; eine persönliche Correspondenz zwischen den beiden Monarchen von Preußen und Polen war darauf berechnet, die

---

*) Preußen sollte 14,000 Mann zu Fuß und 4000 Reiter nebst Geschütz, Polen 8000 Reiter und 4000 M. zu Fuß stellen. Im Falle der Unzulänglichkeit sollte die preußische Hülfe auf 30,000, die polnische auf 20,000 Mann gesteigert werden.

Schwierigkeiten einer solchen Ausgleichung zu ebnen.*) Beides
— der Handelsvertrag, wie der persönliche Briefwechsel — führte
zu keinem Ergebniß; die Polen waren zu der Abtretung der beiden Weichselstädte ebenso schwer zu bewegen, wie Oesterreich zur
Herausgabe eines Theiles von Galizien, oder die Pforte zur Herstellung der Passarowitzer Gränzen. Preußen hatte bei seinen Aus-
gleichungsentwürfen die Rechnung ohne den Wirth gemacht und
sich auch nicht nach einer Seite hin sichergestellt, daß die Vorschläge, auf die seine Politik berechnet war, offen Eingang fanden. So hatte es mit den Türken ein Bündniß geschlossen, das
die Abtretung der für Oesterreich bestimmten Entschädigungen unerwähnt ließ, und schloß jetzt mit Polen ein Bündniß, in welchem
von der Erwerbung Danzigs und Thorns keine Rede war. Das
Alles zusammen hätte der preußischen Politik jeden Zweifel darüber benehmen können, daß sie jene Abrundung, nach der sie
strebte, niemals mit friedlichen diplomatischen Correspondenzen erlangen, sondern nur mit den Waffen in der Hand die Betheiligten dazu bestimmen könne.

Auch die Unterstützung der Seemächte war zweifelhaft. Hollands Auftreten und der Grad seiner Stärke hing wesentlich von
dem Verhalten Englands ab, und England, durch Gränzhändel
im östlichen Nordamerika mit Spanien im Streit, von Frankreich
vielleicht mit Krieg bedroht, war nicht geneigt, seine Verlegenheiten
in Europa zu mehren, am wenigsten für eine Verstärkung Preußens an der Weichsel und eine Hebung des preußisch-polnischen
Ostseehandels. Da nun Oesterreich sich (Mai 1790) zum Frieden nach dem Status quo bereit erklärte und, im Falle der Krieg
fortdauere, gar ein engeres Bündniß mit Frankreich, das vielleicht
durch die Abtretung eines Theils von Belgien erkauft ward, in
Aussicht stellte, lag für die britische Politik kein Grund mehr vor,
sich für die Forderungen Preußens besonders lebhaft zu interessi-
ren. Diese Forderungen selber stimmten nicht ganz zum britischen
Vortheil; ihr Preis aber — im Westen Europas — war unter
allen Umständen für England zu bedenklich. Man erklärte sich
darum in London bereit zu einem Abkommen, das auf der Grundlage des Status quo geschlossen ward.

---

*) S. Hertzberg, Recueil III. 12 ff.

So standen die Angelegenheiten, als der König sich nach Schlesien begab und (18. Juni) zu Schönwalde, zwischen Reichenbach und Glatz, sein Hauptquartier aufschlug; Hertzberg war ihm gefolgt, die meisten Gesandten der betheiligten Mächte hatten sich nach Breslau begeben, um in der Nähe des Schauplatzes zu bleiben. Noch waren die Unterhandlungen nicht förmlich abgebrochen, wohl aber seit Anfang Juni in Stocken gerathen. Es schien ganz ungewiß, was die aufs Aeußerste gespannte Situation in der nächsten Zeit bringen werde: Krieg oder Frieden? *)

Am 26. Juni trafen dann zwei österreichische Bevollmächtigte, der früher erwähnte Gesandte Fürst Reuß und Baron Spielmann, zu Reichenbach ein, um die Verhandlung mit Preußen zu eröffnen. In demselben Augenblicke hatte sich aber bereits die Einmischung der Seemächte in unerwarteter und unerwünschter Weise angekündigt. Der englische Gesandte Ewart verlangte zu den bevorstehenden Conferenzen zugelassen zu werden. Die Seemächte, meinte er, hätten das große Verdienst, Oesterreich zur Nachgiebigkeit zu bestimmen; sie hätten der Wiener Politik die Anerkennung des Status quo vor dem Kriege abgerungen**) und auch für die Annahme eines „guten Ausgleichungsentwurfs" sei der britische Gesandte, Lord Keith in Wien, bereits thätig gewesen und er werde in derselben Richtung zu wirken suchen. Die Abweisung von den Conferenzen werde seinen Hof compromittiren; England werde sich dann zurückziehen und er selber könne weder zu Breslau bleiben noch an den Unterhandlungen ferner Theil nehmen ohne neue Instructionen. Hertzberg schien es vor Allem sehr bedenklich, daß auf diese Weise Oesterreich den Mangel an Ein-

---

*) Ueber die Unterhandlungen zu Reichenbach gibt Hertzberg (Recueil Bd. III.) aus nahe liegenden Gründen nur fragmentarische Mittheilungen; um so erfreulicher waren die handschriftlichen Ergänzungen, die wir in den mehrfach erwähnten Papieren von Diez vorfanden. Alle oder wenigstens die meisten Stücke der Correspondenz, die damals Friedrich Wilhelm mit Hertzberg führte, und die H. nicht abdrucken ließ, sind dort in Abschrift vorhanden. Außerdem ist noch das Précis de la carrière diplomatique du Comte de Hertzberg nachzusehen, das Köpke in der Zeitschrift für Geschichtswissenschaft I. 1—36 veröffentlicht hat.

**) extorquer l'acception du Status quo nennt E. die Annahme einer Friedensbasis, die in diesem Augenblicke für Oesterreich bereits der erwünschteste Ausweg war.

tracht unter den Verbündeten erfahre und dadurch nur stolzer und unzugänglicher werde; er selber unterhandle auch am liebsten ohne jede fremde Einmischung allein mit den österreichischen Diplomaten, er verkenne zudem nicht, daß von dem Einverständniß Preußens mit seinen Alliirten der ganze Erfolg der Verhandlung abhänge. Ein förmlicher Congreß sei durch die Zulassung der Vertreter Englands und Hollands noch nicht versammelt; es handle sich zunächst nur um die Feststellung von Präliminarien, die Preußen durch Unterstützung seiner Verbündeten erlangen könne. Auf der Grundlage dieser Präliminarien könne dann ein Congreß mit Zuziehung aller betheiligten Mächte stattfinden. Er fragt darum beim König an, ob er die Minister Englands und Hollands, vielleicht auch den Polens einladen solle, nach Reichenbach zu kommen, nachdem er selber die erste Conferenz mit den kaiserlichen Ministern gehalten und dort die wesentliche Grundlage des Friedens verabredet, zu dessen weiterer Verhandlung die Seemächte zugezogen werden könnten. Die weiteren Conferenzen, fügt er hinzu, werden nicht den Status quo betreffen (denn diesen betrachte ich als zugestanden), sondern die Herstellung eines Ausgleichungsentwurfs, der durch die Unterstützung beider Mächte nur um so vortheilhafter werden kann.*)

Die Antwort, die Friedrich Wilhelm II. am Tage darauf gab, lautete noch kriegerisch genug. Vor Allem wollte er wissen, ob die Vorschläge Oesterreichs der Art seien, daß man darauf eingehen könne; wenn nicht, so sei die Anwesenheit der Diplomaten bei kriegerischen Vorbereitungen überflüssig. Er erwarte von Hertzberg Mittheilungen über die erste Conferenz; der Minister solle bei jedem Vorschlage, den man ihm mache, genau die Landkarte zu Rathe ziehen. Gehen Sie von der Ueberzeugung aus, so schloß der König, daß ich an der Spitze meines Heeres weniger nachgiebig sein darf, als wenn ich in meinem Cabinet zu Berlin unterhandelte.**)

An demselben Tage hatten die Conferenzen begonnen. Von den Oesterreichern aufgefordert, entwickelte Hertzberg zunächst den

---

*) Schreiben Hertzbergs an den König d. d. 26. Juni.

**) — — persuadez vous bien que me trouvant à la tête de mon armée je dois être moins conciliant que si je négociais de mon cabinet de Berlin.

preußischen Entschädigungsplan. Als er die Abtretung von Danzig und Thorn nebst einigen Gränzdistricten in Erwähnung brachte,*) wollten die österreichischen Bevollmächtigten den Umfang und Werth dieser Abtretungen wissen; Hertzberg schlug das Ganze auf 120,000 Einwohner und — absichtlich etwas übertrieben — auf 600,000 Thlr. Einkünfte an. Baron Spielmann fand dies hoch und meinte, man könne auch die versprochenen Zollerleichterungen von dem für Polen bestimmten Aequivalent in Abzug bringen, was Hertzberg mit dem Bemerken ablehnte, das sei eine Angelegenheit, welche nur die Regierungen von Polen und Preußen angehe. Wiederholt kam der österreichische Unterhändler auf den Status quo als Grundlage des Friedens zurück, der preußische Minister wich jedesmal aus.**) Spielmann erging sich dann in ausführlichen Betrachtungen darüber, wie Oesterreich nicht nur für die etwaigen Abtretungen an Polen eine Entschädigung durch die Türkei erhalten müsse, sondern auch ein Aequivalent für die Vergrößerung, die Preußen bekomme. Hertzberg wünschte die allgemeinen Discussionen abzukürzen und verlangte von den österreichischen Unterhändlern eine Erklärung darüber, was sie an Polen abtreten und was sie als Ersatz von der Türkei erlangen wollten. Nicht ohne Umschweife bezeichnete Spielmann die Gränzen des Passarowitzer Friedens als die Forderung Oesterreichs; auch könne man des Ehrenpunktes wegen Belgrad nicht zurückgeben. Hertzberg meinte, aus demselben Ehrengrund könne Preußen nicht zulassen, daß diese wichtige Gränzfeste den Türken genommen werde, zumal Oesterreich durch die Donau, Aluta und Unna genügend geschützt sei. In ähnlicher Weise wurden dann die polnischen Abtretungen erörtert. Hier gingen denn freilich die Ansichten beider Theile noch mehr auseinander. Hertzberg verlangte ein ansehnliches für Polen gut gelegenes Stück von Galizien, die Oesterreicher boten einen ungünstig gelegenen Theil, der ihrer Versicherung nach etwa 300,000

---

*) „Les villes de Dantzig et de Thorn avec leurs territoires en outre cela les districts en deçà de l'Obra depuis son confluent de la Warta jusqu'aux frontières de la Silesie et l'enclavure ou le district entre la Netz et la Warta jusqu' à Obernicki et delà en ligne droite jusqu' à Thorn ou jusqu' au confluent de la Vistule et de la Drewenza" — hieß es in H.'s Bericht vom 27. Juni.

**) — „que j'ai toujours taché d'éluder parcequ'il ne convient pas à V.M." schreibt Hertzberg.

Einwohner enthielt und 343,000 Gulden Einkünfte brachte. Hertzberg wollte es scheinen, als betrage dies ganze angebotene Stück
nicht den achten Theil von Galizien, die Oesterreicher brachten
aber eigene Karten bei, welche sie für richtiger ausgaben. Vergebens verlangte der preußische Minister Broby und die Salzwerke
von Wieliczka, die österreichischen Diplomaten wollten sich auf
nichts weiter einlassen, ohne erst neue Instructionen von Wien zu
haben.

Doch schien Hertzberg mit diesem Anfang zufrieden. Er hatte
— so meinte er — den Status quo umgangen und die Verhandlung an den Entschädigungsentwurf angeknüpft; die Oesterreicher
hatten sich auf diesen Entwurf einlassen und ihre eigenen Forderungen angeben müssen. Nun, dachte der preußische Staatsmann,
sei die Sache in gutem Zuge. Er übergab (29. Juni) einen Entwurf gegenseitiger Verständigung; darin waren die Abtretungen
der Türkei, die in Galizien und die in Polen festgestellt, die Vermittlung für einen allgemeinen Frieden ausgemacht, den Belgiern
bei gütlicher Unterwerfung eine Amnestie und ihre alte Verfassung
garantirt und die Lütticher Angelegenheit einer gütlichen Vermittlung überlassen. Darauf erklärten die Oesterreicher erst neue Instructionen einholen zu müssen; sie erhielten dieselben am 11. Juli
und legten sie zwei Tage später Hertzberg vor. Es waren Vorschläge, welche zwar statt Hertzbergs Entschädigungsentwurf mehrere davon abweichende Alternativen enthielten, aber doch den
Grundsatz einer Abtretung einzelner Districte von Galizien und
des Ersatzes durch türkische Abtretungen einräumten. Hertzberg
zweifelte nun nicht mehr am Gelingen seines Planes; auf der
Grundlage, welche die Oesterreicher anboten, hoffte er eine Verständigung herbeizuführen.

Aber die Dinge sollten sich ganz anders wenden. Schon seit
Ende Juni waren die Gesandten der Seemächte — ohne Zweifel
auf österreichische Anregung — nach Reichenbach gekommen und
gaben die Erklärung ab, sie würden zu einem Entschädigungsplan,
wie der Hertzbergs sei, die Hand nicht bieten, das liege außerhalb
ihrer Verpflichtung, als Verbündeter von Preußen; sie könnten nur
zu einem Frieden mitwirken, der auf der Grundlage des strengen
Status quo geschlossen werde. So war also eingetreten, was Hertzberg einmal gefürchtet: die Seemächte, statt Preußen zu stärken,

kamen nur, indem sie ihre Uneinigkeit mit Preußen recht grell an
den Tag legten, der Politik Oesterreichs zu Hülfe. Nun traf auch
(10. Juli) vom König gerufen Lucchesini aus Warschau ein und
machte sehr starke Zweifel geltend, ob die Polen sich friedlich zur
Abtretung von Danzig und Thorn herbeilassen würden. Es schien
auf einmal Alles unsicher; auch die Türken, besorgte man, könnten sich weigern, eine Abtretung zu machen, und am Ende lieber
einen günstigeren Separatfrieden mit Oesterreich schließen. Eröffnete dies Alles eine Kette von Schwierigkeiten, denen Friedrich
Wilhelm, gemäß seiner weichen, wohl sanguinisch raschen aber
nicht ausdauernden Natur, gern auswich, so war zugleich von
anderer Seite auf den König mit Geschicklichkeit gewirkt worden.
Oesterreichischer Einfluß, im Bunde mit der Eifersucht der Höflinge und Begünstigten, hatten Hertzbergs Stellung zu erschüttern
gesucht; möglich, daß dabei Anklagen, wie die: „Hertzberg neige
in bedenklicher Weise zu den neuen revolutionären Principien und
habe sich mit den Parteien der Empörung tief eingelassen," mitgewirkt haben; Hertzberg selber glaubte an die Thätigkeit feindlicher Einflüsterungen, deren Quelle er nicht näher bezeichnen wollte. *)
In jedem Falle trat eine Veränderung in der Haltung des Königs ein. Die Schwierigkeiten schienen ihm zu groß; Naturen,
wie die seinige, springen leicht vom kühnsten Entschlusse zur ganz
entgegengesetzten Nachgiebigkeit über. Noch am 26. Juni war
seine Stimmung stolz und kriegslustig gewesen; jetzt fing ihn die
Angelegenheit an zu verstimmen und er wollte vor Allem einen
raschen Ausweg. Hertzbergs Verhandlungen mit dem Hintergrund
auf Danzig und Thorn waren ihm zu verwickelt und weitaussc-
hend, er wollte eine kurze Entscheidung, auch wenn Preußen dabei
leer ausgehe. War es doch ein Trost, der auf eine Persönlichkeit,

---

*) In dem angeführten Précis S. 26 sagt er schon vom Herbst 1789 über
den König: il fut contrecarré et abandonné pendant mon absence par des per-
sonnes et par des moyens, que je ne veux pas nommer. Und in der Correspondenz von Golz heißt es schon am 2. März 1790: „Es thut mir leid, daß noch
jetzt Leute sein können, die Zweifel und Wankelmuth zu verbreiten im Stande
sind. Daß dem Particularinteresse Einfluß habender Menschen
Krieg nicht anpassend sei, begreife ich gar wohl — — — Ich beklage den
Staat und Ew. Exc.; daß dieselbe nicht unterstützt, vielleicht wohl gar contra-
riiret worden, ist mir bekannt."

wie die seine, sichtbar wirkte und den der österreichisch-britische Einfluß geltend zu machen nicht verfehlte, daß am Ende der reine Status quo für Preußen noch ehrenvoller sei, als jeder andere Ausweg. - Es gab dann der Pforte den Frieden und erschien im Glanze höchster Uneigennützigkeit; man konnte ihm nicht nachsagen, es habe sich für seine Friedensdienste mit einem Stück Polen bezahlen lassen. Man sieht, diese Lösung schmeichelte den verschiedensten Eigenschaften, aus denen Friedrich Wilhelms Wesen gemischt war: seiner Abneigung gegen zähe, ausdauernde Arbeit, wie seiner Zugänglichkeit für generöse und uneigennützige Handlungen in der Politik.

Dieser Wechsel spricht sich in einem merkwürdigen Schreiben des Königs an Hertzberg, vom Mittag des 14. Juli, aus; darin tritt auch zum ersten Male ein herber, mißmuthiger Ton gegen Hertzberg hervor. „Ich bestehe durchaus darauf, sagt er, daß alle Weitläufigkeit vermieden wird; wir werden uns entzweien, wenn Sie die Sache noch länger hinausziehen; sie soll auf die eine oder auf die andere Art entschieden werden. Ihre Absichten sind gut, aber Sie schaden dem Staatswohl, wenn Sie nicht Alles, was die Verhandlungen verzögern kann, kurzweg abschneiden. Sie sollen sich nicht länger von Fürst Kaunitz hinhalten lassen. Wenn ich für jetzt auf Danzig und Thorn verzichte, so wird das den Wiener Hof nöthigen, deutlich zu reden und nicht mehr tausend Ausflüchte zu finden; drum muß man den strengen Status quo vorschlagen, wie ich Ihnen ausdrücklich aufgetragen habe." Man sieht, die Ungeduld, die in jedem Falle einen raschen Abschluß will, kleidet sich hier noch in einen drohenden hohen Ton; die Oesterreicher sollen zur Entscheidung genöthigt, ihnen der Status quo gleichsam aufgedrungen werden. Friedrich Wilhelm II. schien also nicht zu ahnen, daß, was er hier den Oesterreichern abtrotzen will, seit Wochen das eifrigst verfolgte Ziel ihrer Wünsche war; er wiegte sich noch in dem Glauben, Herr der Situation zu sein, während die combinirten Manövres der Gegner wie der Alliirten ihn zum vollen Rückzug drängten.

Hertzberg vertheidigte sich in einem Schreiben, das er noch am nämlichen Abend an den König richtete. Er rühmte sich darin, selbst früher den Status quo als einen Ausweg angerathen zu haben, und nur im vollen Einverständniß mit dem König habe er

ben Entschädigungsentwurf vorgelegt. Aber auch mit diesem hätte
die Verhandlung rasch ihren Abschluß gefunden, wie er denn auch
an allen Verzögerungen ganz unschuldig sei. „Meine Anhänglichkeit an das Staatswohl, so schloß er in gekränktem Tone, glaube
ich in 45jährigem Dienst bewährt zu haben; aber ich werde nicht
mehr mit der früheren Ruhe und Befriedigung dienen, seit man
glaubt, Drohungen gegen mich anwenden und mir Fehler zurechnen
zu müssen, deren ich mich unschuldig weiß."

, So ward also der Status quo als Friedensbasis vorgeschlagen; binnen zehn Tagen sollten die Oesterreicher sich darüber erklären. Trotz dieser peremptorischen Form, die Preußen hier an-
wandte, hatte in der Sache Oesterreich das Spiel ganz gewonnen;
das fühlte Niemand tiefer als Hertzberg. Ihm war eine politische
Arbeit, an der er Jahre lang zusammengeflochten, wie in einem
Anfall übler Laune bei Seite geworfen und ein anderer Weg eben
nur aus dem Grunde gewählt, weil er der kürzeste schien.

Hertzberg vollzog die königliche Weisung; eine Note vom
15. Juli erklärte den österreichischen Unterhändlern, daß Preußen
bedauere, auf die vorgeschlagene Grundlage, wie sie die letzte Note
des Fürsten Kaunitz enthalte, nicht mehr eingehen zu können, daß
es dagegen bereit sei, sich auf die Bedingung des strengen Status
quo, wie er vor dem Kriege war, zu verständigen. Preußen wünsche daher, daß Oesterreich auf dieser Basis einen vorläufigen Waffenstillstand und dann den definitiven Frieden mit der Pforte abschließe; die Erklärung darüber erwarte man in möglichst kurzer
Frist. Die beiden österreichischen Botschafter nahmen die Miene
der Ueberraschung und Betroffenheit an; sie thaten, als erblickten
sie in dieser brüsken Wendung ein kriegslustiges Ultimatum und
Friedrich Wilhelm selber befand sich noch in der Täuschung, die
Hertzberg nicht mehr theilte, als würde man in Wien die preußi-
sche Forderung verwerfen; aber die Raschheit, womit man dort
Antwort gab, bewies am besten, wie sehr diese Wendung den
Wünschen Oesterreichs entsprach. Schon am 20. Juli ward in
Wien die zustimmende Antwort ausgefertigt; am 23. war sie in den
Händen der Bevollmächtigten zu Reichenbach. Man hatte in der
That die möglich kürzeste Frist eingehalten. Am folgenden Tage
berichtete Hertzberg dem König über den Inhalt der österreichischen
Erklärung. Leopold — schrieb er — wolle sich zu einem Waffen-

stillstand nach dem stricten Status quo herbeilassen und erwarte nur,
daß die Pforte, in Anbetracht der Zurückgabe aller Eroberungen,
ein freundliches Einverständniß über Sicherstellung der Gränzen
eingehe, natürlich unter Vermittlung Preußens und seiner Verbün=
deten. Hertzberg sah damit die Absicht des Königs erreicht; der
letzte Vorbehalt enthalte nichts Bindendes und scheine nur be=
stimmt, den Rückzug Oesterreichs auf eine anständige Weise zu
decken. In jedem Falle könne man, etwa in einem geheimen Ar=
tikel, die Bedingung beifügen, daß für jeden Zuwachs an Gebiet,
der Oesterreich vielleicht zufalle, Preußen einen Ersatz, namentlich
in Oberschlesien, erhalte. Die österreichischen Bevollmächtigten seien
dazu nicht abgeneigt, versicherten jedoch, es handle sich um keine
Vergrößerung, sondern nur um eine Gränzberichtigung, die Oester=
reich vor den Einfällen der Bosnier sicherstelle. Auch die Gesand=
ten der Seemächte, die der Conferenz beiwohnten, meinten, man
solle der österreichischen Politik diesen Rückzug einräumen, und sie
seien bereit, ein Protokoll aufzuzeichnen, welches jede bedenkliche Deu=
tung dieses Zusatzes abschneide. Weiter wolle Leopold erklären,
daß er, im Fall Rußland nicht gleichzeitig den Frieden mit der
Pforte abschließe, keine andere Verpflichtung gegen seinen Verbün=
deten einhalten, sondern nur die Festung Chotzim als neutrales
Pfand bis zum Frieden besetzen werde. Diese Festung (so hätten
die österreichischen Unterhändler geäußert) sei durch Russen und
Oesterreicher zugleich genommen worden und Oesterreich habe die
Besetzung durch die Russen nur dadurch gehindert, daß es die Feste
als neutrales Pfand in Besitz genommen; ihre jetzige Rückgabe an
die Türken würde nur die Folge haben, daß die Pforte, außer
Stand sie zu behaupten, sie den Russen überlassen müsse. Im
Uebrigen wünsche Oesterreich dringend den raschen Abschluß des
Friedens zwischen Rußland und der Pforte, da die Fortsetzung des
Krieges voraussichtlich nur den Türken neue und größere Verluste
zuziehen müsse; es fiel dabei die Andeutung, daß für die Abtretung
der Provinz Oczakow bis zum Dniester der Friede mit Rußland
zu erlangen sei. Hertzberg selbst war mit dem ersten einverstanden;
er und der britische Botschafter sprachen zugleich den Wunsch aus,
Schweden in den Frieden aufgenommen zu sehen und zwar auf
Grund der früheren Verträge. Dann waren die österreichischen
Minister der Ansicht, es solle darüber von beiden Seiten eine Er=

klärung gegeben und diese dann nach der Zurückziehung der beiderseitigen Truppen ratificirt werden. Endlich verlangte Oesterreich eine Erklärung von Seiten Preußens, daß es die Unterwerfung der Niederlande mit Zusicherung der alten Verfassung nicht hindern werde, auch die Garantie der Verfassung durch die Seemächte und das Reich, nicht durch Preußen allein, gegeben werden solle.

Darauf folgte unverzüglich die Antwort des Königs, welche Hertzberg kurz die Punkte vorschrieb, auf denen das Uebereinkommen beruhen solle. Die preußische Erklärung solle erstens die Annahme des Status quo als Grundlage des Friedens hinstellen und diese Grundlage nicht nur von Oesterreich ausdrücklich anerkannt, sondern auch von den Gesandten der Seemächte sofort zu Reichenbach garantirt werden.*) Zweitens solle die preußische Erklärung der weiteren Wünsche Oesterreichs nur unter der Voraussetzung erwähnen, daß Preußen ein Ersatz zugesichert werde. Drittens werde Preußen sich in Betreff Belgiens, seiner Unterwerfung wie seiner Verfassung, niemals von den Seemächten trennen. Viertens sei der Friede mit Rußland eine Sache für sich und man solle es Preußen überlassen, die Interessen der Pforte wahrzunehmen, ohne sich vorher über Abtretungen zu bereden, die dem Status quo widersprächen. Fünftens solle die Unterhandlung über den Frieden selbst nur unter der Aufsicht und Vermittlung der drei Bevollmächtigten von Preußen, England und Holland stattfinden.

Darauf erfolgte am 27. Juli die österreichische Erklärung; sie nahm den Status quo als Grundlage des Waffenstillstandes und Friedens an, behielt sich aber jene Modificationen zur Sicherstellung der Gränzen und die vorübergehende Besetzung von Chotzim vor. Da dies den Forderungen Preußens nicht völlig entsprach, so gab Hertzberg der Declaration, die er am nämlichen Tage im Namen Preußens ausstellte, den Charakter einer näheren Erläuterung. Oesterreich sollte den Status quo streng festhalten, der Pforte Alles zurückgeben, was sie vor dem Kriege besessen, und falls Oesterreich eine Gebietserweiterung an den Gränzen erhalte, so müsse dies ganz mit freiem Willen der Pforte geschehen und Preu-

---

*) „Pour obvier à l'inconvenient que les Autrichiens ne trainent pas trop en longueur la négociation à effet d'avoir le temps de realiser leurs espérances" — fügt das königliche Schreiben (d. d. Schönwalde 25. Juli) hinzu.

ßen ein verhältnißmäßiges Aequivalent bekommen. Das Verhältniß zu Rußland erläuterte die preußische Declaration dahin, daß,
im Falle der Krieg fortdauere, Oesterreich sich durchaus nicht mehr
einmischen und weder mittelbar noch unmittelbar Rußland gegen
die Pforte beistehen werde. Die weitere Vermittlung und Garantie des künftigen Friedens, dessen Grundlage die eben abgeschlos-
sene Uebereinkunft bilde, solle von Preußen und seinen Alliirten,
den Seemächten, gemeinsam übernommen werden. Daran schloß
sich eine dritte Erklärung, welche Belgien betraf; Preußen erklärte,
kraft der mit den Seemächten bestehenden Verträge, auch fernerhin gemeinsam mit diesen handeln zu wollen, sowol was die Unterwerfung, als was die alte Verfassung der österreichischen Niederlande betreffe.

Diese Erklärungen, von den Monarchen beider Staaten ratificirt und von den Seemächten verbürgt, bilden jenen Reichenbacher Vertrag vom 27. Juli 1790, in welchem einer der bedeutendsten Wendepunkte der preußisch-österreichischen Politik ausgesprochen ist.

Der ganze Verlauf der Dinge, die zu dem Abschluß von
Reichenbach geführt haben, macht es einleuchtend, welch ein Wechsel mit der Politik Preußens vorgegangen war, und so gebieterisch
der Schein war, in dem die Politik Friedrich Wilhelms II. noch
in den letzten Augenblicken vor der Unterzeichnung auftrat, in der
S a c h e gab doch Preußen die meisten Positionen auf, die es bisher mit Eifer und Aufopferung vertheidigt hatte. Während Oesterreich seiner inneren Wirren ledig ward, und ihm aus einem Kriege,
dessen Ausgang durch die Ereignisse im Westen sehr zweifelhaft
geworden, ein nicht unehrenhafter Rückzug bereitet war, hatte Preußen seine Heereskraft und seine Finanzen aufgewendet, um schließlich nichts zu erlangen, als den zweifelhaften Ruf einer politischen
Uneigennützigkeit, welche die Gegner belächelten. Hertzberg selbst
schlägt das, was die holländische und die letzte Heeresrüstung gekostet (mit Einschluß des bairischen Erbfolgekrieges) auf ungefähr
40 Millionen Thaler an;*) es war also ein guter Theil von
Friedrichs II. Schatze vergeudet und was hatte man gewonnen?
Am wenigsten die Allianz mit Oesterreich, die, wenn sie auf

---

*) Recueil III. S. XXI.

ehrlicher Annäherung beider Theile beruhte, beiden eine mächtige
Stellung in Mitteleuropa gab; vielmehr war die innere Entzwei=
ung so groß als zuvor und wuchs in dem Maße, als man in
Preußen anfing einzusehen, daß man überlistet war. Wer wollte
die hohe Bedeutung verkennen, die es für die Verhältnisse Deutsch=
lands gehabt hätte, wenn die Politik fünfzigjähriger Feindschaft
und Rivalität zwischen Oesterreich und Preußen aufgegeben, die
Stellung beider Mächte scharf begränzt und in aufrichtiger Ein=
tracht ein Bündniß beider hergestellt ward, das stark genug war,
uns nach Westen wie nach Osten zu schirmen? Aber dem war
nicht so; der Reichenbacher Vertrag verdeckte die überlieferte Feind=
seligkeit, um sie mit neuer Stärke zu erwecken. Die Politik der
folgenden Zeiten, die Kriege von 1792—1795, der Baseler Friede
u. s. w. können vollständig darüber aufklären, was es mit der
Reichenbacher Freundschaft auf sich hatte. Sollen wir berichten,
was die Anhänger jener Angriffspolitik, deren wir oben gedach=
ten, darüber geurtheilt haben? Sie meinten,*) ohne große Pro=
phetengabe hätte man diesen Ausgang voraussehen können. Wäre
Preußen „ohne langweilige Declarationen" schon im August
1788 mit der Armee in Böhmen oder Mähren eingebrochen, so
würde es freilich nie so weit gekommen sein. Warum, fragten
sie nicht ohne Vorwurf gegen Hertzberg, hatte man durch die
schmächtigen Vergrößerungsabsichten auf Kosten Polens sich allen
Widerspruch und allen Haß geweckt, wie ihn der offenste Angriff
nicht schlimmer hätte aufregen können? Preußen, schrieb einer die=
ser Politiker,**) hat sich bei diesem Türkenkriege durch sein rück=
haltendes und unbestimmtes Verfahren überall Feinde zugezogen;
ein Schicksal, dem es allemal um so eher ausgesetzt ist, je mehr
sein schleuniges Wachsthum ihm längst von allen Mächten benei=
det wird. Sehr irrig war die Meinung, nach welcher man die
Pforte in einen Krieg mit zwei ihr weit überlegenen Mächten
stecken ließ, ohne daß dieselbe irgend einen anderen Alliirten hatte,
als den König von Schweden, dem es an Geld, Kriegsbedürfnis=
sen, militärischer Kenntniß und Beharrlichkeit fehlte. Man wollte

---

*) Schreiben vom 24. Sept. 1790 in der angeführten Golz=Hertzbergschen
Correspondenz.

**) d. d. 22. Dec. a. a. O.

Acquisitionen machen, ohne doch das Mindeste wagen zu wollen. Genug, der Zeitpunkt ist auf immer verloren, wo die ohnmächtigen Nachbarn Rußlands, durch Preußens kraftvolle Unterstützung beseelt, demselben gefährlich werden konnten und ihm für lange Zeit die Spitze zu bieten vermögend gewesen wären.

So urtheilten die Träger der Angriffs- und Eroberungspolitik. Und allerdings, wenn man auch ihrer Meinung sonst nicht beipflichtete, der Nachtheil für Preußen war unverkennbar, mochten immerhin die Erklärungen vom 27. Juli noch leidlich klingen. Es hatte doch im entscheidenden Moment seinen Rückzug angetreten und ihn vergebens durch unzeitige Großmuth zu maskiren gesucht. Für einen Staat, der seit einem halben Jahrhundert beneidet und gehaßt mit so überraschender Schnelligkeit aufgeblüht war und dessen schmale geographische Grundlage durch eine unermüdliche, wachsame und kühne Politik ergänzt werden mußte, war aber der erste Rückzug besonders bedeutsam. Er mußte eine Reihe von Nachgiebigkeiten nach sich ziehen, unter deren Eindruck das ganze moralische Ansehen des Staates vermindert ward. Die Schwächeren, die sich gern an Preußen hielten, so lange es Macht und Entschluß bewies, gingen rasch ins gegnerische Lager über, wo die Thatkraft und der Erfolg war. Jene Clientel von Schweden, Polen und der Türkei, die Preußen bis dahin um sich gesammelt, löste sich rasch auf und bildete das Gefolge von Rußland oder Oesterreich. Die bedrängten Unterthanen, von Preußen bisher gegen ihre Regierungen geschützt, nun allmälig preisgegeben, mußten in Lüttich und Belgien die ganze Wucht einer siegreichen und rachsüchtigen Reaction ertragen, und der moralische Nachtheil für Preußen war größer, als wenn es sich nie in diese Händel eingemischt hätte. Der ganze Haß der Unterdrückten wandte sich gegen die unentschlossene Politik der früheren Beschützer, deren Schwanken man als unerhörte Treulosigkeit anklagte. So war, bevor ein Jahr verging, die preußische Politik, die sich bis 1790 der stolzen Rolle eines „arbitre des destinées de l'Europe" gerühmt, im deutschen Reich, in Polen, in Schweden, in der Türkei aus dem Felde geschlagen und in Lüttich und Belgien durch eine moralische Niederlage getroffen, die so schlimm war wie ein unglücklicher Feldzug. Schon konnte Oesterreich es wagen, selbst die mäßigen Verpflichtungen des Reichenbacher Uebereinkommens unerfüllt zu lassen. Erst wurden die Unterhandlungen mit der Pforte durch allerlei Künste hinausgezogen, dann in dem schließlichen Abkommen selbst die wenigen Concessionen nicht erfüllt, die Preußen am 27. Juli 1790 noch zugesagt worden waren. Wir werden darauf noch mit einem Worte zurückkommen.

So folgte der ersten Nachgiebigkeit eine Reihe von andern; die ganze Ueberlieferung der Politik Friedrichs des Großen ward zum ersten Male verlassen und zwar aus Unentschlossenheit verlassen; es war schwer zu sagen, wann man den Weg zu ihr zurückfinden würde. Mit dem Schritte, den Preußen zu Reichenbach gethan, war die Bahn auswärtiger Politik betreten, die in Basel und Tilsit ihren Ausgangspunkt gefunden hat.

Zweiter Abschnitt.

Das deutsche Reich bis zum Anfang der Revolutions= kriege (1790—1792).

Die Angelegenheiten im Osten, die Spannung zwischen Preu= ßen und Oesterreich, ihre Rüstungen und ihre endliche Verständi= gung nahmen das ganze Interesse der großen Politik gefangen; der Fürstenbund und die Polemik darüber war dort in Vergessen= heit gerathen, gleichwie die patriotischen Phantasien derer, die aus der Stiftung des Bundes eine neue Aera der deutschen Angele= genheiten hofften erblühen zu sehen. Man darf aber darum nicht glauben, daß die häuslichen Verhältnisse des h. römischen Reichs deutscher Nation überall ganz unbeachtet blieben. Die innere Lage des Reiches, wie wir sie früher geschildert, war seit geraumer Zeit zu sehr der Gegenstand der öffentlichen Besprechung geworden und die Ueberzeugung von den Mängeln der Verfassung zu tief einge= drungen, als daß die Verhandlung darüber hätte ruhen können. Viel= mehr ist es ein recht bezeichnendes Wetterzeichen der nahen Krisis, daß sich gerade in diesen Jahren (1788—1790), am Vorabend einer allgemeinen Welterschütterung, das Bewußtsein der Unzu= länglichkeit der überlieferten Formen des Reiches mit einer besonderen Lebhaftigkeit kund gegeben hat.

In einer der zahlreichen politischen Schriften jener Zeit, die sich der Politik des Fürstenbundes entschieden entgegenstellt,*) ist

---

*) Etwas vom Patriotismus im deutschen Reiche. Von einem Deutschen mit deutscher Freiheit 1788.

erfüllt zu laſſen. Er   und Zuſtände innerhalb der
durch allerlei Künſt   auseinander liefen, als daß ſie einen
kommen ſelbſt die   anregen könnten. Der Gegenſaß der
am 27. Juli 1   die innere Verfallenheit der geiſtlichen
darauf noch w   vom öſterreichiſchen Standpunkt aus g
    So ſoll   ſo ſcharf wie irgendwo ſonſt betont und laut
die ganze   erhoben, daß es dem deutſchen Patriotismus am
zum erſter   Mittelpunkte fehle. Eine andere Schriſt
ſen; es   loſen Zuſtand des Reichstages, den Man
finden   Thätigkeit und die Verſchleppung der for
gethr   formelle Händel ſo grell, wie nur immer unſeren ge
un   Betrachtung der verworrene Mechanismus der Re
          Verſammlung erſcheinen kann. Selbſt ein Schriſtſtel
       voll Lobes für den weſtfäliſchen Frieden iſt,**) der die
     monarchiſche, halb ariſtokratiſche Verfaſſung und die darin
     enthaltene deutſche Freiheit“ als die Grundlage betrachtet, „worauf
die Wohlfahrt des Reiches beruhe“, iſt doch über die angemaßte
Gewalt der Oligarchie der Kurfürſten ungehalten und erblickt nur
in einer Verſtärkung des monarchiſchen Anſehens das Mittel zur
Erhaltung der äußeren Wohlfahrt Deutſchlands.

Zu einem ähnlichen Ergebniß gelangt eine Brochüre, die un
ter dem Eindruck des Todes von Joſeph II. und der bevorſtehen
den Kaiſerwahl geſchrieben iſt.***) Sie findet, daß eine Reform
der Reichsverfaſſung unumgänglich ſei. Einmal beſtehe eine voll
ſtändige Ungewißheit über die geſetzliche Kraft und Verbindlichkeit
ſo vieler widerſprechenden Verabredungen, Gewohnheiten und
Satzungen, dann ſei die Vollſtreckung der weſentlichſten Reichs
grundgeſetze durchaus mangelhaft und ſchwankend. Die einheit
lichen Bande ſeien in immer bedenklicherer Weiſe gelockert worden,
noch zuletzt habe die Wahlcapitulation Joſephs dem Kaiſer alle
Macht, Gutes zu wirken, entzogen, die eigenen Regeln durch Aus
nahmen wieder aufgehoben und Dinge feſtgeſetzt, deren Ausführung

---

*) Betrachtungen über den deutſchen Reichstag 1789.
**) Betrachtungen über die Freiheit und Wohlfahrt des d. Reiches und die
Mittel zu deren Erhaltung, von einem Patrioten 1789.
***) Freimuthige Betrachtungen über die Geſetzgebung der Deutſchen bei
Gelegenheit der Wahl eines röm. Kaiſers 1790.

möglich sei, theils von den Verfassern des Aktenstückes
 u bekämpft werden würde. Schon ist der Reichstag, fügt
Schrift hinzu, öfters in dem Falle sich mit Gegenständen zu
assen, die der Würde einer solchen Versammlung nicht ange=
messen sind; schon fängt die heilsame Verfassung der Reichskreise
an zu stocken oder zu schlummern; schon vermehren sich die Unio=
nen, Cabinetscabalen, Privatnegotiationen und Verbindungen ein=
zelner deutscher Höfe in Dingen, die noch nach Vorschrift der Ge=
setze das ganze Reich angehen — lauter traurige Vorbilder einer
vielleicht nicht weit mehr entfernten Auflösung unserer alten guten
deutschen Verfassung. Soll diesem Unglück vorgebeugt werden, soll
unsere wankende Verfassung erhalten, soll solche zum Besten des
Ganzen, mithin nicht blos zum Besten des Kaisers oder der
Stände allein, sondern zum Flor, zur Aufnahme, Sicherheit, Ruhe
und Glückseligkeit des deutschen Staatsbürgers und Einwohners,
ohne Rücksicht auf Stand und Würde allgemein befestigt und er=
höht werden, nun so müssen wir ein allgemeines nützlich und
billig Alles umfassendes Reichsgrundgesetz haben, wodurch das Band
zwischen Haupt und Gliedern unter sich von Neuem verknüpft wird.

Aehnliche Stimmen aus der Zeit ließen sich noch manche ver=
zeichnen; die Klage, daß die Stellung des Kaisers an sich des
rechten materiellen und ökonomischen Haltes entbehre, daß die feu=
dale Verbindung erloschen sei, daß selbst die unbestrittenen Rechte
schwer ohne Widerspruch zu üben wären und die ganze Stellung
des Kaisers sich wesentlich nur auf das moralische Vorrecht seiner
Würde, als der obersten Schirmherrschaft der Christenheit, beschränke,
diese Klage spricht sich auch in Schriften der Zeit aus, die sich
sonst ganz auf der Linie unbefangener geschichtlicher Betrachtung
halten.*)   .

Es gibt sich in allen diesen Stimmen eine Ahnung der Un=
sicherheit kund, welcher das Reich bei jeder größeren politischen
Krisis preisgegeben war. Und diese Krisis war bereits im Anzug.
An den westlichen Gränzen war jene Revolution schon in vollem
Siegeslauf begriffen, deren Grundsätze die ganze feudale Ordnung
des alten Europa erschüttern mußten, deren Natur es mit sich

---

*) S. Unparteiische Betrachtungen über die Vorrechte und Vortheile der
Kaiserkrone. 1790.

brachte, daß sie nicht auf die Gränzen ihres Heimathlandes beschränkt blieb. Hatte die alte Lehensverbindung des h. römischen
Reiches deutscher Nation mit ihrer wunderlichen Verschnörkelung
im Reiche selbst schon das Vertrauen zum guten Theil verloren,
bevor die Erschütterung von 1789 eintrat, wie mußte erst das Beispiel einer Revolution wirken, die eben so verführerisch wie gewaltsam die feudale Ordnung eines Jahrtausends binnen wenig
Monaten umstieß! Die Grundsätze aber, von denen jene westliche
Erschütterung ausging und die sie als Programm voranstellte,
durften ohnedem in Deutschland selbst auf verwandte Berührungen
zählen. Der humane und philanthropische Charakter, womit die
Anfänge der Revolution von 1789 sich schmückten, hatte in Deutschland seit einem Menschenalter in den Kreisen der Regierungen wie
der Regierten, der Staatskunst wie der Literatur, ein mächtiges
Terrain erobert und die Lehren der physiokratischen Schule, das
Evangelium des Genfer Philosophen hatte kaum in Frankreich
eifrigere Jünger, wie eben im alten Reiche. Gemäß unserer Entwicklung, die sich mehr weltbürgerlich als national gestaltet, die
mehr auf dem Gebiete des Denkens und Dichtens als des Handelns emporgewachsen war, faßten wir in Deutschland die neuen
Anregungen vager und theoretischer auf, als in Frankreich, aber
darum gerade in den literarischen Kreisen doch mit einer Erregbarkeit, die unsere zähe, schwerfällige Natur kaum erwarten ließ.

　　Ein besonderes Interesse gewährt es, die Politiker von Fach
über den Eindruck zu vernehmen, den die Ereignisse im Westen
auf sie machten; bei den wunderlichen Schwankungen, denen ihr
Urtheil ausgesetzt war, ist es kaum zu verwundern, wenn dann
die Laien in der Politik sich in den neuen Ereignissen nicht zurecht
finden konnten. Als die ersten Ausbrüche von 1789 erfolgten,
waren selbst trockene Publicisten von der enthusiastischen Strömung
ergriffen, und ein Mann wie Schlözer, der die nordamerikanische
Erhebung so bitter angegriffen, meinte damals,*) diese Vorfälle
seien eine kräftige Lection für alle Menschenbedrücker in allen Welt-
gegenden und unter allen Ständen. „Welcher Menschenfreund,
ruft er aus, wird das nicht sehr schön finden! Eine der größten
Nationen in der Welt, die erste in allgemeiner Cultur, wirft das

---

*) S. Staatsanzeiger XIII. 466. 467 f.

Joch der Tyrannei, das sie anderthalbhundert Jahre lang komisch-
tragisch getragen hatte, endlich einmal ab: zweifelsohne haben Gottes Engel im Himmel ein Tedeum laudamus darüber angestimmt."
Selbst die ersten blutigen Thaten der siegreichen Revolution vermochten diesen Jubel nicht zu trüben. Wie Johannes Müller damals den Tag der Bastilleerstürmung als „den schönsten Tag seit
dem Untergange der römischen Weltherrschaft" pries*) und sich in
dem Gedanken tröstete, „um wenige Burgen reicher Barone, um
die Köpfe weniger, meist schuldiger, Großen sei diese Freiheit wohlfeil erkauft" — so ruft auch der Staatsanzeiger beruhigend aus:
„Wo läßt sich eine Revolution ohne Excesse denken! Krebsschäden
heilt man nicht mit Rosenwasser. Und wäre auch unschuldiges
Blut dabei vergossen worden (doch unendlich weniger als das, was
der völkerräuberische Despot Ludwig XIV. in Einem ungerechten
Kriege vergoß), so kömmt dieses Blut auf Euch, Despoten, und
Eure infamen Werkzeuge, die Ihr diese Revolution nothwendig
gemacht habt!"

Aber bald rief der Gang der Dinge, wie er sich seit Herbst
1789 in Frankreich gestaltet, in Schlözer eine Umstimmung hervor. Statt der Rechtfertigungsreden kamen nun Anklagen gegen
die Revolution, statt des überschwänglichen Lobes über die Franzosen herber Tadel und ein wahrer Fanatismus gegen die Hauptstadt; die Nationalversammlung ward nun offener „Greuel" beschuldigt und in komischer Kleinlichkeit den Parisern vorgerechnet,
wie viel — Nahrung ihnen durch die Auswanderung der Vornehmen und die Abnahme des Fremdenbesuches entzogen sei! Solcher
Aeußerungen des bekanntesten und einst gefürchtetsten politischen
Schriftstellers jener Tage ließen sich viele anführen; wenn aber das
am grünen Holze geschah, wie sollte es abwärts und aufwärts
in den Schichten der Nation aussehen, die selbst der dürftigsten
politischen Bildung aus Büchern entbehrten! Und doch erkannte
wieder Schlözer mit richtigem Blick die verführerische Gewalt, die
in der Revolution gelegen war. Er nahm z. B. trotz alles Miß-
muthes ein andermal wieder die Erklärung der Menschenrechte in
Schutz und meinte:**) „Aller Orten werden über kurz oder lang

---

*) Sämmtl. Werke XXX. S. 222 f.
**) Staatsanz. XVI. 85.

auch ohne Laternenpfähle, Monarchen= und Aristokrateninsolenz,
Wildbann, Wildzaun und Falkenhäuser, todte Hand und Zins=
hühner, Obrigkeiten, die ihre Mitbürger beschatzen und nicht sagen
wollen, was sie mit dem Gelde anfangen, Erbadel, der sich aus=
schließlich von Sinecuren mästen will u. s. w., so allgemein unbe=
kannt werden, wie solche schon längst in England und Hamburg
und nun auch in Frankreich sind."

In der That wirkte auf die Massen, die nicht urtheilten, sondern
ihrem Instinkt nachgaben, der Eindruck der Ereignisse im Westen
doch sehr fühlbar zurück. In den am meisten vernachlässigten oder
Frankreich zunächst gelegenen Gebieten kamen wohl schon einzelne
Auflehnungen vor, anderwärts trat wenigstens ein Wechsel in
der Gesinnung ein. „Auch wo kein förmlicher Aufruhr entstanden
ist — sagt eine der Revolution sonst abgeneigte Schrift*) — da
hat doch Unzufriedenheit, laute Klage und ein gewisser hochgestimm=
ter Ton sich in die Stelle der Unterwürfigkeit und der ruhigen
Befolgung der fürstlichen Willensmeinung eingeschlichen." Gerade
von solch loyaler Seite ward denn auch den Quellen der Unzu=
friedenheit in vielen Territorien des Reiches nachgeforscht. Da
wird die sorglose Verwaltung der Justiz, die hohen Taxen der
Rechtspflege, das Jagdunwesen, die sorglose Unthätigkeit des gan=
zen Regiments, wenn auch schonend, doch verständlich genug, als
die natürlichste Quelle der Mißstimmungen bezeichnet. „Möchten
doch, sagt eine solche Stimme,**) unsere Fürsten und Herren we=
niger auf Schauspiele, Opern, Jagden, Maitressen u. s. w. ver=
wenden und von dem Ueberschuß die Schuldiener besser besolden,
damit sie rechtschaffene und geschickte Männer in ihre Dienste zie=
hen könnten, welche gute und nützliche Unterthanen bildeten."

Der Druck unbilliger Steuern, die feudalen Belastungen, das
Jagdunwesen und der Mangel einer unbefangenen Rechtspflege,
diese Klagen kehren überall mit gleicher Stärke als die Hauptbe=
schwerden der Masse des Volkes wieder. Der noch sehr grelle Unter=
schied der Stände und die Mißachtung, in welcher noch Bürger

---

*) Patriotenstimme eines freimüthigen Teutschen über die dermaligen Em=
pörungen, Unruhen und Gährungen in= und außerhalb des Reiches. Gedruckt
in dem kritischen Jahre 1790. 4.

**) A. a. O. 53.

und Bauer gegenüber dem Privilegirten standen, wird bisweilen mit einer wohlmeinenden Naivetät geschildert, die aber einen tieferen Eindruck macht, als der stärkste Angriff. „Wenn — sagt eine ebenfalls nicht revolutionär gesinnte Schrift*) — ein angesehener Herr verlangt, daß ein Bürger ihm Geld oder Waare borge, so darf es der gemeine Unterthan kaum abschlagen: verlangt dieser von Jenem nachher die Bezahlung, so hält es schwer, dieselbe zu erhalten; selbst die Richter getrauen sich oft nicht, es zu wagen, das was die Rechte vorschreiben zu bewerkstelligen. Wird ein ge= meiner Mann von einem Angehörigen der Mächtigeren gemißhan= delt, so scheint die Justiz gleichsam nicht einheimisch zu sein." — — Nur die Bauernsöhne, klagt der Nämliche, hole man zum Kriegsdienst, während die Söhne des Dorfrichters, des reicheren Mannes, des Bürgers, des Edelmannes, ja selbst des Burgman= nes und Lehensmannes frei sind.

Indessen war der Augenblick herangekommen, wo der verstor= bene Kaiser einen Nachfolger erhalten mußte. Das Reichsverwe= seramt war vom Ende Februar bis Anfang October 1790 nach dem Herkommen bei den Kurfürsten von Pfalzbaiern und von Sachsen gewesen; ungemein bezeichnend für die Art, wie man selbst in den höchsten Kreisen die Reichsverfassung ansah, war das Verfahren, welches sich der pfalzbaierische Reichsvicarius während dieses Interregnums erlaubte. Ganz übereinstimmend mit der Weise Josephs II. beutete er sein vorübergehendes Vorrecht aus, einigen Begünstigten ansehnliche Pfründen zu verschaffen, indem er auf eine durchaus ungehörige Art sich in die Wahl der Stif= ter Freisingen, Regensburg und Eichstädt einmischte und den dor= tigen Capiteln seine Candidaten fast gewaltsam aufdrängte. Der aufgeklärte Joseph II., wie der jesuitenfreundliche Karl Theodor, trafen völlig zusammen, wenn es galt, die Stellung im Reiche zu niederem Gewinne auszubeuten und ein paar schutzlose Kir= chenstifter die Macht weltlicher Usurpation fühlen zu lassen. Diese Kirchenstaaten selbst aber, schon in ihren Fundamenten so tief er= schüttert, wie sollten sie dem Sturme der nächsten Revolution Trotz bieten, wenn von Seiten Derer, denen die Erhaltung der

---

*) Von der Obliegenheit der Landesregenten und der Landstände, den Druck des gemeinen Mannes zu erleichtern. Wien 1791.

alten Formen anvertraut war, die innere Haltlosigkeit derselben vor aller Welt aufgedeckt ward!

Die Wahl Leopolds von Ungarn und Böhmen zum Nachfolger Josephs konnte als ausgemacht gelten. Preußen hatte selbst in den Zeiten bitterster Spannung die Hand dazu geboten, jetzt nach der Reichenbacher Verständigung war natürlich noch weniger Widerspruch zu besorgen. Seit dem 11. August 1790 hatte sich der Wahlconvent in Frankfurt versammelt und entwarf die neue Wahlcapitulation.

Diese neue Handfeste, die man für den künftigen Kaiser aufsetzte, entsprach im Ganzen den früheren; nur einzelne Bestimmungen waren durch die besonderen Verhältnisse der Zeit hervorgerufen. Diejenigen, die darin etwa eine durchgreifende Reform der Reichsverfassung oder auch nur eine Beseitigung der augenfälligsten Mißstände erwarteten, würden sich ähnlich getäuscht gefunden haben, wie bei früheren Wahlcapitulationen; es waren die privilegirten Stände des Reiches und unter diesen vorzugsweise wieder die höchste Classe, die sich ihre Vorrechte durch den Kaiser verbürgen ließ. Eine solche Handfeste galt für um so vortrefflicher, je mehr sie allen Möglichkeiten eines Eingriffes in die kurfürstlichen Privilegien vorbeugte. So überwog denn in der neuen Acte dieselbe Neigung, die kaiserliche Autorität auf's Engste zu begränzen, wie in den früheren; er sollte ihre Vorstellungen gern vernehmen und mit kaiserlichem Vertrauen beantworten, bei Friedensverhandlungen sollten die einzelnen Reichsstände, ihrer besonderen Angelegenheiten wegen, Gesandte abordnen dürfen, es sollte die Reichspolizei und der Verkehr nach den bestehenden Gesetzen aufrecht erhalten, auch darüber berathen werden, wie man beides, Polizei und Verkehrsverhältnisse, bessern könne. Der Kaiser sollte nicht mehr für sich allein an das Kammergericht Instructionen und Verfügungen erlassen dürfen, wohl aber für Herstellung der ordentlichen Visitationen und ein bestimmtes Regulativ Sorge tragen. Andere Bestimmungen, gegen die Beschränkung der geistlichen Metropolitanrechte, gegen die Panisbriefe, dann der Satz, daß die Concordate Eugens IV., deren Gültigkeit Rom bestritt, zur Anerkennung gebracht würden — das waren Vorsorgen, welche durch die jüngsten Erfahrungen, die man mit dem Kaiser und mit dem Papst gemacht, hervorgerufen wurden. Wieder andere

Stellen zeigten die erste Rückwirkung der französischen Revolution. So vor Allem die Abwehr der Beeinträchtigungen, welche die neue Ordnung der Dinge den deutschen Reichsständen zufügte, eine Angelegenheit, auf die wir unten ausführlicher zurückkommen werden. Dann der Antrag, nichts zu dulden, was mit den herrschenden Glaubenssymbolen und den guten Sitten unvereinbar sei, oder wodurch der Umsturz der gegenwärtigen Verfassung und die Störung der öffentlichen Ruhe befördert werden könne. Diese Gefahr schien den Kurfürsten so dringend, daß sie noch in einem besonderen Collegialschreiben, das dem Kaiser die dringendsten Anliegen nachdrücklich anempfahl, darauf zurückkamen, die allzugroße Schreib- und Lesefreiheit dem Reichsoberhaupte in Erinnerung zu bringen.

So fand denn am 30. Sept. die Kaiserwahl selbst statt, die einstimmig auf Leopold fiel; am 9. Oct. ward er gekrönt. Wie die Wahl selber, so machte auch diese letztere Feierlichkeit den Eindruck, daß, je leerer und inhaltloser die Sache selbst wurde, desto wunderlicher das pedantisch strenge Ceremoniel byzantinischen und mittelalterlich kirchlichen Ursprunges sich ausnahm, womit man das Schemen römischen Kaiserthums noch umgab. Wie diese leblosen Formen sich vor der jugendlichen Einbildungskraft idealisiren, wie sie unter der schöpferischen Macht dichterischer Phantasie Leben und Gestalt annehmen konnten, das ist von Goethe in der Schilderung der Krönung von 1764 meisterhaft gezeigt worden; wie sie dem nüchternen und prosaischen Auge der Kinder des achtzehnten Jahrhunderts erschienen, hat uns nach seiner Art nicht ohne skurrile Beimischung, aber doch auch nicht übertrieben, der Ritter von Lang, der 1790 Augenzeuge war, in seinen Memoiren geschildert. Mit Recht bemerkt er, daß Nichts ein treueres Bild der eiskalt erstarrten und kindisch gewordenen altdeutschen Reichsverfassung geben konnte, als das Fastnachtsspiel einer solchen in ihren zerrissenen Fetzen prangenden Kaiserkrönung.

Wenige Wochen nach der Wahl und Krönung Leopolds II., am 5. Nov. 1790, waren die üblichen Reichstagsferien abgelaufen; die allgemeine Lage der europäischen Verhältnisse enthielt Anregungen genug, der diesmaligen Sitzung eine erhöhte Thätigkeit und ein frischeres Interesse zu verleihen. Aber schon über das Jahr 1789 hatte ein Zeitgenosse die trübe Betrachtung angestellt:

während ringsumher alle Cabinete der Großen in Bewegung gesetzt wurden, behauptete die Reichsversammlung ihren auf den ganzen jetzigen Geist der deutschen Verfassung gegründeten Charakter
und harrte der Zukunft, ohne ihr weder durch irgend einen öffentlichen Schritt entgegenzugehen, noch auch eine constitutionsmäßige Veranlassung dazu zu erhalten. *) Die Jahresperiode von
1789 zeichnet sich daher durch keinen Reichsschluß, ja nicht einmal durch eine förmliche Berathschlagung des Reichstages über
irgend eine Materie aus. Aehnliche Betrachtungen weckten die
Verhandlungen des Jahres 1790. Die wirklichen politischen Fragen von allgemeinerem Interesse, z. B. die Stellung der Reichs-
vicarien, oder die Thätigkeit des Reichstages während des Zwi-
schenreiches, wurden verschleppt und kamen zu keiner sicheren Entscheidung; die Revision des Reichsgerichtswesens zog sich wie eine
„ewige Krankheit" fort, ohne zu einem Abschlusse zu gelangen;
dagegen nahm es einen nicht unwichtigen Theil der Zeit weg,
über Angelegenheiten zu berathen, die der gewöhnlichste Schreiber,
oder auch ein sachverständiger Handwerker hätte ins Reine bringen können. Sollte man es z. B. für möglich halten, daß die
Baufälligkeit des Kammergerichtsgebäudes in Wetzlar, namentlich
Fragen wie die: ob der Maurermeister Schneider wirklich daran
die Schuld trage und die Reparatur im Betrag von fünfzehnhun-
dert Gulden sogleich vorzunehmen oder zu verschieben sei — die
deutsche Reichsversammlung in einem Augenblick beschäftigten, in
welchem die ganze alte Ordnung Europas in voller Auflösung begriffen war? Und diese Sache zieht sich in den zwei Jahren 1790
und 1791 durch die Reichsverhandlungen hindurch!

Nur eine Angelegenheit von einem höheren politischen Interesse vermochte dauernd die Thätigkeit des Reichstages zu fesseln,
und auch diese nur, weil sie tief in die Interessen einflußreicher
Reichsstände einschnitt: es war die Beschwerde über die Nachtheile,
welche durch die neue Ordnung der Dinge in Frankreich den deutschen Reichsfürsten zugefügt waren.

Der westfälische Friede hatte außer den drei lothringischen
Bisthümern auch das Elsaß an Frankreich abgetreten, allerdings
mit der ausdrücklich ausgesprochenen Bedingung, daß die franzö-

---

*) S. Reuß Staatscanzlei Bd. XXVIII. S. 177. XXXVIII. 252.

fische Krone nur eben in die Hoheitsrechte, die bisher das Haus
Oesterreich besessen, eintreten, übrigens die unmittelbaren Reichs=
stände, deren im Elaß noch eine ansehnliche Zahl, in Lothringen,
der Freigrafschaft und Luxemburg wenigstens einzelne übrig wa=
ren, in derselben Freiheit und Unmittelbarkeit verbleiben sollten,
deren sie bisher genossen. Das war freilich leichter ausgesprochen
als durchgeführt; einmal war es der französischen Diplomatie ge=
lungen, einzelne Zusätze in das Friedensinstrument hineinzubrin=
gen, die wenigstens eine Handhabe zu entgegengesetzten Deutun=
gen gaben*); dann war bei der anerkannten Ohnmacht des Rei=
ches und dem ebenso entschiedenen materiellen Uebergewicht des
französischen Königthums die gewaltsame Ausdehnung der franzö=
sischen Hoheitsrechte nur allzu nahe gelegt. Zwischen der herge=
brachten Reichsunmittelbarkeit und der neuen Landeshoheit Frank=
reichs war die Gränze ohnedem so schwer zu ziehen, daß eine
ungewöhnliche Wachsamkeit des Reiches und eine ebenso seltne
Selbstbeschränkung der französischen Politik dazu gehört hätte, um
Collisionen jeder Art zu vermeiden. Frankreich benutzte aber nach
dem westfälischen Frieden die ganze Gunst der Lage, in welcher
sich die französische Macht gegenüber dem Reiche befand, und dehnte
die französische Gewalt usurpatorischer Weise in unzweifelhaftem
Widerspruche mit den bestehenden Verträgen weiter aus. Schon
auf den Friedenscongressen zu Nymwegen und Ryswick kamen diese
Mißverhältnisse zur Erörterung, doch ohne erledigt zu werden. Zu
Ryswick war auf Seiten des Reiches allerdings die Absicht vor=
handen, die Angelegenheit zur Entscheidung zu bringen, aber die
Ausführung war so ungeschickt, wie zu Münster und Osna=
brück, und gab nur neuen Stoff zu streitigen Deutungen beider
Theile. Die schwächeren Reichsstände erlagen nachgerade dem

---

*) In den §§. 73 u. 74 des Münsterschen Friedens war die Abtretung
der angeführten Herrschaften an Frankreich („absque ulla reservatione cum omni=
moda jurisdictione et superioritate supremoque dominio) ausgesprochen; im §.
87 hatten dann die einzelnen Reichsstände sich ihre bisherigen Rechte verbür=
gen lassen und den Zusatz durchgesetzt, daß Frankreich nur dieselben Rechte,
wie bisher das Haus Oesterreich, ansprechen dürfe; daran hatte dann Frank=
reich wieder eine Clausel zu Gunsten seiner Souveränetät anzuhängen gewußt
(ita tamen ut praesenti hac declaratione nihil detractum intelligatur de eo omni
supremi dominii jure, quod supra concessum est).

Drucke dieser Macht; die meisten Reichsstädte wurden in Land-
städte umgewandelt, die Ritterschaft und die kleinere Geistlichkeit erwehrte sich kaum des Verlustes ihrer Herrenrechte, und nur
den mächtigeren Reichsständen gelang es, noch eine Zeitlang ihre
Ausnahmsstellung zu behaupten. Sie waren es auch, die, um den
Rest ihrer landesherrlichen Gerechtsame zu retten, sich zu Verträgen mit der Krone Frankreich herbeiließen, worin sie die französische Souveränetät anerkannten, aber damit die förmliche Garantie
der ihnen noch übrig gebliebenen Rechte erkauften. Solcher Verträge — allerdings ohne Zustimmung des Kaisers und Reiches —
war zu Ende des siebzehnten und im Laufe des achtzehnten
Jahrhunderts eine ganze Reihe geschlossen worden; in der Regel
verkündete eine lettre patente des Königs den Parlamenten das
neue Verhältniß, in welchem sie einerseits zur Krone, andererseits
zu ihren Unterthanen standen, und von den Parlamenten wurden
diese königlichen Briefe gleich andern Edicten einregistrirt. In
solch ein Verhältniß war schon zu Ende des siebzehnten Jahrhunderts das Stift Straßburg getreten, später (1756) auch Speyer,
Würtemberg (1748), Pfalzzweibrücken (1768), Kurtrier (1778)
und Andere, soweit ihnen im Elsaß, in Lothringen und Burgund
Güter und Rechte zustanden. Vor der Revolution war also die
Angelegenheit so beschaffen: das Reich erkannte die Separatver-
träge der einzelnen Reichsstände mit Frankreich nicht an, diese
selber aber glaubten sich in ihrem Besitzstande, den sie mit erheb-
lichen Opfern erkauft, nun vertragsmäßig in der Weise geschützt,
daß darin nur mit ihrer freien Zustimmung und durch neue Verträge eine Aenderung vorgenommen werden könnte.

Inregelmäßigen und ruhigen Verhältnissen war darauf auch
mit einer gewissen Sicherheit zu zählen; aber nicht in einer Revolution, die der ganzen alten Ordnung der europäischen Verhältnisse den Krieg erklärte. Schwerlich machte eine Umwälzung,
welche die gesammte Feudalität in ihren Fundamenten erschütterte,
vor den Verträgen Halt, welche eine Anzahl deutscher Reichsfürsten mit der Krone Frankreich geschlossen hatten.

Der erste entscheidende Schritt geschah in der berühmten Nacht
des 4. August 1789 und in den an den nächsten Tagen (6—8.
11. Aug.) gefaßten Beschlüssen. Alle Rechte, die aus der Leibeigenschaft entsprangen, die gutsherrliche Gerichtsbarkeit, das Jagd-

recht, die geiftlichen Zehnten wurden darin abgeschafft, alle Ar=
ten von Grundzinfen, Gülten und andere Feudallaften für ab=
lösbar erklärt. Das Zweite, was in die Berechtigungen deutfcher
Reichsftände tief einfchnitt, waren die Befchlüffe über die Kirche.
Der Abfchaffung des geiftlichen Zehntens folgte (Nov. 1789) der
Befchluß, daß der Nation die Verfügung über alle Kirchengüter
zuftehe, dann die Aufhebung aller fremden geiftlichen Gerichtsbar=
keit (Juni 1790), endlich der völlige Umfturz der alten hierarchi=
fchen Ordnung und die Herftellung einer neuen Kirchenverfaffung,
mit welcher die geiftlichen Berechtigungen der deutfchen Stifter am
Rhein ebenfo wenig vereinbar waren, als fich die patrimoniale
Verwaltung und Rechtspflege der deutfchen Lehensherren mit der
neuen Eintheilung in Departements, Diftricte, Cantone und Mu=
nicipalitäten vertrug.

Die Kurfürften von Mainz, Trier und Cöln, der deutfche Or=
den, die Fürftbifchöfe von Straßburg, Speyer und Bafel, die Her=
zöge von Würtemberg und von Pfalz=Zweibrücken, der Landgraf
von Heffen=Darmftadt, der Markgraf von Baden, die Fürften von
Naffau, Leiningen und Löwenftein, fie alle waren in ihren Rechten
und Befitzungen durch jene Befchlüffe mehr oder weniger beein=
trächtigt. Würtemberg befaß außer Mömpelgard noch neun Herr=
fchaften, die vom franzöfifchen Gebiete eingefchloffen waren, Pfalz=
Zweibrücken die Aemter Lützelftein, Bifchweiler, Gutenberg, Selz,
Hagenbach, Cleeburg im unteren, Rappoltftein im oberen Elfaß,
Heffen=Darmftadt die Graffchaft Hanau=Lichtenberg und die Reichs=
herrfchaft Ochfenftein, die zufammen über 90 Ortfchaften enthielt,
Baden das im Elfaß gelegene Amt Beinheim und die luxembur=
gifche Herrfchaft Rodemachern. Dazu kam der Johanniterorden
mit zwei Comthureien, der Deutfchorden mit der Ballei Elfaß
und Lothringen, die Abteien Weiffenburg, Münfter, die Stifter
Murbach und Romainmoutier, endlich der in feiner Bedeutung
allerdings fehr verringerte ritterfchaftliche Adel. Ohne Erfatz foll=
ten die weltlichen Herren die Kopf= und Güterfteuern, die Froh=
nen, die Jagdrechte, die Zölle, Accife, das Umgeld, das Salzmo=
nopol, das Schutzgeld und alle die Abgaben verlieren, die aus der
Leibeigenfchaft entfprangen; für eine Ablöfungsfumme follten fie
alle Grundzinfen, Gülten, Zehnten und ähnliche an Grund und
Boden haftende Gefälle hingeben. Ihre hohe und niedere Ge=

richtsbarkeit fiel natürlich mit der neuen administrativen und richterlichen Organisation Frankreichs zu Boden; machte man doch hie und da von Seiten einzelner Municipalitäten den Versuch, diese deutschen Lehensherren als französische Bürger zu behandeln, sie in die Steuerlisten einzutragen und zu den gemeinsamen Lasten beizuziehen. Jenen geistlichen Stiftern und Körperschaften aber stand ein noch Aergeres bevor; ihnen drohte, außer der Entziehung des Zehntens, der Verlust der gesammten Güter und die Auflösung des hierarchischen Verbandes, durch welchen sie seit einem Jahrtausend mit den ihnen unterworfenen Diöcesen verknüpft waren. Kam die neue Kirchenbureaukratie, wie sie in der constitution civile du clergé entworfen war, zur Ausführung, so ward die bischöfliche Stellung aller Stifter am Rhein auf's stärkste erschüttert, manche, z. B. Basel, Straßburg und Speyer, hörten vollkommen auf das zu sein, was sie vordem gewesen.

Wenn wir uns erinnern, welche Aufregung die einzelnen Eingriffe Josephs II. in die bischöflichen Rechte von Salzburg, Passau u. s. w. verursacht, so wird sich ermessen lassen, wie tief der Eindruck dieser Vorgänge war. Konnten doch Josephs Schritte im Vergleich damit als Bagatellen erscheinen und doch hatten sie die gesammte deutsche Fürstenaristokratie in Bewegung gebracht! Daß das geschriebene Recht für die gekränkten Reichsstände sprach, war ebenso unzweifelhaft, wie die Verpflichtung des Reiches, seine Angehörigen vor diesen Reunionen in neuer Form zu schützen. Aber freilich kommen in solchen Verwicklungen noch andere als nur rechtliche Momente in Betracht, und eben diese lagen nicht zu Gunsten der berechtigten Reichsfürsten. Einmal hatte die Revolution die volle Macht, diese vom Reiche getrennten Enclaven nach dem neuen französischen Zuschnitt zu behandeln, dann stand dem überlieferten Feudalrecht als gewaltiger Gegner das neue Natur= und Menschenrecht gegenüber, vor dessen Schranken alle jene Ansprüche nur ebensoviele Gewaltthaten und Mißbräuche waren. Eine populäre Theilnahme konnten die Beleidigten nicht erwarten; es war weltkundig, wie schwer diese elsassischen Unterthanen bedrückt waren, durch ihr doppeltes Verhältniß als Steuerpflichtige der Krone Frankreich und als Lehensunterthanen der deutschen Reichsstände. Ihnen verhieß der revolutionäre Act vom 4. Aug. sammt denen, die folgten, eine ungeheure Entlastung; sie selber, wie alle diejenigen, welche den

Untergang der Feudalität und die Befreiung des Grundes und Bodens wünschten, waren nicht darüber in Zweifel, wem in diesem Rechtsstreite ihre Sympathien angehörten. Natürlich nur der Revolution, nicht den Lehensherren, deren Sieg ihnen entweder neue Zehnten, Zinsen, Gülten, Frohnden, Jagdlasten, Schutzgelder u. s. w. auferlegen, oder von den alten sie nur für ansehnliche Ablösungssummen befreien mußte.

Eine Zeitlang konnte es scheinen, als werde dieser letzte Weg eingeschlagen. Der König selbst erinnerte die Nationalversammlung daran, daß es sich hier um Berechtigungen handle, die auf Verträgen beruhten, und auch die Versammlung schien dieser Ansicht nicht unzugänglich. Doch setzten die betroffenen Fürsten die vorderen Reichskreise, denen sie angehörten, in Bewegung und seit Anfang 1790 langten auch beim Reichstage die ersten Beschwerdeschriften ein. Der Gang der Revolution brachte es mit sich, daß hier, wie in andern Fragen, die Wahrscheinlichkeit einer friedlichen Lösung immer geringer ward. Ein Decret der Nationalversammlung, am 15. Mai 1790 verfaßt, stellte zwar noch eine Entschädigung für die „Besitzer gewisser Lehen im Elsaß" in Aussicht, aber eine Entschädigung, die dem Ermessen der Nationalversammlung, nicht der gegenseitigen vertragsmäßigen Verständigung anheimgegeben ward. Spätere Beschlüsse hielten den nämlichen Gesichtspunkt fest und rückten die Entscheidung zugleich in eine ziemlich ungewisse Ferne. Auch die Sendung Ternans (im Sommer 1790) an die westdeutschen Höfe, obwol sie den Gedanken einer gegenseitigen Verständigung wieder aufzunehmen schien, stellte nur im Allgemeinen eine Entschädigung fest; der Unterhändler war aber weder mit den nöthigen Vollmachten versehen, noch entsprach die Art der Entschädigung den Wünschen und Interessen der Betheiligten. Einmal wurden sie dem übrigen Adel Frankreichs gleichgestellt, dann war der Ersatz, den man im Hintergrunde zeigte — Assignaten oder Nationalgüter — am allerwenigsten geeignet, den Verlust fürstlicher Hoheitsrechte vergessen zu machen.*)

Die meisten Berechtigten lehnten es geradezu ab, sich auf diese

---

*) Die Eingaben der Betheiligten sammt den Actenstücken, worauf sich ihr Recht gründet, finden sich in Reuß Staatscanzlei Bd. XXIV — XXVI. XXIX. XXX.

Weiſe entſchädigen zu laſſen. Die Verhandlungen darüber fielen in die Zeit des Zwiſchenreiches; die Wahl eines Reichsoberhaup=tes gab natürlich der Angelegenheit einen neuen Sporn, Leopold II. ward nun ſofort darum angegangen, die Intereſſen der bedrohten Reichsſtände zu vertreten. Er that es in einem Schreiben, das er am 14. Dec. 1790 an Ludwig XVI. richtete; darin war die Wiederherſtellung des Zuſtandes verlangt, wie er vor den ent=ſcheidenden Beſchlüſſen geweſen war. Wenige Wochen zuvor hatte die Nationalverſammlung einen Beſchluß gefaßt (28. Oct.), worin ſie den Grundſatz ausſprach, es ſei keine andere Souveränetät als die der Nation auf franzöſiſchem Boden zu dulden und ſämmt=liche Beſchlüſſe zum Vollzug zu bringen; doch ſolle in Anbetracht der freundſchaftlichen Verhältniſſe, in denen die deutſche Nation ſo lange zu Frankreich geſtanden, eine friedliche Ausgleichung mit ihnen verſucht werden. Das waren die Geſichtspunkte, wie ſie zu Ausgang des Jahres 1790 von beiden Seiten geltend gemacht wurden.

Als der Reichstag im Januar 1791 ſeine Geſchäfte wieder aufnahm, war es vorzugsweiſe dieſe Entſchädigungsangelegenheit, der ſeine Thätigkeit galt.*) Außer jenen ſtabil gewordenen Sa=chen, wie die Unterhaltung und Viſitation des Reichskammerge=richts, die ſich, nie erledigt, wie ein Erbübel durch alle Verhand=lungen durchſchleppen, iſt nichts von allgemeiner Bedeutung, als die Berathungen über das Verhältniß zu Frankreich. Die Durch=führung der angedrohten Neuerungen nahm indeſſen dort ihren Fortgang; gleich in einer der erſten Sitzungen lief eine Beſchwerde von Kurtrier ein, daß man in dem neuen Departement der Ar=dennen einen Biſchof gewählt und dieſem einen Theil der Trier=ſchen Erzdiöceſe zugewieſen habe. Aehnliche Beſchwerden kamen von Speyer, vom Capitel des Stiftes Weiſſenburg und von Heſ=ſen. Auf der andern Seite war von dem franzöſiſchen Geſand=ten am oberrheiniſchen Kreiſe, Baron Groſchlag, an den Biſchof von Speyer die Aufforderung ergangen, einen Geſandten zur güt=lichen Verhandlung nach Paris zu ſchicken; „die Nationalverſamm=

---

*) Die folgenden Mittheilungen ſind einer umfangreichen Reichstagscor=reſpondenz (1791. 2 Bde. Fol.) entnommen, welche wir für dieſe wie für die folgenden Jahre benutzt haben.

lung habe eingesehen, daß bei der auf der einen Seite bestehen=
den Unzulässigkeit einiger Ausnahmen es auf der andern Seite
billig wäre, für diejenigen der abgeschafften Rechte, welche auf
Friedensschlüsse oder sonstige völkerrechtliche Verbindnisse gegrün=
det sind, eine gerechte Entschädigung zu verstatten." Der Bischof
sah in dieser Erklärung das Eingeständniß, daß man ein Unrecht
begangen, die Sendung nach Paris lehnte er ab. Eine ähnliche
Aufforderung, an den Trierer Hof gerichtet, erhielt dort eine ähn=
liche ablehnende Antwort (20. Jan.); man fand namentlich das
Princip einer Entschädigung durch Geld mit den reichsfürstlichen
wie mit den geistlichen Pflichten unvereinbar. Vergebens machte,
gegenüber von Speyer, der Vertreter Frankreichs geltend (1. Febr.),
wie wenig an eine Rücknahme der Beschlüsse zu denken sei,
und wie es doch immer zweckmäßiger erscheine, einem Zwiste mit=
telst eines annehmlichen Vergleiches ein glückliches Ende zu berei=
ten, als solchen dem ungewissen Schicksale zufälliger Ereignisse
ausgesetzt zu lassen. Allein der Fürstbischof von Speyer wies
den Grundsatz der „Convenienz und Gleichförmigkeit" zurück, er
fuhr fort, sich auf sein gutes Recht als Reichsfürst und seine bi=
schöfliche Pflicht zu berufen. Indessen ward aber die neue Ord=
nung ungehemmt in Vollzug gesetzt; die Kirchensprengel der deut=
schen Bischöfe wurden der neuen französischen Gesetzgebung unter=
stellt, und den Geistlichen die Alternative vorgelegt, den Eid auf
die neue Kirchenordnung zu leisten oder ihren Stellen zu ent=
sagen.

Alles drängte darauf, daß der Kaiser und der Reichstag sich
der Bedrohten thätiger annehmen müsse. Der erste Schritt Leo=
polds II., jenes Schreiben vom 14. Dec. 1790, war erfolglos ge=
blieben; die Antwort der französischen Regierung meinte, das
Reich sei bei der Sache gar nicht interessirt und der ganze Con=
flict nur ein Streit zwischen der Krone Frankreich und ihren
Vasallen, der am einfachsten durch friedliche Annahme der ange=
botenen Vorschläge sein Ende finde. Nun gab Leopold dem
Drängen der Betheiligten nach; am 26. April 1791 überreichte
der kaiserliche Principalcommissarius, Fürst Karl von Thurn und
Taxis, ein kaiserliches Commissionsdecret, wonach die Stände des
Reiches zur Berathung über die Sache aufgefordert wurden. „Aller=
höchstdieselben — hieß es darin — gewärtigten über diesen Ge=

genstand ein baldiges ausgiebiges Reichsgutachten, um hierdurch in den Stand gesetzt zu werden, über diese Sache einen Reichs- schluß zu fassen, sodann in Gemäß desselben die weitere reichsobrist- hauptliche Vorkehr eintreten lassen zu können."

Bei der Berathung am 9. Mai brachte dann der kurmain- zische Gesandte die Sache vor die Versammlung. Er ging den geschichtlichen Verlauf der Beschwerde durch, erinnerte daran, wie schon in der Wahlcapitulation der Kaiser veranlaßt worden, sich der Sache anzunehmen, wie aber seine Vorstellung bei Frankreich keinen Eingang gefunden und er darum den Weg betreten habe, ein „ausgiebiges Reichsgutachten" über die Beschwerdeangelegen- heit zu fordern. Zur Erleichterung des Geschäftes faßte dann der Gesandte den ganzen Stoff in fünf Fragen, wonach die In- structionen eingeholt und die Verhandlungen vorgenommen wer- den sollten. Die erste Frage lautete: ob nicht alle bisherigen Schritte Frankreichs wider den Besitzstand der Reichsstände und wider ihre geistlichen und weltlichen Rechte für ungerecht, nichtig und friedensschlußwidrig anzusehen seien. Die zweite Frage ging dahin, ob nicht alles dasjenige, was vom Elsaß an Frankreich, wie namentlich und deutlich durch den Münsterschen Frieden und spätere Verträge, unterworfen worden, dermalen noch als zum deut- schen Reiche gehörig zu betrachten sei? Drittens wurde gefragt, ob einzelne deutsche Besitzer im Elsaß durch eigene stillschweigende oder ausdrückliche Anerkennung der französischen Souveränetät dem deut- schen Reiche etwas hätten vergeben dürfen, und ob dergleichen Ueber- einkommen zumal jetzt noch in Betracht kommen könnten, wo die französische Nation selber sich daran nicht mehr weiter binden wolle? Weiter wurde dann die Frage aufgeworfen, ob das Reich, wenn den Beschwerden nicht abgeholfen werde, nicht ebenfalls be- fugt sei, gegenüber von Frankreich alle diejenigen Friedensschlüsse für unverbindlich und aufgehoben anzusehen, wodurch ehemals zur Erhaltung des Friedens so viele Provinzen vom deutschen Reiche abgekommen seien? Die fünfte Frage endlich betraf die Mittel und Wege, um sowol diejenigen Besitzungen, geistlichen und welt- lichen deutschen Gerechtsame, welche nie wirklich der französischen Souveränetät unterworfen waren, zu behaupten, als auch was in Ansehung der wirklich unterworfenen das Reich als Bürge, zu- mal für die eigenen Reichsmitstände, zu beschließen habe.

Der Gesandte schlug dann den 20. Juni als Tag der Berathung vor; bis dahin könnten die Instructionen wohl eingeholt sein, er selber — fügte er hinzu — sei bereits in der Lage, sein Votum abzugeben, und zwar bejahe er alle gestellten Fragen, die dritte allein ausgenommen.

Am rührigsten waren die geistlichen Reichsstände. Kurmainz wandte sich an Preußen, Sachsen und Hannover und forderte „auch alle übrigen unirten Höfe zur unionsmäßigen Hülfe nachdrucksamst" auf;*) es suchte also noch einmal den Fürstenbund zur Thätigkeit zu wecken. Es protestirte gegen die Schritte im Elsaß, instruirte seinen Gesandten, „mit starker Sprache vorzugehen", und ermahnte die anderen Bischöfe, ein Gleiches zu thun. In einem Schreiben an den Kaiser (21. März) hebt der Erzkanzler des Reiches das Widerrechtliche der geschehenen Schritte hervor, beschwert sich über die jüngsten Vorgänge in seinem Sprengel (Absetzung des Bischofs von Straßburg, Wahl eines neuen u. s. w.) und fügt dann hinzu: „es ist für die Sicherheit der vorderen Reichskreise wesentlich nothwendig, daß das mit seinen übrigen Provinzen so sehr concentrirte mächtige französische Reich in seinen mit Deutschland gränzenden Provinzen eine dem deutschen Reiche analoge Constitution behalte, wodurch es gehindert werde, in diesen angränzenden Landen so frei und willkürlich zu herrschen, wie es in seinen übrigen alten Provinzen räthlich finden mag."

Aehnliche und noch stärkere Aeußerungen kamen von den anderen geistlichen Höfen; sie beeilten sich auch, während die Instructionen der Uebrigen säumig genug eintrafen, ihre vorläufige Meinung einstweilen kundzugeben. So schlug (Juni) Kurcöln vor, auch das deutsche Reich solle sich an die vorhandenen Verträge nicht mehr gebunden erachten, vielmehr seine Rechte auf die an Frankreich abgetretenen Lande wieder geltend machen, dann durch einen eigenen Reichsschluß alle französischen Waaren und Producte verbieten, gegen Frankreich einen militärischen Cordon ziehen und alle in Deutschland gelegenen französischen Besitzungen und Einkünfte sequestriren. Außerdem da die französische Nationalversammlung „verschiedene Mitglieder von der sogenannten

---

*) Aus einem kurmainz. Schreiben an den Bischof von Speyer d. d. 4. April (in der Reichstagscorrespondenz).

Congregation de Propagande nach Deutschland schicke, um allda demokratische Grundsätze auszubreiten, diese aber sich mit der deutschen Reichsverfassung nicht vertrügen, so wäre durch ein Reichsgutachten beim Kaiser anzutragen, daß ein Reichsgesetz erlassen werde, wonach gegen alle Franzosen oder Deutsche, welche demokratische Grundsätze öffentlich oder heimlich ausbreiten würden, nach Beschaffenheit der Umstände mit Leibes- oder Lebensstrafe verfahren werden solle, auch alle Bücher dieser Art zu verbieten wären." Ob Frankreich nicht auch sofort mit einem Reichskriege zu überziehen sei, das überließ Kurcöln wohlweislich denn doch noch dem Ermessen „kaiserlicher Majestät und der mächtigeren Reichsstände."

Gegen diese ungeduldige Heftigkeit der geistlichen Herren, die allerdings fühlten, daß ihre Existenz auf dem Spiele stehe, machten die weltlichen Reichsstände einen vorwiegenden Eindruck der Mäßigung. In einer vorläufigen Aeußerung Preußens sind die Schritte Frankreichs zwar als vertragswidrig und nichtig bezeichnet, aber es wird doch auch von der Gerechtigkeit und Billigkeit des französischen Hofes erwartet, daß er sich von der wahren Lage der Sache genau unterrichten und einsehen werde, wie der Münstersche Friede, der durch die jüngsten Maßnahmen verletzt werde, auch die Grundlage des ganzen französischen Besitzrechtes im Elsaß bilde. Ehe weitere Entschlüsse eintreten könnten — meint der preußische Gesandte — sollte der unbefriedigenden Antwort Frankreichs ungeachtet der Weg der Vorstellung und gütlichen Behandlung noch fortgesetzt und der Kaiser von Reichswegen ersucht werden, seine Vorstellungen und Verwendungen bei Frankreich zu erneuern und zu verdoppeln, von dem Erfolg aber dem Reichstage Kenntniß zu geben. Ein Gleiches könnten denn auch die übrigen mächtigeren Reichsstände thun.

Zu dieser Ansicht neigte sich denn auch die große Mehrzahl der Reichsstände. Als die auf den 20. Juni angesetzte Berathung am 4. und 5. Juli stattfand, war es im Rathe der Kurfürsten, wie der Reichsfürsten, jene vorläufige Meinung Preußens, der sich die Meisten anschlossen. Im Reichsfürstenrath eröffneten Salzburg, Baiern und Oesterreich gleich anfangs mit dieser mildern Ansicht die Abstimmung; auch mußte es Eindruck machen, wenn der Gesandte Oesterreichs meinte: „es möge für dermalen genug sein, wenn Se. kaiserl. Maj. ersucht würden, durch nachdrückliche

Vorstellungen an dem französischen Hofe bessere Entschließungen
zu erwirken." Die hannoversche Stimme, welcher nicht einmal
die rechtliche Gültigkeit der deutschen Forderungen ganz unzweifel=
haft erschien, wollte die Sache durch eine Reichsdeputation geprüft
sehen und warnte vor Maßregeln und Entschließungen, welche zu
weit gehen und die Würde wie die Ruhe des Reiches compromit=
tiren könnten. Selbst einzelne geistliche Stände, namentlich Würz=
burg=Bamberg, schlossen sich noch diesen gemäßigten Meinungen
an. Damit die revolutionäre Ansteckung abgewehrt und doch auch
wieder nicht der landesherrliche Despotismus begünstigt werde,
meinte Bamberg, sollte ein Reichsgesetz erlassen werden, wonach
gegen alle Verbreiter aufrührerischer Grundsätze mit Leibes= oder Le=
bensstrafe zu verfahren, auch derartige Bücher und Schriften zu
verbieten und keiner Zeitung der Vertrieb zu gestatten sei, „welche
auf eine anpreisende und belobende Art, oder auch nur mit ein=
zelnem Beifall von einer in auswärtigen Ländern vorgekommenen
Handlung der Empörung berichtete."

Die stärksten Anträge kamen wieder von den geistlichen Stän=
den am Rhein; sie schienen die Schwäche ihrer politischen Macht
durch die Energie ihrer Erklärungen gleichsam ergänzen zu wol=
len. „Es verstehe sich von selbst — erklärte Worms (Kurmainz)
im Fürstenrathe — daß, wenn es einmal bei einer Nation so weit
komme, daß eingebildete Convenienz mehr als Völkerrecht gelte,
man wechselseitig jeder völkerrechtlichen Verpflichtung überhoben
und das Reich berechtigt sei, alle jene Verträge für aufgehoben
zu erklären, durch welche Elsaß, Lothringen, Burgund u. s. w. an
Frankreich gekommen sind. Dies solle man Frankreich erklären,
und wenn es auf seiner früheren Meinung bestehe, solle die deut=
sche Nation zu solchen Mitteln schreiten, welche der Ehre und
Würde eines ansehnlichen Reiches angemessen seien." Diesem dro=
henden Kriegsrufe schlossen sich Speyer und Straßburg, auch Augs=
burg (Kurtrier) an; Hildesheim wollte zwar noch eine „ernstliche
und standhafte Vorstellung zulassen, wenn dieselbe aber wieder
so abschlägig und unanständig sein sollte, wie die frühere, so
solle man auf jene weiteren, dem Ansehen und der Ehre des deut=
schen Reiches anpassenden Maßnahmen Bedacht nehmen, wozu
sich dasselbe durch das Völkerrecht und die natürliche Befugniß, das
Eigenthum zu behaupten, berechtigt finden wird."

drücklich zu verwahren, sondern auch sich der betroffenen Reichs=
stände anzunehmen. Dem Kaiser ward für seine bereits bewiesene
Theilnahme gedankt, die Antwort aber, die Frankreich gegeben, als
ungenügend bezeichnet; indessen wolle man das Vertrauen noch
nicht aufgeben, daß eine gerechtere Ansicht in Frankreich überwiege,
falls der Kaiser seine nachdrücklichen Vorstellungen im Namen
des ganzen Reiches erneuern wolle. Zwar müsse es bei der der=
maligen unsichern Lage Frankreichs lediglich dem weisen Ermessen
des Kaisers überlassen bleiben, ob und inwiefern solch eine Ver=
wendung eintreten solle; wenn sie aber erfolge, sei es wohl zweck=
mäßig, wenn auch alle anderen Reichsfürsten, welche eigene Ge=
sandte am französischen Hofe haben und zu den Garanten der
Verträge zu zählen sind, jene Vorstellung nachdrücklich unterstützen
wollten. Außerdem möge der Kaiser dafür Sorge tragen, daß
nicht nur auf eine gleichförmige Art der Verbreitung der zum Auf=
ruhr anfachenden Schriften und Grundsätze durch wachsame Auf=
sicht und Strafe begegnet, sondern auch mittelst Herstellung des
reichsverfassungsmäßigen Wehr= und Vertheidigungsstandes Ge=
horsam, Ordnung und Sicherheit gehandhabt werden möge. Das
kaiserliche Ratificationsdecret erhob diese Anträge zum Reichsschluß.
Die Schritte, die demgemäß der Kaiser zunächst that, bestanden
einmal in einem Schreiben an den König der Franzosen (vom
3. Dec.), dann in einem Circular an die verschiedenen Vorstände
der Kreise. Das Schreiben an Ludwig XVI. widerlegte die Mei=
nung, daß jene eingeschlossenen Gebiete der vollen französischen
Oberherrlichkeit unterworfen seien, berief sich auf die unerschütterte
Gültigkeit der Verträge und die Gefahren, die eine einseitige Lö=
sung hervorrufen müsse, und sprach die Erwartung aus, daß die
seit August 1789 eingetretenen Veränderungen aufgehoben und der
alte Zustand wiederhergestellt werde. Das kaiserliche Ausschreiben
an die Kreisvorstände forderte dieselben auf, gemäß den bestehen=
den Reichsgesetzen sowol Störungen der Ruhe und Aufwiegeleten
gehörig vorzubeugen, als auch dafür zu sorgen, daß die „reichs=
constitutionsmäßige Verfassung des gemeinsamen und vereinten
Reichs=Wehr= und Vertheidigungszustandes thätigst hergestellt, auch
zu dem Ende sich mit anderen Reichskreisen in vertrauliches Ein=
vernehmen gesetzt werde.‟

Dieser letzte Punkt verrieth eine fast übertriebene Sorge, wie

sie wenigstens durch die inneren Vorgänge noch nicht gerechtfertigt
war. Was von revolutionären Gährungen bis jetzt vorgekommen,
beschränkte sich auf ganz locale Ausbrüche der Unzufriedenheit, und
nur in Lüttich war die Bewegung von der Art, daß sie allgemei-
neres Aufsehen und Sorge erregen konnte. Staatsmänner jener
Zeit erheben Klage darüber, welch-ein Mangel an richtiger Auffassung unter deutschen Unterthanen und Regenten zugleich sich
bemerkbar machte; von diesen namentlich hätten Einige durch Entmuthigung und unzeitige Nachgiebigkeit, da wo ruhige Fassung
und Festigkeit Noth that, Andere durch unkluge Beharrlichkeit, wo
es galt, billigen und zeitgemäßen Wünschen zu genügen, gerade das
befördert, was sie verhindern wollten.*) Bezeichnend für den inneren Zustand Deutschlands war es, daß alle größeren Staatsgebiete
noch ganz unberührt waren; nur in geistlichen, reichsgräflichen
und höchstens in Territorien winziger Fürsten übten die Exempel
vom Westen eine aufregende Wirkung aus. Wo ein verständiges
Regiment den Bedürfnissen der Zeit entgegengekommen war, da
hatte die Revolution keine Gefahr; nur wo übertriebene Lehenslasten auf dem Lande drückten, wo Kleinstaaterei und Verknöcherung den gesunden Blutumlauf hemmten, da traten verwandte
Stimmungen hervor, wie die, welche den dritten Stand in Frankreich bewegten. So war namentlich in den geistlichen Gebieten
von Trier, Straßburg, Speyer eine gewisse Aufregung bemerkbar,
die sich bisweilen bis zu unruhigen Auftritten steigerte; so waren
die Gebiete der Grafen von Leyen, der Grafen Bentheim, und von
den Reichsstädten das kleine Gengenbach von der Gährung ergriffen. Aber auch diese Unruhen waren so bedenklich nicht, wie man
sie aus Angst oder Absicht darzustellen suchte. Wohl lehnten sich
z. B. in der Ortenau die Bauern gegen ihren Landvogt auf, oder
es wurde in Bühl das Volk gegen den Amtmann widerspenstig;
in der Pfalz machte sich jetzt der lange verhaltene Groll gegen die
Allgewalt eines unwürdigen Beamtenthums geltend, oder die Bauern hielten aus freien Stücken eine Hetzjagd auf das in Uebermaß gehegte Wild, das ihre Saaten verwüstete. Manche dieser
Ausbrüche waren ganz örtlicher Natur oder gehörten auch der
Macht der Ansteckung an, die in solchen Zeiten epidemisch wirkt.

---

*) S. Görtz, Denkwürdigk. II. 250 ff.

Aber die geistlichen Gebiete waren dem Allem unverkennbar am meisten ausgesetzt und der Ruf, den die Unterthanen von Stablo und Malmedy hören ließen — „wir wollen Freiheit von dem Joch der Mönche" — war an vielen Orten das Stichwort der Bewegung. In dem alten Reichsstift Frauenalb nöthigten die Bauern ihre Aebtissin, bei Baden Schutz zu suchen; in Schwarzach wurden die Mönche aus dem Kloster gejagt und das Kirchengut von den Bauern in Besitz genommen. Viel Aufhebens ward von dem ge= macht, was damals im Bisthum Speyer geschah. In der fürst= bischöflichen Residenz Bruchsal hatte sich die Bürgerschaft schon im Herbste 1789 geregt, um ihre Beschwerden in einer Vorstellung an den Bischof zu bringen; als man Miene machte, sie zu hin= dern, erklärten sie, sich selber helfen zu wollen, falls man sie ab= zuhalten suche, die Vorstellung herumzusenden oder auf dem Rath= haus zur Unterzeichnung aufzulegen. Aehnliche Bewegungen zeig= ten sich auch am Haardtgebirge, namentlich in den Gemeinden Deidesheim und Niederkirchen. Und was betrafen diese Beschwer= den? Außer ganz localen Anliegen klagte man über die allzuhohe Schatzung, das Milizgeld, die Nachsteuer, über verschiedene andere Steuern, wie das Chausseegeld, das Lagergeld, die Erbschaftssteuer und andere Lasten, dann aber vornehmlich über die drückenden Folgen des Lehenswesens und der Leibeigenschaft. Die Bitten der Unterthanen geben uns eine gute Einsicht in das Walten dieser fürstlichen Patriarchalität. Es ward ihnen z. B. die Bitte rund abgeschlagen, daß ein Unterthan, ohne die Regierung zu fragen, in anderen Orten des Hochstifts Güter kaufen und bürgerliche Nahrung treiben dürfe. Oder die Aufzählung der einzelnen Lasten setzte es außer Zweifel, daß die fürstliche Verwaltung sich einer schmählichen Ausdehnung ihrer Fiscalrechte schuldig machte und das Land mehr ausbeutete als regierte. Bestanden doch noch Verord= nungen wie die, daß die Gemeinden den Jägern die ihnen auf ihrer Markung entwendeten Fuchseisen bezahlen und die Unter= thanen, auf deren Gütern Hasenschlüpfe gefunden worden, deßhalb bestraft werden sollten!

Forderungen, wie die oben genannten, in ungeduldigem Tone vorgebracht und von unruhigen Auftritten begleitet, bewogen den Fürstbischof, sogleich beim Reichshofrath um Hülfe nachzusuchen. Es erfolgte eine unerwartet schnelle Entscheidung des obersten

Gerichts (5. Oct.), die in ihren Motiven alle die Vergehen der Unterthanen aufzählt. „Ein ausgelassener Pöbel, heißt es darin,
habe sich nicht nur unterfangen, an dem Hause eines fürstlichen
geheimen Raths sträflichen Unfug zu begehen, sondern nach An-
zeige glaubhafter Personen sei auch ohne Scheu davon gesprochen worden, die Sturmglocken zu ziehen und die benachbarten
Ortschaften zu Hülfe zu rufen; ferner verlaute es, daß zu Bruchsal in später Nacht noch Leute mit geladenem Gewehr wahrgenommen würden, ja auch in der Nachbarschaft sei die allgemeine
Rede, wie man nur auf die Bruchsaler Sturmglocke warte, um
mit gesammter Hand der Stadt zu Hülfe zu eilen." Das wurde
den betreffenden Gemeinden nun ernstlich verwiesen und gedroht,
daß alle etwa entstehenden aufrührerischen Zusammenrottirungen
durch militärische Mannschaft getrennt und niedergeschlagen, sowie
auch wider die Aufwiegler und Rädelsführer mit unausbleiblicher
schärfster Leibes- und Lebensstrafe vorgegangen werden solle. Außerdem ward den ausschreibenden Fürsten des oberrheinischen Kreises
aufgegeben, dem Fürstbischof, falls er militärischer Hülfe bedürfe,
eifrig an die Hand zu gehen. Als diese Verfügung die Aufregung mehrte, statt sie zu beschwichtigen, ward sie später (Febr. 1790)
in geschärfter Form erneuert. Den Beschwerden ward natürlich
nur wenig abgeholfen; man faßte die Zügel der Gewalt straffer,
statt späteren Krisen mit weisen Milderungen vorzubeugen.

Die gewaltsamste Lösung fand das früher erwähnte Zerwür-
niß in Lüttich; der traurige Ausgang ist auch deßwegen von Interesse, weil er unter allen Nachwirkungen, welche für die preußische Politik aus dem Reichenbacher Abkommen entsprangen, eine
der bittersten war. Wir haben früher erwähnt, wie der Fürstbischof
von Lüttich durch eilfertige Nachgiebigkeit die Aufregung zu beschwichtigen suchte, allerdings von dem geheimen Gedanken geleitet, alle Verheißungen zu gelegener Zeit zurückzunehmen. Es sind
gewiß wenige Beispiele fürstlicher Treulosigkeit zu verzeichnen, die
dem Vorgehen dieses geistlichen Regenten gleich kämen. Bereitwillig kam er den kaum ausgesprochenen Wünschen der Bevölkerung entgegen, stellte die alten Rechte wieder her, ließ es geschehen, daß man den bestehenden Magistrat zum Rücktritt zwang und
ihn durch populäre Mitglieder ersetzte, und legte gegen diese ein
Benehmen an den Tag, das jeden Verdacht einer rückhaltigen Ge-

stimmung verstummen ließ. Aber an demselben Tage (27. Aug. 1789), wo er den neuen Magistraten die Theilnahme an dem eben berufenen Landtag verhieß, entfloh er heimlich aus seiner Residenz zu Seraing und bald enthüllte sich das ganze trügerische Spiel. Zwar ließ er eine Erklärung zurück, die seine Abreise als unverfänglich darstellte und jeden Gedanken an auswärtige Hülfe oder jede Klage bei den Reichsgerichten von sich wies. Aber bereits war das Reichskammergericht bearbeitet und legte diesmal eine Raschheit und Energie an den Tag, die man sonst in den bringendsten Angelegenheiten vergeblich bei ihm suchte. An dem nämlichen Tage, wo der Fürstbischof entflohen war, wurde zu Wetzlar ein reichsgerichtliches Mandat erlassen, wonach Alles, was zu Lüttich geschehen war, als Störung der öffentlichen Ruhe und des Landfriedens mißbilligt und den kreisausschreibenden Fürsten des westfälischen Kreises der Auftrag ertheilt war, mit der erforderlichen Mannschaft auf Kosten der Rebellen zu Lüttich dem Fürstbischof zu helfen, die alte Verfassung wiederherzustellen und die Empörer zu strafen. Vergeblich waren die Bitten der Lütticher an den Fürstbischof, zurückzukehren; vergeblich die Vorstellungen an das Kammergericht, dessen Raschheit diesmal eines gewissenhaften Gerichtshofes noch unwürdiger war, als seine sonst sprüchwörtlich gewordene Langsamkeit.

Es erfolgte, was der fürstliche Flüchtling wohl erwartet hatte. Bald entstanden wirklich Unordnungen, da es an einer festen, anerkannten Regierung fehlte und der gerechte Groll die frühere Freudigkeit loyalen Vertrauens verdrängte; hinter den Gemäßigten, die einst mit Zustimmung des Fürstbischofs an's Ruder gekommen waren, drängte eine ungestüme bewegte Masse heran, denen Jene nicht gewachsen waren. Erst entstand Streit über die Rechtmäßigkeit der vom Bischof noch berufenen Stände, dann machte sich in der Stadt Lüttich das unverständige Verlangen nach völliger Abgabenfreiheit geltend, und als der Magistrat zu seiner Sicherheit eine Miliz aufrichtete, entstand darüber (Anfang Oct.) ein wilder Tumult, der mit der Niederlage der Regierung endete.

So war also die Unordnung da, auf die man speculirt hatte. Zwar, wenn der Fürstbischof ehrlich und versöhnlich dachte, gab es jetzt eine erwünschte Gelegenheit, den Frieden herzustellen. Die Stände waren mit ihren Verfassungsberathungen zum Ziele ge=

kommen und hatten im Wesentlichen jenen alten Grundvertrag
wiederhergestellt (den „Frieden zu Ferhe" 1316), der ihnen im siebzehnten Jahrhundert gewaltsam war entrissen worden. Der Fürstbischof konnte auf dieser Grundlage in die dargebotene Hand der
Verständigung einschlagen. Aber er ließ die Maske nun völlig
fallen. Er verwarf die dargebotenen Artikel, erklärte, die von ihm
selber berufenen Stände seien nicht legal versammelt, und betrieb
in Wetzlar eifrigst die Vollziehung des kammergerichtlichen Man-
dats (Mitte October).

Preußen war schon durch seine Nachbarschaft bei diesen Händeln interessirt; als Herzog von Cleve hatte der König mit Kurcöln und Jülich (Kurpfalz) die Kreisexecution zu vollziehen. Eben
darum konnte Preußen nicht wünschen, daß man die Dinge zum
Aeußersten trieb, um der herrschsüchtigen Laune eines Einzigen
willen. Nur wenige Stunden weit vom Lütticher Gebiet war
jener Brabanter Aufstand in vollem Fortschritt begriffen, den Preußen eine Zeit lang nicht ungern sah, dessen Ausbreitung nach Lüttich selbst es aber nicht wünschen konnte. Und doch ließ sich Alles
dazu an; Brabanter Gesandte kamen nach Lüttich und boten Hülfe
an, ein gewaltsames Vorschreiten konnte also leicht dazu führen,
daß man die belgische Revolution ins deutsche Reich verpflanzte.
Eine vermittelnde Haltung war daher für Preußen ebenso durch
politische Gründe geboten, wie die Billigkeit und das Recht dafür
sprach, die Lütticher nicht der schmachvollen Reaction preiszugeben,
die der Fürstbischof vorbereitete. Drum hatte Preußen anfangs
nach zwei Seiten hin vermittelnd gewirkt; es hatte den Bischof
zur Rückkehr, das Reichskammergericht zur Aufhebung jenes Man-
dats vom 27. August zu bewegen gesucht. Nachdem dies mißlungen, suchte Preußen wenigstens der vom Kammergericht anbefoh-
lenen Execution eine andere Richtung zu geben. Während das
Executionsheer, ungefähr 7000 Mann stark (aus Preußen, Pfäl-
zern und Cölnern bestehend) unter Generallieutenant von Schlieffen, sich im November den Gränzen des Hochstifts näherte, bemühte sich der preußische Kreisgesandte von Dohm zugleich, eine
billige Verständigung einzuleiten. Er suchte — trotz des unverstän-
digen Widerspruchs von Cöln und Jülich — die Versöhnung dadurch herzustellen, daß er in einer Conferenz mit den Lüttichern
(26. Nov.) ihren Magistrat zum Rücktritt bewog, dagegen ihnen

Abhülfe der Beschwerden und allgemeine Amnestie verhieß. Vier Tage nachher rückten die preußischen und pfälzischen Executionstruppen in Lüttich ohne Widerstand ein und es zeigte sich, daß die von dem preußischen Bevollmächtigten vorgeschlagene Auskunft der natürliche Weg für die Ausgleichung aller Interessen war. Aber die Vertreter von Cöln und Jülich arbeiteten dieser Verständigung insgeheim und öffentlich entgegen und der Bischof erwirkte indessen bei dem willigen Reichskammergericht ein neues Mandat (4. Dec.), worin die rücksichtslose Herstellung des Zustandes, wie er vor den bischöflichen Concessionen gewesen, gefordert, die preußische Vermittlung abgewiesen und die stricte Vollziehung der Execution befohlen war. Es entstand nun eine völlige Spaltung unter den mit der Vollziehung beauftragten Reichsständen; Cöln und Pfalz beriefen sich auf den Wortlaut der Wetzlarer Mandate, Preußen machte das höhere Gebot der Billigkeit und der wahren politischen Interessen des Reiches geltend; und man konnte allerdings nicht im Zweifel darüber sein, daß das Reich niemals eine unzeitigere Energie entfaltet, Preußen zu keiner Zeit verständiger und gerechter gehandelt, als diesmal. Die Briefe, die der König an den Fürstbischof richtete, sind durchweg in diesem einsichtsvollen und billigen Geiste gehalten, die Antworten des Bischofs bezeichnende Documente autokratischer Verstocktheit. Preußen blieb dabei, sich nicht zu der Art von Execution herzugeben, die das Reichsgericht vorschrieb und die Cöln und Pfalz unterstützen wollten. Der König erklärte vielmehr in einem Schreiben an den Fürstbischof (9. März 1790), daß er lieber seine Truppen zurückziehen und „eine Mission, die er nicht glaubte mit Gerechtigkeit und Ehren durchführen zu können," aufgeben wolle, wenn der Bischof sich nicht zu verständigen Concessionen herbeilasse. Als solche Concessionen bezeichnete der König: keine gewaltsame Restauration, Amnestie, Abdankung der während der Unruhen aufgestellten Behörden, freie Wahl neuer Magistrate, friedliche Herstellung des Rechtszustandes unter Vermittlung der Kreisgesandten — Bedingungen, durch die es unzweifelhaft gelingen werde, auch dem Fürstbischof sein volles Recht und seine Sicherheit zu verbürgen. Diese Vorschläge wurden abgelehnt und der König ließ nun, wie er es vorhergesagt, seine Truppen aus Lüttich wegziehen (16. April 1790); großmüthig, wie es in seiner Natur lag, hatte er die Lasten des miß-

I.   24

lungenen Zuges selber getragen und den Lüttichern die Executions=
kosten erlassen.

Bis hieher war sich die preußische Politik vollkommen treu
geblieben und was damals in die Oeffentlichkeit kam, ließ keinen
Zweifel darüber, daß das Verhalten Preußens ebenso verständig
wie loyal gewesen war. Was nun weiter von Reichswegen ge=
schah, konnte der preußischen Politik nur zur Rechtfertigung die=
nen. Das Kammergericht bot nämlich die fränkischen, schwäbischen,
rheinischen Kreise zur Execution auf und im Sommer 1790 setzte
sich eine Truppenmacht von 8000 Mann in Bewegung, um Lüt=
tich zu unterwerfen. Es geschah, wie Preußen vorausgesagt; was
man friedlich hätte beilegen können, kostete nun gewaltsame An=
strengungen ohne Erfolg; die Executionstruppen wurden von den
Lüttichern zurückgeschlagen, ein Beweis, wie tief diese militärische
Organisation der Kreise verfallen war. Abermals sah man sich
genöthigt, die preußische Mitwirkung anzugehen; Kurmainz über=
nahm es, Preußen um seine Vermittlung zu ersuchen. Im Sept.
1790, während die Botschafter der Kurfürsten zur Wahl in Frank=
furt zusammenkamen, erschienen auch einige Lütticher Abgeordnete,
und Preußen übernahm die Vermittlung. Die Punkte, über die
man übereinkam, waren von der Art, daß der Bischof sich dabei
beruhigen konnte; zumal die Lütticher Stände selbst sich auf diese
Bedingungen hin unterwerfen wollten und nur den einen Vorbe=
halt, die freie Wahl ihrer Magistrate, hinzufügten. Abermals schei=
terte die Verständigung an dem Bischof; die Umstände waren in=
zwischen für ihn günstiger geworden. Preußen hatte durch den
Reichenbacher Vertrag alle Vortheile seiner Lage aus der Hand
gegeben und Oesterreich aus dem Labyrinth seiner Verlegenheiten
geholfen; Oesterreich hatte die Brabanter Unruhen bewältigt und
war nun dort in einer militärischen Stellung, die ihm die Unter=
werfung Lüttichs nicht schwer machte. Noch im Dec. 1790 hatten
die Reichsexecutionstruppen bei Viset eine Schlappe erhalten; nun
wandte sich das Reichskammergericht an das österreichische Gou=
vernement zu Brüssel, um im Namen des burgundischen Kreises
die Execution zu übernehmen. Im Jan. 1791 erfolgte der Ein=
marsch und damit die gewaltsame und rücksichtslose Wiederherstel=
lung des Alten. Die Regierung benahm sich so blind und rach=
süchtig, wie sie sich in ihrem bisherigen Verhalten angekündigt.

Die preußische Politik mußte zusehen, wie allen ihren Bemühungen einer Verständigung Hohn gesprochen ward; ihre Vertreter mußten Zeugen der ärgerlichen Vorgänge sein, ohne doch den Einfluß einer thätigen Mitwirkung zu genießen. Die öffentliche Meinung entlud zum Theil ihren Groll gegen Preußen durch die laute Anklage der Perfidie, während das ganze Verhalten nur eine der bitteren Früchte der Reichenbacher Nachgiebigkeit war. Die Zeitgenossen sahen*) nicht mit Unrecht in der Lütticher Sache ein Armuthszeugniß für den Fürstenbund; er hatte sich in dem ersten gewichtigen Anlaß mit nichten als „Schützer der deutschen Freiheit" bewährt, vielmehr hatte Preußen, als es sich der Lütticher annahm, gerade auch unter den Gliedern des Bundes, namentlich von Kurmainz und Hannover, statt Unterstützung, lebhaften Widerspruch gefunden. Und welcher Vortheil erwuchs dem Reiche aus seiner dienstfertigen Hingebung an den geistlichen Landesherrn von Lüttich? Das lockere Band, welches dies Hochstift noch mit dem Reich verknüpfte, ward durch die Vorgänge von 1790—1791 nicht befestigt; das ohnedies mehr französische Lüttich ward eine der ersten Beuten der westlichen Revolution, um nie wieder zu Deutschland zurückzukehren.

Diese beiden Vorgänge — in den fürstbischöflichen Landen von Speyer und Lüttich — lassen erkennen, wie es in den westlichen Gebieten des Reiches aussah. Gerade die geistlichen Gränzlande waren am meisten im Verfalle begriffen und die Art, wie man der Gährung des Volkes dort entgegentrat, war viel mehr geeignet, das Feuer zu schüren, als zu dämpfen. Nur ein kleiner Anstoß von Seiten der siegreichen Revolution im Westen und diese wunden Stellen des Reiches fielen widerstandlos der erobernden Propaganda in die Hände! Wie wenig aber gerade dort in den regierenden Kreisen eine richtige Schätzung der Lage heimisch war, bewiesen die Verhandlungen in Regensburg; denn während die größeren Staaten Deutschlands — Oesterreich, Preußen, Kurhannover — hier eine Mäßigung an den Tag legten, wie sie von der ungewöhnlichen Lage geboten war, führten diejenigen das lauteste und trotzigste Wort, deren überlebte Existenz das erste Opfer eines Zusammenstoßes mit der Revolution werden mußte.

*) S. Görtz, Denkwürd. II. 248.

Diese eigenthümliche Lage machte es räthlich, sich mit der Revolution wo möglich in Frieden auseinanderzusetzen und jeden Anlaß zu meiden, der Frankreich die Handhabe gab, den gerechten völkerrechtlichen Beschwerden des deutschen Reiches· andere, vielleicht nicht minder gerechte entgegenzusetzen. Die verhängnißvolle Kurz= sichtigkeit der geistlichen Herren an der Gränze, deren einige ihre schutzlosen Stifter zum Lager der Contrerevolution umschufen, brachte es dahin, daß der ganze Standpunkt verrückt, die deutschen Beschwerden in den Hintergrund gedrängt wurden und den Fran= zosen sich der erwünschte Anlaß gab, die Rolle der Verklagten mit der der Kläger zu vertauschen.

In Worms hatten schon im Frühjahr 1791 die Prinzen der Linie Condé eine Zuflucht gefunden und eine Anzahl geflüchteter französischer Officiere um sich versammelt. Um die Mitte Juni traf der Graf von Artois in Koblenz ein; ihm folgte bald der Graf von Provence und ein mächtiger Schwarm geflüchteter Fran= zosen, die sich zum guten Theil auf Kosten des Kurfürsten Cle= mens Wenceslaus dort einquartirten.[*] Koblenz und Schönborns= lust wurden fortan die Mittelpunkte des auswärtigen Frankreichs. Die Prinzen und die Herren vom Adel trieben dort, was sie in der Heimath getrieben; der genußsüchtige Müßiggang und der Leichtsinn des Versailler Hofes erschienen plötzlich wie ein seltsamer Spuk an dem Trierschen Hofe, um dann zugleich mit dem alten Kurstaate in der Zerrüttung der folgenden Zeiten für immer zu verschwinden. Als hätte man im Kleinen die Gründe des Unter= gangs der französischen Monarchie veranschaulichen wollen, so co= pirte man in allen Dingen das leichtfertige Spiel des alten könig=

---

[*] „Die ersten 4 Wochen wurde Alles auf Kosten Serenissimi defrayiret, bis es endlich dahin regulirt worden, daß Serenissimus das Silber, Weißzeug, Küchenge= schirr, Wildpret, Brod, den Tischwein (jedoch mit Ausschluß der fremden Weine), das Holz, die Kohlen und die Fourage hergeben, das übrige Erforderliche aber der Graf von Artois selbsten auf seine Kosten anschaffen lassen wollte; es wur= den auch Hof=Postzüge und Klepper zum Dienst nach Schönbornslust ein= gestellet." So erzählt der Bericht im Rhein. Antiquar I. 1 S. 7 f., der die treueste Vorstellung vom Treiben der Emigranten gibt. Dort sind auch die ein= zelnen Schmausereien, womit sie ihre Zeit ausfüllten, treu verzeichnet. Auch baares Geld mußte der Kurfürst „vorschießen", z. B. als Artois seinem Bruder entgegenreiste, 2000 Carolins.

lichen Hofes. In Festgelagen und ausgelassenen Zerstreuungen, Comödien, Hasardspiel und Liebeshändeln brachte namentlich der junge Adel dort seine Tage zu, und seine royalistische Begeisterung beschränkte sich auf unfruchtbare Klagen oder lärmende Demonstrationen für das bedrängte Königthum. Der kindische Leichtsinn der Fremden, ihre Genußsucht und ihre übermüthige Verachtung aller der Verhältnisse und Personen, von deren Gnade sie nun lebten, war selbst für diejenigen ein Anstoß, die sonst mit ihrer Sache vollkommen sympathisirten.*) Auch Calonne fehlte nicht; er organisirte ein Finanz- und ein Polizeiministerium, dem er selber vorstand, machte den alten Marschall Broglio zum Kriegsminister und bildete, wie ein Zeitgenosse sagt, aus „courtisans valets" und aus „valets courtisans" eine Art von Staatsrath. Allmälig theilte man die immer anwachsende Zahl von emigrirten Militärs in Compagnien von Gensdarmes, Mousquetaires, Chevaurlegers und Gardes du Corps, rüstete und vertheilte sie, und nichtnur in Koblenz selbst, sondern auch in Neuwied, Andernach und an anderen Orten lagen kleine Corps, deren jedes in der Regel mehrere hundert Mann stark war. Man konnte in Wahrheit sagen, daß hier das alte Frankreich vor 1789 gegenwärtig war. Wie dort herrschte die größte Finanznoth und Verschwendung, so daß der gute Kurfürst nicht Geld genug auftreiben konnte und noch dazu sein Weißzeug und Silbergeschirr dabei in die Schanze schlagen mußte.**) Wie im alten Frankreich wurden viele Hunderte von Müßiggängern genährt, nur nach Gunst und Cameraderie gewählt, alle tüchtigeren Menschen zurückgestoßen. Wie in der alten Monarchie war Alles, was den Ernst des Geschäftes anging, in Nichtigkeit und hohler Form untergegangen; wie dort vergab man die höheren Officierstellen an vornehme alte Herren, die nie gedient, oder an Knaben, deren Stammbaum ihre Untüchtigkeit verdecken sollte. Wohl war diese ganze Zurüstung für das revolutionäre Frankreich

---

*) S. den Bericht eines Augenzeugen im Rhein. Antiquar I. 1. 52 ff.

**) Nach dem Rh. Antiquar I. 1. 21 f. betrug der tägliche Aufwand für die prinzliche Tafel wenigstens 3000 Livres; eine unzählige Dienerschaft, allein 20 Köche, beförderte vorzüglich die Verschleuderung; Silberwerk und Weißzeug hatte man von dem Kurfürsten erborgt, und es fehlten bei der Rückgabe 90 silberne Couverts und 800 Dutzend Servietten u. s. w.

mehr lächerlich als gefahrbringend und es entsprang allerdings
nur aus einer wohlberechneten Taktik, wenn man sich dort über
die „Horden der Contrerevolution" besorgt stellte, aber das Benehmen des Trierer Kurfürsten verstieß darum doch gegen allen
völkerrechtlichen Gebrauch. Die Flüchtigen, die schon zu einer Zahl
von vielen Tausenden angewachsen waren, wurden mit ihrem sogenannten Ministerium, ihrem Generalstab u. s. w. nicht nur ge-
buldet, sondern unterstützt. Man wies ihnen öffentliche Gebäude
an, ließ sie Magazine errichten, öffentliche Aufrufe zur Anwerbung
bekannt machen, ja man gab ihnen schon frühe Waffen aus dem
kurfürstlichen Zeughause.

Alle diese Vorgänge konnten nicht verborgen bleiben; sie er-
regten Unruhe im eigenen Lande, wie in Frankreich. Die Landstände des Erzstifts machten bereits im November 1791 in sehr
dringenden Vorstellungen auf die Gefahren aufmerksam, *) die ein
solches Verfahren nach sich ziehen werde; man fertigte sie im patri-
archalischen Herrentone der alten Zeit mit ganz nichtssagenden
Antworten ab. Auch von der französischen Regierung selber kam
(Dec.) eine Beschwerdenote, die von dem Kurfürsten mit der Behauptung, es geschehe nichts Feindliches gegen Frankreich, fast
trotzig erwiedert ward.**) Es war nicht die Lebhaftigkeit deutschen
Nationalstolzes, was den Kurfürsten eine so vornehme Haltung
gegen Frankreich annehmen ließ; diese Herren am Rheine hatten
ja in der Regel eine sehr geschmeidige Politik gegen Frankreich
eingehalten, es war die aristokratische Verstockung gegen die Revolution, was sie mit Gefahren spielen ließ, deren erste Woge sie
rettungslos verschlang.

Indessen man so im Westen, der nahen Revolution gegenüber,
theils die Aufregung nährte, statt sie zu beschwichtigen, theils ohne
Noth gerade an den schwächsten Stellen eine herausfordernde Haltung annahm, erwuchsen auf anderen Seiten dem Reiche aus den
ersten Berührungen mit dem Frankreich von 1789 sehr unerwünschte Verhältnisse. In die ersten Reichstagsverhandlungen über
die Entschädigung der Reichsfürsten spielt eine eigenthümliche

---

*) S. die Actenstücke in Häberlins Staatsarchiv I. 314 ff.
**) Au surplus, lautete der Schluß, S. A. E. saura employer tous les
moyens convenables et justes pour prévenir les malheurs dont on la menace.

Episode herein: der Anspruch Rußlands, als Bürge des westfäli=
schen Friedens angesehen zu werden.*) Die russische Politik hatte
in dem Bemühen, sich in die deutschen Anlegenheiten zu mischen, eine
ganz consequente Taktik eingehalten. Als Oesterreich den Anspruch
auf die bairische Erbschaft erhob, hatte Katharina II. (Dec. 1778)
zuerst ihren Entschluß kundgegeben, als Schützer der bedrohten
Reichsverfassung aufzutreten, und ein deutscher Publicist hatte da=
mals in seiner politischen Unschuld gemeint, „das seien tröstliche
Aussichten für die Verfassung, Freiheit und Ruhe Deutschlands,
zumal wenn man damit die ganz besonders theilnehmende Art ver=
binde, womit die große Katharina sich in Absicht auf Deutschland
erklärt habe." Der Teschener Friede sprach die russische Garantie
förmlich aus, und da in dem Teschener Vertrag zugleich die frü=
heren neu bestätigt waren, war es den Publicisten nicht schwer zu
beweisen, daß fortan auch Rußland zu den Garanten des westfä=
lischen Friedens gehöre. Wie Friedrich II. dazu mitwirkte, die rus=
sische Einmischung zu fördern, haben wir früher erzählt. Als nun
1791 auf dem Reichstage über die Beschwerden gegen Frankreich
verhandelt ward, rief Kurtrier geradezu Rußland als Bürgen des
westfälischen Friedens an. Auch in Kurmainz schienen ähnliche
Gedanken umzugehen, wenigstens schrieb ein mainzischer Beamter
eine Schrift zu Gunsten der russischen Garantie und erhielt dafür,
außer einem kaiserlichen Belobungsschreiben, eine „schwere goldene
Medaille". Indessen in dem Reichsgutachten von 1791 fand die
russische Garantie doch keine Stelle. Darüber erhob Rußland Be=
schwerde, wandte sich an die geistlichen Kurfürsten und ließ durch
seinen Gesandten in Regensburg im Sinne der russischen Garantie
intriguiren. Bei den kleineren Reichsständen waren diese Bemü=
hungen nicht erfolglos; ja ganze Kreise, wie der fränkische und
schwäbische, brachten dem russischen Einflusse in Erklärungen und
Dankschreiben die demüthigsten Huldigungen dar. Doch wirkten
diesmal Oesterreich und Preußen vereint dem Ansinnen Katharinas
entgegen und auch in der öffentlichen Meinung gab sich zum er=
sten Male ein regeres Mißtrauen gegen die russischen Tendenzen
kund. Sollen wir zugeben — hieß es in einer aus dieser Ver=
anlassung nachher erschienenen Schrift — daß die Prophezeiung,

---

*) Reuß, Staatscanzlei Bd. 37. 38.

die man nach der ersten Theilung Polens einem Magnaten dieses Reiches in den Mund legte, in Erfüllung gehe? Sie sei der Vorbote, sagte er, einer Theilung von Deutschland. Man zerstückt jetzt Polen zum zweiten Male! Nur noch einige Kanonen mehr vor das Rathhaus zu Grodno und die ungeheuere Lawine liegt vor den Thoren unseres Vaterlandes. Und wir sollten russische Garantien unserer Constitution annehmen?

Wir haben die Vorgänge im Reich bis zu dem Augenblick verfolgt, wo sich in dem Verhältniß zu Frankreich und zur Revolution jene Spannung und Erregtheit kund gab, von der nicht mehr weit war zur offenen Entzweiung. Waren auch die gekränkten Reichsfürsten in ihren Worten vielleicht kriegslustiger als in ihren Thaten, war auf der anderen Seite das Treiben der Emigration am linken Rheinufer für Frankreich mehr anstößig als gefahrdrohend, so hatte sich doch an den Verhandlungen darüber die Leidenschaft einigermaßen erhitzt und dies konnte bei einem so unberechenbaren Zustande, wie der französische war, plötzlich und vielleicht unwillkürlich zu einem gewaltsamen Conflicte führen. Doch sind die Momente, welche den Zusammenstoß von 1792 herbeiführen, in einem anderen Kreise zu suchen, als am Reichstag und in den geistlichen Staaten am Rhein; die Verwicklung der Dinge in Frankreich selbst und die allgemeine Lage Europas wirkte gleichmäßig dazu mit, den Umschwung von 1792 hervorzurufen, unter dessen erschütternden Nachwirkungen die Form des tausendjährigen Reiches zusammengebrochen ist und durch außerordentliche Katastrophen hindurch eine neue Gestaltung Deutschlands sich vorbereitet hat.

Oesterreich und Preußen — erinnern wir uns — hatten zu Reichenbach ihren äußeren Frieden gemacht, von dem freilich zur inneren Verständigung und wahren Eintracht noch ein weiter Weg war. Den Preis des Friedens hatte zunächst Preußen bezahlt, indem es seine Entwürfe im Osten aufgab, Oesterreich aus drückenden Verlegenheiten befreite, der Unterwerfung Ungarns und Belgiens ruhig zusah und in der Lütticher Angelegenheit eine brennende Niederlage seiner Politik geduldig hinnahm. Bald sollte Preußen die bittere Erfahrung von Neuem machen, daß es für

einen Staat, dessen rasch emporgewachsenes Ansehen auf eine kühne
und entschlossene Politik gebaut war, mit einem ersten Schritte des
Rückzugs nicht gethan ist; auf allen Seiten erfolgten kleine Nie-
berlagen und Kränkungen, nachdem einmal der Zauber jener trotzigen und gebieterischen Politik verschwunden war, der sich noch zuletzt um Hertzbergs östliche Politik verbreitet hatte.   Oesterreich,
nachdem es ihm zu Reichenbach so leicht gelungen, die preußischen
Angriffsplane zu vereiteln und die ganze Freiheit seiner Action
wieder zu gewinnen, ward durch das überraschende Gelingen seiner
Politik ermuthigt, weiter vorzuschreiten; es entschloß sich, über die
Reichenbacher Verabredung hinauszugehen und weder im Orient
noch in Belgien die Bedingungen zu erfüllen, die es sich noch in
dem Vertrage vom 27. Juli 1790 hatte auferlegen lassen.   Die
preußische Politik aber sah sich bald in der peinlichen Alternative,
entweder unter viel ungünstigeren Umständen als im Sommer
1790 noch die Waffen gegen Oesterreich zu wenden, oder um des
Friedens willen sich zu immer größeren Nachgiebigkeiten herbeizu-
lassen.

So wurde gleich anfangs die Friedensverhandlung mit den
Türken absichtlich verzögert und erst in den letzten Wochen des
Jahres 1790 der Congreß zu Szistowa eröffnet.   Indessen hatte
Rußland durch den Frieden von Werelä sich des Krieges mit Schweden entledigt (Aug.), eine Reihe von glücklichen Fortschritten gegen
die Türken gemacht und schien weniger als je geneigt, sich zur
Herausgabe seiner Eroberungen zu verstehen.   Auf dem Friedens-
congresse trat dann Oesterreich mit Forderungen hervor, die theils
mit dem ausbedungenen Status quo in der strengen Bedeutung,
wie er festgesetzt war, unverträglich waren, theils das Wesen des
Vertrags von Reichenbach gerade aufhoben.   Es sollte weder in
dem neuen Abkommen des Vertrags vom 27. Juli Erwähnung
geschehen, noch der neue Vertrag von den vermittelnden Mächten
gewährleistet werden.   Seit Februar 1791 stand der Congreß zu
Szistowa völlig still, weil die Gesandten sich erst neue Instructionen einholen wollten, und Preußen mit seinen westlichen Verbündeten mußte in seiner kriegerischen Haltung um so mehr beharren,
je näher wieder die Wahrscheinlichkeit eines Kampfes mit Oesterreich lag.   Denn auch in Belgien erlitt die Politik der drei verbündeten Mächte eine empfindliche Niederlage.   Gemäß dem Rei-

chenbacher Vertrag schloſſen Preußen, England und Holland am 10 Dec. 1790 das Abkommen im Haag,*) wonach den Belgiern Amneſtie verſprochen, ihre alte Verfaſſung, wie ſie ihnen durch Karl VI. und Maria Thereſia zugeſichert war, gewährleiſtet und in einer Reihe von Punkten die Bedingungen feſtgeſeßt waren, unter denen Oeſterreich die Herrſchaft jener Lande wieder antreten und die verbündeten Mächte den Beſiß garantiren ſollten. Allein das Verfahren Oeſterreichs bewies, daß es auch hier, wie gegenüber der Pforte, entſchloſſen war, die Linie dieſer Verabredungen zu überſchreiten. Dies Alles, wie der fortdauernde Troß Rußlands gegenüber den Friedensentwürfen der Alliirten — ein Troß, von dem nicht genau zu ſagen war, wie viel Antheil Leopold daran hatte — wäre Grund genug geweſen für Preußen und die ihm verbündeten Seemächte, nun doch die Entſcheidung durch die Waffen zu wählen. Auch ſchien es, als werde 1791 eintreten, was ſchon 1790 bevorgeſtanden, in England wie in Preußen rüſtete man, aber nun erfolgte in Berlin der völlige Wechſel des Syſtems, zu dem die Schwankungen in der Politik des leßten Jahres der Uebergang geweſen waren.

Herßberg hatte nur noch mit Mühe die Ueberlieferung von Friedrichs II. Politik behaupten können. Seit dem Vertrag von Reichenbach, den er wider ſeinen Willen hatte abſchließen müſſen, war ſeine Stellung nicht mehr die alte; der König behandelte ihn während der Verhandlung und nachher mit einer Kälte, ja ſelbſt Härte,**) von der es ungewiß blieb, ob ſie mehr dem Widerwillen gegen Herßbergs bisherige Politik oder den Einflüſterungen der höfiſchen Günſtlingsſchaft zuzuſchreiben war. Schon wurde neben ihm und hinter ihm, namentlich in den franzöſiſchen und polniſchen Dingen, eine Politik verfolgt, deren Rathgeber nicht Herßberg, ſondern Biſchofswerder und ſeine Geſchöpfe waren. Herßberg fuhr fort, in ſeiner Weiſe zu wirken; er rieth, den öſterreichiſchen Entwürfen im Reiche entgegenzutreten und in Polen die drohende Umwandlung in ein erbliches conſtitutionelles Königreich mit aller Macht zu hindern; er meinte, man ſolle ſich möglichſt eng mit England, Schweden u. ſ. w. zu verſtändigen ſuchen, um

---

*) Herßberg, Recueil III. 223 f.
**) S. Herßberg, Précis in Schmidts Zeitſchrift S. 29.

Rußland zu einem billigen Frieden mit der Pforte zu zwingen. Aber unter seinen Händen veränderte sich die ganze Lage. In Polen bereitete sich ein Umschwung vor, der Preußen um das ganze Uebergewicht brachte, in dem es dort 1788—1790 gewesen; Schweden hatte durch die Reichenbacher Politik das Vertrauen auf Preußen verloren und wollte ohne sehr große Zusicherungen den Frieden mit Rußland nicht von Neuem brechen; England hatte erst die Miene kriegerischer Rüstungen und Demonstrationen angenommen, dann aber unter dem Eindruck der Ungunst, der die Gefahr eines Krieges in einem großen Theile der Nation begegnete, rasch eingelenkt und sich zu sehr nachgiebigen Präliminarien mit Rußland verstanden, die nachher die Grundlage des russisch-türkischen Friedens bildeten. So sah Hertzberg seine Versuche überall scheitern und es ward ihm höchstens die traurige Genugthuung, daß im Ganzen aus dem Verlassen seiner Politik zu Reichenbach alle die Mißverhältnisse hervorgingen, die er vorausgesagt.

Während ihm so alle alten und alle neu gesuchten Verbindungen unter den Händen zerflossen, ward aber auch gegen ihn selber die Mine gefüllt, die ihn sprengen und für den völligen Wechsel des Systems freie Bahn machen sollte. Am Hofe war längst eine Richtung thätig, welche die politischen Mißverhältnisse, in denen Preußen sich befand, keineswegs dem Reichenbacher Vertrag zuschrieb, sondern darin eben nur die unvermeidlichen Folgen einer verkehrten und verderblichen Politik sah, deren Autorschaft und Verantwortlichkeit man Hertzberg zuschrieb. Die französische Revolution erweckte Eindrücke, neben denen die bisherige Taktik, in Belgien, in Lüttich, in Ungarn den Kampf der Bevölkerungen gegen gewaltthätige Regierungen zu unterstützen, als gleichbedeutend und gleich verwerflich mit dem Jakobinismus erschien; die ganze frömmelnde und mystische Gesellschaft, die das Ohr des Königs hatte, war solchen Anschauungen natürlich sehr zugänglich und Friedrich Wilhelm selbst gab sich mit einer unverkennbaren Lebhaftigkeit, an der sein monarchisches Bewußtsein, wie seine Großmuth gleichen Antheil hatten, den Ansichten hin, welche die schon an allen Höfen geschäftige Emigration des französischen Adels verbreitete. So bildete sich allmälig unter den Eindrücken der Revolutionsangst das Dogma aus, daß es eine Politik der Solidarität conservativer Interessen gäbe, gegenüber welcher die alten

partement des Auswärtigen als Mitglieder beigegeben und zugleich die bedeutsame Verfügung hinzugefügt war, daß kein Minister mit der diplomatischen Vertretung im Auslande in besonderen Briefwechsel treten dürfe. Hertzberg, der, nach seiner eigenen Aeußerung, den Staat nicht wie ein Unterthan, sondern wie ein Verwandter ansah und der an dessen Leitung fest wie an einem angestammten Gute hing, konnte sich zum Rücktritt nicht entschließen. Er arbeitete mit seinen neuen Collegen, mußte aber bald wahrnehmen, daß man ihm wichtige Unterhandlungen verbarg, namentlich ihm keine Einsicht in das gestattete, was von den preußischen Gesandten zu Wien, Szistowa, Warschau und Petersburg betrieben ward. Er beschwerte sich und erhielt die Antwort, das geschehe auf ausdrücklichen Befehl des Königs. Nun forderte er seinen Abschied, es ward ihm (5. Juli) zunächst noch der gnädige Bescheid, daß er das Vertrauen des Königs noch genieße und nur um seine Last zu erleichtern jene Bestimmung getroffen sei; beigefügt war die Aufforderung, neben der Leitung der Akademie und des Seidenbaues — zweier Stellen, die unter allen in der preußischen Monarchie freilich am wenigsten Arbeit machten — die Geschichte Friedrichs II. zu schreiben, wozu die Archive ihm alles nöthige Material zu Gebote stellen sollten. Damit war er beseitigt, konnte aber weder auf sein ausdrückliches Verlangen der Entlassung ohne Pension, noch auf die Bitte um eine Aufklärung einen königlichen Bescheid erlangen. Bald fand er sich vernachlässigt, auch gesellschaftlich zurückgesetzt, vom König mit eisiger Kälte behandelt und selbst jenes Versprechen, die Archive zu benutzen, ward ihm nicht gewährt. Die Höflinge schienen eine Geschichte Friedrichs II. aus seiner Feder wie einen unerfreulichen Spiegel zu fürchten und hinderten den greisen Staatsmann in der freien und ungestörten Einsicht der Archive, die er selbst geordnet, deren meiste Stücke durch seine Hand gegangen oder von ihm verfaßt waren. Später ward ihm denn auch verboten, den dritten Theil seines Recueil zu veröffentlichen, der sich auf den Umschwung der Politik von 1790 bezog.

Hertzberg war nicht der Mann, der dies mit philosophischer Ruhe ertrug. Er war ein Menschenalter an der Spitze der Geschäfte gewesen, von Friedrich II. mit Vertrauen geehrt, seine Thätigkeit war bewunderungswürdig, er war lange Zeit auch geschickt

und glücklich gewesen, dabei vom lebhaftesten und rücksichtslosesten
Eifer für Preußens Macht und Größe durchdrungen, und bei
allen einzelnen Mißgriffen in seinen Mitteln und Zielen doch ein
durchaus ehrenhafter, unbestechlicher Charakter, dessen Thätigkeit
und stets wache Sorge in den Augen der Gegner sein größtes
Verbrechen war.   Nicht nur das Selbstgefühl, wie es eine solche
lange eingewöhnte Stellung gibt, machte Hertzberg empfindlich gegen die Zurücksetzung, er sah darin auch eine Calamität für die
Gesammtheit.   Er sah sich an als das Opfer eines Systems, das
— wie er sich in einem hinterlassenen Aufsatze ausdrückte — ihm
als durchaus verderblich für das Vaterland und für die wahren
Interessen des Hauses Brandenburg erschien.   Diese können —
sagt er — niemals völlig mit denen Oesterreichs versöhnt werden;
sie erfordern nicht immer einen Krieg, wohl aber eine fortgesetzte
Wachsamkeit, um sich gegenseitig aufzuklären und den wahren
Patriotismus beider Theile für das Glück und die Ruhe des deutschen Reiches, wie von ganz Europa, auf diesem Wege zu unterhalten.

Es war bezeichnend und sollte Preußen eine Art von Bürgschaft geben, daß in Oesterreich, wenn auch in der Form minder
verletzend, zur nämlichen Zeit dem freilich achtzigjährigen Kaunitz in
ähnlicher Weise die Einsicht in die auswärtige Politik verkürzt
und sein Nachfolger ihm einstweilen wie zur Unterstützung an die
Seite gesetzt ward.   So waren also die beiden Träger der überlieferten Politik österreichisch-preußischen Gegensatzes beseitigt und
der neuen Staatskunst der Eintracht und Verbindung beider Großmächte der Weg gebahnt.   Wie weit diese neue Eintracht auf tiefen und klar erkannten Grundsätzen ruhte, wie weit sie aufrichtig
und darum segenbringend war, darüber wird die Geschichte der
nächstfolgenden Zeiten Aufschluß geben.   In jedem Falle, mochte
man auch vom Standpunkt einer höheren deutschen Auffassung die
Politik, deren Träger Hertzberg und Kaunitz waren, verdammen, die
beiden greisen Rivalen waren Staatsmänner gewesen, die innerhalb des Kreises in ihrer Zeit und innerhalb der Anschauungen
der Gleichgewichtspolitik mit die hervorragendsten Stellen einnahmen.   Was ihnen nachkam, entbehrte der Fähigkeit wie der Tradition; es war ein Nachwuchs von Intriguanten, denen man um
Alles nicht die Ehre anthun darf, sie als Träger eines großen

Princips, der innigen Eintracht etwa zwischen Oesterreich und Preußen anzusehen.   Bei Thugut in Wien, wie bei den neuen jetzt auftauchenden Größen in Berlin, bei Bischofswerder und Haugwitz, konnte von allen andern Motiven in der großen Politik die Rede sein, nur nicht von festen Systemen und consequenten Grundsätzen.   Diese waren, wie die folgende Geschichte zeigen wird, mit Kaunitz und Hertzberg aus den Cabineten der beiden Großmächte gewichen; in Preußen trat dies sehr rasch zu Tage, in Oesterreich ward es noch durch Leopolds persönliches Geschick verdeckt, um dann um so unerbittlicher enthüllt zu werden.

Als nächste Rückwirkung zeigte sich auf preußischer Seite das allmälige Fallenlassen der Reichenbacher Bedingungen, auf österreichischer das nun unbestrittene Uebergewicht des politischen Einflusses.   Leopold II. äußerte gegen einen englischen Diplomaten, der ihn auf seiner Reise in Italien begrüßte, hocherfreut, es sei nun Alles in besserem Gange, Hertzberg sei beseitigt, seine letzte Note, die Jacobi am 30. April zu Wien überreicht, habe man fallen lassen, dafür habe der König in sehr versöhnlicher Weise auf die Türken einzuwirken gesucht.

In demselben Augenblick trat eine für Preußen sehr unerwünschte Wendung in Polen ein.   Dort war das anfangs so lebhafte Freundschaftsverhältniß seit der preußischen Forderung von Danzig und Thorn erst erkältet, dann durch die Wendung des Reichenbacher Vertrages geradezu in Mißtrauen umgeschlagen; man hegte den Verdacht neuer Theilungspläne, denen Preußen zustreben sollte.   So hatte ungeachtet des früher erwähnten Bündnisses, das Preußen am 29. März 1790 mit Polen eingegangen, seine Politik auch dort Terrain verloren und zwar wieder an Oesterreich.   Wohl hatte Preußen anfangs mit Theilnahme und Beifall zugesehen, als die Polen Anstalt machten, ihre innern Mißbräuche zu beseitigen, aber sein Verhältniß wurde immer fremder und einflußloser, und als am 3. Mai 1791 plötzlich jene Veränderung erfolgte, die Polen in ein constitutionelles Erbreich umschuf, war die preußische Diplomatie daran nicht nur unbetheiligt, sondern auch ohne Kenntniß von dem, was sich vorbereitete; nur Oesterreich war eingeweiht und nur sein Einfluß hatte dadurch gewonnen.   Gegen Preußen aber war in Polen die Stimmung schon so gereizt, daß unter den Motiven der Verfassungsänderung auch na-

mentlich die Theilungsplane Preußens angeführt wurden. Wie
Hertzberg darüber dachte, konnte nicht zweifelhaft sein. Ihm schien
ein polnisches Erbreich, mochte es nun eine selbständige Kraft
gewinnen, oder dem russischen Einfluß anheimfallen, eine gleich
bedenkliche Nachbarschaft für Preußen; er war der Meinung, es
müßten die Vorgänge vom 3. Mai offen mißbilligt werden.
Hertzberg hatte von jeher die Ansicht verfochten, Polen dürfe nicht
zu einer erblichen Monarchie werden, und sein Rath hatte auch
früher die königliche Zustimmung gehabt.*) Wir könnten eine Menge
vertraulicher Aeußerungen des Ministers anführen, die beweisen,
daß er in diesem Punkte seine Meinung unverändert festhielt, nicht
ohne Mißtrauen dem allzucordialen Benehmen Lucchesinis in Warschau zusah und auch zur Allianz von 1790 halb mit Widerstreben fortgerissen ward. Jetzt traf auf einmal am 6. Mai 1791
die Nachricht von dem Staatsstreiche in Warschau ein, dem die
neue polnische Verfassung ihren Abschluß verdankte; schon hatte
eine Depesche von Goltz vom 1. Mai das Ministerium darauf
vorbereitet, daß die unerwünschte Veränderung nicht mehr werde
zu hindern sein. Hertzberg legte sogleich, in Uebereinstimmung
mit den andern Ministern, dem König den Entwurf einer Instruction vor, die der polnischen Verfassungsreform schnurstracks
entgegenstand und dies Verfahren mit Gründen unterstützte, wie
sie durch das Interesse der preußischen Politik geboten schienen.**)

---

*) Schon 1769 war einmal der Plan der Erbmonarchie angeregt worden.
Damals äußerte Hertzberg (Bericht an den König d. d 9. Juli): Je crois que
V. M. trouvera avec moi, que ce sont des projets précipités et mal digerés et
qu'independamment de l'opposition qu'on doit attendre de la part des deux
Cours Imperiales, comme co-garantes de la constitution polonaise, V. M. ne peut
jamais permettre selon ses veritables interèts, que le tròne devienne héredi-
taire de Pologne, à moins que l'Autriche ne sorte entièrement de ce royaume,
et que V. M. ne reçoive un tel aggrandissement et accroissement de puissance,
qui la mette entièrement en süreté du côté de la Pologne, puisque ce royaume gouverné par un Roi héréditaire deviendroit trop dangereux pour la
Prusse. In diesem Sinne schlug H. Instructionen an Lucchesini vor und erhielt dafür die Genehmigung des Königs.

**) Es ist wohl von allgemeinerem Interesse, diesen Vorschlag Hertzbergs
wörtlich zu kennen, schon weil er die Gründe zusammenfaßt, die Preußens eigenes Interesse gegen die Verstärkung Polens geltend machte. Die Minister
schlugen als Instruction an Graf Goltz vor: „que si cette loi avoit passé affir-

Der Bericht blieb unbeantwortet; dagegen erhielt am 8. Mai der polnische Minister Fürst Jablonowski eine Audienz bei dem König und am 9. ging Bischofswerder nach Dresden, um dem sächsischen Hof zur Aussicht auf die polnische Krone Glück zu wünschen. Diesem Ausspruch des königlichen Willens fügten sich die meisten Minister; Finkenstein zuerst meinte, man müsse billigen, was nicht mehr zu ändern sei; dann traten auch Schulenburg und Alvensleben der Ansicht bei, die polnische Veränderung gut-

---

mativement il devoit se tenir passif et tranquille, pour ne pas mécontenter inutilement le parti bien intentionné par des objections et critiques qui n'étaient pas de saison, mais que si l'affaire était encore en discussion il devoit faire tout son possible, pour dissuader les chefs confidens du parti bien intentionné de ce projet, en leur faisant comprendre par de bonnes raisons, que d'un côté cette loi seroit contrariée par les deux Cours Imperiales et par leurs adherents en Pologne, et pourroit occasionner la contrerévolution qu'on vouloit prévenir, que d'un autre côté l'élection héréditaire d'une famille souveraine pourroit devenir funeste à la liberté et au bien être de la Pologne, parcequ'on ne peut pas être sûr, que tôt ou tard cette élection héréditaire ne tombe à force d'intrigues sur quelque prince des maisons d'Autriche ou de Russie ou de tel autre prince entierement dependant de ces deux Cours.

Nous soumettons à la sagesse et à la haute décision de V. M., si elle veut approuver cette instruction. Nous y avons été portés par les principes suivants:

1. Parceque la Pologne par sa position géographique ne peut que devenir extrêmement dangereuse et même destructive pour la monarchie Prussienne, si elle étoit bien gouvernée par un Roi héréditaire de quelque maison, qu'il soit surtout, s'il étoit d'une des maisons prépondérantes d'Autriche ou de Russie, ce qu'on ne pourra peut-être pas empêcher dans le temps futur.

2. Parceque ce royaume, s'il n'étoit même gouverné héréditairement que par un prince de Saxe, de Hesse ou d'une autre maison inférieure et qui s'attacheroit aux deux Cours Imperiales deviendroit également dangereux à la monarchie Prussienne et que celle-ci ne sera jamais en sûreté qu'autant que le royaume de Pologne reste électif et libre et ne parvient pas à donner trop de consistance à sa constitution.

3. Parcequ'il est difficile de supposer qu'un prince de la maison royale de Prusse puisse être élu Roi de Pologne par une majorité suffisante et que dans ce cas possible les deux Cours Imperiales s'y opposeront plutôt par une guerre, en s'attachant une partie de la nation.

Nous soumettons ces principes et ces raisonnements au bon plaisir et à la haute résolution de V. Majesté.

Berlin ce 6. Mai 1791.

      Finckenstein. Hertzberg. Schulenburg. Alvensleben.

(Aus der ungedruckten Correspondenz Hertzbergs.)

zuheißen. So ging, nur unter Hertzbergs Widerspruch, am 9. Mai eine Instruction nach Warschau ab, welche das Einverständniß Preußens mit dem polnischen Verfassungswechsel aussprach. Sein Einfluß war bereits so unbedeutend geworden, daß man immer auf den Wegen der Nachgiebigkeit das Geschehene billigte und zugleich in den wiederbegonnenen Unterhandlungen zu Sistowa die Bedingungen des Reichenbacher Vertrages, die Oesterreich lästig waren, fallen ließ, den Vertrag nicht erwähnte, die Garantie der türkischen Besitzungen aufgab und — ganz im Widerspruche mit der Grundlage des Status quo — auch für die russischen Forderungen von Oczakow u. s. w. sich verwandte.

Erst wie Oesterreich, immer kühner geworden, auch das letzte Fragment des schon zerrissenen Reichenbacher Vertrages — den Status quo — damit über den Haufen warf, daß es alte bestrittene Ansprüche mit darunter begreifen wollte, und wie die Türken dies mit vollem Rechte verweigerten, die österreichischen Botschafter die Unterhandlung ungestüm abbrachen und Sistowa verließen (18. Juni), erst da zuckte in Berlin wieder eine augenblickliche Anwandlung des Widerstandes auf. Man mochte jetzt erkennen, wie fein und allmälig Leopold II. Preußen aus allen Positionen verdrängt, erst in milder und nachgiebiger Weise die Berliner Kriegsgedanken zu Reichenbach abgewendet, dann sich stufenweise von den Verpflichtungen des dortigen Vertrages losgewickelt, Preußen von seinen westlichen und östlichen Verbündeten getrennt, seinen wachsamsten und scharfsichtigsten Minister beseitigt hatte und nun, wo Preußen lange nicht mehr in der kampffertigen Lage vom Frühjahr 1790 war, den Türken den Frieden geradeso abzutrotzen suchte, wie es einst Josephs ungestümes aber vergebliches Bemühen gewesen war. Dies Alles machte in Berlin, wenn auch nur vorübergehend, einen so mächtigen Eindruck, daß die alten Kriegsgedanken noch einmal erwachten. Man suchte sich England wieder zu nähern, mit Rußland eine Verständigung einzuleiten, man entwarf, wie im Winter 1789—1790, Pläne für den bevorstehenden Krieg, man consultirte den Herzog Karl Wilhelm Ferdinand von Braunschweig über die Führung dieses Krieges. Es wurde damals berechnet, daß zu Ende August ungefähr 80,000 Mann an der böhmischen Gränze stehen, sich auf österreichischem Boden festsetzen und den künftigen Offensivfeldzug vorbereiten könnten.

Der Herzog erklärte sich bereit, sich überall, wo der König ihn verwenden wolle, gebrauchen zu lassen. Er rieth in einem Schreiben vom 10. Juli, die Armee so tief nach Böhmen und Mähren hineinzuführen, als nur immer thunlich sei, daselbst vortheilhafte Stellungen zu nehmen, von denen man ohne große Gefahr Ausfälle wagen, in jedem Falle aber bei eintretender rauher Jahreszeit sich auf eine wohlvorbereitete Defensivlinie zurückziehen und Alles zu einer nachdrücklichen und lebhaften Offensivcampagne in Stand setzen könne. *) Aber solche Gedanken, wie sie plötzlich erwachten, wurden auch rasch wieder aufgegeben. Hertzberg war am 5. Juli vorerst noch in milder Form bei Seite gesetzt, die Angriffsgedanken verstummten wieder und die preußische Politik, nun durch Bischofswerder geleitet, lenkte rückhaltlos in die Wege des österreichischen Bündnisses ein.

Dazu wirkte kaum etwas Anderes so mächtig mit, wie die Wendung, welche die Dinge in Frankreich nahmen. Denn wie viel auch das Bemühen der höfischen Umgebung, um jeden Preis den Einfluß Hertzbergs zu beseitigen, die Hingebung an Oesterreich förderte, es wäre doch nicht gelungen, bei Friedrich Wilhelm II. selbst alle Erinnerungen an die Hertzberg'sche Politik, der er bis ins Jahr 1790 eifrig ergeben gewesen, so völlig zu verdrängen, wenn nicht die Zustände in Frankreich seine ganze Seele gefangen genommen hätten. Eine weiche und reizbare Natur, wie die seine war, nahm er die Krisis dort mit ganz persönlichem Antheil auf; er wog nicht, wie Leopold II., in welchem der Bruder Marien Antoinettes stets durch den kaltblütigen Politiker im Schach gehalten war, die äußeren Vortheile und Nachtheile der Sache, er gab sich mit der ganzen Lebhaftigkeit seiner Empfindung den Eindrücken hin, welche das Schicksal des königlichen Hauses und die Schilderungen der Emigranten ihm erweckten. Wir haben in der äußern Politik schon mehr als einmal wahrnehmen können, wie eine nachlässige und freigebige Großmuth seine Entschlüsse bestimmt, wo er sich nur von der nüchternsten Berechnung der Vortheile sollte leiten lassen, und wie er darum den kaltblütigen Rechnern, deren Calcul keine Großmuth kennt, mehr als einmal zum Opfer wird. So setzte er auch jetzt alle die Vortheile preußischer

---

*) Aus der handschriftlichen Correspondenz des Herzogs mit Berlin.

Politik aus den Augen, um den Gedanken, der ihn ganz erfüllte
— den Kampf gegen die Revolution — verfolgen zu können.
Ein solcher Gedanke entsprach nicht allein seiner natürlichen Gesinnung, er mochte darin auch Trost finden für die bitteren letzten Erfahrungen seiner äußeren Politik, die durch nichts glänzender schienen verwischt werden zu können, als durch eine ruhmvolle
königliche Kreuzfahrt gegen die demokratische Revolution.

In diesem Sinne hatte bereits im Frühjahr Bischofswerder
mit dem Kaiser unterhandelt und war darin von einem englischen
Abgesandten unterstützt worden; wir haben gesehen, wie geschickt
Leopold dies benutzte, Hertzberg zu verdrängen. Indessen waren
aber Verhältnisse eingetreten, die dem Kaiser kaum mehr erlaubten, in seiner kühlen und zuwartenden Stellung zu verharren; die
Unfreiheit Ludwigs XVI. und seiner Familie war durch den bekannten Vorgang vom 18. April 1791, wo man den König hinderte nach St. Cloud zu reisen, eclatant dargelegt worden. Ein
Abgesandter des französischen Hofes, Graf Alfons Durfort, eilte
nun nach Italien, wo sich Leopold noch befand, um auf ihn zu
wirken; eben dahin begab sich der Graf von Artois. In den
Besprechungen, die am 20. Mai 1791 zu Mantua begannen, entwickelte denn Artois den von Calonne entworfenen Plan, zugleich
von Flandern, dem Elsaß, der Schweiz, den Alpen und Pyrenäen
im Ganzen mit etwa 100,000 Mann nach Frankreich hereinzu-
brechen und dazu außer den deutschen Mächten die Hülfe der
Schweiz, Sardiniens und Spaniens in Anspruch zu nehmen. Leopold schien diesem Plane nicht entgegen, indessen die Bedingungen, die er daran knüpfte, gestalteten ihn in der Hauptsache um.
Es sollte nach Leopolds Ansicht zunächst bei Demonstrationen verbleiben und jeder feindselige Act erst auf einem europäischen Congresse zur Berathung kommen. Nun erfolgte plötzlich die Flucht
Ludwigs XVI., deren Mißlingen und die Gefangennehmung der
königlichen Familie; das durchkreuzte die zögernde Taktik des Kaisers und zwang ihn, mit einer entschiedeneren Wendung hervor-
zutreten. Friedrich Wilhelm II. namentlich war von der Katastrophe tief erschüttert; wie eine von der französischen Emigration in-
spirirte, also in diesem Falle glaubwürdige Quelle versichert *),

---

*) Mém. d'un homme d'état I. 95.

erfüllten ihn die traurigsten Ahnungen; er befand sich Tage lang in tiefster Bestürzung und sah mit Ungeduld den Schritten entgegen, zu denen der Kaiser nun moralisch genöthigt war. In der That erfolgte von Leopold am 6. Juli zu Padua eine Aufforderung an die Souveräne Europas, sie sollten Frankreich erklären, daß sie die Sache Ludwigs XVI. als die ihre betrachteten, daß sie seine Freiheit und Sicherheit verlangten, und daß sie nur solche Verfassungsänderungen als gesetzlich anerkennen würden, die mit der freien Zustimmung des Königs zu Stande gekommen wären. Auch diese Erklärung stellte das thätige Handeln noch in ungewisse Ferne; aber eben dies Zögern war auf Friedrich Wilhelms Stimmung vortrefflich berechnet. Allen denen, die in den Kaiser eifriger drangen, den britischen und schwedischen Unterhändlern, ward zu Gehör gesagt, so lange der Kaiser nicht mit der Türkei im Reinen und des preußischen Beistandes gewiß sei, könne nichts Entscheidendes unternommen werden. Welch eine Aufforderung für die großmüthige Ungeduld des preußischen Monarchen, alle die Hindernisse wegzuräumen, welche seinerseits der Rettung Ludwigs XVI. im Wege standen! Der Entfernung Hertzbergs folgte nun die völlige Genehmigung der österreichischen Bedingungen, auf deren Grundlage dann am 4. August der Friede zu Szistowa unterzeichnet ward; und zu gleicher Zeit war Bischofswerder nach Wien abgegangen, um dort das völlige Einverständniß Preußens mit Oesterreich durch einen Vertrag zu besiegeln. Am 25. Juli — fünf Tage nachdem der Kaiser aus Italien zurückgekehrt war — erfolgte zu Wien der Abschluß des Vertrages, worin sich beide Mächte gegenseitig ihre Besitzungen garantirten und versprachen, ohne Vorwissen des anderen Theiles kein Abkommen mit einer dritten Macht zu schließen, auch nichts gegen die Verfassung und Integrität Polens zu unternehmen. Dafür gab dann Oesterreich die Zusage, vereint mit Preußen zu der europäischen Verständigung über die französischen Dinge hinzuwirken und bei Störung der innern Ruhe sich gegenseitige Hülfe zu gewähren.

Wir haben früher erzählt, welchen Gang die Dinge zu Regensburg genommen. Es war dort zu erkennen, wie Leopold jedem raschen Vorgehen mit bedächtigem Rathe entgegenwirkte und auch jetzt noch sich hinter den Vorwand zurückzog, die Be-

schwerde des Reiches dürfe man zunächst nicht befördern, weil bei
der Gefangenschaft des Königs die Autorität fehle, an die man
sich wenden könne. Folgte doch erst im December die Bestätigung
der im August gefaßten Reichstagsgutachten; so wenig hatte selbst
jetzt Leopold mit seinem Vorgehen Eile. Desto rühriger war
man in Preußen. Von allen Seiten drängten dort die auswärtigen Einflüsse auf ein rasches Verfahren, wie es ohnedem Friedrich Wilhelms Neigungen jetzt völlig entsprach. Rußland, das
nichts sehnlicher wünschen konnte, als Preußen in einen Krieg im
Westen verwickelt zu sehen, um indessen im Osten völlig freie Hand
zu haben, predigte mit Heftigkeit den Kreuzzug gegen die Revolution,
gegen die es selber nicht einen Mann ins Feld zu stellen entschlossen
war. Das auswärtige Frankreich in Koblenz sandte einen Agenten
nach Berlin, der dort freundliche Aufnahme fand, und zur nämlichen
Zeit conferirte Bouillé mit einem preußischen Diplomaten zu Mainz
über die bevorstehende Invasion in Frankreich. So schien die persönliche Zusammenkunft beider Monarchen, die am 25. August zu
Pillnitz stattfinden sollte, der entscheidende Moment zur That zu
werden. Als ungebetener Gast kam denn auch der Graf von Artois, von Calonne, Bouillé u. A. begleitet, um persönlich die
Zähigkeit des Kaisers zu beugen. Es ist jetzt unzweifelhaft, daß
man damit völlig scheiterte.*) Leopold verbarg in den geheimen
Besprechungen durchaus nicht, daß der Krieg nicht in seinem Plane
liege; er hob die Gefahren hervor, die ein Angriff auf Frankreich
mit sich führen könne, und berief sich dabei auf die Meinung seiner angesehensten militärischen Autoritäten. Er kam auf seinen
alten Gedanken zurück, die Sache vor einen europäischen Congreß zu bringen. Der König von Preußen seinerseits machte alle
die Gründe geltend, die nach der Anschauung der Emigranten für
einen raschen Angriff sprachen. Aber der Graf von Artois so wenig
wie er waren im Stande, Leopolds Abneigung zu besiegen. So
entstand jene Pillnitzer Erklärung vom 27. August, die im Grunde
nichts Bestimmtes verhieß, ja von der behauptet worden ist, sie
sei nicht einmal förmlich unterzeichnet worden. Von anderer Seite
ist die nicht unwahrscheinliche Ansicht ausgesprochen worden, es

---

*) Das Verhältniß ist zuerst von Sybel, Gesch. der Revolutionszeit I.
280 f. richtig dargestellt worden.

seien einige näher bestimmte Artikel, die Artois vorschlug, ununterzeichnet geblieben; Thatsache ist es, daß Oesterreich bald nachher auch die Bedeutung der Erklärung selbst halbofficiell in Abrede stellte.   Wäre dem aber auch nicht so gewesen, der Schluß der Erklärung, wonach im Falle, daß es den Monarchen nicht gelingen werde, dem König die Freiheit und monarchische Autorität zurückzugeben, dann sie sich entschließen würden, rasch und im Einverständniß die nöthigen Kräfte zu dem angegebenen Ziele in Bewegung zu setzen — dieser Schluß enthielt nichts, was über die frühere Meinung Leopolds II. hinausging.   Er versicherte denn auch Kaunitz, er habe sich jeder bindenden Zusage durchaus enthalten.

Leopold hatte seinen nächsten Zweck erreicht; die Revolution im Westen war ihm das erwünschte Mittel gewesen, Preußen in seiner Thätigkeit zu lähmen und in Ungarn, Belgien und der Türkei von fremder Einmischung ungestört seine Entwürfe zum Ziele zu führen.   Ein Weiteres hatte er nicht gewollt; es lag ihm nie im Sinne, zum Kreuzritter an der Revolution zu werden.   Die überlieferte Hauspolitik erfüllte ihn ganz, ihr zu Liebe blieb er gern in Frieden mit der Revolution, statt durch einen Kampf gegen sie alle wiedergewonnenen Vortheile in Ungarn, Belgien u. s. w. auf's Spiel zu setzen.   Drum hatten alle seine Schritte und Erklärungen entweder nur den Zweck gehabt, Preußen zur Nachgiebigkeit gegen die österreichischen Interessen zu stimmen, oder sie waren ihm durch die moralische Nothwendigkeit, wenigstens irgend etwas für Ludwig XVI. und seine Dynastie zu thun, abgezwungen worden.   Weiter zu gehen, war er in keinem Falle geneigt. Zur Zeit der Erklärungen von Padua und Pillnitz wurde in Oesterreich die Truppenmacht vermindert, statt vermehrt; nach der Erklärung von Pillnitz wich man in Wien beharrlich allen zudringlichen Forderungen eines thätigen Vorschreitens aus und sann nur auf Mittel, wie man den Verbindlichkeiten entgehen könne, die das Ausland aus jenen Erklärungen ableiten wollte.   Aus diesem Grunde war auch Leopold am eifrigsten bemüht, dem König von Frankreich und Marien Antoinetten zur Nachgiebigkeit und zur Geduld zu rathen, und wie Ludwig XVI. (Sept. 1791) die neue Constitution annahm, mochte kaum Jemand damit zufriedener sein, als Leopold II.; dieser versöhnende Ausgang der jüng-

sten Wirren schien ihm eine Bürgschaft für die friedliche Gestaltung der Revolution, die nun keiner fremden Einmischung mehr
bedürfe.   Weiter als je war der Kaiser von Interventionsge-
danken entfernt; selbst der europäische Congreß erschien ihm nun
als überflüssig. Er ließ die Emigranten gegen die neue Verfassung Proteste einlegen, er ließ Friedrich Wilhelm II., dem der faule
Friede der Septemberverfassung nicht genügte, dem König Geld
und Truppen anbieten, er ließ den abenteuerlichen Gustav von
Schweden sein Project einer Landung an der Nordküste Frankreichs herumbieten — für ihn war die Kriegsfrage erledigt, und
gern vermied er Alles, was die Gefahr eines gewaltsamen Con-
flictes heraufbeschwören konnte.

Diese Haltung des Kaisers trat recht sprechend hervor, als
sich um die Mitte September der Erbprinz von Hohenlohe als
preußischer General in Prag einfand, um dort die gemeinsamen
militärischen Schritte gegen Frankreich zu besprechen. *) Der fand
gleich bei der ersten Audienz, „daß der Kaiser zu einer thätigen
Hülfsleistung für den König von Frankreich wenig geneigt sei,
doch aber das Gegentheil gern glauben machen möchte, sein Zaudern ganz geschickt zu entschuldigen wisse und die Schuld auf die
Emigranten werfe, die er durch eine Menge erzählter Anekdoten
lächerlich zu machen und gegen die er auch seine, des Erbprinzen,
Abneigung zu wecken suche.“ Hohenlohe sprach dem Kaiser von
dem Eifer des Königs, den allgemein einreißenden demokratischen
Gesinnungen entgegenzuwirken, und drückte seinen Wunsch aus,
mit Bouillé und einem kaiserlichen General den nöthigen Plan zu
verabreden; aber „dies wurde eludirt.“ Der Kaiser nannte den
General nicht, dem er das Commando geben wollte, und als der
Erbprinz zu Lascy ging, gab auch der eine ausweichende Antwort.
In dem Gefühle, daß seine Anwesenheit den kaiserlichen Hof in
Verlegenheit setze, hielt der preußische General nun zurück und vermied es, wie er selber sagt, „mit Affectation“, von der Kriegsan-
gelegenheit zu reden. Ein freundliches und vertrauliches Entge-
genkommen ward ihm nur bei dem Erzherzog Franz, bei Colloredo
und den Wenigen, welche zugleich die preußische Allianz und die

---

*) Das Folgende aus einem ausführlichen Schreiben Hohenlohes an Fried-
rich Wilhelm II. d. d. Prag, 17. Sept. 1791 (Handschrift).

Kriegspläne gegen Frankreich billigten; sie selber gestanden aber ein, „daß man in Wien an den blauen Rock noch nicht gewöhnt sei." Indeſſen wurden von Cobenzl die Emigranten, namentlich Polig= nac und Bouillé, mit kriegsverheißenden Redensarten abgeſpeiſt; „der öſterreichiſche Miniſter, ſchreibt Hohenlohe, ſchien hierbei jedoch nicht zu wünſchen, daß Bouillé mir davon Eröffnung thun möchte, welches ſeltſame Benehmen aber nur daraus entſprungen ſein mag, daß er glaubte, gegen dieſe Herren ſich eher ein unverbindliches Gerede erlauben zu dürfen, als gegen mich." Eine ähnliche Tak= tik ward gegen den bekannten Grafen Ferſen eingehalten, der we= gen der Landung ſchwediſcher Truppen im Norden Frankreichs einen Vertrag abſchließen ſollte. Der Kaiſer erklärte ihm in einer Audienz, welcher Hohenlohe beiwohnte, er warte nur auf einen Courier aus Petersburg; Hohenlohe wartete vergebens auf deſſen Ankunft, er kam nicht. Wohl wurden einige Regimenter in Be= reitſchaft gehalten und Vorderöſterreich als ihr Beſtimmungsort angegeben, aber der Erbprinz ſetzte auch darin kein rechtes Ver= trauen, da noch nichts geſchehen war, um den Durchmarſch durch das Reich zu ordnen.

Leopolds Haltung auf dem Reichstage ſtimmt mit dieſen Mit= theilungen vollkommen zuſammen. Nachdem er erſt Monate lang die Entſcheidung unter mancherlei Vorwänden hinausgeſchoben, erfolgte endlich im December die Beſtätigung der Reichstagsſchlüſſe und zwar in einer Form, die, ſowie die Dinge einmal lagen, je= denfalls ſehr mild genannt werden konnte. An einem gleichzeiti= gen Schritte ließ ſich dieſelbe Wahrnehmung machen.[*)] Am 5. Dec. nämlich erhielt der öſterreichiſche Reichstagsgeſandte eine Depeſche des Fürſten Kaunitz (vom 3. Dec.), worin ihm der Abſchluß des öſterreichiſch=preußiſchen Bündniſſes mitgetheilt und daſſelbe als ein „heilſames Ereigniß" begrüßt ward, das ohne Zweifel zur Erhal= tung des Ruheſtandes in Europa wie in Deutſchland beitragen werde. Um ſo erſtaunter ſeien beide Monarchen geweſen, daß die ſo unwahrſcheinlichen als gehäſſigen Gerüchte, welche Uebelgeſinnte über die geheimen Abſichten dieſer neuen Verbindung ausſtreuten, hie und da im Reiche einen beunruhigenden Eindruck ſollten ge= macht haben. Obwol man auf die Widerlegung ſolch gehäſſiger

---

[*)] S. in der angeführten Reichstagscorreſpondenz.

Ausstreuungen sonst nicht gewöhnt sei sich einzulassen, so wolle doch Se. Maj. bei jeder schicklichen Gelegenheit durch seinen Gesandten erklärt wissen: „daß die Erhaltung und Garantie der Reichsverfassung und der Rechte des deutschen Reiches eine der wesentlichsten Grundlagen der glücklich errichteten Verbindung zwischen S. k. k. Maj. und des Königs in Preußen Maj. ausmache und daß beide Majestäten gleich in dem Augenblick Ihrer glücklichen Näherung sich zur Handhabung der Garantie der deutschen Constitution auf das Heiligste verbunden haben." Harmloser konnte man das gegen die Revolution geschlossene Bündniß vom 25. Juli nicht zur öffentlichen Kunde bringen.

Während Leopold II. so der Ueberzeugung lebte, den drohenden Sturm diplomatisch beschworen zu haben, zogen sich auf einer anderen Seite neue Wolken zusammen, die alle Kunst des Kaisers scheitern machten. Die neue französische Nationalversammlung kündigte sich gleich anfangs so an, daß von ihr am wenigsten eine Befestigung der Septemberconstitution, viel eher deren rasche, gewaltsame Zerreißung zu erwarten war. Unter einer Masse von jugendlichen, unerfahrenen und mittelmäßigen Elementen mußte der Einfluß rasch an einen rührigen Kreis von Rednern und Agitatoren fallen, wie die sogenannte Gironde ihn bildete. Von feuriger und glänzender Rhetorik, erfüllt mit der ganzen Erregbarkeit und Leidenschaft des Südens, ehrgeizig und nicht ohne eine ausgesprochene Neigung zur Intrigue, mußten sie mit ihrem doctrinären Demokratismus, wie er aus Schulerinnerungen des Alterthums und aus Meinungen des achtzehnten Jahrhunderts zusammengeflossen war, sehr rasch eine überwiegende Stellung in einer Versammlung gewinnen, aus welcher durch einen Act unerhörter Naivetät alle wirklichen Talente und Erfahrungen der ersten Assemblée nationale ausgeschlossen waren. Waren diese Männer zwar unfähig, eine dauernde Schöpfung aufzurichten, so besaßen sie doch die wahrhaft revolutionäre Gabe, durch ihre rednerische Agitation die Leidenschaften zu schüren, mit der Macht der Phrase ein entzündliches Volk, wie die Franzosen, in Fieberglut zu setzen und ohne irgend einen Zug der groben, handgreiflichen Demagogie an sich zu tragen, doch den Zielen wildester demagogischer Zerrüttung erfolgreich in die Hände zu arbeiten. Die Verfassung vom September 1791 stand dieser Partei im Wege; sie war theils mit ihrer theoretischen Vorliebe für die freistaatliche Form im Widerspruch, theils war sie ein Hinderniß für die Befriedigung ihres Ehrgeizes. Bald befreundeten sich ihre Führer mit dem Gedanken, daß nur ein Zusammenstoß mit dem Auslande die revolutionäre Macht in ihrer ganzen Ursprünglichkeit entfesseln und ihnen selber die Leitung der Dinge in die Hände spielen werde. Zwar waren sie, gleich den Höflingen und blinden Anhängern des Alten, eifrig bemüht, die neue constitutionelle Ordnung zu einer friedlichen und regelmäßigen Thätigkeit nicht gelangen zu lassen, aber es beunruhigte sie doch der Gedanke, es könne die Stimmung des Volkes sich durch das Gefühl des Besitzes jener Verfassung einschläfern lassen und es dem König dann zu besserer Zeit gelingen, die neue Ordnung wieder in seinem Sinne umzugestalten. Ein Krieg mit dem Ausland beseitigte nach ihrer Rechnung alle diese Verlegenheiten; er setzte den König in die Alternative, zwischen einer willenlosen Hingebung an die Revolution und zwischen dem gewaffneten Ausland zu wählen. Im einen wie im anderen Falle ging die Revolution über Ludwig XVI. hinweg, mochte er ihr Werkzeug sein oder ihr Verräther heißen.

Auf dieses Ziel arbeitete die tonangebende Partei, theils mit Bewußtsein, theils mit einem unklaren Instincte, seit October und November 1791 hin. Wie erwünscht war es ihr, daß das ärgerliche Treiben der Emigration am Rhein einen so gelegenen Vorwand bot, die Massen mit dem Schreckbild ausländischer Einmischung und Contrerevolution zu erhitzen! Schwerlich jagte ihr der Haufe von Ausgewanderten, der in Worms und Koblenz seine Streitkräfte rüstete, ernstliche Sorge ein, aber der Lärm, den sie machten, und die allerdings völkerrechtswidrige Unterstützung, die ihnen von den geistlichen Fürsten am Rhein ward, eignete sich trefflich dazu, den Beschwerden der deutschen Reichsfürsten andere Beschwerden in hohem Tone entgegenzusetzen und aus der Rolle der Beleidiger in die der Beleidigten überzugehen. Man sieht, welch guten Dienst die Verblendung der Fürsten am Rhein und das tolle Treiben der Emigration den äußersten Factionen in Frankreich geleistet hat. Und nicht nur den äußersten; denn auch ein Theil der Constitutionellen unter Lafayettes Leitung gab sich, wenn auch in anderer Berechnung, dem Gedanken an den Krieg bereitwillig hin.

Schon zu Ende October hatte Briffot, damals der Hauptfüh-
rer der kriegslustigen Gironde in der Nationalversammlung, das
Wort ausgesprochen, man dürfe nicht mehr schwanken, sondern
müsse die Mächte, die Frankreich zu bedrohen wagten, zuerst angreifen. Einen Monat später (29. Nov.) ließ sich die Nationalversammlung schon zu einem Decret fortreißen, welches ein ener-
gisches Vorgehen gegen die Fürsten am Rhein und ein Aufgebot
der nationalen Streitkräfte forderte. Vergebens setzte Ludwig XVI.
nach wie vor seine Hoffnung auf die friedliche Intervention, wie
sie in Leopolds II. früheren Erklärungen verheißen war, vergebens widersetzten sich seine Minister; die kriegerische Strömung
war einmal in vollem Wachsthum begriffen und bereits mußte der
König erst durch die Ernennung Narbonnes zum Kriegsminister
der Agitation ein Opfer bringen, dann in einer Erklärung vom
14. December den Ton anschlagen, den die Bewegungspartei wollte.
Darin war den Fürsten am Rhein der 15. Januar 1792 als Frist
gesetzt, bis zu welcher sie den Rüstungen der Emigrirten ein Ende
gemacht haben sollten, widrigenfalls man mit Waffengewalt gegen
sie verfahren werde. Damals ward auch an den Kurfürsten von
Trier jene Note gerichtet, deren wir früher gedacht haben; gleiche
Erklärungen ergingen an den Kurfürsten von Mainz als Bischof
von Worms. Zugleich verkündete der neue Kriegsminister, daß
eine Armee von 150,000 Mann an der Ostgränze werde aufgestellt werden. In milderer Form war die Erklärung abgefaßt,
welche vom friedfertigen Theil des Ministeriums am 14. Dec. an
den Kaiser gerichtet ward. Darin war von den Schritten, die
man gethan, Rechenschaft abgelegt und der Kaiser ersucht, sowol
in Mainz, als in Koblenz auf die Nachgiebigkeit der Kurfürsten
hinzuwirken. „Es handelt sich darum — so schrieb der französische
Minister — die Gemüther zu beruhigen; sie sind bewegt und er-
bittert durch das Benehmen der Emigranten, und dieser Zustand
hindert es, daß Ruhe und Ordnung sich befestige." Die Antwort,
die der Kurfürst von Trier gab, war, wie wir früher gesehen haben, keineswegs geschaffen, den Zwiespalt auszugleichen; wohl aber
war die kaiserliche Antwort (21. Dec.) immer noch versöhnlich.
Man verkannte darin weder die gerechten Gesinnungen des Königs, noch das Interesse, welches die französische Regierung habe,
das Ausland nicht zum Kampf herauszufordern, aber es war doch

die Besorgniß ausgesprochen, daß die gemäßigten Grundsätze der
Regierung hie und da möchten vergessen werden, und für diesen Fall,
erklärte die Note, sei dem Marschall Bender in den Niederlanden
der Befehl gegeben worden, die kurtrierschen Lande, wenn sie durch
feindliche Einfälle verletzt oder bedroht würden, zu schützen. Man
sieht, der Kaiser bleibt noch immer auf seinem vermittelnden Frie-
densstandpunkte und seine kriegerischen Maßregeln halten sich durchaus innerhalb der Linie, die ihm seine Pflicht als Kaiser vorschrieb. Die französische Regierung hatte indessen (23. Dec.) aus
Anlaß der trierschen Antwort eine neue Aufforderung durch einen
neuen Botschafter, Bigot be S. Croix, nach Koblenz gehen lassen[*]
und die Aufforderung an den Kaiser, sich bei Kurtrier für die Verständigung zu verwenden, in dringender Weise erneuert. Man
sieht es den Noten des Ministeriums an, wie viel ihm daran gelegen war, eine friedliche Genugthuung zu erlangen, damit es den
stürmischen Kriegsrufern beschwichtigend gegenübertreten konnte.
So sah man die Sache auch in Wien an; eine österreichische Note
vom 5. Januar 1792 sprach die nämlichen vermittelnden Gesinnungen aus und deutete nur mit allem Rechte darauf hin, daß
die Rüstung von 150,000 Mann, der Lärm der Presse, die drohenden Declamationen der Nationalversammlung nicht geeignet
seien, auf Seiten der deutschen Staaten beruhigend zu wirken. Ein
Eindringen französischer Truppen auf das triersche Gebiet bezeichnete die Note, wie natürlich, als eine Kriegserklärung gegen das
ganze deutsche Reich.[**]

So arbeiteten beide Theile, das Ministerium Deleffart wie
die kaiserliche Regierung, mit aufrichtigem Eifer für die Erhaltung
des Friedens; aber die extremen Parteien wirkten ebenso rührig zusammen, diese Bemühungen zu vereiteln. Auf die Demokratie in

---

[*] Aus dem zeitgenössischen Bericht im Rhein. Antiquar I. 1. S. 43—45
über die Aufnahme des Gesandten ergibt sich klar, daß zwar officiell gegen ihn
nichts versäumt ward, aber die Emigration auch nichts unterließ, ihn mit kin-
dischem Muthwillen zu insultiren — troß der Abmahnung des Kurfürsten. „Sie
blieben, heißt es u. A. dort, haufenweis auf der Straße vor den Fenstern stehen, pfiffen ihn aus und machten vor seiner Zimmerthüre Unreinlichkeiten, womit sie sogar das Schlüsselloch nicht verschonten." Diesem und Aehnlichem gegenüber benahm sich der Gesandte mit Tact und Mäßigung.

[**] Die Actenstücke in Reuß, Staatscanzlei XXXVI.

Paris und die Emigration in Koblenz fällt dabei fast die gleiche Verantwortung. Leopold II. hatte, seiner Zusage getreu, dem Kurfürsten von Trier bringend angerathen, alle bewaffneten Corps der Emigranten aufzulösen und die Rüstungen zu verbieten; er hatte seinen Schutz davon abhängig gemacht, daß der Kurfürst seine Aufnahme der Emigranten innerhalb der Gränzen der Gastfreundschaft halte. Gleiches geschah in Worms und bei dem Fürstbischof von Straßburg, wohin sich Condé, als man ihm in Worms die Gastfreundschaft gekündigt, begab, um sich mit der Legion des Bicomte de Mirabeau zu vereinigen. In Koblenz war die Folge die, daß am 3. Januar 1792 eine kurfürstliche Verordnung erschien, laut welcher die militärischen Corps untersagt, alle kriegerischen Uebungen, Cantonnements u. s. w. verboten wurden. Die Emigranten fühlten sich schon so sehr als Herren, daß sie mit unanständigem Trotz der Regierung gegenübertraten, und, wie ein Emigrant (Las Cases) selbst berichtet, übten sich und manövrirten die Truppencorps fortwährend öffentlich, während die diplomatischen Noten versicherten, es habe damit nichts auf sich. Ja noch mehr; nicht nur die fremden Flüchtlinge insultirten den neuen französischen Gesandten, auch von trierscher Seite selbst that man das Gleiche. In demselben Augenblick, wo eine Note der französischen Regierung, unter dem Eindruck der kurtrierschen Verordnung vom 3. Januar, freundlich entgegenkam und die Versicherung aussprach, es sei an alle Militär- und Civilbehörden der gemessene Befehl ergangen, jede Beunruhigung der Gränzen zu meiden, in demselben Augenblick ließ sich das Koblenzer Intelligenzblatt, die Staatszeitung des Kurfürstenthums, über den neuen französischen Gesandten in den Worten aus: „O Schande, o ewige Schande, welche durch kein Blut mehr kann abgewaschen werden! Ein Spion aus dem Jacobinerclub, aus jener verruchten Gesellschaft, welche noch vom Blute trieft, das in Avignon vergossen worden; ein Zögling des Mirabeau und des Necker erfrecht sich, vor Clemens Wenceslaus zu treten, vor den tugendhaftesten Fürsten seiner Zeit; mit einem Decrete, das in dem Gefängniß der Tuilerien ist sanctionirt worden, öffnet er sich den Eingang in den Palast des Oheims seines Königs; er kommt, ihm mitten an seinem Hofe zu drohen."*)

---

*) Rhein. Antiq. I. 1. S. 48.

Man sieht, die Emigration in Koblenz arbeitete dem Jacobinismus in Paris eifrig in die Hände. Auch dieser war natürlich indessen nicht unthätig gewesen; die Clubs bestürmten mit drohenden Adressen und Deputationen die Versammlung, deren Rednerbühne zugleich von Briſſots, Isnards und Anderer kriegsdrohenden Reden widerhallte. Unverhohlen sprachen es die Wortführer der Gironde bereits aus, daß der Krieg allein Frankreich retten könne; mit allen Mitteln rhetorischer Agitation wurde dem Schrecken des Krieges der Reiz einer rettenden Maßregel verliehen und die Regierung mit revolutionärer Ungeduld dazu gedrängt, einen entscheidenden Schritt zu thun. Sie mußte es geschehen lassen, daß am 1. Januar 1792 die Anklage gegen die ausgewanderten Prinzen und die übrigen Führer der Emigration für zulässig erklärt ward, sie konnte es nicht hindern, daß die Girondisten ihre Taktik, den Krieg zur populären Tagesfrage zu machen, mit allem Erfolge fortsetzten. Gegenüber dieser mächtig anwachsenden Bewegung, die über die Presse, die Tribüne, die Clubs gebot, die mit jedem Tage mehr in den Massen das Bewußtsein weckte, daß nur das Chaos eines Krieges ihre politischen Wünsche erfüllen könne, befand sich die französische Regierung in einer wahrhaft trostlosen Lage. Der König selbst und seine Gemahlin standen unter dem Einfluſſe der Rathschläge des Kaisers; ihre Hoffnung war auf einen Congreß, wie ihn Leopold wollte, gestellt und auch ihnen ward das Treiben der Emigranten, das nur ihre Verlegenheiten steigerte, ohne Hülfe zu bringen, mit jedem Tage mehr zur Last. Der friedfertige Theil des Ministeriums, noch durch Deleſſart an der Spitze der auswärtigen Angelegenheiten, suchte eine Form der Verständigung, die den Krieg abhielt, und hoffte, unterstützt durch Leopold, eine Art von Genugthuung zu erlangen, womit man die Kriegslärmer abfinden konnte. Die zum Girondismus neigende Fraction des Ministeriums, durch Graf Louis von Narbonne vertreten, machte mit jenem kindlich naiven Leichtsinn, der die französische Aristokratie der Revolution auszeichnet, das Kriegsgeschrei mit, schürte und half mit Lärm schlagen, ohne sich irgend eine Rechenschaft über die Folgen abzulegen. Von dieser Seite ging auch der wunderliche Plan aus, durch die Sendung Birons mit Geld und Intriguen den Berliner Hof für das revolutionäre Frankreich zu gewinnen; denn man war in völliger Unwissenheit darüber, daß gerade Preußen sich am eifrigsten den Emigrantenanschauungen hingab und am entschlossensten zum Kreuzzug gegen die Revolution war. Es vollendete das Bild namenloser Verworrenheit, daß der gemäßigte Theil des Ministeriums dieser Sendung Birons unter der Hand durch Segur eine andere entgegengesetzte und erst allmälig sich dazu herbeiließ, die ganz erfolglosen Bemühungen eines windigen Roué, wie Biron war, zu unterstützen. Damit hingen denn wieder andere abenteuerliche Gedanken zusammen, z. B. der Versuch, den Herzog von Braunschweig für den französischen Oberbefehl zu gewinnen, Großbritannien mit dem revolutionären Frankreich näher zu verbinden, und ähnliche diplomatische Seifenblasen mehr, wie sie in den Pariser Salons unter männischen Weibern und weibischen Männern ausgesonnen wurden.*)

Welch andere Thätigkeit entfalteten indessen die Agitatoren der Kriegspartei! Alle Vortheile, welche ihnen die Rathlosigkeit der Regierung und der Unverstand der Emigration in die Hände gab, wurden von ihnen meisterhaft benutzt, um aus der ganzen inhaltschweren Frage des Krieges nicht eine Sache ruhiger politischer Erwägung, sondern eine Angelegenheit der nationalen Empfindung und des revolutionären Enthusiasmus werden zu lassen. Man prüfte und berieth nicht mehr, man exaltirte sich nur mit jedem Tage mehr. So ließ sich Isnards wilde, südliche Glut in der Rede am 5. Januar vernehmen, so ward am 14. Jan. ein folgenreicher Beschluß im Sturme heftigster Erregung gefaßt. Leopold II. hatte in seiner Erklärung vom 21. Dec. auf das „Einverständniß der Fürsten zur Erhaltung der öffentlichen Ruhe und zur Wahrung der Sicherheit und Ehre der Throne" hingedeutet; dies ward nun das Thema für die Redner der Gironde, das reizbare Nationalgefühl in seiner ganzen Mächtigkeit zu entflammen. In einem Taumel der Begeisterung, von dem die Gemäßigtsten mit fortgerissen wurden, beschloß man, jeden Franzosen für „ehrlos" zu erklären, der an einem Congreß, wie ihn der Kaiser in Aussicht stelle, Theil nehmen werde. So brach Leopolds Lieblingsplan, womit er bis jetzt die Kriegslust der Ungeduldigen zu beschwichtigen gewußt, vor einem Momente leidenschaftlicher Erregung zusammen; es blieb ihm nun keine Ausflucht mehr, den

---

*) S. darüber Sybel a. a. O. 306 f.

Drängern zum Krieg seine Mitwirkung zu versagen. Die Stellungen waren mit einem Male vertauscht; die Nationalversammlung hatte die Rolle des drohenden und angreifenden Theils übernommen und der Kaiser befand sich in der peinlichen Alternative, entweder demüthig zurückzugehen oder sich zum Kriege nöthigen zu lassen. Denn schon am 25. Januar faßte die Versammlung den Beschluß, dem Kaiser eine entschiedene Erklärung abzufordern, und wenn sie nicht bis zum 1. März erfolgt wäre, den Krieg zu erklären. Wohl ward am 1. März der Krieg noch nicht erklärt, aber der Tag war darum nicht weniger bedeutungsvoll: es war der Tag, an dem Leopold II. starb und somit auch auf Seiten Oesterreichs die kriegerischen Gedanken das Uebergewicht erlangten.

Leopold hatte sich, seiner zähen und kaltblütigen Natur gemäß, nicht fortreißen lassen von den Leidenschaften des Augenblickes. Zwar erzählte man von ihm Aeußerungen, wie die: die Franzosen wollen den Krieg, sie werden sehen, daß Leopold der Friedfertige ihn führen kann — aber er ging aus seiner gemessenen Haltung nicht heraus. Er blieb fortwährend den extremen Richtungen abgeneigt, wollte mit der Emigrantenpolitik nichts gemein haben, und seine Rathschläge an den französischen Hof tragen, wie immer, das Gepräge der Mäßigung. Allein die Lage hatte sich so gestaltet, daß auch die leidenschaftloseste Betrachtung den gewaltsamen Bruch nicht mehr zu hindern vermochte. In diesem Sinne nahm Leopold seine Maßregeln. Er sammelte in den Niederlanden, in Vorderösterreich, in Böhmen Streitkräfte, deren Zahl bewies, daß er zunächst nur an die Abwehr, nicht an den Angriff dachte; er suchte vor Allem mit Preußen völlig ins Reine zu kommen. Am 7. Febr. 1792 ward zu Berlin der Allianzvertrag zwischen Oesterreich und Preußen abgeschlossen, worin sich beide Theile ihre Besitzungen verbürgten und zu gegenseitiger Hülfsleistung verpflichteten.*) Auch verbanden sie sich darin: „da Ihnen

---

*) Die Stelle, welche den Kampf gegen Frankreich betraf, lautete: Par une suite de cette garantie reciproque les deux hautes parties contractantes travailleront de concert pour le maintien de la paix. Elles employeront dans le cas, où les Etats de l'une ou de l'autre d'entre Elles seroient menacés d'une invasion, leurs bons offices les plus efficaces pour l'empêcher. Mais si ces bons offices n'avaient point l'effet desiré et que l'une ou l'autre d'entre elles fut réellement attaquée, elles s'obligent pour ce cas à se secourir mutuellement avec

nichts mehr am Herzen liege, als die Ruhe und Wohlfahrt Deutschlands fortdauern zu sehen, und da Sie diesen Gegenstand als
einen der vorzüglichsten Endzwecke ihrer Vereinigung betrachten,
für die Aufrechterhaltung der deutschen Constitution in ihrer ganzen Integrität, so wie sie durch die Gesetze und vorausgegangenen
Tractate festgesetzt worden, sorgfältig zu wachen."

Auch dies Bündniß hatte noch keinen herausfordernden Charakter und sollte ihn nach Leopolds Absicht auch nicht haben. Davon zeugt die Erklärung, die er wenige Tage nach dem Abschluß,
am 17. Febr., als Antwort auf die Aeußerungen vom Januar,
an die französische Regierung abgehen ließ. Die Deutung, die
man in Frankreich seinen früheren Schritten gegeben, war darin
mit Thatsachen zurückgewiesen und der Wahrheit gemäß hervorgehoben, wie er sich nur unablässig bemüht, einerseits die Rüstungen der Emigranten abzustellen, andererseits jeden Act der
Gewalt vom deutschen Reichsgebiete abzuwehren. Was den beabsichtigten Congreß der europäischen Mächte anging, der in den
Januardebatten soviel Sturm auf der Tribüne der Nationalversammlung erregt, so erinnerte die kaiserliche Note an die Lage des
Königs seit seiner Gefangennehmung bis zur Vollendung der Constitution, durch welche allein ein solcher Plan hervorgerufen und
gerechtfertigt worden war. Seit der Annahme der Verfassung habe
jener Verein des Kaisers mit den Mächten nur noch eventuell bestanden und auch dies nur aus Gründen, welche in den inneren
Zuständen Frankreichs gelegen seien. Die zunehmenden Symptome
von Unsicherheit und Gährung, welche der königlichen Familie ein
ähnliches Schicksal, wie früher, zu bereiten drohten, Symptome,
die wohl nicht den Rüstungen der Emigranten, sondern dem zunehmenden Einflusse der republikanischen Partei zuzuschreiben seien,
die Gräuelscenen, welche die nämliche Partei verschuldet, der künstlich angefachte Kriegslärm, den eben diese Faction zu unterhalten
suche, weil sie durch die Rückkehr von Ruhe und Ordnung ihren
politischen Einfluß gefährdet sehe, die herausfordernden Reden und
Rüstungen, womit man, wie es scheine, das Ausland zum Krieg

---

un corps de 15,000 hommes d'Infanterie et 5000 hommes de Cavallerie. Nach
einem anderen Artikel sollten Rußland, die Seemächte und Sachsen zum Beitritt eingeladen werden. S. Martens, Supplement au Recueil T. II. 172 ff.

zu reizen wünsche, Beschlüsse, wie der vom 25. Januar, unter
dem Einfluß jener Partei gefaßt, dies Alles sei Grund genug für
das Ausland, den inneren Zustand Frankreichs nicht für so günstig anzusehen, wie die Noten des französischen Ministeriums.
Gleichwol werde der Kaiser sich aus seiner gemäßigten Haltung
nicht verdrängen lassen, zumal er die Ueberzeugung hege, daß die
Mehrheit der Nation diesen und ähnlichen Vorgängen fremd sei.
Eine Note von Kaunitz, welche dieser Staatsschrift beigegeben war,
zeichnete die jacobinische Partei sammt ihrem Treiben noch schärfer
und nannte sie geradezu bei ihrem Namen; ob der gesetzwidrige
Einfluß dieser Secte über Gerechtigkeit, Wahrheit und das öffent-
liche Wohl der Nation den Sieg davontragen werde, das sei die
Frage, von deren Beantwortung alle anderen abhingen.

Es fragt sich, ob es in diesem Augenblick von Leopold, der
den Frieden ernstlich wollte, geschickt gehandelt war, durch diese
Ausfälle Oel ins Feuer zu gießen und die peinliche Lage des Königs zu verschlimmern; auch war diese Art von politischer Lection
über die innere Lage eines anderen Staates ungewöhnlich. Aber
die Thatsachen, auf die er anspielte, waren unzweifelhaft wahr.
Daß daher die Jacobiner murrten, wie sie sich und ihre Künste so treu
geschildert sahen, daß ein Mensch, wie Bazire, die kaiserliche Erklärung ein „Pamphlet" nannte, und daß die Kriegsagitatoren in
den Clubs und der Presse die Erklärung in ihrer Weise ausbeu-
teten, das Alles war sehr begreiflich; die Wahrheiten, die Leopold
aussprach, gingen zu sehr ins Fleisch, als daß die Getroffenen
nicht hätten aufschreien sollen. Aber auch in die Geschichtschreiber ist, wie auf Verabredung, die Sage übergegangen und selbst
die Emigrantenliteratur hat mit eingestimmt, daß der „nationale
Stolz in Frankreich sich empört habe gegen die drohenden Rathschläge des Auslands."*) Wir finden in den Verhandlungen des
Tages, wo jene Actenstücke der Versammlung mitgetheilt wurden,
nichts davon; die Sitzung verläuft im Ganzen ruhig, das Ministerium geht mit einer leisen Mißbilligung über die Stellen hinweg, welche den inneren Zustand Frankreichs betreffen, und spricht
unter dem Beifalle der Versammlung seine lebhafte Freude aus
über die „friedlichen und freundschaftlichen Eröffnungen des Kai-

---

*) So sagen z. B. die Mémoires d'un homme d'état I. 198.

fers."*) Der diplomatische Ausschuß der Versammlung aber ist nichts weniger als aufgeregt und es dauert über eine Woche, bis die Jacobiner im Stande sind, die Note in ihrem Sinne auszubeuten. Man sah also in Paris die Erklärung vom 17. Febr. nicht anders an, als sie Leopold II. betrachtet wissen wollte; sie trug so wenig an der Kriegslust der Franzosen Schuld, wie später das bekannte Manifest an ihrem nationalen Aufschwung. Aber der Zustand von Paris war allerdings so unberechenbar geworden, die Partei des Kriegs und der Bewegung so rührig und unbedenklich in ihren Mitteln, der Royalismus so ohnmächtig, die Constitutionellen so rathlos und kurzsichtig, daß der Krieg doch mit jedem Tage wahrscheinlicher ward, auch wenn der Wiener Hof sich zu den furchtsamsten Erklärungen verstanden hätte.

An demselben Tage (1. März), wo der Nationalversammlung die letzte Note vorgelegt ward, war Leopold II. ebenso rasch wie unerwartet gestorben; es war begreiflich, daß man in der aufgeregten Zeit an Vergiftung denken konnte, während eine andere Ueberlieferung jener Tage den schnellen Tod dem übermäßigen Genuß sinnlicher Reizmittel Schuld gab.**) Die Kürze der Regierung Leopolds und der stürmische Drang der Zeiten, die zunächst folgten, sind Ursache gewesen, daß der Eindruck im Ganzen weniger tief ging, als es sonst wohl der Fall gewesen wäre. Man lernte diesen feinen, florentinischen Politiker, der mit seiner geschmeidigen Consequenz, seinem kalten Blute und seiner Mäßigung so rasch die schlimmsten Niederlagen gut gemacht, die Josephs II. heißblütige Staatskunst Oesterreich bereitet, erst dann recht schätzen, als bittere Erfahrungen zeigten, wie wenig er ersetzt war. Für die deutsche und europäische Weltlage war der Tod insofern von

---

*) S. Moniteur von 1792 No. 63.

**) Der Bericht des Wiener Cabinets an den deutschen Reichstag schilderte die letzten Tage L.'s mit den Worten: S. M. l'Empereur fut surpris le 28. fevrier d'une fièvre rhumatique avec attaque de la poitrine; on s'opposa d'abord à la violence du mal avec les saignées et les remèdes nécessaires. Le 29. fevrier la fièvre augmenta. On saigna trois fois avec quelque soulagement; mais la nuit suivante était bien inquiete et abattait beaucoup les forces. Le 1. mars l'Empereur commença à vomir avec des horribles agitations et rendait tout ce qu'il prenait. A trois heures et demie apres midi en vomissant il expira. Aus der Reichstagscorrespondenz.

Bedeutung, als damit eine der letzten Stützen des Friedens zusammenbrach; dies Gefühl sprach sich am bezeichnendsten in der schlecht verhehlten Schadenfreude aus, womit die französische Emigration die Todesbotschaft aufnahm. Der vierundzwanzigjährige Nachfolger, Erzherzog Franz, noch ohne politische Erfahrung und von mittelmäßigen Leuten umgeben, ließ sich wahrscheinlich leichter von der kriegerischen Strömung des Tages lenken, als der Vater; wir erinnern uns ja, daß der preußische General, der die Kriegsplane verabreden sollte, bei ihm weitaus die freundlichste Aufnahme fand und daß schon damals der Thronfolger den Widerwillen gegen die neue preußische Allianz nicht theilte, der bei den Anhängern der überlieferten österreichischen Politik so natürlich war und von dem sich wohl auch Leopold nicht ganz frei wußte.

Inzwischen war in Paris die Partei, welche durch den Krieg den Triumph der Demokratie zu erreichen hoffte, mit ihrem Plane ins Reine gekommen: das noch monarchisch gesinnte Ministerium sollte gestürzt, die Kriegserklärung gegen Oesterreich durch Erhitzung der Leidenschaften im Sturme erlangt werden. Der diplomatische Ausschuß der Versammlung zeigte sich in seiner Mehrheit nicht geneigt, der Exaltation der Clubs zu dienen; drum rüstete sich die Gironde zu einem Hauptschlage. Neun Tage, nachdem die Versammlung den Bericht des Ministers vernommen und den Friedenshoffnungen, die er an Leopolds letzte Erklärung geknüpft, Beifall zugerufen, bestieg Brissot die Rednerbühne, um durch ein Anklagedecret Delessarts das Ministerium zu sprengen und einer jacobinischen Verwaltung den Weg zu bahnen. In einer Advocatenrede voll Uebertreibungen und Trugschlüssen, die aber für ihren Zweck meisterhaft berechnet war, wußte er darzuthun, wie Leopold schon seit Jahresfrist gegen Frankreich thätig gewesen, wie sein Verein mit den europäischen Mächten nur eine schlecht verhüllte Verschwörung gegen die französische Nation sei und der Minister Delessart dem Allem gegenüber eine Haltung eingenommen, welche die Anklage auf Hochverrath rechtfertige. Alle die Künste demagogischer Verdächtigung und Verdrehung der Thatsachen, worin der Jacobinismus jetzt und nachher sich als Meister bewies, waren in dieser Rede angewendet; sie und die Verhandlung, in welcher die Girondisten das große Wort führten, war ein rechtes Muster der Taktik, welcher ein Jahr später die Partei

selbst verdienter Maßen erlegen ist. Die Anklage gegen Deleffart
ward in tumultuarischer Eile durchgesetzt, das monarchische Ministerium dadurch gesprengt und dem König ein Ministerrath von
jacobinischer Färbung aufgedrungen. Die Leitung der auswärtigen
Angelegenheiten in dem neuen Cabinet fiel an Dumouriez, einen
äußerst fähigen aber durchaus grundsatzlosen Intriguanten, der es
in diesem Augenblick seinem Interesse gemäß fand, mit der Gironde
und ihren Kriegsagitationen gemeinschaftliche Sache zu machen.
Er vertauschte sogleich die friedfertige und vermittelnde Sprache,
wofür man seinen Vorgänger vor Gericht gestellt, mit jenem bar-
schen, trotzigen und kurz angebundenen Tone, der wohl in der
Diplomatie ungewohnt war, aber dem Geschmack der Clubs und
Tribünenredner um so besser mundete. Noch am 18. März hatte
Kaunitz dem französischen Gesandten in Wien eine Erklärung gegeben, welche über die Linie der früheren Aeußerungen nicht hinausging; an dem nämlichen Tage richtete Dumouriez eine Eröffnung nach Wien, die zuerst jenen gebieterischen Ton anschlug.
Eine zweite Note vom 27. März verlangte eine „categorische Antwort"; der Wiener Hof müsse, wenn er Frieden haben wolle, alle
Verträge auflösen, die er ohne Frankreichs Vorwissen und in feindseliger Absicht gegen dasselbe abgeschlossen, auch die Truppen ohne
Säumen zurückziehen. „Wenn diese Erklärung, hieß es wörtlich,
nicht durchaus rasch und unumwunden erfolgt, so wird der König nach Ankunft des nächsten Couriers den Krieg als erklärt betrachten und die ganze Nation, die nach einer raschen Entschei-
bung seufzt, wird ihn mächtig unterstützen. Versuchen Sie diese
Unterhandlung, wie es auch sei, vor dem 15. April zu beendigen.
Wenn wir von jetzt bis dahin hören, daß die Truppenzüge an
unserer Gränze fortdauern und sich mehren, dann wird es uns
nicht mehr möglich sein, den gerechten Unwillen einer stolzen und
freien Nation zurückzuhalten, die man zu erniedrigen, einzuschüchtern
und hinzuhalten sucht, bis alle Vorbereitungen zum Angriff fertig
sind."*) Ein Brief in ähnlichem Sinne, den man Ludwig XVI.
hatte schreiben lassen, ward gleichzeitig durch einen besonderen Abgesandten nach Wien gebracht.

---

*) Die angeführten Actenstücke s. bei Reuß, Bd. XXXVI. S. 220 und
Moniteur de 1792 no. 109.

Wäre Leopold II. noch am Leben gewesen, selbst er hätte es schwerlich noch vermocht, diesem kriegslustigen Drängen gegenüber seine friedfertige Haltung zu bewahren; wie viel weniger sein Nachfolger, für den manche Bedenken, die auf den Vater gewirkt, nicht vorhanden waren! Die Erklärungen, die Graf Cobenzl als Antwort auf das Dumouriezsche Ultimatum am 4. April ertheilte, waren im Tone gemäßigt: aber ihr Inhalt ließ nach der Lage, wie sie in Paris war, keine Aussicht mehr auf friedliche Ausgleichung. Wenn Oesterreich entwaffnen und sein Einverständniß mit den anderen Mächten auflösen sollte — so lautete der Bescheid des österreichischen Ministers — so müsse Frankreich für's Erste die beeinträchtigten deutschen Reichsfürsten befriedigen, dann dem Papst wegen Avignon Genugthuung geben und endlich im Innern Einrichtungen treffen, „die der Regierung hinlängliche Macht gäben, Alles zu unterdrücken, was die anderen Staaten beunruhigen könnte." Im Uebrigen berief man sich auf die früheren Erklärungen, zunächst die vom 18. März.*)

Schwerlich hatten Dumouriez und seine Freunde etwas Anderes erwartet und gewünscht, als sie den hohen Ton ihrer letzten Erklärungen anschlugen; sie wollten die zögernden Bedenken, die in Wien immer noch vom Kriege abmahnten, durch ungestümen Trotz überwältigen und der österreichischen Politik keine Wahl mehr lassen, als die zwischen Krieg und schmachvoller Nachgiebigkeit. Nun, da man in Wien zur letzteren sich nicht hatte entschließen können, war die Kriegspartei in Paris auf's Eifrigste bemüht, den rührig vorbereiteten Bruch zu beschleunigen. Am 20. April erschien Ludwig XVI. in der Nationalversammlung mit dem Antrag, den Krieg an den König Franz von Böhmen und Ungarn zu erklären, und die Versammlung beeilte sich, tumultuarisch und wie berauscht, ohne Prüfung und ohne eigentliche Debatte, den Krieg zu beschließen.

Wir kennen kaum ein Beispiel in der Geschichte, wo selbst ein kleiner Kampf mit solch unüberlegter, leichtfertiger Hast entschieden worden wäre, wie es hier der Fall mit einem Kriege war, der fast ein Menschenalter die Geschichte der Welt ausgefüllt hat. Es gehörte der ererbte französische Leichtsinn und die blinde Hitze des

---

*) S. Moniteur No. 111.

Parteigeiftes dazu, um ohne Geld, ohne Armeen, ohne Vorräthe,
mitten in der wildeften inneren Zerrüttung einen Fehdehandschuh
hinzuwerfen, den, wie man sich wohl fagen konnte, ohne Zweifel
nicht Oesterreich allein aufnehmen würde. Aber seltsamer Weise
meinte jede der verschiedenen Parteien in Frankreich ihr Ziel auf
diesem Wege zu erreichen, auch wenn dabei jede von einer anderen
Berechnung ausging. Die Einen hofften im Kriege den Reft
von monarchischen Formen abschütteln und auf den Trümmern
des Thrones ihre papierene Republik aufrichten zu können, die Anderen sahen aus der Feuerprobe eines auswärtigen Kampfes eine
neue Heeresmacht und im Bund mit ihr die militärische Dictatur
hervorgehen, deren die innere Zerrüttung zu bedürfen schien. Ehrenwerthe Patrioten wünschten den Kampf, weil sie der tröstlichen
Hoffnung lebten, ein gesunder Krieg werde die schwüle Atmosphäre reinigen und statt der schmutzigen und gemeinen Leidenschaften der Anarchie alle besseren zum Leben wecken; mit ihrem
Wunsche stimmten wieder die gewiffenlosesten Factionsleute überein, denen ihr Instinct sagte, daß eine furchtbare Krisis, wie die,
welche man heraufbeschworen, anderer Menschen und anderer Mittel bedürfe, als Doctrinäre und Enthusiasten sie bieten können oder
mögen. Im Hintergrunde aller dieser persönlichen Wünsche und
Berechnungen wirkte freilich mächtig zu der Katastrophe der tiefe,
unversöhnliche Gegensatz zwischen dem feudalen Europa und der
Revolution, ein Gegensatz, dessen man sich auf beiden Seiten
wohl bewußt war. Drum, so viele persönliche Beweggründe und
Leidenschaften auf den Kriegsact vom 20. April 1792 auch hinwirkten und ihn beschleunigten, man kann doch nimmer glauben,
daß es in der Macht irgend eines Menschen und seiner diplomatischen Geschmeidigkeit gelegen hätte, den früher oder später unvermeidlichen Bruch aufzuhalten. Es war die Idee einer europäischen
Propaganda so sehr im Wesen und in den ersten Anfängen der
Revolution begründet, daß unvermeidlich einmal der Zusammenstoß
mit den alten feudalen Ordnungen Europas erfolgen mußte; con-
ftitutionell oder republikanisch eingerichtet, von einem revolutionären Club oder einem Militärdictator beherrscht, mußte das Frankreich von 1789 angreifend zu Werke gehen, wenn sich nicht etwa
die alten Staaten Europas freiwillig und friedfertig der neuen
Strömung von Westen unterwerfen sollten. Dieser inneren Noth-

wendigkeit der Dinge gegenüber waren alle jene Vorgänge diesseits, Pillnitz wie Koblenz, nur von untergeordneter Bedeutung; die Revolution, wie sie gleich am 4. August mit dem alten Staatsrecht auch das alte Völkerrecht umwarf, verfuhr angreifend und mußte so verfahren, wenn sie ihre innerste Natur nicht verleugnen wollte. Der Congreß zu Pillnitz, der österreichisch-preußische Bund vom 7. Februar, selbst die Emigration mit ihren Rüstungen hat dazu im Verhältniß wenig beigetragen; aber sie gaben willkommenen Stoff an die Hand, auf der Tribüne, in der Presse und dem Club über die Kränkungen zu beclamiren, welche der französischen Nation und ihrer Ehre widerfahren seien.

Die Vorgänge, die wir zuletzt erzählt haben, berührten das deutsche Reich auf's allernächste. Auch wenn seine geographische Lage ihm gestattet hätte, bei dem drohenden europäischen Zusammenstoß ruhiger Zuschauer zu bleiben, so ließ ihm das politische Verhältniß, in dem es sich befand, keine Wahl zwischen Krieg und Frieden. Es war gleich nach dem Tode Leopolds Niemandem zweifelhaft, daß König Franz von Böhmen und Ungarn dessen Nachfolger in der Kaiserwürde sein werde; seine Erwählung machte es unvermeidlich, in den Krieg einzutreten, zumal der seltene Fall vorlag, daß beide deutsche Großmächte, diesmal durch eine Allianz verbunden, den Kampf gegen die Revolution gemeinsam aufzunehmen entschlossen schienen. Der Gegenstand des Kampfes selbst berührte aber das Reich noch näher, als Oesterreich; gegen seine überlieferte feudale Ordnung mußte der **Angriff** der Revolution sich fast zuerst wenden und die Beeinträchtigung der einzelnen Fürsten war nur ein kleines Vorspiel von dem, was bevorstand, wenn die siegreiche Revolution einmal die französischen Gränzen überschritt. Die Lebhaftigkeit, womit der Reichstag jene Beschwerden behandelt hatte, zeigte klar, daß ein großer Theil des Reiches sich bereits zu einer Zeit als beleidigt ansah, wo Oesterreich und Leopold II. die Aussicht einer friedlichen Vermittlung noch nicht aufgegeben hatten.

Der Tod des Kaisers war in einem Augenblicke erfolgt, wo die Gesammtheit der Lage schon den nahen Bruch erwarten ließ. Unter dem Eindruck dieser Nachricht und der übrigen Ereignisse

fühlte sich selbst die so schwerfällige Maschine des Reichstages zu
Regensburg zu einer ungewohnten Regsamkeit angespornt. Oesterreich konnte nun mit dem Antrag hervortreten, bei „den jetzigen
kritischen Umständen" den Wahltag schnell und ohne große Kosten
in Regensburg abzuhalten, und wenn auch Kurmainz, ohne Rücksicht auf den Vorschlag, die Wahl wie gewöhnlich nach Frankfurt anberaumte, so war doch in allem Uebrigen das löbliche Bestreben sichtbar, der leidigen Pedanterie in Formen und Ceremonien diesmal engere Gränzen zu ziehen. Kurmainz selbst beantragte die Wahl zu beschleunigen, die Zahl der Gesandten, die
Festlichkeiten und Formen abzukürzen, sich mit der Wahlcapitulation kurz zu fassen, und diese Anträge fanden Beifall. Ein
Streit, der zwei Jahre zuvor die Zeit des Interregnums in sehr
widerwärtiger Weise ausgefüllt — das Verhältniß der Reichsvi-
carien zum Reichstage — fand diesmal eine raschere Erledigung.
Es galt schon für ein gutes Zeichen, daß Pfalzbaiern jetzt in seinen Ausschreiben die Titulaturen nach dem Wunsche der Reichsstände feststellte und dadurch eine Quelle unsäglichen Zankes abschnitt; auf der anderen Seite thaten die Kurstimmen von Brandenburg und Braunschweig einen verständigen Schritt, indem sie,
um die Frage vom Verhältniß der Reichsverweser zum Reichstage
schnell zu lösen, mit dem Antrag hervortraten, die beiden Vicarien sollten einen Principalcommissarius ernennen und unter dessen Leitung dann auch während des Interregnums die Reichs-
tagsgeschäfte fortgesetzt werden. Damit wäre denn der vielbespro-
chene Zweifel gelöst gewesen, ob und wie der Reichstag ohne
Reichsoberhaupt thätig sein könne? Wohl fehlte es auch jetzt nicht
an mannigfaltigen Schwierigkeiten und ohne weitläufige Schreibereien ging die Sache nicht ab; Oesterreich sah eine solche Per-
manenz des Reichstages ungern, ein Theil der Reichsstände beharrte in eigensinniger Opposition gegen das Ansinnen, den Reichstag von den Vicarien geleitet zu sehen, und die Reichsverweser
selbst waren wegen der Titulatur nicht ganz unbesorgt, wollten
sich auch das Recht vorbehalten, Beschlüsse, die ihnen bedenklich
schienen, zu suspendiren. Aber man kam bei allem dem doch einmal zum Ende; Oesterreich ließ das Unangenehme geschehen *),

---

*) In einem Rescript von König Franz an Kursachsen (d. d. 28. April)

die Reichsverweser einigten sich in leidlich kurzer Zeit und am 18. Mai konnte der zum Principalcommissarius ernannte Bischof von Freisingen, unter der stillschweigenden Opposition einer kleinen Minderheit, sein Amt antreten. So ward noch vor der letzten deutschen Kaiserwahl eine vielbestrittene Frage entschieden, deren Erledigung freilich nur dies eine Mal eine praktische Bedeutung hatte.

Indessen war der Krieg zwischen Oesterreich und Frankreich unvermeidlich geworden; es mußte sich nun zeigen, ob die Wehrkraft des Reiches so groß war, wie die drohenden Reden, welche bei der elsasser Entschädigungsdebatte gefallen waren. Oesterreich und Preußen regten schon im April bei den vorderen Reichskreisen die Erneuerung einer Association an, wie sie wohl früher, z. B. in der Zeit des spanischen Erbfolgekrieges, nicht ohne Nutzen gegründet worden war. Aber seit dieser Zeit war der Verfall aller alten Reichsinstitute mächtig fortgeschritten und von den mittleren und kleineren Reichsständen — so stolz zum Theil ihre Reden in Regensburg geklungen — war keinerlei nennenswerthe Hülfe zu erwarten; wo die Ohnmacht nicht die Schuld trug, wirkte böser Wille mit. Das eine galt von den meisten Zwergstaaten der schwäbischen und rheinischen Kreise, die andere Erfahrung ward jetzt zunächst an Pfalzbaiern gemacht. Dumouriez kannte seine Leute vortrefflich, wenn er gleichzeitig mit der Kriegserklärung in trotzigem Tone zu München eine kategorische Antwort darüber verlangte*): ob der Kurfürst der Coalition oder Association beigetreten sei? In diesem Falle würde man die pfälzischen Lande mit derselben Feindseligkeit behandeln, wie das Gebiet des Königs von Ungarn. Der Minister Karl Theodors erklärte: der Kurfürst wisse von keiner Association, noch weniger sei er darum angegangen worden; er sei bisher bestrebt gewesen, mit Frankreich in guter Harmonie zu bleiben, und wäre gesonnen, davon nicht abzugehen; nur wenn das deutsche Reich angegriffen würde, müsse er als Reichsstand an den Vertheidigungsanstalten

---

heißt es: „Weit entfernt, die Vereinigung hierüber im Geringsten durch Parteilichkeit zu erschweren, haben wir unserem königlichen Comitialen aufgetragen, sich hierüber ganz leidend zu verhalten." (Aus der angeführten Reichstagscorrespondenz.)

*) Nach der Reichstagscorrespondenz.

nichts mehr am Herzen liege, als die Ruhe und Wohlfahrt Deutsch=
lands fortdauern zu sehen, und da Sie diesen Gegenstand als
einen der vorzüglichsten Endzwecke ihrer Vereinigung betrachten,
für die Aufrechterhaltung der deutschen Constitution in ihrer gan=
zen Integrität, so wie sie durch die Gesetze und vorausgegangenen
Tractate festgesetzt worden, sorgfältig zu wachen."

Auch dies Bündniß hatte noch keinen herausfordernden Cha=
rakter und sollte ihn nach Leopolds Absicht auch nicht haben. Da=
von zeugt die Erklärung, die er wenige Tage nach dem Abschluß,
am 17. Febr., als Antwort auf die Aeußerungen vom Januar,
an die französische Regierung abgehen ließ. Die Deutung, die
man in Frankreich seinen früheren Schritten gegeben, war darin
mit Thatsachen zurückgewiesen und der Wahrheit gemäß hervorge=
hoben, wie er sich nur unabläßig bemüht, einerseits die Rü=
stungen der Emigranten abzustellen, andererseits jeden Act der
Gewalt vom deutschen Reichsgebiete abzuwehren. Was den be=
absichtigten Congreß der europäischen Mächte anging, der in den
Januardebatten soviel Sturm auf der Tribüne der Nationalver=
sammlung erregt, so erinnerte die kaiserliche Note an die Lage des
Königs seit seiner Gefangennehmung bis zur Vollendung der Con=
stitution, durch welche allein ein solcher Plan hervorgerufen und
gerechtfertigt worden war. Seit der Annahme der Verfassung habe
jener Verein des Kaisers mit den Mächten nur noch eventuell be=
standen und auch dies nur aus Gründen, welche in den inneren
Zuständen Frankreichs gelegen seien. Die zunehmenden Symptome
von Unsicherheit und Gährung, welche der königlichen Familie ein
ähnliches Schicksal, wie früher, zu bereiten drohten, Symptome,
die wohl nicht den Rüstungen der Emigranten, sondern dem zu=
nehmenden Einflusse der republikanischen Partei zuzuschreiben seien,
die Gräuelscenen, welche die nämliche Partei verschuldet, der künst=
lich angefachte Kriegslärm, den eben diese Faction zu unterhalten
suche, weil sie durch die Rückkehr von Ruhe und Ordnung ihren
politischen Einfluß gefährdet sehe, die herausfordernden Reden und
Rüstungen, womit man, wie es scheine, das Ausland zum Krieg

---

un corps de 15,000 hommes d'Infanterie et 5000 hommes de Cavallerie. Nach
einem anderen Artikel sollten Rußland, die Seemächte und Sachsen zum Bei=
tritt eingeladen werden. S. Martens, Supplement au Recueil T. II. 172 ff.

zu reizen wünsche, Beschlüsse, wie der vom 25. Januar, unter
dem Einfluß jener Partei gefaßt, dies Alles sei Grund genug für
das Ausland, den inneren Zustand Frankreichs nicht für so günstig anzusehen, wie die Noten des französischen Ministeriums.
Gleichwol werde der Kaiser sich aus seiner gemäßigten Haltung
nicht verdrängen lassen, zumal er die Ueberzeugung hege, daß die
Mehrheit der Nation diesen und ähnlichen Vorgängen fremd sei.
Eine Note von Kaunitz, welche dieser Staatsschrift beigegeben war,
zeichnete die jacobinische Partei sammt ihrem Treiben noch schärfer
und nannte sie geradezu bei ihrem Namen; ob der gesetzwidrige
Einfluß dieser Secte über Gerechtigkeit, Wahrheit und das öffent-
liche Wohl der Nation den Sieg davontragen werde, das sei die
Frage, von deren Beantwortung alle anderen abhingen.

Es fragt sich, ob es in diesem Augenblick von Leopold, der
den Frieden ernstlich wollte, geschickt gehandelt war, durch diese
Ausfälle Oel ins Feuer zu gießen und die peinliche Lage des Königs zu verschlimmern; auch war diese Art von politischer Lection
über die innere Lage eines anderen Staates ungewöhnlich. Aber
die Thatsachen, auf die er anspielte, waren unzweifelhaft wahr.
Daß daher die Jacobiner murrten, wie sie sich und ihre Künste so treu
geschildert sahen, daß ein Mensch, wie Bazire, die kaiserliche Erklärung ein „Pamphlet" nannte, und daß die Kriegsagitatoren in
den Clubs und der Presse die Erklärung in ihrer Weise ausbeu-
teten, das Alles war sehr begreiflich; die Wahrheiten, die Leopold
aussprach, gingen zu sehr ins Fleisch, als daß die Getroffenen
nicht hätten aufschreien sollen. Aber auch in die Geschichtschreiber ist, wie auf Verabredung, die Sage übergegangen und selbst
die Emigrantenliteratur hat mit eingestimmt, daß der „nationale
Stolz in Frankreich sich empört habe gegen die drohenden Rathschläge des Auslands."[*]) Wir finden in den Verhandlungen des
Tages, wo jene Actenstücke der Versammlung mitgetheilt wurden,
nichts davon; die Sitzung verläuft im Ganzen ruhig, das Ministerium geht mit einer leisen Mißbilligung über die Stellen hinweg, welche den inneren Zustand Frankreichs betreffen, und spricht
unter dem Beifalle der Versammlung seine lebhafte Freude aus
über die „friedlichen und freundschaftlichen Eröffnungen des Kai-

---

[*]) So sagen z. B. die Mémoires d'un homme d'état I. 198.

fers."*) Der diplomatische Ausschuß der Versammlung aber ist
nichts weniger als aufgeregt und es dauert über eine Woche, bis
die Jacobiner im Stande sind, die Note in ihrem Sinne auszubeuten. Man sah also in Paris die Erklärung vom 17. Febr.
nicht anders an, als sie Leopold II. betrachtet wissen wollte; sie
trug so wenig an der Kriegslust der Franzosen Schuld, wie später
das bekannte Manifest an ihrem nationalen Aufschwung. Aber
der Zustand von Paris war allerdings so unberechenbar geworden,
die Partei des Kriegs und der Bewegung so rührig und unbedenklich in ihren Mitteln, der Royalismus so ohnmächtig, die
Constitutionellen so rathlos und kurzsichtig, daß der Krieg doch
mit jedem Tage wahrscheinlicher ward, auch wenn der Wiener Hof
sich zu den furchtsamsten Erklärungen verstanden hätte.

An demselben Tage (1. März), wo der Nationalversammlung
die letzte Note vorgelegt ward, war Leopold II. ebenso rasch wie
unerwartet gestorben; es war begreiflich, daß man in der aufgeregten Zeit an Vergiftung denken konnte, während eine andere
Ueberlieferung jener Tage den schnellen Tod dem übermäßigen Genuß sinnlicher Reizmittel Schuld gab.**) Die Kürze der Regierung Leopolds und der stürmische Drang der Zeiten, die zunächst
folgten, sind Ursache gewesen, daß der Eindruck im Ganzen weniger tief ging, als es sonst wohl der Fall gewesen wäre. Man
lernte diesen feinen, florentinischen Politiker, der mit seiner geschmeidigen Consequenz, seinem kalten Blute und seiner Mäßigung
so rasch die schlimmsten Niederlagen gut gemacht, die Josephs II.
heißblütige Staatskunst Oesterreich bereitet, erst dann recht schätzen,
als bittere Erfahrungen zeigten, wie wenig er ersetzt war. Für
die deutsche und europäische Weltlage war der Tod insofern von

---

*) S. Moniteur von 1792 No. 63.

**) Der Bericht des Wiener Cabinets an den deutschen Reichstag schilderte
die letzten Tage L.'s mit den Worten: S. M. l'Empereur fut surpris le 28. fevrier d'une fièvre rhumatique avec attaque de la poitrine; on s'opposa d'abord
à la violence du mal avec les saignées et les remèdes nécessaires. Le 29. fevrier la fièvre augmenta. On saigna trois fois avec quelque soulagement; mais
la nuit suivante était bien inquiete et abattait beaucoup les forces. Le 1. mars
l'Empereur commença à vomir avec des horribles agitations et rendait tout ce
qu'il prenait. A trois heures et demie après midi en vomissant il expira. Aus
der Reichstagscorrespondenz.

Bedeutung, als damit eine der letzten Stützen des Friedens zusammenbrach; dies Gefühl sprach sich am bezeichnendsten in der
schlecht verhehlten Schadenfreude aus, womit die französische Emigration die Todesbotschaft aufnahm.   Der vierundzwanzigjährige Nachfolger, Erzherzog Franz, noch ohne politische Erfahrung
und von mittelmäßigen Leuten umgeben, ließ sich wahrscheinlich
leichter von der kriegerischen Strömung des Tages lenken, als der
Vater; wir erinnern uns ja, daß der preußische General, der die
Kriegsplane verabreden sollte, bei ihm weitaus die freundlichste
Aufnahme fand und daß schon damals der Thronfolger den Widerwillen gegen die neue preußische Allianz nicht theilte, der bei
den Anhängern der überlieferten österreichischen Politik so natürlich
war und von dem sich wohl auch Leopold nicht ganz frei wußte.

Inzwischen war in Paris die Partei, welche durch den Krieg
den Triumph der Demokratie zu erreichen hoffte, mit ihrem Plane
ins Reine gekommen: das noch monarchisch gesinnte Ministerium
sollte gestürzt, die Kriegserklärung gegen Oesterreich durch Erhitzung
der Leidenschaften im Sturme erlangt werden.   Der diplomatische
Ausschuß der Versammlung zeigte sich in seiner Mehrheit nicht
geneigt, der Exaltation der Clubs zu dienen; drum rüstete sich die
Gironde zu einem Hauptschlage.   Neun Tage, nachdem die Versammlung den Bericht des Ministers vernommen und den Frie-
benshoffnungen, die er an Leopolds letzte Erklärung geknüpft,
Beifall zugerufen, bestieg Brissot die Rednerbühne, um durch ein
Anklagedecret Delessarts das Ministerium zu sprengen und einer
jacobinischen Verwaltung den Weg zu bahnen.   In einer Advocatenrede voll Uebertreibungen und Trugschlüssen, die aber für
ihren Zweck meisterhaft berechnet war, wußte er darzuthun, wie
Leopold schon seit Jahresfrist gegen Frankreich thätig gewesen, wie
sein Verein mit den europäischen Mächten nur eine schlecht verhüllte Verschwörung gegen die französische Nation sei und der
Minister Delessart dem Allem gegenüber eine Haltung eingenommen, welche die Anklage auf Hochverrath rechtfertige.   Alle die
Künste demagogischer Verdächtigung und Verdrehung der Thatsachen, worin der Jacobinismus jetzt und nachher sich als Meister
bewies, waren in dieser Rede angewendet; sie und die Verhandlung, in welcher die Girondisten das große Wort führten, war
ein rechtes Muster der Taktik, welcher ein Jahr später die Partei

selbst verdienter Maßen erlegen ist. Die Anklage gegen Deleffart ward in tumultuarischer Eile durchgesetzt, das monarchische Mi= nisterium dadurch gesprengt und dem König ein Ministerrath von jacobinischer Färbung aufgedrungen. Die Leitung der auswärtigen Angelegenheiten in dem neuen Cabinet fiel an Dumouriez, einen äußerst fähigen aber durchaus grundsatzlosen Intriguanten, der es in diesem Augenblick seinem Interesse gemäß fand, mit der Gironde und ihren Kriegsagitationen gemeinschaftliche Sache zu machen. Er vertauschte sogleich die friedfertige und vermittelnde Sprache, wofür man seinen Vorgänger vor Gericht gestellt, mit jenem bar= schen, trotzigen und kurz angebundenen Tone, der wohl in der Diplomatie ungewohnt war, aber dem Geschmack der Clubs und Tribünenredner um so besser mundete. Noch am 18. März hatte Kaunitz dem französischen Gesandten in Wien eine Erklärung ge= geben, welche über die Linie der früheren Aeußerungen nicht hin= ausging; an dem nämlichen Tage richtete Dumouriez eine Eröff= nung nach Wien, die zuerst jenen gebieterischen Ton anschlug. Eine zweite Note vom 27. März verlangte eine „categorische Ant= wort"; der Wiener Hof müsse, wenn er Frieden haben wolle, alle Verträge auflösen, die er ohne Frankreichs Vorwissen und in feind= seliger Absicht gegen dasselbe abgeschlossen, auch die Truppen ohne Säumen zurückziehen. „Wenn diese Erklärung, hieß es wörtlich, nicht durchaus rasch und unumwunden erfolgt, so wird der Kö= nig nach Ankunft des nächsten Couriers den Krieg als erklärt be= trachten und die ganze Nation, die nach einer raschen Entschei= dung seufzt, wird ihn mächtig unterstützen. Versuchen Sie diese Unterhandlung, wie es auch sei, vor dem 15. April zu beendigen. Wenn wir von jetzt bis dahin hören, daß die Truppenzüge an unserer Gränze fortdauern und sich mehren, dann wird es uns nicht mehr möglich sein, den gerechten Unwillen einer stolzen und freien Nation zurückzuhalten, die man zu erniedrigen, einzuschüchtern und hinzuhalten sucht, bis alle Vorbereitungen zum Angriff fertig sind."*) Ein Brief in ähnlichem Sinne, den man Ludwig XVI. hatte schreiben lassen, ward gleichzeitig durch einen besonderen Ab= gesandten nach Wien gebracht.

---

*) Die angeführten Actenstücke f. bei Reuß, Bd. XXXVI. S. 220 und Moniteur de 1792 no. 109.

Wäre Leopold II. noch am Leben gewesen, selbst er hätte es
schwerlich noch vermocht, diesem kriegslustigen Drängen gegenüber
seine friedfertige Haltung zu bewahren; wie viel weniger sein Nachfolger, für den manche Bedenken, die auf den Vater gewirkt, nicht
vorhanden waren! Die Erklärungen, die Graf Cobenzl als Antwort auf das Dumouriezsche Ultimatum am 4. April ertheilte,
waren im Tone gemäßigt: aber ihr Inhalt ließ nach der Lage, wie
sie in Paris war, keine Aussicht mehr auf friedliche Ausgleichung.
Wenn Oesterreich entwaffnen und sein Einverständniß mit den anderen Mächten auflösen sollte — so lautete der Bescheid des österreichischen Ministers — so müsse Frankreich für's Erste die beeinträchtigten deutschen Reichsfürsten befriedigen, dann dem Papst
wegen Avignon Genugthuung geben und endlich im Innern Einrichtungen treffen, „die der Regierung hinlängliche Macht gäben,
Alles zu unterdrücken, was die anderen Staaten beunruhigen
könnte.“ Im Uebrigen berief man sich auf die früheren Erklärungen, zunächst die vom 18. März.*)

Schwerlich hatten Dumouriez und seine Freunde etwas Anderes erwartet und gewünscht, als sie den hohen Ton ihrer letzten
Erklärungen anschlugen; sie wollten die zögernden Bedenken, die
in Wien immer noch vom Kriege abmahnten, durch ungestümen
Trotz überwältigen und der österreichischen Politik keine Wahl mehr
lassen, als die zwischen Krieg und schmachvoller Nachgiebigkeit.
Nun, da man in Wien zur letzteren sich nicht hatte entschließen
können, war die Kriegspartei in Paris auf's Eifrigste bemüht, den
rührig vorbereiteten Bruch zu beschleunigen. Am 20. April erschien Ludwig XVI. in der Nationalversammlung mit dem Antrag,
den Krieg an den König Franz von Böhmen und Ungarn zu erklären, und die Versammlung beeilte sich, tumultuarisch und wie
berauscht, ohne Prüfung und ohne eigentliche Debatte, den Krieg
zu beschließen.

Wir kennen kaum ein Beispiel in der Geschichte, wo selbst ein
kleiner Kampf mit solch unüberlegter, leichtfertiger Hast entschieden worden wäre, wie es hier der Fall mit einem Kriege war, der
fast ein Menschenalter die Geschichte der Welt ausgefüllt hat. Es
gehörte der ererbte französische Leichtsinn und die blinde Hitze des

---

*) S. Moniteur No. 111.

Parteigeistes dazu, um ohne Geld, ohne Armeen, ohne Vorräthe, mitten in der wildesten inneren Zerrüttung einen Fehdehandschuh hinzuwerfen, den, wie man sich wohl sagen konnte, ohne Zweifel nicht Oesterreich allein aufnehmen würde. Aber seltsamer Weise meinte jede der verschiedenen Parteien in Frankreich ihr Ziel auf diesem Wege zu erreichen, auch wenn dabei jede von einer anderen Berechnung ausging. Die Einen hofften im Kriege den Rest von monarchischen Formen abschütteln und auf den Trümmern des Thrones ihre papierene Republik aufrichten zu können, die Anderen sahen aus der Feuerprobe eines auswärtigen Kampfes eine neue Heeresmacht und im Bund mit ihr die militärische Dictatur hervorgehen, deren die innere Zerrüttung zu bedürfen schien. Ehrenwerthe Patrioten wünschten den Kampf, weil sie der tröstlichen Hoffnung lebten, ein gesunder Krieg werde die schwüle Atmosphäre reinigen und statt der schmutzigen und gemeinen Leidenschaften der Anarchie alle besseren zum Leben wecken; mit ihrem Wunsche stimmten wieder die gewissenlosesten Factionsleute überein, denen ihr Instinct sagte, daß eine furchtbare Krisis, wie die, welche man heraufbeschworen, anderer Menschen und anderer Mittel bedürfe, als Doctrinäre und Enthusiasten sie bieten können oder mögen. Im Hintergrunde aller dieser persönlichen Wünsche und Berechnungen wirkte freilich mächtig zu der Katastrophe der tiefe, unversöhnliche Gegensatz zwischen dem feudalen Europa und der Revolution, ein Gegensatz, dessen man sich auf beiden Seiten wohl bewußt war. Drum, so viele persönliche Beweggründe und Leidenschaften auf den Kriegsact vom 20. April 1792 auch hinwirkten und ihn beschleunigten, man kann doch nimmer glauben, daß es in der Macht irgend eines Menschen und seiner diplomatischen Geschmeidigkeit gelegen hätte, den früher oder später unvermeidlichen Bruch aufzuhalten. Es war die Idee einer europäischen Propaganda so sehr im Wesen und in den ersten Anfängen der Revolution begründet, daß unvermeidlich einmal der Zusammenstoß mit den alten feudalen Ordnungen Europas erfolgen mußte; constitutionell oder republikanisch eingerichtet, von einem revolutionären Club oder einem Militärdictator beherrscht, mußte das Frankreich von 1789 angreifend zu Werke gehen, wenn sich nicht etwa die alten Staaten Europas freiwillig und friedfertig der neuen Strömung von Westen unterwerfen sollten. Dieser inneren Nothwendigkeit der Dinge gegenüber waren alle jene Vorgänge dieſſeits, Pillniß wie Koblenz, nur von untergeordneter Bedeutung; die Revolution, wie ſie gleich am 4. Auguſt mit dem alten Staats- recht auch das alte Völkerrecht umwarf, verfuhr angreifend und mußte ſo verfahren, wenn ſie ihre innerſte Natur nicht verleugnen wollte. Der Congreß zu Pillniß, der öſterreichiſch-preußiſche Bund vom 7. Februar, ſelbſt die Emigration mit ihren Rüſtungen hat dazu im Verhältniß wenig beigetragen; aber ſie gaben willkom- menen Stoff an die Hand, auf der Tribüne, in der Preſſe und dem Club über die Kränkungen zu declamiren, welche der franzö- ſiſchen Nation und ihrer Ehre widerfahren ſeien.

Die Vorgänge, die wir zuletzt erzählt haben, berührten das deutſche Reich auf's allernächſte. Auch wenn ſeine geographiſche Lage ihm geſtattet hätte, bei dem brohenden europäiſchen Zuſam- menſtoß ruhiger Zuſchauer zu bleiben, ſo ließ ihm das politiſche Verhältniß, in dem es ſich befand, keine Wahl zwiſchen Krieg und Frieden. Es war gleich nach dem Tode Leopolds Niemandem zweifelhaft, daß König Franz von Böhmen und Ungarn deſſen Nachfolger in der Kaiſerwürde ſein werde; ſeine Erwählung machte es unvermeidlich, in den Krieg einzutreten, zumal der ſeltene Fall vorlag, daß beide deutſche Großmächte, diesmal durch eine Allianz verbunden, den Kampf gegen die Revolution gemeinſam aufzuneh- men entſchloſſen ſchienen. Der Gegenſtand des Kampfes ſelbſt berührte aber das Reich noch näher, als Oeſterreich; gegen ſeine überlie- ferte feudale Ordnung mußte der Angriff der Revolution ſich faſt zuerſt wenden und die Beeinträchtigung der einzelnen Fürſten war nur ein kleines Vorſpiel von dem, was bevorſtand, wenn die ſieg- reiche Revolution einmal die franzöſiſchen Gränzen überſchritt. Die Lebhaftigkeit, womit der Reichstag jene Beſchwerden behan- delt hatte, zeigte klar, daß ein großer Theil des Reiches ſich be- reits zu einer Zeit als beleidigt anſah, wo Oeſterreich und Leo- pold II. die Ausſicht einer friedlichen Vermittlung noch nicht auf- gegeben hatten.

Der Tod des Kaiſers war in einem Augenblicke erfolgt, wo die Geſammtheit der Lage ſchon den nahen Bruch erwarten ließ. Unter dem Eindruck dieſer Nachricht und der übrigen Ereigniſſe

nichts mehr am Herzen liege, als die Ruhe und Wohlfahrt Deutschlands fortdauern zu sehen, und da Sie diesen Gegenstand als
einen der vorzüglichsten Endzwecke ihrer Vereinigung betrachten,
für die Aufrechterhaltung der deutschen Constitution in ihrer ganzen Integrität, so wie sie durch die Gesetze und vorausgegangenen
Tractate festgesetzt worden, sorgfältig zu wachen."

Auch dies Bündniß hatte noch keinen herausfordernden Charakter und sollte ihn nach Leopolds Absicht auch nicht haben. Davon zeugt die Erklärung, die er wenige Tage nach dem Abschluß,
am 17. Febr., als Antwort auf die Aeußerungen vom Januar,
an die französische Regierung abgehen ließ. Die Deutung, die
man in Frankreich seinen früheren Schritten gegeben, war darin
mit Thatsachen zurückgewiesen und der Wahrheit gemäß hervorgehoben, wie er sich nur unablässig bemüht, einerseits die Rüstungen der Emigranten abzustellen, andererseits jeden Act der
Gewalt vom deutschen Reichsgebiete abzuwehren. Was den beabsichtigten Congreß der europäischen Mächte anging, der in den
Januardebatten soviel Sturm auf der Tribüne der Nationalversammlung erregt, so erinnerte die kaiserliche Note an die Lage des
Königs seit seiner Gefangennehmung bis zur Vollendung der Constitution, durch welche allein ein solcher Plan hervorgerufen und
gerechtfertigt worden war. Seit der Annahme der Verfassung habe
jener Verein des Kaisers mit den Mächten nur noch eventuell bestanden und auch dies nur aus Gründen, welche in den inneren
Zuständen Frankreichs gelegen seien. Die zunehmenden Symptome
von Unsicherheit und Gährung, welche der königlichen Familie ein
ähnliches Schicksal, wie früher, zu bereiten drohten, Symptome,
die wohl nicht den Rüstungen der Emigranten, sondern dem zunehmenden Einflusse der republikanischen Partei zuzuschreiben seien,
die Gräuelscenen, welche die nämliche Partei verschuldet, der künstlich angefachte Kriegslärm, den eben diese Faction zu unterhalten
suche, weil sie durch die Rückkehr von Ruhe und Ordnung ihren
politischen Einfluß gefährdet sehe, die herausfordernden Reden und
Rüstungen, womit man, wie es scheine, das Ausland zum Krieg

---

un corps de 15,000 hommes d'Infanterie et 5000 hommes de Cavallerie. Nach
einem anderen Artikel sollten Rußland, die Seemächte und Sachsen zum Beitritt eingeladen werden. S. Martens, Supplement au Recueil T. II. 172 ff.

zu reizen wünsche, Beschlüsse, wie der vom 25. Januar, unter
dem Einfluß jener Partei gefaßt, dies Alles sei Grund genug für
das Ausland, den inneren Zustand Frankreichs nicht für so gün=
stig anzusehen, wie die Noten des französischen Ministeriums.
Gleichwol werde der Kaiser sich aus seiner gemäßigten Haltung
nicht verdrängen lassen, zumal er die Ueberzeugung hege, daß die
Mehrheit der Nation diesen und ähnlichen Vorgängen fremd sei.
Eine Note von Kaunitz, welche dieser Staatsschrift beigegeben war,
zeichnete die jacobinische Partei sammt ihrem Treiben noch schärfer
und nannte sie geradezu bei ihrem Namen; ob der gesetzwidrige
Einfluß dieser Secte über Gerechtigkeit, Wahrheit und das öffent=
liche Wohl der Nation den Sieg davontragen werde, das sei die
Frage, von deren Beantwortung alle anderen abhingen.

Es fragt sich, ob es in diesem Augenblick von Leopold, der
den Frieden ernstlich wollte, geschickt gehandelt war, durch diese
Ausfälle Oel ins Feuer zu gießen und die peinliche Lage des Kö=
nigs zu verschlimmern; auch war diese Art von politischer Lection
über die innere Lage eines anderen Staates ungewöhnlich. Aber
die Thatsachen, auf die er anspielte, waren unzweifelhaft wahr.
Daß daher die Jacobiner murrten, wie sie sich und ihre Künste so treu
geschildert sahen, daß ein Mensch, wie Bazire, die kaiserliche Erklä=
rung ein „Pamphlet" nannte, und daß die Kriegsagitatoren in
den Clubs und der Presse die Erklärung in ihrer Weise ausbeu=
teten, das Alles war sehr begreiflich; die Wahrheiten, die Leopold
aussprach, gingen zu sehr ins Fleisch, als daß die Getroffenen
nicht hätten aufschreien sollen. Aber auch in die Geschichtschrei=
ber ist, wie auf Verabredung, die Sage übergegangen und selbst
die Emigrantenliteratur hat mit eingestimmt, daß der „nationale
Stolz in Frankreich sich empört habe gegen die drohenden Rath=
schläge des Auslands."*) Wir finden in den Verhandlungen des
Tages, wo jene Actenstücke der Versammlung mitgetheilt wurden,
nichts davon; die Sitzung verläuft im Ganzen ruhig, das Mini=
sterium geht mit einer leisen Mißbilligung über die Stellen hin=
weg, welche den inneren Zustand Frankreichs betreffen, und spricht
unter dem Beifalle der Versammlung seine lebhafte Freude aus
über die „friedlichen und freundschaftlichen Eröffnungen des Kai=

---

*) So sagen z. B. die Mémoires d'un homme d'état I. 198.

fers."*) Der biplomatische Ausschuß der Versammlung aber ist
nichts weniger als aufgeregt und es dauert über eine Woche, bis
die Jacobiner im Stande sind, die Note in ihrem Sinne auszubeuten. Man sah also in Paris die Erklärung vom 17. Febr.
nicht anders an, als sie Leopold II. betrachtet wissen wollte; sie
trug so wenig an der Kriegslust der Franzosen Schuld, wie später
das bekannte Manifest an ihrem nationalen Aufschwung. Aber
der Zustand von Paris war allerdings so unberechenbar geworden,
die Partei des Kriegs und der Bewegung so rührig und unbedenklich in ihren Mitteln, der Royalismus so ohnmächtig, die
Constitutionellen so rathlos und kurzsichtig, daß der Krieg doch
mit jedem Tage wahrscheinlicher ward, auch wenn der Wiener Hof
sich zu den furchtsamsten Erklärungen verstanden hätte.

An demselben Tage (1. März), wo der Nationalversammlung
die letzte Note vorgelegt ward, war Leopold II. ebenso rasch wie
unerwartet gestorben; es war begreiflich, daß man in der aufgeregten Zeit an Vergiftung denken konnte, während eine andere
Ueberlieferung jener Tage den schnellen Tod dem übermäßigen Genuß sinnlicher Reizmittel Schuld gab.**) Die Kürze der Regierung Leopolds und der stürmische Drang der Zeiten, die zunächst
folgten, sind Ursache gewesen, daß der Eindruck im Ganzen weniger tief ging, als es sonst wohl der Fall gewesen wäre. Man
lernte diesen feinen, florentinischen Politiker, der mit seiner geschmeidigen Consequenz, seinem kalten Blute und seiner Mäßigung
so rasch die schlimmsten Niederlagen gut gemacht, die Josephs II.
heißblütige Staatskunst Oesterreich bereitet, erst dann recht schätzen,
als bittere Erfahrungen zeigten, wie wenig er ersetzt war. Für
die deutsche und europäische Weltlage war der Tod insofern von

---

*) S. Moniteur von 1792 No. 63.

**) Der Bericht des Wiener Cabinets an den deutschen Reichstag schildert
die letzten Tage L.'s mit den Worten: S. M. l'Empereur fut surpris le 28. fevrier d'une fièvre rhumatique avec attaque de la poitrine; on s'opposa d'abord
à la violence du mal avec les saignées et les remèdes nécessaires. Le 29. fevrier la fièvre augmenta. On saigna trois fois avec quelque soulagement; mais
la nuit suivante était bien inquiete et abattait beaucoup les forces. Le 1. mars
l'Empereur commença à vomir avec des horribles agitations et rendait tout ce
qu'il prenait. A trois heures et demie apres midi en vomissant il expira. Aus
der Reichstagscorrespondenz.

Bedeutung, als damit eine der letzten Stützen des Friedens zu=
sammenbrach; dies Gefühl sprach sich am bezeichnendsten in der
schlecht verhehlten Schadenfreude aus, womit die französische Emi=
gration die Todesbotschaft aufnahm. Der vierundzwanzigjäh=
rige Nachfolger, Erzherzog Franz, noch ohne politische Erfahrung
und von mittelmäßigen Leuten umgeben, ließ sich wahrscheinlich
leichter von der kriegerischen Strömung des Tages lenken, als der
Vater; wir erinnern uns ja, daß der preußische General, der die
Kriegspläne verabreden sollte, bei ihm weitaus die freundlichste
Aufnahme fand und daß schon damals der Thronfolger den Wi=
derwillen gegen die neue preußische Allianz nicht theilte, der bei
den Anhängern der überlieferten österreichischen Politik so natürlich
war und von dem sich wohl auch Leopold nicht ganz frei wußte.

Inzwischen war in Paris die Partei, welche durch den Krieg
den Triumph der Demokratie zu erreichen hoffte, mit ihrem Plane
ins Reine gekommen: das noch monarchisch gesinnte Ministerium
sollte gestürzt, die Kriegserklärung gegen Oesterreich durch Erhitzung
der Leidenschaften im Sturme erlangt werden. Der diplomatische
Ausschuß der Versammlung zeigte sich in seiner Mehrheit nicht
geneigt, der Exaltation der Clubs zu dienen; drum rüstete sich die
Gironde zu einem Hauptschlage. Neun Tage, nachdem die Ver=
sammlung den Bericht des Ministers vernommen und den Frie=
benshoffnungen, die er an Leopolds letzte Erklärung geknüpft,
Beifall zugerufen, bestieg Brissot die Rednerbühne, um durch ein
Anklagedecret Delessarts das Ministerium zu sprengen und einer
jacobinischen Verwaltung den Weg zu bahnen. In einer Advo=
catenrede voll Uebertreibungen und Trugschlüssen, die aber für
ihren Zweck meisterhaft berechnet war, wußte er darzuthun, wie
Leopold schon seit Jahresfrist gegen Frankreich thätig gewesen, wie
sein Verein mit den europäischen Mächten nur eine schlecht ver=
hüllte Verschwörung gegen die französische Nation sei und der
Minister Delessart dem Allem gegenüber eine Haltung eingenom=
men, welche die Anklage auf Hochverrath rechtfertige. Alle die
Künste demagogischer Verdächtigung und Verdrehung der That=
sachen, worin der Jacobinismus jetzt und nachher sich als Meister
bewies, waren in dieser Rede angewendet; sie und die Verhand=
lung, in welcher die Girondisten das große Wort führten, war
ein rechtes Muster der Taktik, welcher ein Jahr später die Partei

selbst verdienter Maßen erlegen ist. Die Anklage gegen Deleſſart
ward in tumultuariſcher Eile durchgeſetzt, das monarchiſche Mi=
niſterium dadurch geſprengt und dem König ein Miniſterrath von
jacobiniſcher Färbung aufgedrungen. Die Leitung der auswärtigen
Angelegenheiten in dem neuen Cabinet fiel an Dumouriez, einen
äußerſt fähigen aber durchaus grundſatzloſen Intriguanten, der es
in dieſem Augenblick ſeinem Intereſſe gemäß fand, mit der Gironde
und ihren Kriegsagitationen gemeinſchaftliche Sache zu machen.
Er vertauſchte ſogleich die friedfertige und vermittelnde Sprache,
wofür man ſeinen Vorgänger vor Gericht geſtellt, mit jenem bar=
ſchen, trotzigen und kurz angebundenen Tone, der wohl in der
Diplomatie ungewohnt war, aber dem Geſchmack der Clubs und
Tribünenredner um ſo beſſer mundete. Noch am 18. März hatte
Kaunitz dem franzöſiſchen Geſandten in Wien eine Erklärung ge=
geben, welche über die Linie der früheren Aeußerungen nicht hin=
ausging; an dem nämlichen Tage richtete Dumouriez eine Eröff=
nung nach Wien, die zuerſt jenen gebieteriſchen Ton anſchlug.
Eine zweite Note vom 27. März verlangte eine „categoriſche Ant=
wort“; der Wiener Hof müſſe, wenn er Frieden haben wolle, alle
Verträge auflöſen, die er ohne Frankreichs Vorwiſſen und in feind=
ſeliger Abſicht gegen daſſelbe abgeſchloſſen, auch die Truppen ohne
Säumen zurückziehen. „Wenn dieſe Erklärung, hieß es wörtlich,
nicht durchaus raſch und unumwunden erfolgt, ſo wird der Kö=
nig nach Ankunft des nächſten Couriers den Krieg als erklärt be=
trachten und die ganze Nation, die nach einer raſchen Entſchei=
dung ſeufzt, wird ihn mächtig unterſtützen. Verſuchen Sie dieſe
Unterhandlung, wie es auch ſei, vor dem 15. April zu beendigen.
Wenn wir von jetzt bis dahin hören, daß die Truppenzüge an
unſerer Gränze fortdauern und ſich mehren, dann wird es uns
nicht mehr möglich ſein, den gerechten Unwillen einer ſtolzen und
freien Nation zurückzuhalten, die man zu erniedrigen, einzuſchüchtern
und hinzuhalten ſucht, bis alle Vorbereitungen zum Angriff fertig
ſind.“*) Ein Brief in ähnlichem Sinne, den man Ludwig XVI.
hatte ſchreiben laſſen, ward gleichzeitig durch einen beſonderen Ab=
geſandten nach Wien gebracht.

―――――――――

*) Die angeführten Actenſtücke ſ. bei Reuß, Bd. XXXVI. S. 220 und
Moniteur de 1792 no. 109.

Wäre Leopold II. noch am Leben gewesen, selbst er hätte es schwerlich noch vermocht, diesem kriegslustigen Drängen gegenüber seine friedfertige Haltung zu bewahren; wie viel weniger sein Nachfolger, für den manche Bedenken, die auf den Vater gewirkt, nicht vorhanden waren! Die Erklärungen, die Graf Cobenzl als Antwort auf das Dumouriezsche Ultimatum am 4. April ertheilte, waren im Tone gemäßigt: aber ihr Inhalt ließ nach der Lage, wie sie in Paris war, keine Aussicht mehr auf friedliche Ausgleichung. Wenn Oesterreich entwaffnen und sein Einverständniß mit den anderen Mächten auflösen sollte — so lautete der Bescheid des österreichischen Ministers — so müsse Frankreich für's Erste die beeinträchtigten deutschen Reichsfürsten befriedigen, dann dem Papst wegen Avignon Genugthuung geben und endlich im Innern Einrichtungen treffen, „die der Regierung hinlängliche Macht gäben, Alles zu unterdrücken, was die anderen Staaten beunruhigen könnte." Im Uebrigen berief man sich auf die früheren Erklärungen, zunächst die vom 18. März.*)

Schwerlich hatten Dumouriez und seine Freunde etwas Anderes erwartet und gewünscht, als sie den hohen Ton ihrer letzten Erklärungen anschlugen; sie wollten die zögernden Bedenken, die in Wien immer noch vom Kriege abmahnten, durch ungestümen Trotz überwältigen und der österreichischen Politik keine Wahl mehr lassen, als die zwischen Krieg und schmachvoller Nachgiebigkeit. Nun, da man in Wien zur letzteren sich nicht hatte entschließen können, war die Kriegspartei in Paris auf's Eifrigste bemüht, den rührig vorbereiteten Bruch zu beschleunigen. Am 20. April erschien Ludwig XVI. in der Nationalversammlung mit dem Antrag, den Krieg an den König Franz von Böhmen und Ungarn zu erklären, und die Versammlung beeilte sich, tumultuarisch und wie berauscht, ohne Prüfung und ohne eigentliche Debatte, den Krieg zu beschließen.

Wir kennen kaum ein Beispiel in der Geschichte, wo selbst ein kleiner Kampf mit solch unüberlegter, leichtfertiger Hast entschieden worden wäre, wie es hier der Fall mit einem Kriege war, der fast ein Menschenalter die Geschichte der Welt ausgefüllt hat. Es gehörte der ererbte französische Leichtsinn und die blinde Hitze des

---

*) S. Moniteur No. 111.

Parteigeistes dazu, um ohne Geld, ohne Armeen, ohne Vorräthe, mitten in der wildesten inneren Zerrüttung einen Fehdehandschuh hinzuwerfen, den, wie man sich wohl sagen konnte, ohne Zweifel nicht Oesterreich allein aufnehmen würde. Aber seltsamer Weise meinte jede der verschiedenen Parteien in Frankreich ihr Ziel auf diesem Wege zu erreichen, auch wenn dabei jede von einer anderen Berechnung ausging. Die Einen hofften im Kriege den Rest von monarchischen Formen abschütteln und auf den Trümmern des Thrones ihre papierene Republik aufrichten zu können, die Anderen sahen aus der Feuerprobe eines auswärtigen Kampfes eine neue Heeresmacht und im Bund mit ihr die militärische Dictatur hervorgehen, deren die innere Zerrüttung zu bedürfen schien. Ehrenwerthe Patrioten wünschten den Kampf, weil sie der tröstlichen Hoffnung lebten, ein gesunder Krieg werde die schwüle Atmosphäre reinigen und statt der schmutzigen und gemeinen Leidenschaften der Anarchie alle besseren zum Leben wecken; mit ihrem Wunsche stimmten wieder die gewissenlosesten Factionsleute überein, denen ihr Instinct sagte, daß eine furchtbare Krisis, wie die, welche man heraufbeschworen, anderer Menschen und anderer Mittel bedürfe, als Doctrinäre und Enthusiasten sie bieten können oder mögen. Im Hintergrunde aller dieser persönlichen Wünsche und Berechnungen wirkte freilich mächtig zu der Katastrophe der tiefe, unversöhnliche Gegensatz zwischen dem feudalen Europa und der Revolution, ein Gegensatz, dessen man sich auf beiden Seiten wohl bewußt war. Drum, so viele persönliche Beweggründe und Leidenschaften auf den Kriegsact vom 20. April 1792 auch hinwirkten und ihn beschleunigten, man kann doch nimmer glauben, daß es in der Macht irgend eines Menschen und seiner diplomatischen Geschmeidigkeit gelegen hätte, den früher oder später unvermeidlichen Bruch aufzuhalten. Es war die Idee einer europäischen Propaganda so sehr im Wesen und in den ersten Anfängen der Revolution begründet, daß unvermeidlich einmal der Zusammenstoß mit den alten feudalen Ordnungen Europas erfolgen mußte; constitutionell oder republikanisch eingerichtet, von einem revolutionären Club oder einem Militärdictator beherrscht, mußte das Frankreich von 1789 angreifend zu Werke gehen, wenn sich nicht etwa die alten Staaten Europas freiwillig und friedfertig der neuen Strömung von Westen unterwerfen sollten. Dieser inneren Noth-

wendigkeit der Dinge gegenüber waren alle jene Vorgänge diesseits,
Pillnitz wie Koblenz, nur von untergeordneter Bedeutung; die
Revolution, wie sie gleich am 4. August mit dem alten Staats=
recht auch das alte Völkerrecht umwarf, verfuhr angreifend und
mußte so verfahren, wenn sie ihre innerste Natur nicht verleugnen
wollte. Der Congreß zu Pillnitz, der österreichisch=preußische Bund
vom 7. Februar, selbst die Emigration mit ihren Rüstungen hat
dazu im Verhältniß wenig beigetragen; aber sie gaben willkom=
menen Stoff an die Hand, auf der Tribüne, in der Presse und
dem Club über die Kränkungen zu beclamiren, welche der franzö=
sischen Nation und ihrer Ehre widerfahren seien.

————

Die Vorgänge, die wir zuletzt erzählt haben, berührten das
deutsche Reich auf's allernächste. Auch wenn seine geographische
Lage ihm gestattet hätte, bei dem drohenden europäischen Zusam=
menstoß ruhiger Zuschauer zu bleiben, so ließ ihm das politische
Verhältniß, in dem es sich befand, keine Wahl zwischen Krieg und
Frieden. Es war gleich nach dem Tode Leopolds Niemandem
zweifelhaft, daß König Franz von Böhmen und Ungarn dessen
Nachfolger in der Kaiserwürde sein werde; seine Erwählung machte
es unvermeidlich, in den Krieg einzutreten, zumal der seltene Fall
vorlag, daß beide deutsche Großmächte, diesmal durch eine Allianz
verbunden, den Kampf gegen die Revolution gemeinsam aufzuneh=
men entschlossen schienen. Der Gegenstand des Kampfes selbst berührte
aber das Reich noch näher, als Oesterreich; gegen seine überlie=
ferte feudale Ordnung mußte der Angriff der Revolution sich fast
zuerst wenden und die Beeinträchtigung der einzelnen Fürsten war
nur ein kleines Vorspiel von dem, was bevorstand, wenn die sieg=
reiche Revolution einmal die französischen Gränzen überschritt.
Die Lebhaftigkeit, womit der Reichstag jene Beschwerden behan=
delt hatte, zeigte klar, daß ein großer Theil des Reiches sich be=
reits zu einer Zeit als beleidigt ansah, wo Oesterreich und Leo=
pold II. die Aussicht einer friedlichen Vermittlung noch nicht auf=
gegeben hatten.

Der Tod des Kaisers war in einem Augenblicke erfolgt, wo
die Gesammtheit der Lage schon den nahen Bruch erwarten ließ.
Unter dem Eindruck dieser Nachricht und der übrigen Ereignisse

fühlte sich selbst die so schwerfällige Maschine des Reichstages zu
Regensburg zu einer ungewohnten Regsamkeit angespornt. Oesterreich konnte nun mit dem Antrag hervortreten, bei „den jetzigen
kritischen Umständen" den Wahltag schnell und ohne große Kosten
in Regensburg abzuhalten, und wenn auch Kurmainz, ohne Rücksicht auf den Vorschlag, die Wahl wie gewöhnlich nach Frankfurt anberaumte, so war doch in allem Uebrigen das löbliche Bestreben sichtbar, der leidigen Pedanterie in Formen und Ceremonien diesmal engere Gränzen zu ziehen. Kurmainz selbst beantragte die Wahl zu beschleunigen, die Zahl der Gesandten, die
Festlichkeiten und Formen abzukürzen, sich mit der Wahlcapitulation kurz zu fassen, und diese Anträge fanden Beifall. Ein
Streit, der zwei Jahre zuvor die Zeit des Interregnums in sehr
widerwärtiger Weise ausgefüllt — das Verhältniß der Reichsvi-
carien zum Reichstage — fand diesmal eine raschere Erledigung.
Es galt schon für ein gutes Zeichen, daß Pfalzbaiern jetzt in seinen Ausschreiben die Titulaturen nach dem Wunsche der Reichsstände feststellte und dadurch eine Quelle unsäglichen Zankes abschnitt; auf der anderen Seite thaten die Kurstimmen von Brandenburg und Braunschweig einen verständigen Schritt, indem sie,
um die Frage vom Verhältniß der Reichsverweser zum Reichstage
schnell zu lösen, mit dem Antrag hervortraten, die beiden Vicarien sollten einen Principalcommissarius ernennen und unter dessen Leitung dann auch während des Interregnums die Reichs-
tagsgeschäfte fortgesetzt werden. Damit wäre denn der vielbespro-
chene Zweifel gelöst gewesen, ob und wie der Reichstag ohne
Reichsoberhaupt thätig sein könne? Wohl fehlte es auch jetzt nicht
an mannigfaltigen Schwierigkeiten und ohne weitläufige Schreibereien ging die Sache nicht ab; Oesterreich sah eine solche Per-
manenz des Reichstages ungern, ein Theil der Reichsstände beharrte in eigensinniger Opposition gegen das Ansinnen, den Reichstag von den Vicarien geleitet zu sehen, und die Reichsverweser
selbst waren wegen der Titulatur nicht ganz unbesorgt, wollten
sich auch das Recht vorbehalten, Beschlüsse, die ihnen bedenklich
schienen, zu suspendiren. Aber man kam bei allem dem doch einmal zum Ende; Oesterreich ließ das Unangenehme geschehen *),

---

*) In einem Rescript von König Franz an Kursachsen (d. d. 28. April)

die Reichsverweser einigten sich in leiblich kurzer Zeit und am
18. Mai konnte der zum Principalcommissarius ernannte Bischof
von Freisingen, unter der stillschweigenden Opposition einer kleinen Minderheit, sein Amt antreten. So ward noch vor der letzten
deutschen Kaiserwahl eine vielbestrittene Frage entschieden, deren
Erledigung freilich nur dies eine Mal eine praktische Bedeutung
hatte.

Indessen war der Krieg zwischen Oesterreich und Frankreich
unvermeidlich geworden; es mußte sich nun zeigen, ob die Wehrkraft des Reiches so groß war, wie die drohenden Reden, welche
bei der elsasser Entschädigungsdebatte gefallen waren. Oesterreich
und Preußen regten schon im April bei den vorderen Reichskreisen die Erneuerung einer Association an, wie sie wohl früher, z. B.
in der Zeit des spanischen Erbfolgekrieges, nicht ohne Nutzen gegründet worden war. Aber seit dieser Zeit war der Verfall aller
alten Reichsinstitute mächtig fortgeschritten und von den mittleren und kleineren Reichsständen — so stolz zum Theil ihre Reden in Regensburg geklungen — war keinerlei nennenswerthe
Hülfe zu erwarten; wo die Ohnmacht nicht die Schuld trug,
wirkte böser Wille mit. Das eine galt von den meisten Zwergstaaten der schwäbischen und rheinischen Kreise, die andere Erfahrung ward jetzt zunächst an Pfalzbaiern gemacht. Dumouriez
kannte seine Leute vortrefflich, wenn er gleichzeitig mit der Kriegserklärung in trotzigem Tone zu München eine kategorische Antwort darüber verlangte*): ob der Kurfürst der Coalition oder Association beigetreten sei? In diesem Falle würde man die pfälzischen Lande mit derselben Feindseligkeit behandeln, wie das Gebiet des Königs von Ungarn. Der Minister Karl Theodors erklärte: der Kurfürst wisse von keiner Association, noch weniger sei
er darum angegangen worden; er sei bisher bestrebt gewesen, mit
Frankreich in guter Harmonie zu bleiben, und wäre gesonnen, davon nicht abzugehen; nur wenn das deutsche Reich angegriffen
würde, müsse er als Reichsstand an den Vertheidigungsanstalten

---

heißt es: „Weit entfernt, die Vereinigung hierüber im Geringsten durch Parteilichkeit zu erschweren, haben wir unserem königlichen Comitialen aufgetragen,
sich hierüber ganz leidend zu verhalten." (Aus der angeführten Reichstagscorrespondenz.)

*) Nach der Reichstagscorrespondenz.

Theil nehmen. Am Reichstage aber überreichte Pfalzbaiern (6. Mai)
eine Vorstellung, die unter wortreichen Versicherungen patriotischen
Eifers eine Reihe von Bedenken gegen die kriegerische Rüstung
der vorderen Reichskreise erhob, ihre hülflose Lage schilderte und
zu erwägen gab, ob sie nicht in ihrer ausgesetzten Lage bei einer
Theilnahme am Kriege würden der gänzlichen Zerstörung unterworfen sein? Es war das erste Lebenszeichen der pfalzbaierischen
Neutralitätspolitik, die wir nachher durch alle Kriegsläufe werden
verfolgen können, und die es schon 1792 und 1793 zu einem
gewissen Einverständniß mit dem Reichsfeind gebracht hat. Für
jetzt fand jene Kundgebung noch eine sehr unwillkommene Aufnahme bei Oesterreich und Preußen; die Gesandten beider Mächte
erklärten mündlich dem Reichstage (12. Mai), sie würden das Gebiet aller bedrohten Reichsstände schützen, aber auch erwarten, daß
die Reichsstände schnell und thätig die schuldige Unterstützung leisteten. In welcher Weise diese Leistung erfolge, wolle man den
Einzelnen überlassen; wenn sie „ohne Verzögerung und redlich"
geschehe, werde sie immer willkommen sein. „Sollte man aber
gegen alle Erwartung die Frage aufwerfen, ob es sich um De-
fensionsanstalten für das ganze Reich, oder nur um Sicherstellung der österreichischen Provinzen handle, und würde ein Reichs-
kreis oder ein Reichsstand sich berechtigt glauben, eine solche Frage
auf eine Art zu beantworten, durch die er sich der Last der mit-
wirkenden Unterstützung zu unterziehen gedächte, so wäre dies allerdings höchst bedauerlich. Beide Höfe müßten es aber geschehen
lassen und würden dann Ihre Vertheidigungsanstalten auf die eigenen Provinzen und auf die der mit ihnen verbundenen Reichsstände beschränken. Wohl wären sie berechtigt nach dem Grundsatz zu handeln, wer nicht für uns ist, ist wider uns; allein weit
entfernt, die Verlegenheit dieser Reichsstände zu vermehren, würden sie sich herzlich freuen, wenn die von ihnen getrennten Reichsstände so glücklich sind, ein anderes Mittel zu finden, die bestehende Verfassung ihrer Länder vom Untergange zu retten und
sich vor den unabsehbar unglücklichen Folgen eines an den Gränzen wirklich ausgebrochenen Krieges sicherzustellen."

So sah es mit der Einheit und Wehrkraft des Reiches in
einem Augenblick aus, wo die Gelegenheit günstiger als je gegeben war, alte Unbilden durch neue Siege den Franzosen zu

vergelten. In Paris hatte man in unbeschreiblichem Leichtsinn zum Kriege gedrängt, während die Kassen leer waren, Handel und Industrie dem Ruin verfielen, der Credit verschwand, die nöthigsten Zurüstungen versäumt waren, die Ordnung und Zucht des alten Heeres sich vollends auflösten. Leichtfertig, wie man den Krieg beschlossen, ward er auch begonnen. In der trügerischen Hoffnung auf starke revolutionäre Sympathien in Belgien hatte Dumouriez den Plan entworfen, gleich nach der Kriegserklärung auch den Angriff zu beginnen und in den letzten Tagen des April Belgien zu überfallen. Ein Corps von etwa zwölftausend Mann sollte von Givet gegen Namur vorgehen, eine gleich starke Macht von Valenciennes auf Mons rücken, kleinere Abtheilungen Tournay und Furnes bedrängen. Am 29. April rückte Biron mit 12,000 Mann gegen Mons und stieß bei Jemappe auf ein österreichisches Corps von nicht einmal 4000 Mann; er wagte nicht anzugreifen, sondern trat am andern Morgen, sobald die Oesterreicher vorrückten, den Rückzug an, der durch die Verfolgung der Oesterreicher verlustvoll genug ward. Ebenfalls am 29. war Theobald Dillon mit 3000 Mann gegen Tournay vorgegangen, ließ sich aber von drei Bataillons und einigen Schwadronen Oesterreicher so in Angst jagen, daß er, ohne ein Gefecht zu liefern, in wilder Verwirrung nach Lille zurückfloh. Lafayettes Unternehmung nach Namur, zu der er sich am 30. in Bewegung gesetzt, unterblieb nach diesen Unfällen. Die Zuchtlosigkeit im Heere, die Unfähigkeit der Führer und das gegenseitige gerechte Mißtrauen, das Beide gegen einander erfüllte, hatte den schmachvollen Ausgang verschuldet; die Ermordung Dillons durch seine Soldaten krönte dann die Schande dieser Tage.

Dieser erste kriegerische Angriff der Revolution enthüllte den ganzen sträflichen Leichtsinn, womit die Tribunenredner und Clubmänner in Paris die Katastrophe des Kampfes heraufbeschworen hatten. Wenn jetzt das Reich in mäßiger Rüstung gewesen, wenn die Heereskraft Oesterreichs und Preußens so rasch, wie es Friedrich Wilhelm II. gewollt, an die Gränzen geführt worden wäre, statt daß durch Leopolds diplomatisches Zaudern die kostbarsten Zeitpunkte versäumt wurden, welchen Erfolg hätte ein Angriff haben müssen, der die nach Birons und Dillons Niederlagen völlig demoralisirte Armee in den Niederlanden traf! Es ist eine ganz

geläufige Meinung, den Plan eines Krieges gegen Frankreich im
Jahr 1792 als eine außerordentliche Vermessenheit anzusehen, beren verdiente Strafe dann der schlechte Erfolg gewesen; die Ge-
schichtschreibung der Franzosen hat es dabei nicht an den nöthigen Lobpreisungen eigenen Verdienstes fehlen lassen, und wir in
Deutschland haben dem in der Regel nachgebetet. Und doch liegt
die Ursache der Unfälle, die nun über Deutschland hereinbrachen,
viel weniger in dem Entschluß zum Kriege selbst, der ja auf unserer Seite kaum mehr ein freiwilliger war, als in der Art, wie
man den einmal beschlossenen Krieg führte. Was die politische
Ordnung des Reiches dazu beitrug, war wohl nicht gering anzuschlagen und auch so leicht und rasch nicht zu ändern; aber
auch von den noch vorhandenen Mitteln ward ein so unzeitiger
und unvollkommener Gebrauch gemacht, jetzt und später die kostbarsten Momente mit solchem Ungeschick versäumt, daß wohl die
Ansicht hat Geltung erlangen können, eben nur an der unwiderstehlichen Gewalt der Revolution und an der kriegerischen Unbesiegbarkeit der Franzosen habe der deutsche Angriff sich machtlos
gebrochen. Eine ganz vorurtheilslose Betrachtung zeigt das Gegentheil: jetzt im Frühjahr und Sommer 1792, und noch ein
Jahr nachher, war die Waffenmacht und Kriegskunst der alten
Staaten Mitteleuropas den Franzosen und ihrer Revolution völlig gewachsen und überlegen und es war nur die Schuld der
Führer und der angewandten Mittel, daß diese Ueberlegenheit im
Ganzen und im Einzelnen den Erfolg nicht gehabt hat, den sie
haben konnte. Im Sommer 1792 und 1793, gegenüber zerrütteten Armeen und vertrauenslosen Führern, bei voller Auflösung
der Staatsordnung, drohendem Bankerutt und der wildesten Entzweiung der Factionen war es durchaus kein abenteuerliches Beginnen, mit einem raschen und entschlossenen Schlage die weitere Entfaltung des revolutionären Angriffs zu erdrücken, während es nachher ungemein schwer geworden ist, die entfesselte, zum Bewußtsein
ihrer ganzen Macht gelangte, militärisch erprobte und wohlge-
schulte Kriegsmacht der Revolution zu besiegen.

Jenen ersten Weg mit aller Entschlossenheit einzuschlagen,
das gebot dem Reiche schon seine Selbsterhaltung; wir haben ja
gesehen, welche wunde Stellen es gerade im Süden und Westen
hatte, für die es jede Berührung mit der Propaganda von We-

ften scheuen mußte. Nur ein energischer Angriff konnte hindern, daß diese geistliche und weltliche Kleinstaaterei am Rhein nicht gleich dem erften Stoß der Revolution erlag; und war einmal ein gewaltsamer Riß in diese überlieferte, so künstlich verschlungene Ordnung der Dinge erfolgt, wer wollte sagen, wann die Zerrüttung und Auflösung ihr Ende fand! Indessen gleich in diesem ersten Augenblick, den man so trefflich hätte nützen können, waren sehr bezeichnende Wahrnehmungen zu machen: einmal ist die militärische Organisation des Reiches völlig in Erstarrung gerathen, dann machen einzelne Fürsten Miene, sich von der gemeinsamen Sache in furchtsamer Selbstsucht auszuschließen, und die beiden Großmächte selber, welchen die Mittel zur Action nicht fehlten, sind zu spät gerüstet und verlieren die kostbarste Gelegenheit. Diese Vorgänge im April und Mai 1792 geben im Kleinen einen Vorgeschmack von dem Gange des großen Kampfes, wie er nun bevorstand.

Dritter Abschnitt.

Der Feldzug in der Champagne (1792).

Seit Mitte Juni waren die Bevollmächtigten des Kurfürstenraths in Frankfurt versammelt, um die Wahl des letzten deutschen Kaisers vorzubereiten. Der Drang der Umstände kürzte Vieles ab, was zu anderen Zeiten weitläufige Verhandlungen verursacht hätte. Wohl fehlte es nicht an zahlreichen Wünschen und Bedenken, die in der neuen Wahlcapitulation eine Befriedigung erwarteten; aber es war nun die Zeit nicht, dem abzuhelfen. Die neue Handfeste blieb im Wesentlichen dieselbe, wie die Leopolds II., und man beschränkte sich darauf, einzelne Worte zu ändern oder wegzulassen. Am 5. Juli fand der feierliche Wahltag statt, und wie zu erwarten war, fiel die Wahl einstimmig auf König Franz von Ungarn und Böhmen. Noch einmal, wenn auch schon in beschränkterem Umfang, ward die Zurüstung byzantinisch-mittelalterlicher Ceremonien entfaltet, welche die Wahl und Krönung begleiteten; zum letzten Male übten die drei geistlichen Kurfürsten persönlich ihre Functionen, als der neue Kaiser Franz II. in Frankfurt eintraf und am 14. Juli — am Jahrestage des Bastillesturmes — nach allen Förmlichkeiten der goldenen Bulle sich salben und krönen ließ.

Mehr als auf die verlebten Feierlichkeiten in Frankfurt waren die Augen der Welt auf den großen Fürstencongreß gerichtet, der sich wenige Tage nach der Kaiserkrönung in Mainz versammelte. Ueber 50 fürstliche Personen, berichteten die Zeitungen der Zeit, gegen 100 Grafen und Marquis sammelten sich dort am

19., 20. und 21. Juli um den neuen Kaiser und seinen Verbün=
deten König Friedrich Wilhelm von Preußen; ein Fest folgte dem
andern, die alte monarchische und feudale Welt Mitteleuropas,
welcher die Demokraten in Paris den Tod geschworen, schien sich
wie zum Trotze hier noch einmal in aller Pracht entfalten zu wol=
len, bevor sie ihren Schlag mit dem Schwerte gegen die Revolu=
tion führte und den legitimen Thron der Bourbons wieder auf=
richtete. Denn daß dieser Kampf unmittelbar bevorstand, war
nun nicht mehr zweifelhaft.

Bevor wir dazu übergehen, ist es nothwendig, noch auf die
Vorgänge zwischen Oesterreich und Preußen zurückzukommen, un=
ter denen der Entschluß zum Kriege erfolgt war. Wie Oesterreich
bis zuletzt sich bemühte, dem gewaltsamen Bruche auszuweichen,
bis ihm die kriegerische Ungeduld des Jacobinerministeriums in
Frankreich keine Wahl mehr ließ, haben wir früher gesehen; die
letzten Begebenheiten hatten dann auch gezeigt, wie dies löbliche
Bemühen, der Kriegslust und Parteileidenschaft die Friedensliebe
und Besonnenheit entgegenzusetzen, den üblen Erfolg gehabt hat,
daß Deutschland in dem Augenblick noch ungerüstet stand, wo der
Sieg über die revolutionären Heere am wohlfeilsten zu erlan=
gen war.

In Preußen, erinnern wir uns, herrschte eine ganz andere
Meinung, und wäre es den Wünschen Friedrich Wilhelms II.
nachgegangen, so hätte die bewaffnete Invasion in Frankreich nicht
erst im Spätsommer 1792 begonnen. Wir kennen ja die Ungeduld
des preußischen Monarchen in seinem Wunsche, den französischen
Thron wieder aufzurichten, und wie manchen politischen Vortheil
er Oesterreich preisgegeben, um diesen Lieblingswunsch rascher er=
füllt zu sehen. Sein großmüthiger Sinn hatte daran so vielen
Antheil, wie der Wunsch, eine kriegerische Thätigkeit zu finden,
die Ruhm gewährte und nicht zu lange Zeit in Anspruch nahm;
es wirkte wohl auch die stille Hoffnung mit, für die peinlichen
Schwankungen und Rückzüge der auswärtigen Politik seit 1790
einen Trost und Ersatz zu finden, der die Erinnerungen von Rei=
chenbach und dem, was gefolgt war, verwischen konnte. Indeß
Leopold den Krieg immer nur als den letzten unerwünschten Aus=

I.   27

weg ansah, konnte Friedrich Wilhelm seine kriegerische Ungeduld kaum bemeistern, und während man in Wien die Emigranten geringschätzig bei Seite schob, waren sie es vorzugsweise, die in Berlin das Ohr des Königs hatten.

So ritterlich uneigennützig, wie der König den Kampf gegen die Revolution betrachtete, faßten ihn indessen in Preußen selbst die Allerwenigsten auf. Es lag seiner Anschauung eine royalistische Romantik zum Grunde, die seine eigene höfische Umgebung nicht zu würdigen verstand, und die den Politikern der Tradition Friedrichs des Großen, wie den nüchternen Finanzleuten und Verwaltungsmännern gleich lebhaft widerstrebte. Persönlichkeiten, wie Manstein, Haugwitz und Lucchesini, deren Einfluß auf die folgenden Dinge wir werden kennen lernen, dachten darüber schon jetzt oder sehr bald ungefähr ähnlich, wie Prinz Heinrich, der Herzog von Braunschweig, Graf Hertzberg und eine große Zahl von ehrenwerthen Leuten im Heer und Beamtenstande, denen weder die theure österreichische Allianz, noch der kostspielige uneigennützige Krieg im Westen behagen wollte. Ein hervorragender preußischer Diplomat hatte sich schon vor dem Reichenbacher Vertrag die Möglichkeit eines Einverständnisses zwischen Oesterreich und Preußen zur Herstellung des Thrones in Frankreich vorgestellt und dabei die Meinung ausgesprochen, Oesterreich werde dies nicht umsonst thun, sondern „pro studio et labore eine oder die andere Provinz für sich acquiriren." Er dachte dabei an die französischen Niederlande oder an das Elsaß, wogegen dann Oesterreich „einen an Schlesien gelegenen für Preußen convenablen District von Böhmen oder Mähren" demselben abtreten würde. *) Das war nur eine persönliche Meinung, mit der aber ohne Zweifel sehr Viele in Preußen einverstanden waren. Jetzt als die Franzosen, in ihrer völligen Unkenntniß von Friedrich Wilhelms individueller Ansicht, zweimal, erst durch Segur, dann durch den jüngeren Custine, den Versuch in Berlin machten, einen Verbündeten gegen Oesterreich an Preußen zu finden, war solch ein Bemühen zwar bei dem König ganz vergeblich, aber es gab Leute genug, und Hertzberg vor Allem gehörte zu ihnen, die das für eine bessere Po-

---

*) Schreiben des Grafen Golz vom 25. Mai 1790, aus dessen früher angeführter Correspondenz mit Hertzberg.

litik hielten, als die Allianz mit Oesterreich und den kostspieligen
Krieg im Westen. Es erschien damals eine kleine Schrift,*) welche
dies Glaubensbekenntniß mit aller Offenheit darlegte. Allianz
mit Frankreich, Wachsamkeit gegen Oesterreich und Rußland, namentlich gegen dessen Uebergriffe in Polen und der Türkei, ist dort
als die Politik empfohlen, welche Preußen durch sein Interesse wie
durch die natürliche Lage auferlegt werde. Das russische Drängen
zum Kampf gegen die Revolution sieht die Schrift mit nüchter-
nem Auge nur als einen geschickten Calcül Rußlands an, seine
beiden wichtigsten Nachbarn in einen weit entlegenen Krieg zu
verwickeln und inzwischen seinen Entwürfen im Osten ungestört
nachzugehen.

Gegenüber den prahlerischen Reden der Höflinge, die nach
Emigrantenart nur mit tiefster Verachtung von dem revolutionären Frankreich sprachen, oder der bekannten Aeußerung, die
man Bischofswerder in den Mund legt: „Meine Herren, kaufen Sie sich nicht zu viele Pferde, die Komödie wird nicht
lange dauern," gegenüber allen den Illusionen und Großspreche-
reien, die am Hofe, in der Diplomatie und theilweise auch im
Heere damals gehört wurden, und denen die Abkühlung so
rasch und durchgreifend nachfolgte, thut es doppelt Noth, daran
zu erinnern, daß es auch ganz entgegengesetzte Ansichten in Preußen gab, deren Einfluß mit der ersten Enttäuschung ungemein
wachsen mußte. Das Gemüth des Königs war weich und wechselnden Eindrücken sehr ausgesetzt: drum, wenn der glorreiche
Kreuzzug nach Frankreich sich in Mühe ohne Ruhm auflöste, gewannen sicherlich auch bei ihm jene Meinungen die Oberhand, die
den Krieg von Anfang an laut oder im Stillen bekämpft hatten.
Daß sie sich sehr frühe, nachdem der erste Eifer einmal ver-
raucht war, Geltung zu schaffen suchten, werden wir später erfahren.

Schon jetzt, als der Kriegseifer des Königs noch in voller
Blüthe stand, trat störend eine Angelegenheit dazwischen, die nachher auf den ganzen Gang der Revolutionskriege den allerent-
scheidendsten Einfluß ausgeübt hat: das Verhältniß zu Polen.
Es war wie eine Warnung, sich nicht zu tief im Westen einzu-

---

*) „Winke über das Staatsinteresse der preußischen Monarchie." 1792.

laffen, so lange eine so peinliche Verwicklung im Osten, unmittelbar an den Thoren der preußischen Monarchie, deren ganze politische Sicherheit gefährdete. Wir erinnern uns, wie unerwartet und unerwünscht die polnische Verfassungsreform vom 3. Mai 1791 der preußischen Politik gekommen war. Ein reorganisirtes Polen mit einem erblichen Königthum, einem kräftigen Regiment und einem aufblühenden Bürgerstand schien für Preußens eigene Sicherheit die schlimmste Wendung, die eintreten konnte. Wie Hertzberg die Frage betrachtete, haben wir früher aus seinen eigenen vertraulichen Aeußerungen mitgetheilt. Ein anderer Staatsmann, der in diesen polnischen Dingen unmittelbar thätig war, Graf Goltz, schrieb schon im September 1790: „Polen darf nicht zu mächtig werden, wie dies bei einer festgesetzten, regelmäßigen Regierungsform wohl der Fall sein würde; für Preußen ist es am besten, wenn Polen ein Wahlreich bleibt, damit solches bei steten Unruhen keine innere Stärke bekomme und Preußen bei jeder günstigen Gelegenheit von seiner Schwäche Nutzen ziehe."*) Wir wissen auch, welche Mühe sich Hertzberg gab, durchzusetzen, daß gleich nach der Revolution vom 3. Mai diese Politik offen bekannt und consequent verfolgt würde. War es kurzsichtige Schwäche oder falsche Großmuth, was den Rath des Königs damals vermochte, den entgegengesetzten Weg einzuschlagen und den Polen Glück zu wünschen zu ihrem Verfassungswechsel? Genug, diese freundliche Haltung dauerte fort, indessen Rußland mit bewunderungswürdiger Geschicklichkeit alle Minen legte, das polnische Verfassungsgebäude in die Luft zu sprengen. Nun erfolgte die völlige Aussöhnung, das Bündniß mit Oesterreich. Es schien der natürlichste Weg, sich in der polnischen Sache mit dem neuen Verbündeten zu verständigen und mit dessen Zustimmung die Gränzabrundungen an der Weichsel zu erlangen, die in den Reichenbacher Verhandlungen verscherzt worden waren. Im April 1792 ging daher Bischofswerder nach Wien, um dort anzuklopfen, ob Oesterreich geneigt sei, in der polnischen Angelegenheit einen Weg mit Preußen zu gehen, indem es entweder von Rußland sich zurückzog und ganz an Preußen anschloß, oder in seinen Bund mit Rußland Preußen mit aufnahm. Die Lage war fast dieselbe, wie

---

*) Aus der angeführten Correspondenz.

zwanzig Jahre zuvor bei der erſten Theilung; ſtanden Oeſterreich und Preußen jetzt zuſammen, ſo war dem ruſſiſchen Vordringen eine Gränze geſetzt; umgekehrt kam ihre Uneinigkeit und ihr gegenſeitiges Mißtrauen wieder nur Rußland zu Gute.*) Die Sendung Biſchofswerders fand in Wien kein Gehör; nun näherte man ſich Rußland, dem nichts erwünſchter kommen konnte, als bei ſeinen polniſchen Entwürfen ſich Preußens Beiſtand verſichert zu ſehen.

Der Rückſchlag dieſer politiſchen Wendung war in Polen ſehr bald bemerkbar; noch bis zum April 1792, der Zeit, wo Biſchofswerder nach Wien ging, hatte Preußen die freundliche Haltung äußerlich bewahrt, wie ſie dem Bundesvertrag von 1790 entſprach, und war unbetheiligt an dem Verfahren Rußlands geblieben, das inzwiſchen die ruhige Entwicklung der neuen Verfaſſung geſtört, Unfrieden und Verwirrung angezettelt, die feilen Großen erkauft und Alles zu einer plötzlichen Contrerevolution vorbereitet hatte. Nun ließ ſich mit einem Male, als erſte Folge des ruſſiſch=preußiſchen Einverſtändniſſes, ein anderer Ton vernehmen, und der preußiſche Geſandte gab am 4. Mai, den polniſchen Patrioten unerwartet genug, die kühle Erklärung ab: „Preußen könne von den Anordnungen, womit ſich der Reichstag beſchäftige, keine Notiz nehmen.“ Wie dann die Polen daran erinnerten, daß nun die Zeit eingetreten ſei, wo man die bundesmäßige Hülfe Preußens anrufen müßte, erfolgte (25. Mai) von dem Geſandten eine Antwort, welche den Polen die troſtloſe Gewißheit von der Schwenkung der preußiſchen Politik gab. Es war der Augenblick, wo die von den Ruſſen gefüllte Mine platzte. Wie immer hatten dieſe den beſten Verbündeten an der eigenen Nichtswürdigkeit eines Theils vom polniſchen Adel gefunden; von ihm war jene ſogenannte Targowiczer Conföderation geſchloſſen worden, die im ruſſiſchen Intereſſe und unter ruſſiſcher Leitung ſich gegen die neue Ordnung der Dinge in Polen verſchwor. Eine Erklärung Katharinens, die als Muſterſtück der Taktik vom Wolf und Lamme

---

*) Der Herzog von Braunſchweig hatte ſehr wahr ſchon am 16. Februar geſchrieben: „Die Entſchädigungsangelegenheit wird große Verlegenheiten herbeiführen, wenn man den Kaiſer nicht vermögen kann, ſeine Einwilligung zu den Veränderungen in Polen zu geben.“ S. Maſſenbach, Memoiren I. 267.

in der Fabel gelten kann, nahm nun die Maske vollends ab,
russische Truppen überschritten die polnische Gränze und halfen
im Bunde mit den Verschworenen von Targowicz und einem
schwachen verrätherischen König die neue constitutionelle Ordnung
zertrümmern.

Der Theilungsact von 1772 fing an, sich in seinen Folgen
zu entwickeln, und die Ereignisse in Frankreich trugen nicht das
Wenigste dazu bei, die Früchte zu zeitigen.   Für den bevorstehen=
den Kreuzzug gegen die Revolution war es aber eine schlimme
Vorbedeutung, daß man dort im Osten mit Grundsätzen und Tha=
ten vorgeschritten war, die hinter den verrufensten Erzeugnissen des
Jacobinismus um nichts zurückstanden. Und dem Kampf selber war
wenigstens auf Seiten Preußens schon ein Theil des Nervs ge=
nommen, seit es diese Krisis im Rücken hatte, die geographisch und
politisch die ganze Existenz der preußischen Monarchie unmittelba=
rer und drohender berührte, als die demokratischen Parteien in
Frankreich.   Jetzt zwar wiegte man sich noch in dem Glauben,
vor Anfang des Winters mit den Franzosen im Reinen zu sein
und dann seine ungetheilte Kraft den Dingen in Polen zuwen=
den zu können.   Wenn sich aber das als Täuschung auswies,
der Krieg sich in die Länge zog und die Finanzen und Heeres=
kräfte Preußens aufzehrte, wenn während dem Rußland mit völ=
lig freier Hand in Polen agirte, Oesterreich lieber die russischen
Plane ertrug, als eine Vergrößerung Preußens, und wenn sich
so dicht an den offenen Gränzen des Staates statt des ge=
fürchteten polnischen Erbkönigthums gar Rußland ausdehnte und
abrundete — was war dann wahrscheinlicher, als daß in der preu=
ßischen Politik die Meinung siegte, die von Anfang an dem fran=
zösischen Kriege abhold gewesen, und daß man dann aus der so
zuversichtlich unternommenen Heerfahrt gegen die Demokratie mit
einem Male — um das eigene Haus zu schützen — in Frieden
und Freundschaft mit der Revolution hinübersprang?

Wir haben diese Folge von Ereignissen hier nur als mög=
lich hingestellt; die folgende Geschichte wird uns zeigen, daß so
und nicht anders die Begebenheiten sich wirklich entwickelt haben.
In Polen ist zum Theil die Erklärung zu den räthselhaften Vor=
gängen am Rhein im Jahre 1793 zu suchen; von dort aus wird
die Haltung Preußens im Feldzuge von 1794 bestimmt, dort wird

der Uebergang von dem Kreuzzug gegen die Revolution zum Frieden von Basel vorbereitet. Wir werden im Stande sein, dafür in der ausführlichen Darstellung der folgenden Zeiten die urkundlichen Beweise zu geben.

Seit dem Abschluß des Februarvertrages zwischen Oesterreich und Preußen waren beide Mächte damit beschäftigt gewesen, die Einzelnheiten des Kriegsplanes festzustellen. Die militärische Führung war dem Herzog Karl Wilhelm Ferdinand von Braunschweig zugedacht, einem Feldherrn, der damals so allgemein als die bedeutendste militärische Persönlichkeit angesehen ward, daß zugleich auf der entgegengesetzten Seite, bei den Franzosen, der abenteuerliche Gedanke auftauchen konnte, ihm den Oberbefehl anzubieten. In der Schule des großen Königs gebildet und von dem Glanze der Siege des siebenjährigen Krieges mit verherrlicht, dann durch den leichten aber blendenden Triumphzug nach Holland zu neuem Ruhme gelangt, vertrat der Herzog in den Augen der Zeitgenossen gleichsam die lebendige Ueberlieferung der Kriegsglorie Friedrichs des Großen. Ein musterhafter Regent seines Landes, einer der hervorragendsten Repräsentanten der physiokratischen und aufgeklärten Richtung jener Tage, mit reichen Gaben des Geistes und Gemüthes ausgestattet, war Karl Wilhelm Ferdinand allerdings eine der hervorragendsten Persönlichkeiten jener Zeit. Es fehlte ihm nirgends an der klaren Einsicht in die Lage der Verhältnisse, wohl aber meistens an dem raschen, durchgreifenden Entschlusse zur That. Er war eine von jenen unglücklich angelegten Naturen, die in der Regel das Richtige erkennen und doch ebenso oft das Entgegengesetzte thun. In der Doppelstellung eines selbständigen regierenden Fürsten und eines Unterthanen des preußischen Staates hatte er sich leider die gewichtige Stellung nicht zu wahren gewußt, die ihm nach Einsicht, Erfahrung und Gesinnung in Preußen gebührte; er erkannte, wie wir sehen werden, bis 1806 überall die Abwege, welche die preußische Politik seit 1786 ging, aber es fehlte ihm doch die gebieterische Entschlossenheit, sich dem zu widersetzen, was er als verkehrt mißbilligte. Seine Handlungen trugen dann häufig das doppelsinnige Gepräge eigener besserer Einsicht und äußerer Impulse, denen er wider Willen folgte.

So war denn auch sein Verhältniß zu dem Kriege ein ganz eigenthümliches: er gehörte, den Traditionen Friedrichs getreu, zu den Gegnern des österreichischen Bündnisses und mißbilligte den Krieg gegen Frankreich; er haßte die Emigranten und ihre contrerevolutionären Prahlereien. Allein er hatte doch auch wieder den Muth nicht, mit seiner Meinung der ganz entgegengesetzten Ansicht des Königs schroff entgegenzutreten, sondern ließ sich dazu bei, nach dessen Auftrag eine Denkschrift über die Führung des Krieges zu entwerfen (Febr. 1792). Aber diese Denkschrift ließ auch wieder deutlich zwischen den Zeilen lesen, daß er den Krieg anders ansah, als die militärischen Höflinge und Emigranten. „Wenn — sagt er bezeichnend — in der französischen Armee nicht alle Mannszucht verloren gegangen wäre, wenn die Officiere, welche ehemals die Zierde dieser Armee waren, sich noch an der Spitze ihrer Corps befänden, wenn diese Armee von geschickten und erfahrenen Generalen angeführt würde, und man mit der französischen Monarchie, nicht mit der jetzt in Frankreich herrschenden Partei, Krieg führen wollte, so ist es keinem Zweifel unterworfen, daß sich unserer Unternehmung unzählige und unsägliche Schwierigkeiten entgegensetzen würden." Er warnt vor den Versprechungen, welche „die Ausgewanderten mit so großer Leichtigkeit ausstreuen;" er meinte, „es könnten Ereignisse eintreten, deren Folgen unberechenbar seien, weil die Köpfe, von denen Frankreich regiert werde, eine Schwungkraft erhielten, von welcher man die außerordentlichsten Beschlüsse erwarten könne."

In den Conferenzen, die dann im Mai mit einem österreichischen General zu Sanssouci gehalten wurden, war derselbe Widerstreit zwischen den Emigrantenillusionen und zwischen den Bedenken des Herzogs bemerkbar. Nach dem dort verabredeten Plane sollte ein preußisches Heer von 42,000 Mann durch das Luremburgische nach Frankreich rücken, Longwy, Montmedy und Verdun nehmen und verstärkt durch ein österreichisches Corps über die Maas vordringen. Doch war es, und hier schied sich der Herzog von der Meinung des Hofes und der Emigranten, noch von den Erfolgen an der Maas abhängig gemacht, wie weit man dann vorgehen wolle. Von den 56,000 Mann Oesterreichern, die angeblich in den Niederlanden standen, sollte nur ein Theil zur Deckung der brabantischen Hauptstadt zurückbleiben, die größere Masse mit den Preußen vereinigt operiren. Ein anderes österreichisches Heer sollte sich im Breisgau sammeln und der größere Theil, über 20,000 Mann, nach Mannheim vorgeschoben werden, um von dort aus die Bewegungen der Angriffsarmee zu unterstützen; die Emigranten waren bestimmt, an der Schweizergränze über den Rhein zu gehen und von dort aus das Elsaß oder die Freigraf= schaft anzugreifen. Nach diesem Plane hätten die Angriffstrup= pen der Oesterreicher und Preußen in den Niederlanden und das österreichische Corps am Oberrhein zusammengerechnet ungefähr die Stärke von 110,000 Mann erreicht: eine Zahl, die jedenfalls auf die günstigsten Umstände rechnen mußte, wenn sie daran denken wollte, das revolutionäre Frankreich völlig zu unterwerfen und den legitimen Thron wieder aufzurichten. Aber diese Zahlen standen zudem zum Theil nur auf dem Papier. Das österreichische Corps am Oberrhein, auf 50,000 Mann berechnet, betrug in der That erst 11,000 und konnte vor Ende Juli die angegebene Höhe nicht erreichen. Wie es mit der Hülfe der deutschen Reichsstände aus= sah, auf deren Mitwirkung in den Conferenzen von Sanssouci mit gerechnet war, haben wir aus den früheren Mittheilungen entnehmen können; die militärische Rüstung der vorderen Reichs= kreise ging nur im langsamsten Schneckengang vorwärts, die lau= testen Kriegsbroher von 1791 bedurften mehr des Schutzes, als daß sie ihn hätten geben können, Pfalzbaiern trug seine Neutra= litätswünsche mit einer gewissen Naivetät selbst am Reichstage vor, und nur der Landgraf von Hessen=Cassel hatte ein tüchtiges Armeecorps von 6000 Mann bereit, welches er gegen das Ver= sprechen der Kurwürde und gegen billige Entschädigung mit den Verbündeten wollte marschiren lassen. *)

So verstrich einer der kostbaren Zeitpunkte, wo man die Fran= zosen hätte überraschen und zu Paaren treiben können, in zögern= der Zurüstung, und selbst das, was man endlich im Spätsom= mer auf die Beine brachte, war weit unter dem Bedürfniß, wenn man in der That die Revolution mit einem Schlage bewältigen wollte. Für den obersten Anführer aber, der von vornherein mit innerem Widerwillen in den Kampf ging, waren solche Rüstun=

---

*) S. Sybel a. a. O. S. 419 f.

gen nur ein Grund mehr, den militärischen Ereignissen mit Abneigung und Mißtrauen entgegenzusehen.

Während die verbündeten Fürsten in Frankfurt und Mainz
weilten, war ein vertrauter Abgesandter Ludwigs XVI. dort angelangt, dessen Mittheilungen über die Lage Frankreichs und die
Stimmungen der königlichen Familie jedenfalls mehr Gehör verdienten, als die Renommistereien der Emigration. Es war der
Genfer Mallet du Pan, das einzige hervorragende Talent der damaligen französischen Journalistik, das sich mit uneigennützigem
Eifer der Sache des Königthums hingegeben hatte. Zäh und
hartnäckig wie ein Genfer Doctrinär, aber voll Muth und Energie, dabei neben allem Royalismus von der Nichtswürdigkeit der
alten Zustände Frankreichs auf's lebhafteste durchdrungen, bietet
Mallet du Pan in seinem Leben und Wirken ein recht charakteristisches Beispiel des tragischen Geschickes, dem in solchen Zeiten
alle vermittelnde und gemäßigte Charaktere inmitten der leiden-
schaftlichen Extreme verfallen sind. In das engste Vertrauen Ludwigs XVI. eingeweiht, hatte er die belicate Aufgabe, einmal den
kriegführenden Mächten klar zu machen, wie scharf sie zwischen
der Nation und den Factionen trennen müßten, wenn ihr Einmarsch in Frankreich irgend einen moralischen Erfolg haben sollte,
dann aber auch die Emigranten zu vernünftigen und besonnenen
Gedanken zu ermahnen. Ihnen sollte er vorstellen, wie jede andere Haltung nur die Lage des Königs verschlimmern und die
Revolution verstärken könne; er sollte den verbündeten Mächten
die Grundgedanken eines Manifestes angeben, das den gemäßigten Theil der Nation den Heeren der beiden Monarchen zuführen
würde. In einem solchen Manifest, meinte Ludwig XVI., müßten
die Jacobiner und Factiösen aller Art von dem übrigen Theil der
Nation scharf gesondert, alle Diejenigen, die man von ihrer Ver-
irrung zurückführen könnte, beruhigt, und allen Denen, die, ohne
die alten Mißbräuche zu wollen, doch an der Revolution und dem
gegenwärtigen Zustande gesättigt seien, ein anständiger Weg zur
Umkehr geöffnet werden. Keine Eroberungsgedanken, kein Vorschreiben einer bestimmten politischen Ordnung durch die fremden
Waffen, keine Betheiligung der Ausgewanderten am Kampfe —
das war die Meinung des Königs, die Mallet jetzt nach Koblenz
und Frankfurt bringen sollte. Die Aufnahme, die der ehrliche

Royalist bei den entlaufenen Prinzen und Adeligen fand, mochte ihn wohl überzeugen, daß, wenn man diesen die Herstellung des Thrones in Frankreich in die Hände gab, allerdings jeder andere Zustand für die Nation begehrenswerther war. In denselben Tagen, wo der hülflose König den frechen Insulten des Pariser Gassenpöbels in seinem Palaste ausgesetzt war und sich die rothe Mütze aufsetzen lassen mußte, that sich die Emigration nach wie vor nur durch ihre Unvernunft hervor und trug höchstens dazu bei, den wilden Feinden des gefangenen Monarchen neue Waffen und Vorwände in die Hand zu geben.

Auch in Frankfurt schien anfangs der Koblenzer Einfluß, durch den russischen Botschafter, Romanzoff, verstärkt, mächtig genug Mallet fern zu halten; doch erhielt er Zutritt bei den verbündeten Fürsten und hatte (15 – 18. Juli) mit Cobenzl und Haugwitz vertraute Conferenzen. Man ging dort in seine Gedanken ein, schenkte ihm Glauben, als er versicherte, daß die große Mehrheit des Volkes den alten Zustand nicht wolle, mißbilligte mit ihm das Treiben Calonnes wie der tonangebenden Emigranten, und Mallet schied mit der Ueberzeugung, daß Oesterreich und Preußen in allen Punkten seinen Rathschlägen gemäß handeln würden. Ueber das Manifest namentlich glaubte er vollkommen im Reinen zu sein; es sollte nach seiner Ansicht nichts als die Herstellung des freien königlichen Willens verlangen, die Nationalversammlung und alle öffentlichen Autoritäten für die Sicherheit des Königs und seiner Familie verantwortlich machen, aber zugleich Vertrauen durch die Erklärung einflößen, daß man nur die Ordnung herstellen, die inneren Angelegenheiten den Franzosen selber anheimstellen wolle. Das Manifest, meinte Mallet, müßte alle Verständigen beruhigen, aber zugleich den Anderen zeigen, daß es mit der angedrohten Einmischung des Auslands nun Ernst werde.*) Wir werden bald sehen, daß Mallet sich getäuscht hatte.

In den Conferenzen, die während der Festlichkeiten zu Mainz stattfanden, wurden zwar Beschlüsse über das Verhältniß zu den Emigranten gefaßt, die nicht eben Zeugniß von einer besonders günstigen Gesinnung gegen sie ablegten. In einer Berathung

---

*) Ueber das Obige s. Mémoires de Correspondance de Mallet du Pan. Paris 1851. I. 280 – 316. 427 – 449.

vom 20. Juli, an welcher der Herzog, Lascy, Schulenburg und
Spielmann Theil nahmen, wurde beschlossen, ihnen das rückstän-
dige Geldquantum von 200,000 Gulden sofort anzuweisen, aber
als letzte Zahlung. Sie selber sollten in 3 Corps getheilt werden;
eines unter dem Befehl der Brüder des Königs, welches die Zahl
von 8000 Mann nicht übersteigen dürfe, solle einen Theil der
preußischen Armee ausmachen, ein zweites unter Condé und Bouillé,
nicht über 5000 Mann stark, solle dem kaiserlichen Corps im
Breisgau beigegeben werden, ein drittes von höchstens 4000 Mann
sollte sich Clerfayts Armee anschließen. Alle übergetretenen Regimenter waren bestimmt, den Emigranten zugetheilt zu werden und,
„insofern es unumgänglich nöthig sein sollte", ihre Löhnung auf
gemeinschaftliche Kosten beider Höfe zu empfangen. In besetzten Gegenden werde es vom Herzog von Braunschweig abhängen, einen
einstweiligen Gouverneur einzusetzen, bis der König selbst darüber bestimmen könne. „Sollte sich — so lautet der bezeichnende
Zusatz dieser Verabredung*) — der ganz unverhoffte Fall ereignen, daß sich die französischen Prinzen die oben festgesetzten Bedingungen nicht gefallen lassen und nach ihrem eigenen Dünkel
separatim agiren wollen, so bliebe nichts weiter übrig, als daß
des Herrn Herzog Durchl. eine Proclamation ergehen ließen und
darin die Prinzen ihrem eigenen Schicksal preisgeben, ohne daß
die vereinigten Armeen an ihren Unternehmungen einen weiteren
Antheil nähmen. Diese Warnung wird auch im Voraus an sie
zu erlassen sein." Es war das erste Zeichen eines Umschlags in
der Stimmung gegen die Emigranten; der alte Widerwille der
österreichischen Politik gegen sie hatte hier mit der Abneigung des
Herzogs von Braunschweig zusammengewirkt.

Nach diesem Beschlusse hätte man denken sollen, das Hauptquartier hätte sich allmälig von dem Emigranteneinflusse ganz frei
gemacht und auch das Manifest wäre ganz nach Mallets Vorschlag ausgearbeitet worden. Aber seltsam genug; in dem Augenblick, wo man der Emigration halb den Abschied gab, ward jener
Aufruf an die französische Nation ganz in ihrem Sinne entworfen. Es war wieder des Herzogs Art, zwar die Uebertreibungen
der Emigranten zu mißbilligen, aber doch auch nicht Festigkeit ge-

---

*) Die obigen Mittheilungen sind dem handschr. Protocoll entnommen.

nug zu haben, um ihre Einwirkung auf das Manifest zurückzu=
weisen. So erhielt Einer aus der Koblenzer Gesellschaft, ein
Marquis von Limon, den Auftrag, das Manifest zu entwerfen,
und aus seiner Hand ging dann jenes Machwerk hervor, das zur
Versöhnung zu drohend war und dessen papierene Ohnmacht zugleich
zugleich den Eindruck der Drohung schwächte. Vielleicht hatten
Ludwig XVI. und seine Rathgeber überhaupt die Bedeutung eines
solchen Aufrufs überschätzt, aber in jedem Falle entsprach die Form,
die sie ihm geben wollten, im Ganzen den Umständen. Ernst zei=
gen und zugleich Vertrauen wecken, die Factionen verdammen und
der Nation doch die Aussicht auf eine bessere Zukunft eröffnen,
das war der Grundgedanke, von dem Mallets Entwurf ausging.
Das Manifest aber, das am 25. Juli zu Koblenz erschien und
dem der Herzog, nach einigen kleinen Aenderungen, mit innerem
Widerwillen seine Unterschrift beisetzte, hatte alle jene Züge ver=
wischt und brachte dafür die fameusen Stellen, worin den Orten,
die sich widersetzen würden, mit Demolirung und der französischen
Hauptstadt mit einer auf alle Zeiten denkwürdigen exemplarischen
Züchtigung gedroht war. Es ist gewiß, solche und schlimmere
Drohungen haben die Franzosen aller Parteien, die Jacobiner wie
Bonaparte, bei passendem Anlasse unzählige ergehen lassen, aber
sie haben nie die Lächerlichkeit begangen, zu drohen, wo ihnen die
Macht der Vollziehung fehlte.

Den Eindruck, den dies Manifest auf die Franzosen machte,
haben sich die Parteien nach Gefallen zurechtgelegt; die Emigran=
ten versicherten ernstlich, die Wirkung sei eine ganz vortreffliche,*)
die Jacobiner, die Freunde der Revolution und deren französische
Geschichtschreiber haben uns dagegen Wunderdinge erzählt von
der nationalen Erbitterung, die es hervorgerufen. Wir finden
durch die Thatsachen keine von beiden Meinungen bestätigt; das
Manifest — und hierin lag allerdings seine schärfste Verurtheilung

---

*) In den benutzten Correspondenzen findet sich ein Brief von der Hand
Limons (d. d. Brüssel 5. August), worin der Autor die Wirkung seines Mani=
festes sehr rühmt („la tranquillité s'y rétablit et tout fait espérer que les jours
du roi et de la reine seront en sûreté — Paris ouvrira les yeux et se rendra
à son devoir") und nur beklagt, daß man an die Aechtheit nicht recht glauben
wolle! S. dagegen die unbefangenen brieflichen Mittheilungen bei Mallet
I. 322 f.

— fiel ganz platt zu Boden. Als es in den ersten Tagen des August zu Paris bekannt ward, waren die Royalisten verlegen, die anderen Leute lachten oder zuckten die Achseln, die Massen wußten nicht einmal von seiner Existenz, und erst allmälig bemächtigten sich die demokratische Presse und die Clubs des gar zu willkommenen Stoffes, um die Gemüther zu erhitzen. Die Lage war aber in Paris so beschaffen, daß gerade damals viel unmittelbarere und gewaltsamere Eindrücke dort die Menschen beherrschten.

Indessen hatte sich in fünf Colonnen die preußische Armee nach dem Rheine in Bewegung gesetzt und traf seit Ende Juni in der Nähe von Koblenz ein; von dort sollte der Marsch nach der Champagne angetreten werden, die Bouillé als die beste Stelle zum Angriff bezeichnet hatte. Glänzende Festlichkeiten feierten die Ankunft des preußischen Monarchen, der in der Nacht vom 22. auf den 23. Juli in der kurfürstlichen Residenz anlangte. Unglaublichen Eindruck machte, nach dem Berichte eines Zeitgenossen,*) die Persönlichkeit des Königs, seine majestätische, beinahe kolossale Haltung, seine freundliche und doch würdige Herablassung, der unverkennbare Ausdruck einer Ueberzeugung, die ihn antrieb, für die bedrohte Sache des Königthums in die Schranken zu treten. Die Siegeszuversicht der Emigranten war beim Anblick des Königs und seiner Truppen höher wie je gestiegen; daß ihr Einfluß auf das Ohr des Königs wieder der alte war, hatte das Manifest bewiesen. Auch der Herzog ward von ihnen förmlich belagert; er hatte, wie Massenbach sagt, kaum die Ellenbogen frei, machte Complimente über Complimente, war aber im tiefsten Innern ergrimmt über die zudringlichen Fremden, über ihr Drängen zum Krieg und ihre rosigen Schilderungen, denen er keinen Glauben schenkte. Ihre eigene Kriegsrüstung sah fast mehr einem Hofgefolge als einer Armee ähnlich, und die Berichte, die dem Herzog vom Oberrhein und aus den Niederlanden durch den Mund verlässiger Officiere zukamen, waren noch weniger geeignet, die Abneigung des obersten Feldherrn gegen den ganzen Krieg zu überwinden. Da stellte sich heraus, daß von den 50,000 Oesterrei-

*) Rhein. Antiquar I. 1. 104.

chern, die theils den Oberrhein decken, theils die linke Flanke der
preußischen Armee unterstützen sollten, im höchsten Falle zwischen
30,000 und 40,000 Mann wirklich vorhanden waren und auch
die österreichische Armee in den Niederlanden statt 56,000 Streiter
sich nicht einmal auf 40,000 beliefe. Ueber 100,000 Mann hatte
Oesterreich zu stellen versprochen, jetzt waren es höchstens einige
siebzigtausend; die Hauptarmee, die Frankreich erobern sollte, war
auf mindestens 110,000 Mann veranschlagt, nun war sie im
äußersten Falle über 80,000 stark. Es ist begreiflich, daß nach
diesen Erfahrungen sich der Herzog, wie Massenbach berichtet, in
„einem furchtbaren Humor" befand. Von der Natur und moralischen Beschaffenheit des Landes, das angegriffen ward, hatte
man nur mangelhafte oder ganz verkehrte Kenntniß; ein mächtiger
Troß erschwerte die rasche Bewegung der Armee und die noch bestehende Verpflegung durch Magazine hing sich wie ein Bleige-
wicht an den schnellen Fortgang der Operationen. Kein Wunder,
wenn sich im militärischen Hauptquartier immer bestimmter eine
andere Meinung über den Kampf festsetzte, als die, welche den
König und die ihn umgebende Emigration beherrschte. Während
diese hier sicherer denn je auf einen Triumphzug nach Paris rechnete, wurden dort alle Schwierigkeiten des beginnenden Kampfes
bedächtig abgewogen und es tauchte allmälig der stille Wunsch
auf, an der Maas Halt zu machen, dort die Festungen zu belagern und die Fortsetzung des Kampfes auf den nächsten Feldzug
zu vertagen. Ohnedies war in den Verabredungen von Sanssouci das Vorrücken über die Maas in der Schwebe gelassen worden; jetzt, nach den neuesten Erfahrungen über die verfügbaren
Mittel schien denn freilich noch weniger Grund vorhanden, sich
zu weit vorzuwagen.

Aus diesen Wünschen entsprang wenigstens zum Theil die
auffallende Langsamkeit des Marsches nach der französischen Gränze;
denn man braucht nicht einmal, wie eine angesehene militärische
Autorität thut,*) Blüchers glorreichen Winterfeldzug von 1814
mit dieser Sommercampagne zu vergleichen und den bedächtigen,
methodischen Herzog an dem Maßstab des Marschall Vorwärts
zu messen, und man wird es doch ungewöhnlich finden, daß die

---

*) S. (Valentini) Erinnerungen eines alten preuß. Officiers. 1833. S. 1 f.

Armee von Koblenz bis an die französische Gränze zwanzig, bis
Valmy, zur möglichen Lösung des Knotens, über fünfzig Tage
brauchte, obwol die Hindernisse, die der Feind bereiten konnte,
diesmal geringer als in jedem anderen Falle waren. Die Macht
der Franzosen, die unter Luckner, Lafayette und Custine von Valenciennes und Sedan an bis Thionville, Metz und Landau ausgedehnt stand, betrug damals noch nicht über 80,000 Mann, und
die innere Krisis, die Zerklüftung der Parteien, die schwankende
Stellung der Generale verringerte noch um ein Merkliches die
Bedeutung dieser Zahlen. So war denn auch auf französischer
Seite nichts geschehen für die Wegnahme der Posten, welche die
Heerstraßen um Trier beherrschen, und als sich in den letzten Tagen des Juli die preußische Armee von Koblenz moselaufwärts in
Bewegung setzte, konnte sie ganz ungestört über Trier und Conz
vorrücken; keines der Defileen, die dort den Weitermarsch erschweren konnten, war besetzt. Schon dort aber machte die Armee ihren
ersten achttägigen Halt (5—12. August); Artillerie, Fuhrwesen
und Verpflegung trugen die Schuld dieser Zögerung, die natürlich
auf den kriegerischen Eifer der Truppen nicht günstig einwirkte.
Man entschloß sich, Luxemburg zum Waffenplatz des Heeres zu
machen, die Magazine und Lazarethe dahin zu verlegen, was mit
den Behörden der österreichischen Niederlande viel Förmlichkeiten
und Schreibereien verursachte, und setzte sich dann in Bewegung,
um zwischen Thionville und Longwy die französische Gränze zu
überschreiten und die letztere Festung im Verein mit dem von Namur heranziehenden Corps Clerfayts anzugreifen. Am 14. August war
das Gros der Armee bei Montfort angekommen und blieb dort
wieder vier Tage stehen; es waren diesmal nicht die Verpflegungsanstalten allein, die dies abermalige Säumen hervorriefen; die politischen Nachrichten aus Frankreich, die Botschaft vom Umsturz
des Thrones, der Gefangennehmung des Königs, der Herstellung
einer jacobinischen Regierung weckten neue Bedenken und Erwägungen, was nun zu thun sei. „Durch diese neue Revolution,
schreibt ein Augenzeuge,*) hatten die Umstände eine ganz andere
Gestalt bekommen; die Partei, deren Untergang man beschlossen
hatte, war um so mächtiger geworden, der Anhang des Königs

---

*) Aus einem handschr. Bericht des Generals Lecoq.

und der gemäßigten Partei nun völlig unterdrückt und um so weniger im Stande, den Absichten der verbundenen Mächte zu entsprechen. Die Hoffnungen, mit denen man den Krieg beschloß und anfing, waren verschwunden; es war abzusehen, daß man die Häupter der Royalisten alles Einflusses berauben würde; die geheimen Anhänger des Königs konnten sich nun nicht zeigen, und auch im Commando der Armeen und Festungen ließen sich große Veränderungen erwarten." Das war nicht die einzige Stimme dieser Art; als die Armee am 19. August bei sehr unfreundlichem Wetter aufbrach, um die Gränze zu überschreiten, wuchs unter den Officieren der üble Humor. „General Courbière — schreibt der Kronprinz an jenem Tage*) — macht sehr gegründete Bemerkungen über unsere Expedition und findet es bedenklich, mit einem so schwachen Corps in das Innere von Frankreich einzubringen, indem er fürchtet, die mannigfaltigen und von den Emigranten so leicht gegebenen Verheißungen nicht in Erfüllung gehen zu sehen; und welcher Unbefangene könnte ihm darin Unrecht geben?" Der Kronprinz bemerkt auch, daß die französische Bevölkerung, so weit man mit ihr an der Gränze in Berührung gekommen, die Dinge nicht gerade verkehrt oder unvernünftig ansehe; aber es ist ihm ebenso unzweifelhaft, daß von Sympathien für die einmarschirenden Truppen sich keine Spur gezeigt habe.

Die materielle Lage der Truppen war nicht behaglich zu nennen; große Regengüsse hatten die Wege bodenlos gemacht und hinderten Gepäck- und Proviantwagen rechtzeitig zu folgen, so daß der Soldat nicht selten neben der Nässe und Kälte auch Hunger leiden mußte; denn das Zartgefühl gegen die Franzosen, die man durch Requisitionen nicht erbittern wollte, ging so weit, daß zu dem Brode, das die Truppen bei Longwy und Verdun aßen, das Mehl meistens aus Preußen herbeigeschafft ward. Doch brachten die nächsten Tage auch wieder Anderes, was ermuthigte und erfrischte. Der erste Zusammenstoß, den die Avantgarde am 19. Aug. zwischen Fontoy und Aumetz mit den Franzosen bestand, bezeugte die militärische Ueberlegenheit der deutschen Truppen auf's Rühmlichste; die Verworrenheit der französischen Zustände nahm mit je-

---

*) In dem Tagebuche, das er über diesen Feldzug vom 19. August bis 23. Octob. führte.

I.   28

dem Tage zu und das ganze Heerwesen befand sich in einer Krisis, welche den Sieg der Verbündeten ungemein zu erleichtern versprach. Zugleich kam die Nachricht, daß Clerfayt (16. Aug.) mit etwa 15,000 Mann Oesterreichern bei Arlon angelangt sei und der Vereinigung mit den Preußen zum Angriff auf Longwy nun nichts mehr im Wege stehe. Am 20. standen die vereinigten Truppen um Longwy und hatten den Platz von allen Seiten eingeschlossen; in den nächsten beiden Tagen beschoß man die Festung, die zwar mit 2600 Mann Besatzung versehen, aber im Uebrigen vernachlässigt war und schon am 23. August sich ergab. Die Truppen erhielten gegen das — bald nachher gebrochene — Versprechen, in diesem Kriege nicht mehr zu dienen, freien Abzug, alle Vorräthe, Munition und Waffen wurden den Verbündeten übergeben und die Stadt im Namen des Königs von Frankreich von einer österreichisch-preußischen Garnison besetzt. *)

Dieser erste Erfolg schien die Verheißungen der Emigranten zu bestätigen; denn es war kein Zweifel, daß bei rechter Lust zum Widerstande Longwy noch länger hätte gehalten werden können. Nun trafen auch die ersten Nachrichten von den Ereignissen bei der Nordarmee, von Lafayette's Flucht und der Auflösung, in welche der führerlose Trupp gerathen, im Hauptquartier ein. Das österreichische Hülfscorps unter Fürst Hohenlohe-Kirchberg, das am 2. Aug. von Mannheim nach der lothringischen Gränze aufgebrochen war und sich bei Landau mit dem Feinde in kleine Plänkeleien eingelassen, war an dem Tage vor der Uebergabe von Longwy in Merzig angelangt und überschritt dann die Mosel, um Thionville einzuschließen und während des Vorrückens der Hauptarmee deren linke Flanke zu decken. Die Verbindung war nun nach allen Seiten hergestellt; der ganze Oberrhein schien hinlänglich geschützt, Trier besetzt und der Zustand von Mainz beunruhigte nicht, weil man theils von der Tüchtigkeit der militärischen Führung dort, theils von dem patriotischen Eifer der kleinstaatlichen Regierungen am Rhein besser dachte, als beide verdienten.

---

*) Die Emigranten waren naiv genug, zu verlangen, daß man ihnen nun sofort den Platz nebst Vorräthen u. s. w. übergebe. Es bedurfte erst eines Schreibens des Ministers Schulenburg (d. d. 30. Aug.), um sie über das richtige Verhältniß in's Klare zu setzen.

So ward am 29. August mit dem Hauptheer von Longwy aufgebrochen und auf Verdun marschirt, das mit etwa vierthalbtausend Mann besetzt, aber freilich in schlechtem Vertheidigungsstande und von einer nichts weniger als revolutionär gesinnten Bürgerschaft bewohnt war. Am 31. Aug. war die Stadt eingeschlossen; eine mäßige Beschießung reichte hin, dem Widerstande des Commandanten Beaurepaire und eines Theils der Besatzung zum Trotz, den Unterwerfungsgedanken die Oberhand zu verschaffen, zu welchen die städtischen Behörden und die Bürger neigten. Schon am 1. September ward ein Waffenstillstand verabredet; am nächsten Tage capitulirte die Stadt mit allen Vorräthen gegen freien Abzug der Besatzung.

Die Einnahme der beiden Plätze schien auf den ersten Blick die Prophezeiungen derer zu bestätigen, welche einen leichten und wohlfeilen Siegeszug verkündet hatten. Gleichwol gaben sich nur die Emigranten diesem günstigen Eindruck hin; gerade in den militärischen Kreisen war man weit entfernt, die Dinge so rosig anzusehen. Die Truppen litten Mangel und entbehrten, selbst als sie im Besitze von Verdun waren, des Nothwendigsten an Lebensmitteln und Fourage.*) Daß man unterlassen hatte, ein geordnetes Requisitionssystem einzuführen, hatte die üble Folge, daß die Soldaten und die Führer anfingen, nach Willkür und planlos zu requiriren. Das schlimme Wetter hatte schon vor der Einnahme von Longwy die Ruhr im Heere verbreitet; nun traten jene furchtbaren Regengüsse ein, welche den Spätsommer und Herbst des Jahres 1792 fast ohne Unterbrechung fortdauerten. Ueber die Gesinnung der Bewohner bestand aber bei allen Unbefangenen kein Zweifel mehr; war doch selbst in dem für royalistisch geltenden Verdun der Einzug der ausgewanderten Prinzen ganz kühl vorübergegangen.**) Der Tod Beaurepaire's, der sich bei der Uebergabe der Stadt eine Kugel durch den Kopf gejagt, machte auf die Preußen tiefen Eindruck und erregte selbst ihre Bewunderung;***) der zuversichtliche Ruf der abziehenden französischen Garnison: „à revoir aux champs de Chalons", zeugte wenigstens von keiner

---

*) S. Minutoli, der Feldzug der Verbündeten im Jahre 1792 S. 141.
**) So berichtet der Kronprinz, der Augenzeuge war, in seinem Tagebuche.
***) S. Minutoli S. 139.

Sympathie für die gewaffnete Contrerevolution. Der Herzog von
Braunschweig verbarg nun nicht mehr seinen Unmuth über die
trügerischen Vorspiegelungen der ausgewanderten Franzosen. Am
1. Sept., als die Armee vor Verdun stand, kam es im königlichen
Tafelzelt, in Gegenwart mehrerer Emigranten, zur Erörterung
darüber. Sehr ernstlich hielt ihnen der Herzog alles das vor,
was sie über die Leichtigkeit einer Expedition gegen Frankreich
geäußert, und fragte sie, was denn aus allen den Verheißungen
geworden, die sie von ihren Einverständnissen im Lande, von den
vortheilhaften Gesinnungen der Festungscommandanten, dem Mißvergnügen der Linientruppen und den royalistischen Gesinnungen
der Nation gegeben hätten? Niemals, fügte er hinzu, sei es seine
Absicht gewesen, in einer Spitze so rasch vorzugehen und mehrere
wichtige Plätze theils hinter sich, theils zur Seite liegen zu lassen, wenn sie nicht den König mit ihren grundlosen Hoffnungen
getäuscht und die ganze Expedition so leicht hingestellt hätten.
So dauerte die Unterhaltung geraume Zeit fort; der Herzog
sprach mit vieler Entschiedenheit und so laut, daß auch die außerhalb des Zeltes Stehenden daran Theil nahmen. Sie freuten sich
von Herzen, daß den Emigranten einmal derb die Wahrheit gesagt ward.*)

Der Operationsplan, den man im Mai verabredet, hatte es,
wie wir uns erinnern, von den Umständen abhängig gemacht, ob
man weiter über die Maas vorgehen werde; der Herzog aber hatte
seit dem Abmarsch von Koblenz nicht verhehlt, daß er an der Maas
stehen bleiben wolle. War es zu wundern, daß bei der Stimmung, wie sie sich nun aussprach, die militärische Ansicht auch
anderer Personen im Hauptquartier dahin neigte, man dürfe nicht
weiter vorgehen, müsse sich auf die Einnahme der Maasfestungen,
die Belagerung von Thionville und Saarlouis beschränken und in
dieser Stellung, gegen alle Ungunst der Jahreszeit geschützt, die
weiteren Ereignisse abwarten? War man dann im Besitz der Fe-
stungslinie von Verdun bis Givet, war die rechte Flanke durch
die österreichische Armee in den Niederlanden, die linke durch Hohenlohe-Kirchberg genügend gedeckt, so konnte man, das war die
Meinung, mit aller Zuversicht den Ergebnissen des nächsten Feld-

---

*) Dem angeführten Bericht des Kronprinzen entnommen.

zuges entgegensehen. So die Ansicht des Herzogs, die eine Anzahl einflußreicher Officiere theilte. Dagegen ward von anderer
Seite eingewandt, daß der ganze Feldzug nicht auf Belagerung
von Festungen berechnet sei, daß man der Belagerungsgeschütze,
der nöthigen Depots und Munition entbehre und daß der ganze
Kriegsplan den Zweck habe, durch ein rasches Erscheinen zu schrecken
und eine Gegenrevolution zu bewirken. Nur wenn die anderen
Maasfestungen so leicht zu haben wären, wie Longwy und Verdun, sei jener Plan ohne Bedenken; leistete z. B. Sedan Widerstand, dann bliebe wahrscheinlich keine andere Wahl, als ein ver-
lustvoller Rückzug. Daß nicht alle Plätze so wohlfeil zu nehmen
wären, beweise Thionville, das die Emigranten durch Einverständnisse zu erlangen sich gerühmt hätten und an dem jetzt die Versuche des Hohenloheschen Corps scheiterten; und liefe man dann
nicht, bei einem mißlungenen Angriff auf Thionville oder Sedan,
ernstlich Gefahr, inzwischen Verdun wieder zu verlieren und so
um die ganze Frucht des Feldzugs gebracht zu werden? Drum
bliebe immer der natürlichste Plan der, den zwar nicht die regel-
rechte Taktik, aber die politischen Verhältnisse anempfahlen: vorzubringen, die royalistischen Stimmungen zu nützen, den Franzosen
eine glückliche Schlacht zu liefern und dadurch mit einem Male
den Umschlag für die Sache des Königs hervorzurufen.*)

Dieser Zwiespalt der Meinungen, selbst in den rein militärischen Kreisen, ist um so weniger auffallend, als noch heute eben
dort über den Feldzug keine Einstimmigkeit des Urtheils herrscht.
Denn zu jener vorsichtigen und methodischen Kriegführung neigen
auch jetzt noch sachkundige Autoritäten. Eine Armee, sagt eine von
diesen, reist nicht im Postwagen und findet kein Unterkommen in
Wirthshäusern; dazu gehören andere Dinge, und wenn man auch
früher geglaubt hatte, dieser entübrigt sein zu können, so mußte
die erlangte Ueberzeugung vom Gegentheil einen Stillstand herbeiführen, dessen Folgen sich nicht gleich übersehen ließen. Es ist möglich,
daß ein mit einem hohen Grade von Kühnheit begabter Feldherr sich
über diese Rücksichten hinweggesetzt und das Ziel seiner Unternehmung erreicht hätte; allein die Kühnheit setzt Viel und oft Alles
auf einen Wurf, und nicht jeder ist zu Wagstücken geneigt. Wer

---

*) Nach dem handschriftl. Berichte von Lecoq.

hoch spielen will, der muß wenigstens Herr über die Summen
sein, die er auf's Spiel zu setzen gedenkt, und wer etwas wagen
soll, der muß auch die Aussicht haben, einen verhältnißmäßigen
Gewinn zu machen. Allein was hatte die preußische Armee zu erwarten? Wenn das Wagestück gelang, so wurde ihr die Ehre zu
Theil, den französischen Monarchen wieder in seine Rechte eingesetzt zu haben; im unglücklichen Falle aber verlor sie 50,000 Menschen, ein ungeheueres Material an Ausrüstungskosten, Ehre und
Reputation und wer weiß, was noch mehr.

Diesen bedächtigen Erwägungen steht heute, wie damals, die
Meinung derer entgegen, welche die Verfallenheit der französischen
Streitkräfte, die innere Zerrüttung des Landes, den ganzen Zweck
und die Anlage des Feldzugs für Gründe genug halten, von der
gewöhnlichen Regel abzugehen. Von dieser Seite wird es als ein
„Gebot der gesunden Vernunft" bezeichnet, von Verdun gleich die
Vorhut nach den Argonnen vorzuschieben, den Feind aufzusuchen,
wo er zu schlagen war, und da man ihm früher bei Sedan nicht
entgegengegangen, ihm lieber bei Chalons oder Grandpré in den
Weg zu treten. Die Sorge, Verdun möchte verloren gehen, wenn
die Armee sich davon entferne, wird von den Anhängern dieser
Meinung fast komisch gefunden und in das Urtheil des alten Hu-
sarenführers Wolfradt eingestimmt, der die gelehrten Strategen des
Generalstabs wegen der Wichtigkeit, die sie dem Abschneiden und
Abgeschnittenwerden beimaßen, sarkastisch die „Abschneider" genannt hat.*)

Wir sind in diese verschiedenen Ansichten eingegangen, nicht
um uns ein technisches Urtheil darüber zu gestatten, sondern nur
um zu zeigen, welches für die beiden einander entgegenstehenden
Gesichtspunkte — die hergebrachte methodische Kriegführung und
die kühne, durch das Ungewöhnliche der Lage motivirte Strategie
— die Gründe waren, so und nicht anders zu denken. Wir können nicht einmal sagen, für welchen von beiden Wegen der Erfolg
gesprochen hat; denn das Unglück war eben, daß keine der beiden

---

*) Die entgegenstehenden Ansichten sind einerseits in Wagners Feldzug von
1793. Berlin 1831. S VIII. und von Minutoli, Geschichte des Feldzugs von
1792. S. 17—19, andererseits in (Valentinis) Erinnerungen eines alten preuß.
Offiziers. Glogau 1833. S. 3 ff. dargelegt.

vorgezeichneten Richtungen, der kecke Angriff, wie das bedächtige
Verharren an der Maas, rein und consequent verfolgt worden ist.

Der Herzog mit seinem Generalstab war für das Bleiben an
der Maas und verfocht diese Meinung in Verdun mit aller Lebhaftigkeit; der König, die Emigranten und der soldatische Instinct
der Maſſen waren für kühnes Vorgehen. Daß bei dem König die
Erinnerung an das ursprüngliche Ziel des Feldzugs und der Gedanke an das Schickſal Ludwigs XVI. noch mehr, als die Vorstellungen der Emigration und ihrer Agenten dazu beitrugen,
die langsame und zögernde Taktik des Herzogs zu verwerfen, ist
unzweifelhaft; wie sollte er, nach den ersten Erfolgen von Longwy
und Verdun, nun plötzlich furchtsam Halt machen und den gefangenen König bis zum nächsten Jahre in den Händen wüthender
Factionen laſſen? Wir begreifen, daß dies für Friedrich Wilhelm II. eine moraliſche Unmöglichkeit war; für ihn hieß es „Vorwärts“, auch wenn er sich nur daran erinnerte, warum er gegen
Frankreich zu Felde ausgezogen war. Wie schüchtern oder wie entschieden der Herzog dem gegenüber seine Meinung verfochten haben mag, sie konnte sich dieser persönlichen Situation und Stimmung des Königs gegenüber nicht behaupten. Der Herzog gab
nach und es ward beschloſſen, vorwärts zu gehen.

Damit war das Schickſal des Feldzugs entschieden; aber nicht
beßhalb entschieden, weil man damit den Weg der Vorsicht verlaſ-
sen und die schlimme Bahn einer kecken, abenteuerlichen Kriegführung betreten hätte, wie von einer Seite behauptet worden, sondern weil aller Voraussicht nach der kühne und rasche Entschluß
des Königs nur eine furchtsame und zögernde Vollziehung fand.
Dem König gegenüber in seiner Meinung unwandelbar zu beharren oder lieber den Oberbefehl abzugeben, das hatte der Herzog
nicht über sich vermocht; er gab im letzten Augenblick wieder nach,
aber mit der tiefen Ueberzeugung, daß das zum Verderben führe,
was beschloſſen sei. Dies Verderben abzuwenden, wirkte er dann
mit seiner zaghaften Vorsicht den kühnen Entschlüssen stillschweigend entgegen, zauderte und wich jedem raschen und kecken Schlage
geflissentlich aus, so daß allerdings das nicht geschah, was der
König vor Verdun gewollt hatte. Aber es erfolgte das Unglück-
lichste von Allem; indem er die möglichen Vortheile verscherzte,
welche entweder das Bleiben an der Maas oder das kühne Vor-

bringen auf Paris unzweifelhaft gewähren konnte, ging der Herzog einen inconsequenten Mittelweg, der keinen sicheren Erfolg, wohl aber die doppelten Nachtheile einer zugleich kühnen und schüchternen Kriegführung verhieß.

Hätte der Herzog freilich eine genaue Kenntniß von den militärischen Zuständen auf französischer Seite gehabt, er wäre gewiß bei aller seiner bedächtigen und methodischen Kriegführung rasch auf das Ziel losgegangen, wie es der König wollte. Aber die unläugbare Enttäuschung, die nach den Prahlereien der Emigranten eintrat, hatte die natürliche Folge, daß er die Kräfte und Mittel der Gegner überschätzte, und an genauen Mittheilungen über die Zustände im feindlichen Lager fehlte es durchaus. So wußte man im preußischen Hauptquartier nicht, wie groß die Zerrüttung im Heere seit den Augustereignissen, wie gering der Zuzug, wie mangelhaft alle militärischen Mittel waren. Schwerlich wäre der Moment nach Lafayettes Flucht unbenutzt geblieben, hätte man die ganze Noth der Franzosen gleich anfangs gekannt. Wohl war jetzt in Dumouriez der Armee ein neuer Führer gegeben worden, der rührig und unverzagt zum bösen Spiele gute Miene machte, mit abenteuerlicher Keckheit die Gefahr verachtend für jede neue Verlegenheit neue Auskunftsmittel in Bereitschaft hielt, überhaupt der wachsenden Noth eine gute Dosis französischen Leichtsinns entgegenstellte, die zu der vorsichtigen und methodischen Art des preußischen Oberfeldherrn in einem sonderbaren Gegensatze stand. Aber das unbegränzte Selbstvertrauen auf sein Talent und eine großartige Leichtfertigkeit ließen ihn viel grellere Mißgriffe begehen, als die, welche man dem Herzog vorwarf. War er doch noch in der zweiten Hälfte des August mit seinem Lieblingsplane, der Eroberung Belgiens, ernstlich beschäftigt und gleichwol konnte man in einem Augenblick, wo die Verbündeten die Maasfestungen theils wegnahmen, theils bedrohten, ein solches Unternehmen kaum anders als abenteuerlich nennen. So sah es auch der Kriegsminister Servan an, der gegen die Meinung des Feldherrn und seines Kriegsrathes den Gedanken festhielt, man müsse zunächst das Vordringen der deutschen Armee hindern und zwar durch eine geschickte und starke Aufstellung in dem Argonnerwalde.*) Indes-

---

*) S. darüber Sybel S. 533, namentlich gegen Dumouriez selbst, der sich

sen man darüber hin= und herschrieb und hochtönende Pläne machte,
den Verbündeten plötzlich im Rücken Belgien wegzunehmen, gin=
gen Longwy und Verdun verloren, breitete sich die Armee der Ver=
bündeten an der Maas in einer Stellung aus, die vor Allem die
Vereinigung Dumouriez's mit Kellermann, der bei Metz stand, fast
unmöglich zu machen schien. Griff der Herzog nun vollends rasch
zu und besetzte die nur zwei Märsche von Verdun entfernten Pässe
des Argonnerwaldes, so war nach übereinstimmender Ansicht aller
Sachverständigen die Lage der Franzosen geradezu verzweifelt. Die=
ser Argonnerwald, der zwischen Verdun und St. Menehould den
Weg verlegte, war zwar kein Thermopylenpaß, wie ihn Dumou=
riez pathetisch nennt, wohl aber ein weit ausgedehntes Gehölz mit
mäßigen Höhen und engen Thaleinschnitten, dessen lehmiger und
feuchter Boden bei nassem Wetter schwer zugänglich war, durch
anhaltende Regengüsse aber in undurchbringliche Moräste umge=
wandelt werden konnte. Die Franzosen hatten von Sedan aus
bis nach dem nächstgelegenen wichtigeren Passe dieses Höhenzuges,
bis Grandpré, ungefähr zwölf Meilen, die Verbündeten von Ver=
dun bis zum nächsten Defilé, bis zu den sogenannten Jslettes,
nur sechs Meilen zurückzulegen; gleichwol unterließ es der Herzog,
ein Corps dahin zu schicken, weil es allen Regeln widerspreche,
zwischen zwei feindlichen Armeen, die zu Sedan und Metz stan=
den, sich so weit vorzuwagen.*)   In allen diesen entscheidenden
Momenten rächte sich die kurzsichtige Sparsamkeit der Kriegsrüstung
auf's Bitterste; hätte der Herzog die 20—30,000 Mann gehabt,
die Oesterreich versprach, aber nicht lieferte, schwerlich überwogen
dann in ihm jene vorsichtigen Bedenken, welche ihm die Zahl sei=
ner Truppen wecken mußte.

Dumouriez zögerte, nachdem Verdun einmal verloren schien,
keinen Augenblick, sich diese Bedenken zu Nutze zu machen; an
dem Tage, bevor die Stadt sich ergab (1. Sept.), brach er rasch
gegen die Argonnen auf und näherte sich am 4. Sept. dem Passe
von Grandpré, indeß Dillon über Varennes nach St. Menehould

---

bekanntlich nachher das Verdienst zuschrieb, wie die komische Phrase lautet, die
Argonnen „als Frankreichs Thermopylen" erkannt zu haben. Was es mit die=
sen Thermopylen auf sich hatte, werden die folgenden Vorgänge zeigen.

*) S. Massenbach I. 54.

vorgerückt war und das Defilé Islettes (5. Sept.) besetzte. Dort
wollte man die Vereinigung mit Kellermann herstellen, der versprochen hatte, von Metz über Commercy und Barlebuc vorzugehen, und etwa um die Mitte des Monats einen starken Tagemarsch
südlich von St. Menehould eintreffen wollte. Im Lager der Verbündeten sah man diese Wendung nicht nur ohne Sorge, sondern
mit Freude eintreten; wir wurden, sagt Massenbach, als die Nachricht von der bevorstehenden Vereinigung Kellermanns und Dumouriez's eintraf, alle neu belebt, weil man mit einiger Hoffnung
einer schönen Zukunft entgegensehen zu dürfen glaubte und, wie
es schien, die ganze Macht des Feindes mit einem Schlage zu Boden werfen wollte. So blieb die Armee acht Tage (3—11. Sept.)
in der Umgebung von Verdun, bis die einzelnen Abtheilungen
herangezogen und die Magazinanstalten getroffen waren, als deren
Mittelpunkt man Verdun auserwählte. Mittlerweile hatte sich Dumouriez in den Argonnen festgesetzt, zog Verstärkungen aus dem
Innern an sich und sah der Annäherung Kellermanns mit Sicherheit entgegen; er hatte die ganze Keckheit, die acht Tage vorher
doch etwas wankte, jetzt wiedergefunden und imponirte durch seine
zuversichtliche Haltung den Soldaten, deren moralische Stimmung
nach den Vorgängen vom August allerdings einer starken Aufrichtung bedurfte.

Am 11. Sept. endlich brach der Herzog von Verdun gegen
Landres auf; die Argonnen sollten jetzt durch Umgehung genommen werden. Kalkreuth ward gen Briquenai entsendet, um sich
dort mit Clerfayt zu vereinigen, der bisher gegen Stenay gewendet, die Franzosen auf dieser Seite von Verdun abgehalten hatte;
am 12. Sept. erfolgte die Vereinigung. Durch eine geschickt und
energisch ausgeführte Bewegung bemächtigte sich Clerfayt des
Punktes bei Croix aux Bois, behauptete sich gegen den lebhaften
Angriff der Franzosen und zwang sie dadurch, den nun unhaltba-
ren Posten bei Grandpré zu verlassen (14. Sept.). Eine kühne
und zugreifende Kriegführung hätte von diesem Unfalle den aller-
entscheidendsten Vortheil ziehen können. Die Truppen, kaum erst
aus der Zerrüttung des August etwas gehoben, waren durch die
Schlappe bei Croix aux Bois völlig demoralisirt und die Verfolgung einiger Schwadronen preußischer Husaren reichte hin, Tausende
von flüchtigen Franzosen in panischem Schreck gegen St. Menehould.

Chalons und Rheims zu jagen. Dumouriez hatte alle Mühe
zu hindern, daß die Fliehenden nicht das Gros der Armee mit
sich fortrissen; ohne seine und seiner Untergenerale Besonnenheit
wäre diese Flucht von Grandpré wahrscheinlich der entscheidende
Tag des Feldzuges geworden. Wir können uns darum vollkommen in die Stimmung des Königs denken, der auf die Nachricht
von Dumouriez's Rückzug heftiger als je auffuhr, nach seinem
Pferde verlangte und dem Major Massenbach, der die Botschaft
gebracht, zürnend den Vorwurf zurief: „Warum hat man mir
den Rückzug nicht früher gemeldet? Nun wird der Feind mir entwischen!" Nicht allein die Gegner der methodischen Kriegführung des Herzogs klagen hier, daß der „König den Willen, nicht
aber die Einleitung und Ausführung in Händen behalten hatte
und deshalb den künstlichen Bewegungen seines Feldherrn nicht
gründlich zu begegnen vermochte," sondern auch die Vertheidiger
geben zu, daß es ein großer Fehler war, den Feind wieder zu
Athem kommen zu lassen, indem man, statt ihn rastlos zu verfolgen (16. und 17.), bei Grandpré wieder aus „Brod- und Back-
gründen" ein paar Tage stehen blieb. *)

Indessen hatte Dumouriez sich auf St. Menehould zurückgezogen und hielt den dortigen Höhenzug besetzt; an ihn lehnte sich
gegen die Argonnen zu Dillon, der seit dem 5. in dem Passe der
Isletten eine feste Aufstellung genommen hatte. Von Chalons
her traf vom 18. zum 19. Sept. Beurnonville bei Dumouriez ein;
am nämlichen Tage erfolgte auch die Vereinigung mit Kellermann, der von Metz 17,000 Mann herbeiführte. So war der
größte Theil der französischen Streitkräfte, gegen 60,000 Mann
stark, zwischen St. Menehould und den Argonnen vereinigt; es
konnte nun der Schlag auf die ganze feindliche Armee erfolgen,
dem man im preußischen Lager mit so lebhafter Sehnsucht entge-
gengesehen. Die verbündete Armee war nach der Rast bei Grandpré die Aisne heraufgezogen und näherte sich nun der Ebene west-

*) S. die Erinnerungen eines alten preuß. Officiers S. 5. Massenbach
I. S. 67. 68. — Aus dem Lager schrieb am 16. Lucchesini: Les operations
militaires vont à merveille, mais ce n'est pas tout; les têtes sont tout-à-fait
tournées, et si d'une manière ou d'autre on parvient à rétablir l'autorité legi-
time, il y aura de grandes difficultés à la préserver de nouvelles secousses.

lich von den Argonnen, welche, nach der Marne hin ausgebreitet, ihr den Weg gegen Chalons und Rheims eröffnete. Massenbach bezeichnet als die Idee des Herzogs: sofort an der Herstellung der Gemeinschaft mit Verdun zu arbeiten, mit dem linken Flügel auf dem Rücken des Argonnengebirges vorzugehen und durch ein zweites Manövre die feindliche Armee zu nöthigen, nicht nur dieses Gebirge zu verlassen, sondern selbst hinter die Marne zu fliehen. Sie dann auf dem Rückzuge anzugreifen und zu schlagen, das mußte ihr, so dachte man im Hauptquartier, das sichere Verderben bereiten. Es ist sehr wahrscheinlich, daß diese methodische Operation, wenn sie consequent durchgeführt ward, ihr Ziel erreichte; aber das Mißgeschick dieses Feldzuges war eben, daß man keinen der gefaßten Pläne unverrückt bis zum Ende vollzog. Wieder machte sich der Doppelgeist in der Führung geltend; hatte vorher des Herzogs Bedächtigkeit das schnell entschlossene Handeln des Königs gehemmt, so trat diesmal Friedrich Wilhelms Reigung zum raschen Angriff der Entwicklung des herzoglichen Planes in den Weg. Die Armee war am Mittag des 19. Sept. eben im Begriff, sich auf den Höhen von Massige zu lagern, wie es dem Entwurf des Herzogs entsprach, als der König befahl, sofort gegen Somme Tourbe aufzubrechen. Es war nämlich die allerdings irrige Nachricht eingetroffen, Dumouriez rüste sich aus seiner Stellung von St. Menehould sich nach Chalons zurückzuziehen; der König wollte den Feind nun nicht zum zweiten Male, wie am 14. und 15. bei Grandpré, entwischen lassen, fand den Plan des Herzogs zu langsam und entschloß sich, frischweg in der Richtung vorzugehen, wo er den Feind finden mußte.

Wohl waren die Franzosen nicht im Rückzuge begriffen, aber ihre Stellung doch von der Art, daß der rasche Angriffsplan des preußischen Monarchen ihnen sehr gefährlich werden konnte. Kellermann hatte, wie es scheint aus Mißverständniß eines Befehls von Dumouriez, sich nicht auf dessen linker Flanke aufgestellt, sondern war auf die Höhen von Valmy vorgegangen. Dort stand er dicht zusammengedrängt; sein eigenes Gepäck hemmte ihn in der freien Entwicklung seiner Kräfte, und Dumouriez war weit genug von ihm entfernt, um nicht rasch zur Stelle sein zu können. Allerdings war die französische Armee im Ganzen an Zahl der verbündeten überlegen *), aber dies ward durch die beſſere Disciplin und Kriegsfähigkeit der leßteren vollkommen ausgegli= chen. Zudem — wie ein ausgezeichneter preußiſcher Veteran ſagt — ſtand die Regel, ſo genau ſeine Feinde zu zählen, nicht in den Inſtructionen Friedrichs des Großen. Die ganze Situation mußte zum Kampfe ermuthigen. Die franzöſiſche Armee, zwiſchen der Bionne und Auve eingeſchloſſen, im Rücken die Aisne und das von den Verbündeten beſeßte Verdun, vorwärts von Chalons ab= geſchnitten, war nach einer verlorenen Schlacht in einer ganz ver= zweifelten Lage; die Flucht nach Vitry konnte ihr dann leicht verlegt werden, der Rückzug über die Aisne und die Argonnen trieb ſie einem feindlichen Corps in die Arme.**) Und daß die Schlacht wahrſcheinlich verloren würde, dafür ſprach doch Alles: die Trennung Kellermanns von Dumouriez, die Art ſeiner Auf= ſtellung bei Valmy und die militäriſche Ueberlegenheit des ver= bündeten Heeres über die Franzoſen.

Es war ungefähr 7 Uhr, als am Morgen des 20. Septbrs. die Avantgarde der preußiſchen Armee, unter dem Erbprinzen von Hohenlohe, ſich aus ihrer nächtlichen Aufſtellung den Höhen von Valmy näherte; Alle hofften, jeßt werde es einmal zur Schlacht kommen, und freuten ſich der endlich näher gerückten Entſcheidung. Als ſich das Corps den Höhen zeigte, kam vom Feind ein leb= haftes Geſchüßfeuer, deſſen Lärm aber größer war als der Schaden. Die Preußen entwickelten ſich auf den benachbarten Hö= hen indeſſen ungehindert und ſäumten nicht, durch ihr Geſchüß die feindliche Begrüßung wirkſam zu erwiedern. Obwohl der dichte Nebel den größten Theil des Morgens die freie Ausſicht über die Bewegungen des Feindes hemmte, gaben die preußiſchen Geſchüße doch ein gut gezieltes Feuer auf die Höhen von Valmy, und als einige Pulverwagen aufflogen, entſtand, wie Kellermann ſelber eingeſteht, eine Verwirrung, die alle Anſtrengung der Officiere erforderte, wenn eine Niederlage abgehalten werden ſollte. Er= folgte in dieſem Augenblicke ein energiſcher Angriff auf die Hö= hen, ſo waren die Franzoſen unzweifelhaft verloren. Die Preu=

---

*) Die preußiſche betrug zwiſchen 30 und 40,000; die franzöſiſche war ungefähr um 20,000 ſtärker.
**) S. die Erinnerungen S. 7. 8.

ßen hofften das auch und waren des besten Muthes; dies Ka-
noniren erschien ihnen fast scherzhaft. „Dies Alles — schreibt der
Kronprinz in seinem Tagebuche — kam mir noch so revue- und
manövermäßig vor, daß ich bei ganz heiterer Laune und Zuversicht blieb, zu den Grenadieren von Herzogs Regiment ritt und
ihnen scherzhaft den Butterberg bei Cörbeliß wies, den wir angreifen sollten, was sie mit tröstlichem Gesicht und freundlichem
Lächeln erwiederten.“   Diese ruhige Zuversicht der Truppen bildete
allerdings einen merkwürdigen Gegensatz zu der Verwirrung im
französischen Lager; sie gab die sichere Bürgschaft des Sieges,
mochten die Zahlen noch so ungleich sein.

Aber rasch mußten die Momente der Verwirrung benutzt werben, wenn der Erfolg leicht und sicher sein sollte. Wir haben am
Tage zuvor gesehen, wie des Königs Entschlossenheit den Herzog
zu schnellerer Action antrieb; nun war es wieder der Herzog,
welcher die ungeduldige Angriffslust des Königs vom Ziele ab-
lenkte. Beide waren, wie der Kronprinz in seinem Tagebuche
versichert, an diesem Tage sichtbar gespannt; „jeder berathschlagte
und recognoscirte für sich,“ der Kronprinz bemühte sich vergebens,
aus ihren Aeußerungen einen einmüthigen Entschluß herauszule-
sen. Nur traten die Bedenken des Herzogs wieder mit aller Bestimmtheit hervor; er hielt eine förmliche Schlacht für unbedingt
verwerflich. Ob es wirklich die Erinnerung an die ähnlich gelegenen Höhen in der Wetterau waren, wo er im siebenjährigen
Kriege gegen die Franzosen unglücklich gewesen, was ihn mit einer
fast abergläubischen Besorgtheit erfüllte — genug, er widerrieth
die Schlacht, und der König schien denn doch auch nicht gegen
ben Rath der ersten militärischen Autorität handeln zu wollen.
Es war ohne Zweifel ein unglückliches Verhängniß, nicht jetzt
allein, sondern auch später, daß in einem Staate, wo mehr als
irgendwo sonst seit dessen Bestehen der König allein und vorzugsweise gewohnt war, an der Spitze seines Heeres zu befehlen, nun
diese monarchische Unbedingtheit des Commandos gegen ein Ab-
wägen und Berathen mehrerer Autoritäten vertauscht war, das
alle rasche und eingreifende Action lähmte.

Als der König am Mittag auf dem Schlachtfelde eintraf,
war zwar der günstigste Moment schon verloren und ben Franzosen bereits Zeit gegeben, die Folgen von Kellermanns Mißgriff

einigermaßen abzuwenden; aber auch jetzt noch, wenn der König, seinem militärischen Instinct folgend, rasch angriff, war aller menschlichen Wahrscheinlichkeit nach der Sieg gesichert. Statt der Schlacht entschloß sich der Herzog zu einer Demonstration; der Feind sollte auf seiner Anhöhe stark beschossen und dadurch zum Rückzug gezwungen werden, man wollte ihn dann verfolgen. So begann jene Kanonade, von der Valentini sagt: eine fruchtlose Kanonade kostet bei weitem mehr als eine herzhafte Schlacht. Jeder Theil verschoß etwa 20,000 Kugeln und Granaten, es wurden dadurch ein paar hundert Menschen und Pferde getödtet *), auch demontirten die Preußen einige feindliche Geschütze, aber der Erfolg hob sich auf, die Preußen wie Kellermann behaupteten bis zum Abend, wo das Feuer schwieg, ihre Stellung. Im Dunkel der Nacht verließ dann Kellermann seine vorgeschobene Position und stellte seine nähere Verbindung mit Dumouriez wieder her.

Wir haben die Vorgänge im Einzelnen verfolgt, nicht weil diese berühmte Kanonade auch nur mit irgend einer nennenswerthen Schlacht der nächsten 23 Jahre verglichen werden kann, sondern weil sie durch ihre moralischen Folgen der Wendepunkt dieses Krieges geworden ist. In jeder andern Lage wäre diese militärische Evolution ganz spurlos vorübergegangen, in dieser eigenthümlichen Verkettung der Umstände erhob sie sich zur Bedeutung eines weltgeschichtlichen Ereignisses. Wie es so gekommen ist, daß der schon aufgehobene Arm der Preußen wieder inne hielt und sie sich die schönste und wohlfeilste Gelegenheit des Sieges entschlüpfen ließen, darüber hat man die wunderlichsten Deutungen versucht, geheime Verabredungen, Geld und weiß der Himmel was noch sollen die Ursache gewesen sein. Uns scheint, die schlichte Darlegung der Ereignisse, wie sie sich seit Longwy und Verdun entwickelten, wird jeden Unbefangenen überzeugen, daß Alles mit natürlichen Dingen zugegangen ist.

Die Gelegenheit des Sieges, die sich das deutsche Heer hatte entschlüpfen lassen, war nicht nur augenblicklich verloren; es war gewiß, sie bot sich niemals so wieder dar. Für die Franzosen, als Neulinge im Kriegshandwerk, war es — wie Valentini sagt —

---

*) Die Angaben über den Verlust der Preußen schwanken zwischen hundert und zweihundert Mann; die Franzosen haben 3—400 verloren.

schon genug, nicht geschlagen zu sein; die jungen Schaaren hatten in der Kanonade gelernt, daß nichts im Kriege so gefährlich
ist, als es aussieht.   Zum ersten Male war an diesem Tage ihr
militärisches Selbstbewußtsein erwacht und der Zauber der Unüberwindlichkeit der Armee Friedrichs des Großen war für sie dahin.
Ihr Selbstvertrauen und ihr Hochmuth war jetzt so groß, wie
noch wenige Tage zuvor bei Grandpré ihre Angst und ihr pani-
scher Schrecken.   Auf der anderen Seite war bei den Preußen die
Stimmung tiefer Niedergeschlagenheit eingezogen.   Zu den äußeren Entbehrungen, dem Mangel, der sie vier Tage ohne Brod
ließ, dem Regen und der Kälte, wodurch die Ruhr immer hart-
näckiger ward, kamen nun die widerwärtigen Eindrücke, wie sie
der 20. September erwecken mußte.   War auf der einen Seite
durch den lebhaften Widerstand der Franzosen auch die letzte Emi-
grantenillusion von royalistischer Gesinnung und Abfallsneigungen
der Soldaten gründlich beseitigt, so erregte es doch im Heere zugleich ein Gefühl von Zorn und Beschämung, daß man durch
eigene Unentschlossenheit den Uebermuth der Anderen gesteigert hatte.

Von irgend einem andern militärischen Mißgeschick war nicht
die Rede.   Noch am Abend des 20. Sept. traf Clerfayts Corps
auf dem Schlachtfelde ein und die verbündete Armee behielt ihre
Stellungen, indeß Kellermann die seinige verlassen hatte.   Wohl
war es nicht rathsam, daß sie in dieser nun werthlosen und in
mancher Hinsicht bedenklichen Position längere Zeit verblieb, aber
die Franzosen waren ungeachtet des Tages von Valmy noch lange
nicht über alle Gefahren hinweg.   Es konnte in dem Hauptquartier der Verbündeten nachträglich noch irgend ein kühner unerwarteter Entschluß zur Reife kommen, womit man das Versäumniß
vom 20. gut zu machen dachte; und dann war eben, trotz der
Kanonade jenes Tages, die militärische Tüchtigkeit und Uebung
doch wieder ganz auf Seiten der deutschen Truppen, und es gelang vielleicht nicht zum zweiten Male, so wohlfeil wie bei Valmy
wegzukommen.   Dies zu hindern, übte Dumouriez eine Taktik,
welche auf die Herabstimmung der früheren Illusionen gut berechnet war: er knüpfte Unterhandlungen an, um die Verbündeten
mit der leeren Hoffnung einer friedlichen Restauration hinzuhalten und inzwischen jede kühne, angreifende Thätigkeit von ihrer
Seite zu lähmen.   Vielleicht gelang es ihm gar, der preußischen

Politik den Krieg überhaupt zu verleiden und die österreichisch-preußische Verbindung, deren wunde Stellen ihm nicht verborgen waren, zu sprengen.*)

Es kam ihm dabei der Eindruck der letzten Vorgänge und der Zufall gleich glücklich zu Statten. Ein erwünschter Zufall und nichts Anderes war es, daß am 20. eine streifende Colonne, die in den Rücken der preußischen Armee gerathen war, dort beim Train eine Anzahl Gefangene machte, unter ihnen den Cabinetssecretär Lombard. Möglich, daß dieser die Stimmungen nicht verhehlte, die auch im preußischen Hauptquartier anfingen laut zu werden: Abneigung gegen diesen wenig lohnenden Krieg, Bereitwilligkeit ein Abkommen zu schließen, wenn man nur eine sichere Aussicht auf die Restauration des Königthums dagegen erhielt. Nicht der König, auch nicht die Stimmung des Heeres neigte zu dieser Ansicht, wohl aber Diejenigen, die von Anfang an dem Kriege abhold gewesen, oder deren Träume von einem leichten Triumphzug nach Paris nun ebenso rasch in lebhaften Widerwillen gegen den Krieg umgeschlagen waren. Zu ihnen gehörte namentlich eine einflußreiche Person in der nächsten Umgebung des Königs, der Generaladjutant Oberst Manstein, ein Mann, der jetzt und später auf die politischen Dinge die allerunmittelbarste Einwirkung geübt hat, und dessen Briefwechsel mit den bedeutendsten Persönlichkeiten im Militär und der Diplomatie die reichsten Aufschlüsse über das geheime politische Gewebe jener Tage gewährt. Manstein gehörte dem Kreise an, die Bischofswerder und Wöllner repräsentirten; aber er trieb die Politik zunächst im eigenen persönlichen Interesse, folgte den Schritten auch der ihm befreundetsten Personen nur mit lauerndem Mißtrauen und übte in seinem scheinbar strengen, fast finstern äußeren Auftreten einen unverkennbaren Einfluß auf die arglose Seele des Königs. Manstein hat damals den lebhaftesten Antheil an den Besprechungen

---

*) Die folgenden Unterhandlungen sind aus den nämlichen ungedruckten Quellen geschöpft, aus denen Sybel I. S. 549 f. das richtige Verhältniß ermittelt und dargestellt hat. Indem wir ganz ins Detail eingehen und die Actenstücke so viel wie möglich ihrem Wortlaut nach wiedergeben, glauben wir der Berichtigung der einzelnen Irrthümer überhoben zu sein, die kaum an einer Stelle der Geschichte jener Zeit mit solcher Zuversicht aufgetreten sind, wie hier.

I.   29

mit Dumouriez gehabt, wie er später am zähesten und unermüd-
lichsten auf die Lostrennung der Preußen von der Coalition hingearbeitet hat.

Der Gedanke, mit Dumouriez zu unterhandeln, war schon
acht Tage zuvor in ganz unverfänglicher Weise aufgetaucht; der
preußische Oberfeldherr, wie der Führer des österreichischen Corps
(Hohenlohe-Kirchberg) waren sich darin begegnet. Man lebte
der Hoffnung, Dumouriez sei des wüsten revolutionären Treibens
satt und werde vielleicht die Hand bieten zu einer monarchischen
Restauration. Damals war Dumouriez, mit dem peinlichen Rückzug von Grandpré beschäftigt, dem Vorschlag ausgewichen; jetzt,
wo die Umstände sich ganz anders gestaltet, kam er selber darauf
zurück. Er hoffte, wie er nachher an den Kriegsminister schrieb,
sich auf 80,000 Mann zu verstärken und inzwischen die Feinde
mit eiteln Unterhandlungen zu amüsiren. Die Gefangenschaft
Lombards und seiner Schicksalsgefährten, wegen deren Herausgabe
am 21. Sept. eine der zweideutigen Persönlichkeiten jener Zeit,
Generalmajor Heymann, zu den französischen Vorposten geschickt
ward, bot einen günstigen Anlaß der Annäherung. Dumouriez
hatte dem Cabinetssecretär, als er ihn frei ließ, eine Denkschrift
mitgegeben, welche die Lage der Verbündeten als sehr kritisch bezeichnete, die französischen Streitkräfte übertrieb und durchblicken
ließ, daß man durch friedliches Abkommen eher als durch Fortsetzung des Kampfes das Schicksal des gefangenen Königs mildern
werde. Der Herzog und Manstein begegneten sich diesmal in der
Meinung, man dürfe dies Anerbieten nicht abweisen. Am 22.
Sept. traf man sich wieder bei den Vorposten, Heymann und
Manstein mit Dumouriez und Kellermann, und verabredete sich,
am folgenden Tage eine Besprechung zu Dampierre sur Auve zu
halten. Mochten die beiden Persönlichkeiten, die Preußen vertraten, gegründete Bedenken wecken, die Vorschläge, wozu sie zunächst ermächtigt, waren unverfänglich. Die Grundlagen, auf
welchen man unterhandeln wollte, waren: Freiheit des Königs,
Herstellung seiner Autorität sowie Begründung einer Regierungsform, welche dem Wohle Frankreichs entspricht, und Einstel-
lung der revolutionären Propaganda. Damit waren die Haupt-
gesichtspunkte, unter denen man den Krieg unternommen, festgehalten. Diesen Entwurf legte man (23. Sept.) Dumouriez vor;

er gab wortreiche Versicherungen, ohne sich jedoch auf etwas Bestimmtes einzulassen, und erklärte, er werde den Vorschlag an den Convent schicken. Im Uebrigen verabredete man nur, während dieser Besprechungen die Neckereien der Vorposten einzustellen.*)

Die Verantwortlichkeit der weiteren Verhandlung trug Manstein; es enthüllte sich bald, daß er dabei die Linie überschritt, die man im Hauptquartier wollte eingehalten wissen. Er lud am 24. Sept. Dumouriez zu sich ein, um nebst einem Begleiter von Paris bei ihm zu speisen und sich dem König selbst vorstellen zu lassen; der Begleiter war Westermann, Dantons Freund, dessen jüngste politische Thaten allein schon für den König Grund genug gewesen wären, sich mit ihm nicht tiefer einzulassen. Dumouriez sagte erst zu; aber noch am Abend kam ein zweites Schreiben, worin er, wie Lucchesini richtig bemerkt, unter falschen Vorwänden die Einladung ablehnt und zugleich berichtet, daß ihm eben von Paris die Botschaft zukomme, der König sei abgesetzt und die Republik ausgerufen. Er bedauere, schrieb er, nicht kommen zu können; denn während seiner früheren Conferenz mit Manstein habe man auf seine Vorhut gefeuert und sie zurückzubrängen gesucht. Auch sei es wohl klüger, erst den Bescheid von Paris abzuwarten und nicht Unterhandlungen anzuknüpfen, die ganz vergeblich wären, wenn der Nationalconvent sie nicht genehmige. Er freue sich übrigens, einen so vortrefflichen Mann wie Manstein kennen gelernt zu haben; auch er bedaure einen Krieg, welcher den Grundsätzen der Philosophie, Humanität und Vernunft widerspreche. Dieser Krieg sei für Vorurtheile begonnen und werde damit enden, alle Vorurtheile zu zerstören. Manstein, statt, wie es nach den neuesten Nachrichten von Paris natürlich war, nun abzubrechen, erklärte in seiner Antwort das Feuern auf die französische Avantgarde durch ein begreifliches Mißverständniß; man habe glauben müssen, die französischen Truppen wollten einen Angriff machen.**) Wenn keine anderen Gründe ihn

---

*) Dumouriez ne signe qu'un reçu de la pièce, mais promet beaucoup en paroles à Manstein, schreibt Lucchesini in seinem Tagebuche.

**) Inwiefern auf preußischer Seite man mit Grund so etwas vermuthen konnte, ist aus Dumouriez's eigener Darstellung (Mém. III. 63 f.) zu ersehen. Er hielt sich daran, daß das gegenseitige Versprechen, den Angriff ruhen zu

vom Kommen abhielten, so könne er unbedenklich sein früheres Versprechen erfüllen; es würde während seiner Abwesenheit nichts unternommen werden.

Allein Dumouriez blieb bei seinem Entschlusse und schützte in einem weiteren Briefe (25. Sept.) vor, seine Soldaten hätten ihm durch eine Deputation den Wunsch ausgesprochen, er solle das Lager nicht verlassen, eine Bitte, die er nicht habe abschlagen dürfen. Dagegen lud er in zwei folgenden sehr verbindlichen Schreiben vom nämlichen Tage Manstein ein, nach Dampierre zu kommen. *) Manstein lehnte dies ab und schlug vor, Dumouriez möge einen vertrauten Mann mit den nöthigen Vollmachten in das preußische Lager senden, um sowol über die Auswechslung der Gefangenen als über „andere wichtige Dinge" zu verhandeln.

Jeder Andere, der nicht so ungeduldig in seinem Eifer war, wie Manstein, hätte nach diesen Vorgängen das Spiel von Dumouriez durchschauen müssen. Er wollte vor Allem die Zeit gewinnen, die er auf's rührigste benutzte, sich zu verstärken, dann wo möglich den Samen der Zwietracht zwischen Oesterreichern und Preußen aussäen. Kamen doch französische Soldaten zu dreißig und vierzig ohne Gewehr an die preußischen Vorposten, versicherten in deutscher Sprache (man hatte Elsasser und Lothringer herausgesucht), wie sehr sie die Preußen liebten, die Oesterreicher verabscheuten, und diese zudringlichen Besuche hörten erst auf, als man den Franzosen anzeigte, man werde auf sie feuern lassen. Von dem, was man im preußischen Hauptquartier wollte, von der Befreiung des Königs und der Herstellung einer monarchischen Ordnung, war in Dumouriez's Briefen auch nicht mit einer Sylbe die Rede. Es war klar, Manstein hatte sich handgreiflich dupiren lassen, und Dumouriez war während der diplomatischen Kreuz-

---

lassen, sich nur auf die Front der Armee beziehe. „Messieurs de Manstein et Heymann proposerent de faire cesser les tirailleries sur le front du camp, en spécifiant eux mêmes que ce ne serait que sur le front du camp. Dumouriez convint que ces tirailleries étaient inutiles et dès le soir (22) la suspension d'armes fut établie sur le front des deux armées."

　*) „Nous entrerons ensemble dans une des maisons de Dampierre et nous causerons à fond sur les interêts de deux nations faites pour s'aimer et pour être alliées."

und Querzüge, womit er ihn fünf Tage lang hinhielt, unab=
lässig beschäftigt gewesen, seine Stellung zu verbessern und Re=
serven an sich zu ziehen.

Am Morgen des 26. Sept. traf Lucchesini, der am 21. nach
Verdun gesandt war, wieder im Hauptquartier zu Hans ein;
mit ihm kam gleichzeitig aus dem französischen Lager Thouvenot,
der Adjutant von Dumouriez. Rasch überschaute der Marquis aus
den Mittheilungen, die man ihm machte, wie die Dinge lagen;
Alles, zusammengenommen mit den Nachrichten aus Paris und den
Aeußerungen Thouvenots, ließ keinen Zweifel über die wahre Ab=
sicht des französischen Feldherrn, und es kostete Lucchesini nicht
viele Mühe, dem Herzog klar zu machen, daß Dumouriez die
preußischen Unterhändler sehr geschickt mystificirt habe. Thouve=
not's Anwesenheit hatte keine weitere Folge, als einen Austausch
der Gefangenen. Der Eindruck dieser Erörterungen war noch
frisch und hatte die Neigungen zur weiteren Verhandlung sehr
abgekühlt, als am 27. Sept. eine neue Botschaft von Dumouriez
ankam, die freilich nur Oel ins Feuer goß. Der französische Ge=
neral glaubte, Manstein so weit weich gemacht zu haben, daß er
nun unverblümter mit seinem geheimen Gedanken hervortreten
könnte; allein so wie die Stimmung jetzt im preußischen Haupt=
quartier war, konnte er damit zu keiner ungelegeneren Zeit kom=
men. In jener zudringlich vertraulichen Weise, die auch den Ton
seiner letzten Schreiben bezeichnet, schickte er an Manstein für den
König 12 Brode und eben so viel Pfund Kaffee und Zucker; das
sollte einer der Beweise sein, wie sehr der preußische Monarch in
Frankreich geliebt und geachtet sei! „Wie haben wir — fuhr er
fort — Alle geseufzt über die Mißgriffe eines leichtfertigen und
treulosen Hofes, der uns um eine für beide Nationen nützliche
Allianz gebracht hat! Ich bitte Sie, den König zu veranlassen,
daß er den beiliegenden Aufsatz mit Aufmerksamkeit liest. Es
handelt sich um das Geschick von zwei großen Nationen, ja von
ganz Europa; die Könige sind die Lenker der Völker und tragen
die Verantwortlichkeit des Glückes und Unglückes, das sie hervor=
rufen. Wenn die Rache nicht durch die Völker vollzogen wird,
so wird sie der Vorsehung und der Geschichte vorbehalten. Unser
Unglück hat eine Revolution herbeigeführt, welche die Abschaffung
der Monarchie nach sich zog. Nun muß man entweder mit

uns unterhandeln oder uns vernichten, aber eine muthige Nation von 26 Millionen kann man nicht ohne Weiteres aus der Welt schaffen."

Noch deutlicher trat der Hintergedanke Dumouriez's in dem beigelegten Aufsatze hervor;*) es war eine Anklageschrift gegen Oesterreich und zugleich ein unverblümter Antrag einer französisch-preußischen Allianz. Man muß — hieß es darin — die Republik anerkennen oder bekämpfen; Rebellen sind nur die Emigrirten. Einen großen Theil der Schuld an der Revolution trage Oesterreich und die Familienallianz von 1756. Preußen werde einst alle Verbrechen Oesterreichs kennen lernen; man habe die Beweise davon in den Händen. Warum wolle Preußen Geld und Armeen einem Systeme des Ehrgeizes und der Perfidie opfern, dem es fremd sei, von dem es sich nur mißbrauchen lasse?**) Den Ausfällen und Schmähungen gegen Oesterreich war dann eine entsprechende Fülle von Schmeichelreden für Preußen und den König beigemischt.

Es hätte der vorausgegangenen Enttäuschung im preußischen Hauptquartier nicht einmal bedurft: diese plumpe Aufdringlichkeit in Dumouriez's Erklärungen deckte den Abgrund auf, an den Mansteins ungeduldiger Eifer die Verhandlung geführt hatte. Der König hatte am 2l gehofft, den französischen Thron friedlich retten zu können; jetzt war er nach sechs Tagen um keinen Schritt weiter, wohl aber machte man ihm mit unverschämter Aufrichtigkeit das Anerbieten, seinen Verbündeten zu verlassen und mit der Revolution, gegen die er in ritterlichem Eifer zu Felde gezogen, ein Trutz- und Schutzbündniß zu schließen.

Der König war mit Recht erzürnt, gab Manstein einen heftigen Verweis, daß er die Brücke zu solchen Erörterungen gegeben, und beauftragte ihn, den Franzosen nun kurz abzufertigen. Manstein vollzog diese Weisung noch am nämlichen Tage; er ersuchte Dumouriez, sich in dieser Art nicht weiter bemühen zu

---

*) Es ist derselbe, der in seinen Mémoires (Paris 1823) T. III. S. 401 f. abgedruckt ist.

**) Die Stelle lautet vollständig: à un système de perfidie et d'ambition qu'il ne partage pas et dont il est la dupe. Il est temps qu'une explication franche et pure termine nos discussions ou les confirme et nous fasse connoitre nos vrais ennemis.

wollen. „Was den beigelegten Aufsatz anbelangt, so muß ich
Ihnen unsere dringende Bitte wiederholen, auf die gegenwärtigen
Verhältnisse Preußens mit dem Wiener Hofe nicht mehr zurückzukommen. Jedermann hat seine eigenen Principien; der König,
mein Herr, hat den Grundsatz, eingegangenen Verpflichtungen
treu zu bleiben — ein Grundsatz, der gewiß nur die in Frankreich über ihn geltende gute Meinung bestätigen kann. Er wird
diesem Grundsatz nicht untreu werden, mag er nun im Falle sein,
den Krieg fortzusetzen, oder die süße Genugthuung haben, den
Frieden wiederherstellen zu können.“

Im Hauptquartier herrschte die Ansicht, daß das noch nicht
genüge; man hatte dort das richtige Gefühl, daß die Verhandlung außer allen anderen Nachtheilen auch die üble Folge habe,
unverdienter Weise ein schiefes Licht auf die preußische Politik zu
werfen. Unverdienter Weise — denn was die Manstein, Lombard und Heymann für Gedanken mit sich herumtragen mochten,
es war vom König kein Schritt geschehen oder autorisirt worden,
den man verdammen konnte. Sein Ehrgefühl empörte sich beim
Anhören der Dumouriez'schen Insinuationen und es sollte der
Welt recht eclatant gezeigt werden, daß sein monarchischer Eifer
gegen die Revolution so wenig erkaltet sei, wie seine Bundestreue gegen Oesterreich. So entstand das neue Manifest, das der
Herzog von Braunschweig am 28. Sept. erließ; darin war wieder der schroffe Ton gegen die Revolution angeschlagen, der jeden
Gedanken an eine friedliche Verständigung mit derselben für jetzt
ausschloß. Nicht allein der König war unwillig über die Art,
wie Manstein seinen Namen mißbraucht, auch der Herzog war
ärgerlich und verlegen, daß ihn sein Eifer für friedliche Ausgleichung so irre geführt.*) Was Manstein nach diesen Vorgängen

---

*) In einer Depesche Lucchesinis an das königl. Staatsministerium in
Berlin (d. d. Termes 3. Oct) heißt es: Quant à la marche politique des
affaires pendant cet intervalle, l'évènement n'a que trop justifié les motifs qui
m'avaient engagé à faire rompre toute négociation ulterieure avec le général
Dumouriez. Vos E. verront par les pièces ci-jointes de quelle manière étrange
ce général a abusé d'un peu trop de facilité qu'on lui a montrée de notre
part à entrer en pourparlers avec lui. Le Roi en a été indigné et la bonté de
son cœur ne l'a pas empêché d'exprimer son mécontentement vis-à-vis de Mr.
de Manstein, premier mobile de ces pourparlers, d'une manière assez éner-

noch mit Verhandlungen zu erreichen hoffte, ist schwer zu sagen; gleichwol klopfte er noch einmal (29. Sept.) bei Dumouriez an, nachdem er diesem am Tage zuvor das neue Manifest hatte übersenden müssen. Dumouriez, der sich jetzt überzeugte, daß Weiteres nicht zu erreichen war, lehnte jede fernere Verhandlung ab, so lange ein Actenstück wie die neue Kundgebung des Herzogs vorliege.

In der ersten Aufregung, die Dumouriez's Vorschläge hervorriefen, hatte man im Hauptquartier Alles begierig ergriffen, was die Loyalität der preußischen Politik recht ins Licht stellen konnte. Es ward das Manifest vom 28. Sept. erlassen, der russische Bevollmächtigte, Prinz von Naffau, meinte, man solle sich schnell an die Kaiserin wenden, damit sie noch im Laufe des Herbstes ein russisches Corps nach Frankreich sende, und die Frage, ob man nicht jetzt eine Schlacht liefern solle, ward alles Ernstes erwogen. Da konnte man sich denn freilich nicht verhehlen, daß es eine Verwegenheit gewesen wäre, jetzt das zu unternehmen, was man am 20. Sept. für bedenklich gehalten hatte. Das Eine hatte Dumouriez mit seinen Verhandlungen jedenfalls erreicht, daß er die preußische Armee acht Tage in Unthätigkeit wie gebannt festhielt, seine Stellungen verstärkte und seine Armee beträchtlich vermehrte. Und in welchen Zustand war das verbündete Heer, zum Theil durch das unglückliche Zögern der letzten Woche gekommen! „Die Ruhr, — schreibt der Kronprinz am 27. und 28. Sept. — die seit Verdun in der Armee immer zunahm, erreichte hier ihren Gipfel. Wenig Dörfer in der Nähe, keine Einwohner darin, also auch keine Lebensmittel zu haben; unsere Communication mit Grandpré äußerst unsicher durch französische Streifpartien, die öfter unsere Convois beunruhigten, plünderten und Gefangene machten, die Wege dorthin fast ganz impracticabel durch den Regen. Alles dies war Schuld, daß

---

gique pour l'affliger sensiblement Le Duc qui par cette tournure des choses en est au regret de son empressement de vouloir finir la guerre par une negociation quelconque, n'en cache pas non plus son chagrin et son embarras J'ai proposé sans balancer de rompre absolument toute communication ulterieure avec ces gens dépourvus de tout pouvoir legal et arbitraire, avec lesquels on ne saurait négocier sans se compromettre et de ne repondre que par le mépris du silence à l'outrage de leurs écrits et messages.

wir kein Brod von der Bäckerei erhalten konnten, und wenn je etwas herankam, so war es gewöhnlich ungenießbar, so daß unsere Noth täglich wuchs und den höchsten Grad erreichte."*)

Diese Zustände im Lager ließen keine Wahl mehr: man mußte sich zum Rückzug entschließen. Am 29. Sept. ward denn zunächst ein Theil des Gepäcks vorausgeschickt, am Tage darauf setzte sich die Armee selbst in Bewegung, um sich in derselben Richtung auf Verdun zurückzuwenden, in der sie gekommen war, und die Argonnen zu umgehen. Bei dem physischen Zustande der Armee, den schlechten Wegen und Defileen, die man zu passiren hatte, dem wiederholten Verstopfen der Straße durch Truppen und Gepäck, das einmal (4. Oct.) zu einem Wege von wenig Meilen einen Marsch von 30 Stunden erforderte, war jeder feindliche Angriff doppelt bedenklich und konnte dem Heere die peinlichste Verlegenheit bereiten. Einzelne Streifzüge ausgenommen, die etwas Gepäck und einige Gefangene kosteten, war aber die Verfolgung ganz unbedeutend und ungeachtet alles Aufenthaltes und aller Ungunst der Natur hatte Kalkreuth mit einem kleinen Corps, das vorausgeschickt war, doch am 6. Oct. die Gegend von Verdun erreicht, indessen das Gros der Armee und die Nachhut sich Dun und Stenay näherten. Daß die Verfolgung so läs-

---

*) Diese Schilderung aus der Feder Friedrich Wilhelms III. stimmt vollkommen zusammen mit dem, was die andern Quellen berichten; wir erinnern nur an Minutoli, der Augenzeuge war, und an Valentini, der sonst die Kriegsführung des Herzogs in allen Punkten bekämpft. Gleichwol versichert der Rh. Antiq. I. 1. 116, der sich unter den neueren Darstellungen am meisten Mühe gegeben, die Emigrantenfabeln der Mémoires d'un homme d'état wieder in Cours zu setzen, Goethe sei es hauptsächlich gewesen, der (natürlich dazu bestellt) die Gerüchte vom schlechten Wetter, von der Unfruchtbarkeit der Champagne pouilleuse, von dem eingerissenen Mangel u. s. w. verbreitet habe. Nicht einmal die Regengüsse werden von dem Rh. Ant. zugegeben; in Paris habe man angemerkt, daß die acht ersten Tage des Septembers ungemein schön gewesen sind und auf den ganzen Monat kaum 6 Regentage kommen. So gewaltsam müssen die offenkundigsten Thatsachen verrenkt werden, damit das vom Emigrantenhaß eingegebene Mährchen, der Herzog von Braunschweig habe mit Dumouriez unter einer Decke gespielt und den Rückzug verabredet, Glauben finde. Dumouriez hat in der Darstellung jener Tage (Mém. III. 61—72) Manches verschwiegen, Anderes verschoben, aber seiner Schlußbemerkung über Diejenigen, welche überall raffinirte Cabalen sehen, muß man vollkommen beistimmen.

stg betrieben ward, hat dem unbewährten Gerücht, es sei vor
dem Rückzuge eine förmliche Verabredung zwischen Dumouriez
und dem Herzog von Braunschweig geschlossen worden, einen ge=
wissen Anschein von Glaubwürdigkeit gegeben, und Dumouriez
selbst hat es für nöthig gehalten, eine Erklärung darüber zu ge=
ben. Er schiebt die Schuld auf die mangelhafte Ausführung sei=
ner Befehle, namentlich auf das Zerwürfniß mit Kellermann, das,
bereits früher vorhanden, in diesen Tagen besonders schroff her=
vorgetreten sei. Möglich, daß diese Beschuldigungen einigen Grund
hatten, aber gewiß geben sie nicht die vollständige Erklärung der
so unerwarteten Lässigkeit der französischen Bewegungen. Denn
so wenig vor dem Rückzuge ein Vertrag verabredet war, so we=
nig war die Ungeschicklichkeit von Dumouriez's Untergeneralen die
einzige Ursache des ungehemmten Rückzuges der Preußen.

Die Unterhandlungen vom 21 — 27. Sept., die den Zu=
stand der Armee so wesentlich verschlimmerten, hatten wenigstens
das Eine gezeigt: wozu man in bedrängter Lage diplomatische
Verhandlungen gebrauchen könne. Das Beispiel Dumouriez's war
für die Preußen nicht verloren; sie schlugen ihn jetzt mit seinen
eigenen Künsten. In dem Augenblick, wo man sich zum Ab=
marsch von Valmy vorbereitete, kamen vom Convent gesandt Be=
noit und Westermann an, um den Faden der Besprechungen wie=
der aufzunehmen. Der Gedanke, Preußen durch einen Separat=
frieden von Oesterreich zu trennen, war für die neuen französischen
Machthaber ebenso verführerisch, wie früher für Manstein und
den Herzog die Idee, durch friedliche Ausgleichung Ludwig XVI.
wieder einzusetzen und sich des Kriegs auf eine anständige Weise
zu entledigen; sie gaben auch diesem Gedanken mit derselben
kurzsichtigen Ungeduld nach, wie Manstein in den Verhandlungen
vom 21 — 25. Sept. sich von seinen Friedensneigungen hatte
fortreißen lassen. Dumouriez selber schien, nach der letzten Ab=
weisung, anfangs von seinen Illusionen geheilt, aber auch er
gab sich rasch wieder jenen Entwürfen hin, die ja vom Anfang
an seine Lieblingsidee gewesen waren. Den Preußen kam in ihrer
verzweifelten Lage dies zudringliche Bemühen nichts weniger als
ungelegen. Jedes Blatt der vertraulichsten Correspondenz ihrer
Generale und Diplomaten beweist, daß damals Keiner auch nur
entfernt daran dachte, die Allianz mit Oesterreich zu brechen, und

daß ein solcher Versuch beim König zu keiner Zeit ungelegener angebracht werden konnte, als eben damals, aber ihre Noth lehrte sie jetzt Dumouriez mit gleicher Münze heimzahlen.*) Unter allen den Correspondenzen jener Tage haben wir auch nicht eine noch so verblümte Aeußerung gefunden, welche den Muth hätte, eine einseitige Verständigung mit der französischen Republik vorzuschlagen; wohl aber eine Menge von Zeugnissen des Unwillens, daß man vor den Franzosen zurückgewichen und überhaupt sich zu Besprechungen mit ihnen herabgelassen. „Man hätte glauben sollen, schreibt am 3. October der preußische Gesandte in Brüssel, man hätte es mit Turenne und den alten Grenadieren Frankreichs zu thun; diese unglückselige Vorsicht hat unsere Soldaten herabgestimmt und die anderen ermuthigt. Man hat Frankreich erobern und doch nicht einmal ein Detachement Truppen einem Unfall aussetzen oder einen Mann verlieren wollen. Was wird dieser unglückliche Grundsatz der Welt noch Blut kosten!" Das Ministerium in Berlin aber verbirgt sein Mißbehagen nicht, daß man sich überhaupt nur in Besprechungen mit den Revolutionären eingelassen, und erinnert an den Ruhm des Königs und des Staates, den man nicht außer Augen setzen dürfe.**)

Auf dem kritischen Rückzug über Grandpré und die Argonnen sah man die Verhältnisse wohl nicht anders an, aber man hielt es für eine erlaubte Kriegslist, sich den Unterhandlungseifer der Conventscommissäre zu Nutz zu machen. Man kam ihnen freundlich entgegen, hielt während des Marsches mit Benoit und Westermann Besprechungen, wies diesmal den Gedanken eines Separatfriedens nicht so ungestüm zurück, wie am 27. Sept., hörte die Ausfälle auf die österreichische Politik jetzt ohne Widerspruch an und kam so glücklich durch die Pässe hindurch an die Maas. Nicht

---

*) Lucchesini schreibt in seinem nur für ihn selber bestimmten Diarium: „le 29 et 30 on discuta le point de la retraite, qui fut aussi résolue. Pendant la retraite on eut des pourparlers avec les généraux français devant Verdun et près de Longwion, pour gagner du tems et évacuer Verdun, passer le défilé de Longwion et vuider les magasins de Longwy." Die übrige diplomatisch-militärische Correspondenz jener Tage, die uns vorliegt, äußert sich ganz im gleichen Sinne. Wir verweisen namentlich auf den unten folgenden Brief von Kalkreuth.

**) Aus einem Schreiben von Reck, d. d. Brüssel 3. Oct., und einer Depesche des Ministeriums an Lucchesini, d. d. Berlin 11. Oct.

nur Westermann frohlockte über den Triumph, die Preußen nun
von den Oesterreichern zu trennen; auch weniger leichtgläubige
Leute, als er und Kellermann, gaben sich der Täuschung hin —
namentlich Dumouriez gehörte wenigstens ein paar Tage lang zu
den Gläubigen und nahm ohne Zweifel unter diesem Eindruck
seine militärischen Maßregeln. Als die verbündete Armee Verdun
erreicht hatte, änderte sich die Sprache der preußischen Unterhändler; sie wiesen nun den Gedanken eines Separatvertrages ganz
zurück und nahmen als selbstverstanden an, daß jeder Vertrag, der
geschlossen werde, Oesterreich mit umfassen müsse. Ueberhaupt traten die Friedensgedanken wieder in den Hintergrund; der Herzog
hoffte nun seinen ursprünglichen Plan, an der Maas zu operiren
und die Festungen zu nehmen, ausführen zu können; der König
sandte an die Höfe in London und Madrid, um diesen vorzustellen, wie es ebenso schicklich als wichtig sei, daß auch sie sich unmittelbar an dem Kampfe für die Herstellung des Königthums betheiligten und nicht Preußen allein die Last überließen.

Es liegt auf der Hand, daß bei diesem neu erwachten Kriegseifer die Unterhandlungen auf preußischer Seite in einem anderen
Tone geführt wurden, als damals, wo man durch die Argonnen
zog. Am 14. Oct. kam zu Azenne, bei Verdun, Kalkreuth mit
Kellermann und Dillon zusammen.*) Kellermann erklärte sich zu
einem Waffenstillstand, der auch die Oesterreicher mit einschließe,
ermächtigt, aber freilich unter der Bedingung, daß man die Republik anerkenne.**) „Man überlasse es dem König, zu sehen, ob
dieser Waffenstillstand zum Frieden mit Oesterreich führen werde,
so gern man mit dieser Macht den Krieg allein fortsetzen werde;
es sei aber hinreichend, daß Se. Maj. für Oesterreich portirt wäre,
um Frankreich zu bewegen, auch mit dieser Macht Frieden zu
schließen." Man sieht, die Franzosen gaben ihre Taktik, Preußen
herüberzuziehen, nicht auf, aber König Friedrich Wilhelm hielt
ebenso ausdrücklich an dem Bunde mit Oesterreich fest. Noch präg-
nanter tritt das Verhältniß in den weiteren Aeußerungen Kalk-

---

*) Das Folgende nach einem Bericht Kalkreuths an den Herzog, d. d.
Azenne 14. Oct.

**) „Unter einer Bedingung, schreibt Kalkreuth, die Ew D. rathen, die ich
aber, wie ich weiß, nicht auszudrücken wagen darf."

reuths hervor. „So bringend ich gebeten worden, morgen die Antwort zu bringen, die sie irrig bejahend hoffen und die ich spätestens um 4 Uhr Nachmittags versprochen, weil ich ihnen glauben gemacht, daß ich bei Louvermont campire und E. Durchl. in Azenne wären; so muß ich doch E. D. unterthänigst bitten, da sie unfehlbar abschlägig sein wird, sie entweder durch ein Schreiben direct zu übersenden oder sie einem Andern aufzutragen. Ich habe in der Sache bisher nur zum Boten gedient, bescheide mich auch, keine höheren Fähigkeiten zu haben; aber als Bote bin ich nicht ohne Werth, wenigstens habe ich ruhige Arrièregarde verschafft. Die zurückgebliebenen Traincurs, Knechte und Packpferde gehen so ruhig nach, als in der letzten Allee ihrer Garnison, und die französischen Generale belachen jetzt selbst, daß ich sie angeführt und vollends möglich gemacht, bei unserer Retraite, die sie bewundern, die Oesterreicher, die sie anpacken wollten, in Sicherheit zu bringen.‟

Die Unterhandlungen, denen so viel Böses nachgesagt worden ist, waren also eine Kriegslist ähnlicher Art, wie sie früher von Dumouriez war angewandt worden, und Keiner von den Diplomaten und Kriegsleuten im preußischen Lager, auch wenn er wirklich in seinem Innern die französische Allianz der österreichischen vorzog, hätte es damals gewagt, mit einem solchen Vorschlag auch nur dem König sich zu nähern. Gleichwol hatte jene schlaue Taktik, die den sehr bedenklichen Rückzug der Oesterreicher und Preußen sicherte, unverkennbar auch ihre Nachtheile. Einmal wirkte diese Politik des Lagers nicht günstig auf das preußische Heer ein *) und dann erwachte unter dem Eindruck dieser Verhandlungen das ganze eingewurzelte Mißtrauen der Oesterreicher wieder. Wir müssen uns erinnern, wie jung diese Allianz zwischen Oesterreich und Preußen war, wenn wir verstehen wollen, wie leicht jetzt und nachher, auf einer wie auf der anderen Seite, auch selbst ganz grundloser Verdacht das Einverständniß hat erschüttern können.

---

*) „Cette politique de camp, schreibt Lucchesini am 19. Oct., fait un effet surprenant sur nôtre armée, les officiers degoûtés de ce genre de guerre la prônent au delà de ce que l'ancien ésprit de subordination prussienne paroit comporter.

So sah man denn auch wenigstens im österreichischen Lager die
Verhandlungen mit Dumouriez und Kellermann, durch die doch
auch Clerfayts und Hohenlohes Rückzug gedeckt war, nicht für so
unbedenklich an, wie sie es in der That waren. Man verglich
das allerdings auffällige Buhlen der Franzosen um preußische
Freundschaft mit ihrer ausgesprochenen Feindseligkeit gegen Oesterreich; man hörte, wie sie die preußisch-französische Allianz schon als
eine fast abgemachte Sache besprachen und die Befreiung der österreichischen Niederlande als die erste Aufgabe des weiteren Kampfes
bezeichneten. Oder Kellermann äußerte, man wisse wohl, daß Preußen an eine zweite Theilung Polens denke, und Frankreich werde
sich dem nicht widersetzen.*) Hören wir Lucchesini selbst, wie er
die französische Taktik beurtheilt. „Die Franzosen,**) sagt er, haben
unverwandt den überlegten Plan verfolgt, sich als Freunde Preußens und unversöhnliche Feinde Oesterreichs zu zeigen; diese Leute
haben es so wohl verstanden, diesen Geist überall zu verbreiten,
daß ein Jeder bis zum gemeinen Soldaten sich davon belebt zeigte,
nicht ohne Eindruck auf unsere Soldaten zu machen. Zwei Gründe
mögen die Führer der Revolution und die Generale zu dieser Taktik bewogen haben: zuerst die Absicht, den Wiener Hof mißtrauisch
zu machen und die Bande, welche uns mit ihm verbinden, zu
lockern; dann aber namentlich der Gedanke, durch dies Benehmen
sich die Sympathie unserer Armee zu erwerben und die alte Abneigung gegen Oesterreich wieder anzufachen. Sie sehen ein, daß
die Loyalität des Königs ihn unverändert an dem Bunde mit
Oesterreich wird festhalten lassen, und denken dann vielleicht, wenigstens in unserem Heere einen Widerwillen gegen den Krieg zu
nähren, den man ihnen lediglich als eine Folge unseres Bundes
mit dem Kaiser darstellt. Aber die Oesterreicher schöpfen doch in
allem Ernste Verdacht. Spielmann hat seine Besorgniß geäußert;
Hohenlohe, der Erzherzog Carl und selbst Clerfayt glauben, der

---

*) Si la guerre continue, l'on veut absolument rendre libres les pays bas
autrichiens. Tels sont les propos du général Kellermann, qui a dit au Comte
de Lindenau — — que l'on savait en France que nous visions à un second
partage de la Pologne, que la France verroit avec plaisir augmenter par là les
forces d'une puissance, qui doit tôt ou tard être son allié. Aus einer Depesche
Lucchesinis, d. d. Longwy 19. Oct.

**) Depesche Lucchesinis an das Staatsministerium d. d. 17. Oct.

König wolle einen Separatfrieden schließen, und der österreichische
Bevollmächtigte im Lager, Fürst Reuß, wiewohl er der Loyalität
des Königs verdiente Gerechtigkeit widerfahren läßt, fürchtet doch
den Eindruck, den diese argwöhnischen Einflüsterungen in Wien
machen könnten. Und doch, fügt Lucchesini hinzu, scheint mir der
König weiter als je davon entfernt, sich in irgend etwas von dem
Wiener Hofe zu trennen."

Dieses Mißtrauen, so unberechtigt es war, ist in den letzten
Vorgängen des Feldzugs doch sehr zu spüren. Schon im Anfange
October machte Fürst Hohenlohe-Kirchberg in seiner Unruhe dem
Herzog von Braunschweig den Vorschlag, lieber durch Räumung
aller Plätze den sicheren Rückzug zu erkaufen — das hieß also
gerade das den Franzosen gewähren, was die preußische Unterhandlung umgehen wollte.*) Wie man an entscheidender österreichischen Stelle sich vom Mißtrauen fortreißen ließ, haben die oben
angeführten Aeußerungen Lucchesinis gezeigt. Diesem Mißtrauen,
nicht allein der Bedrohung der Niederlande, war es vorzugsweise
zuzuschreiben, daß man dort jetzt den unzeitigen Entschluß faßte
(Anfang Oct.), das Corps des Fürsten Hohenlohe von der vereinigten Armee abzurufen. Es kam die beunruhigende Botschaft
hinzu, daß das deutsche Rheinufer durch eine französische Invasion
bedroht sei und der Landgraf von Hessen sein Contingent heimzu-
führen beschloß. Die Unsicherheit des österreichisch-preußischen
Bundes und die Misère der deutschen Reichszustände enthüllten
sich so zur gleichen Zeit und gaben den Kriegsoperationen eine
Wendung, die selbst hinter den bescheidenen Erwartungen der vorsichtigen und systematischen Kriegführung zurückblieb. Der Herzog
von Braunschweig hatte wenigstens die Maasfestungen behaupten
und von dieser Grundlage aus den Krieg fortsetzen wollen; nach
dem Abgang von 20,000 Mann mußte auch das aufgegeben und

---

*) Der Fürst schrieb (d. d. Glorieur 8. Oct.), die Lage sei sehr bedenklich
und die Franzosen wollten die Oesterreicher allein als Feinde ansehen; er schlug
daher vor, „gegen einen vierwöchentlichen Stillstand oder freien Abzug aller
unter hochdero Commando stehenden Truppen bis an die bestimmten Oerter
die Acquisitionen zurückzugeben." — — „Ich bin überzeugt, daß die Vortheile,
so hieraus erwachsen, größer sein würden, als wenn man eine Bataille gewinnen könnte; im Falle aber E. Durchl. dies noch zu wagen für gut finden sollten, so bin ich nebst meinen Truppen hiezu augenblicklich bereit."

der Rückzug über die französische Gränze fortgesetzt werden. Indeſſen die Oeſterreicher unter Hohenlohe gegen Arlon, der Landgraf
heimwärts zog, war man genöthigt (14. Oct.) Verdun zu räumen,
und wie ſich erwarten ließ, mußte auch Longwy dem Beiſpiele
bald folgen. Am 18. ward eine Convention abgeſchloſſen, wonach
auch dieſer Platz den Franzoſen am 22. Oct. zurückgegeben werden ſollte. Die Bedingungen, unter denen dies geſchah, zeigten
die Ungunſt der Lage. Nicht nur die Form widerſprach den Anſchauungen der preußiſchen Politik, auch in der Sache ſchlugen
die Franzoſen jetzt ſchon einen immer höheren Ton an. Das Verlangen eines Waffenſtillſtandes ward abgewieſen, ſo lange das franzöſiſche Gebiet nicht geräumt ſei; man wolle Frieden und Bündniß
mit Preußen, aber unter der Bedingung, daß man das Land ver-
laſſe und die franzöſiſche Republik anerkenne.*) So war am
22. Oct. auch Longwy verlaſſen. Bis zuletzt blieben die Franzoſen bei ihrer Taktik, die Preußen zu liebkoſen; der Kronprinz,
welcher der Räumung Longwy's beiwohnte, erzählt in ſeinem Tagebuch, daß die franzöſiſchen Officiere in höchſt zutraulicher Weiſe
ihre Achtung für Preußen und ihren Haß gegen Oeſterreich äußerten, auch unverhohlen ein Bündniß Preußens mit der Republik
gegen Oeſterreich wie eine ſehr wahrſcheinliche Sache erörterten.
Sie ſprachen wegwerfend von ihren emigrirten Prinzen, überhäuf-
ten aber die preußiſchen mit Schmeicheleien; „ich glaube, ſetzt der
Kronprinz ſcherzhaft hinzu, hätte es noch länger gedauert, ſie hätten mich gar zu ihrem König gewählt."

Der Rückzug aus Frankreich war nun unvermeidlich gewor-

---

*) Die Convention, zu Martin Fontaine zwiſchen Kalkreuth und Valence
am 18. Oct. abgeſchloſſen, enthielt im 6. Art. die Beſtimmung: „pour donner
plus d'authenticité à la présente convention elle sera scellée du cachet de S.
M. le Roi de Prusse et du peuple français." Darüber ſchreibt Luccheſini an
das Cabinetsminiſterium: S. M. m'ayant fait appeler peu d'instans avant la con-
férence à son camp de Felancourt, j'ai été extrêmement affligé de la teneur du
6ème article contenant une condition non usitée et qui associe le sceau du
Roi à celui de la république française. La résolution de rendre Longwy à laquelle une nécessité impérieuse nous a portés, n'a pu être adoucie par aucune
des espérances qu'on avait données précédemment à nos généraux pour nous
y amener. Point d'armistice avant que nous sortions du territoire français: alors
si nous voulons reconnoître la République on nous accordera la paix et l'alliance
du peuple français.

der Rückzug über die französische Gränze fortgesetzt werden. Indessen die Oesterreicher unter Hohenlohe gegen Arlon, der Landgraf
heimwärts zog, war man genöthigt (14. Oct.) Verdun zu räumen,
und wie sich erwarten ließ, mußte auch Longwy dem Beispiele
bald folgen. Am 18. ward eine Convention abgeschlossen, wonach
auch dieser Platz den Franzosen am 22. Oct. zurückgegeben werden sollte. Die Bedingungen, unter denen dies geschah, zeigten
die Ungunst der Lage. Nicht nur die Form widersprach den Anschauungen der preußischen Politik, auch in der Sache schlugen
die Franzosen jetzt schon einen immer höheren Ton an. Das Verlangen eines Waffenstillstandes ward abgewiesen, so lange das französische Gebiet nicht geräumt sei; man wolle Frieden und Bündniß
mit Preußen, aber unter der Bedingung, daß man das Land verlasse und die französische Republik anerkenne.*) So war am
22. Oct. auch Longwy verlassen. Bis zuletzt blieben die Franzosen bei ihrer Taktik, die Preußen zu liebkosen; der Kronprinz,
welcher der Räumung Longwy's beiwohnte, erzählt in seinem Tagebuch, daß die französischen Officiere in höchst zutraulicher Weise
ihre Achtung für Preußen und ihren Haß gegen Oesterreich äußerten, auch unverhohlen ein Bündniß Preußens mit der Republik
gegen Oesterreich wie eine sehr wahrscheinliche Sache erörterten.
Sie sprachen wegwerfend von ihren emigrirten Prinzen, überhäuf-
ten aber die preußischen mit Schmeicheleien; „ich glaube, setzt der
Kronprinz scherzhaft hinzu, hätte es noch länger gedauert, sie hätten mich gar zu ihrem König gewählt."

Der Rückzug aus Frankreich war nun unvermeidlich gewor-

---

*) Die Convention, zu Martin Fontaine zwischen Kalkreuth und Valence
am 18. Oct. abgeschlossen, enthielt im 6. Art. die Bestimmung: „pour donner
plus d'authenticité à la présente convention elle sera scellée du cachet de S.
M. le Roi de Prusse et du peuple français." Darüber schreibt Lucchesini an
das Cabinetsministerium: S. M. m'ayant fait appeler peu d'instans avant la con-
férence à son camp de Felancourt, j'ai été extrêmement affligé de la teneur du
6eme article contenant une condition non usitée et qui associe le sceau du
Roi à celui de la république française. La résolution de rendre Longwy à laquelle une nécessité impérieuse nous a portés, n'a pu être adoucie par aucune
des espérances qu'on avait données précédemment à nos généraux pour nous
y amener. Point d'armistice avant que nous sortions du territoire français : alors
si nous voulons reconnoître la République on nous accordera la paix et l'alliance
du peuple français.

ben; über Tellancourt, Romain, Aubange schlug die Armee den Weg nach dem Luremburgischen ein, am 23. und 24. October war Dippach und Luremburg erreicht. Auch jetzt ging der Rückmarsch ungefährdet von Statten; die Franzosen gaben die Hoffnung immer noch nicht auf, durch Unterhandlungen ihr Ziel sicherer als durch die Waffen zu erreichen. Am 25. Oct. kamen auf dem Schlosse Aubange der Herzog und Lucchesini, der österreichische Bevollmächtigte Fürst Reuß, dem sich dann noch Fürst Hohenlohe anschloß, mit den Generalen Kellermann und Valence zusammen. Valence verlangte von Preußen eine förmliche Erklärung,[*] daß König Friedrich Wilhelm der französischen Nation die Freiheit einräume, ihre Regierungsform zu ändern, und daß er auf jede Contrerevolution verzichte. Der General ließ dabei durchblicken, daß man in der Lage sei, die Revolution in die Nachbarlande zu tragen, namentlich die österreichischen Niederlande zu republikanisiren. Er deutete dann sehr offenherzig an, wenn Oesterreich die Niederlande tauschweise an Pfalzbaiern abtreten wolle und der neue Besitzer die Festung Luremburg schleife, so werde Frankreich beruhigt sein. Schließlich richtete er sich an die Vertreter Preußens mit der Frage, ob Preußen im Falle des Friedens neutral bleiben oder sich mit Frankreich enger verbünden werde? Lucchesini wies eine förmliche Erklärung, wie sie gefordert war, einfach zurück; die gedrohte Propaganda werde Frankreich mit allen Staaten Europas in Conflict bringen. Auf die vorgeschlagenen Bedingungen einen Waffenstillstand zu schließen, sei durchaus unzulässig; wenn einmal Frankreich anfange, seine dreifache Festungsreihe zu rasiren, dann könne man von der Schleifung Luremburgs reden. Auch sei es seltsam, von einer Allianz zu sprechen, wo man noch nicht einmal über die Bedingungen eines Waffenstillstandes einig werden könne. Kellermann meinte dann, die Anwesenden sollten im Allgemeinen das Verlangen nach Frieden aussprechen; Lucchesini lehnte auch dies ab; denn obwol die Verbündeten nicht dagegen seien, die Uebel des gegenwärtigen Krieges zu beendigen, so handle es sich doch jetzt nur von der Möglichkeit eines allgemeinen Waffenstillstandes.[**]

---

[*] „l'aveu formel."
[**] Aus einer Depesche Lucchesinis an das Cabinetsministerium.

So blieben diese Verhandlungen ohne Erfolg. Lucchesini selbst
rieth damals den Ministern in Berlin, sich überhaupt jetzt nicht
mit den Franzosen einzulassen; ihr Plan, schreibt er, ist nur, uns
mit dem Wiener Hofe zu überwerfen und diesem durch die Besorgniß wegen der Niederlande vortheilhafte Bedingungen abzwingen
zu können. Mißlingt ihr Schlag auf die Niederlande, so werden
sie wohl tractabler werden. Ganz ähnlich äußert sich der Diplomat
des Lagers, als kurz nachher durch Dohm in Cöln die Franzosen
einen neuen Canal zum Separatfrieden mit Preußen zu finden
hofften. Er erklärt dem König geradezu,*) es sei ebenso unklug
wie unwürdig, wenn ein preußischer Minister dazu rathen wollte,
sich in eine geheime Verhandlung mit den Franzosen einzulassen,
die vielleicht gar eine engere Verbindung mit der französischen Republik zum Zweck habe. Auf der einen Seite, sagt er, bin ich
überzeugt, daß auf die Vorschläge, die man uns machen würde,
gar nicht eingegangen werden kann; und auf der andern würden
solche Verhandlungen uns sicherlich nur mit dem Wiener Hofe entzweien. Wenn ich E. M. meinen unterthänigsten Rath geben
darf, so glaube ich, man könnte dem Herrn von Dohm erwiedern:
da die französischen Generale erklärten, der Convent dulde keine
Unterhandlung mit den kriegführenden Mächten, bevor ihre Truppen das französische Gebiet geräumt hätten, so sei es billig, daß
die Franzosen in Bezug auf das Reichsgebiet das Gleiche thäten
und daß vor jeder Unterhandlung Custine mit seinen Truppen den
deutschen Boden verlasse. Im Uebrigen sei das Interesse, das E.
Maj. an der Person des gefangenen Königs und seiner Familie
nehme, immer das gleiche und man müsse deßhalb preußischerseits
vor Allem auf der Vorfrage bestehen, welche Mittel die gegenwärtige Regierung zu haben glaube, dem König seine Freiheit wieder-
zugeben. Wenn unterhandelt werde, so könne dies aber in jedem
Falle nicht ohne die Mitwirkung des Wiener Hofes geschehen.**)
Einem jeden unbefangenen Auge wird nach diesen Mittheilungen aus der geheimen Correspondenz jener Tage das Verhält-

---

*) Schreiben L.'s an den König, d. d. Luxemburg, 29. Oct.

**) Que V. M. ne saurait d'ailleurs se prêter à se donner à cette négociation
sans le concours de la Cour de Vienne, lautet die Stelle in dem angeführten
Schreiben Lucchesinis.

niß deutlich sein, in welchem die beiden verbündeten deutschen
Mächte zu einander standen. Die Bemühungen der französischen
Politik, Oesterreich und Preußen zu trennen, waren zunächst durchaus mißlungen; auf alle die Verhandlungen, die Preußen von
Valmy bis Luxemburg pflog, ließ sich kein gegründeter Verdacht
einer unredlichen Gesinnung werfen; der König hatte vielmehr alle
französischen Anmuthungen dieser Art standhaft zurückgewiesen.
Wohl aber war auf österreichischer Seite in manchen Gemüthern
ein Mißtrauen zurückgeblieben, das zwar an sich unberechtigt, allein
durch die überlieferte Politik beider Staaten erklärt war; wie sich
dies Mißtrauen schon in einzelnen Handlungen geltend machte,
haben die letzten Vorgänge vor dem Rückzug nach Luxemburg gezeigt. Und dies war nicht der einzige Schatten, der die ganz rück-
haltlose Eintracht beider Staaten verdüsterte. Es war eine Thatsache von sehr verhängnißvoller Nachwirkung, daß dieses erste Zusammenstehen Preußens und Oesterreichs nach vieljähriger Entzweiung in dem ersten Anlaufe so völlig unerwartete und ungünstige Ergebnisse lieferte. Erwachte darüber auf österreichischer Seite
das alte Mißtrauen, so befestigte sich im preußischen Lager bald
die Meinung, daß das von Anfang an unerwünschte Bündniß
der Monarchie Friedrichs des Großen keinen Segen bringen könne.
Oesterreich selbst hatte zudem durch die unkluge Spärlichkeit seiner
Kriegsrüstung, die weit hinter dem Versprochenen zurückblieb, den
Vorwurf herausgefordert, daß es die größere Last auf Preußen
wälzen wolle. Zu diesen widrigen Eindrücken des verunglückten
Feldzugs selbst kamen dann die noch ungelösten Knoten der äußeren Politik. Wir erinnern uns, wie Oesterreich und Preußen in
dem Augenblick, wo sie zum ersten Male vereinigt zu Felde zogen,
sich über die polnische Angelegenheit nicht hatten vereinigen können; vielmehr hatte wieder Rußland diese Entzweiung geschickt benutzt und Preußen an sich gezogen. Die polnische Frage blieb
eben darum ein Stein des Anstoßes für das völlige Einverständniß beider deutschen Mächte. Während die Heere in die Champagne zogen, unterhandelte Graf Goltz in Petersburg wegen des
künftigen Schicksals von Polen; die österreichischen Staatsmänner
sahen dem mit unverhüllter Besorgniß zu und vergebens bemühten
sich Lucchesini und Andere, eine bestimmte und sichere Erklärung
über das Verhältniß zu erhalten, in welches Oesterreich sich zur

polnischen Frage stellen wolle. Mit Ungeduld sah man schon im
September einer Sendung Spielmanns entgegen, die, wie die preußischen Staatsmänner glaubten, die Entschädigungsangelegenheit in
Polen zur genügenden Lösung bringen werde. Aber die Sache zog
sich über Erwarten hinaus; es kam dann der Rückzug, die Unterhandlungen, der Abmarsch der Oesterreicher, den man im preußischen Lager als einen „plötzlichen Abfall" bezeichnete, außerdem
manche Störung in den Verpflegungsanstalten der Preußen im
Luxemburgischen*) und der unzeitige Widerspruch gegen die Absicht der Preußen, im Luxemburgischen Winterquartiere zu nehmen.
Doch, meint Lucchesini,**) das Alles werde auf die Dauer die
gute Harmonie beider Höfe nicht stören, wenn nur Oesterreich keine
üble Stimmung gegen die Erwerbungen in Polen an den Tag
lege. Wenn Spielmann komme, sei man preußischerseits entschlossen, ihm rund heraus zu sagen, daß Preußen in der gegenwärtigen Lage auch an das denken müsse, was die Interessen der Monarchie geböten; die Erwerbungen in Polen dürften daher nicht
verzögert werden, Oesterreich könne dann in ähnlichem Falle auch
auf die Bereitwilligkeit Preußens zählen.***) Ich glaube nicht,
fügt Lucchesini hinzu, daß diese freie und aufrichtige Erklärung
Baron Spielmann Vergnügen machen wird; vielmehr fürchte ich
immer, Oesterreich möchte unseren Entwürfen in Petersburg ent-
gegenarbeiten.

Dies war also der eigentliche wunde Fleck der Allianz; vermochten sich die beiden Mächte über diese Frage nicht zu einigen,
so mußte früher oder später die polnische Angelegenheit zur Trennung des ganzen Bündnisses gegen die Revolution führen. Jetzt,
im Spätherbst 1792, tauchten nur erst flüchtige Besorgnisse darüber auf; zwei Jahre später ist das erfüllt, was jetzt nur als

---

*) S. Valentini S. 13, wo geklagt wird, wie man den angeblichen Ver-
rath der Preußen als Vorwand benutzte, den erschöpften preußischen Soldaten
unfreundlich die Thür zu schließen.

**) Depesche an das Cabinetsministerium, d. d. Longwy 19. Oct.

***) — — que dans la situation actuelle des affaires il faut qu'elle pense
à soi-même et à ce que les intérêts de sa monarchie exigent d'elle. Que les
acquisitions projetées en Pologne ne souffrent point de retard et que la Cour
de Vienne voulant ensuite se procurer aussi ses convenances pourra compter
sur son empressement à lui en faciliter les moyens.

schlimmste Wendung gefürchtet wird. Aber in diesem Augenblick war die Fortdauer des Krieges dadurch noch nicht gefährdet. Wohl war eine Umstimmung eingetreten in Bezug auf die Schätzung des Krieges. Die Emigrantenillusionen waren abgestreift und man ließ die Ausgewanderten, deren Zuversicht im Hoffen und Dreistigkeit im Fordern bis zuletzt nicht nachließ, jetzt herb genug entgelten, daß man früher gegen sie zu leichtgläubig war. Beide Mächte, Oesterreich wie Preußen, gestanden sich nun selber ein, daß man den Krieg ebenso unbedachtsam begonnen wie bedächtig geführt hatte; gern hätte man ihn abgeschüttelt. In Wien sah man die Sache des französischen Thrones schon als verloren an; man gewöhnte sich an den Gedanken, aus dem Kreuzzug gegen die Revolution einen Eroberungskrieg gegen Frankreich zu machen, und der französische General, der die Idee von einem Austausch Baierns gegen Belgien hingeworfen, berührte damit den geheimsten Wunsch der österreichischen Politik. Auf der anderen Seite ward von Oesterreich nicht mehr verhehlt, daß es den von Anfang an nicht allzueifrig unternommenen Kampf zu beendigen wünsche; Spielmann ließ dabei durchblicken, daß, nachdem einmal das Unabwendbare geschehen war, man sich wohl die Republik werde gefallen lassen müssen.*) So weit ging Preußen noch nicht; alle Vorschläge auf dieser Grundlage begegneten dem tiefsten Widerwillen des Königs. Friedliche Neigungen waren auch hier lebendig und wuchsen in dem Maße, als die polnischen Dinge sich verzögerten. Aber man wollte doch keinen Frieden, ohne seine Ritterpflicht gegen die Revolution wenigstens in irgend einer Weise erfüllt zu haben. Hierin schieden sich wieder die österreichischen und preußischen Staatsmänner. Nun trat Spielmann unverblümter mit der Andeutung hervor, daß Oesterreich, wenn es den Krieg fortsetze, ihn nicht

---

*) In einer Depesche des preuß. Ministeriums vom 11. Oct. heißt es von den Eröffnungen Spielmanns: on dit qu'elles rouleront specialement sur l'article des indemnités, mais ce qui est encore plus probable, c'est qu'il épuisera toute son éloquence pour prêcher la paix, l'Empereur selon les lettres au Résident Cesar ayant soin de l'annoncer au public de Vienne comme très prochaine. In einer Note Lucchesinis vom 17. Oct. heißt es: nach Spielmanns Aeußerungen sehe Oesterreich in Frankreich nichts mehr, qu'une ancienne rivale, qui cesserait d'être redoutable à la maison d'Autriche dès qu'elle conserverait les formes républicaines.

ohne Entschädigung zu führen gedenke und daß man dabei auf
Preußens volle Unterstützung rechne. Das Bündniß vom 7. Febr.
sollte zu einem offensiven Bunde werden, der beide Mächte zur
thätigsten Kraftanstrengung gegen Frankreich vereinige. Lucchesini
verbarg dem österreichischen Abgesandten nicht, was er in seinen
Berichten an das Ministerium noch offener ausdrückt, daß weder
der König noch seine diplomatischen Rathgeber in der Lage, wie
sie war, dazu die Hand bieten würden. Und so war es; in den
Besprechungen, die Spielmann im October mit Friedrich Wilhelm II.
pflog, gab der König die Erklärung, nur dann über die Linie jenes Vertrages hinauszugehen und mit seiner ganzen Macht Theil
zu nehmen, wenn Oesterreich endlich dazu mitwirke, die polnischen
Entschädigungen zu sichern. In Luxemburg angekommen, nahm
man die Verhandlungen wieder auf; der König blieb bei der ausgesprochenen Meinung, so daß Spielmann keinen anderen Ausweg
sah, als den preußischen Ansichten in einem vorläufigen Abkommen
nachzugeben, wobei es freilich zweifelhaft war, wie weit diese Verabredung in Wien bestätigt ward.

Wir sind in diese Stimmungen und Ansichten der leitenden
diplomatischen Kreise genauer eingegangen, theils weil uns dies
der beste Weg schien, die vielen Mißverständnisse zu beseitigen,
welche namentlich durch die Emigrantenliteratur in Umlauf gebracht
worden sind, theils weil sie für die Geschichte der folgenden Zeit
eine einleuchtende Bedeutung haben. Das Mißtrauen zwischen
Oesterreich und Preußen ist jetzt nur erst in flüchtigen Anwandlungen vorhanden und noch gelingt es dem Ausland nicht, die
Allianz zu lösen; aber der Same war doch einmal ausgestreut, die
so fröhliche Kriegslust des Sommers 1792 auf beiden Seiten abgekühlt, Friedensneigungen hier wie dort lebendig, wenn auch noch
nicht um jeden Preis, Oesterreich bei der Fortsetzung des Krieges
wieder von anderen Gesichtspunkten bestimmt als Preußen, und
zwischen beide Verbündete als böser Erisapfel die polnische Angelegenheit hineingeworfen. Wir werden die Bedeutung aller dieser
Momente im Laufe der folgenden Geschichte kennen lernen.

Jetzt zunächst war die Fortsetzung des Kampfes schon aus
einem Grunde unvermeidlich geworden: die Einfälle Custines in
die Rheinlande machten den Krieg zugleich zu einem Gebot der
Ehre und der Selbsterhaltung. Drum waren, so manche Gesichts-

punkte sonst beide trennten, doch Oesterreich wie Preußen darin
einig: daß dem mißlungenen Feldzug in die Champagne ein energischer folgen müsse. In einem Schreiben vom 29. October, das
Kaiser Franz II. an König Friedrich Wilhelm richtete, ist dies mit
aller Bestimmtheit ausgesprochen. „Ich nehme an, heißt es darin,
daß E. M. denkt wie ich, es sei nach dem Ausgang des letzten
Feldzugs um so dringender, den Krieg mit aller möglichen Kraft
fortzusetzen und sofort sich über die nöthigen Maßregeln zu verständigen. Am dringendsten erscheinen die, welche gegen die wiederholten Einbrüche der Franzosen in Deutschland getroffen werden müssen, und E. M. wird ohne Zweifel die Anordnungen treffen, um die Räubereien unserer Feinde zu zügeln. Von den erhabenen Einsichten E. M. erwarte ich auch mit vollem Vertrauen
den Plan des nächsten Feldzugs und ob es passend scheint, daß
der Herzog von Braunschweig an der Verhandlung dieses Planes
auch diejenigen meiner Generale Theil nehmen läßt, die jetzt oder
später unter ihm dienen .... Im Allgemeinen wird E. M. gern
überzeugt sein, daß ich fest entschlossen bin, alle möglichen Anstrengungen gegen unseren gemeinsamen Feind zu machen und uns
alle die Erleichterung und Entschädigung zu verschaffen, welche
wir anzusprechen berechtigt und durch die Energie unserer vereinigten Streitkräfte uns zu verschaffen im Stande sein werden."

Wir wenden uns zu den Begebenheiten am Rhein, deren
Eindruck diese kriegerischen Entschlüsse wesentlich gefördert hat.

Vierter Abschnitt.

Die Begebenheiten am Rhein (Oct. bis Dec. 1792).

In dem Augenblick, wo die deutschen Heere den traurigen Rückzug aus der Champagne antraten, hatte die Revolution ihren ersten glücklichen Angriff auf Deutschland selbst ausgeführt. Mit einem raschen Handstreich war sie auf die wundeste Stelle des alten Reichs gefallen, warf die hülflose Ohnmacht geistlicher und weltlicher Kleinstaaterei am Rhein ohne Mühe über den Haufen und feierte nun gerade an der Stelle ihre demokratischen Triumphe, wo drei Monate vorher die Fürsten und adeligen Herren sich in verfrühten Siegesfesten ergangen hatten. Dasselbe Mainz, wo im Juli Kaiser und König ihren Kriegsrath über die Unterwerfung Frankreichs gepflogen, wo sich damals die Siegeszuversicht der Fürsten, der Uebermuth des Emigrantenadels, die sorglose Sicherheit der geistlichen und weltlichen Feudalherren in den glänzendsten Festen berauschte, dasselbe Mainz sah jetzt eine blasse Copie des Pariser Jakobinerclubs und eines demokratischen Regiments in seinen Mauern erstehen. Wo noch kurz zuvor das alte Reich gleichsam eine brillante Todesfeier begangen, entfaltete jetzt der überrheinische Demokratismus seine ephemere Herrschaft; wo die gewaffnete Contrerevolution damals ihre Manifeste geschmiedet, da sah man jetzt Clubs, revolutionäre Ausschüsse und jakobinische Commissarien ihr abenteuerliches Wesen treiben.

Ein solch wunderlicher Wechsel des Schicksals war noch selten gesehen worden; selbst der unverhoffte Ausgang des Champagne-Feldzugs — was wollte er bedeuten gegen diese Episode

deutscher Reichsmisère? War es doch schwer zu sagen, was schmachvoller war für die Nation und ihre Häupter, ob die kopflose Angst
der fürstlichen Herren, ob die Massendesertion des prahlerischen
Lehensadels, oder die eilfertige Unterwürfigkeit der Regierungen,
deren jüngst noch so contrerevolutionärer Muth jetzt vor einer
Handvoll Franzosen Chamade schlug und von Landau an bis
Mannheim, Darmstadt, Wetzlar und Koblenz sich in lächerlichen
Handlungen der Feigheit wetteifernd überbot? Ein solches Regiment war aber gewiß nicht dazu angethan, die Schule des Ge-
meinsinnes und einer stolzen vaterländischen Gesinnung zu werben; die Unmündigkeit der Massen und der kurzsichtige Eifer der
exaltirten Einzelnen, die schwerfällige Unreife der bürgerlichen Classen und die kosmopolitische Verschliffenheit der Gebildeten und
Gelehrten, beides war die Folge desselben ungesunden politischen
Zustandes und beides hat sich denn auch mit dem Regiment, wie
es war, in die Schmach jener Tage getheilt.

Es war eine seltsame Unvorsichtigkeit der so überaus vorsichtigen Kriegführung von 1792, daß sie keine Sorge dafür trug,
die deutschen Rheinlande vor einem Ueberfall der Franzosen von
Landau und Straßburg her sicherzustellen. Im August stand zwar
noch ein österreichisches Corps von etwa 7000 Mann unter Graf
Erbach bei Speyer; ihn verstärkte dann der brauchbare Theil des
Mainzer Contingents um 2000 Mann, indessen die Reichsfestung
selbst nur von kurmainzischen Invaliden und Rekruten und einigen Hundert bunt zusammengewürfelter Soldaten der nassauischen,
wormsischen und fuldischen Contingente gedeckt blieb. Zu Anfang
September ward der größte Theil des Erbach'schen Corps zur Belagerung von Thionville gezogen; das Mainzer Regiment und
einige Hundert Oesterreicher blieben unter dem mainzischen Oberst
Winkelmann in Speyer zurück; die Sicherheit von Mainz war
also auf den Widerstand gestellt, den dies kleine Häuflein und die
bunte Schaar von Fuldaer, Weilburger und Usinger Reichs- und
Kreissoldaten zu leisten vermochte.

Eine fähige und wachsame Regierung, die sich auf einen gesunden Zustand des Landes und Volkes stützte, wäre indessen auch
mit diesen bescheidenen Kräften im Stande gewesen, den ersten
Anprall wenigstens abzuwehren; aber das Unglück wollte, daß die
Gränzwacht Deutschlands dem pfälzer Beamtenthum und den geist-

lichen Regierungen in Speyer, Worms und Mainz überlassen war.
Was wir früher von dem allgemeinen Zustand der geistlichen Gebiete bemerkt haben, das galt in vollem Maße von Kurmainz: ein
sorgloses und schlaffes Regiment, ein zum Theil landfremder Adel,
der den Staat ausbeutete, ohne mit ihm innerlich verwachsen zu
sein, das Volk in dumpfer Schwerfälligkeit erhalten und höchstens
durch platten Sinnengenuß angeregt, kein selbstthätiger durch Arbeit erworbener Wohlstand, wohl aber überall geistlicher Müßiggang, vornehmer und geringer Bettel war dort an der Tagesordnung. Selbst sehr ehrenwerthe und tüchtige Persönlichkeiten, deren
das geistliche Fürstenthum im achtzehnten Jahrhundert eine ziemliche Reihe aufzuweisen hat, vermochten, wie wir früher gesehen
haben, höchstens den ungesunden Zustand des geistlichen Staaten-
thums vorübergehend zu mildern, nicht die Wurzeln des Uebels
abzuschneiden. Der letzte Mainzer Kurfürst aber, den wir bereits aus
den Verhandlungen über den Fürstenbund und seinem Verhältniß
zum Emser Congresse kennen, hielt schon in den Augen der Zeitgenossen mit den besseren geistlichen Herren, z. B. seinem trefflichen
Vorgänger Emmerich Joseph oder seinem hochverdienten Bruder
Franz Ludwig in Würzburg-Bamberg, keinen Vergleich aus. Ein
rechter Repräsentant der Verweltlichung im hohen Clerus, franzö-
sisch gebildet und gesittet, auch von einem starken Anflug der vornehmen Modeaufklärung der Zeit beherrscht, von intriguanten
Weibern und Höflingen geleitet und durch seinen Ehrgeiz, in der
großen Politik die Hand im Spiel zu haben, bald von dieser,
bald von jener Seite geködert, kein Bischof mehr und auch kein
weltlicher Regent, so veranschaulichte Kurfürst Friedrich Carl recht
bezeichnend das widerspruchsvolle Dasein dieser geistlichen Fürstenthümer. Daß ein Firniß voltairescher Aufklärung den Hof umgab, eine Anzahl literarischer Berühmtheiten, wie Müller, Forster,
Heinse, zum Zierrath beigeholt waren und man sich viel auf die
tolerante Freisinnigkeit zu Gute that, die in Mainz wie an vielen anderen Höfen zum Modeton gehörte, das hinderte gleichwol
nicht, daß im Großen und Ganzen der Staat eben doch nur für
den stiftsfähigen Adel, für Priester und Mönche geschaffen schien.
Die literarischen Prachtstücke, die der Hof herbeigezogen, waren,
wie man mit Ostentation hervorhob, meistens Protestanten; dessenungeachtet war Schulwesen und Erziehung um nichts besser be-

stellt, als irgendwo sonst, wo Mönche, Nonnen und Erjesuiten
die Volksbildung noch ausschließlich in Händen hatten.*) Seit
der Erhebung Friedrich Carls auf den Kurfürstensitz war ein Rückschlag gegen Emmerich Josephs Bemühungen auf diesem Gebiete
eingetreten, und die wahrhaft humane Sorge um die Erziehung
des Volkes hatte dem prahlerischen Schein vornehmer Cultur weichen müssen. Ein solcher Zustand konnte sich zur Noth erhalten,
so lange der Bürger und Bauer die Herrschaft der Privilegirten
in ruhiger Unterwürfigkeit ertrug und kein Bedürfniß einer selbst-
ständigeren Lebensthätigkeit erwacht war. Die französische Revolution hatte aber die eine unbestreitbare Wirkung gehabt, daß sie,
so gering die politische Erregbarkeit der deutschen Nation im Ganzen war, doch in den bürgerlichen Kreisen den Glauben an die
Vortrefflichkeit des alten Wesens erschütterte, daß sie Zweifel über
die überlieferte ständische Gliederung der alten Zeiten hervorrief und
eine unklare Ahnung bürgerlicher Rechte und Bedürfnisse erweckte,
vor welcher die seit lange anerzogene Unterwürfigkeit der mittleren
und unteren Classen anfing zu weichen. Daß die Eindrücke dieser
Art gerade in den geistlichen Gebieten sich am fühlbarsten machten, war eine Thatsache, die eben in dem Wesen des geistlichen
Regiments ihre ausreichende Erklärung fand. Wohl war es richtig, was Forster über Mainz sagte und was von den meisten geistlichen Residenzen galt: die Bedürfnisse und der Luxus eines zahlreichen Adels und einer nicht minder zahlreichen Priesterschaft er-
nährten hier eine ungeheure Menge geschäftiger Müßiggänger,
Vermittler oder Werkzeuge ihrer Ueppigkeit, und das Vorbild von
Nichtsthun, Unwissenheit und sinnlichem Genusse, das oben gegeben ward, zog auch im Volke die Weichlichkeit, Leere und den
Leichtsinn groß, der zur Physiognomie der geistlichen Bevölkerung
gehörte. Aber eben weil der gesunde bürgerliche Kern fehlte, war
auch — wie das Beispiel von Mainz bald sprechend bewies —
nirgends leichter der Revolution in ihrer widrigsten Gestalt Eingang zu schaffen.

Die Haltung, welche das kurmainzer Regiment der Revolution gegenüber einnahm, zeugte von einer merkwürdigen Kurzsich-

---

*) Bezeichnende Notizen darüber siehe in Eickemeyers Denkwürdigkeiten.
Frankf. 1845. S. 45 ff., 49 ff.

tigkeit. Statt eine verständige Nachgiebigkeit an das Billige und
Unvermeidliche zu bethätigen und jeden Anlaß zu meiden, der die
bedenkliche Berührung mit der Revolution herausfordern konnte,
verstockte man sich blinder als je in den Mißbräuchen des alten
Zustandes und hatte hier so wenig Bedenken, wie in Trier, der
Revolution den erwünschten Vorwand zur Beschwerde zu geben.
Wohl gehörte auch Mainz zu den durch die Revolution beeinträchtigten Reichsständen, aber weniger dies erlittene Unrecht, als
die Eitelkeit des Kurfürsten, eine Rolle in der großen Politik zu
spielen, verflocht ihn mit der Coalition und den Emigranten viel
tiefer, als es einem geistlichen Fürsten dicht an den Gränzen Frankreichs die Klugheit rathen konnte.*) Wir erinnern uns des trotzigen Tones, den schon auf dem Reichstage diese kleinen Herrchen
am Rhein in der französischen Entschädigungssache anschlugen;
Kurmainz stand unter ihnen in erster Reihe und hatte keine Gelegenheit versäumt, seinen Groll gegen das revolutionäre Frankreich an den Tag zu legen.   Die Ausgewanderten erhielten aus
dem Zeughaus des Kurfürsten ihre Waffen, bildeten in Worms
ein Feldlager und belästigten die Einwohner durch die freche Anmaßung, womit sie über die Reisenden Aufsicht übten, Leute arre-
tirten und verhörten, ja sogar Mißliebige ins Gefängniß warfen.
Außer Koblenz gab es keine Stadt in Deutschland, wo das schma-
rotzende Emigrantenthum sich so übermüthig und ausgelassen geber-
dete, wie in Mainz und Worms; hier wie dort war die Wirkung
auf die Bevölkerung die gleiche, der Eindruck dieses leeren und
frivolen Treibens gab von dem altmonarchischen Frankreich schlechte
Begriffe und lehrte über die Revolution milder denken. In Mainz
wie in Kurtrier beachtete man gegen den Gesandten Frankreichs
auch nicht einmal die Regeln diplomatischen Anstandes; die kindischen Prahlereien des landesflüchtigen französischen Adels fanden bei
der Regierung dieselbe aufmunternde Unterstützung, wie in Koblenz.
Und der eigene Mainzer Stiftsadel, der sich nachher nur durch die
Schnelligkeit seiner Flucht bemerkbar machte, stimmte jubelnd ein

---

*) S. die Schrift: der Untergang des Kurfürstenthums Mainz von einem
Kurmainz General. Herausgegeb. von Neigebaur. Frankf. 1839. S 5 ff
Da der General Graf Hatzfeld als Verfasser der Darstellung gilt, ist das Zeug-
niß besonders unverdächtig.

in die unsinnigen Prahlreden der fremden Flüchtlinge; in den
Salons dieser Herren sprach man mit Zuversicht davon, demnächst
über Constitutionelle und Republikaner, über Lafayette und Marat
das große Strafgericht zu verhängen, und die Frage schien nur
die, ob das Hängen oder Köpfen vorzuziehen sei. „Pendables",
des Hängens werth, schienen aber dort Alle, welche seit Juli 1789
nicht durch schnelles Ausreißen ihren unbefleckten Royalismus bethätigt hatten.

Dieser Uebermuth ging, wie gewöhnlich, mit der Schwäche
Hand in Hand. Als im Herbst 1790, aus Anlaß eines sonst
unbedeutenden Tumults zwischen Studenten und Handwerksbur-
schen, die Zünfte sich anfingen zu regen für die Abstellung alter
Beschwerden, da enthüllte sich die ganze Ohnmacht dieser Regierung. Erst gewährte und versprach man in feiger Bereitwilligkeit,
was nur gefordert ward; dann verschrieb man sich Truppen aus
Darmstadt, und nun folgten drohende Rescripte, Einkerkerungen
und strenge Strafen. „Mit einem Wort — schrieb damals Forster sehr richtig — man hat wieder Muth und wird den Deutschen wohl zeigen, daß sie keine Franzosen sind; die Art zu regieren geht denn so lange sie gehen kann."*)

Es kamen die Ereignisse von 1792: die Vorbereitungen zum
Einfall in Frankreich, die Manifeste der Coalition, das Vordringen
über die Gränzen Frankreichs. Außer den Mächten, deren Heere
jetzt nach der Champagne zogen, außer Oesterreich, Preußen und
Hessen-Cassel, hat damals kein deutscher Reichsfürst seine Feindseligkeit gegen Frankreich so unverhohlen bethätigt, wie der Kurfürst von Mainz. Er wartete die Kriegserklärung des Reichs
nicht ab, er ließ in dem Augenblick, wo die verbündeten Monarchen sich Mainz näherten, dem französischen Gesandten seine Pässe
geben, er rüstete sein kleines Contingent, um an den erwarteten
Triumphen über die Franzosen selber Theil zu nehmen. Zwar klang
der Kriegsruhm, den sich die kurmainzer Armada jüngst noch bei
der Execution gegen Lüttich erworben, nicht gar fein, aber gegen
das revolutionäre Frankreich schien auch die Tapferkeit der ver-
spotteten „Pfaffensoldaten" auszureichen. Die Truppen selbst erhielten eine neue Organisation, die vollends allen überlieferten

---

*) G. Forsters sämmtliche Schriften VIII. 131 f.

Zusammenhang zerstörte; dazu kam denn der offene Zwiespalt zwischen den einflußreichsten militärischen Persönlichkeiten, General
von Gymnich und Graf Hatzfeld, von denen bald der Eine, bald
der Andere seinen Willen bei dem Kurfürsten durchsetzte. Was
war aber überhaupt von einer Kriegsleitung zu erwarten, die sich
jetzt vor dem Ausbruch des Krieges durch das denkwürdige Rescript verewigte: „allen Officieren, die dazu die Kräfte nicht fühlten oder deren häusliche Verhältnisse es nicht gestatteten, solle es
freistehen, ihrer Ehre unbeschadet, nicht mit ins Feld zu gehen!"*)
Mainz selbst, die Gränzfeste des Reichs, bot ein sehr friedliches
Aussehen; die Römermonate zur Erhaltung des Platzes gingen
längst nicht mehr regelmäßig ein und die geistlichen Regenten waren begreiflicher Weise nicht allzueifrig, aus ihren Mitteln die
Lücke zu decken. Seit Jahren bepflanzte der Commandant die Grä-
ben mit Rebengeländen und Küchenkräutern und auf den Schanzen und Glacis waren Gärten und Lusthäuser angelegt. Der Kurfürst selbst hatte zwar in Wien und Berlin Schritte gethan, damit die Verbesserung der Werke von Reichswegen erfolge, aber er
war es auch gewesen, der an wichtigen Stellen englische Gärten
anlegte, zur Verschönerung seines Sommerpalastes Schanzen verwüstete und zur Herstellung von Spaziergängen Batterien demo-
lirte. Jetzt wie der Krieg kam, ward eine Kriegscasse von einigen hunderttausend Gulden gebildet, der Kurfürst verkaufte an diesen Fonds aus seinen Waldungen die nöthigen Pallisaden, gewann dabei ein hübsches Stück Geld, und ließ ein paar Monate
an der Restauration der verfallenen Festungswerke arbeiten. Schon
im Juli 1792, gleich nachdem das Hauptquartier der Verbündeten
Mainz verließ, wurden die Arbeiten eingestellt, man schien nach
einem so kräftigen Manifeste, wie es in Mainz geschmiedet worden, weitere Vertheidigungsmaßregeln für überflüssig zu halten.

　　Die große Armee der Verbündeten stand in der Champagne,
das Corps, das Speyer gedeckt, war nach Thionville abgezogen,
der Schutz des Mainzer Kurstaats beschränkte sich also auf das
Häuflein Mainzer Truppen, die in Speyer zurückgeblieben, und
auf die Invaliden, Rekruten und die kläglichen kleinen Contin-

---

*) S. die Hatzfeldsche Darlegung S. 48. Dort ist auch die ganz man-
gelhafte Zurüstung nachgewiesen.

gente, die als Besatzung nach Mainz beordert waren. Es lag demnach die Gefahr sehr nahe, daß die Franzosen von Landau und Straßburg ein Corps den Rhein heraufschoben und mit mäßigen Kräften die ganze Gruppe geistlicher Staaten am Rhein durch einen Handstreich vor sich aufrollten. In Paris war die Lage dieser geistlichen Gebiete nicht unbekannt; in den Besprechungen bei Valmy ließ Dillon eine vertrauliche Aeußerung fallen, die über den Plan eines Ueberfalls keinen Zweifel ließ. In der That setzte sich Custine mit ungefähr 18,000 Mann in den letzten Tagen des Septembers von Landau aus in Bewegung und erschien am 30. vor Speyer. Die Unfähigkeit des mainzischen Oberst Winkelmann, der seine kleine Schaar von etwas über 3000 Mann, in einzelne Colonnen zersplittert, im freien Feld aufstellte, erleichterte den Sieg; sie wurden geworfen, zur Capitulation genöthigt, Speyer mit seinen reichen Magazinen genommen, Worms besetzt und beide Städte gebrandschatzt.*) Ein Jahrhundert früher hatten die Franzosen beide Städte verbrannt, jetzt ward nur geraubt; insofern hatten die Creaturen Custines, wie Böhmer und Stamm, allerdings ein Recht, die französische Großmuth zu preisen! Und wie hätte man sich über den Raub in Deutschland beklagen dürfen, da die Plünderung in Frankreich selbst in ein gewisses System gebracht war? Nur hätte der französische Feldherr nicht die Phrase „Krieg den Palästen und Friede den Hütten" voranstellen sollen; denn es zeigte sich bald, daß, wenn einmal die Paläste leer waren, man auch kein Bedenken trug, in den Hütten zuzugreifen.

Es war kaum zu zweifeln, daß, wenn Custine jetzt ohne Säumen gegen Mainz aufbrach, der erste geistliche Kurstaat Deutschlands, dessen Kriegsmacht man eben am Rhein abgefangen, so rasch und widerstandslos überwältigt ward, wie die Bisthümer Speyer und Worms. Schon die erste verworrene Kunde von dem Ueberfall in Speyer machte einen unbeschreiblichen Ein-

---

*) Die Vorfälle bei Speyer sind am genauesten in der Hatzfeldschen Darlegung, S. 71 ff., geschildert. Die Brandschatzung zu Worms betrug 1,480,000 Livres, wovon die Stadt 300,000 bezahlte, der Rest vom Bisthum, Domcapitel und den Klöstern gefordert ward. S. Girtanner, hist. Nachrichten über die französ. Revol. IX. 388 f.

druck; wäre der Feind bereits vor den Thoren gestanden, man
hätte sich nicht komischer bestürzt und muthlos geberden können.
Doch traf der Gouverneur noch Anstalten zur Vertheidigung. Er
schickte die Bürgerschützen und Husaren zur Beobachtung des Feindes vor die Stadt hinaus, vertheilte die regulären Truppen in
die Außenwerke und besetzte die inneren Festungswerke mit den
Bürgercompagnien. Das schwere Geschütz ward auf die Wälle
gebracht, junge Handwerksleute sollten zur Bedienung der Kanonen unterrichtet, die akademische Jugend bewaffnet werden.

Wie die Stimmung in den höchsten Kreisen war, zeigt ein
Brief, den der preußische Minister von Stein an den König richtete.*) Mit den lebhaftesten Farben schildert er die verzweifelnde
Angst, von der nun alle Franzosenfresser am Rhein ergriffen waren. Der Landgraf von Hessen-Darmstadt — schreibt er — hat
auf alle wiederholten Bitten, sich mit seinen Truppen in die Stadt
zu werfen, keinen anderen Bescheid gegeben, als den: die Franzosen hätten bis jetzt seine Besitzungen im Elsaß gut behandelt,
und er wolle sich mit ihnen nicht überwerfen. Der Landgraf
sorgte dann für seine eigene Sicherheit und zog seine Truppen
bis Gießen zurück, damit sie ja aus der französischen Schußweite
kamen. Das geschah in demselben Darmstadt, wo die riesigen
Kasernen und Exercirhäuser angelegt waren, wo der Vorgänger
des regierenden Landgrafen seine ganze Regierungszeit in kostbarem
Soldatenspiel vergeudet hatte! Vergebens breitete man die Gerüchte
aus, Graf Erbach sei auf dem Rückmarsch von Thionville, Ester-
hazy komme vom Oberrhein zum Entsatz; weder von dem Einen,
noch von dem Anderen war Hülfe zu erwarten. Kein Wunder,
wenn Kurfürst Friedrich Carl schon am 3. Oct., auf Steins Rath,
das Weite suchte und den Weg über den Taunus und Fulda
wählte, um sicher nach Würzburg zu gelangen! Bereits am 4.
verursachte der Bericht eines Husaren, der eine pfälzische Patrouille
für Franzosen angesehen, die größte Consternation; die erhitzte
Phantasie der Furchtsamen sah schon Custine auf drei Stunden
der Stadt nahe gekommen und drei feindliche Colonnen zum Angriff vereinigt. Die pfälzische Regierung bezeichnet der preußische
Geschäftsträger als ganz verächtlich; sie sei mit den Franzosen

---

*) d d. 9. Oct. (in der angef. Lucchesinischen Correspondenz).

ganz einig. Die bewaffnete Bevölkerung — fährt sein Bericht fort — reicht wohl hin, dem Feind einige Zeit zu imponiren, kann aber die Stadt nicht vertheidigen, wenn sie kräftig angegriffen wird. Ihre Gesinnung ist gut, aber die Mittel der Vertheidigung sind durchaus null. Die Garnison besteht aus 1500 Mann, d. h. einem Haufen von Kreistruppen, die noch nie einen Feind gesehen haben und kaum exercirt sind*); bei dem ersten Allarm am 5. Oct. ist ein guter Theil davon ausgerissen. Der Umfang des Platzes ist sehr groß und wir haben nichts als Bürger und Bauern zur Vertheidigung. Ein Ingenieur, den uns Prinz Condé geschickt, ist mit General Walmoden gleicher Meinung, daß die Festung in ihrer gegenwärtigen Lage kaum einige Stunden einen kräftigen Angriff aushalten kann. Schon seit drei Tagen steht den Franzosen nichts im Wege, die Stadt zu nehmen; die Stadt ist von den angesehenern Bewohnern, die mit dem Beispiel schmählicher Flucht vorangegangen sind, fast verlassen; die Bürger sollen jetzt Waffendienst thun und ihre Geschäfte liegen lassen. Der Bauer kann die Weinlese nicht heimschaffen, in der Stadt stockt aller Handel und Wandel und die Kassen sind leer.

Der Kurfürst selbst hatte sich zuerst in Sicherheit gebracht und damit das erwünschte Beispiel einer unbeschreiblich eilfertigen Desertion des gesammten hohen Kurstaates gegeben; gleichwol besaß er den Muth, in demselben Augenblick beim König von Preußen einstweilen um Entschädigung für die vielen Opfer anzuhalten, die er erlitten habe!**) Die achtzehntausend Mann Franzosen unter Custine wurden schon in Mainz auf dreißigtausend an-

---

*) In der Haßfeld'schen Darlegung ist die Stärke der Besatzung höher angegeben: nämlich 1214 Mann Kurmainzer, die zum großen Theil aus den Resten der einzelnen Regimenter, aus Rekruten, aus den bei Speyer Versprengten bestanden, 591 Reichstruppen (Wormser, Fuldaer, Oranier, Weilburger, Usinger), dann 226 Mann, aus verschiedenen kleinen Detachements bestehend, und ein kaiserliches Commando von 804 Mann, das nach den Niederlanden bestimmt war. Diese letzteren, freilich zum Theil aus Rekruten bestehend, dazu schlecht bewaffnet und verpflegt, rückten erst ein, als Custine schon vor der Stadt stand und man den Kopf verloren hatte. Die Angaben Gymnichs in seiner Vertheidigungsschrift stimmen damit überein.

**) L'Electeur — heißt es in dem Briefe von Stein — implore l'assistance de V. M. pour obtenir à la paix prochaine un dédommagement équivalent aux pertes considérables, qu'il vient de faire.

gegeben; in Frankfurt wuchsen sie schon auf fünfzig=, in Würz=
burg gar auf achtzigtausend. Denn bis nach Franken hin ver=
breitete sich der panische Schrecken; die österreichischen Werber im
Spessart eilten schnell nach Würzburg. Aber am tollsten war es
in Mainz selbst. Was der durch vervielfältigte Zölle und ade=
lige Privilegien gelähmte Handel nie vermocht hatte, — sagt For=
ster in seiner malerischen Schilderung der Flucht — das schuf in
einem Augenblicke die Furcht: unser schöner ehrwürdiger Rhein ge=
währte zum ersten Male den erfreulichen Anblick des lebendigen Flei=
ßes, wozu ihn die Natur so eigentlich hergegossen zu haben scheint.
Unzählige Fahrzeuge von allerlei Größe, mit Waaren tief bela=
den, Jachten und Nachen mit Hunderten von Passagieren fuhren
unaufhörlich nach Koblenz hinunter. Man zahlte unglaubliche
Summen für die Fracht der Personen und Güter, und die zuletzt
Abgehenden schätzten sich glücklich, um zehnfach den Preis, den
es die Ersten gekostet hatte, fortzukommen. Mehr als zweimal=
hunderttausend Gulden gingen zur Bestreitung dieser schleunigen
Reise aus den Koffern der Fliehenden in die Hände der arbei=
tenden Classen, — und mit der Hälfte der Summe, jetzt noch dar=
geliehen, hätte man Mainz in einen Vertheidigungsstand ge=
setzt, der es vor dem Angriffe eines fliegenden Corps vollkommen
sichern konnte! Die reichen, mit Edelsteinen und Perlen gestick=
ten Infuln und Meßgewänder, die Bischofsstäbe, Altargeräthe,
Heiligenbilder wurden nach Düsseldorf gebracht; eben dahin wan=
derte das Archiv des deutschen Reiches. Dem Kurfürsten ward
nacherzählt, daß er bei der nächtlichen Flucht das Wappen an sei=
nem Wagen habe auslöschen lassen; Thatsache ist es, daß die
von ihm zurückgelassene Regierung, der Domherr v. Fechenbach und
Baron Albini der Statthalter, Seckendorf, Gymnich und Bibra
als permanenter Ministerrath zum größten Theil ihres Herrn an
Muth und Entschlossenheit vollkommen werth waren, und von
allen den wilden Rufern zum Streit, die in Gedanken schon das
ganze revolutionäre Frankreich am Galgen sahen, kein Einziger
zurückblieb. Der Staatskanzler von Albini forderte in einer pa=
thetischen Rede die Bürgerschaft mit der Anrede „liebe Brüder"
auf, die Stadt auf's Aeußerste zu vertheidigen; in demselben Au=
genblicke passirten aber seine Packwagen glücklich die Rheinbrücke.
Und um dem Ganzen die Krone aufzusetzen, erschien in dem Mo=

mente, wo Adel und Klerisei das Ihrige in Sicherheit gebracht, ein strenges Verbot, das allen übrigen Einwohnern die Flucht bei schwerer Ahndung untersagte.*).

Alle Augenzeugen versichern übereinstimmend, daß wenn Custine in dem Augenblicke dieser allgemeinen Verwirrung auch nur mit einer Handvoll Leute vor den Wällen der Festung erschien, an Widerstand nicht zu denken war. Daß er von Speyer und Worms aus seine Vortheile nicht weiter verfolgte, sondern Wochen lang zögerte, das allein gab noch eine Aussicht auf möglichen Widerstand. Nun waren wenigstens die zugänglichen Stellen besetzt und verpallisabirt, Kanonen aufgefahren, die Bauern der Umgegend beschäftigt, neue Brustwehren aufzuwerfen, Bürger und Studenten nothdürftig bewaffnet und zum Wachdienst aufgeboten. Schwerlich reichten diese Anstalten hin, einen energischen Angriff abzuhalten, aber sie deckten doch die Festung vor einem Handstreich. Wenn sich nur auf irgend einer Stelle des officiellen Mainz Muth und Einsicht zeigte, so war wenigstens die Ehre zu retten. Aber über der schmachvollen Flucht fast aller berer, die zum Staat und zur Regierung zählten, wich auch der gute Wille der Bürger. Ein Staat von Bevorrechteten, den diese selber so muthlos im Stiche ließen, verdiente nicht, daß sich eine Hand für ihn erhob. Wohl war die Gränzfeste Deutschlands der Vertheidigung werth, nicht um den Kurfürsten von Mainz und seine Klerisei zu halten, sondern es galt zugleich höhere vaterländische Interessen; aber wie hätte sich das Bewußtsein davon in den geistlichen Kleinstaaten des alten Reichs entfalten sollen?

Gouverneur der Festung war der Freiherr von Gymnich, ein General, dessen muthlose Unentschlossenheit sich kaum greller zeichnen läßt, als er es selber in seiner Vertheidigungsschrift gethan hat. Obwol die Truppenzahl und die bewaffnete Bürgerschaft sich auf mehr als 5000 Köpfe belief, hielt er doch jeden Versuch einer Vertheidigung für vergeblich, und seine Taktik war die,

---

*) S. die Mittheilungen in Eickemeyer's Denkwürdigkeiten S. 113 ff. 143 f. und G. Forster's Schriften VI. 382 ff. VIII. 224. 226 f. 230. Daß die Schilderungen der beiden späteren Clubisten nicht übertrieben, beweist außer vielen anderen Zeugnissen sowol der angeführte Brief von Stein, als die Erzählung des Generals Grafen Hatzfeld. S. „der Untergang des Churfürstenthums Mainz, von einem churmainz. General,“ S. 89. 90.

welche er auch in seiner später veröffentlichten Darlegung verfolgt:
die Streitkräfte der Franzosen übermäßig hoch anzuschlagen, die
militärische Brauchbarkeit aller Truppengattungen der Besatzung
noch tiefer herabzusetzen, als sie es verdienten. General Hatzfeld,
mit Gymnich zerfallen, hat dessen Schwächen sehr richtig beurtheilt,
aber zu einer bessern Führung des Ganzen nichts beigetragen.
Ein Mann von Talent war der Oberstlieutenant Eickemeyer, den
nachher die flüchtigen Herren vom Adel gern zum Sündenbock
ihrer Mißgriffe gemacht und als den Verräther der Festung bezeichnet haben. Es bedurfte hier keines Verraths, wo so viel
Feigheit und Unverstand zusammenwirkte.*) Eickemeyer gehörte
zu den bürgerlichen Talenten, die sich in dem geistlich-adeligen Mainz
vereinsamt und unbehaglich fühlten: ohne Liebe für den Staat, der
sich jetzt so ruhmlos selbst verließ, ohne patriotische Anhänglichkeit
an Deutschland, ein Kind der kosmopolitisch-aufgeklärten Zeit,
aber ein nüchterner mathematischer Kopf, der eine Wirksamkeit
suchte, wo sie zu finden war, und darum wie viele Andere nachher ohne Bedenken in französische Dienste überging — war er in
jenen Tagen der einzige unter den höheren Officieren, der seine Kaltblütigkeit bewahrte und von furchtsamer Uebereilung abmahnte.
Wie dann Alle im Wetteifer das lecke Schiff verließen, fühlte er
sich freilich am wenigsten berufen, für eine Sache zum Ritter zu
werden, die seinem Kopfe wie seinem Herzen fremd war.

Am 5. October versammelte der Gouverneur einen Kriegsrath; schon war die Entmuthigung so allgemein, daß offen davon die Rede war, die Außenwerke der Festung preiszugeben.
Eickemeyer war es, der aus militärischen Gründen davon abrieth; die Lage der Außenwerke war von der Art, daß ihr Ver-

---

*) Aus der großen Anzahl Schriften (es sind deren zwischen dreißig und
vierzig), die uns über die Mainzer Vorgänge vorlagen, ergiebt sich klar, daß
die Annahme eines sorgsam vorbereiteten Verraths nur eben die bequeme Ausflucht war, womit man den Mangel an Muth und Einsicht verhüllen wollte.
Die Mittheilungen Gymnich's und Hatzfeld's, wie die von Forster und Eickemeyer selbst, weichen in der Hauptsache nicht so sehr von einander ab, daß die
sichere Ermittlung des wahren Verhältnisses allzuschwer würde. Wohl aber
treffen die Muthlosen mit den wirklichen Renegaten (wie die Mémoires de Custine par un de ses aides de camp) darin zusammen, daß sie durch die vorgebliche Verrätherei Eickemeyer's die Anklage von sich selber abzulenken suchen.

laſſen die Uebergabe der Feſtung unvermeidlich machte. Mitten in
die Berathung fiel dann plötzlich die Schreckensbotſchaft, die Franzoſen ſeien im Anmarſch und hätten bereits Nierſtein beſetzt.
Es war eine betrunkene Huſarenpatrouille, die ſich von den pfälzer Bauern das Mährchen hatte aufbinden laſſen. Nun ward
das Allarmſignal gegeben, Alles lief in bunteſter Verwirrung durcheinander und der Kriegsrath zerſtreute ſich nach allen Winden.
Unter dem Eindruck der Angſtbotſchaft war man noch eilig übereingekommen, die Außenwerke zu verlaſſen, und es wäre wohl
auch ſofort geſchehen, wenn ſich diesmal nicht die Statthalterſchaft
zu einem entgegengeſetzten Entſchluß ermannt hätte.

Der Vorgang war bezeichnend für die Stimmung; war es
bei dieſer Verworrenheit der Führer zu verwundern, wenn das arme
Weilburger Contingent, aus 62 Mann beſtehend, beim erſten blinden Franzoſenlärm ihrem Obriſtlieutenant erklärte, ſie ſeien nicht
hergekommen, „um ſich für die Mainzer todtſchießen zu laſſen,‟
und aller ſeiner Bitten ungeachtet von ihrem Poſten am Raymundithor vorſichtig heimwärts zogen? Das Benehmen der pfälzi-
ſchen Regierung, deren Beamte ſogar den Patrouillen der bedrohten Feſtung Schwierigkeiten bereiteten, der eilfertige Rückzug des
Darmſtädter Landgrafen, die Weigerung der Frankfurter, ihre Kanoniere herzuleihen, dies und Aehnliches bewies nur zu deutlich,
wie heftig das Fieber der Angſt die Kleinſtaaterei am Rhein ergriffen hatte, und es war darum den guten Weilburgern kaum
ſo ſehr zu verdenken, daß ſie ihrerſeits dem Beiſpiele folgten, womit Fürſten und Regierungen ringsumher vorangegangen waren.

Was aller Welt in trauriger Gewißheit vorlag, die gänzliche
Verwahrloſung von Mainz und die bejammernswerthe Schwäche
der kleinen Regierungen, das konnte auch den Franzoſen nicht
verborgen bleiben. Schon ihr Geſandter, der bis Juli 1792 in
Mainz geweſen, hatte ſich von der Faulheit der Zuſtände überzeugt und wahrgenommen, wie wenig Mühe es hier koſten würde,
geſtützt auf die unzufriedenen Elemente, einen raſchen Schlag im
Sinne der Revolution auszuführen. Cuſtine zwar hatte bei ſeinem Anfall auf Speyer und Worms ſich noch nicht getraut, Mainz
anzugreifen, und war mit dem Erfolge bei Speyer, mit den Magazinen und Contributionen, die er erbeutet, zufrieden geweſen.
Indeſſen gab der Ausgang des Kampfes in der Champagne die

Zusammenhang zerstörte; dazu kam denn der offene Zwiespalt zwischen den einflußreichsten militärischen Persönlichkeiten, General
von Gymnich und Graf Hatzfeld, von denen bald der Eine, bald
der Andere seinen Willen bei dem Kurfürsten durchsetzte. Was
war aber überhaupt von einer Kriegsleitung zu erwarten, die sich
jetzt vor dem Ausbruch des Krieges durch das denkwürdige Rescript verewigte: „allen Officieren, die dazu die Kräfte nicht fühlten oder deren häusliche Verhältnisse es nicht gestatteten, solle es
freistehen, ihrer Ehre unbeschadet, nicht mit ins Feld zu gehen!"*)
Mainz selbst, die Gränzfeste des Reichs, bot ein sehr friedliches
Aussehen; die Römermonate zur Erhaltung des Platzes gingen
längst nicht mehr regelmäßig ein und die geistlichen Regenten waren begreiflicher Weise nicht allzueifrig, aus ihren Mitteln die
Lücke zu decken. Seit Jahren bepflanzte der Commandant die Grä-
ben mit Rebengeländen und Küchenkräutern und auf den Schanzen und Glacis waren Gärten und Lusthäuser angelegt. Der Kurfürst selbst hatte zwar in Wien und Berlin Schritte gethan, damit die Verbesserung der Werke von Reichswegen erfolge, aber er
war es auch gewesen, der an wichtigen Stellen englische Gärten
anlegte, zur Verschönerung seines Sommerpalastes Schanzen verwüstete und zur Herstellung von Spaziergängen Batterien demo-
lirte. Jetzt wie der Krieg kam, ward eine Kriegscasse von einigen hunderttausend Gulden gebildet, der Kurfürst verkaufte an diesen Fonds aus seinen Waldungen die nöthigen Pallisaden, gewann dabei ein hübsches Stück Geld, und ließ ein paar Monate
an der Restauration der verfallenen Festungswerke arbeiten. Schon
im Juli 1792, gleich nachdem das Hauptquartier der Verbündeten
Mainz verließ, wurden die Arbeiten eingestellt, man schien nach
einem so kräftigen Manifeste, wie es in Mainz geschmiedet worden, weitere Vertheidigungsmaßregeln für überflüssig zu halten.

Die große Armee der Verbündeten stand in der Champagne,
das Corps, das Speyer gedeckt, war nach Thionville abgezogen,
der Schutz des Mainzer Kurstaats beschränkte sich also auf das
Häuflein Mainzer Truppen, die in Speyer zurückgeblieben, und
auf die Invaliden, Rekruten und die kläglichen kleinen Contin-

---

*) S. die Hatzfeldsche Darlegung S. 48. Dort ist auch die ganz man-
gelhafte Zurüstung nachgewiesen.

gente, die als Besatzung nach Mainz beordert waren. Es lag
demnach die Gefahr sehr nahe, daß die Franzosen von Landau
und Straßburg ein Corps den Rhein heraufschoben und mit mäßigen Kräften die ganze Gruppe geistlicher Staaten am Rhein
durch einen Handstreich vor sich aufrollten. In Paris war die
Lage dieser geistlichen Gebiete nicht unbekannt; in den Besprechungen bei Valmy ließ Dillon eine vertrauliche Aeußerung fallen, die über den Plan eines Ueberfalls keinen Zweifel ließ. In
der That setzte sich Custine mit ungefähr 18,000 Mann in den
letzten Tagen des Septembers von Landau aus in Bewegung und
erschien am 30. vor Speyer. Die Unfähigkeit des mainzischen
Oberst Winkelmann, der seine kleine Schaar von etwas über 3000
Mann, in einzelne Colonnen zersplittert, im freien Feld aufstellte,
erleichterte den Sieg; sie wurden geworfen, zur Capitulation genöthigt, Speyer mit seinen reichen Magazinen genommen, Worms
besetzt und beide Städte gebrandschatzt.*) Ein Jahrhundert früher
hatten die Franzosen beide Städte verbrannt, jetzt ward nur geraubt; insofern hatten die Creaturen Custines, wie Böhmer und
Stamm, allerdings ein Recht, die französische Großmuth zu preisen! Und wie hätte man sich über den Raub in Deutschland beklagen dürfen, da die Plünderung in Frankreich selbst in ein gewisses System gebracht war? Nur hätte der französische Feldherr
nicht die Phrase „Krieg den Palästen und Friede den Hütten"
voranstellen sollen; denn es zeigte sich bald, daß, wenn einmal
die Paläste leer waren, man auch kein Bedenken trug, in den
Hütten zuzugreifen.

Es war kaum zu zweifeln, daß, wenn Custine jetzt ohne
Säumen gegen Mainz aufbrach, der erste geistliche Kurstaat
Deutschlands, dessen Kriegsmacht man eben am Rhein abgefangen, so rasch und widerstandslos überwältigt ward, wie die Bisthümer Speyer und Worms. Schon die erste verworrene Kunde
von dem Ueberfall in Speyer machte einen unbeschreiblichen Ein-

---

*) Die Vorfälle bei Speyer sind am genauesten in der Hatzfeldschen Dar-
legung, S. 71 ff., geschildert. Die Brandschatzung zu Worms betrug 1,480,000
Livres, wovon die Stadt 300,000 bezahlte, der Rest vom Bisthum, Domcapitel
und den Klöstern gefordert ward. S. Girtanner, hist. Nachrichten über die
französ. Revol. IX. 388 f.

druck; wäre der Feind bereits vor den Thoren gestanden, man
hätte sich nicht komischer bestürzt und muthlos geberden können.
Doch traf der Gouverneur noch Anstalten zur Vertheidigung. Er
schickte die Bürgerschützen und Husaren zur Beobachtung des Feindes vor die Stadt hinaus, vertheilte die regulären Truppen in
die Außenwerke und besetzte die inneren Festungswerke mit den
Bürgercompagnien. Das schwere Geschütz ward auf die Wälle
gebracht, junge Handwerksleute sollten zur Bedienung der Kanonen unterrichtet, die akademische Jugend bewaffnet werden.

Wie die Stimmung in den höchsten Kreisen war, zeigt ein
Brief, den der preußische Minister von Stein an den König richtete.*) Mit den lebhaftesten Farben schildert er die verzweifelnde
Angst, von der nun alle Franzosenfresser am Rhein ergriffen waren. Der Landgraf von Hessen-Darmstadt — schreibt er — hat
auf alle wiederholten Bitten, sich mit seinen Truppen in die Stadt
zu werfen, keinen anderen Bescheid gegeben, als den: die Franzosen hätten bis jetzt seine Besitzungen im Elsaß gut behandelt,
und er wolle sich mit ihnen nicht überwerfen. Der Landgraf
sorgte dann für seine eigene Sicherheit und zog seine Truppen
bis Gießen zurück, damit sie ja aus der französischen Schußweite
kamen. Das geschah in demselben Darmstadt, wo die riesigen
Kasernen und Exercirhäuser angelegt waren, wo der Vorgänger
des regierenden Landgrafen seine ganze Regierungszeit in kostbarem
Soldatenspiel vergeudet hatte! Vergebens breitete man die Gerüchte
aus, Graf Erbach sei auf dem Rückmarsch von Thionville, Ester-
hazy komme vom Oberrhein zum Entsatz; weder von dem Einen,
noch von dem Anderen war Hülfe zu erwarten. Kein Wunder,
wenn Kurfürst Friedrich Carl schon am 3. Oct., auf Steins Rath,
das Weite suchte und den Weg über den Taunus und Fulda
wählte, um sicher nach Würzburg zu gelangen! Bereits am 4.
verursachte der Bericht eines Husaren, der eine pfälzische Patrouille
für Franzosen angesehen, die größte Consternation; die erhitzte
Phantasie der Furchtsamen sah schon Custine auf drei Stunden
der Stadt nahe gekommen und drei feindliche Colonnen zum Angriff vereinigt. Die pfälzische Regierung bezeichnet der preußische
Geschäftsträger als ganz verächtlich; sie sei mit den Franzosen

---

*) d d. 9. Oct. (in der angef. Lucchesinischen Correspondenz).

ganz einig. Die bewaffnete Bevölkerung — fährt sein Bericht
fort — reicht wohl hin, dem Feind einige Zeit zu imponiren,
kann aber die Stadt nicht vertheidigen, wenn sie kräftig angegriffen wird. Ihre Gesinnung ist gut, aber die Mittel der Vertheidigung sind durchaus null. Die Garnison besteht aus 1500
Mann, d. h. einem Haufen von Kreistruppen, die noch nie einen
Feind gesehen haben und kaum exercirt sind*); bei dem ersten
Allarm am 5. Oct. ist ein guter Theil davon ausgerissen. Der
Umfang des Platzes ist sehr groß und wir haben nichts als Bürger und Bauern zur Vertheidigung. Ein Ingenieur, den uns
Prinz Condé geschickt, ist mit General Walmoden gleicher Meinung, daß die Festung in ihrer gegenwärtigen Lage kaum einige
Stunden einen kräftigen Angriff aushalten kann. Schon seit drei
Tagen steht den Franzosen nichts im Wege, die Stadt zu neh-
men; die Stadt ist von den angesehenern Bewohnern, die mit
dem Beispiel schmählicher Flucht vorangegangen sind, fast verlassen;
die Bürger sollen jetzt Waffendienst thun und ihre Geschäfte liegen
lassen. Der Bauer kann die Weinlese nicht heimschaffen, in der
Stadt stockt aller Handel und Wandel und die Kassen sind leer.

Der Kurfürst selbst hatte sich zuerst in Sicherheit gebracht und
damit das erwünschte Beispiel einer unbeschreiblich eilfertigen Desertion des gesammten hohen Kurstaates gegeben; gleichwol besaß
er den Muth, in demselben Augenblick beim König von Preußen einstweilen um Entschädigung für die vielen Opfer anzuhalten, die er erlitten habe!**) Die achtzehntausend Mann Franzosen unter Custine wurden schon in Mainz auf dreißigtausend an-

---

*) In der Hatzfeld'schen Darlegung ist die Stärke der Besatzung höher
angegeben: nämlich 1214 Mann Kurmainzer, die zum großen Theil aus den
Resten der einzelnen Regimenter, aus Rekruten, aus den bei Speyer Versprengten bestanden, 591 Reichstruppen (Wormser, Fuldaer, Oranier, Weilburger, Usinger), dann 226 Mann, aus verschiedenen kleinen Detachements bestehend, und ein kaiserliches Commando von 804 Mann, das nach den Niederlanden bestimmt war. Diese letzteren, freilich zum Theil aus Rekruten bestehend, dazu schlecht bewaffnet und verpflegt, rückten erst ein, als Custine schon
vor der Stadt stand und man den Kopf verloren hatte. Die Angaben Gymnichs in seiner Vertheidigungsschrift stimmen damit überein.

**) L'Electeur — heißt es in dem Briefe von Stein — implore l'assistance
de V. M. pour obtenir à la paix prochaine un dédommagement équivalent aux
pertes considérables, qu'il vient de faire.

gegeben; in Frankfurt wuchsen sie schon auf fünfzig=, in Würz=
burg gar auf achtzigtausend. Denn bis nach Franken hin ver=
breitete sich der panische Schrecken; die österreichischen Werber im
Spessart eilten schnell nach Würzburg. Aber am tollsten war es
in Mainz selbst. Was der durch vervielfältigte Zölle und ade=
lige Privilegien gelähmte Handel nie vermocht hatte, — sagt For=
ster in seiner malerischen Schilderung der Flucht — das schuf in
einem Augenblicke die Furcht: unser schöner ehrwürdiger Rhein ge=
währte zum ersten Male den erfreulichen Anblick des lebendigen Flei=
ßes, wozu ihn die Natur so eigentlich hergegossen zu haben scheint.
Unzählige Fahrzeuge von allerlei Größe, mit Waaren tief bela=
den, Jachten und Nachen mit Hunderten von Passagieren fuhren
unaufhörlich nach Koblenz hinunter. Man zahlte unglaubliche
Summen für die Fracht der Personen und Güter, und die zuletzt
Abgehenden schätzten sich glücklich, um zehnfach den Preis, den
es die Ersten gekostet hatte, fortzukommen. Mehr als zweimal=
hunderttausend Gulden gingen zur Bestreitung dieser schleunigen
Reise aus den Koffern der Fliehenden in die Hände der arbei=
tenden Classen, — und mit der Hälfte der Summe, jetzt noch dar=
geliehen, hätte man Mainz in einen Vertheidigungsstand ge=
setzt, der es vor dem Angriffe eines fliegenden Corps vollkommen
sichern konnte! Die reichen, mit Edelsteinen und Perlen gestick=
ten Infuln und Meßgewänder, die Bischofsstäbe, Altargeräthe,
Heiligenbilder wurden nach Düsseldorf gebracht; eben dahin wan=
derte das Archiv des deutschen Reiches. Dem Kurfürsten ward
nacherzählt, daß er bei der nächtlichen Flucht das Wappen an sei=
nem Wagen habe auslöschen lassen; Thatsache ist es, daß die
von ihm zurückgelassene Regierung, der Domherr v. Fechenbach und
Baron Albini der Statthalter, Seckendorf, Gymnich und Bibra
als permanenter Ministerrath zum größten Theil ihres Herrn an
Muth und Entschlossenheit vollkommen werth waren, und von
allen den wilden Rufern zum Streit, die in Gedanken schon das
ganze revolutionäre Frankreich am Galgen sahen, kein Einziger
zurückblieb. Der Staatskanzler von Albini forderte in einer pa=
thetischen Rede die Bürgerschaft mit der Anrede „liebe Brüder"
auf, die Stadt auf's Aeußerste zu vertheidigen; in demselben Au=
genblicke passirten aber seine Packwagen glücklich die Rheinbrücke.
Und um dem Ganzen die Krone aufzusetzen, erschien in dem Mo=

mente, wo Adel und Klerisei das Ihrige in Sicherheit gebracht, ein strenges Verbot, das allen übrigen Einwohnern die Flucht bei schwerer Ahndung untersagte.*).

Alle Augenzeugen versichern übereinstimmend, daß wenn Custine in dem Augenblicke dieser allgemeinen Verwirrung auch nur mit einer Handvoll Leute vor den Wällen der Festung erschien, an Widerstand nicht zu denken war. Daß er von Speyer und Worms aus seine Vortheile nicht weiter verfolgte, sondern Wochen lang zögerte, das allein gab noch eine Aussicht auf möglichen Widerstand. Nun waren wenigstens die zugänglichen Stellen besetzt und verpallisadirt, Kanonen aufgefahren, die Bauern der Umgegend beschäftigt, neue Brustwehren aufzuwerfen, Bürger und Studenten nothdürftig bewaffnet und zum Wachdienst aufgeboten. Schwerlich reichten diese Anstalten hin, einen energischen Angriff abzuhalten, aber sie deckten doch die Festung vor einem Handstreich. Wenn sich nur auf irgend einer Stelle des officiellen Mainz Muth und Einsicht zeigte, so war wenigstens die Ehre zu retten. Aber über der schmachvollen Flucht fast aller derer, die zum Staat und zur Regierung zählten, wich auch der gute Wille der Bürger. Ein Staat von Bevorrechteten, den diese selber so muthlos im Stiche ließen, verdiente nicht, daß sich eine Hand für ihn erhob. Wohl war die Gränzfeste Deutschlands der Vertheidigung werth, nicht um den Kurfürsten von Mainz und seine Klerisei zu halten, sondern es galt zugleich höhere vaterländische Interessen; aber wie hätte sich das Bewußtsein davon in den geistlichen Kleinstaaten des alten Reichs entfalten sollen?

Gouverneur der Festung war der Freiherr von Gymnich, ein General, dessen muthlose Unentschlossenheit sich kaum greller zeichnen läßt, als er es selber in seiner Vertheidigungsschrift gethan hat. Obwol die Truppenzahl und die bewaffnete Bürgerschaft sich auf mehr als 5000 Köpfe belief, hielt er doch jeden Versuch einer Vertheidigung für vergeblich, und seine Taktik war die,

---

*) S. die Mittheilungen in Eickemeyer's Denkwürdigkeiten S. 113 ff. 143 f. und G. Forster's Schriften VI. 382 ff. VIII. 224. 226 f. 230. Daß die Schilderungen der beiden späteren Clubisten nicht übertrieben, beweist außer vielen anderen Zeugnissen sowol der angeführte Brief von Stein, als die Erzählung des Generals Grafen Hatzfeld. S. „der Untergang des Churfürstenthums Mainz, von einem churmainz. General," S. 89. 90.

31*

welche er auch in seiner später veröffentlichten Darlegung verfolgt: die Streitkräfte der Franzosen übermäßig hoch anzuschlagen, die militärische Brauchbarkeit aller Truppengattungen der Besatzung noch tiefer herabzusetzen, als sie es verdienten. General Hatzfeld, mit Gymnich zerfallen, hat dessen Schwächen sehr richtig beurtheilt, aber zu einer bessern Führung des Ganzen nichts beigetragen. Ein Mann von Talent war der Oberstlieutenant Eickemeyer, den nachher die flüchtigen Herren vom Adel gern zum Sündenbock ihrer Mißgriffe gemacht und als den Verräther der Festung bezeichnet haben. Es bedurfte hier keines Verraths, wo so viel Feigheit und Unverstand zusammenwirkte.*) Eickemeyer gehörte zu den bürgerlichen Talenten, die sich in dem geistlich-adeligen Mainz vereinsamt und unbehaglich fühlten: ohne Liebe für den Staat, der sich jetzt so ruhmlos selbst verließ, ohne patriotische Anhänglichkeit an Deutschland, ein Kind der kosmopolitisch-aufgeklärten Zeit, aber ein nüchterner mathematischer Kopf, der eine Wirksamkeit suchte, wo sie zu finden war, und darum wie viele Andere nachher ohne Bedenken in französische Dienste überging — war er in jenen Tagen der einzige unter den höheren Officieren, der seine Kaltblütigkeit bewahrte und von furchtsamer Uebereilung abmahnte. Wie dann Alle im Wetteifer das lecke Schiff verließen, fühlte er sich freilich am wenigsten berufen, für eine Sache zum Ritter zu werden, die seinem Kopfe wie seinem Herzen fremd war.

Am 5. October versammelte der Gouverneur einen Kriegsrath; schon war die Entmuthigung so allgemein, daß offen davon die Rede war, die Außenwerke der Festung preiszugeben. Eickemeyer war es, der aus militärischen Gründen davon abrieth; die Lage der Außenwerke war von der Art, daß ihr Ver-

---

*) Aus der großen Anzahl Schriften (es sind deren zwischen dreißig und vierzig), die uns über die Mainzer Vorgänge vorlagen, ergiebt sich klar, daß die Annahme eines sorgsam vorbereiteten Verraths nur eben die bequeme Ausflucht war, womit man den Mangel an Muth und Einsicht verhüllen wollte. Die Mittheilungen Gymnich's und Hatzfeld's, wie die von Forster und Eickemeyer selbst, weichen in der Hauptsache nicht so sehr von einander ab, daß die sichere Ermittlung des wahren Verhältnisses allzuschwer würde. Wohl aber treffen die Muthlosen mit den wirklichen Renegaten (wie die Mémoires de Custine par un de ses aides de camp) darin zusammen, daß sie durch die vorgebliche Verrätherei Eickemeyer's die Anklage von sich selber abzulenken suchen.

laffen die Uebergabe der Festung unvermeidlich machte. Mitten in
die Berathung fiel dann plötzlich die Schreckensbotschaft, die Fran=
zosen seien im Anmarsch und hätten bereits Nierstein besetzt.
Es war eine betrunkene Husarenpatrouille, die sich von den pfäl=
zer Bauern das Mährchen hatte aufbinden lassen. Nun ward
das Allarmsignal gegeben, Alles lief in buntester Verwirrung durch=
einander und der Kriegsrath zerstreute sich nach allen Winden.
Unter dem Eindruck der Angstbotschaft war man noch eilig über=
eingekommen, die Außenwerke zu verlassen, und es wäre wohl
auch sofort geschehen, wenn sich diesmal nicht die Statthalterschaft
zu einem entgegengesetzten Entschluß ermannt hätte.

Der Vorgang war bezeichnend für die Stimmung; war es
bei dieser Verworrenheit der Führer zu verwundern, wenn das arme
Weilburger Contingent, aus 62 Mann bestehend, beim ersten blin=
den Franzosenlärm ihrem Obristlieutenant erklärte, sie seien nicht
hergekommen, „um sich für die Mainzer todtschießen zu lassen,‟
und aller seiner Bitten ungeachtet von ihrem Posten am Raymun=
dithor vorsichtig heimwärts zogen? Das Benehmen der pfälzi=
schen Regierung, deren Beamte sogar den Patrouillen der bedroh=
ten Festung Schwierigkeiten bereiteten, der eilfertige Rückzug des
Darmstädter Landgrafen, die Weigerung der Frankfurter, ihre Ka=
noniere herzuleihen, dies und Aehnliches bewies nur zu deutlich,
wie heftig das Fieber der Angst die Kleinstaaterei am Rhein er=
griffen hatte, und es war darum den guten Weilburgern kaum
so sehr zu verdenken, daß sie ihrerseits dem Beispiele folgten, wo=
mit Fürsten und Regierungen ringsumher vorangegangen waren.

Was aller Welt in trauriger Gewißheit vorlag, die gänzliche
Verwahrlosung von Mainz und die bejammernswerthe Schwäche
der kleinen Regierungen, das konnte auch den Franzosen nicht
verborgen bleiben. Schon ihr Gesandter, der bis Juli 1792 in
Mainz gewesen, hatte sich von der Faulheit der Zustände über=
zeugt und wahrgenommen, wie wenig Mühe es hier kosten würde,
gestützt auf die unzufriedenen Elemente, einen raschen Schlag im
Sinne der Revolution auszuführen. Custine zwar hatte bei sei=
nem Anfall auf Speyer und Worms sich noch nicht getraut, Mainz
anzugreifen, und war mit dem Erfolge bei Speyer, mit den Ma=
gazinen und Contributionen, die er erbeutet, zufrieden gewesen.
Indessen gab der Ausgang des Kampfes in der Champagne die

Zusammenhang zerstörte; dazu kam denn der offene Zwiespalt zwischen den einflußreichsten militärischen Persönlichkeiten, General
von Gymnich und Graf Hatzfeld, von denen bald der Eine, bald
der Andere seinen Willen bei dem Kurfürsten durchsetzte. Was
war aber überhaupt von einer Kriegsleitung zu erwarten, die sich
jetzt vor dem Ausbruch des Krieges durch das denkwürdige Rescript verewigte: „allen Officieren, die dazu die Kräfte nicht fühlten oder deren häusliche Verhältnisse es nicht gestatten, solle es
freistehen, ihrer Ehre unbeschadet, nicht mit ins Feld zu gehen!"*)
Mainz selbst, die Gränzfeste des Reichs, bot ein sehr friedliches
Aussehen; die Römermonate zur Erhaltung des Platzes gingen
längst nicht mehr regelmäßig ein und die geistlichen Regenten waren begreiflicher Weise nicht allzueifrig, aus ihren Mitteln die
Lücke zu decken. Seit Jahren bepflanzte der Commandant die Grä-
ben mit Rebengeländen und Küchenkräutern und auf den Schanzen und Glacis waren Gärten und Lusthäuser angelegt. Der Kurfürst selbst hatte zwar in Wien und Berlin Schritte gethan, damit die Verbesserung der Werke von Reichswegen erfolge, aber er
war es auch gewesen, der an wichtigen Stellen englische Gärten
anlegte, zur Verschönerung seines Sommerpalastes Schanzen verwüstete und zur Herstellung von Spaziergängen Batterien demo-
lirte. Jetzt wie der Krieg kam, ward eine Kriegscasse von einigen hunderttausend Gulden gebildet, der Kurfürst verkaufte an diesen Fonds aus seinen Waldungen die nöthigen Pallisaden, gewann dabei ein hübsches Stück Geld, und ließ ein paar Monate
an der Restauration der verfallenen Festungswerke arbeiten. Schon
im Juli 1792, gleich nachdem das Hauptquartier der Verbündeten
Mainz verließ, wurden die Arbeiten eingestellt, man schien nach
einem so kräftigen Manifeste, wie es in Mainz geschmiedet worden, weitere Vertheidigungsmaßregeln für überflüssig zu halten.

Die große Armee der Verbündeten stand in der Champagne,
das Corps, das Speyer gedeckt, war nach Thionville abgezogen,
der Schutz des Mainzer Kurstaats beschränkte sich also auf das
Häuflein Mainzer Truppen, die in Speyer zurückgeblieben, und
auf die Invaliden, Rekruten und die kläglichen kleinen Contin-

---

*) S. die Hatzfeldsche Darlegung S. 48. Dort ist auch die ganz man-
gelhafte Zurüstung nachgewiesen.

gente, die als Besatzung nach Mainz beordert waren. Es lag demnach die Gefahr sehr nahe, daß die Franzosen von Landau und Straßburg ein Corps den Rhein heraufschoben und mit mäßigen Kräften die ganze Gruppe geistlicher Staaten am Rhein durch einen Handstreich vor sich aufrollten. In Paris war die Lage dieser geistlichen Gebiete nicht unbekannt; in den Besprechungen bei Valmy ließ Dillon eine vertrauliche Aeußerung fallen, die über den Plan eines Ueberfalls keinen Zweifel ließ. In der That setzte sich Custine mit ungefähr 18,000 Mann in den letzten Tagen des Septembers von Landau aus in Bewegung und erschien am 30. vor Speyer. Die Unfähigkeit des mainzischen Oberst Winkelmann, der seine kleine Schaar von etwas über 3000 Mann, in einzelne Colonnen zersplittert, im freien Feld aufstellte, erleichterte den Sieg; sie wurden geworfen, zur Capitulation genöthigt, Speyer mit seinen reichen Magazinen genommen, Worms besetzt und beide Städte gebrandschatzt.*) Ein Jahrhundert früher hatten die Franzosen beide Städte verbrannt, jetzt ward nur geraubt; insofern hatten die Creaturen Custines, wie Böhmer und Stamm, allerdings ein Recht, die französische Großmuth zu preisen! Und wie hätte man sich über den Raub in Deutschland beklagen dürfen, da die Plünderung in Frankreich selbst in ein gewisses System gebracht war? Nur hätte der französische Feldherr nicht die Phrase „Krieg den Palästen und Friede den Hütten" voranstellen sollen; denn es zeigte sich bald, daß, wenn einmal die Paläste leer waren, man auch kein Bedenken trug, in den Hütten zuzugreifen.

Es war kaum zu zweifeln, daß, wenn Custine jetzt ohne Säumen gegen Mainz aufbrach, der erste geistliche Kurstaat Deutschlands, dessen Kriegsmacht man eben am Rhein abgefangen, so rasch und widerstandslos überwältigt ward, wie die Bisthümer Speyer und Worms. Schon die erste verworrene Kunde von dem Ueberfall in Speyer machte einen unbeschreiblichen Ein-

---

*) Die Vorfälle bei Speyer sind am genauesten in der Hatzfeldschen Darlegung, S. 71 ff., geschildert. Die Brandschatzung zu Worms betrug 1,480,000 Livres, wovon die Stadt 300,000 bezahlte, der Rest vom Bisthum, Domcapitel und den Klöstern gefordert ward. S. Girtanner, hist. Nachrichten über die französ. Revol. IX. 388 f.

druck; wäre der Feind bereits vor den Thoren gestanden, man
hätte sich nicht komischer bestürzt und muthlos geberden können.
Doch traf der Gouverneur noch Anstalten zur Vertheidigung. Er
schickte die Bürgerschützen und Husaren zur Beobachtung des Fein=
des vor die Stadt hinaus, vertheilte die regulären Truppen in
die Außenwerke und besetzte die inneren Festungswerke mit den
Bürgercompagnien. Das schwere Geschütz ward auf die Wälle
gebracht, junge Handwerksleute sollten zur Bedienung der Kano=
nen unterrichtet, die akademische Jugend bewaffnet werden.

Wie die Stimmung in den höchsten Kreisen war, zeigt ein
Brief, den der preußische Minister von Stein an den König rich=
tete.*) Mit den lebhaftesten Farben schildert er die verzweifelnde
Angst, von der nun alle Franzosenfresser am Rhein ergriffen wa=
ren. Der Landgraf von Hessen=Darmstadt — schreibt er — hat
auf alle wiederholten Bitten, sich mit seinen Truppen in die Stadt
zu werfen, keinen anderen Bescheid gegeben, als den: die Fran=
zosen hätten bis jetzt seine Besitzungen im Elsaß gut behandelt,
und er wolle sich mit ihnen nicht überwerfen. Der Landgraf
sorgte dann für seine eigene Sicherheit und zog seine Truppen
bis Gießen zurück, damit sie ja aus der französischen Schußweite
kamen. Das geschah in demselben Darmstadt, wo die riesigen
Kasernen und Exercirhäuser angelegt waren, wo der Vorgänger
des regierenden Landgrafen seine ganze Regierungszeit in kostbarem
Soldatenspiel vergeudet hatte! Vergebens breitete man die Gerüchte
aus, Graf Erbach sei auf dem Rückmarsch von Thionville, Ester=
hazy komme vom Oberrhein zum Entsatz; weder von dem Einen,
noch von dem Anderen war Hülfe zu erwarten. Kein Wunder,
wenn Kurfürst Friedrich Carl schon am 3. Oct., auf Steins Rath,
das Weite suchte und den Weg über den Taunus und Fulda
wählte, um sicher nach Würzburg zu gelangen! Bereits am 4.
verursachte der Bericht eines Husaren, der eine pfälzische Patrouille
für Franzosen angesehen, die größte Consternation; die erhitzte
Phantasie der Furchtsamen sah schon Custine auf drei Stunden
der Stadt nahe gekommen und drei feindliche Colonnen zum An=
griff vereinigt. Die pfälzische Regierung bezeichnet der preußische
Geschäftsträger als ganz verächtlich; sie sei mit den Franzosen

---

*) d d. 9. Oct. (in der angef. Lucchesinischen Correspondenz).

ganz einig. Die bewaffnete Bevölkerung — fährt sein Bericht fort — reicht wohl hin, dem Feind einige Zeit zu imponiren, kann aber die Stadt nicht vertheidigen, wenn sie kräftig angegriffen wird. Ihre Gesinnung ist gut, aber die Mittel der Vertheidigung sind durchaus null. Die Garnison besteht aus 1500 Mann, d. h. einem Haufen von Kreistruppen, die noch nie einen Feind gesehen haben und kaum exercirt sind*); bei dem ersten Allarm am 5. Oct. ist ein guter Theil davon ausgerissen. Der Umfang des Platzes ist sehr groß und wir haben nichts als Bürger und Bauern zur Vertheidigung. Ein Ingenieur, den uns Prinz Condé geschickt, ist mit General Walmoden gleicher Meinung, daß die Festung in ihrer gegenwärtigen Lage kaum einige Stunden einen kräftigen Angriff aushalten kann. Schon seit drei Tagen steht den Franzosen nichts im Wege, die Stadt zu nehmen; die Stadt ist von den angesehenern Bewohnern, die mit dem Beispiel schmählicher Flucht vorangegangen sind, fast verlassen; die Bürger sollen jetzt Waffendienst thun und ihre Geschäfte liegen lassen. Der Bauer kann die Weinlese nicht heimschaffen, in der Stadt stockt aller Handel und Wandel und die Kassen sind leer.

Der Kurfürst selbst hatte sich zuerst in Sicherheit gebracht und damit das erwünschte Beispiel einer unbeschreiblich eilfertigen Desertion des gesammten hohen Kurstaates gegeben; gleichwol besaß er den Muth, in demselben Augenblick beim König von Preußen einstweilen um Entschädigung für die vielen Opfer anzuhalten, die er erlitten habe!**) Die achtzehntausend Mann Franzosen unter Custine wurden schon in Mainz auf dreißigtausend an-

---

*) In der Hatzfeld'schen Darlegung ist die Stärke der Besatzung höher angegeben: nämlich 1214 Mann Kurmainzer, die zum großen Theil aus den Resten der einzelnen Regimenter, aus Rekruten, aus den bei Speyer Versprengten bestanden, 591 Reichstruppen (Wormser, Fuldaer, Oranier, Weilburger, Uslinger), dann 226 Mann, aus verschiedenen kleinen Detachements bestehend, und ein kaiserliches Commando von 804 Mann, das nach den Niederlanden bestimmt war. Diese letzteren, freilich zum Theil aus Rekruten bestehend, dazu schlecht bewaffnet und verpflegt, rückten erst ein, als Custine schon vor der Stadt stand und man den Kopf verloren hatte. Die Angaben Gymnichs in seiner Vertheidigungsschrift stimmen damit überein.

**) L'Electeur — heißt es in dem Briefe von Stein — implore l'assistance de V. M. pour obtenir à la paix prochaine un dédommagement équivalent aux pertes considérables, qu'il vient de faire.

I.   31

gegeben; in Frankfurt wuchsen sie schon auf fünfzig-, in Würzburg gar auf achtzigtausend.   Denn bis nach Franken hin verbreitete sich der panische Schrecken; die österreichischen Werber im
Spessart eilten schnell nach Würzburg.   Aber am tollsten war es
in Mainz selbst.   Was der durch vervielfältigte Zölle und adelige Privilegien gelähmte Handel nie vermocht hatte, — sagt Forster in seiner malerischen Schilderung der Flucht — das schuf in
einem Augenblicke die Furcht: unser schöner ehrwürdiger Rhein gewährte zum ersten Male den erfreulichen Anblick des lebendigen Fleißes, wozu ihn die Natur so eigentlich hergegossen zu haben scheint.
Unzählige Fahrzeuge von allerlei Größe, mit Waaren tief bela-
den, Jachten und Nachen mit Hunderten von Passagieren fuhren
unaufhörlich nach Koblenz hinunter.   Man zahlte unglaubliche
Summen für die Fracht der Personen und Güter, und die zuletzt
Abgehenden schätzten sich glücklich, um zehnfach den Preis, den
es die Ersten gekostet hatte, fortzukommen.   Mehr als zweimal-
hunderttausend Gulden gingen zur Bestreitung dieser schleunigen
Reise aus den Koffern der Fliehenden in die Hände der arbei-
tenden Classen, — und mit der Hälfte der Summe, jetzt noch dar-
geliehen, hätte man Mainz in einen Vertheidigungsstand gesetzt, der es vor dem Angriffe eines fliegenden Corps vollkommen
sichern konnte!   Die reichen, mit Edelsteinen und Perlen gestick-
ten Infuln und Meßgewänder, die Bischofsstäbe, Altargeräthe,
Heiligenbilder wurden nach Düsseldorf gebracht; eben dahin wan-
derte das Archiv des deutschen Reiches.   Dem Kurfürsten ward
nacherzählt, daß er bei der nächtlichen Flucht das Wappen an seinem Wagen habe auslöschen lassen; Thatsache ist es, daß die
von ihm zurückgelassene Regierung, der Domherr v. Fechenbach und
Baron Albini der Statthalter, Seckendorf, Gymnich und Bibra
als permanenter Ministerrath zum größten Theil ihres Herrn an
Muth und Entschlossenheit vollkommen werth waren, und von
allen den wilden Rufern zum Streit, die in Gedanken schon das
ganze revolutionäre Frankreich am Galgen sahen, kein Einziger
zurückblieb.   Der Staatskanzler von Albini forderte in einer pathetischen Rede die Bürgerschaft mit der Anrede „liebe Brüder“
auf, die Stadt auf's Aeußerste zu vertheidigen; in demselben Augenblicke passirten aber seine Packwagen glücklich die Rheinbrücke.
Und um dem Ganzen die Krone aufzusetzen, erschien in dem Mo-

mente, wo Abel und Klerisei das Ihrige in Sicherheit gebracht, ein strenges Verbot, das allen übrigen Einwohnern die Flucht bei schwerer Ahndung untersagte.*).

Alle Augenzeugen versichern übereinstimmend, daß wenn Custine in dem Augenblicke dieser allgemeinen Verwirrung auch nur mit einer Handvoll Leute vor den Wällen der Festung erschien, an Widerstand nicht zu denken war. Daß er von Speyer und Worms aus seine Vortheile nicht weiter verfolgte, sondern Wochen lang zögerte, das allein gab noch eine Aussicht auf möglichen Widerstand. Nun waren wenigstens die zugänglichen Stellen besetzt und verpallisabirt, Kanonen aufgefahren, die Bauern der Umgegend beschäftigt, neue Brustwehren aufzuwerfen, Bürger und Studenten nothdürftig bewaffnet und zum Wachdienst aufgeboten. Schwerlich reichten diese Anstalten hin, einen energischen Angriff abzuhalten, aber sie deckten doch die Festung vor einem Handstreich. Wenn sich nur auf irgend einer Stelle des officiellen Mainz Muth und Einsicht zeigte, so war wenigstens die Ehre zu retten. Aber über der schmachvollen Flucht fast aller derer, die zum Staat und zur Regierung zählten, wich auch der gute Wille der Bürger. Ein Staat von Bevorrechteten, den diese selber so muthlos im Stiche ließen, verdiente nicht, daß sich eine Hand für ihn erhob. Wohl war die Gränzfeste Deutschlands der Vertheidigung werth, nicht um den Kurfürsten von Mainz und seine Klerisei zu halten, sondern es galt zugleich höhere vaterländische Interessen; aber wie hätte sich das Bewußtsein davon in den geistlichen Kleinstaaten des alten Reichs entfalten sollen?

Gouverneur der Festung war der Freiherr von Gymnich, ein General, dessen muthlose Unentschlossenheit sich kaum greller zeichnen läßt, als er es selber in seiner Vertheidigungsschrift gethan hat. Obwol die Truppenzahl und die bewaffnete Bürgerschaft sich auf mehr als 5000 Köpfe belief, hielt er doch jeden Versuch einer Vertheidigung für vergeblich, und seine Taktik war die,

---

*) S. die Mittheilungen in Eickemeyer's Denkwürdigkeiten S. 113 ff. 143 f. und G. Forster's Schriften VI. 382 ff. VIII. 224. 226 f. 230. Daß die Schilderungen der beiden späteren Clubisten nicht übertrieben, beweist außer vielen anderen Zeugnissen sowol der angeführte Brief von Stein, als die Erzählung des Generals Grafen Hatzfeld. S. „der Untergang des Churfürstenthums Mainz, von einem churmainz. General," S. 89. 90.

welche er auch in seiner später veröffentlichten Darlegung verfolgt:
die Streitkräfte der Franzosen übermäßig hoch anzuschlagen, die
militärische Brauchbarkeit aller Truppengattungen der Besatzung
noch tiefer herabzusetzen, als sie es verdienten. General Hatzfeld,
mit Gymnich zerfallen, hat dessen Schwächen sehr richtig beurtheilt,
aber zu einer bessern Führung des Ganzen nichts beigetragen.
Ein Mann von Talent war der Oberstlieutenant Eickemeyer, den
nachher die flüchtigen Herren vom Adel gern zum Sündenbock
ihrer Mißgriffe gemacht und als den Verräther der Festung bezeichnet haben. Es bedurfte hier keines Verraths, wo so viel
Feigheit und Unverstand zusammenwirkte.*)   Eickemeyer gehörte
zu den bürgerlichen Talenten, die sich in dem geistlich-adeligen Mainz
vereinsamt und unbehaglich fühlten: ohne Liebe für den Staat, der
sich jetzt so ruhmlos selbst verließ, ohne patriotische Anhänglichkeit
an Deutschland, ein Kind der kosmopolitisch-aufgeklärten Zeit,
aber ein nüchterner mathematischer Kopf, der eine Wirksamkeit
suchte, wo sie zu finden war, und darum wie viele Andere nachher ohne Bedenken in französische Dienste überging — war er in
jenen Tagen der einzige unter den höheren Officieren, der seine Kaltblütigkeit bewahrte und von furchtsamer Uebereilung abmahnte.
Wie dann Alle im Wetteifer das lecke Schiff verließen, fühlte er
sich freilich am wenigsten berufen, für eine Sache zum Ritter zu
werden, die seinem Kopfe wie seinem Herzen fremd war.

Am 5. October versammelte der Gouverneur einen Kriegsrath; schon war die Entmuthigung so allgemein, daß offen davon die Rede war, die Außenwerke der Festung preiszugeben.
Eickemeyer war es, der aus militärischen Gründen davon abrieth; die Lage der Außenwerke war von der Art, daß ihr Ver-

---

*) Aus der großen Anzahl Schriften (es sind deren zwischen dreißig und
vierzig), die uns über die Mainzer Vorgänge vorlagen, ergiebt sich klar, daß
die Annahme eines sorgsam vorbereiteten Verraths nur eben die bequeme Ausflucht war, womit man den Mangel an Muth und Einsicht verhüllen wollte.
Die Mittheilungen Gymnich's und Hatzfeld's, wie die von Forster und Eickemeyer selbst, weichen in der Hauptsache nicht so sehr von einander ab, daß die
sichere Ermittlung des wahren Verhältnisses allzuschwer würde. Wohl aber
treffen die Muthlosen mit den wirklichen Renegaten (wie die Mémoires de Custine par un de ses aides de camp) darin zusammen, daß sie durch die vorgebliche Verrätherei Eickemeyer's die Anklage von sich selber abzulenken suchen.

laffen die Uebergabe der Festung unvermeidlich machte. Mitten in die Berathung fiel dann plötzlich die Schreckensbotschaft, die Franzosen seien im Anmarsch und hätten bereits Nierstein besetzt. Es war eine betrunkene Husarenpatrouille, die sich von den pfälzer Bauern das Mährchen hatte aufbinden laffen. Nun ward das Allarmsignal gegeben, Alles lief in buntester Verwirrung durcheinander und der Kriegsrath zerstreute sich nach allen Winden. Unter dem Eindruck der Angstbotschaft war man noch eilig übereingekommen, die Außenwerke zu verlaffen, und es wäre wohl auch sofort geschehen, wenn sich diesmal nicht die Statthalterschaft zu einem entgegengesetzten Entschluß ermannt hätte.

Der Vorgang war bezeichnend für die Stimmung; war es bei dieser Verworrenheit der Führer zu verwundern, wenn das arme Weilburger Contingent, aus 62 Mann bestehend, beim ersten blinden Franzosenlärm ihrem Obristlieutenant erklärte, sie seien nicht hergekommen, „um sich für die Mainzer todtschießen zu laffen,‟ und aller seiner Bitten ungeachtet von ihrem Posten am Raymundithor vorsichtig heimwärts zogen? Das Benehmen der pfälzischen Regierung, deren Beamte sogar den Patrouillen der bedrohten Festung Schwierigkeiten bereiteten, der eilfertige Rückzug des Darmstädter Landgrafen, die Weigerung der Frankfurter, ihre Kanoniere herzuleihen, dies und Aehnliches bewies nur zu deutlich, wie heftig das Fieber der Angst die Kleinstaaterei am Rhein ergriffen hatte, und es war darum den guten Weilburgern kaum so sehr zu verdenken, daß sie ihrerseits dem Beispiele folgten, womit Fürsten und Regierungen ringsumher vorangegangen waren.

Was aller Welt in trauriger Gewißheit vorlag, die gänzliche Verwahrlosung von Mainz und die bejammernswerthe Schwäche der kleinen Regierungen, das konnte auch den Franzosen nicht verborgen bleiben. Schon ihr Gesandter, der bis Juli 1792 in Mainz gewesen, hatte sich von der Faulheit der Zustände überzeugt und wahrgenommen, wie wenig Mühe es hier kosten würde, gestützt auf die unzufriedenen Elemente, einen raschen Schlag im Sinne der Revolution auszuführen. Custine zwar hatte bei seinem Anfall auf Speyer und Worms sich noch nicht getraut, Mainz anzugreifen, und war mit dem Erfolge bei Speyer, mit den Magazinen und Contributionen, die er erbeutet, zufrieden gewesen. Indeffen gab der Ausgang des Kampfes in der Champagne die

Mittel an die Hand, den Lieblingsplan der herrschenden Demokratie in Frankreich ins Werk zu setzen und längs der französischen Gränze von Savoyen bis Belgien den Angriff der bewaffneten Propaganda zu eröffnen. Nun setzte sich auch Custine gegen Mainz in Bewegung. Wir finden für alle die Ausstreuungen, daß er in engem Einverständniß mit den Mainzer Anhängern der Revolution gehandelt und ein wohl angelegter Plan des Beraths ihm die Thore der Stadt geöffnet, nirgends einen zureichenden Beweis; wohl aber besteht darüber kein Zweifel, daß man im französischen Lager von der kläglichen Schwäche der alten Gewalten und der ungeduldigen Sympathie der Enthusiasten vollkommen unterrichtet war. Drängten sich doch schon beim ersten Angriff eine Menge Leute an Custine heran, um ihm zu betheuern, wie sehnsüchtig das Volk der Befreiung vom Priester und Adelsjoch entgegensehe. Die Festung selbst blieb während der ganzen Zeit so ungestört Jedermann zugänglich, daß er über die innere Lage ohne Mühe Kundschaft einziehen konnte. Leute, wie der frühere Göttinger Docent Georg Wilhelm Böhmer, damals Gymnasiallehrer in Worms, oder der in Mainz gut orientirte Vicarius Dorsch zu Straßburg, und ein gewisser Stamm betrieben die Propaganda mit aller Aufrichtigkeit. Zum Theil durch sie veranlaßt, hatte Custine eine Anzahl der gefangenen Mainzer Soldaten frei nach Mainz zurückgeschickt, damit sie dort das Lob der Franzosen und ihrer Glückseligkeit preisen konnten.

Dies Alles freilich hätte den Franzosen die Thore der deutschen Reichsfestung nicht eröffnet, wenn die, deren Obhut sie anvertraut war, Kopf und Herz hatten, sie zu behaupten. Wer wollte die weltbürgerliche Exaltirtheit Derer vertreten, die jetzt in kurzsichtigem Eifer vom alten Erbfeind deutscher Macht und Freiheit eine bessere Zukunft hofften? Aber den ersten Stein auf sie zu werfen, haben die am wenigsten ein Recht, die ohne Enthusiasmus und ohne jede muthvolle Ueberzeugung nur aus Furcht und Schrecken ihre eigne Sache schmachvoll verließen! Und doch sind die Nämlichen mit der Anklage der Verrätherei am freigebigsten gewesen, deren charakterlose Schwäche vor Allem den Vorwurf des Verraths herausfordert.

Am 16. October traf die Kunde ein, daß Custine sich der Stadt nähere; Patrouillen, die am nächsten Tage ausgesandt wurden, bestätigten, daß er bereits bei Oppenheim stand. Seine

Truppen waren zwölf= bis funfzehntausend Mann stark; Belage=
rungsgeschütz führte er keines mit sich. Am 18. Oct. näherten
sich die ersten Colonnen dem Dorfe Weißenau; man konnte nun
vom Stephansthurm aus die Stellung der Feinde überschauen und
ihre Stärke annähernd abschätzen. Die ersten Schüsse, welche die
Franzosen aus ihrem leichten Feldgeschütz gegen die Festung sand=
ten, thaten natürlich wenig Schaden; aber auf den Wällen sel=
ber war Alles mangelhaft angeordnet, nirgends ein selbstthätiger
Eifer, die Officiere, zum Theil nur an den Parabedienst gewöhnt,
klagten über Beschwerden und die Bürger fingen an zu murren,
daß man sie nun die Folgen der kurfürstlichen Politik entgelten
lasse. Alle Vertheidigungsanstalten machen den Eindruck einer im
tiefsten Frieden plötzlich erfolgten Ueberraschung; die Franzosen
konnten an der Schläfrigkeit und dem Mangel an Zusammenhang
aller militärischen Maßregeln, an der Art, wie die Werke besetzt wa=
ren und wie man feuerte, sehr leicht erkennen, daß hier an ern=
sten Widerstand nicht zu denken war.

Nun erschien am Mittag des 19. Oct. Oberst Houchard von
Custine gesandt und brachte zwei Schreiben, eines an den Com=
mandanten mit der Aufforderung zur Uebergabe, ein anderes an
den Magistrat, das, halb drohend halb schmeichelnd, die Bürger=
schaft aufforderte, sich an die Franzosen anzuschließen. Ein sol=
cher Schritt, an der Spitze von höchstens 15,000 Mann gegen
eine große Festung gethan, wäre unter anderen Umständen wie
eine lächerliche Bravade erschienen; wie die Lage in Mainz war,
verfehlte er seinen Eindruck nicht. Houchard ward mit dem Be=
scheid weggeschickt, es werde in wenig Stunden Antwort kommen;
der Gouverneur begab sich zu dem Statthalter. Es wurde da,
wie ein Eingeweihter sich ausdrückt, „manches darüber gesagt,
manches vorgeschlagen und wieder verworfen." Endlich einigte man
sich zu dem Entschluß, einen Kriegsrath zu berufen; bei den Herren
von der Regierung und vom Commando war die Uebergabe schon
eine stillschweigend beschlossene Sache. Als der Kriegsrath (20. Oct.)
zusammentrat, begann Gymnich mit der Versicherung, es fehle an
Mannschaft, an bearbeiteter Munition, an Artillerie, an Schanz=
zeug, kurz an Allem, Hülfe sei keine zu erwarten, der Feind aber
stehe mit 25—30,000 Mann und zahlreicher Artillerie vor den
Thoren der Stadt. Nach der Reihe stimmten nun die anwesen=

ben Generale, Haßfeld, Faber, Rübt u. s. w. für die Uebergabe;
daß auch die Statthalter dafür seien, hatte der Commandant ausdrücklich erklärt.   Der einzige Eickemeyer äußerte auf Befragen:
die Lage sei allerdings bedenklich, aber es gebe doch Mittel, die
Festung noch ein paar Tage zu behaupten.   Aber die Mittel, die
er vorschlug, schienen den anderen Herren nicht genügend; die
Uebergabe ward beschlossen.*)

Zum Abgesandten ins feindliche Lager ward Eickemeyer bestimmt; er war unter den Stabsofficieren der französischen Sprache
am kundigsten.   Ein versiegelter Brief enthielt das Anerbieten des
Gouverneurs: gegen freien Abzug des Heeres, der Beamten und
der Geistlichkeit und gegen das Versprechen das Eigenthum zu
schützen solle die Festung übergeben und die Feindseligkeiten eingestellt werden. Mündlich erhielt Eickemeyer den Auftrag, bei Custine wegen eines Neutralitätsvertrags für den Kurfürsten und
freien Abzugs der Oesterreicher anzufragen.   Fand dieser letzte
Punkt bei dem französischen General nur eine ausweichende Erwiederung, so war derselbe um so lebhafter befriedigt von dem
Antrag, den der Brief des Gouverneurs enthielt.   Der sichtbare
Eindruck der Entmuthigung, unter dem die Belagerten standen,
spannte seine Forderungen schon höher; die abziehenden Truppen
sollten ein Jahr lang nicht gegen Frankreich dienen, der französischen Republik müsse vorbehalten bleiben, nach den Verträgen
über die Souverainetätsrechte zu entscheiden. Am frühen Morgen
des 21. Oct. ward Eickemeyer abermals ins französische Lager geschickt, diesmal in Begleitung eines Mainzer Beamten, um die
Capitulation vollends abzuschließen.   Sie erfolgte nach den Be-
bingungen, welche die vorausgegangene Verhandlung erwarten

---

*) So berichten, im Ganzen ziemlich übereinstimmend, die beiden Gegner
Eickemeyer und Haßfeld (s. Denkwürdigk. S. 134—138. „Untergang des Churfürstenthums Mainz" S. 132—137). Der letztere gibt zu, daß alle Generale für
die Uebergabe stimmten, nur Eickemeyer dagegen einige Einwände machte —
und doch wird von ihm in demselben Athem Eickemeyer als der Verräther bezeichnet! Aber nichts natürlicher als das; E. — so erläutert Haßfeld —
war nur deswegen gegen die sofortige Uebergabe, „um den Commandanten
bann in die Nothwendigkeit zu versetzen, die Festung dem Feinde ohne alle
Bedingnisse in die Hände zu liefern!" Das mußte freilich eine „äußerst fein
geführte Verrätherei" sein, deren Beweis mit allem gesunden Menschenverstande
in so unlösbarem Widerspruch steht.

ließ. Die Mainzer und Kreistruppen sollten gegen das Versprechen, ein Jahr lang nicht gegen Frankreich zu dienen, freien Abzug erhalten, auch ihr Gepäck und vier Feldgeschütze mitnehmen. Die Festungsartillerie, Pläne, Vorräthe, Munition verblieben den Franzosen; das Privateigenthum sollte geschützt sein, Beamte, Geistlichkeit und wer sonst wolle mit ihrem Eigenthum die Stadt verlassen dürfen. Ueber die österreichischen Soldaten war nichts in die Capitulation aufgenommen; sie wählten den klügsten und kürzesten Ausweg, sie zogen am Morgen des 21., während zu Marienborn die Capitulation unterzeichnet ward, über die Rheinbrücke und traten den Marsch nach Koblenz an. *).

Welchen Eindruck die Mainzer Katastrophe längs des Rheins hervorrief, läßt sich nach den früheren Vorgängen erwarten. War drei Wochen früher durch die Wegnahme zweier offnen Städte, wie Speyer und Worms, die ganze Kleinstaaterei im deutschen Westen bis zum Grunde erschüttert worden, hatte damals der gesammte Kurstaat eilig das Weite gesucht, Darmstadt sich nach Gießen retirirt, Kurpfalz in demüthiger Unterwürfigkeit um die Gunst der Sansculotten gebuhlt, so war es jetzt, wo die Gränzfestung gefallen, wirklich Ernst geworden mit der drohenden Invasion in Deutschland. Seit Mitte October fühlte sich Keiner mehr von den kleinen Herren, die sich vom Breisgau bis nach Westfalen in die deutschen Rheinlande theilten, in seiner Residenz sicher; Alle zogen rückwärts, ließen zum Theil Land und Leute völlig im Stich und waren dann höchst erzürnt, wenn die Unterthanen sich nicht für einen Staat und eine Regierung todtschlagen lassen wollten, die sich so muthlos selber aufgab. Am schnellsten im Rückzuge waren nun diejenigen, die einst am lautesten gedroht und getrotzt; der Bischof von Speyer, der gegen die Bitten seiner Bruchsaler Bürger vordem so unzugänglich ge-

*) Das vorgefundene Kriegsmaterial betrug: 237 Kanonen, 20,983 Bomben, 27,684 Haubitzenkugeln, 7757 Granaten, 250,973 Kugeln, 2305 Kartätschen, 5137 Flinten und 1772 Musketen, 138,867 Pfund Blei und 468,000 Pfund Schießpulver. Auch ward durch die Ungeschicklichkeit des Commandanten ein großer Theil der Kriegskasse von den Franzosen vertragswidrig zurückbehalten.

wesen, suchte jetzt im Odenwalde eine Zufluchtstätte, der Kurfürst von Trier, der einst dem „auswärtigen Frankreich" ein Feldlager in seinen Landen eingeräumt, floh jetzt rheinabwärts und
suchte bei Kurcöln Schutz, jenem Kurcöln, das 1790 und 1791
auf dem Reichstage die drohendsten Anträge gestellt und sich jetzt
außer Stand erklärte, sich selbst, geschweige denn den Nachbar zu
schützen. Aber nicht nur am Rheine war der Schrecken gränzenlos; er übte weithin seine ansteckende Macht. Der Bischof zu
Würzburg, der zu Fulda und das Reichskammergericht zu Wetzlar erbaten sich Schutzbriefe von dem fränkischen General; ja bis
nach Thüringen zitterte man vor den Waffen der Republik. Von
Cassel — sagt ein Zeitgenosse von entschieden contrerevolutionärer
Farbe*) — hatte sich bereits die landgräfliche Familie geflüchtet,
zu Würzburg, Bamberg und sogar schon zu Regensburg war man
mit dem Einpacken beschäftigt. Die Gesandten zu Regensburg
mietheten schon Schiffe, um die Donau hinabzufliehen. Aber freilich — fügt derselbe Zeuge hinzu — die meisten angränzenden
Reichsfürsten waren in keiner Verfassung, ohne Geld und Soldaten; statt eines gut eingerichteten Militärs war an den meisten
Höfen Pracht und Luxus der Gegenstand, woran Geld und Re-
venüen verschwendet wurden.

Nach diesen Proben durfte man sich über nichts mehr wundern; wenn etwa Custine jetzt, auf die Gefahr hin freilich, später
abgeschnitten zu werden, rasch eine Handvoll Leute den Rhein
hinab schickte, so war kaum ein Zweifel: die geistlichen Regierungen
in Koblenz und Bonn liefen entweder eilig weg oder trugen dem Franzosen schon von Weitem ihre Unterwerfung entgegen. Denn im Anfang October, als die Kunde von den Vorfällen in Speyer und Worms
nach Koblenz kam, war des Kurfürsten erster Befehl gewesen — einzupacken. Diesem Beispiele — sagt der schon erwähnte Augenzeuge**) — folgte die ganze Stadt nach; alle vom Adel, vom geistlichen und weltlichen Rathstand, alle Klöster und wohlhabenden
Bürger packten ein und mietheten um fabelhafte Summen Schiffe,

---

*) Bericht im Rh. Antiq. I. 1. 134. Vgl. die damit ganz übereinstim-
menden Berichte revolutionärer Quellen, z. B. Moniteur universel N. 293.
294. Forster's Schriften VI. 391. 394.
**) Rh. Antiq. I. 1. 119 ff.

die sie rheinabwärts bringen sollten. Als glaubwürdig wurde erzählt, Custine komme mit 40,000 Mann vom Elsaß her und werde sich auf dem Hundsrück mit einer andern Armee, die von Saarlouis komme, zum Angriff auf Koblenz vereinigen.

Eine sehr bemerkenswerthe Erscheinung war es, wie bei diesem Anblicke der Schwäche und Angst überall der alte überlieferte Respect der Masse vor der Herrschaft anfing zu weichen. Auch unser Koblenzer Gewährsmann legt mit Entrüstung darüber Zeugniß ab, wie unter dem Eindruck der großartigen Desertion der olympische Nimbus der alten Autoritäten verschwand; viele „schlechtdenkende" Bürger — erzählt er — hätten die „Insolenz" so weit getrieben, die vornehmen Flüchtlinge anhalten zu wollen, und überaus „vermessene" Reden ausgestoßen. Regierung und Kriegsrath, vom Kurfürsten befragt, riethen, dem anrückenden Feinde Deputationen entgegenzuschicken, um „wegen einer Brandschatzung gütlich mit ihm zu contrahiren", ihn dann in die Stadt zu lassen, ihm auch die „darin befindlichen preußischen Fruchtmagazine nicht zu verhehlen, und falls er Ehrenbreitstein verlange, ihm die Festung sogleich einzuräumen." Der Kurfürst war nur noch über den letzten Punkt zweifelhaft; die ersten Vorschläge wollte er genehmigen. Indessen dauerte die Flucht fort, der leitende Minister des Kurfürsten war zuerst nach Bonn geeilt und wollte ohne starke Escorte nicht mehr nach Koblenz zurückkehren. Und das Alles geschah zwischen dem 5. und 8. October, also in denselben Tagen, wo Custine selbst schon wieder nach Speyer zurückgegangen war, um dann auf das falsche Gerücht vom Anmarsche der Oesterreicher sich unter die Kanonen von Landau zu flüchten!

Wie nun die Nachricht eintraf, die Franzosen seien von Neuem in Anmarsch und zwar diesmal auf Mainz, zögerte der Kurfürst keinen Augenblick, mit seinem Hofstaate zunächst nach Bonn zu fliehen. Er hinterließ, wie sein College in Mainz, eine Statthalterschaft, jedoch mit der ausdrücklichen Vollmacht, auch fliehen und andere substituiren zu dürfen. Die Statthalterschaft, aus zwei Domherren bestehend, machte von dieser Erlaubniß sofort Gebrauch und übertrug dem Kanzler von Hügel das provisorische Regiment. Nun kam die Botschaft, Mainz sei gefallen; es schien den Koblenzern fortan kein Zweifel mehr, daß die Franzosen jede Stunde kommen müßten. „Jeder — berichtet unser

Gewährsmann — war die ganze Nacht hindurch beschäftigt, seine
Effecten einzupacken; man hörte die Nacht nichts als Kisten und
Kasten zuschlagen und Karren durch die Straßen nach den Schif-
fen rollen. Alle Cavaliers, die meisten Geistlichen, kurfürstlichen
Räthe mit Frauen und Kindern, sehr viele Bürger und Handwerksleute, die meisten Mönche und Nonnen flüchteten rheinabwärts.
Auch der Gardeobrist von Landenberg fuhr mit seinen Officiers
und Gemeinen in einem großen Schiff nach Leubesdorf!" In
dieser allgemeinen Angst entschlossen sich denn die Stände des
Kurfürstenthums eine Deputation nach Mainz zu schicken und
dem französischen General dieselben Bedingungen anzubieten, die
schon am Anfang October im ersten Schrecken von der Regierung selbst beantragt waren; der provisorische Statthalter ist
dem Entschlusse wahrscheinlich selber nicht fremd gewesen.*) Die
Deputirten, an ihrer Spitze der Syndicus von Lassaulr, gingen
nach Mainz, um die Capitulation abzuschließen — aber inzwischen kam in Koblenz unerwartete Hülfe. Am 27. Oct. rückten
die ersten Abtheilungen des tapfern hessischen Contingents ein,
das der Landgraf, wie wir uns erinnern, auf die erste Kunde von
Custine's Streifzügen von Verdun hatte nach Deutschland zurückgehen lassen. Den Hessen folgten Preußen, und in Kurzem war
die Stadt, deren Bewohner eben noch in jähem Schrecken geflüchtet, mit Truppen gefüllt, König Friedrich Wilhelm II. selber schlug
dort sein Hauptquartier auf. Unter dem Schutz der vielen Bajon-
nete fand denn der hohe Kurstaat von Trier sein ganzes Selbstvertrauen wieder, und wie es zu geschehen pflegt, wandte sich
der heftigste Groll der Flüchtlinge nun gegen Solche, welche nicht
sowol die Urheber als die Opfer der großen Desertion gewesen
waren. An jener Mainzer Deputation, namentlich dem Syndicus Lassaulr, kühlte sich nachher die Scham und der Unmuth der
zurückgekehrten Regierung; er mußte auf dem Ehrenbreitstein dafür büßen, daß er Anträge an Custine überbracht, deren erster Ursprung doch im Schooße der kurfürstlichen Behörden selber zu suchen war.

Hatte diesmal die Ankunft der deutschen Truppen am Niederrhein Koblenz und Ehrenbreitstein vor einem ähnlichen Hand-

---

*) S. Rh. Antiq. I. 1. 129. 138.

streich, wie er Mainz traf, bewahrt, so war doch immer Custine's
Stellung am mittleren Rhein gefährlich genug für die kleinen
Staatengruppen im deutschen Süden und Westen. Der panische
Schreck, der von Mannheim bis Regensburg, Wetzlar und Cöln
alle geistlichen und weltlichen Herren erschüttert, hatte dem franzö=
sischen General die ganze heillose Schwäche dieser westlichen Gränz=
lande enthüllt; er trug seinen Kopf höher als je, gab sich den
kecksten Entwürfen hin und sah schon im Geiste dies ganze offene
Gebiet Deutschlands zu Filialrepubliken im französischen Stile um=
gestaltet. Waren seine Thaten so kühn und gewaltig, wie seine
Reden, entsprachen seine Handlungen wirklich dem neuen Evan=
gelium von „Freiheit, Gleichheit und Brüderlichkeit", so entschied
sich das Schicksal dieser westdeutschen Kleinstaaterei vielleicht schon,
bevor ein neuer Feldzug beginnen konnte. Denn daß die Regie=
rungen zum weitaus größten Theil nicht im Stande waren, sich
selber zu behaupten, sondern dem ersten revolutionären Stoß erliegen
mußten, das hatten die Erfahrungen der letzten Wochen mit unwider=
sprechlicher Klarheit erwiesen. Oder wo war etwa die Regierung,
von der kurfürstlich pfälzischen an bis zu den kleinen Reichsgrafen,
Städten und Ritterschaften herab, die nicht rasch das Weite suchte,
sobald sich etwa jetzt eine revolutionäre Bewegung in der Bevöl=
kerung selber kundgab? Es war im Grunde vor Allem das Ver=
dienst Custine's und seiner Helfershelfer, daß dies nicht so kam,
sondern die Revolution rasch bei der Masse des Volkes selber ihren
populären Zauber verlor. Die deutschen Enthusiasten zwar klag=
ten die Unreife des Volkes an; aber je reifer das Volk war, desto
feindseliger mußte es sich von dieser Art von republikanischer Frei=
heit abgestoßen fühlen, deren theatralischer Apparat die rauhe Wirk=
lichkeit von Willkür, Raub und Gewaltthat nicht verdecken konnte.
Die „alten Franzosen in Deutschland, hinter der neufränkischen
Maske verschlimmert", so lautete der Titel einer damals erschiene=
nen Schrift; es war der rechte Ausdruck für die populäre Empfin=
dung, wie sie sich bald allenthalben kundgab.

　　In dem Augenblick, wo Mainz geräumt ward, zog auch
schon eine Colonne Franzosen unter General Neuwinger auf
Frankfurt los. Am 22. Oct. erschien der General vor den Tho=
ren der Reichsstadt, begehrte anfangs nur Lebensmittel gegen Be=
zahlung, ertrotzte aber doch schon mit Drohungen den Eintritt in

die Stadt und rückte dann, als die Truppen einquartirt wären, mit dem Auftrage Custine's heraus: der Rath von Frankfurt müsse binnen 24 Stunden 2 Millionen Gulden Brandschatzung bezahlen. Der abgenutzte Vorwand, unter dem vorher schon Worms geplündert worden war, „es sei den Emigranten dort Vorschub geleistet worden," paßte auf Frankfurt durchaus nicht; denn der Magistrat der Stadt hatte mit ängstlicher Sorgfalt Alles vermieden, was ihm Beschwerden von französischer Seite erwecken konnte. Vergebens suchte der Rath durch Vorstellungen zu wirken; es ward nichts erlangt, als daß Custine versprach, den Raub auf anderthalb Millionen zu ermäßigen, übrigens aber unerbittlich auf der raschen Zahlung bestand. Süßliche Proclamationen, worin von der Gerechtigkeitsliebe der französischen Nation, von ihrem Mitgefühl für den armen arbeitsamen Bürger und von dem Druck, den die Reichen bisher geübt, die Rede war, kündigten den Frankfurtern an: nicht das Volk, sondern nur die reiche und regierende Classe habe die Summe beizubringen. Es sollte das die praktische Anwendung von dem Spruche sein: Krieg den Palästen und Friede den Hütten. Eine verdiente Züchtigung für diese jakobinische Heuchelei war es, daß die Zünfte und Handwerker nachher in einer öffentlichen Eingabe dem General ausdrücklich erklärten, sie wollten von dieser volksfreundlichen Fürsorge nichts wissen, sie seien bisher mit ihrem Regiment leiblich zufrieden gewesen; wenn man aber ihren reicheren Mitbürgern das Geld abnehme, so müsse natürlich auch ihr Erwerb und Verdienst damit auf's empfindlichste getroffen werden. Indessen das Geld mußte herbei; Custine war ehrlos genug, die Summe wieder auf zwei Millionen zu erhöhen und durch persönliche Drohungen, Wegnahme von Geiseln u. s. w. die rasche Bezahlung des größten Theils zu erzwingen. Die Ermäßigung des Restes suchte die Stadt von der französischen Regierung zu erlangen. *)

Die ohnmächtigen Regierungen auf dem rechten Rheinufer konnten sich in der That bei Custine bedanken, daß er es auf sich

---

*) Die Actenstücke über die Frankfurter Angelegenheit f. bei Nau, Gesch. der Deutschen in Frankreich und der Franzosen in Deutschland 1794. IV. 155 ff. und: Tagebuch von der Einnahme Frankfurts bis zur Wiedereroberung 1793. Die Mittheilungen bei Girtanner u. A. sind daraus entnommen.

genommen, das Volk von revolutionären Anwandlungen zu heilen; denn der Eindruck der Räuberei in Frankfurt war zu allgemein, als daß die pomphaften Proclamationen von Verbrüderung und Freiheit, von Abschüttelung der Despotie und Rückgabe der unveräußerlichen Rechte sonderlich hätten verfangen können. Der Landgraf Wilhelm von Hessen-Cassel z. B. mochte sein, wie er wollte, die Hessen vergaßen diesmal seinen Geiz und seine Seelenverkäuferei, Angesichts der Glückseligkeit, welche die fremden Horden brachten. Nichts war darum verfehlter, als daß Custine jetzt am 28. Oct., unter dem frischen Eindruck der Frankfurter Dinge, eine wüthende Proclamation gegen den „Tiger" und „Tyrannen", wie er den Landgrafen nannte, erließ und den braven hessischen Soldaten „fünfzehn Kreuzer täglich, fünfundvierzig Gulden Pension, Bürgerrecht, Bruderliebe und Freiheit" anbot — wenn sie zu ihm übergehen wollten!*) Der hartnäckige Widerstand, den ein Häuflein Hessen leistete, als die Franzosen in großer Uebermacht eine Razzia nach der Saline Nauheim machten, ließ erwarten, wie wenig Erfolg diese Propaganda haben würde; wohl aber hätte damals bei der Erbitterung der Hessen ein kühner und großsinniger Fürst ohne Mühe eine Insurrection der Massen gegen das französische Wesen hervorrufen können. Indessen dauerten die Raubzüge fort; erst gegen die schutzlosen Klöster in der Wetterau, dann wurde an der Lahn geplündert, Weilburg namentlich gebrandschatzt und ausgeraubt, lauter Heldenthaten, die Houchard in Custine's Auftrag vollzog. Militärische Maßregeln, welche das rasche Vorrücken der deutschen Truppen vom Niederrhein nach dem Main hätten erschweren können, nahm Custine nicht; es schien ihm genug, wenn er die Welt mit seiner abgeschmackten revolutionären Rhetorik erfüllte und daneben, als Anfang einer neuen Gleichheit, die Reichen arm, aber die Armen nicht reich machte.

Indessen war Mainz der Mittelpunkt einer revolutionären Propaganda geworden, die nicht, wie auf dem rechten Rheinufer, nur etwas äußerlich Aufgedrungenes war, sondern wenigstens in einem Theile der dortigen Bevölkerung selbst ihre Stütze fand. Die alte Bischofsstadt hatte freilich, wie jeder Sitz geistlicher Herr-

---

*) Wörtlich aus den Proclamationen bei Girtanner X. 85 f. und in dem angef. „Tagebuch" S. 70 f.

schaft, an dem müßiggängerischen Proletariat, das an solchen
Orten wie Unkraut aufwuchert, eine brauchbare Hefe revolutionärer Bewegung; aber Trieb und Leitung kam doch von einer
anderen Seite. Indem Kurfürst Friedrich Carl mehr aus Eitelkeit
und der Mode zu Gefallen, als aus einem tieferen Verständniß für
die damalige deutsche Literatur, eine Reihe von literarischen Persönlichkeiten nach Mainz verpflanzte, in denen das protestantische,
aufgeklärte und weltbürgerliche Streben der Zeit vertreten war,
übersah er jedenfalls das Eine: daß, wenn ihre Wirksamkeit irgend
eine Frucht haben sollte, der Boden, auf den er sie setzte, auch
nicht der alte bleiben durfte. Oder was sollten diese Zierpflanzen
mitten in der Umgebung alten Schlendrians, hergebrachten Aberglaubens und mönchischer Erziehung? Ohne rechte Thätigkeit,
überall gehemmt und von Vielen mit unverhüllter Mißgunst angesehen, selber natürlich ohne Liebe für den Staat, in dem sie sich
vollkommen fremd fühlten, hatten sie mehr das Ansehen einer her-
eingepflanzten Colonie, die in einer Zeit revolutionärer Gährung
der natürliche Mittelpunkt der Bewegung gegen das Alte werden
mußte. An diesen Kreis mißvergnügter Gelehrten und Schriftsteller schlossen sich dann die Unzufriedenen und Zurückgesetzten aus
dem Mainzer Bereich selber an, Männer, wie Eickemeyer, oder die
Geistlichen mit Illuminatenmeinungen, wie Blau und Dorsch.
Der Parteigeist jener Tage hat die Meisten von ihnen mit Unrecht beschuldigt, durch eine weitläufig angesponnene Conspiration
den Ueberfall von Mainz herbeigeführt zu haben. Wir haben gesehen, der ganze Gang der Octoberereignisse läßt den Gedanken
eines absichtlichen Verraths gar nicht aufkommen, vielmehr fällt
die Hauptschuld auf jene unfreiwillige Verrätherei, wie sie durch
muthlose und verzagte Menschen zu jeder Zeit geübt wird, und
was von Einverständnissen dabei mitwirkte, beschränkte sich eben
auf die Kenntniß der trostlosen Lage der Stadt, über die sich, bis
zum letzten Augenblick, Jeder durch die offenen Thore der Festung
Gewißheit verschaffen konnte. Personen zweiten und dritten Ranges, wie der ehrgeizige Arzt Wedekind, damals heftiger Jakobiner,
später als Freiherr und fürstlicher Leibmedicus verstorben, der tolle
Böhmer, eine Persönlichkeit, wie sie das Literaten= und Journalisten=
thum unserer modernen Revolutionen vielfach aufweist, dann ein
gewisser Stamm, halb Straßburger, halb Mainzer, dessen Leumund

nicht eben der beste war, das sind die Personen, die man als die Zwischenträger des französischen Generals betrachten kann. Die Anderen sahen den Dingen, die sich vorbereiteten, mit der lebhaftesten Spannung, auch einer unverkennbaren Sympathie für die Grundsätze der Revolution im Westen, aber doch noch ohne thätige Theilnahme zu; Georg Forster namentlich geraume Zeit nur mit dem höheren Interesse des Geschichtskundigen und Publicisten, ohne Vertrauen auf die Stärke der alten Zustände und mit dem rechten politischen Seherblick in die Macht und Bedeutung der Ideen, die unter allem Schmutz wüster Leidenschaften und demagogischer Künste versteckt lagen.

Welch tragisches Geschick einer politischen Natur dieser Art auf dem damaligen Boden Deutschlands nothwendig bereitet werden mußte, ist von einem historischen Meister mit aller Wahrheit seiner psychologischer Charakteristik gezeigt worden; wir können dem nichts hinzufügen und möchten auch nichts von dem Interesse nehmen, das seitdem nach langer Vergessenheit in erhöhtem Maße dem Andenken Georg Forsters zu Theil geworden ist. Wohl konnte er auch in der Zeit bitterster Verkennung mit edlem Selbstgefühl von sich sagen: „ich habe keine Cabale, keine Intrigue je gekannt, und halte den Menschen für den elendesten seines Geschlechts, der mich einer schlechten Handlung fähig glaubt; ich bin arm, aber ich habe mein Bewußtsein.“ Wie immer haben Diejenigen am voreiligsten den Stab über ihn gebrochen, die nicht werth waren, zu ihm aufzublicken, und selbst die unbefangenere Beurtheilung hat nicht selten nur ihn verdammt, wo der allgemeine Zustand Deutschlands viel lauter anzuklagen war. Allein es wird doch immer eines der traurigsten Zeugnisse für die damalige Lage Deutschlands, wie für die weltbürgerliche Heimathlosigkeit seiner literarischen Größen sein, daß ein Kopf und ein Charakter, wie der Georg Forsters, keine bessere Stelle in der Geschichte jener Zeiten gefunden hat, als die tragische Rolle, die ihm in der widrigen Episode des Mainzer Jakobinerthums zufiel.

Sein Briefwechsel läßt uns den inneren Verlauf der Stimmungen genau erkennen, durch die ihn sein Trieb einer praktischen öffentlichen Thätigkeit von der kaltblütigen geschichtlichen Betrachtung zur unmittelbaren Theilnahme an den revolutionären Dingen hinführte. Er sah den geistlichen Staat, dem er nur als

I. 32

Frembling angehörte, haltlos auseinander fallen; wie hätte man
von ihm Eifer und Hingebung für eine Sache erwarten dürfen,
die von den Trägern und Lenkern dieser Staatsordnung selber so
muthlos preisgegeben ward? Der Eindruck dieser unerhörten Desertion traf mit den ersten glänzenden Erfolgen der revolutionären
Propaganda zusammen; nun schien auch ihm der Zeitpunkt gekommen, in Deutschland das Joch priesterlicher und feudaler Gewalt, das alle besseren Kräfte des Volkes niederhielt, zu zerbrechen.
Die ersten Versuche des Menschen, der jetzt eben den Fesseln der
Sklaverei entrinnt — so war dabei seine Betrachtung — mögen
noch so tölpisch und unbeholfen erscheinen, dennoch erwecken sie
eine Hoffnung in der Brust des Menschenfreundes, die ihn an der
weisen Lenkung der Schicksale seiner Gattung und an ihrer moralischen Causalität nicht verzweifeln läßt.

Gleich nach Custine's Einzug, am 23. October, hatte sich im
kurfürstlichen Schlosse eine Gesellschaft von „Freunden der Freiheit
und Gleichheit" aufgethan, der, außer Wedekind, Blau, die Professoren Hoffmann, Metternich und einige Personen angehörten,
die theils ihre Sympathie für die Revolution, theils ihre Charakter-
losigkeit dem neu aufgehenden Gestirn zuführte. In kurzer Zeit
war aus der Gesellschaft ein Club geworden, der sich kein geringeres Ziel als die Republikanisirung des linken Rheinufers
vorsetzte. In dem Verzeichniß der Mitglieder*) finden wir neben den schon genannten Personen eine Anzahl Geistliche und
mehrere ehemalige kurmainzische Beamte, Handwerker und Studenten aufgeführt. Forster selber klagt, daß man neben den achtbaren Elementen nur zu rasch einen Schwarm roher Studenten,
unbärtiger junger Leute und übelberufener Personen ohne Prüfung
und Auswahl aufgenommen habe. Er fürchtete, „die jugendliche
Selbstzufriedenheit und Anmaßung der Einen, der Eigennutz und
die zweideutigen Absichten der Anderen möchten bald der guten
Sache mehr Schaden bringen, als die Einsicht und das Gefühl
der achtungswürdigen Mitglieder zu ihrer Empfehlung wirken könnten." Ihm war das Lärmen und Schreien einer unreifen Masse,
die revolutionären Farçen und Gaukelspiele in tiefster Seele zu-

---

*) S. „Getreues Namensverzeichniß der in Mainz sich befindenden 452
Klubisten, mit Bemerkung derselben Charakter. Im Mai 1793."

wider; die Revolution schien ihm bei unbefangener Betrachtung überhaupt der Weg nicht zur deutschen Freiheit. „Deutschlands Tage, sagte er damals, der Charakter seiner Einwohner, der Grad und die Eigenthümlichkeit seiner Bildung, kurz seine physischen, sittlichen und politischen Verhältnisse haben ihm eine langsame, stufenweise Vervollkommnung und Reife vorbehalten; es soll durch die Fehler und Leiden seiner Nachbarn klug werden und vielleicht von oben herab eine Freiheit allmälig nachgelassen bekommen, die Andere von unten gewaltsam und auf einmal an sich reißen müssen. Die Uebereilungen der Reformatoren können diesen ruhigen Gang hemmen, die der Regenten ihn beschleunigen." Aber zugleich sprach doch der Beruf politischer Thätigkeit wieder zu laut in ihm, als daß er es über sich vermocht hätte, in kaltblütiger Neutralität zu bleiben. Er trat in den Club ein, in der sicheren Hoffnung, manches Gute fördern, der Ausartung und Unvernunft wirksam begegnen zu können; er lernte dann zu spät erfahren, wie wenig der Einzelne in solchen Zeiten vermag. Das verwegene Beginnen, eine Freiheit zu gründen ohne Nation und Vaterland, verlief sehr bald in dem Verlust der Freiheit wie der Nationalität; selbst ein Kopf wie Forster war nicht stark genug, auch nur einen der Mißgriffe und Ausartungen des Mainzer Jakobinismus, so tief er sie mißbilligte, hindern zu können. Wohl aber ward sein reiner Name in eine trostlose Episode verflochten, die mit Raub und Plünderung begann, mit dem Verrath deutschen Gebietes an das Ausland endete.

Nur die ersten Tage dauerte die Illusion fort, es handle sich im Ernste um die Herstellung eines Zustandes wahrer Freiheit. Die ungeduldige Raubsucht der Fremden hielt sich noch in Schranken, man glaubte noch der Versicherung Custine's, daß es nur von der freien Selbstbestimmung des Volkes abhängen solle, sich seine künftige politische Form zu geben. Ich werde, hatte der General in einer Proclamation an das deutsche Volk gesagt, alle bestehenden Gewalten bis dahin beschützen, wo ein freier Wunsch den Willen der Bürger und Bauern in den Stiftern Mainz, Worms und Speyer, den Wunsch eines jeden dieser Stämme wird kundgegeben haben; selbst wenn ihr die Sklaverei den Wohlthaten der Freiheit vorziehen werdet, bleibt es euch überlassen, zu bestimmen, welcher Despot euch eure Fesseln zurückgeben solle. Das schien eine ehr-

liche Handhabung jener Grundsätze der Volkssouverainetät zu versprechen, wie sie die Revolution als ihre Devise aufgestellt. Die
zurückgebliebenen Behörden fuhren mit gutem Muthe fort, zu verwalten, der Bevölkerung erschien dieser Zustand um so erträglicher,
je weniger diese Mäßigung zu den Greuelschilderungen paßte,
welche die Emigranten von dem revolutionären Frankreich entworfen, und die Einsichtsvollen und Weiterblickenden, wie Forster, hofften, es ließe sich nun friedlich und ohne gewaltsame Uebergänge
der Wust von Mißbräuchen beseitigen, den das geistlich = adelige
Regiment hinterlassen. Aber schon am 30. Oct. sprach Custine
in einem Schreiben an die Regierung von der „Eroberung des
Kurfürstenthums" und dem „Uebertragen aller Theile der Gesetzgebung und Verwaltung an die französische Republik"; die Behörden, die in ihrer Ehrlichkeit fortfuhren, sich „kurfürstlich" zu nennen, wurden mit der ganzen „Schwere des nationalen Unwillens"
bedroht.*)   Der Club, von dem selbst Forster und Eickemeyer mit
unverdeckter Geringschätzung reden,**) und der in den ersten Tagen halb mit Gleichgültigkeit, halb mit Neugierde betrachtet worden, drängte sich nun in den Vordergrund und ward das rührige
Werkzeug der französischen Incorporationsgelüste.   Es begann ein
ganz unwürdiges Spiel, das zu den pomphaft verkündigten Grundsätzen der Volkssouverainetät in sehr bitterem Gegensatze stand.

---

*) Die Aktenstücke finden sich sämmtlich in der sonst sehr einseitig gehalte-
nen „Darstellung der Mainzer Revolution." Frankf. u. Leipz. 1794. 2 Bde.
Dazu kommen dann die Schriften von Böhmer, „Epistel an die lieben Bauers-
leute." Mainz 1792; „die Aristokraten am Rhein." Ebend. 1791. Dann von
Seiten der kurfürstlichen Partei: „Etwas über die Mainzer Constitution in
einem Sendschreiben des Dr G. Teutsch." Frankf. 1792, wogegen wieder erschien: „Etwas über das Etwas des Dr. G. Teutsch." 1792. Ferner: „Ueber
die Verfassung von Mainz". Deutschland 1793 (eine Schutzschrift für den alten
Zustand) und „Die Constitutionsvorschläge des Handelsstandes zu Mainz, beantwortet von K. Boost." Mainz 1792. Hoffmann „Ueber Fürstenregiment
und Landstände". 1792 „Mainz im Genusse der Freiheit und Gleichheit."
Deutschland 1793, und die schon früher gelegentlich citirten Schriften. Wir beschränken uns dabei auf die Erwähnung solcher Erzeugnisse, in denen sich ge-
schichtliches Material irgend einer Art vorfindet; eine ganze Reihe anderer Bro-
churen, theils revolutionäre Declamationen, theils contrerevolutionäre Schmähungen, Satiren und Schmutzschriften bleiben wie billig unerwähnt.
**) Forster, Schriften VI. 402. Eickemeyer, Denkwürd. S. 152.

Erst versammelte Custine die Zünfte, um ihre Meinung über die
französische Verfassung zu hören. Es war kein Zweifel, daß der
Kern der Bürgerschaft davon nichts wissen wollte; unter 97 Mitgliedern der Kaufmannsinnung fanden sich nur 13, welche die
französische todtgeborne Constitution für Mainz geeignet hielten.
Eine Eingabe, welche die Innung an Custine richtete, hob die
natürlichen Verhältnisse von Mainz und die Beziehungen zum
Reich hervor, verbarg die Gebrechen der alten Verfassung nicht,
blieb aber doch dabei stehen, daß sie allein als Grundlage einer
neuen dienen könne. Eine Repräsentation der Bürgerschaft, die
dem Kurfürsten zur Seite stehe, Besetzung der Stellen durch Ein-
heimische, Beseitigung der Privilegien des Adels, des Clerus, das
waren die wesentlichsten Forderungen, welche sie durch ihre künftige Verfassung erfüllt wissen wollten.*) Man mag es naiv finden, daß die guten Mainzer Kaufleute eine Reform dieser Art von
dem französischen Jakobinismus erwarteten; in jedem Falle beur-
theilte aber hier der bürgerliche Instinct das deutsche und main-
zische Bedürfniß viel richtiger, als die Männer, die sich nachher
durch den Mainzer Convent und die Herstellung einer Republik
von Speyer bis Kreuznach lächerlich machten.

Es charakterisirt allerdings die politische Unschuld unseres
Volkes, daß die ehrlichen Mainzer glaubten, mit Gründen und
Debatten eine Sache leiten zu können, die der jakobinische General
nöthigenfalls mit der plumpsten Gewalt im französischen Interesse
zu entscheiden entschlossen war. Als einer von ihnen den Versuch
machte, die gemäßigte Ansicht im Club zu verfechten, wurden in
die nächste Sitzung Soldatenpikets geschickt, um die unbequeme
Opposition zum Schweigen zu bringen. Es folgten dann, um
die Enttäuschung zu vollenden, Requisitionen, Wegnahme der kur-

---

*) Die Eingabe ist abgedruckt in der Schrift: „Constitutionsvorschläge
des Handelsstandes zu Mainz, beantwortet von K. Boost, Bürger, Mitglied
der Gesellschaft der Freiheit und Gleichheit in Mainz.“ 1792. Als Gegen-
schrift ist von Interesse die derb und handgreiflich, aber mit populärem Geschick
geschriebene Rede von Professor Andreas Jos. Hoffmann: „Ueber Fürstenregiment und Landstände.“ Hoffmann, eines der wenigen demokratischen Originale
jener Zeit, ist erst vor wenigen Jahren, als neunzigjähriger Greis, zu Winkel
im Rheingau gestorben und war, wie wir uns persönlich überzeugten, bis in
seine letzten Lebenstage unverändert der Mainzer Clubist von 1792 geblieben.

fürstlichen Hinterlassenschaft und der strenge Befehl — die Bürger zu entwaffnen. Vergebens copirten nun die Clubisten ihre
französischen Vorbilder auch darin, daß sie die lächerliche Farce republikanischer Umzüge, Errichtung von Freiheitsbäumen und dergleichen aufführten; das eigentliche Volk ward sich darüber immer klarer, daß statt der verheißenen Freiheit die unwürdigste Form
revolutionärer Despotie in Mainz zur Herrschaft gelangt war.
Die pathetischen Proclamationen, womit der närrische Böhmer in
Custine's Namen das Volk überschüttete, verfingen gerade beim
Volke am wenigsten; höchstens machte das auf die Pfaffen,
Mönche, Professoren, Literaten und weiland kurfürstlichen Beamten,
die im Club den Ton angaben, einigen Eindruck.

In diesem Augenblick trat Forster (5. Nov.) in den Club ein;
sein Sträuben war überwunden, nicht durch die zudringlichen
Vorstellungen eines Böhmer, Metternich oder Wedekind, sondern
durch die ehrliche Meinung, er könne weiterem Unverstand wirksam
entgegentreten. Niemand hatte bis jetzt klarer die Fehlgriffe der
Clubmänner erkannt, als er. Ungeschickte Freiheitsapostel, schrieb
er, rechtfertigen selbst in den Augen des Volkes, dem sie Freiheit
aufdringen wollen, die Strenge der Maßregeln, womit sich einige
Fürsten den Neuerungen widersetzen. Man hätte, war seine Meinung, jene ersten Zusagen Custine's treu halten und die Stimmung der Bürger für eine Abschaffung der Mißbräuche, Ungerech-
tigkeiten und Zwangsmittel der alten Regierung benützen sollen,
statt durch revolutionären Zwang Jedermann zu empören. Er findet das Benehmen Custine's ebenso „planlos und widersinnig",
wie das der Clubisten, tadelt ihre Brandschatzungen aufs strengste,
findet die Erpressungen in Frankfurt ebenso ungerecht, wie unpo-
litisch, und beklagt es, daß man durch das „unsinnige Manifest"
an die Hessen nur die Eigenliebe und das Mitgefühl dieses tapferen und geduldigen Stammes für seinen Fürsten rege gemacht
habe. Er sah in der allgemeinen Erregung und Entfesselung der
Volkskraft nur eben das Mittel, allmälig zu einem besseren und
freieren Zustande zu gelangen; sie wird kommen, ruft er aus, die
Zeit, wo man den Werth der Menschen weder nach angeborenem,
noch nach zufälligem Range, weder nach ihrer Macht, noch nach
ihrem Reichthum, sondern allein nach ihrer Tugend und Weisheit
schätzen wird; die Zeit wird kommen, wo das Blut des Bürgers,

dem man Schutz versprach, so heilig sein wird, als jenes des Regenten, dem er um dieses Schutzes willen gehorchte. *)

Gerade bei einer solchen Ueberzeugung war es ohne Zweifel
ein doppeltes Opfer für einen Mann wie Forster, aus seiner unthätigen Betrachtung der Dinge sich zur praktischen Theilnahme
zu entschließen, und nur das reinste Motiv, das einen Mann
ins öffentliche Leben führen kann — der Glaube, dem Gemein-
wohl nützlich werden zu können — hat ihn dabei geleitet. Daß
sein Schritt gleichwol ein Mißgriff war, bewies sehr bald der peinliche Widerspruch, in den er mit sich selber und der eigenen besseren
Meinung gerieth. Am Tage nach seinem Eintritt in den Club
führte Böhmer die unwürdige Komödie auf, ein rothes und ein
schwarzes Buch, das „Buch des Lebens und des Todes" aufzulegen, in welches sich die Anhänger der Freiheit und die der Knechtschaft einzeichnen sollten; wir wissen aus Forsters eigenen Aeußerungen, wie entschieden er diesen groben jakobinischen Terrorismus verwarf, aber er mußte es geschehen lassen. Die Umstände
waren stärker, als er. Bald predigte er selbst das französische
Evangelium von der Rheingränze, pries die große Vermischung
der Völker, zu der die Franzosen den Weg gebahnt, beräucherte
eine Nation, die bald über den größten Theil von Europa den
schmachvollsten Despotismus verhängte, mit dem Weihrauch über-
triebensten Lobes und fand das Loos der Rheinlande beneidenswerth, dem „unzerstörbaren Freistaate" einverleibt zu werden. **)
Noch mehr; derselbe Mann, der die Plünderung in Frankfurt so
richtig beurtheilt, rechtfertigte die Custinesche Brandschatzung mit
Sophismen, wie sie eines Gentz, aber nicht eines Forster würdig
waren. Er fand es „dünkelhaft", daß dieser Magistrat einer deutschen Reichsstadt sich „gegen die Lichtmasse der Vernunft in der
gesetzgebenden und vollstreckenden Gewalt der gebildetsten und auf-
geklärtesten Nation des Erdrundes" auflehnen wolle, und sprach
die handgreiflichen Unwahrheiten über Frankfurt nach, womit Custine seinen Raubzug hatte motiviren wollen. ***)

---

*) Forsters Schriften VI. 404—406. 411.

**) S. die am 15. Nov. gehaltene Rede „über das Verhältniß der Main-
zer gegen die Franken", in den sämmtl. Schriften VI. 413 ff.

***) Ebendas. S. 482 ff.

Der Eindruck der Räubereien Custine's und die plumpe Zu-
bringlichkeit, womit man dem Volke einen Zustand aufnöthigen
wollte, für den es nun einmal weder vorbereitet, noch gestimmt
war, verdarb den Erfolg der Revolution auch da, wo ihr eigent-
liches Terrain war. Litt doch das Landvolk unter dem Zehnten,
dem Lagergeld, der Kopfsteuer, dem Heerbschilling, der Königsbede,
dem Noth- und Frauengeld u. s. w.; waren doch die Zinshahnen,
die Remigiischweine, die Martinsgänse, die Leibhühner, die Hand-
löhne, die Blutzehnden und Aehnliches mehr allenthalben verhaßt;
gab es doch kaum einen Act im bürgerlichen Leben, von der Wan-
derschaft des jungen Handwerkers an bis zur Meisterannahme,
zur Verheirathung und zum Hausbau, den der Fiscus nicht mit
seinen Sporteln bedachte! Hier gab es also Stoff genug zu po-
pulärer Unzufriedenheit, und gleichwol blieb die sympathetische Bewegung auch auf dem platten Lande hinter der Erwartung zurück.

Die zurückgebliebenen Regierungsräthe hatten sich lange genug zu der undankbaren Rolle gebrauchen lassen, dem Namen nach
ein Regiment zu führen, das in der That von Custine und dem
Club geübt ward; sie wurden am 19. Nov. beseitigt und durch
eine Verwaltung ersetzt, in welcher, unter dem Vorsitze von Dorsch,
auch Forster und Blau Platz nahmen. Die neue Regierung, als
deren Aufgabe es Custine bezeichnete, in den drei Bisthümern Mainz,
Worms und Speyer vom Volke die vielhundertjährigen Lasten
wegzunehmen, begann nun vor Allem, die Propaganda auf dem
Lande rühriger in die Hand zu nehmen. Vor Allem wurden die
Gemeinden mit Exemplaren der französischen Verfassung von 1791,
die in Frankreich selbst in den letzten Zügen lag, überschwemmt,
dann Commissäre in alle Städte, Dörfer und Flecken von Landau
bis Bingen gesandt, um die Stimmen der Bewohner über die
Beibehaltung der alten Verfassung oder die Annahme der neuen
zu sammeln. Die Commissäre sollten einmal dem Volke begreiflich
machen, daß die höchste Gewalt ihm selber zustehe, und dann dies
souveräne Volk zu einer Erklärung veranlassen, worin der Schutz
der Franken zur Einführung der neuen Verfassung angerufen und
der Wunsch ausgedrückt war, fortan mit den französischen Nachbarn „nur eine Familie auszumachen." Die Formen waren von
der Art, daß es nicht gar zu schwer sein mußte, eine Kundgebung
in diesem Sinne als angeblichen Wunsch des Volkes herauszu-

pressen. Gleichwol gab sich mehr Widerstand kund, als man hätte
erwarten sollen. Alles ist stupid und will befohlen haben, so
schreibt Forster selbst. Was wird es sein, wenn diese armen,
stumpfsinnigen Leute erst wirklich inne werden, daß sie keinen anderen Herrn haben, als ihren Willen! Schwerlich war es aber
die Anhänglichkeit an die feudalen Zustände, was den Widerstand
erweckte; es war der schlichte Volksinstinct, der sich gegen Experimente sträubte, zu denen der Boden und die Gemüther nicht vorbereitet waren.

Ein entscheidender Vorgang für die Lande links vom Rhein
war das Decret, welches der Nationalconvent am 15. Dec. erließ.
Darnach sollten die Generale in allen besetzten Gebieten die Souverainetät des Volkes, die Abschaffung der bestehenden Steuern
und Abgaben, der Leibeigenschaft, der Zehnten, Lehenslasten, Zwang-
rechte, Frohnen, Jagdrechte und überhaupt aller Privilegien verkünden und zugleich das Volk in Ur- und Gemeindeversammlun-
gen zusammenberufen, damit es sich seine provisorischen Beamten
und Richter wähle. Der Convent erklärte darin zugleich, daß die
französische Nation jedes Volk, welches die ihm angebotene Freiheit und Gleichheit nicht annehmen werde, als feindlich betrachten,
dagegen auch die Waffen nicht eher niederlegen werde, als bis das
von den französischen Truppen besetzte Gebiet seine Souverainetät
und Unabhängigkeit erlangt habe. Zu Neujahr trafen dann
Rewbel, Merlin und Haußmann ein, um im Einverständniß mit
den neuen demokratischen Behörden die Umgestaltung zu vollen-
ben. Was dann weiter folgte, die Urversammlungen, die Eides-
leistung, die Wahl des Mainzer Convents und dessen Anschluß
an Frankreich, darauf werden wir unten noch mit einem Worte
zurückkommen; diese letzten entscheidenden Acte der Unabhängig-
keitserklärung trafen gerade mit dem Zeitpunkt zusammen, wo die
deutschen Heere ernste Anstalt trafen, Mainz und das Gebiet von
Landau bis zur Nahe zurückzuerobern.

In diesem letzten Act der Mainzer Episode ist Georg Forster
besonders thätig gewesen; an der Leitung der Urversammlungen,
der Wahlen, der Eidesabnahme hatte er den allernächsten Antheil.
Aber er hatte wohl Recht, wenn er einmal meinte, sein „etwas
philosophischer Zuschnitt habe ihn zum Demagogen verdorben";
wenigstens trieb er dies Handwerk jetzt ohne innere Befriedigung

und fast im Widerspruch mit seinen eignen Meinungen. Zu ehrlich und zu scharfsichtig, um sich über die wahre Stimmung des Volkes Illusionen zu machen, befestigte er sich, inmitten dieser Thätigkeit, erst die volle Ueberzeugung, daß Deutschland zur Revolution nicht vorbereitet sei. Ich bleibe dabei, lautet sein merkwürdiges Bekenntniß,*) daß Deutschland zu keiner Revolution reif ist, und daß es schrecklich sein wird, sie durch das halsstarrige Bestehen auf der Fortsetzung des unglückseligsten aller Kriege unfehlbar vor der Zeit herbeizuführen. Ich möchte bittend vor allen Fürsten Deutschlands stehen und sie um ihres eigenen Lebens und um des Glückes ihrer Völker willen bitten, es bei dem, was geschehen ist, bewenden zu lassen und nicht Alles auf's Spiel zu setzen. Unser rohes, armes, ungebildetes Volk kann nur wüthen, aber nicht sich constituiren. Von oben herab ließe sich jetzt in Deutschland so schön eine Verbesserung friedlich und sanft verbreiten, man könnte so glücklich von den Vorgängen in Frankreich Vortheil ziehen, ohne das Gute so theuer erkaufen zu müssen. Der Vulkan Frankreichs könnte Deutschland vor dem Erdbeben sichern.

––––––

Wir haben die deutschen Heere in dem Augenblick verlassen, wo der Rückzug aus der Champagne vollendet war. Wir erinnern uns, erst im Luremburgischen fanden die erschöpften Truppen einige Ruhe und Erholung; als schlimme Wirkung der unglücklichen Expedition war aber eine mißtrauische Verstimmtheit zwischen Oesterreichern und Preußen zurückgeblieben, die sich zumal in den militärischen Kreisen unverhohlen genug kundgab. Zum Theil der Eindruck dieser Stimmungen, zum Theil freilich auch das wirkliche Bedürfniß war es ja gewesen, was den österreichischen Oberfeldherrn in den Niederlanden bewog, das Corps Clerfayts von der preußischen Armee abzurufen und dadurch dieser letzteren die Behauptung von Longwy und Verdun unmöglich zu machen. Allerdings drohte in diesem Augenblick dem österreichischen Corps in den Niederlanden eine ganz unmittelbare Gefahr, die abzuwehren freilich auch die Heranziehung von Clerfayt nicht hinreichte;

––––––––

*) VIII. 248.

vielmehr wandte sich die französische Invasion mit noch ausge-
dehnterem Erfolge, als Custine am Rhein, gegen die wunde Stelle
der österreichischen Niederlande.

Herzog Albert von Sachsen hatte erst mit unzulänglichen
Kräften Lille bedroht, dann, als ihn die Ereignisse in der Champagne dies aufzugeben zwangen, sich auf Mons zurückgewandt
und in dessen Umgebung seine Streitkräfte in einer festen Stellung
zusammengezogen. Der Ausgang der Dinge in der Champagne
hatte den Franzosen Luft gemacht und sie konnten nun ihren und
Dumouriez's Lieblingsplan, die Invasion in Belgien, mit besseren
Aussichten als früher wieder aufnehmen. Es rächte sich jetzt die
kurzsichtige Sparsamkeit der österreichischen Kriegsrüstung um so
bitterer, je schwächer die militärische Lage des Landes und je un-
muthiger die Stimmungen in einem Theile der Bevölkerung waren, die als Frucht der mißglückten Revolution zurückgeblieben.
Einst hatte die Politik des Gleichgewichts in gerechter Sorge vor
der französischen Nachbarschaft in den Barrièrefestungen einen
Gürtel von festen Plätzen aufgerichtet, deren gemeinsame Bewachung
Oesterreich und der gleich lebhaft dabei interessirten holländischen
Republik übergeben war. Blieben Namur, Tournay, Menin, Furnes, Ypern und andere Städte befestigt und besetzt, so war den
Franzosen wenigstens nicht beim ersten Anlauf der ganze burgun-
bische Kreis geöffnet. Allein erst hatte man die Plätze zerstören
und verfallen lassen, dann ließ sich auch noch Joseph II., im über-
müthigen Vertrauen auf die ewige Dauer des österreichisch-franzö-
sischen Familienbundes, zur gewaltsamen Zerreißung jenes Barrière-
vertrags verleiten, der, mit Einsicht und Kraft gehandhabt, Belgien
wie Holland hätte schützen können. Nun standen die Oesterreicher,
im Ganzen einige vierzigtausend Mann stark, in einem offenen
Lande, gegen das Dumouriez eben mit einer doppelt so starken
Armee sich zum Angriff rüstete. Wohl leisteten die Oesterreicher,
als in den ersten Tagen des Novembers die Franzosen von Valenciennes auf Mons losdrängten, in einzelnen Vorpostengefechten
tapfern Widerstand, und auch ihre Stellung bei Jemappes, um
die sich am 6. November der entscheidende Kampf entspann, ward
von ihnen mit aller Ausdauer vertheidigt, aber sie vermochten der
Uebermacht eines angriffslustigen Feindes nicht zu widerstehen.
Ganz Flandern, Brabant und Hennegau lag nach dem Siege bei

Jemappes den Franzosen offen; von Ostende, Brügge und Gent
an bis Brüssel und Namur waren alle wichtigeren Städte in
wenig Tagen von ihnen besetzt und die Oesterreicher genöthigt,
ihren Rückzug bis an die Dyle fortzusetzen. Nicht zwanzigtausend Mann mehr war das Heer stark, dessen Oberbefehl jetzt um
die Mitte November Clerfayt übernahm, und noch ehe der Monat
zu Ende war, hatten die Franzosen Lüttich besetzt, einzelne Colonnen
bis Spa und Malmedy vorgeschoben, um die Mitte December
Aachen in ihren Händen, und es war zu besorgen, daß auch die
Roer und Erft, hinter welchen die Oesterreicher ihre Stellung genommen, den Feind nicht werde aufhalten können.

Aus dem Briefwechsel, in welchem Tauenzien, der preußische
Bevollmächtigte, mit dem königlichen Hauptquartier stand, ersehen wir, daß auch die österreichische Armee, wie die preußische in
der Champagne, unter der Ungunst des Feldzuges heftig gelitten
hatte und Tauenzien sich vergeblich bemühte, sie vom rascheren Zurückgehen abzuhalten. Es stand einen Augenblick so, daß es so
gut wie beschlossen war, das linke Ufer des Rheins zu verlassen,*)
und wie es scheint, gelang es nur den dringenden Vorstellungen
Friedrich Wilhelms II., den übereilten Entschluß zu hindern. Doch
brachte jedes neue Vorgehen französischer Colonnen den Gedanken
von Neuem zur Sprache, obwol auch diese, wie sich bald zeigte, viel
zu sehr gelitten hatten, um sich so weit vorwagen zu können.
Die klägliche Zweideutigkeit der pfalzbairischen Regierung, die am
Mittelrhein den Franzosen so förderlich gewesen, trat den deutschen Heeren störend auch hier in den Weg; in Jülich ließ der
Commandant die kaiserlichen Truppen nicht durchmarschiren, und
die Regierung in Düsseldorf machte ernstlich Miene, die Anlegung
von Magazinen für das deutsche Heer zu untersagen. Man mußte
ihr bedeuten, wie die Lage nicht so beschaffen sei, „daß man viel
Umschweife mit ihr machen werde."**)

---

*) Am 12. Dec. schreibt Tauenzien: Je suis désespéré de ce qu'arrive — —
il n'y a pas moyen d'opérer autre chose si non que tout le monde est d'accord de passer le Rhin. Gleich nachher traf ein Schreiben des Königs von
Preußen (d. d 13. Dec.) ein, das dringend vom Uebergang über den Rhein
abmahnte; am 17. meldet dann Tauenzien, der Plan sei aufgegeben.

**) Am 15. Dec. schreibt Tauenzien: „Comme il paraît qu'ils ont ordre
de repousser la force par la force, j'ai fortement insisté de faire des requisi-

In biesen wie in ähnlichen Anlässen bewies König Friedrich Wilhelm II., daß es ihm ernstlich um die Fortführung des Krieges zu thun, und daß er jetzt so wenig, wie bamals auf dem Rückzug aus der Champagne, von der Verbindung mit Oesterreich zu trennen war. Aber das Verhältniß des Kampfes war für ihn gleichwol ein anderes geworden; im Sommer 1792 war er zu einer ritterlichen Heerfahrt für das bedrohte Königthum ausgezogen, hatte unter den bamals am Kriege Theilnehmenden die größten Anstrengungen gemacht, hatte seine eigene Person gleichsam dafür eingesetzt, Ludwig XVI. die Freiheit und die königliche Macht zurückzugeben. Ein solches Ziel schien nun freilich nicht mehr erreichbar; schon hing über Ludwigs Haupt das Damoklesschwert eines revolutionären Schreckenstribunals; das Aeußerste, was in dieser Richtung dürftig zu erreichen schien, war die Herstellung einer moderirten Regierung und vielleicht die Erhaltung der wiederhergestellten Krone bei dem Hause Bourbon. Dagegen machte die glückliche Invasion der Franzosen am Rhein und in Belgien die Fortdauer des Krieges aus andern Gründen unvermeidlich; ein viel näheres Gebot der Ehre und der Selbsterhaltung als jene royalistische Solidarität, die zum Kriege gegen Frankreich gedrängt, legte den kämpfenden Mächten die Pflicht ans Herz, die Reichsfestung Mainz wieder zu erobern, Belgien von den Franzosen zu reinigen. Zu diesem Ziele war denn auch der König von Preußen vollkommen bereit die Hülfe zu stellen, die das Bundesverhältniß zu Oesterreich von ihm forderte, aber mehr nicht. Weder an die Spitze zu treten, noch in einen weit aussehenden Krieg der Repressalien und Eroberungen sich einzulassen, war seine Meinung, und hätte er ganz ungehemmt seiner Neigung folgen können, so war wohl die Wiedereroberung von Mainz, die Vertreibung der Franzosen aus den Rheinlanden und aus Belgien das Ziel des Kampfes, wobei er sich beruhigte. Die ungeduldige Kriegslust des Jahres 1792 war durch die Erfahrungen in der Champagne abgekühlt; Preußen war nun zufrieden, wenn es nur an Ehre und Besitz ungekränkt sich des lästigen Kampfes entledigen konnte. Die diplomatischen Rathgeber

tions et d'agir en même tems. Il me sémble qu'il ne s'agit pas de biaiser dans ce moment, au cas qu'on puisse avoir besoin des états electoraux palatins.

des Königs, so verschieden sie sonst waren, stimmten doch in der
Ansicht vollkommen überein, daß dieser Krieg eine Last sei, die
Preußen so bald wie möglich abschütteln müsse; keiner von ihnen
wagte damals noch mit dem offenen Vorschlag des Friedens vor
Friedrich Wilhelm zu treten, aber ihre vertrauten Aeußerungen verhehlten nicht, wie unbequem ihnen die Fortdauer dieses Krieges in
seinem so ganz unerwarteten Verlaufe geworden war. Lucchesini
hielt zunächst streng den Gesichtspunkt fest, daß Oesterreich die Leitung des Kampfes auf sich nehmen, Preußen nur in zweiter Linie
als Hülfsmacht wirken solle; die beiden Mächte sollten also im
nächsten Feldzuge die Rollen geradezu tauschen.*) Eine ähnliche
Ansicht hatte Manstein, der auf des Königs persönliche Meinung
vielleicht mehr Einfluß als irgend Jemand sonst ausübte. Als im
November Custine, getreu der früheren Taktik der französischen Feldherren, sich Preußen zu nähern, durch den Landgrafen von Hes-
sen-Homburg seine Bereitwilligkeit zum Frieden kundgab, meinte
der Oberst, man solle dies nicht von der Hand weisen, wenn es
vielleicht zunächst auch nur eine Kriegslist sei.**) „Drum — schreibt
er — möchte es wohl nicht übel sein, zwar diesen angesponnenen
Faden nicht loszulassen, aber dennoch in den Operationen unun-
terbrochen fortzufahren; dies scheint um so zuträglicher, weil wir
von verschiedenen Orten her ganz gegründete Nachricht erhalten
haben, daß die Franzosen nicht allein den Frieden sehr wünschen,
sondern beinahe außer Stande sind, den Krieg nur noch einige
Zeit aushalten zu können. Dem sei indessen, wie ihm wolle, für
diesen Augenblick bleibt immer das Beste, das vorhabende Project auszuführen und wo möglich sie recht derb abzuprügeln.
Uebrigens wünsche ich sehnlich, daß dieser in so vielem Betracht
uns schwer fortzusetzende und vielleicht selbst von mancher Seite
nachtheilige Krieg bald geendet werden möge; ich bin auch überzeugt, daß unser Ministerium ebenso wie ich denkt; was also im-

---

*) Schon am 3. Oct. schrieb Lucchesini nach Berlin: J'ai supplié le
Roi, de permettre que les ministres autrichiens s'expliquent les premiers sur
leur façon de penser sur l'état actuel des choses et sur le parti à prendre
après l'abolition de la royauté en France, pour finir la guerre le plutôt possible. Je sens combien il est important, que nous n'allions pas en avant en
tout ceci, et je mettrai tous mes soins à l'empêcher.

**) Schreiben an Rüchel, d. d. Koblenz 23. Nov. 1792.

mer zum Frieden beitragen kann, das werde ich sicherlich nicht ver-
absäumen." Zu dieser Ansicht der Dinge trug aber nichts so entscheidend bei, wie die gleichzeitige Wendung in Polen. Dort war
die seit lange schwebende Verhandlung über die preußische Entschädigung jetzt eben dem Abschluß nahe; kam es dort zur Theilung, so gab es gewiß in Preußen keinen Feldherrn und keinen
Staatsmann, der nicht die Vergrößerung Preußens an der östlichen Gränze für wichtiger gehalten hätte, als die möglichen Eroberungen auf Kosten Frankreichs.   Dann war aber auch die
ganze preußische Staatskunst und vielleicht ein Theil der Heeresmacht dort in Anspruch genommen, um russischer Schlauheit und
Gewaltthat mit Erfolg das Gleichgewicht zu halten.   Allerdings
war diese Aussicht auf die längst ersehnte Arrondirung an der
Weichsel eines der wesentlichen Mittel, die preußische Politik fester
mit den Interessen der Coalition gegen Frankreich zu verknüpfen;
aber in dem Maße, als sich dort die Entscheidung verzögerte,
wuchs auch die Abneigung gegen die Fortdauer des Krieges im
Westen.

Jetzt, in den letzten Wochen des Jahres 1792, tritt diese
Spaltung der Interessen noch nicht so zu Tage; vielmehr drängte
Friedrich Wilhelm II. lebhafter als alle anderen auf eine rüstige
Gegenwehr gegen das Vordringen der Franzosen.   Nachdem die
Truppen die nöthige Ruhe genossen, traf man die Anstalten, sie
von Koblenz gegen die Lahn hin in Bewegung zu setzen.   Vor
Allem sollten die Franzosen vom rechten Rheinufer verjagt und
dann die Belagerung von Mainz vorbereitet werden; die Preußen zogen die Lahn herauf, setzten sich mit den hessischen Truppen
bei Marburg, mit den Darmstädtern bei Gießen in Verbindung,
und rückten, ohne daß außer kleineren Gefechten etwas Bedeutendes
geschah, in den letzten Tagen des Novembers gegen den Main hin
vor.   Custine stand damals bei Höchst, Houchard bei Oberursel.
Frankfurt war von vier Bataillonen unter van Helden besetzt. Frankfurt war kein fester Platz, vielmehr befanden sich die alten Wälle
in ziemlich verfallenem Zustande, die Wallgräben waren leicht zu
passiren und die zahlreichen Thore der Stadt waren von einer
kleinen Besatzung schwer zu vertheidigen.   Gleichwol scheint es, als
hätte nach der methodischen Kriegführung jener Zeit ein rascher
Sturmangriff auf die Stadt wie eine Verwegenheit gegolten, und

es wird versichert, daß der Herzog von Braunschweig nicht ohne
Widerstreben dazu seine Einwilligung gab. Zur Leitung des Stur=
mes war Major Rüchel ausersehen, einer von den Zöglingen
Friedrichs des Großen aus der letzten Zeit und ein Officier von
Talent und Raschheit, dem, wie es scheint, später nur der Lenker
und Meister seiner Jugend fehlte, um die Auszeichnung, deren ihn
der große König gewürdigt, völlig zu rechtfertigen. Diesem ent=
schlossenen, feurigen Führer war das kleine aber tapfere Contingent
des Kasseler Landgrafen anvertraut, eine Truppe, die, wie sie un=
ter allen kleinstaatlichen Armeen jener Zeit fast die einzige war,
die kriegerischen Geist, Uebung und militärische Traditionen besaß,
so auch, selbst nach der Versicherung preußischer Officiere, in dem
unglücklichen Champagne=Feldzuge es allen andern Truppen an
Kriegstüchtigkeit und unverdrossener Ausdauer zuvorgethan hatte.
Sie hatte, wie wir wissen, Rüchel in Märschen, die damals für
ungewöhnlich schnell galten, nach Koblenz geführt und damit dem
bedrohten und flüchtigen Trierer Kurstaat Leben und Athem zurück=
gegeben; sie waren auch jetzt dazu bestimmt, Frankfurt zu er=
stürmen.

Der Sturm war auf den 2. Dec. festgesetzt. Während preu=
ßische Colonnen, in Verbindung mit dem darmstädtischen Contin=
gent, am Taunus von Oberursel und Homburg bis gegen Vil=
bel hin aufgestellt, die Bewegungen der Franzosen beobachteten,
sollten die Hessen, durch darmstädter Chevauxlegers und preußische
leichte Reiterei verstärkt, am Morgen die Stadt angreifen, indeß
ein anderes preußisches Corps, bei welchem sich der König und
der Herzog selbst befanden, die Aufgabe hatte, den Angriff zu un=
terstützen und zugleich gegen Höchst hin Custine im Schach zu
halten. Die hessische Sturmcolonne sollte zugleich an vier Stel=
len, am Allerheiligen= und am Friedbergerthor, von Sachsenhau=
sen und zu Schiffe von der Mainseite her den Angriff beginnen;
doch entspann sich der Kampf nur an den beiden Thoren der Stadt,
da von der Mainseite nicht beizukommen war und die Colonne,
die für Sachsenhausen bestimmt war, die Dinge schon entschieden
fand. Der Angriff auf die beiden Thore ward mit der Lebhaf=
tigkeit und Energie, die man an den Hessen gewohnt war, unter=
nommen; der Verlust an Leuten war nicht unbedeutend, aber man
kam rasch zum Ziele. Die Bevölkerung in der Stadt ward un=

ruhig, als man einige Bomben hineinsandte; sie drängte in der Verwirrung des verhaßten Feindes an die Thore und ließ die Zugbrücken herunter. Rasch warfen sich die stürmenden Hessen in die Stadt hinein, indeß gleichzeitig das preußische Corps, unter dem König selbst, bereits gegen Bockenheim vorgerückt war und jede Unterstützung des Feindes von dieser Seite abwehrte.*) Der Kampf, so kurz er gedauert, war doch nicht unblutig gewesen; die Hessen zählten über dreißig Todte, darunter mehrere Officiere, und 130 Verwundete. Die Franzosen hatten ungefähr 70 Todte und Verwundete, aber der größte Theil der feindlichen Besatzung, gegen 1500 Mann, mit dem Commandanten und vielen Officieren waren gefangen. Mehr als diese Trophäen des Tages, mehr selbst als die Befreiung der wohlhäbigen und wichtigen Handelsstadt war der Sieg selber werth; er war, wie ein Zeitgenosse sagt, die einzige kräftige Waffenthat im ganzen Feldzuge, und nachdem die methodische Langsamkeit die besten Gelegenheiten versäumt und das kriegerische Selbstvertrauen herabgestimmt, machte es einen sehr erfrischenden Eindruck, wieder einmal zu sehen, wie die alte soldatische Keckheit und der zugreifende unverdrossene Muth früherer Tage über die Methode den Sieg davon trug.

Custine sah sich nun genöthigt, seine Truppen zwischen Hochheim und Wiesbaden zu vereinigen und an Mainz anzulehnen; er hatte auf dem rechten Rheinufer keinen festen Punkt mehr, als die kleine Festung Königstein, die jetzt von den Preußen blokirt und im März 1793 zur Uebergabe genöthigt ward, und den Brückenkopf von Mainz, Castel, dessen Befestigung so ziemlich die einzige militärische Vorsorge von Bedeutung war, zu welcher sich Custine während seiner revolutionären Raubzüge Zeit genommen hatte. Seit Mitte December war er auf Castel zurückgedrängt;

---

*) Der Antheil, den die Bürgerschaft an dem Kampfe nahm, gab nachher den Franzosen Gelegenheit, das Mährchen zu ersinnen, als hätten die guten Frankfurter mit der Besatzung eine Art sicilianischer Vesper aufgeführt. Das Aeußerste der Art, ein rechtes Musterstück schwülstiger jakobinischer Lüge, leistete eine Darstellung, die Stamm, Custine's Adjutant, in die Mainzer Zeitung einrücken ließ; die Frankfurter ließen dagegen eine Erklärung erscheinen, die den abgeschmackten Vorwurf tückischen Meuchelmords nach dem Zeugniß der französischen Officiere selbst zur Genüge widerlegte.

I.   33

es wird versichert, daß ~~...~~ war der Rest seiner Leute,
Widerstreben dazu se~~...~~, hinausgedrängt worden, und
mes war Major ~~...~~ erster Schritt zur Belagerung von Mainz,
Friedrichs des ~~...~~ung von Castel. In den letzten Wochen des
Talent und ~~...~~ die deutschen Truppen vom Rheingau, an den Tau-
und Meister ~~...~~ bis gegen Hochheim und Frankfurt hin in einem
der groß ~~...~~ Castel vereinigt, und trafen die Vorbereitungen, um
schloß ~~...~~ october so schmachvoll verscherzte Mainz den Franzosen
des ~~...~~zunehmen.
tr

Fünfter Abschnitt.

Der Kampf um Mainz und Belgien (bis Juli 1793).

Im Hauptquartier zu Frankfurt erwartete man einen militärischen Abgesandten aus Wien, um den Plan des künftigen Feldzuges festzustellen. Bis jetzt galt nur das Eine als ausgemacht, daß Oesterreich den Hauptangriff übernehmen, Preußen als Hülfsmacht die Deckung des Reiches besorgen und den österreichischen Angriff wirksam unterstützen solle. Der Herzog von Braunschweig, aufgefordert, seine Meinung abzugeben, hatte in den letzten Tagen des Jahres 1792 geäußert: er halte eine Unternehmung auf die Niederlande immer noch für den leichtesten Angriffspunkt; Clerfayt solle nach erhaltener Verstärkung gegen Lüttich, Hohenlohe-Kirchberg durch das Luxemburgische gegen Namur vorgehen. Wir würden dann — fügte er hinzu — ganz oder zum Theil über den Hundsrück ins Triersche zu agiren haben, um die österreichischen Operationen zu unterstützen; die Hessendarmstädter und das Corps von Colloredo würden theils Mainz beobachten, theils das Reich decken und nach Umständen dem Feinde Abbruch thun.*)

In den nächsten Tagen (30. Dec.) trat der Herzog mit Manstein und dem österreichischen Feldmarschalllieutenant, Graf von Wartensleben, in Frankfurt zusammen, um vorläufig die Hauptpunkte des Kriegsplanes festzustellen.**) In diesen Verabredungen

---

*) Aus einem Schreiben des Herzogs d. d. 24. Dec. 1792.

**) Aus dem handschriftl. Protokoll der Conferenz. Ueber die späteren Verabredungen vom Februar hat bereits Wagner, „der Feldzug der k. preuß. Armee am Rhein im Jahre 1793. Berlin 1831", das Bedeutendste aus den Protokollen mitgetheilt.

trat benn noch deutlicher heraus, wie sich der Herzog die Ausführung seines oben angedeuteten Planes dachte. Da die Wiedereroberung der Niederlande als der erste und wichtigste Gegenstand angesehen ward, sollte sich eine kaiserliche Armee von 70—
75,000 Mann am Niederrhein versammeln, durch ein combinirtes
Corps aus preußischen, hannoverschen und kurcölnischen Truppen
verstärkt werden und den Angriff auf Belgien übernehmen; Beaulieu mit etwa achtzehn Bataillonen sollte sich bei Trier concentriren und die Communicationen der Mosel festhalten, Ehrenbreitstein von dem Trierschen Contingent besetzt werden, ein drittes
österreichisches Corps unter Wallis, dessen Verstärkung erwartet
wurde und dem sich die Contingente der fränkischen, schwäbischen
und oberrheinischen Kreise anschließen sollten, hätte dann die Aufgabe gehabt, den Oberrhein von Heidelberg an bis in den Breisgau zu decken, den Feind im Oberelsaß im Schach zu halten, unter Umständen gegen eine und die andere Festung etwas zu unternehmen, oder auch die Operationen des preußischen Armeecorps
zu unterstützen. Dieses preußische Armeecorps selbst, dem die Contingente von Kursachsen und von beiden Hessen sich anzuschließen
hatten, war endlich dazu bestimmt, durch den Uebergang über den
Rhein oberhalb oder unterhalb Mainz diese Stadt vom Elsaß abzuschneiden, ungefähr 14,000 Mann dort zurückzulassen und mit
einer Masse von 55,000 Kämpfern angriffsweise vorzugehen. Es
sollten dann Stellungen gegen das Unterelsaß und die Saar genommen werden, „wobei sich dann zeigen würde, wie weit es
möglich wäre, eine oder die andere feindliche Armee anzugreifen,
um nach dem glücklichen Erfolge einer Schlacht eine oder die andere Belagerung vornehmen zu können."

In einem spätern Gutachten *) führt der Herzog diesen Plan,
die Hauptoffensive gegen die Niederlande zu richten und davon
die andern Bewegungen abhängig zu machen, noch genauer aus.
Sämmtliche Armeen, so ist sein Rath, sollten zugleich ins Feld
rücken, um die Aufmerksamkeit und Macht des Feindes zu theilen, namentlich über den Uebergang über die Maas und den
Rhein eine gemeinsame und gleichzeitige Verabredung zu treffen.
War der Rhein überschritten, so sollte Mainz zunächst nur blokirt

*) d. d. 30. Jan. 1793.

und die Belagerung erst dann unternommen werden, wenn ein
glücklicher Vorgang dazu den Weg gebahnt und die kaiserliche
Armee in den Niederlanden Erfolge erfochten habe. Denn das
Gelingen einer Belagerung am Oberrhein hänge besonders von
der völlig sichern Verbindung mit den unteren Gegenden ab, „ohne
welche jene Unternehmungen nur als eine unverantwortliche Unvorsichtigkeit" zu betrachten wären.

Es ist in diesen Aeußerungen des Herzogs sein ursprünglicher Plan enthalten, dessen leitende Gedanken auch auf den spätern Verlauf des Feldzuges nicht ohne Wirkung geblieben sind;
allein es gelang ihm nicht, diesen Entwurf, so wie er war, unverändert zur Annahme zu bringen. Wenige Tage nach dem angeführten Gutachten war der neuernannte Oberfeldherr der kaiserlichen Armee in den Niederlanden, Prinz Friedrich Josias von
Coburg, in Frankfurt angelangt, und es fanden nun (6. bis 14.
Februar) neue Conferenzen statt, denen, außer dem Herzog und
den Obersten Manstein und Grawert, diesmal der König selbst,
der Prinz mit seinen Adjutanten, den Obersten Mack und Fischer,
und der Feldmarschalllieutenant Wartensleben beiwohnten. Hier
wurden denn die Entwürfe des Herzogs nicht unwesentlich modificirt.
Man kam dahin überein, daß vor Allem der Feind vom rechten
Ufer der Maas zu vertreiben und Mastricht zu entsetzen sei; das
combinirte Armeecorps am Niederrhein, welches der Prinz Friedrich von Braunschweig, der Bruder des Herzogs, commandirte,
sollte dazu mitwirken. Mit den weitern Unternehmungen gegen
die Niederlande sollte aber — und hierin war der ursprüngliche
Plan des Herzogs verlassen — gewartet werden, bis Mainz wiedererobert sei; denn es scheine bedenklich, so lange diese Festung
in Feindes Hand sei, die Maas zu überschreiten. Einmal glaubte
man zur Verpflegung der Armee der ungehinderten Verbindung
auf dem Rheine zu bedürfen; dann hatte man die Besorgniß vor
Augen, es könne der Feind, durch Zuzug aus den Niederlanden
verstärkt, sich auf die um Mainz und am linken Rheinufer aufgestellte Armee werfen und ihr mit überlegenen Kräften eine Schlacht
liefern, deren Verlust durch die Schwierigkeit des Rückzuges höchst
bedenklich werden müsse. Drum zog man es vor, sobald die Maas
frei sei, mit aller Energie die Operationen am Mittelrhein aufzunehmen; es sollten zu diesem Zwecke auch noch 15—20,000

Mann von der kaiserlichen Armee dahin abgegeben werden, um die Operationen der Preußen zu unterstützen. War dann Mainz gefallen, so erschien als das Rathsamste, mit ganzer Macht die Maas zu passiren und die Eroberung der Niederlande dadurch zu bewirken, daß man zugleich auf Landau, Saarlouis und Thionville losgehe und ein Armeecorps gegen den Feind in den Niederlanden aufstelle — eine Operation, die wegen der zwischen allen einzelnen Heeren bestehenden Verbindung als die sicherste und zur Erreichung eines ehrenvollen Friedens als die zweckmäßigste erschien. Doch war dabei vorausgesetzt, daß man der Unterstützung Hollands versichert war.

Zur Durchführung dieser Entwürfe rechnete man im Ganzen auf eine Truppenmacht von ungefähr 216,000 Mann*), eine Zahl, die allerdings, ein Jahr früher in Bewegung gesetzt, vollständig hingereicht hätte, die Invasion in Frankreich und die Herstellung der Monarchie glücklich zu vollenden. Ob sie jetzt vollkommen zureichte, war schon zweifelhaft. Man hoffte mit 66,000 Mann die Maas zu befreien, mit 33,000 die wichtige Verbindungslinie von Koblenz über Trier und Luremburg zu decken, mit einem Corps von 30—40,000 Mann sollte Mainz belagert und mit einem Heere von 50,000 Mann diese Belagerung gedeckt und der Angriff des Feindes von Landau und vom Elsaß her abgeschlagen werden. Es fällt in die Augen und ist auch in jenen Conferenzen zur Sprache gekommen, daß, wenn auf diese Weise 180—190,000 Mann vollständig beschäftigt waren, nur eine verhältnißmäßig geringe Macht zur Deckung des ganzen Oberrheins übrig blieb. Denn selbst, wenn jene kleinen Contingente, die für jetzt nur auf dem Papiere standen, in der That mobil wurden, so blieben nicht einmal 20,000 Mann übrig, um die Strecke von Mannheim bis an die Schweizergränze zu besetzen. Man

---

*) Diese Zahl war so vertheilt, daß 1) am Niederrhein 54,843 Oesterreicher und 11,400 Preußen und Hannoveraner unter Prinz Friedrich von Braunschweig, 2) zwischen der Mosel und Maas 33,441 Mann, und 3) am Oberrhein 99,091 M. (56,618 Preußen, 23,973 Oesterreicher, 6000 Hessen, 5500 Sachsen, 3000 Darmstädter und 4000 schwäbische Kreistruppen) operiren sollten. Da dies zusammen erst 198,775 M. ausmachte, so hoffte man doch an Contingenten der kleineren Fürsten etwa 17,200 M. in Sold zu nehmen und dadurch den Stand von nahezu 216,000 Mann zu erreichen.

half sich, als der König von Preußen dies Bedenken anregte, auf eine eigenthümliche Weise; das Corps, das sich ungefähr in der Stärke von 29,000 M. Kaiserlichen und 4000 M. schwäbischer Kreistruppen in der Pfalz unter General Wurmser sammelte, und dessen eine Aufgabe die Unterstützung der preußischen Operationen war, wurde zugleich als ausreichend zur Deckung des Oberrheins bezeichnet. Damit war denn wieder die Stärke der preußischen Operation um Mainz und auf dem linken Rheinufer verringert *) und die linke Flanke dieser Armeen einer feindlichen Diversion blosgestellt.

Es wäre, um diese Lücke auszufüllen, als der natürlichste Weg erschienen, während die Oesterreicher und die Kreistruppen den Oberrhein schützten, noch ein Corps von 18—20,000 Mann bei Mannheim aufzustellen, das die linke Flanke der preußischen Operationen gedeckt und im günstigen Falle deren weiteren Fortgang auf dem jenseitigen Rheinufer wirksam unterstützt hätte. Man wählte aber einen andern Ausweg, der für den Gang des Feldzuges verhängnißvoll geworden ist. Das Corps der Oesterreicher und Kreistruppen unter Wurmser sollte die doppelte Aufgabe lösen: den Oberrhein von Mannheim bis an die Schweizergränze zu decken und zugleich mit einem Theil dieses Corps die Operationen der Preußen zwischen Mainz und Landau zu unterstützen. Es leuchtet ein, daß bei dieser combinirten Aufgabe eines dem anderen schaden mußte; ließ sich Wurmser tiefer in die Operationen der Preußen verflechten, so schien vielleicht die Deckung des Oberrheins gefährdet; wandte er seine Stärke nach dieser Seite, so fehlte den Preußen die Unterstützung zur Linken, die sie selber in den Conferenzen als unumgänglich bezeichnet hatten. Diese Doppelseitigkeit des militärischen Zieles mußte aber naturgemäß auch auf die Stellung des Feldherrn, dem dies Corps übergeben

---

*) Nach diesem Calcül blieben nämlich nur die 56,618 Mann Preußen und 14,500 Sachsen, Hessen und Darmstädter, also im Ganzen 71,118 Mann; es waren aber zur Belagerung von Mainz mindestens 33,000 M. als nothwendig angenommen und 50,000 zur Deckung und Besetzung des linken Rheinufers berechnet. Drum heißt es auch in dem Protokoll vom 14. Febr.: „Jedoch erhelle aus dem ganzen Calcül, daß das auf dem linken Flügel der kön. pr. Armee unumgänglich erforderliche Corps von 18,000 Mann auf dem completten Stande gänzlich abgängig sein würde."

war, zurückwirken; er hatte einerseits die Aufgabe, unter Leitung
der Preußen mitzuwirken, und andererseits sollte er als eigner Anführer selbstständige Aufgaben lösen; diese unvereinbare Combination
zweier Stellungen ist auch in der Instruction Wurmsers unversöhnt ausgesprochen. Wurmser soll, sobald es das Vorrücken der
preußischen Truppen jenseits des Rheins erlauben wird, diesen
Fluß passiren und in Verbindung mit der preußischen Armee operiren. „Ohne im eigentlichen Verstand — heißt es dann wörtlich — zur königlich preußischen Armee angewiesen zu sein, hat
Graf Wurmser dennoch in allen Stücken sich nach der Direction und Disposition, welche Se. Maj. der König oder der unter Höchstdemselben commandirende Herr Herzog von Braunschweig Durchl. mit diesem Corps Truppen zu veranlassen, für
gut und nothwendig befinden werde, zu benehmen. Nur in
dem Fall, wenn eine feindliche Uebermacht den Oberrhein bedrohen, oder wirklich übersetzen sollte, wäre von dem
operirenden Corps ein kleinerer oder größerer Theil, wie es nothwendig sein könnte, zu detachiren und wohl auch das ganze Corps
über den Rhein zurückzuziehen, wenn eine gar große oder augenscheinliche Gefahr solches erfordern sollte."

Es lag in dieser Anordnung ein Widerspruch, den nur eine
sehr geschickte und geschmeidige Hand ohne Nachtheile zu lösen
vermochte; gerade die Persönlichkeit Wurmsers war aber von der
Art, daß eher eine schärfere Betonung als eine Milderung des
Zwiespaltes zu erwarten war. Als er anfangs, wie es die Natur der Sache mit sich brachte, dem preußischen Commando unterstellt werden sollte, weigerte er sich geradezu, und in Wien war
sein Einfluß größer als der des Prinzen von Coburg. So war
denn jenes Zwitterverhältniß geschaffen, in welchem er, wie wir
sehen werden, die Unabhängigkeit seiner Stellung noch über die
Gränzen jener Instruction hinaus erweiterte; ohne daß der Nothfall, das rechte Rheinufer zu decken, eintrat, benahm er sich doch
wie der Führer einer selbstständig operirenden Armee. Nun litt schon
der ganze Operationsplan des künftigen Feldzuges an dem Uebel
eines vielfach getheilten und unzusammenhängenden Commandes;
denn nicht nur die Armee in den Niederlanden und die bei Mainz
waren, statt unter einer höheren gemeinsamen Leitung, zwei getrennten, gleichgestellten Feldherren unterworfen, sondern das combi-

nirte Corps unter Friedrich von Braunschweig hatte wieder, gegenüber dem Prinzen von Coburg, ein ähnliches Verhältniß halber Selbständigkeit anzusprechen, wie der österreichische Feldherr
gegenüber dem Herzog, und es schien eine Zeitlang, als sollte
auch der Prinz Coburg an ihm seinen Wurmser finden; aber doch
ist nichts von so entscheidender Wirkung für den Feldzug gewesen, wie die Doppelstellung Wurmsers.

Eine solche Verlegenheit hätte freilich nimmer entstehen können, wenn die Reichs- und die Wehrverfassung Deutschlands noch
eine innere Lebenskraft gehabt hätte. Was wollten denn die
20,000 Mann heißen, deren man bei Mannheim jetzt bedurfte?
War nicht, um vom Reiche zu schweigen, schon der eine Kurfürst
von Pfalzbaiern, auf dessen Gebiete der Kampf jetzt vorbereitet
ward, mächtig genug, zum mindesten jene Zahl aufzubringen?
War jene Schaar mittlerer und kleiner Herren, die in den Jahren
1791 und 1792 auf dem Reichstage so trotzige Reden geführt,
nicht wenigstens, wenn man ihre territoriale Macht summirte, im
Stande, eine Heereskraft von 20,000 Mann aufzustellen, oder
die Mittel dazu an die Hand zu geben? Aber so tief war das
Regiment in diesen Gebieten verfallen, Geldmittel und Heereskräfte so gründlich verwahrlost, oder, wo die Schwäche nicht die
Schuld trug, Verrath und Treulosigkeit dem Reichsfeind ein so
wirksamer Verbündeter, daß solch eine bescheidene Erwartung schon
nicht zu erfüllen war.

Es liegt uns ein Schreiben vor*), welches der preußische
Oberst Rüchel im Januar 1793 an die pfälzische Regierung in
Mannheim richtete; daraus ist das ganze Elend dieser Reichszustände charakteristisch zu erkennen. Er beschwert sich darüber, daß
französische Officiere ungehindert in der Festung Mannheim aus-
und eingehen, daß ein Adjutant und ein Secretär Custine's sich
dort ungescheut als Spione und Emissäre der revolutionären Propaganda herumtreiben. Er fragt an, ob es wirklich wahr sei,
daß in den überrheinischen Aemtern Verhandlungen gepflogen würden
über Getreide, das man den Franzosen gegen Assignaten liefern
wolle; und ob es mit Genehmigung der Regierung geschehe, daß

---

*) Promemoria an den Grafen Oberndorff, d. d. 22. Jan. 1793 (in der
angeführten Correspondenz).

in der Nacht vom 13. auf den 14. war der Rest seiner Leute,
die er noch in Hochheim gelassen, hinausgedrängt worden, und
es begann nun, als erster Schritt zur Belagerung von Mainz,
die engere Einschließung von Castel. In den letzten Wochen des
Jahres standen die deutschen Truppen vom Rheingau, an den Taunus angelehnt, bis gegen Hochheim und Frankfurt hin in einem
Bogen um Castel vereinigt, und trafen die Vorbereitungen, um
das im October so schmachvoll verscherzte Mainz den Franzosen
wieder abzunehmen.

Fünfter Abschnitt.

Der Kampf um Mainz und Belgien (bis Juli 1793).

Im Hauptquartier zu Frankfurt erwartete man einen militä= rischen Abgesandten aus Wien, um den Plan des künftigen Feld= zuges festzustellen. Bis jetzt galt nur das Eine als ausgemacht, daß Oesterreich den Hauptangriff übernehmen, Preußen als Hülfs= macht die Deckung des Reiches besorgen und den österreichischen Angriff wirksam unterstützen solle. Der Herzog von Braunschweig, aufgefordert, seine Meinung abzugeben, hatte in den letzten Tagen des Jahres 1792 geäußert: er halte eine Unternehmung auf die Niederlande immer noch für den leichtesten Angriffspunkt; Cler= fayt solle nach erhaltener Verstärkung gegen Lüttich, Hohen= lohe=Kirchberg durch das Luremburgische gegen Namur vorgehen. Wir würden dann — fügte er hinzu — ganz oder zum Theil über den Hundsrück ins Trier'sche zu agiren haben, um die österrei= chischen Operationen zu unterstützen; die Hessendarmstädter und das Corps von Colloredo würden theils Mainz beobachten, theils das Reich decken und nach Umständen dem Feinde Abbruch thun.*)

In den nächsten Tagen (30. Dec.) trat der Herzog mit Man= stein und dem österreichischen Feldmarschalllieutenant, Graf von Wartensleben, in Frankfurt zusammen, um vorläufig die Haupt= punkte des Kriegsplanes festzustellen.**) In diesen Verabredungen

---

*) Aus einem Schreiben des Herzogs d. d. 24. Dec. 1792.

**) Aus dem handschriftl. Protokoll der Conferenz. Ueber die späteren Verabredungen vom Februar hat bereits Wagner, „der Feldzug der k. preuß. Armee am Rhein im Jahre 1793. Berlin 1831", das Bedeutendste aus den Protokollen mitgetheilt.

trat denn noch deutlicher heraus, wie sich der Herzog die Ausführung seines oben angedeuteten Planes dachte. Da die Rück-
herereroberung der Niederlande als der erste und wichtigste Gegenstand angesehen ward, sollte sich eine kaiserliche Armee von 70—
75,000 Mann am Niederrhein versammeln, durch ein combinirtes
Corps aus preußischen, hannoverschen und kurcölnischen Truppen
verstärkt werden und den Angriff auf Belgien übernehmen; Beaulieu mit etwa achtzehn Bataillonen sollte sich bei Trier concentriren und die Communicationen der Mosel festhalten, Ehrenbreitstein von dem Trierschen Contingent besetzt werden, ein drittes
österreichisches Corps unter Wallis, dessen Verstärkung erwartet
wurde und dem sich die Contingente der fränkischen, schwäbischen
und oberrheinischen Kreise anschließen sollten, hätte dann die Aufgabe gehabt, den Oberrhein von Heidelberg an bis in den Breisgau zu decken, den Feind im Oberelsaß im Schach zu halten, unter Umständen gegen eine und die andere Festung etwas zu unternehmen, oder auch die Operationen des preußischen Armeecorps
zu unterstützen. Dieses preußische Armeecorps selbst, dem die Contingente von Kursachsen und von beiden Hessen sich anzuschließen
hatten, war endlich dazu bestimmt, durch den Uebergang über den
Rhein oberhalb oder unterhalb Mainz diese Stadt vom Elsaß abzuschneiden, ungefähr 14,000 Mann dort zurückzulassen und mit
einer Masse von 55,000 Kämpfern angriffsweise vorzugehen. Es
sollten dann Stellungen gegen das Unterelsaß und die Saar genommen werden, „wobei sich dann zeigen würde, wie weit es
möglich wäre, eine oder die andere feindliche Armee anzugreifen,
um nach dem glücklichen Erfolge einer Schlacht eine oder die andere Belagerung vornehmen zu können.“

In einem spätern Gutachten *) führt der Herzog diesen Plan,
die Hauptoffensive gegen die Niederlande zu richten und davon
die andern Bewegungen abhängig zu machen, noch genauer aus.
Sämmtliche Armeen, so ist sein Rath, sollten zugleich ins Feld
rücken, um die Aufmerksamkeit und Macht des Feindes zu theilen, namentlich über den Uebergang über die Maas und den
Rhein eine gemeinsame und gleichzeitige Verabredung zu treffen.
War der Rhein überschritten, so sollte Mainz zunächst nur blokirt

---

*) d. d. 30. Jan. 1793.

und die Belagerung erst dann unternommen werden, wenn ein glücklicher Vorgang dazu den Weg gebahnt und die kaiserliche Armee in den Niederlanden Erfolge erfochten habe. Denn das Gelingen einer Belagerung am Oberrhein hänge besonders von der völlig sichern Verbindung mit den unteren Gegenden ab, „ohne welche jene Unternehmungen nur als eine unverantwortliche Unvorsichtigkeit" zu betrachten wären.

Es ist in diesen Aeußerungen des Herzogs sein ursprünglicher Plan enthalten, dessen leitende Gedanken auch auf den spätern Verlauf des Feldzuges nicht ohne Wirkung geblieben sind; allein es gelang ihm nicht, diesen Entwurf, so wie er war, unverändert zur Annahme zu bringen. Wenige Tage nach dem angeführten Gutachten war der neuernannte Oberfeldherr der kaiserlichen Armee in den Niederlanden, Prinz Friedrich Josias von Coburg, in Frankfurt angelangt, und es fanden nun (6. bis 14. Februar) neue Conferenzen statt, denen, außer dem Herzog und den Obersten Manstein und Grawert, diesmal der König selbst, der Prinz mit seinen Adjutanten, den Obersten Mack und Fischer, und der Feldmarschalllieutenant Wartensleben beiwohnten. Hier wurden denn die Entwürfe des Herzogs nicht unwesentlich modificirt. Man kam dahin überein, daß vor Allem der Feind vom rechten Ufer der Maas zu vertreiben und Mastricht zu entsetzen sei; das combinirte Armeecorps am Niederrhein, welches der Prinz Friedrich von Braunschweig, der Bruder des Herzogs, commandirte, sollte dazu mitwirken. Mit den weitern Unternehmungen gegen die Niederlande sollte aber — und hierin war der ursprüngliche Plan des Herzogs verlassen — gewartet werden, bis Mainz wiedererobert sei; denn es scheine bedenklich, so lange diese Festung in Feindes Hand sei, die Maas zu überschreiten. Einmal glaubte man zur Verpflegung der Armee der ungehinderten Verbindung auf dem Rheine zu bedürfen; dann hatte man die Besorgniß vor Augen, es könne der Feind, durch Zuzug aus den Niederlanden verstärkt, sich auf die um Mainz und am linken Rheinufer aufgestellte Armee werfen und ihr mit überlegenen Kräften eine Schlacht liefern, deren Verlust durch die Schwierigkeit des Rückzuges höchst bedenklich werden müsse. Drum zog man es vor, sobald die Maas frei sei, mit aller Energie die Operationen am Mittelrhein aufzunehmen; es sollten zu diesem Zwecke auch noch 15—20,000

Mann von der kaiserlichen Armee dahin abgegeben werden, um die Operationen der Preußen zu unterstützen. War dann Mainz gefallen, so erschien als das Rathsamste, mit ganzer Macht die Maas zu passiren und die Eroberung der Niederlande dadurch zu bewirken, daß man zugleich auf Landau, Saarlouis und Thionville losgehe und ein Armeecorps gegen den Feind in den Niederlanden aufstelle — eine Operation, die wegen der zwischen allen einzelnen Heeren bestehenden Verbindung als die sicherste und zur Erreichung eines ehrenvollen Friedens als die zweckmäßigste erschien. Doch war dabei vorausgesetzt, daß man der Unterstützung Hollands versichert war.

Zur Durchführung dieser Entwürfe rechnete man im Ganzen auf eine Truppenmacht von ungefähr 216,000 Mann*), eine Zahl, die allerdings, ein Jahr früher in Bewegung gesetzt, vollständig hingereicht hätte, die Invasion in Frankreich und die Herstellung der Monarchie glücklich zu vollenden. Ob sie jetzt vollkommen zureichte, war schon zweifelhaft. Man hoffte mit 66,000 Mann die Maas zu befreien, mit 33,000 die wichtige Verbindungslinie von Koblenz über Trier und Luxemburg zu decken, mit einem Corps von 30—40,000 Mann sollte Mainz belagert und mit einem Heere von 50,000 Mann diese Belagerung gedeckt und der Angriff des Feindes von Landau und vom Elsaß her abgeschlagen werden. Es fällt in die Augen und ist auch in jenen Conferenzen zur Sprache gekommen, daß, wenn auf diese Weise 180—190,000 Mann vollständig beschäftigt waren, nur eine verhältnißmäßig geringe Macht zur Deckung des ganzen Oberrheins übrig blieb. Denn selbst, wenn jene kleinen Contingente, die für jetzt nur auf dem Papiere standen, in der That mobil wurden, so blieben nicht einmal 20,000 Mann übrig, um die Strecke von Mannheim bis an die Schweizergränze zu besetzen. Man

---

*) Diese Zahl war so vertheilt, daß 1) am Niederrhein 54,543 Oesterreicher und 11,400 Preußen und Hannoveraner unter Prinz Friedrich von Braunschweig, 2) zwischen der Mosel und Maas 33,441 Mann, und 3) am Oberrhein 99,091 M. (56,618 Preußen, 23,973 Oesterreicher, 6000 Hessen, 3500 Sachsen, 3000 Darmstädter und 4000 schwäbische Kreistruppen) operiren sollten. Da dies zusammen erst 198,775 M. ausmachte, so hoffte man doch an Contingenten der kleineren Fürsten etwa 17,200 M. in Sold zu nehmen und dadurch den Stand von nahezu 216,000 Mann zu erreichen.

half sich, als der König von Preußen dies Bedenken anregte, auf eine eigenthümliche Weise; das Corps, das sich ungefähr in der Stärke von 29,000 M. Kaiserlichen und 4000 M. schwäbischer Kreistruppen in der Pfalz unter General Wurmser sammelte, und dessen eine Aufgabe die Unterstützung der preußischen Operationen war, wurde zugleich als ausreichend zur Deckung des Oberrheins bezeichnet. Damit war denn wieder die Stärke der preußischen Operation um Mainz und auf dem linken Rheinufer verringert *) und die linke Flanke dieser Armeen einer feindlichen Diversion blosgestellt.

Es wäre, um diese Lücke auszufüllen, als der natürlichste Weg erschienen, während die Oesterreicher und die Kreistruppen den Oberrhein schützten, noch ein Corps von 18—20,000 Mann bei Mannheim aufzustellen, das die linke Flanke der preußischen Operationen gedeckt und im günstigen Falle deren weiteren Fortgang auf dem jenseitigen Rheinufer wirksam unterstützt hätte. Man wählte aber einen andern Ausweg, der für den Gang des Feldzuges verhängnißvoll geworden ist. Das Corps der Oesterreicher und Kreistruppen unter Wurmser sollte die doppelte Aufgabe lösen: den Oberrhein von Mannheim bis an die Schweizergränze zu decken und zugleich mit einem Theil dieses Corps die Operationen der Preußen zwischen Mainz und Landau zu unterstützen. Es leuchtet ein, daß bei dieser combinirten Aufgabe eines dem anderen schaden mußte; ließ sich Wurmser tiefer in die Operationen der Preußen verflechten, so schien vielleicht die Deckung des Oberrheins gefährdet; wandte er seine Stärke nach dieser Seite, so fehlte den Preußen die Unterstützung zur Linken, die sie selber in den Conferenzen als unumgänglich bezeichnet hatten. Diese Doppelseitigkeit des militärischen Zieles mußte aber naturgemäß auch auf die Stellung des Feldherrn, dem dies Corps übergeben

---

*) Nach diesem Calcül blieben nämlich nur die 56,618 Mann Preußen und 14,500 Sachsen, Hessen und Darmstädter, also im Ganzen 71,118 Mann; es waren aber zur Belagerung von Mainz mindestens 33,000 M. als nothwendig angenommen und 50,000 zur Deckung und Besetzung des linken Rheinufers berechnet. Drum heißt es auch in dem Protokoll vom 14. Febr.: „Jedoch erhelle aus dem ganzen Calcül, daß das auf dem linken Flügel der kön. pr. Armee unumgänglich erforderliche Corps von 18,000 Mann auf dem completten Stande gänzlich abgängig sein würde."

war, zurückwirken; er hatte einerseits die Aufgabe, unter Leitung der Preußen mitzuwirken, und andererseits sollte er als eigner Anführer selbständige Aufgaben lösen; diese unvereinbare Combination zweier Stellungen ist auch in der Instruction Wurmsers unversöhnt ausgesprochen. Wurmser soll, sobald es das Vorrücken der preußischen Truppen jenseits des Rheins erlauben wird, diesen Fluß passiren und in Verbindung mit der preußischen Armee operiren. „Ohne im eigentlichen Verstand — heißt es dann wörtlich — zur königlich preußischen Armee angewiesen zu sein, hat Graf Wurmser dennoch in allen Stücken sich nach der Direction und Disposition, welche Se. Maj. der König oder der unter Höchstdemselben commandirende Herr Herzog von Braunschweig Durchl. mit diesem Corps Truppen zu veranlassen, für gut und nothwendig befinden werde, zu benehmen. Nur in dem Fall, wenn eine feindliche Uebermacht den Oberrhein bedrohen, oder wirklich übersetzen sollte, wäre von dem operirenden Corps ein kleinerer oder größerer Theil, wie es nothwendig sein könnte, zu detachiren und wohl auch das ganze Corps über den Rhein zurückzuziehen, wenn eine gar große oder augenscheinliche Gefahr solches erfordern sollte."

Es lag in dieser Anordnung ein Widerspruch, den nur eine sehr geschickte und geschmeidige Hand ohne Nachtheile zu lösen vermochte; gerade die Persönlichkeit Wurmsers war aber von der Art, daß eher eine schärfere Betonung als eine Milderung des Zwiespaltes zu erwarten war. Als er anfangs, wie es die Natur der Sache mit sich brachte, dem preußischen Commando unterstellt werden sollte, weigerte er sich geradezu, und in Wien war sein Einfluß größer als der des Prinzen von Coburg. So war denn jenes Zwitterverhältniß geschaffen, in welchem er, wie wir sehen werden, die Unabhängigkeit seiner Stellung noch über die Gränzen jener Instruction hinaus erweiterte; ohne daß der Nothfall, das rechte Rheinufer zu decken, eintrat, benahm er sich doch wie der Führer einer selbständig operirenden Armee. Nun litt schon der ganze Operationsplan des künftigen Feldzuges an dem Uebel eines vielfach getheilten und unzusammenhängenden Commandes; denn nicht nur die Armee in den Niederlanden und die bei Mainz waren, statt unter einer höheren gemeinsamen Leitung, zwei getrennten, gleichgestellten Feldherren unterworfen, sondern das combi-

nirte Corps unter Friedrich von Braunschweig hatte wieder, gegenüber dem Prinzen von Coburg, ein ähnliches Verhältniß halber Selbständigkeit anzusprechen, wie der österreichische Feldherr
gegenüber dem Herzog, und es schien eine Zeitlang, als sollte
auch der Prinz Coburg an ihm seinen Wurmser finden; aber doch
ist nichts von so entscheidender Wirkung für den Feldzug gewesen, wie die Doppelstellung Wurmsers.

Eine solche Verlegenheit hätte freilich nimmer entstehen können, wenn die Reichs- und die Wehrverfassung Deutschlands noch
eine innere Lebenskraft gehabt hätte. Was wollten denn die
20,000 Mann heißen, deren man bei Mannheim jetzt bedurfte?
War nicht, um vom Reiche zu schweigen, schon der eine Kurfürst
von Pfalzbaiern, auf dessen Gebiete der Kampf jetzt vorbereitet
ward, mächtig genug, zum mindesten jene Zahl aufzubringen?
War jene Schaar mittlerer und kleiner Herren, die in den Jahren
1791 und 1792 auf dem Reichstage so trotzige Reden geführt,
nicht wenigstens, wenn man ihre territoriale Macht summirte, im
Stande, eine Heereskraft von 20,000 Mann aufzustellen, oder
die Mittel dazu an die Hand zu geben? Aber so tief war das
Regiment in diesen Gebieten verfallen, Geldmittel und Heereskräfte so gründlich verwahrlost, oder, wo die Schwäche nicht die
Schuld trug, Verrath und Treulosigkeit dem Reichsfeind ein so
wirksamer Verbündeter, daß solch eine bescheidene Erwartung schon
nicht zu erfüllen war.

Es liegt uns ein Schreiben vor*), welches der preußische
Oberst Rüchel im Januar 1793 an die pfälzische Regierung in
Mannheim richtete; daraus ist das ganze Elend dieser Reichszustände charakteristisch zu erkennen. Er beschwert sich darüber, daß
französische Officiere ungehindert in der Festung Mannheim aus-
und eingehen, daß ein Adjutant und ein Secretär Custine's sich
dort ungescheut als Spione und Emissäre der revolutionären Propaganda herumtreiben. Er fragt an, ob es wirklich wahr sei,
daß in den überrheinischen Aemtern Verhandlungen gepflogen würden
über Getreide, das man den Franzosen gegen Assignaten liefern
wolle; und ob es mit Genehmigung der Regierung geschehe, daß

---

*) Promemoria an den Grafen Oberndorff, d. d. 22. Jan. 1793 (in der
angeführten Correspondenz).

man dem Reichsfeind Früchte und Vieh schaffe, ja sogar in Mann=
heim selbst Lieferungsverträge zu Gunsten der feindlichen Armee
abschließe?! Auch in den Conferenzen zu Frankfurt kam diese
Politik des pfalzbairischen Cabinets zur Sprache; es ward auch
von dort aus durch den Grafen Lehrbach in München der Re=
gierung „auf die ernsthafteste und dringendste Weise" vorgestellt,
daß der Kurfürst doch den thätigsten Antheil an der Reichsver=
theidigung nehmen möge. Mit welchem Erfolge, werden wir spä=
ter sehen.

Dies Benehmen einer Regierung, die zwei deutsche Kurfür=
stenthümer vereinigte, die klägliche Schwäche der geistlichen Staa=
ten am Rhein, der tragikomische Schreck, der alle Regierun=
gen vom Bodensee bis nach Westfalen ergriff, als Custine am
Rhein erschien, dies Alles ließ ungefähr erwarten, was es mit
der kriegerischen Rüstung des Reiches selbst auf sich haben werde.

————————

Wir haben bis jetzt des Reichstages und seiner Thätigkeit
seit dem Ausbruch des Krieges nicht gedenken müssen: denn so
lagen einmal die Verhältnisse, daß in dieser ganzen Krisis das,
was zu Regensburg geschah, fast am wenigsten in Frage kam.*)
Man war am Reichstage gerade beschäftigt, den französischen Frie=
densbruch zu verhandeln, als in der ersten Woche des Octobers
die Nachricht vom Einfall der Franzosen in Speyer und Worms,
ihre Bedrohung der Reichsfestung dazwischen fiel. Der kurmain=
zische Gesandte schilderte die Lage der Stadt in den bedenklichsten
Farben; es sei schleunige Hülfe nöthig, wenn die Gränzfeste nicht
verloren gehen solle. Spät am Abend fuhr noch der österreichische
Directorialgesandte, als die Nachricht angekommen, bei den fürst=
lichen Botschaftern umher, ihnen die äußerste Noth recht dringend
ans Herz zu legen. Würzburg brachte einen schleunigen Antrag
ein, daß zunächst der oberrheinische und fränkische Kreis zur ra=
schesten Hülfe veranlaßt werden sollten. Auf den Vorschlag von
Mainz wurde eine Note an die hohen und höchsten Höfe erlassen
und eine schleunige Vorkehr gegen den Ueberfall des Feindes „zu

————————

*) Das Folgende ist der angeführten Reichstagscorrespondenz von 1792
entnommen.

einer Zeit, wo noch nicht einmal ein Reichskrieg erklärt sei", bringend nachgesucht. Man setzte sich sogar diesmal über die pedantische Weitläufigkeit der Formen etwas hinweg, da in einem Augenblick, „wo größere Gefahr auf einem jeden Verzug hafte, die sonst bei Erforderung der gesetzlichen Kreishülfe gewöhnlichen Vorschriften und Stufen eben nicht so genau eingehalten werden könnten"; man beschloß Staffetten auszusenden nach allen Seiten hin, „um denjenigen, so vergewaltigt oder mit Gefahr bedroht sind, unverzüglich die reichsverfassungsmäßige Hülfe zu leisten und die bereits aufgestellten Reichscontingente unverweilt vorrücken zu lassen."

Ein kaiserliches Rescript vom 11. October unterstützte diese dringenden Schritte. Es erinnerte daran, wie der kaiserliche Hof noch unlängst an die vorderen Reichskreise auf rasche Zurüstung gedrungen habe. „Auch wäre es höchst wahrscheinlich gelungen, dem Eindringen des Feindes einen festen Damm entgegenzusetzen, wenn nur die nachdrücklich aufgerufene Hülfe mit eben der reichspatriotischen Bereitwilligkeit geleistet worden wäre, als die Gefahr und Hülfe dringend war. Indessen hat hierüber das deutsche Publicum ein unbefangenes Urtheil gefället." Nun wachse die Gefahr mit jedem Tage, Mainz sei schon bedroht, und noch ließe sich nicht bestimmen, wie weit des Feindes Absichten gingen, und noch sehe man keine tröstliche Aussicht zur entscheidenden Hülfe. Eine so außerordentliche Lage erheische auch außerordentliche Mittel; der bedächtige Gang der deutschen Reichssatzungen reiche nicht hin, dem gegenwärtigen Uebel und der noch drohenden weiteren Gefahr zu steuern. „Wir erlassen daher, so schloß das Rescript, mit umgehender Post die dringendsten Weisungen an die kaiserlichen Minister im Reiche, alle bewaffneten Reichsstände zur Gegenwehr reichsväterlichst aufzumuntern, und halten uns hiezu durch das erste Grundgesetz aller Staatenverbindungen für die allgemeine Sicherheit der vereinigten Glieder vollkommen verpflichtet. Wir versprechen uns auch von unseren oberhauptlichen Bemühungen und den patriotischen Gesinnungen der Reichsstände die möglichst schleunige und thätige Hülfe, oder die Nachwelt würde erstaunend lesen, daß am Ende des achtzehnten Jahrhunderts kein Gemeingeist mehr die Nation der Deutschen beseelte und daß ein nachbarlicher Feind es wagen durfte, ihr mitten in ihrem Gebiete ungestraft Trotz zu bieten."

Welchen Erfolg diese Bemühungen gehabt, ist aus der früheren Erzählung wahrzunehmen gewesen; Mainz ging verloren,
bevor die kaiserliche Mahnung irgend eine Wirkung üben konnte.
Recht bezeichnend traf fast gleichzeitig mit dem kaiserlichen Schreiben ein pfalzbairisches Rescript (vom 11. Oct.) ein, worin gegen
die Ausrüstung des Contingents alle möglichen Bedenklichkeiten
geltend gemacht und von den vielen „Rücksichten“ geredet war,
welche der Kurfürst von der Pfalz für seine Person gegen Frankreich zu nehmen habe. Auch Kurtrier trug Bedenken; es hatte
offenbar der panische Schreck von Custine's Einfall die bescheidene
Thatkraft der westdeutschen Regierungen vollends gelähmt. Nur
von Oesterreich, Preußen und Hannover kamen Erklärungen, daß
Truppen zusammengezogen und die Feinde in Kurzem von weiterem Vordringen würden abgehalten werden.

War Mainz nicht mehr zu retten gewesen, so mußten wenigstens alle Mittel ergriffen werden, um nun den Reichskrieg mit
größter Energie vorzubereiten. Schon hatte ein kaiserliches Hofdecret vom 1. Sept. den Antrag auf die Betheiligung des Reichs
am Kampfe eingebracht, und die brandenburgische Stimme war in
einem ausführlichen Botum gleich anfangs dem Vorschlage beigetreten; indessen waren durch den Angriff, der auf das Reich geschehen, die letzten Bedenken zum Schweigen gebracht worden.
Man nahm daher am 16. November die Berathung wieder auf,
die der Kriegslärm vom Rheine bis dahin unterbrochen hatte.
Das Gutachten des Reichs, am 23. Nov. dem kaiserlichen Principalcommissarius übergeben, ging in der Hauptsache dahin: „weil
die vor Augen liegende und täglich zunehmende Gefahr des Reiches keinen Verzug gestatte, einstweilen und . mit Vorbehalt umständlicher Begutachtung des kaiserlichen Hofdecrets, zur schleunigen Befreiung der bedrängten Reichskreise, das Triplum auf das
unverzüglichste ins Feld zu stellen.“ Das Gutachten erhielt am
22. Dec. die kaiserliche Bestätigung.

Die Thätigkeit der Reichsversammlung in den nächsten Monaten bewegt sich fast ausschließlich um die Frage des Reichskrieges gegen
die Revolution. Im Januar 1793 ward die Bildung einer Reichsoperationscasse beschlossen und einstweilen die Erhebung von dreißig
Römermonaten angeordnet. Im Februar kam, offenbar durch die
Vorgänge am linken Rheinufer angeregt, die Frage zur Bespre

chung: wie den besorglichen Volksverführungen Einhalt zu thun sei. Bei diesem Anlasse gab die kurböhmische Stimme im Kurfürstenrathe die Erklärung ab: „man müsse auf den schon erlassenen kaiserlichen Abmahnungsschreiben um so mehr bestehen, als inzwischen durch manche Zeitung sowol als auch durch Druckschriften sich ergebe, daß unglückliche und brodlose sogenannte Philosophen ihre elenden Träumereien und gesetzwidrigen Belehrungen gegen Subordination, Sitten und Religion dreist dem Publicum vorgelegt haben. Da demnach der so groß angewachsene Mißbrauch der Preßfreiheit nothwendig alle wahre und gegründete Gelehrsamkeit ersticken, auch Unordnung und Empörung verbreiten müsse, zudem der friedliebende Unterthan seine Zeit und sein Geld unnütz und schädlich anwende: so erscheine es nothwendig, die alten Gesetze gegen den Mißbrauch noch anwendbarer zu machen, damit der unserer deutschen Nation angeborene und ererbte Geist unserer tugendhaften Voreltern nicht durch fremden Unsinn geschwächt und untergraben werde.“ Im Fürstenrath äußerte sich die hannoversche Stimme in ähnlichem Geiste; trug auch darauf an, daß bei Unruhen sogleich die Kreishülfe beigezogen und die Schuldigen bestraft werden sollten. Es war dies die allgemeine Ansicht der Versammlung; denn es wird in dem Reichstagsbericht, der uns vorliegt, als etwas Absonderliches angemerkt, daß ein Votum des Fürstbischofs von Würzburg-Bamberg den Standpunkt festhalte: „ein weiser Regent, der zugleich Freund und Vater seiner Unterthanen sei, habe nie Aufwieglung und Empörung in seinem Lande zu fürchten, aller Versuche von Außen ungeachtet.“ Der erzherzoglich österreichische Gesandte, dem die Führung der Stimme anvertraut, habe denn auch Bedenken getragen, solch ein Votum abzugeben.

Am 18. Februar kam dann ein Reichsgutachten zu Stande, wonach die deutschen Unterthanen an ihre Treue und Pflicht zu erinnern, vor den Volksverführern zu warnen, auch reichsväterlich zu ermahnen seien, an Unruhen und Aufwieglungen nicht Theil zu nehmen, namentlich sich nicht zu Abänderung der herkömmlichen Verfassungen, Verbreitung der thörichten Freiheits- und Gleichheitsgrundsätze, Errichtung von Clubs, Aufstellung neuer Municipalitäten, Repräsentanten und Administrationen verleiten zu lassen. Was in dieser Richtung während der französischen Kriegsunruhen versucht werde, sei als nichtig und unstatthaft anzusehen; alle Schuldigen würden aber von den angedrohten Strafen getrossen werden.

Noch stand Eines bevor: die Berathung der noch unerledigten Punkte jenes kaiserlichen Hofdecrets vom September, welches die förmliche Kriegserklärung des Reichs an die französische Republik beantragte. Man hatte damals in dem ersten Drange der Noth (Nov., Dec.) zunächst nur einen Punkt, die Ausrüstung des Triplums und die Einziehung der Römermonate, beschlossen; noch immer war aber der förmliche Abbruch friedlicher Beziehungen nicht erfolgt. Es dauerte Wochen lang, bis die am 4. März begonnene, sehr umständliche Abstimmung zu Ende war; erst am 22. März war das Reichsgutachten fertig. Der Reichstag war darüber einig geworden, daß der von Frankreich durch Gewaltschritte angefangene und dem Reich aufgebrungene Krieg für einen allgemeinen Reichskrieg zu erklären und als solcher zu verkünden sei; die früher geschlossenen Verträge mit Frankreich, seit dem Münsterschen, und die darin gemachten Abtretungen, seien demnach nicht mehr verbindlich. In Betreff der Volksverführer und Ruhestörer, so wie der aufwieglerischen Schriften, blieb man bei den früher angeordneten Maßregeln; auch sollte auf den Briefwechsel, so weit er dem Feinde Vorschub leisten könne, geachtet, der Handelsverkehr, wenigstens mit Kriegsbedürfnissen, eingestellt*) und der Umlauf der Assignaten gehindert werden. Endlich solle allen Reichsangehörigen jede Neutralität, möge sie offen oder verdeckt sein, untersagt und in keinem Falle gestattet werden.

Am 30. April erfolgte das kaiserliche Ratificationsdecret, welches alle diese Anträge des Reichsgutachtens bestätigte. Es waren in diesem ausführlichen Aktenstück nicht nur alle die Beein-

---

*) Der dahin bezügliche Beschluß lautete: „das Commerz wäre mit wohlbedächtlicher Ausnahme aller in den kaiserlichen allerhöchsten Inhibitorien bereits verbotenen und namentlich ausgedrückten Artikel der Kriegsbedürfnisse auch noch während des Krieges, wenigstens in so lang als dasselbe nicht von Frankreich unterbrochen und zerstört würde, aufrecht und in seinem Gange zu erhalten; doch unabbrüchig derjenigen Vorkehre, welche beßfalls und überhaupt in Rücksicht der französischen Waaren ein jeder Landesherr nach der Lage und Convenienz seiner Lande auch innen für sich und zu allen Zeiten zu verfügen befugt ist."

trächtigungen aufgezählt, welche das Reich seit 1789 von Frankreich erfahren hatte, sondern namentlich der tiefe principielle Gegensatz nachdrücklich betont, welcher die alte feudale Ordnung von
den Neuerungen im Westen schied. Von dieser Seite angesehen,
bot das Ratificationsdecret ein besonderes Interesse; es war das
bedeutendste politische Manifest, welches in jener Zeit als officielle
Kundgebung gegen die Revolution von deutscher Seite ausgegangen ist. Es ist darin zuerst die religiöse und politische Intoleranz,
die Jeden mit dem Untergang bedrohe, der anderen Grundsätzen
und Gesinnungen huldige, dann die verwegene und unheilvolle
Proselytensucht hervorgehoben, die durch Schriften, geheime Verbindungen und Sendboten die revolutionären Ideen zu verbreiten
suche. Es werden die Aeußerungen des Convents und seine bedenklichsten Beschlüsse durchgegangen, von dem bekannten Wort
an: „Krieg den Palästen und Friede den Hütten“, bis zu dem
jüngsten Beschlusse vom 15. Dec., welcher in den besetzten Gebieten die Einführung des revolutionären Zustandes anordne. Es
müsse aber jede gesellschaftliche Ordnung gefährden, wenn man,
wie die Revolution thue, „abstracte philosophische Gemeinplätze und
speculative Staatstheorien mit eigensinniger Zurückstoßung aller
Vortheile der Weisheit und Erfahrungen voriger Zeitalter, ohne
Rücksicht auf physische und moralische Verhältnisse“, durchzuführen
suche. Auch sei es ganz wider die Natur, „dem ganzen Menschen-
geschlechte über die Auswahl dieser Mittel und Wege zu seiner
bürgerlichen Glückseligkeit nur einen Sinn aufbringen zu wollen.“
Eine Freiheit, welche nur für den Naturmenschen passe, müsse
nothwendig den Endzweck jeder Staatsverbindung vernichten, und
wenn sie nicht der individuellen Lage der Menschen angepaßt sei,
zwar der Einbildungskraft des großen Haufens schmeicheln, aber
früher oder später doch nur gewaltsame Erschütterungen hervorrufen und alle ersprießlichen Folgen einer allmälig wirkenden wohlthätigen Aufklärung und der darauf gegründeten Cultur zerstören.
Eine vernünftige Gleichheit, die sich auf gleichen Schutz, Sicherheit und Gerechtigkeit erstrecke, sei unter jeder Regierungsform denkbar; es sei aber der rücksichtsloseste Despotismus, wenn man die
Gleichheit darin suche, den Völkern die unbedingte Ausübung philosophischer Machtsprüche aufbringen zu wollen.

Wir hielten es der Mühe werth, diese einzelnen Vorgänge

genauer zu verfolgen, die dem Kampfe des deutschen Reiches mit
der Revolution vorangehen, einem Kampfe, dem das Reich sammt
seiner Verfassung erlegen ist. Es konnte von diesem tragischen
Ausgange schon jetzt eine Ahnung auftauchen, wenn man mit den
großen Worten und drohenden Beschlüssen, die zu Regensburg gehört wurden, den unmittelbaren praktischen Erfolg verglich. Daß
während dieser Vorbereitungen, zu Ende des Jahres 1792, Mainz
verloren ging, Frankfurt gebrandschatzt, das rechte Rheinufer ausgeplündert ward, haben wir bereits früher wahrgenommen; noch im
Frühjahr 1793, nachdem der Krieg erklärt war, bestand aber die Reichsarmee eben nur in den Beschlüssen der Regensburger Versammlung.
In einer Erklärung vom 31. März verkündet Hannover, es habe sein
Contingent zur Reichsarmee stellen wollen; „nachdem jedoch wider
Vermuthen es zur Bildung einer solchen Armee bis jetzt noch nicht
gekommen, so habe man das Contingent nach Holland geschickt,
wo ein eigenes hannoversches Armeecorps aufgestellt werden solle."
Vergebens mahnte dann der neue Reichsgeneral, der Prinz von
Coburg, ihm das Contingent nach den Niederlanden zu schicken;
man sei, so lautete die hannoversche Antwort, allerdings bereit,
sein Contingent zur Reichsarmee, aber auch nur zur Reichsarmee
zu schicken; da diese nicht existire, würden die Truppen nach Holland gehen.

Wie viele Reichsstände ließen sich aber anführen, die nicht
einmal ein Contingent aufstellten! Ein Theil benahm sich, wie
wenn jene Beschlüsse vom November und März gar nicht existirten; andere, zumal die Schwächeren, waren ehrlich genug, um
förmliche Neutralität zu bitten. Die Reichsstadt Cöln erklärte
schon im Dec. 1792, daß sie zu dem Reichskriege nicht concurri-
ren könne und deßhalb die Neutralität ergreife, „die auch anderen
Ständen in derlei Fällen zugestanden sei." Hamburg war sehr ungehalten, daß man ihm verbieten wolle, den Franzosen Kriegsbedürfnisse zuzuführen; es gingen denn auch ganze Schiffsladungen
Getreide nach Frankreich, um den Reichsfeind mit Lebensmitteln
zu versorgen. Und ein Mann, wie Büsch, focht ganz eifrig den
Satz durch, diese verrätherische Neutralität sei die einzig richtige
Politik der Reichsstädte! Die hannoversche Regierung, die dem
Reichsfeldherrn gegenüber selber das Beispiel der Widerspenstigkeit
gegeben, war darüber mißvergnügt, brachte ein Hamburger Schiff,

das mit einer großen Weizenladung nach Bordeaux bestimmt war, bei Stade auf und erhob Beschwerde bei dem Reichstage. Wir hören aber nicht, daß der Unfug aufgehört habe.*) Oder ein anderes Beispiel! Der Kurfürst von Cöln, der einst auf dem Reichstage so troßige Reden geführt, sollte im Febr. 1793 sein Contingent zu dem gemischten Corps des Herzogs Friedrich von Braunschweig stellen. Da wurden denn alle denkbaren Vorwände hervorgesucht, um dem zu entgehen, und als der Herzog gar das Städtchen Rheinberg besetzte und es zu befestigen Miene machte, erhob der geistliche Herr einen Lärm, als wenn ihm das bitterste Unrecht geschehen.**)

Was wollte aber diese selbstsüchtige Absonderung der Kleinen und Ohnmächtigen bedeuten, gegenüber dem ärgerlichen Beispiel, das einer der ersten Reichsstände, der Kurfürst von Pfalzbaiern, gab? Erst hatte die pfalzbairische Regierung es mit der Bedrängniß durch die Franzosen entschuldigt, daß sie sich „leidend verhalten" und sich, „zur Befriedigung des gränzenlosen Patriotismus Sr. kurfürstlichen Durchlaucht", darauf habe beschränken müssen, durch das pfälzische Contingent Mannheim zu decken; dann, wie die Angst vor Custine nicht mehr vorgeschützt werden konnte, trat sie mit dem naiven Anerbieten auf, ihr Contingent „gegen annehmliche Bedingnisse, worüber vordersamst die nöthige Uebereinkunft zu treffen", dem Kaiser überlassen zu wollen.***) Diese Aeußerung brachte denn doch selbst in dem phlegmatischen Kreise des officiellen Reichs einige Bewegung hervor; schon früher hatte Preußen sich über die Einverständnisse bitter ausgelassen, die ein Reichsfürst mit einer „bloßen Räuberbande, nicht einmal einem ordentlichen Kriegsheer" gepflogen; jetzt sprach auch der Kaiser (30. April) sein lebhaftes Mißfallen darüber aus, daß man sich

---

*) In einer späteren hannoverschen Beschwerde heißt es, der Handel werde, „zwar nicht mehr unter der hamburgischen Flagge, sondern unter der Flagge auswärtiger Nationen, jedoch, wie allgemein bekannt ist, von der eingesessenen Hamburger Kaufmannschaft zum größten Anstoß fortgesetzt. Der Magistrat sei darüber ganz und gar in keiner Unwissenheit und könne es auch nicht sein, gestatte es aber geflissentlich."

**) Aus der Correspondenz Friedrichs von Braunschweig.

***) Pfalzbair. Promemoria, d. d. 18. April 1793. (In der Reichstagscorrespondenz.)

I. 34

vom allgemeinen Besten absondern wolle, und „statt die eigene
Sicherheit in tapferen Wehrstand zu setzen, sie lieber auf verfas=
sungswidrige Politik, Insinuationen und Neutralitätsgelüste bauen
möge." Der Kaiser verwies auf die gefaßten Reichstagsschlüsse
und auf die unumgängliche Pflicht jedes Reichsstandes, ihnen zu
folgen; aber es bedarf kaum der Bemerkung, daß solche Gründe
bei dem Münchner Hofe nicht viel verfingen. Man hatte dort
sogar noch den Muth, über die „Hintansetzung aller geziemenden
Schonung und den Mangel der gebührenden Achtung", womit
sich einzelne Reichsstände geäußert, beim Reichstag Beschwerde zu
führen! Der ärgerliche Handel zog sich bis zur Eröffnung der Feind=
seligkeiten fort. Als der Kampf am Mittelrhein im Frühling be=
gann, wollte natürlich Preußen sich die pfälzische Neutralität nicht
gefallen lassen, und der Herzog von Braunschweig namentlich
drang auf eine Aenderung. Es ist erstaunlich, spottete damals
Lucchesini,*) daß ein so aufgeklärter Reichsfürst, wie der Herzog,
nicht weiß oder vergessen hat, daß ja nach der gothischen Verfas=
sung des heil. röm. Reichs ein Staat mit seinem Contingent
den Reichsfeind bekriegen und mit dem Rest vollkommen neutral
bleiben kann. Lucchesini mußte aber selber alle seine diplomatischen
Künste viele Wochen lang in Bewegung setzen (Mai), bis es ihm
gelang, von der pfälzischen Regierung die Zusage zu erhalten, daß sie
ihr Contingent in Bewegung setzen und dem preußischen Oberbefehl
unterordnen wolle. Aber von der Zusage war noch weit zur Erfül=
lung, und es mußten noch im letzten Moment die stärksten Dro=
hungen angewendet werden, damit die pfälzische Armada endlich
in Bewegung gerieth. **)

Es läßt sich darnach ungefähr ermessen, welch zahllose Placke=
reien die verschiedenen kleinen Contingente verursachten, wie die
Ausrüstung und Bewaffnung mancher Truppenabtheilungen be=
schaffen war! Erklärte doch der Landgraf von Hessen, der unter

---

*) Schreiben vom 6. Mai.
**) „Je n'étais pas d'humeur — schreibt Lucchesini am 19. Mai — à me
laisser manquer de parole par qui que ce soit, et que j'avais tout lieu de croire,
que justement indigné de tant de tergiversations vous prendriez enfin votre
parti, Sire, vis-à-vis de Monseigneur l'Electeur Palatin et vous laisseriez que les
autres prissent les leurs aussi ce qui pourroit bien ne point être à l'avantage
des états de Monseigneur l'Electeur." (Aus der L.'schen Correspondenz).

allen kleineren Herren die beste Armee besaß, er habe keine Materialien zur Herstellung eines Feldlagers, kein Fuhrwesen und keine
Feldbäckerei und könne das Alles auch nicht stellen, so lange ihm
der kaiserliche Hof die 40,000 Thaler nicht bezahle, die ihm für
seine jüngste Mobilmachung aus der Reichskriegscasse versprochen
waren. Wir werden diesen 40,000 Thalern, die in der diplomatischen Correspondenz jener Zeit bis zum Sommer 1793 eine bedeutende Stelle einnehmen, später noch einmal begegnen. Lucchesini hatte nicht Unrecht, wenn er damals schrieb:*) „die Hülfe des
heil. röm. Reichs ist allerdings so viel wie Null. Dieser berühmte
Fürstenbund war nichts als eine politische Vogelscheuche; er hat
einen Augenblick die Leute erschreckt, aber je näher man ihm kam,
desto mehr überzeugte man sich, daß er weder Körper noch Bewegung hatte.‟

Ueberblickte man alle diese Verhältnisse, die unzulängliche
Kriegsrüstung selbst Oesterreichs und Preußens, den Mangel an
Einheit in der Führung, die Verfallenheit des Reichs und seiner
Wehrverfassung, den Egoismus der einzelnen Stände, so durfte
man die Erwartungen von den Erfolgen des bevorstehenden Feldzugs sicher nicht zu hoch spannen; ja man hätte auf neue Unglücksfälle gefaßt sein dürfen, wäre nicht die gränzenlose Zerrüttung in Frankreich selber der beste Verbündete der deutschen Kriegführung gewesen. Eine Aeußerung des Herzogs von Braunschweig
aus jener Zeit**) spricht dies Mißtrauen in den Gang des künftigen Feldzugs sehr nachdrücklich aus. „Wird dies Chaos von
politischen und militärischen Combinationen, sagt er, ohne die
Gunst des Zufalls zu irgend einem gedeihlichen Ziele führen, so
will ich den Führern an der Spitze Glück wünschen. Wenn man
nicht Meister der nöthigen Mittel ist, wenn man bitten muß, statt
zu befehlen, wenn man erst um Truppen unterhandeln muß, statt
sie gegen den Feind zu führen, wenn endlich jede der verbündeten
Mächte ihre Hintergedanken hat und der leitende Faden nicht in
einer Hand liegt, da muß man entweder die Augen verschließen
oder annehmen, daß die nämliche zusammenhanglose Politik nicht

---

*) Schreiben an Tauenzien, d. d. 9. Juni.
**) Aus einem Briefe des Herzogs, d. d. Frankfurt, 20. Febr. 1793.

auch die nämlichen Nachtheile hervorruft, die einst im siebenjährigen Kriege unser Glück gewesen sind."

Die erste Aufgabe des neuen Feldzugs sollte nach den Frankfurter Verabredungen der Entsatz von Mastricht sein; auf dem niederländischen Kriegsschauplatze begann also der Kampf. Die politische Verknüpfung Belgiens mit Oesterreich brachte es mit sich,
daß das österreichische Hauptheer den Krieg in den Niederlanden
zu führen hatte, während die natürliche geographische Lage die
preußische Armee nach Belgien, die österreichische nach dem Mittel-
und Oberrhein hinwies. Statt dessen hatte die südlichste Macht
ihre bedeutendsten Streitkräfte auf dem nördlichsten Kriegsschauplatze, und die natürlichen Hülfsquellen eines Heeres, das an der
Maas, Schelde und Sambre den Krieg führen sollte, lagen in
Böhmen und an der Donau. Dazu kam die ungünstige militärische
Lage Belgiens, zumal seit der Schleifung der Barriéreplätze; das
Land hatte keine Festungen, nicht einmal einen guten Waffenplatz,
wie ihn die österreichische Armee bedurfte. Gegenüber dem Gürtel
französischer Festungen, der von Maubeuge und Valenciennes bis
Lille und Dünkirchen die Nordostgränze Frankreichs schirmte und
der Vertheidigung des Landes es sehr leicht machte, große Truppenmassen zu concentriren, waren die österreichischen Niederlande
ein offenes Gebiet, das durch eine verlorene Schlacht dem Feind
preisgegeben werden konnte. Ein solches Terrain festzuhalten, war
an sich keine leichte Sache, zumal mit einer Coalitionsarmee, die
aus verschiedenen Bestandtheilen zusammengesetzt und deren Leitung
vielfach von ganz widerstrebenden politischen und *territorialen*
Interessen bestimmt war. *)

Die Folgen dieser Nachtheile sind in diesem und noch

---

*) Hier wie im Folgenden, wo in die Darstellung auch militärische Rai-
sonnements verflochten sind, haben wir eine handschriftliche Arbeit über den Feldzug von 1793 benutzt, die uns der Herr Verfasser, ein hochgestellter preußischer
Militär, mit derselben Bereitwilligkeit zu Gebote gestellt hat, deren wir uns
auch sonst zur Förderung dieser Arbeit in dankenswerthester Weise von ihm
zu erfreuen hatten.

mehr im folgenden Jahre sehr sprechend hervorgetreten; jetzt freilich, in der ersten Hälfte von 1793, lagen die Verhältnisse noch
entschieden zu Gunsten der verbündeten Kriegführung. Die innere
Zerrüttung Frankreichs, der Mangel einer ausreichenden Kriegsrüstung, der Zwiespalt der Parteien und der Feldherrn wog allerdings die meisten Schwierigkeiten auf, die in der militärischen
Lage Belgiens und der Stärke der französischen Ostgränze gelegen
waren. Getrost konnte man noch vor Ablauf des Winters den
Angriff an der Maas eröffnen, Mastricht, das seit dem 6. Febr.
blokirt war, entsetzen. Während der Besprechungen in Frankfurt
sandte der Prinz von Coburg seinen ersten Generaladjutanten, den
Obersten Mack, mit dem Auftrag an Clerfayt, es sei der Plan,
noch diesen Winter den Feind über die Maas zu treiben; er solle
darum das rechte Ufer der Roer freimachen, seine Quartiere vorschieben und die Verpflegungsanstalten treffen, um „die Möglichkeit und Behendigkeit einer Unternehmung auf den zwischen Maas
und Roer befindlichen Feind vorzubereiten." Es sollte Alles so
beschleunigt werden, daß der Angriff zu Anfang März stattfinden
könne.*) Wohl schien Clerfayt noch etwas unter den Nachwirkungen des raschen Rückzugs vom November und December zu
leiden; er überschätzte offenbar die Stärke der Franzosen und wartete auf bestimmte Weisungen vom Feldmarschall, die Mack jetzt
brachte. Lebhaft drängte zu dem Angriff auch Tauenzien, der
militärische Bevollmächtigte Preußens; er hatte von der Widerstandskraft der französischen Truppen, wie sie in diesem Augenblick
waren, eine sehr geringe Meinung und war voll der besten Erwartungen vom Feldzug. „Ich kenne den Prinzen Coburg nicht,
schrieb er,**) ist es ein decidirter Herr, so wird Alles gut gehen."
Er drückte damit nur die Stimmung seines Königs aus; auch
dieser drängte auf rasches Vorgehen und mahnte aufs angelegentlichste, durch den Verlust von Mastricht nicht die ganze Lage des
künftigen Feldzugs verderben zu lassen. Man war im preußischen
Hauptquartier zu Frankfurt nicht ohne Sorge, Mastricht möchte
verloren werden, sei es durch Clerfayts Zögern, sei es, weil, wie

---

*) Nach handschr. Aufzeichnungen von Mack, datirt von „Cöln am Rhein,
17. Febr. 1793."

**) Aus einem Berichte Tauenziens, d. d. 18. Febr.

unruhen versucht werde, sei als nichtig und unstatthaft anzusehen;
alle Schuldigen würden aber von den angedrohten Strafen getroffen · werden.

Noch stand Eines bevor: die Berathung der noch unerledigten
Punkte jenes kaiserlichen Hofdecrets vom September, welches die
förmliche Kriegserklärung des Reichs an die französische Republik
beantragte. Man hatte damals in dem ersten Drange der Noth (Nov.,
Dec.) zunächst nur einen Punkt, die Ausrüstung des Triplums und die
Einziehung der Römermonate, beschlossen; noch immer war aber
der förmliche Abbruch friedlicher Beziehungen nicht erfolgt. Es
dauerte Wochen lang, bis die am 4. März begonnene, sehr umständliche Abstimmung zu Ende war; erst am 22. März war das
Reichsgutachten fertig. Der Reichstag war darüber einig geworden, daß der von Frankreich durch Gewaltschritte angefangene und
dem Reich aufgedrungene Krieg für einen allgemeinen Reichskrieg
zu erklären und als solcher zu verkünden sei; die früher geschlossenen Verträge mit Frankreich, seit dem Münsterschen, und die darin
gemachten Abtretungen, seien demnach nicht mehr verbindlich. In
Betreff der Volksverführer und Ruhestörer, so wie der aufwieglerischen Schriften, blieb man bei den früher angeordneten Maßregeln; auch sollte auf den Briefwechsel, so weit er dem Feinde Vorschub leisten könne, geachtet, der Handelsverkehr, wenigstens mit
Kriegsbedürfnissen, eingestellt*) und der Umlauf der Assignaten gehindert werden. Endlich solle allen Reichsangehörigen jede Neutralität, möge sie offen oder verdeckt sein, untersagt und in keinem
Falle gestattet werden.

Am 30. April erfolgte das kaiserliche Ratificationsdecret, welches alle diese Anträge des Reichsgutachtens bestätigte. Es waren in diesem ausführlichen Aktenstück nicht nur alle die Beein-

---

*) Der dahin bezügliche Beschluß lautete: „das Commerz wäre mit wohl-
bedächtlicher Ausnahme aller in den kaiserlichen allerhöchsten Inhibitorien bereits verbotenen und namentlich ausgedrückten Artikel der Kriegsbedürfnisse
auch noch während des Krieges, wenigstens in so lang als dasselbe nicht von
Frankreich unterbrochen und zerstört würde, aufrecht und in seinem Gange zu
erhalten; doch unabbrüchig derjenigen Vorkehre, welche deßfalls und überhaupt
in Rücksicht der französischen Waaren ein jeder Landesherr nach der Lage und
Convenienz seiner Lande auch im Einzelnen für sich und zu allen Zeiten zu
verfügen befugt ist.“

trächtigungen aufgezählt, welche das Reich seit 1789 von Frankreich erfahren hatte, sondern namentlich der tiefe principielle Gegensatz nachdrücklich betont, welcher die alte feudale Ordnung von
den Neuerungen im Westen schied. Von dieser Seite angesehen,
bot das Ratificationsdecret ein besonderes Interesse; es war das
bedeutendste politische Manifest, welches in jener Zeit als officielle
Kundgebung gegen die Revolution von deutscher Seite ausgegangen ist. Es ist darin zuerst die religiöse und politische Intoleranz,
die Jeden mit dem Untergang bedrohe, der anderen Grundsätzen
und Gesinnungen huldige, dann die verwegene und unheilvolle
Proselytensucht hervorgehoben, die durch Schriften, geheime Verbindungen und Sendboten die revolutionären Ideen zu verbreiten
suche. Es werden die Aeußerungen des Convents und seine bedenklichsten Beschlüsse durchgegangen, von dem bekannten Wort
an: „Krieg den Palästen und Friede den Hütten", bis zu dem
jüngsten Beschlusse vom 15. Dec., welcher in den besetzten Gebieten die Einführung des revolutionären Zustandes anordne. Es
müsse aber jede gesellschaftliche Ordnung gefährden, wenn man,
wie die Revolution thue, „abstracte philosophische Gemeinplätze und
speculative Staatstheorien mit eigensinniger Zurückstoßung aller
Vortheile der Weisheit und Erfahrungen voriger Zeitalter, ohne
Rücksicht auf physische und moralische Verhältnisse", durchzuführen
suche. Auch sei es ganz wider die Natur, „dem ganzen Menschen-
geschlechte über die Auswahl dieser Mittel und Wege zu seiner
bürgerlichen Glückseligkeit nur einen Sinn aufbringen zu wollen."
Eine Freiheit, welche nur für den Naturmenschen passe, müsse
nothwendig den Endzweck jeder Staatsverbindung vernichten, und
wenn sie nicht der individuellen Lage der Menschen angepaßt sei,
zwar der Einbildungskraft des großen Haufens schmeicheln, aber
früher oder später doch nur gewaltsame Erschütterungen hervorrufen und alle ersprießlichen Folgen einer allmälig wirkenden wohlthätigen Aufklärung und der darauf gegründeten Cultur zerstören.
Eine vernünftige Gleichheit, die sich auf gleichen Schutz, Sicherheit und Gerechtigkeit erstrecke, sei unter jeder Regierungsform denkbar; es sei aber der rücksichtsloseste Despotismus, wenn man die
Gleichheit darin suche, den Völkern die unbedingte Ausübung philosophischer Machtsprüche aufbringen zu wollen.

Wir hielten es der Mühe werth, diese einzelnen Vorgänge

genauer zu verfolgen, die dem Kampfe des deutschen Reiches mit
der Revolution vorangehen, einem Kampfe, dem das Reich sammt
seiner Verfassung erlegen ist. Es konnte von diesem tragischen
Ausgange schon jetzt eine Ahnung auftauchen, wenn man mit den
großen Worten und drohenden Beschlüssen, die zu Regensburg gehört wurden, den unmittelbaren praktischen Erfolg verglich. Daß
während dieser Vorbereitungen, zu Ende des Jahres 1792, Mainz
verloren ging, Frankfurt gebrandschatzt, das rechte Rheinufer ausgeplündert ward, haben wir bereits früher wahrgenommen; noch im
Frühjahr 1793, nachdem der Krieg erklärt war, bestand aber die Reichsarmee eben nur in den Beschlüssen der Regensburger Versammlung.
In einer Erklärung vom 31. März verkündet Hannover, es habe sein
Contingent zur Reichsarmee stellen wollen; „nachdem jedoch wider
Vermuthen es zur Bildung einer solchen Armee bis jetzt noch nicht
gekommen, so habe man das Contingent nach Holland geschickt,
wo ein eigenes hannoversches Armeecorps aufgestellt werden solle.“
Vergebens mahnte dann der neue Reichsgeneral, der Prinz von
Coburg, ihm das Contingent nach den Niederlanden zu schicken;
man sei, so lautete die hannoversche Antwort, allerdings bereit,
sein Contingent zur Reichsarmee, aber auch nur zur Reichsarmee
zu schicken; da diese nicht existire, würden die Truppen nach Holland gehen.

Wie viele Reichsstände ließen sich aber anführen, die nicht
einmal ein Contingent aufstellten! Ein Theil benahm sich, wie
wenn jene Beschlüsse vom November und März gar nicht existirten; andere, zumal die Schwächeren, waren ehrlich genug, um
förmliche Neutralität zu bitten. Die Reichsstadt Cöln erklärte
schon im Dec. 1792, daß sie zu dem Reichskriege nicht concurri-
ren könne und deßhalb die Neutralität ergreife, „die auch anderen
Ständen in derlei Fällen zugestanden sei.“ Hamburg war sehr ungehalten, daß man ihm verbieten wolle, den Franzosen Kriegsbedürfnisse zuzuführen; es gingen denn auch ganze Schiffsladungen
Getreide nach Frankreich, um den Reichsfeind mit Lebensmitteln
zu versorgen. Und ein Mann, wie Büsch, focht ganz eifrig den
Satz durch, diese verrätherische Neutralität sei die einzig richtige
Politik der Reichsstädte! Die hannoversche Regierung, die dem
Reichsfeldherrn gegenüber selber das Beispiel der Widerspenstigkeit
gegeben, war darüber mißvergnügt, brachte ein Hamburger Schiff,

das mit einer großen Weizenladung nach Bordeaur bestimmt war, bei Stade auf und erhob Beschwerde bei dem Reichstage. Wir hören aber nicht, daß der Unfug aufgehört habe.*) Oder ein anderes Beispiel! Der Kurfürst von Cöln, der einst auf dem Reichstage so troßige Reden geführt, sollte im Febr. 1793 sein Contingent zu dem gemischten Corps des Herzogs Friedrich von Braunschweig stellen. Da wurden denn alle denkbaren Vorwände hervorgesucht, um dem zu entgehen, und als der Herzog gar das Städtchen Rheinberg beseßte und es zu befestigen Miene machte, erhob der geistliche Herr einen Lärm, als wenn ihm das bitterste Unrecht geschehen.**)

Was wollte aber diese selbstsüchtige Absonderung der Kleinen und Ohnmächtigen bedeuten, gegenüber dem ärgerlichen Beispiel, das einer der ersten Reichsstände, der Kurfürst von Pfalzbaiern, gab? Erst hatte die pfalzbairische Regierung es mit der Bedrängniß durch die Franzosen entschuldigt, daß sie sich „leidend verhalten" und sich, „zur Befriedigung des gränzenlosen Patriotismus Sr. kurfürstlichen Durchlaucht", darauf habe beschränken müssen, durch das pfälzische Contingent Mannheim zu decken; dann, wie die Angst vor Custine nicht mehr vorgeschüßt werden konnte, trat sie mit dem naiven Anerbieten auf, ihr Contingent „gegen annehmliche Bedingnisse, worüber vorbersamst die nöthige Uebereinkunft zu treffen", dem Kaiser überlassen zu wollen.***) Diese Aeußerung brachte denn doch selbst in dem phlegmatischen Kreise des officiellen Reichs einige Bewegung hervor; schon früher hatte Preußen sich über die Einverständnisse bitter ausgelassen, die ein Reichsfürst mit einer „bloßen Räuberbande, nicht einmal einem ordentlichen Kriegsheer" gepflogen; jeßt sprach auch der Kaiser (30. April) sein lebhaftes Mißfallen darüber aus, daß man sich

---

*) In einer späteren hannoverschen Beschwerde heißt es, der Handel werde, „zwar nicht mehr unter der hamburgischen Flagge, sondern unter der Flagge auswärtiger Nationen, jedoch, wie allgemein bekannt ist, von der eingesessenen Hamburger Kaufmannschaft zum größten Anstoß fortgesetzt. Der Magistrat sei darüber ganz und gar in keiner Unwissenheit und könne es auch nicht sein, gestatte es aber geflissentlich."

**) Aus der Correspondenz Friedrichs von Braunschweig.

***) Pfalzbair. Promemoria, d. d. 18. April 1793. (In der Reichstagscorrespondenz.)

allen kleineren Herren die beste Armee besaß, er habe keine Materialien zur Herstellung eines Feldlagers, kein Fuhrwesen und keine
Feldbäckerei und könne das Alles auch nicht stellen, so lange ihm
der kaiserliche Hof die 40,000 Thaler nicht bezahle, die ihm für
seine jüngste Mobilmachung aus der Reichskriegscasse versprochen
waren. Wir werden diesen 40,000 Thalern, die in der diplomatischen Correspondenz jener Zeit bis zum Sommer 1793 eine bedeutende Stelle einnehmen, später noch einmal begegnen. Lucchesini hatte nicht Unrecht, wenn er damals schrieb:*) „die Hülfe des
heil. röm. Reichs ist allerdings so viel wie Null. Dieser berühmte
Fürstenbund war nichts als eine politische Vogelscheuche; er hat
einen Augenblick die Leute erschreckt, aber je näher man ihm kam,
desto mehr überzeugte man sich, daß er weder Körper noch Bewegung hatte."

Ueberblickte man alle diese Verhältnisse, die unzulängliche
Kriegsrüstung selbst Oesterreichs und Preußens, den Mangel an
Einheit in der Führung, die Verfallenheit des Reichs und seiner
Wehrverfassung, den Egoismus der einzelnen Stände, so durfte
man die Erwartungen von den Erfolgen des bevorstehenden Feldzugs sicher nicht zu hoch spannen; ja man hätte auf neue Unglücksfälle gefaßt sein dürfen, wäre nicht die gränzenlose Zerrüttung in Frankreich selber der beste Verbündete der deutschen Kriegführung gewesen. Eine Aeußerung des Herzogs von Braunschweig
aus jener Zeit**) spricht dies Mißtrauen in den Gang des künftigen Feldzugs sehr nachdrücklich aus. „Wird dies Chaos von
politischen und militärischen Combinationen, sagt er, ohne die
Gunst des Zufalls zu irgend einem gedeihlichen Ziele führen, so
will ich den Führern an der Spitze Glück wünschen. Wenn man
nicht Meister der nöthigen Mittel ist, wenn man bitten muß, statt
zu befehlen, wenn man erst um Truppen unterhandeln muß, statt
sie gegen den Feind zu führen, wenn endlich jede der verbündeten
Mächte ihre Hintergedanken hat und der leitende Faden nicht in
einer Hand liegt, da muß man entweder die Augen verschließen
oder annehmen, daß die nämliche zusammenhanglose Politik nicht

---

*) Schreiben an Tauenzien, d. d. 9. Juni.
**) Aus einem Briefe des Herzogs, d. d. Frankfurt, 20. Febr. 1793.

Nachtheile hervorruft, die einst im siebenjährigen Kriege mir Glück gewesen sind."

Die erste Aufgabe des neuen Feldzugs sollte nach den Frankfurter Verabredungen der Entsatz von Maftricht sein; auf dem niederländischen Kriegsschauplatze begann also der Kampf. Die politische Verknüpfung Belgiens mit Oesterreich brachte es mit sich,
daß das österreichische Hauptheer den Krieg in den Niederlanten
zu führen hatte, während die natürliche geographische Lage die
preußische Armee nach Belgien, die österreichische nach dem Mittel-
und Oberrhein hinwies. Statt dessen hatte die südlichste Macht
ihre bedeutendsten Streitkräfte auf dem nördlichsten Kriegsschauplatze, und die natürlichen Hülfsquellen eines Heeres, das an der
Maas, Schelde und Sambre den Krieg führen sollte, lagen in
Böhmen und an der Donau. Dazu kam die ungünstige militärische
Lage Belgiens, zumal seit der Schleifung der Barrièreplätze; das
Land hatte keine Festungen, nicht einmal einen guten Waffenplatz,
wie ihn die österreichische Armee bedurfte. Gegenüber dem Gürtel
französischer Festungen, der von Maubeuge und Valenciennes bis
Lille und Dünkirchen die Nordostgränze Frankreichs schirmte und
der Vertheidigung des Landes es sehr leicht machte, große Truppenmassen zu concentriren, waren die österreichischen Niederlande
ein offenes Gebiet, das durch eine verlorene Schlacht dem Feind
preisgegeben werden konnte. Ein solches Terrain festzuhalten, war
an sich keine leichte Sache, zumal mit einer Coalitionsarmee, die
aus verschiedenen Bestandtheilen zusammengesetzt und deren Leitung
vielfach von ganz widerstrebenden politischen und territorialen
Interessen bestimmt war. *)

Die Folgen dieser Nachtheile sind in diesem und noch

----

*) Hier wie im Folgenden, wo in die Darstellung auch militärische Rai-
sonnements verflochten sind, haben wir eine handschriftliche Arbeit über den Feldzug von 1793 benutzt, die uns der Herr Verfasser, ein hochgestellter preußischer
Militär, mit derselben Bereitwilligkeit zu Gebote gestellt hat, deren wir uns
auch sonst zur Förderung dieser Arbeit in dankenswerthester Weise von ihm
zu erfreuen hatten.

mehr im folgenden Jahre sehr sprechend hervorgetreten; jetzt freilich, in der ersten Hälfte von 1793, lagen die Verhältnisse noch entschieden zu Gunsten der verbündeten Kriegführung. Die innere Zerrüttung Frankreichs, der Mangel einer ausreichenden Kriegsrüstung, der Zwiespalt der Parteien und der Feldherrn wog allerdings die meisten Schwierigkeiten auf, die in der militärischen Lage Belgiens und der Stärke der französischen Ostgränze gelegen waren. Getrost konnte man noch vor Ablauf des Winters den Angriff an der Maas eröffnen, Mastricht, das seit dem 6. Febr. blokirt war, entsetzen. Während der Besprechungen in Frankfurt sandte der Prinz von Coburg seinen ersten Generaladjutanten, den Obersten Mack, mit dem Auftrag an Clerfayt, es sei der Plan, noch diesen Winter den Feind über die Maas zu treiben; er solle darum das rechte Ufer der Roer freimachen, seine Quartiere vorschieben und die Verpflegungsanstalten treffen, um „die Möglichkeit und Behendigkeit einer Unternehmung auf den zwischen Maas und Roer befindlichen Feind vorzubereiten." Es sollte Alles so beschleunigt werden, daß der Angriff zu Anfang März stattfinden könne.*) Wohl schien Clerfayt noch etwas unter den Nachwirkungen des raschen Rückzugs vom November und December zu leiden; er überschätzte offenbar die Stärke der Franzosen und wartete auf bestimmte Weisungen vom Feldmarschall, die Mack jetzt brachte. Lebhaft drängte zu dem Angriff auch Tauenzien, der militärische Bevollmächtigte Preußens; er hatte von der Widerstandskraft der französischen Truppen, wie sie in diesem Augenblick waren, eine sehr geringe Meinung und war voll der besten Erwartungen vom Feldzug. „Ich kenne den Prinzen Coburg nicht, schrieb er,**) ist es ein decidirter Herr, so wird Alles gut gehen." Er drückte damit nur die Stimmung seines Königs aus; auch dieser drängte auf rasches Vorgehen und mahnte auf's angelegentlichste, durch den Verlust von Mastricht nicht die ganze Lage des künftigen Feldzugs verderben zu lassen. Man war im preußischen Hauptquartier zu Frankfurt nicht ohne Sorge, Mastricht möchte verloren werden, sei es durch Clerfayts Zögern, sei es, weil, wie

---

*) Nach handschr. Aufzeichnungen von Mack, datirt von „Cöln am Rhein, 17. Febr. 1793."

**) Aus einem Berichte Tauenziens, d. d. 18. Febr.

deren Stärke zwischen 36,000 und 42,000 Mann angegeben wird, von der Maas gegen Tongern und St. Tron aufgebrochen und hatte Tirlemont genommen (15. März). Auch für ihn war eine Schlacht der natürlichste Ausweg. Die Frankfurter Verabredungen hatten zwar das weitere Vorgehen über die Maas und die Eroberung von Belgien für bedenklich gehalten, so lange Mainz nicht gefallen war; aber die Erfahrungen der letzten Tage hatten die Ansicht der Dinge verändert. Der rasche Rückzug der Franzosen, ihre sichtbare Auflösung ließ die Eroberung der Niederlande als kein so großes Wagestück mehr erscheinen. Eine Schlacht auf dem Wege nach Brüssel, selbst wenn sie verloren ward, ließ den Oesterreichern den Rückzug auf Mastricht frei; wenn sie gewonnen ward, war Holland vor dem französischen Angriff gedeckt, Belgien befreit.

Am 16. ging Dumouriez vor, an Zahl den Oesterreichern ungefähr gleich, besetzte Tirlemont wieder und entwickelte seine Truppen in den nächstgelegenen Orten auf der Straße nach Lüttich. Um das Dorf Goidzenhoven, das hochgelegen die ganze Gegend zwischen der Chaussee und den beiden Flüßchen, der großen und kleinen Geete, beherrschte, entspann sich ein lebhaftes Gefecht; die österreichische Avantgarde griff an, wurde aber, bei aller Tapferkeit, von der Uebermacht zurückgedrängt, und das Hauptheer rückte nicht nach, zog vielmehr über die kleine Geete, die bereits überschritten war, wieder zurück, ohne sich in den Kampf einzulassen. Das glückliche Gefecht des Tages hatte für Dumouriez den Werth, daß es seinen Truppen, die der letzte Rückzug demoralisirt, ihr Selbstvertrauen wiedergab; er entschloß sich nun getrost zur Schlacht. Die Oesterreicher hatten sich auf dem Terrain hinter der kleinen Geete, von Racour über Oberwinden und Neerwinden, über die Lütticher Straße hinaus bis gegen Léau hin, ausgebreitet; dort stand mit dem rechten Flügel der Erzherzog Karl. Der zweiundzwanzigjährige Prinz, dessen Talent zuerst in diesem Feldzug größere Erwartungen weckte, hatte sich schon bei den Kämpfen zwischen der Roer und Maas, namentlich am 1. März bei Aldenhoven, ausgezeichnet; unter seiner Führung geschah jetzt auch das Entscheidende in der Schlacht, die Belgien den kaiserlichen Waffen wieder unterwarf.

Am Morgen des 18. März ließ Dumouriez den Angriff gegen die weit ausgedehnte Linie der Oesterreicher beginnen; ungefähr zwei Dritttheile seines Heeres, gegen 30,000 Mann, griffen unter Valence und dem jungen Egalité den linken Flügel der Oesterreicher an; der Rest, etwa 14,000 Mann, unter Miranda, wandte sich gegen den Erzherzog. Ein lebhaftes Gefecht entspann sich um die Dörfer Racour und Oberwinden, wo sich die Franzosen festgesetzt; zweimal wurden die Ortschaften von den Oesterreichern genommen und zweimal wieder verloren; zum dritten Male behaupteten sie sich, durch einen glücklichen Angriff der Reiterei unterstützt. Auch Neerwinden ward nun vom Feinde preisgegeben, und ohne Thouvenots Festigkeit hätte jetzt die überlegene österreichische Cavallerie dem französischen Corps eine völlige Niederlage beigebracht. Am Abend waren die Franzosen zwar nicht über die Geete zurückgeworfen, aber doch aus den Stellungen, deren sie sich am Morgen bemächtigt, herausgedrängt. Während sich hier die Oesterreicher gegen einen überlegenen Angriff, in einem Gefechte von sieben Stunden, glücklich behauptet hatten, war auf dem rechten Flügel die Entscheidung des Tages erfolgt. Dort war am Morgen Miranda gegen Dormael und Léau vorgegangen und es ward um Dormael heftig gefochten, bis am Nachmittag der Erzherzog die feindliche Infanterie in Verwirrung zurückwarf und ein nachdrücklicher Angriff der Reiterei die Niederlage der Franzosen vollendete; in wilder Flucht, mit Verlust des Geschützes, eilten sie bis hinter Tirlemont. Am andern Morgen traten denn auch die anderen französischen Colonnen den Rückzug gegen Tirlemont an.

Der Verlust der Oesterreicher — 97 Officiere und 2747 Gemeine — war nicht unbedeutend; aber die Entscheidung war folgenreicher, als die mancher blutigeren Schlacht. Zu der Einbuße von viertausend Mann und dreißig Kanonen kam auf französischer Seite die völlige Demoralisation des Heeres; eine viel größere Zahl, als die Schlacht gekostet, lief in bunter Verwirrung heim, und nach wenig Tagen hatte Dumouriez nur noch ungefähr 20,000 Mann in seinem Lager. Hatte er vorher mit der doppelten Zahl die Niederlande nicht geglaubt vertheidigen zu können, so war nun, nach einer verlorenen Schlacht, der Rückzug unvermeidlich geworden. In der Stimmung der Belgier war zudem eine ähnliche Enttäuschung eingetreten, wie in der deutschen Bevölkerung am Mittelrhein.

Die Lage im Innern von Frankreich hatte sich so gestaltet,

daß Dumouriez kaum hoffen konnte, die in vollem Fortschritt begriffene Schreckenspartei werde ihm sein Mißgeschick bei Neerwinden verzeihen. Sein geschmeidiges Talent war durch keine politische Ueberzeugung bestimmt; er war ja jederzeit ein Mann der Umstände und Gelegenheiten gewesen. Hatte er früher die Fahne der Gemäßigten mit der republikanischen vertauscht, so schien ihm jetzt der Moment gekommen, eine Schwenkung zum Royalismus vorzunehmen. Durch ein Einverständniß mit den Verbündeten sich den Rücken zu decken, die Niederlande zu räumen und die Schreckenspartei im Innern mit einem militärischen Staatsstreich zu überraschen, das lag jetzt ebenso sehr in der äußern Constellation, wie diese ihn im September 1792 vermocht, mit den Jakobinern sich gegen den König zu wenden. Zwar hatte er nach dem Schlage von Neerwinden eine energische Verfolgung nicht zu besorgen; der Prinz von Coburg, ein Zögling der bedächtigen Kriegführung, hielt die feindliche Armee mit allen den zerstreuten Corps, die sie rasch heranziehen konnte, immer noch für 50,000 M. stark, er selber hatte nur dreißigtausend.[*] Allein die Auflösung der französischen Armee nahm zu, und die Gedanken des Feldherrn waren mehr nach Paris als nach dem feindlichen Lager gerichtet. So ward am 23. März Löwen geräumt, wie Dumouriez behauptet, in Folge einer mündlichen Verabredung mit Oberst Mack, der im Namen der Kaiserlichen versprochen, den Rückzug nicht durch lebhafte Angriffe zu beunruhigen. Der Abmarsch von Löwen artete schon in volle Flucht aus, auch Brüssel war nicht zu halten; am 27. war das französische Hauptquartier schon in Ath.

Indessen hatte Dumouriez den Oberst Montjoie an den Prinzen gesandt und ihm erklären lassen: er wolle dem Elend in Frankreich ein Ende machen und das constitutionelle Königthum wiederherstellen; man solle ihm eine vertraute Person schicken, um das Weitere zu besprechen. Mack ging nach Ath, wo Dumouriez

---

[*] „Après les derniers avantages remportés par le Prince de Cobourg sur le général français l'armée autrichienne n'était que de 30000 hommes et celle de Dumouriez de 50000 —" so lautet die Erklärung, die nachher Mack bei den Antwerpener Conferenzen im Namen des Prinzen giebt. (Aus den handschriftlichen Mittheilungen und Protokollen über die Conferenzen, welche der folgenden Darstellung zu Grunde liegen.)

in Gegenwart von Valence, Thouvenot und anderen Officieren ihn empfing. Dumouriez erklärte, er werde den Convent sprengen, die königliche Familie befreien und Ludwig XVII. mit der Constitution von 1791 als König ausrufen; zur Vollführung dieser Aufgabe sei es aber nöthig, daß man ihn in seiner Stellung hinter der Denber nicht nur nicht beunruhige, sondern wo möglich unterstütze. Mack machte als Bedingung eines jeden Abkommens die Räumung der Niederlande geltend, und nach einigen Verhandlungen darüber versprach es Dumouriez gegen die Zusage: daß die Oesterreicher ihm nur bis zur Gränze folgen und erst dann weiter gehen würden, wenn Dumouriez selber sie zu seiner Hülfe herbeirufe. Sobald er seinen Marsch auf Paris antrete, solle die Festung Condé, als Pfand der Uebereinkunft, von ihnen besetzt werden. Es geschah, wie verabredet; in den letzten Tagen des März bewegten sich die verschiedenen französischen Colonnen im Rückzug auf Mons, Tournay und Courtray.

Aber freilich; der französische Feldherr erfuhr dieselbe Enttäuschung, der sein Vorgänger, Lafayette, erlegen war; die Truppen gehorchten ihm nur zum kleinen Theil, und es blieb ihm kein Ausweg, als mit seinen Getreuen, am Morgen des 5. April, eine Zuflucht im österreichischen Lager zu suchen. Noch in der letzten Nacht vor der Katastrophe hatte Dumouriez, durch Mack's Vermittlung, den Prinzen vermocht, eine Proclamation zu erlassen, worin er den Franzosen ankündigte, er wolle nur im Verein mit Dumouriez die verfassungsmäßige Ordnung herstellen und verspreche feierlich: keine Eroberungen zu machen und die ihm eingeräumten Plätze nur als „ein heiliges, ihm anvertrautes Pfand" bis zum Frieden zu bewahren.*) Bis der Aufruf ins französische Lager kam, hatte

---

*) Die beiden Proclamationen finden sich bei Dumouriez IV. 287 — 296. In der handschriftlichen Mittheilung über die Erklärungen in den Antwerpener Conferenzen ist sie in folgender Weise motivirt: La declaration ne pourrait avoir qu'un bon effet pour la cause des souverains, si Dumouriez reussissait. Si au contraire il échouait, on y gagnerait toujours l'avantage du désordre que son entreprise devait causer dans les armées françaises. Le général autrichien n'ayant pas une seule pièce d'artillerie de siège ni un nombre suffisant de troupes, ni même l'espérance d'avoir l'un ou l'autre avant six semaines, crut ne rien risquer en donnant cette déclaration qui pourrait toujours tourner au profit de ses opérations futures. Si après avoir reçu en dépôt l'une ou l'autre

Dumouriez schon fliehen müssen. Der Plan der Contrerevolution war damit vereitelt, aber die letzten Vorgänge, namentlich der Aufruf des kaiserlichen Feldherrn, hatten noch auf Seiten der Verbündeten eine Nachwirkung, die zu bezeichnend ist, als daß wir darüber schweigen dürften.

Der erste Eindruck von Dumouriez's Eröffnungen war verschieden gewesen. Das preußische Ministerium, dem Tauenzien am 28. März darüber Bericht gegeben, hegte kein rechtes Vertrauen zu dem „demokratischen General" und hatte ihm auch, wie es zu erwähnen nicht unterließ, seine Taktik in der Champagne noch nicht vergessen. Jedenfalls müsse man diesmal mit äußerster Vorsicht zu Werke gehen, sich nur gegen solide Bürgschaften, z. B. die Räumung von Lille und Valenciennes, mit ihm einlassen.*) Lebhafter nahm Friedrich Wilhelm II. die Sache auf; er dachte nur an Eines: die mögliche Befreiung der königlichen Familie. Voll Freude hört er, daß Dumouriez durch die Verhaftung der Conventscommissarien sich den Rückweg abgeschnitten hatte und nun den „Gefangenen im Tempel" vielleicht bald ihr Kerker erschlossen werde. In jedem Falle, räth er (und dieser Rath war der beste), wenn auch Dumouriez in seinem Beginnen untergehe, solle Coburg rasch vorschreiten und die gebotene Gelegenheit sich nicht entschlüpfen lassen. Und wie dann die Sache wirklich gescheitert war, trieb er wiederholt den Prinzen an, wenigstens die Verwirrung der Franzosen nach Kräften zu benutzen und der Armee ohne Führer scharf auf den Leib zu gehen.**)

Ganz andere Empfindungen wurden in dem großen Kriegsrath laut, der wenige Tage nach Dumouriez's Flucht zu Antwerpen stattfand. Der Herzog von York, der Erbstatthalter und der Erbprinz von Oranien, der Prinz von Coburg, dann von Diplomaten Graf Metternich, Lord Auckland, die Grafen Starhemberg und Keller, von Officieren Murray, Knobelsdorf, Mack und Tauenzien

---

place forte la Cour de Vienne ou les autres cours désavouaient sa déclaration, il tiendrait sa parole en les restituant, mais aurait gagné une connoissance exacte de leur intérieur et d'autres facilités pour en faire l'attaque.

*) Aus einer Depesche des Ministeriums des Auswärtigen an Tauenzien, d. d. Berlin, 5. April.

**) Schreiben an Tauenzien vom 7. April und vom 11. April.

wohnten ihm bei. Außer den Erörterungen über die laufenden militärischen Fragen*), war es besonders die Proclamation des Prinzen, welche die Versammlung beschäftigte. Man war darüber allgemein ungehalten, und der Oberst Mack sah sich zu einer ausführlichen Rechtfertigung genöthigt. Aber das genügte nicht; der Prinz mußte (9. Apr.) eine zweite Proclamation erlassen, worin er seinen ersten Aufruf förmlich zurücknahm. Schon dies Eine bewies, daß der ritterliche Standpunkt, von dem aus der Krieg im vorigen Jahre begonnen — die uneigennützige Herstellung der Monarchie ohne jede Eroberung — nun aufgegeben war. Aber man sprach sich noch deutlicher aus. Auf die Frage, ob York die Stellung zwischen Menin und Ostende einnehmen könne, erklärte Auckland, das entspreche ganz dem britischen Plane, „den Niederlanden eine gute Barrière zu erwerben;" auch mache er kein Geheimniß daraus, daß seine Regierung an sehr beträchtliche Entschädigungen denke. Auch der Erbstatthalter erklärte, da alle Mächte an Entschädigungen dächten, so hoffe er, werde Holland nicht leer ausgehen. Der anwesende preußische Bevollmächtigte schwieg, da Preußens Entschädigungen anderwärts lagen; er spricht nur in seinem Berichte die Vermuthung aus, daß für Oesterreich das französische Flandern als Entschädigungsobject ausersehen sei.**) Es erscheint ohne Zweifel als consequenter und würdiger, wenn man den ursprünglichen Gedanken eines königlichen Kreuzzuges gegen die Revolution festgehalten hätte; aber wir erinnern uns, der war schon im October 1792 auf dem Rückzug aus der Champagne

---

*) Diese betrafen (nach dem handschriftl. Protokoll) den Stand der preußischen, englischen, hannoverschen und holländischen Truppen, ihre Marschbereitschaft und Bestimmung, ihre Führer und ihre Magazine. Darnach zählte das preußische Hülfscorps 8000 Mann, das englische 7 Bataillons zu 600 Mann und ungefähr 3000 Pferde, die Holländer werden auf 15000 Mann angegeben, die Hannoveraner auf 12—13000. Die Preußen sollten am 9. oder 10. April in Tournay eintreffen, die Engländer am 20. in Ostende, ein Theil der Holländer sollte gegen Ende des Monats zwischen Ostende und Menin anlangen, der Rest war gegen den 20. Mai zu erwarten. Mit Geschütz waren die Truppen versehen, den Belagerungstrain erwartete man von der holländischen Republik.

**) Die Mittheilungen darüber finden sich theils in dem schon oben benutzten Actenstück (aus der Correspondenz des Herzogs Friedrich von Braunschweig), theils in dem Briefwechsel Tauenziens.

einer anderen Berechnung gewichen. Und wie hätte man, Ange=
sichts der Dinge in Polen, noch den Muth haben mögen, ein
großes conservatives Princip als den einzigen Zweck des Krieges
zu bezeichnen! Auch hatten die Franzosen sich nicht zu beschweren;
sie hatten ja ihren Grundsatz, „keine Eroberungen" zu machen,
ebenso gewaltsam gedeutet, wie jetzt die alten Monarchien ihren
Kriegszug für die königliche Ordnung in Europa. Aber Eines
durfte man nicht aus dem Auge verlieren; die Eroberungsgedan=
ken wurden bald ein großes Hinderniß für das Gelingen der ver=
bündeten Kriegführung; denn zu allem Uebel einer bunt zusam=
mengesetzten und so verschiedenartigen Coalition kam nun noch
in der Eifersucht und dem Egoismus der Einzelnen ein mächtiges
Motiv der Entzweiung.

Auch am Mittelrhein hatten die militärischen Bewegungen
indessen begonnen. Es standen dort am rechten Ufer, ungefähr
vom Main bis zur Lahn, 50,000 Mann Preußen, verstärkt durch
die Contingente von Sachsen, Hessen=Cassel und Darmstadt, die
etwa 14,000 Mann betrugen, und als Deckung des linken Flü=
gels hatte Wurmser mit einem Theile des österreichischen Corps am
Oberrhein sein Hauptquartier in Heidelberg aufgeschlagen. Ge=
genüber stand, von Worms bis zur Nahe ausgedehnt, die Rhein=
armee unter Custine, die immer noch gegen 40,000 betrug, und
hinter der Saar lagerte die Moselarmee, ungefähr 25,000 Mann
stark; die Garnisonen der festen Plätze waren in diesen Zahlen
nicht einbegriffen. Nach dem Entsatz von Mastricht — so lau=
tete die Frankfurter Verabredung — sollte vor Allem die Bela=
gerung von Mainz begonnen werden; jetzt war nicht nur die
Maas frei geworden, sondern es ward bald mit unerwarteter
Raschheit durch e i n e n glücklichen Schlachttag die Eroberung der
Niederlande vollendet, die man nach jener Verabredung erst nach
der Einnahme von Mainz hatte unternehmen wollen. In densel=
ben Tagen, wo man die Franzosen von der Roer und Maas
wegdrängte, wurden am Mittelrhein die Anstalten getroffen zum
Uebergang der verbündeten Armee auf das linke Ufer des Stro=
mes. Schon seit dem 14. begannen kleine Plänkeleien der leich=
teren Truppenschwärme, die vorausgesandt waren; am 24. ward

eine Brücke bei Bacharach geschlagen, in den folgenden Tagen
ging ein Theil der preußischen Armee hinüber und rückte gegen
die Nahe. Am 27. März ward dann Neuwinger vom Erbprinzen
von Hohenlohe bei Walbalgesheim geschlagen und gefangen, indessen Kalkreuth von der Mosel her, durch die französische Moselarmee nicht gehindert, nach der Pfalz vorging und Custine nöthigte, seine Stellung bei Kreuznach schnell zu verlassen. Während der französische General am 28. und 29. März über Alzei
den Rückzug gegen Worms antrat, drängten die Preußen nach,
schoben (30. März) den Feind immer weiter zurück und lieferten
ihm bei Oberflörsheim und Rheintürkheim glückliche Scharmützel,
die ihn nöthigten, auch die Umgebung von Pfeddersheim und
Worms zu verlassen und sich bis in die Nähe von Landau zurückzuziehen. Am 31. ging dann auch Wurmser, nachdem er Wochen lang vergeblich mit der pfälzischen Regierung wegen des Uebergangs bei Mannheim unterhandelt *), bei Ketsch über den Rhein
und schob seine Vorposten bis Germersheim vor. Die Franzosen standen demnach seit Anfang April zwischen Landau, Weißenburg und Lauterburg vereinigt und hielten ihre Verbindung mit
der Moselarmee gesichert; das verbündete Heer, das sie beobachten sollte, während Mainz belagert ward, war theils zwischen Op-

---

*) Es liegt uns darüber eine Correspondenz vor. Wurmser hatte am 15.
März eine Estafette an den Grafen Lehrbach nach München geschickt; dessen
Antwort (d. d. 19.) lautete aber nicht besonders tröstlich. „Es wäre zu wünschen, daß Ew. Exc. mit so vielen Truppen versehen wären, damit ohne fernere Rücksicht und Schonung dasjenige gebieterisch ausgeführt werden könnte,
was das allgemeine Wohl und die Lage der Sache erheische. Ohne thätige
Verkehrungen wird man in diesen französischen Angelegenheiten mit dem kurpfälzischen Hofe nicht fertig; der Herr Minister Oberndorff ist dabei in mehr-
fältigem Betracht auch wegen Güter in der Pfalz interessirt; der Herr Kurfürst hat 18—20 Mill. in Frankreich angelegt, die der zu Mannheim woh-
nende geb. Rath H. Martin besorget; dieses sind Haupttriebfedern des aller-
seitigen kurpfälzischen Benehmens, welche nach der von mir gemachten Erfahrung durch die thätigsten Negotiationen nicht gehoben werden können, sondern ohne alle Rücksicht und Schonung mit der Gewalt durchgesetzt werden
müssen." Dazu mochte sich denn Wurmser nicht stark genug fühlen; er wandte
sich daher mit einer ähnlichen Beschwerde (d. d. 22. März) an den König von
Preußen. Er solle — rieth ihm dieser — warten, bis die Preußen die Nahe
überschritten hätten, und dann den Uebergang oberhalb Mannheim vornehmen.
So geschah es denn auch.

penheim und Worms aufgestellt, theils auf der ausgedehnten Linie von Landstuhl, Kaiserslautern über Neustadt bis nach Germersheim hin ausgebreitet. Es scheint, diese weite Ausdehnung hatte zum großen Theil eine politische Ursache: man wollte die Gebiete links vom Rhein, namentlich die zweibrückischen, vor jeder französischen Occupation bewahren, und breitete sich darum weiter aus, als es sonst die vorsichtige Kriegführung jener Zeiten und der natürliche Werth concentrirterer Stellungen rathsam machte.

So war also Mainz im April eingeschlossen und die in Frankfurt verabredete Belagerung konnte beginnen. Zwar war nicht Alles so geworden, wie es jene Conferenzen im Februar bestimmt hatten; vor Allem war die Anzahl der Truppen wieder unter dem Anschlag geblieben. Es war eine leidige Praxis der damaligen österreichischen Kriegführung, deren Folgen Oesterreich selbst meistens am bittersten empfinden mußte: die Streitkräfte, die man ins Feld stellte, viel höher anzugeben, als sie in der That waren. Welche Ergebnisse man damit im Jahr 1792 erzielte, haben wir bereits früher wahrgenommen; auch jetzt war es eine der peinlichsten Störungen, daß bei den wichtigsten Unternehmungen wegen der fehlenden Truppen hin und her querulirt werden mußte. Es verstimmte gleich jetzt (April) auf preußischer Seite, daß, wie man die versprochenen 15,000 Mann Oesterreicher, von denen nur 6000 von Trier her gestellt waren, durch Coburg vervollständigt wünschte, er sich außer Stand erklärte, diese fehlenden 9000 M. seinerseits zu entbehren. Es war allerdings nur zu wahrscheinlich, daß seine Versicherungen allen Glauben verdienten; aber es verdroß auf preußischer Seite sichtbar, daß man getäuscht war und der Prinz den Preußen keinen andern Rath wußte, als sich durch darmstädtische, pfälzische und österreichische Truppen von Wurmsers Corps die fehlenden 9000 Mann zusammenzubetteln.*)

---

*) Es ist darüber eine sehr lebhafte Correspondenz geführt worden, an welcher, außer dem König, namentlich Tauenzien, Manstein und das Ministerium des Auswärtigen in Berlin Theil hatten. Richtig ist die Bemerkung, die Tauenzien damals machte. Malgré les prétendus efforts de la Cour de Vienne, schreibt er, pour mettre une armée formidable en campagne, nommément dans les Pays bas, il paraît cependant qu'elle a d'abord suivi sa malheureuse maxime, d'être du double plus fort sur le papier qu'elle ne l'est effectivement, maxime

ben kennen lernen. Die zerlumpten Carmagnolen, ohne wahre
militärischen Geist und Haltung, die uns Schimpfreden und matt
Kugeln (unerwiedert) täglich über den breiten Rhein zusendete
flößten auf keine Weise Respect ein. Es war auch nicht ein So
dat in der Armee, der sich nicht seiner innern Ueberlegenheit b
wußt und des Erfolgs sicher gefühlt hätte, wenn es dazu kom
men würde, sich ernstlich mit ihnen zu messen." Allerdings bewei
die Geschichte des Feldzuges bis in den Spätherbst, daß, mi
einziger Ausnahme der Besatzung von Mainz, dies strenge Ur
theil auf die große Mehrzahl der Truppen bei der Rhein- un
Moselarmee seine Anwendung fand.

Was lag darum näher, als diese moralische Ueberlegenheit de
Truppen, den pomphaften Zahlen der Gegner zum Trotz, rasch un
energisch zu gebrauchen? Wenigstens finden wir sehr verschie
den denkende militärische Autoritäten darüber einverstanden, da
jetzt eine kecke Kriegführung, welche die gewöhnlichen Vorsichts
regeln der Methode einmal bei Seite setzte, des glänzendsten Erfolges sicher gewesen wäre. Aber eine Menge von Beweggründen ließ erwarten, daß im preußischen Hauptquartiere, soweit die
Entscheidung vom Herzog von Braunschweig abhing, die lang
same und methodische Art des Krieges nicht verlassen ward. Vo
Allem war in den Verabredungen zu Frankfurt von etwas And
rem, als der Belagerung von Mainz und deren Deckung durch
die Beobachtungsarmee, gar nicht die Rede gewesen; was weiter
zu thun, die Frage hatte man sich dort nicht aufgeworfen. Es
fehlte demnach, nach dem technischen Ausdruck, bei einem Angri
auf die beiden französischen Heere, an „einem strategischen Object." Selbständig zu agiren, lag ja ganz außer dem Plane, da
Preußen diesmal nur als Hülfsmacht am Feldzuge Theil nahm
und die Leitung der Bewegungen dem Wiener Hofe überlassen
war. Ein Angriff schien aber auch bedenklich, weil man Lan
bau, die Weissenburger Linien, Bitsch und Saarlouis vor sich
hatte, die Franzosen, selbst geschlagen, ihre sicheren Rückzugslinien
behielten; das Mißlingen einer Schlacht übte vielleicht selbst auf die
Belagerung die entscheidendsten Folgen, während ein Sieg nichts
in die Hände gab, „als einige Quadratmeilen Terrain." *)   Das

---

*) S. Wagner, Feldzug von 1793. S. 13. 14.

beim Schopfe zu ergreifen, deſſen wirklich gute Combinationen
aber durch den Ungehorſam eines Corpsführers vereitelt worden
ſind.

Schon jetzt im April, gleich nach Wurmſers Rheinübergange,
beginnt dieſe Fronde innerhalb des verbündeten Lagers, durch die
ſchließlich alle Vortheile des Feldzuges verloren gingen. *) Im
preußiſchen Hauptquartiere wie in dem des Prinzen Coburg war
man ſchon damals unzufrieden, daß Wurmſer eine eigene Strategie zu verfolgen geneigt ſchien, und ſagte ihm nach, er laſſe ſich
von dem Emigranten Klinglin in ſeinen militäriſchen Entſchlüſſen
beſtimmen. **) Allerdings liegt eine Denkſchrift dieſes Klinglin
uns vor, die in weſentlichen Punkten mit Wurmſers ſpäterer
Kriegführung zuſammentrifft. ***) Die Preußen ſollten ſich der
Vogeſenübergänge bemächtigen und das Unterelſaß beſetzen, die
öſterreichiſche Armee am Oberrhein von Hüningen aus das Ober-
elſaß angreifen, beide ſich der kleineren Plätze dort verſichern, um
dann die beiden iſolirten Feſtungen, Landau und Straßburg, zu
überwältigen. Dergleichen Entwürfe waren aber weder in den früheren Conferenzen auch nur zur Sprache gekommen, noch ſtimmten
ſie mit den militäriſchen und politiſchen Anſichten des preußiſchen

---

*) Von welchen Geſinnungen W. von vornherein erfüllt war, hat er ſel-
ber in der ſpäteren Vertheidigungsſchrift: „Kurze Geſchichte des Feldzugs von
1793" (ſ. Wagner, der Feldzug am Rhein im Jahr 1793. S. 272 ff.) zur
Genüge dargelegt, und an Proben der peinlichſten Art fehlte es gleich anfangs
nicht. Als er z. B. im März den Befehl erhielt, bei Oppenheim über den
Rhein zu gehen, ſo erklärte er dies für eine von den Preußen ihm gelegte
„Mausfalle" und ging an einer andern Stelle über.

**) Tauenzien ſchreibt d. d. Quiévrain 23. April: On est mécontent du
général Wurmser, il est très inquiet et veut suivre un plan d'opération qu'il
s'est formé sans vouloir agir de concert avec l'armée de V. M. On le dit entièrement dirigé par le général Klinglin: — — le feldmaréchal m'a dit qu'il ve-
noit de lui écrire d'une manière très verte et qu'il suppliot V. M. de l'attirer à
Elle et de l'envisager uniquement que comme un corps entièrement dépendant
de ses ordres. Daß dieſe letzte Bemerkung gegründet war, erſehen wir aus
der übrigen Correſpondenz. Der Prinz von Coburg ſteht durchgängig auf
Seiten des Herzogs gegen Wurmſer.

***) Sie findet ſich unter derſelben Correſpondenz unter der Ueberſchrift:
„Memoire des Emigranten Klinglin, woraus ſich die Wurmſer'ſchen Operationen ableiten laſſen."

widerspenstigen Volke den Eid aufzuzwingen.*)	Im Amte Al-
senz quälte sich ein ehemaliger Bonner Theolog, Pape aus Westfalen, und ein Student aus Wallbürn vergeblich ab, den Schwur
zu erlangen. Wohl war an manchen Orten mit Erfolg vorgearbeitet. In Saarwerden und der Umgegend, die von französischem
Gebiet rings eingeschlossen war, hatte man schon im October die
Beamten verjagt, Freiheitsbäume aufgepflanzt, die Zollstöcke umgeworfen, Jagd und Waldungen geöffnet und natürlich auch die
Feudallasten beseitigt; aber weiter östlich, z. B. in Kirchheim und
in den meisten Orten am Donnersberg, mußte der Eid mit militärischer Execution erzwungen werden. In dem kleinen Gebiete
der Grafen von Leiningen war wieder Grünstadt der Sitz einer
revolutionären Partei, die mit den Mainzern in Verbindung stand;
da rückten denn am 21. Februar Forster und Bleßmann an der
Spitze französischer Executionstruppen ein und befahlen den drei
Leininger Grafen sammt ihrer Dienerschaft den Eid zu leisten, mit
der Drohung, wenn sie sich weigerten, sie über die Gränze zu
bringen und ihre Güter zu confisciren. Die Drohung wurde
wirklich vollzogen und die drei Herren wurden in den letzten Tagen des Monats gefangen nach Paris geführt. Ungeachtet dieser
Gewaltkuren wollte der neufränkische Republikanismus bei der Bevölkerung nicht recht anschlagen; Forster selbst klagt über den Ari-
stokratismus, der in der Stadt wie auf dem platten Lande um
sich greife. „Hier hat — schreibt er aus Mainz (Mitte März) —
der Fanatismus und die Unwissenheit eine Verstockung unter die
Einwohner gebracht, die man nur bedauern kann, aber zugleich
auch mit der unerbittlichsten Strenge behandeln muß. Täglich
schickt man Leute, die nicht huldigen wollen, zu dreißig und vierzig über den Rhein, und man wird bis zur Entvölkerung
der Stadt damit fortfahren, wenn sie sich nicht rathen
lassen!"
	Unter diesen Vorgängen fand die Bildung der neuen Mu-

---

*) Es fehlte nicht an komischen Zügen. Als in Sarmsheim verkündet
ward, das Volk sei frei, erklärten die Bauern: „Sieben Jahre lang haben wir bei der h. Messe deutsch gesungen; weil wir aber frei sind, so wollen wir wieder lateinisch singen." Gegen diese Interpretation der Freiheit
schrieb dann Böhmer eine eigene Brochüre: „Epistel an die lieben Bauers-
leute zu Sarmsheim."

nicipalitäten und die Wahl der Abgeordneten zum „rheinisch-deutschen Nationalconvent" statt, welcher über das Schicksal der occupirten Lande links vom Rhein entscheiden sollte. Am 17. März
ward die Versammlung, deren Vorsitz Hoffmann und Forster führten, eröffnet, am 18. der Beschluß gefaßt, den ganzen Landstrich
von Landau bis Bingen zu einem Freistaat umzugestalten, allen
Zusammenhang mit dem deutschen Reiche zu lösen und die landesherrlichen Rechte der geistlichen Fürsten von Mainz, Worms
und Speyer, der Fürsten von Nassau, von Baden, von Salm, von
Leiningen, sowie der Grafen, Ritter und Reichsstädte, die jenes
Gebiet umschloß, für „ewig erloschen" zu erklären. Daß diese
rheinische Republik nicht für sich existiren konnte, sondern der Protection eines mächtigeren Staates bedurfte, war klar; anders war
auch vom französischen Convent die Republikanisirung des linken Rheinufers nicht verstanden worden. So erfolgte denn am
21. März der unvermeidliche Beschluß: „daß das rheinisch-deut-
sche freie Volk die Einverleibung in die fränkische Republik wolle
und eine Deputation abgesandt werden solle, um diesen Wunsch
dem fränkischen Nationalconvent vorzutragen." Außer einigen Droh-
und Strafdecreten gegen die Nichtbeeidigten und Geflüchteten, außer
einer niedrig servilen Adresse, worin sich das freie Volk der rheinisch-deutschen Republik den Franzosen mit würdeloser Unterwürfigkeit an den Hals warf, außer diesem ist von dem Mainzer
Convent nichts Nennenswerthes mehr geschehen; er setzte am 30.
März seine Sitzungen bis auf Weiteres aus, um natürlich nie
wieder zusammenzutreten. Ein paar Tage früher war bereits die
Deputation des rheinisch-deutschen Convents, Georg Forster, Adam
Lux und der Kaufmann Potocki, nach Paris abgereist, um dort
den Wunsch um Einverleibung den Repräsentanten der französischen
Nation zu Füßen zu legen.

Die ersten und letzten Athemzüge der rheinisch-deutschen Republik trafen fast zusammen mit den kriegerischen Vorgängen links
vom Rheine, welche die Einschließung der Stadt vorbereiteten; auf
dem rechten Ufer war Castel bereits eingeschlossen, als Forster nach
Paris reiste, um der französischen Nation Mainz anzubieten. Es
wurden dort im Laufe der Belagerung gegen 14,000 Mann, theils
Preußen, theils Sachsen, Hessen und Pfälzer, zur Blokade verwendet; in den ersten Wochen des April, nachdem die Franzosen

auf Landau und die Weissenburger Linien zurückgeschoben waren,
begann auch auf dem linken Ufer die Einschließung, zu der dort
einige zwanzigtausend Mann, theils Preußen, theils Oesterreicher,
sammt etlichen Abtheilungen der kleineren Contingente zusammengezogen wurden. Graf Kalkreuth leitete die Operationen der
Belagerung.*)

Die Dauer der Belagerung bewies in beschämender Weise,
wie unverantwortlich der Leichtsinn und die Kopflosigkeit derer gewesen, welche die Stadt im October ohne Schwertstreich überga-
ben. Allerdings hatten die Franzosen die fünf Monate nicht unbenutzt verstreichen lassen; die Werke wurden ausgebessert, Schanzen angelegt, Castel namentlich aus einem Brückenkopf ohne Bedeutung durch die bekannten französischen Ingenieure Clement und
Gay de Vernon in eine tüchtige Befestigung umgewandelt. Eine
zahlreiche Besatzung, die aus den besten Truppen der damaligen
Armeen am Rhein und der Mosel bestand, deckte nicht nur die
Stadt, sondern dehnte sich auch auf verschiedene vortheilhaft gelegene Posten außerhalb der Festung aus. Außer Castel waren
die Rheininseln, die Petersau und die Ingelheimer Au befestigt,
die Orte Weißenau, Kostheim und Zahlbach gut besetzt worden.
Seit dem 10. und 11. April erfolgte auch auf dem linken Rheinufer die engere Einschließung, zu gleicher Zeit machten die Franzosen einen Ausfall gegen Mosbach hin, der den Hessen einigen Schaden that. Indessen ward die Einschließung vollendet
und die ersten Schanzen aufgeworfen, ohne daß die Kanonade
von den Wällen die meist nächtlich unternommenen Arbeiten stören konnte. Gefochten wurde in diesen Tagen nur um Weißenau;
dort hatten die Franzosen (am 16. April) nach einem lebhaften
Angriff sich behauptet, wurden aber am Tage darauf durch preußische
Schützenabtheilungen, die Prinz Louis Ferdinand mit gewohnter
Energie und Todesverachtung anführte, aus dem Dorfe hinausgeworfen. Doch gab man den Ort wieder preis, da er, ganz unter den feindlichen Kanonen gelegen, vor Eröffnung der Tran-
cheen nicht gut zu behaupten schien. Eine nicht unbedeutende

---

*) Bei der folgenden Darstellung sind außer den gedruckten militärischen
Quellen auch verschiedene handschriftliche Mittheilungen benutzt, namentlich
einige „Journale der Blokade und Belagerung."

Acquisition ward am 18. April gemacht; die fast verfallene Schanze, die Gustavsburg, die einst der Schwedenkönig auf der Main-spitze angelegt, ward von den Belagerern auf dem rechten Ufer besetzt und damit eine Stellung gewonnen, von der sowol der Main gegen Kostheim, als der Rhein gegen Weißenau und Ca-stel hin bestrichen werden konnte. Die Besatzung suchte verge-bens die dort errichteten Batterien durch ein lebhaftes Feuer außer Thätigkeit zu setzen; der Posten blieb den Belagerern. Außer klei-nen Vorpostengefechten und Fouragirungen der Franzosen verlie-fen die nächsten zehn Tage ziemlich ruhig; erst in der Nacht vom 27. bis 28. April landete eine Abtheilung Feinde an der Main-spitze, überfiel die Batterie und führte das Geschütz weg, ohne freilich hindern zu können, daß die Belagerer sich in den näch-sten Tagen von Neuem festsetzten und gegen ähnliche Ueberra-schungen bessere Vorsorge trafen. In der ersten Hälfte des Mai entspannen sich dann sehr hitzige Gefechte um Kostheim; schon am 1. hatten die Franzosen den Ort überfallen, waren aber wie-der hinausgeworfen worden, und wiederholten in der Nacht zum 3. ihren Angriff mit besserem Erfolge. Das preußische Grena-dierbataillon von Borch drang in den Ort hinein, warf den Feind tapfer zurück, wagte sich aber zu weit vor und wurde durch eine überlegene Macht der Franzosen mit Verlust geworfen. Am 8. Mai ward der Kampf erneuert; namentlich aus den Batterien der Gustavsburg ward der Feind heftig beschossen und ihm ein tapferes, nicht unblutiges Gefecht geliefert, aber Kostheim blieb in seinen Händen. Fruchtlos waren dagegen die Versuche der Fran-zosen, auf dem linken Ufer sich bei Zahlbach und Bretzenheim zu verschanzen; ein glücklicher Ueberfall des Prinzen Louis trieb sie heraus. Der heftigste Kampf in diesem ganzen Zeitraume der Belagerung entspann sich aber in der Nacht zum 31. Mai; die Franzosen hatten, von einem Bauer geführt, mit einer Colonne von mehreren tausend Mann einen Ausfall gegen die Einschlie-ßungslinie auf dem linken Ufer unternommen, und es fehlte nicht viel, so wäre es ihnen gelungen, die überraschten Belage-rer aus ihren Verschanzungen herauszudrängen und die Arbeit von sechs Wochen zu vereiteln.

Erst jetzt, seit Anfang Juni, kamen allmälig die Mittel, die man zu einer ernsten und wirksamen Belagerung bedurfte; aus

Wesel, Ehrenbreitstein, ja zum Theil aus Magdeburg, mußten das Geschütz und die Munition, die man zur Belagerung brauchte, herbeigeschafft werden. Nun erst legte man rüstig Hand ans Werk. In der Nacht vom 18. auf den 19. Juni entstand die große Arrièreparallele, die gegen jeden starken Ausfall eine ausreichend feste Stellung schaffen sollte; in den folgenden Tagen wurden ähnliche Arbeiten, trotz lebhafter feindlicher Ausfälle, glücklich zum Ende geführt, die Wurfbatterien hergestellt und in der Nacht vom 27—28. Juni durch eine österreichische Abtheilung eine wichtige feindliche Redoute bei Weißenau weggenommen. Dasselbe Schicksal hatten in der Nacht vom 5—6. Juli einige Feldschanzen auf der Höhe bei Zahlbach; die zweite Parallele ging ihrer Vollendung entgegen.

Dies war der Augenblick, wo die Franzosen vom Elsaß und der Mosel her einen schwachen Versuch des Entsatzes machten. Es hatte sich auf dem Kriegsschauplatz, auf dem sich die Beobachtungsarmee ausbreitete, bis jetzt nichts Bedeutendes ereignet; nur war die Unverträglichkeit zwischen dem preußischen Obercommando und dem österreichischen General immer unheilbarer hervorgetreten. Der größte Theil des Monats Mai verging in kleinem Zank. Wurmser war, im Widerspruch mit den Anordnungen des Obercommandos, über die Queich vorgegangen; wiederholt ward ihm die Weisung, sich auf das linke Ufer des Flüßchens zurückzuziehen, er blieb eigensinnig stehen, und es bedurfte eines aus den Niederlanden vom Prinzen Coburg erwirkten Befehls, bis er Anstalten traf, seine vorgeschobene Stellung zu verlassen. Dazwischen kam es denn auch vor, daß er plötzlich die Besorgniß, es möchten die Franzosen aufs rechte Rheinufer gehen, ernstlich oder scheinbar vorhielt, damit er sich, gemäß der Clausel, die in seiner Instruction stand, über den Rhein zurückziehen und die Beziehung zu der preußischen Kriegsleitung ganz auflösen konnte. Die Correspondenz, die darüber geführt ward, hinterläßt den peinlichen Eindruck: daß, wie man auch von des Herzogs methodischem Cordonkrieg denken mag, es ein unleidliches Verhältniß war, mit dem Eigensinn eines Führers zu ringen, der untergeordnet sein sollte und sich doch wie selbständig benahm, ihn freundlich bitten zu müssen, wo man hätte befehlen sollen, oder gar auf dem Umweg über Belgien ihn zu Bewegungen zu veranlassen, die im Hauptquartier zu Guntersblum oder Edenkoben beschlossen waren. So paralysirten sich beide

Führer gegenseitig; des Herzogs vorsichtige Methodik war Ursache, daß Wurmser, wenn er seiner Kampfesungeduld nachgab, ununtestützt blieb und dann in nutzlosen Plänkeleien die Zeit verdarb; Wurmsers Angriffslust, die, wie ein Kenner sagt, mehr „instinctartigen Raufsinn, als geregelte Combinationen verrieth," war dann wieder Schuld, daß die Früchte der vorsichtigen Kriegführung zum Theil verloren gingen. So wie es im Lager der Franzosen aussah, wäre allerdings etwas weniger Methode und etwas mehr zugreifende Raschheit auf deutscher Seite des Sieges ohne Zweifel sicher gewesen. Noch hatten sie sich von den Schlägen im März und April nicht erholt; wenn auch Verstärkungen aus dem Innern eintrafen, so wuchs dadurch doch nur ihre Zahl, nicht ihre militärische Brauchbarkeit, und die Führung war über alle Beschreibung kläglich. Ein Angriff, der am 17. Mai von der Rhein- und Moselarmee zugleich unternommen ward, enthüllte diesen Zustand in ganz trostloser Weise; mit einem Aufwand von 25,000 Mann, die freilich überall zur unrechten Zeit erschienen, sich gegenseitig den Weg versperrten und im Hin- und Hermarsch ermüdeten, waren die Franzosen nicht im Stande, drei österreichische Bataillone und acht Schwadronen, die rechts von der Queich standen, über den Haufen zu werfen. Bei solchen Zuständen, deren ganze Rathlosigkeit im andern Lager kaum geahnt ward, hätte allerdings die zugreifende Husarenart Wurmsers, den Krieg zu führen, ziemlich gewissen Erfolg gehabt. So aber, wie jetzt das Schicksal beide Feldherrn, den Herzog und den österreichischen Führer, an einander gekettet, konnte nur jeder von beiden die Brauchbarkeit des andern hemmen.

Es gewährt kein allgemeines Interesse, den einzelnen Debatten zu folgen, die während dieser ganzen Zeit zwischen beiden Führern stattgefunden haben: der Erfolg war, daß auf keiner Seite etwas Bedeutendes geschah, nur ward das gegenseitige Vertrauen und Einverständniß vollends zerrüttet.*) Da ward es in den letz-

---

*) Nach einer längeren Correspondenz äußert der Herzog in einem Schreiben an Oberst Grawert, d. d. 3. Juli: „Ich bin um keinen Schritt mit ihm weiter und ersehe vielmehr aus seiner Antwort, wie er, statt der von uns ihm übergebenen, nach sorgfältiger Untersuchung gewählten Position, eine andere, dem Terrain gar nicht angemessene nehmen will. Ich habe ihm dieses in meiner Antwort nur ganz kürzlich bemerklich gemacht."

ten Tagen des Juni auf französischer Seite lebendig; es sollte dem Entsatz von Mainz gelten. Die Bewegungen der Franzosen begannen vom Elsaß her mit kleinen Plänkeleien, in die man Wurmser fast täglich verflocht, ohne daß irgend ein nennenswerthes Ergebniß daraus hervorging. Es waren nur die Vorboten des allgemeinen Angriffs, den die Franzosen am 19—21. Juli unternehmen wollten. Die Moselarmee, unter Houchard, sollte sich gegen Kusel und Lauterecken in Bewegung setzen, ein zweites Corps, unter Moreaur, in der Richtung von Pirmasens gegen Kaiserslautern die Höhen überschreiten, während Beauharnais mit der Rheinarmee vom Unterelsaß durch das Rheinthal nach dem Haardtgebirge vorgehen wollte. So wie die Leitung und Kriegstüchtigkeit der Armee damals beschaffen war, griff keine der Bewegungen recht in die andere ein, die eine Colonne war zu früh, die andere zu spät vor dem Feinde. Wie die Kriegstüchtigkeit der Truppen beschaffen war, bewiesen die einzelnen Gefechte. Das französische Corps, das über die Höhen des Westrich gegen Lautern vordringen sollte, ward (19. 20. Juli) durch eine preußische Vorpostenabtheilung von 400 Mann und 2 Kanonen zum eiligen Rückzug auf Pirmasens gedrängt; weiter östlich, wo Beauharnais das Gros der Rheinarmee gegen die Abtheilungen Wurmsers und eine preußische Brigade aufbot, hielten ebenfalls ein paar hundert Preußen und Kroaten die ansehnliche französische Colonne Tage lang im Gebirge auf, und Beauharnais schlug sich vom 21—24. Juli herum, bis er nur von der Queich bis Edesheim und Roth, also wenig Stunden weit vorgedrungen war. Gleichwol gab der Mangel an Zusammenhang in der Führung der deutschen Truppen den Franzosen einen Vortheil in die Hand, den ein fähiger Feldherr trefflich hätte zu benutzen wissen. Durch ein Versehen, an dem wieder Wurmsers Eigenwilligkeit einige Schuld trug, war Edenkoben am 25. unbesetzt, Neustadt dadurch entblößt und die Verbindung zwischen den Preußen und Wurmser fast zerrissen worden; welch ein Glück, daß nicht Bonaparte die Franzosen führte! Denn eben in dem Augenblick, wo sich erwarten ließ, daß dieser Fehler benutzt ward, gingen plötzlich alle französischen Corps zurück (26. Juli); sie hatten das Schicksal von Mainz erfahren und brachen ihre Unternehmungen nun ebenso eilig ab, wie sie ohne Geschick und Zusammenhang begonnen waren.

Mainz war indessen immer heftiger bedrängt worden. Die zweite Parallele war vollendet, die dritte begonnen, und in der Nacht vom 16—17. Juli einige französische Vorwerke, deren Besitz die weiteren Arbeiten bedingte, weggenommen. Die Batterien der Belagerer hatten schon seit Ende Juni ein wirksames Feuer begonnen; fast täglich brannte es in der Stadt, und die Haubitzen der Belagerer richteten mit jeder Stunde größere Verwüstungen an. Die Lebensmittel waren schon selten geworden, die Truppen ermüdet und ohne rechte Kampflust, die äußeren Werke stark beschädigt. Doch wäre die Festung immerhin noch zu halten gewesen, wenn nicht die eingeschlossenen Conventscommissäre, Merlin und Rewbel, aus Sorge um ihre persönliche Sicherheit, es gern vermieden hätten, die Dinge zum Aeußersten zu treiben.*) Sie sahen es nicht ungern, daß auch die Meinung des Commandanten, d'Oyré, und der angesehensten Officiere, wie Aubert Dubayet und Kleber, dahin neigte, Unterhandlungen anzuknüpfen. Der Commandant schickte daher am 18. Juli ins preußische Lager den Vorschlag: Rewbel solle freies Geleit erhalten, um sich in einem französischen Hauptquartier oder in Paris über die Lage der Festung volle Gewißheit zu schaffen. Da dies abgelehnt ward, so erbot sich d'Oyré zu einer Capitulation und schickte (20. Juli) an den preußischen General einen Entwurf, der ebenfalls keine Billigung erhielt. Kalkreuth verlangte im Namen des Königs: die Belagerten müßten vor Allem auf den Gedanken verzichten, länger als 48 Stunden nach der Capitulation in Mainz zu bleiben, auch die Gesuche um Sicherheit von Personen auf solche beschränken, die zur französischen Nation gehörten, endlich nicht vergessen, daß die Stellung der deutschen Heere keine Bedingungen zulasse, die der Garnison von Mainz Mittel an die Hand gäben, alsbald wieder den Belagerern zu schaden. Der französische Kriegsrath wollte, in Betreff des ersten Punktes, nachgeben, auch über den letzten erwarte man Vorschläge; nur die Preisgebung der Per-

---

*) In der Denkschrift des Commandanten, Mémoire sur la défense de Mayence et sur sa reddition 1793, S. 16, ist außer der Erschöpfung und Unlust der Truppen, dem Mangel an Lebensmitteln, namentlich hervorgehoben: à ces considérations se joignoit celle du sort des commissaires de la convention nationale et du pouvoir exécutif etc.

ſonen, welche ſich an der Revolution betheiligt, ſchien mit den
Pflichten der Ehre und Menſchlichkeit unvereinbar. Es ward darüber
verhandelt, ohne daß es den Franzoſen gelang, einen Satz zu
Gunſten der Clubiſten durchzuſetzen. Indeſſen gaben die Geiſeln,
welche die Franzoſen aus Mainz und den Rheinlanden weggeführt,
eine gewiſſe Bürgſchaft dafür, daß man die Mainzer Republikaner
nicht zu ſtreng behandeln werde — eine Anſicht, die auch Kalkreuth in einem Schreiben an b'Oyré unverblümt durchblicken ließ.
Am 23. Juli ward zu Marienborn die Capitulation abgeſchloſſen;
die Feſtung ſollte ſofort den Preußen übergeben werden, die Belagerten ſie längſtens binnen drei Tagen verlaſſen; die franzöſiſche
Beſatzung erhielt freien Abzug mit allen militäriſchen Ehren, Waffen und Gepäck und verſprach nur, ein Jahr lang gegen die verbündeten Mächte nicht zu dienen. Dieſe Bedingungen waren vortheilhaft genug für die Franzoſen; noch im letzten Moment war
ihnen die früher verweigerte Forderung zugeſtanden worden, ihre
Waffen zu behalten. *) Dem Verſprechen aber, ein Jahr lang
nicht gegen die Verbündeten zu dienen, ward dadurch ſeine Bedeutung genommen, daß die Garniſon nach der Vendée geſandt
wurde und dort den Aufſtand mit einem Erfolge bekämpfte, der
allerdings auf den Gang der Kriegsereigniſſe an den Gränzen
eine ſehr fühlbare Wirkung übte.

Das wiedereingeſetzte geiſtliche Regiment in Mainz benahm
ſich, wie alle Emigrantenregierungen. Je raſcher die Flucht der
großen Herren geweſen, deſto unerbittlicher war nun ihre Rach-
ſucht. Während der kopfloſe Commandant, der die Feſtung übergeben, nicht etwa vor ein Kriegsgericht geſtellt, ſondern mit einem
Dank- und Belobungsſchreiben des Kurfürſten geehrt ward, **) traf
Mißtrauen oder Ahndung zunächſt die Schwachen und Verlaſſenen,
die der revolutionären Strömung nachgegeben, dann überhaupt
alle Diejenigen, die nicht ſchleunigſt dem großen Zuge der Flüchtlinge über die Rheinbrücke gefolgt waren. Von den Clubiſten ge-

---

*) Lucchesini beſchwert ſich darüber in einem Schreiben an Tauenzien,
d. d. 23. Juli. C'est contre ma conviction et malgré les plus grands efforts
que j'ai faits pour l'empêcher qu'on a accordé à la garnison selon moi bien
mal-à-propos le droit de conserver ses armes.

**) S. die angef. Hatzfeldſche Schrift S. 149.

lang es Einigen, im Strom der ausziehenden französischen Besatzung zu entkommen; wer aber zurückblieb oder unter dem Haufen der fremden Soldaten erkannt ward, verfiel der Rache der zurückgekehrten Regierung.   So unvernünftig und wüst das Treiben
der Mainzer Demokratie gewesen, so roh und zügellos waren die
Anfänge der wiedereingesetzten legitimen Gewalt. Mißhandlungen
und Confiscationen, Einkerkerungen und brutale Gewaltthaten,
auch gegen Solche, die ihr Alter oder ihr Geschlecht hätten schützen
sollen, waren nun an der Tagesordnung.   Der hohe Stiftsadel,
der seinen Staat so schmachvoll preisgegeben, weidete sich nun mit
niedrigem Hohne an den Opfern der siegreichen Reaction. Die
schalen Komödien des demokratischen Clubs, seine Umzüge, Freiheitsbäume und Brüderlichkeitsfeste wurden nun durch ebenso ab-
geschmackte Schaustellungen der Gegner parodirt; eine Verordnung
vom 31. Juli z. B. bestimmte, die Reste des Freiheitsbaumes seien
dergestalt zu verbrennen, „daß hierbei die Schindersknechte abhi-
birt, ein etwas erhöhtes Gerüst verfertigt, eine rothe Kappe darauf
gesetzt, durch Zuziehung einiger Musikanten mehr Zuschauer her-
beigelockt und die verhafteten Hauptclubisten, unter Bedeckung preußischer Soldaten, mit auf den Platz geführt würden." Die strife
Jurisprudenz des heil. römischen Reiches schrieb weitläufige Ab-
handlungen, nach welchen Gesetzen und Strafen die Mainzer Revolutionäre zu behandeln seien;*) an die Wurzeln des Uebels, an
den Mangel eines gesunden politischen Daseins, an die geistliche
Kleinstaaterei und ihre feudalen Mißbräuche ward, wie immer in
dieser Bethörung eines ephemeren Sieges, am wenigsten gedacht.
    Vielmehr war der Rückschlag, den die Entartung der franzö-
sischen Revolution und die Mainzer Episode übten, auch in weiteren Kreisen fühlbar. Wir haben schon früher auf dem Reichstag
wahrgenommen, wie dort die ersten Eindrücke der demokratischen
Erschütterung im Westen sich in dem Verlangen nach einer schärferen
Ueberwachung der Presse und strengeren Polizeimaßregeln bezeichnend kundgaben; seit den Anfängen bewaffneter revolutionärer

---

*) S. die Schriften: „Etwas über die Clubs und Clubisten." 1793. „Et-
was über Verbrechen und Strafen." 1793. Dagegen versuchte der später als
Naturdichter bekannt gewordene Bauer, Isaak Maus, in dem „Versuch einer
Apologie." 1794., den milderen Ansichten Geltung zu verschaffen.

Propaganda, seit dem Tode Ludwigs XVI. und dem Siege der
wilden demokratischen Factionen war natürlich die Rückwirkung
in dieser Richtung, auch in den kleinsten Kreisen, noch stärker geworden. Man fing jetzt an, die literarische Bewegung der jüngsten Generation genauer ins Auge zu fassen und in ihr verwandte Berührungspunkte mit der Revolution zu entdecken. Die
Humanitätsrichtung des Jahrhunderts, die Ansteckung der amerika-
nischen Grundsätze, die Dichter des Hainbundes, die Kraftgenies
der Sturm- und Drangperiode erschienen nun verdächtig, „ein sehr
unbestimmtes, aber desto lebhafteres Gefühl für Freiheit und Haß
gegen die Fürsten" verbreitet zu haben. Durch den Einfluß des
Rousseau'schen contrat social, die Lectüre britischer Historiker, die
Wirksamkeit von Journalen, wie Schlözer's Staatsanzeigen, ja
selbst durch das Studium der Alten sollte der Glaube an die
alte Autorität der hergebrachten monarchischen Gewalten erschüttert
worden sein. Man fand nun, daß sich der Menschen ein Trieb
nach größerem Lebensgenusse bemächtigt habe, daß die „Abneigung
gegen Alles, was dessen Befriedigung Zügel anlege, ein decidirter
Zug der Gesinnungen des Zeitalters sei." Man musterte die Literatur durch und entdeckte, daß die Zahl der deutschen Schriftsteller
„eine Armee von 7000 Mann ausmache," deren überwiegende
Mehrzahl den Lieblingsmeinungen des Jahrhunderts huldige.

Wir erwähnen dieser Klagen eines Publicisten der alten Richtung,*) weil sie unter dem Eindruck jener Revolutionsjahre geschrieben sind und uns in den Gedankenkreis einführen, der die regierenden Schichten der deutschen Nation seit 1792 und 1793
beherrschte. Unzweifelhaft bestanden zwischen der literarischen Aufklärung des achtzehnten Jahrhunderts und den Ideen von 1789
sehr kennbare Berührungen; aber ihre politische Gefährlichkeit
wurde damals offenbar von der Angst der Regierungsmänner überschätzt. Denn wer die Ausbreitung überschaut, die heutzutage die
demokratischen Gedanken von 1789 in unserer Nation erlangt haben, dem müssen die Erscheinungen von 1792 und 1793 vielmehr
den Eindruck erwecken, daß die Masse unseres Volkes damals der
westlichen Revolution noch ebenso unreif, wie unzugänglich ge-

---

*) S. Brandes, über einige bisherige Folgen der französ. Revolution.
Hannover 1793.

genüberstand. Wie wenig bedeutete es, daß von der „Armee der
7000 Schriftsteller" ungefähr sieben in Mainz das Banner der Revolution aufgerichtet hatten! Wie viel bemerkenswerther war die
Thatsache, daß die Masse der Bevölkerung, selbst am linken Rheinufer, sich nur höchst widerwillig der Republikanisirung durch den
Mainzer Club gefügt hat! Und welch ein Umschlag war in dem
großen Kreise der literarischen Generation nun eingetreten! Gewiß,
es mochte der Humanismus und die Philanthropie des Jahrhunderts
sich noch so lebhaft durch die Anfänge der Revolution angeregt
fühlen, tief ging dieses rein literarische Interesse nicht. Vielmehr,
so naiv und ungestüm der erste Enthusiasmus der Gelehrten und
Poeten gewesen war, so rasch war er nun abgekühlt; je kindlicher
während der Flitterwochen der Revolution der Glaube gewesen,
es ließe sich eine Erschütterung vielhundertjähriger Mißbräuche in
friedlicher Begeisterung durchjubeln, desto erschrockener war man
jetzt, seit die Bewegung zu ihren blutigen Folgerungen vorschritt.
Wie loyal war nun der mürrische Schlözer geworden, welch er-
zürnte Oden dichtete jetzt der nordische Barde, dessen Jubelhymnen
einst die Revolution am lautesten begrüßten! Derselbe Dichter aber,
der zwei Jahrzehnte vorher dem wilden kraftgenialen Geschlecht
trotzig die Bahn gebrochen, Göthe, er beschäftigte sich in den Jahren 1792—93 mit der Farbenlehre, schrieb Festprologe und wußte
der großen Erschütterung im Westen offenbar keine andere pikante Seite
abzusehen, als die er in dem „Bürgergeneral" zum bleibenden Gedächtniß der literarischen Stimmungen jener Tage verewigt hat!

Wir müssen den Darstellern der Literargeschichte den genaueren Nachweis überlassen, welcher Art die Reflexe der Revolution in den poetischen und künstlerischen Kreisen damals gewesen
sind; politische Gefahren, wie sie die officielle Publicistik zu besorgen schien, konnten daraus in jedem Falle noch nicht erwachsen.
Auch sehen wir in der Presse jener Zeit, zumal seit Ende 1792,
alles Andere eher, als jakobinische Anklänge, vertreten. Die Reaction der Zeit ist vielmehr an wenig Stellen greller wahrzunehmen, als eben in der öffentlichen Besprechung der Tagesereignisse;
während die Begabteren schwiegen oder scheu der herrschenden
Strömung folgten, gehörte das große Wort mehr als je den literarischen Taglöhnern und jener feilen Schaar, die im Denunciren
und Verdächtigen alles dessen, was hoch über ihrem Gesichtskreise

liegt, die rechte Feuerprobe loyaler Gesinnung erblickt. Unter den
deutschen Schriftstellern jener Jahre aber kennen wir nur eine hervorragende Persönlichkeit, die auch in dieser Zeit den Muth bewahrt hat, den Meinungen, die oben die gültigen waren und
unten gedankenlos nachgebetet wurden, mit der ganzen Schärfe
geistiger Ueberlegenheit und durchgebildeter Grundsätze entgegenzutreten. Es war Johann Gottlieb Fichte in seinem „Beitrag zur
Berichtigung des Urtheils des Publikums über die französische Revolution"; aber eben das Schicksal dieser Schrift beweist schon
zur Genüge, wie unpopulär damals solche Meinungen geworden
waren. Dies anonym erschienene Buch, das, recht bezeichnend für
unsere Nation, mit den Waffen schulphilosophischer Dialektik die
Berechtigung der Revolution darthut, ist damals, bis auf den engeren Kreis von Fichte's Freunden und Anhängern, fast unbemerkt
vorübergegangen und hat (eine einzige ausgenommen) in keiner
der zahlreichen Zeitschriften Deutschlands auch nur eine vorübergehende Erwähnung gefunden.

Bei diesen herrschenden Stimmungen war denn allerdings
nicht zu erwarten, daß sich der Wunsch, den Georg Forster einst
ausgesprochen, es möchte die Revolution für uns der Anstoß zu
friedlichen Reformen werden, in dieser Zeit erfüllte. Vielmehr
wurden allenthalben die Zügel straffer gefaßt, und auch das be-
scheidenste Verlangen um Aenderung des Bestehenden wie jakobinische Wühlerei angesehen. Selbst ein Regierungspublicist jener
Tage beklagt es, daß die Erleichterung des Jagdunfugs in einigen Gegenden bis jetzt der einzige wohlthätige Rückschlag der Revolution gewesen sei, dagegen Spionage, Gesinnungsinquisition
und Verletzung des Briefgeheimnisses in unerfreulichster Weise über-
hand nehme.*) Es ließen sich denn auch eine Menge von Fällen
aufzählen, wo wegen ganz unbedeutender Dinge oder auf grundlosen Verdacht hin mißliebige Personen wegen angeblich revolutionärer Gesinnungen verfolgt wurden. Daß die deutsche Kleinstaaterei es bei diesem Anlaß nicht versäumte, sich durch ihre geläufigen Liebhabereien, das Uniformenspiel und den kleinen Krieg
gegen mißliebige Trachten, Kopfputz und Hüte zu charakterisiren,
brauchen wir kaum zu erwähnen; es ist aus jenen Jahren mehr

---

*) Brandes a. a. O. S. 4 f.

als eine Verordnung zu erwähnen, worin die Pantalons, die runden Hüte, die abgeschnittenen Haare als gemeingefährliche Abzeichen ernstlich verpönt werden.

Die patriarchalische Despotie der kleinen Regierungen, die zu den Zeiten Friedrichs und Josephs sichtbar an sich gehalten, schöpfte unter den Schreckenseindrücken der Revolution wieder neuen Athem. Wo sich etwa, wie im Stifte Hildesheim, der Mittelstand gegen unberechtigte Forderungen der Privilegirten sträubte oder, wie im Hannoverschen, die städtischen Abgeordneten gegen das *unbillige* Maß der Steuervertheilung regten, da wurden jetzt leichter als je die unbequemen Bittsteller als Revolutionäre, die „vom Schwindelgeist der Neuerungssucht angesteckt seien", kurzweg abgefertigt. Wir wollen aus der Geschichte des Regiments jener Tage, wie es namentlich in den kleinen Gebieten geübt ward, nur eine Probe mittheilen, die statt vieler andern Zeugniß ablegen mag. Im Gebiete des Fürsten von Hohenlohe-Schillingsfürst hatte ein Justizbeamter, weil er eine ansehnliche Testamentsvollziehung übernahm, den Groll der habsüchtigen Regierung herausgefordert; eine Cabinetsorbre verbot ihm das. Es ward darin der Vollzug des Auftrags als „eines der frechsten und dümmsten Unternehmen" bezeichnet und dem Beamten mit Absetzung gedroht, wenn er in seiner Ignoranz es wage, „eine dergleichen äußerst freche und die größte Stupidität verrathende Handlung" vorzunehmen. Auf die Beschwerde des Beamten folgte ein Decret, das ihn suspendirte; „denn sein Bericht sei voll der dicksten Dummheit und lege die äußerste Ignoranz in Justiz- und Amtirungssachen klar zu Tage." Bei diesem Anlaß stellte sich denn heraus, daß die patriarchalische Regierung der hohenlohe-schillingsfürstischen Lande nicht allein mit Testamentsvollziehungen ein einträgliches Geschäft treibe, sondern auch die Justiz in schmählicher Weise zu Erpressungen gebrauchte. Es war z. B. in dem Lande eine geläufige Praxis, wegen angeblicher oder wirklich begangener Ehebrüche hohe Geldstrafen zu verhängen, und es kam in derselben Zeit vor, daß ein 72jähriger Greis an den Bettelstab gebracht ward, weil man ihn wegen eines angeblich vor vielen Jahren begangenen Ehebruchs in Strafe nahm. War dann über die Bauern die Pfändung verfügt, so erstand sie der Hofjude Falck um eine Kleinigkeit und theilte seinen Gewinn mit der fürstlichen Hofkammer. Alle diese

Dinge waren actenmäßig nachgewiesen und das Reichskammergericht konnte diesmal nicht umhin, ein scharfes Decret gegen die
Schuldigen zu erlassen.*) Ob dies Urtheil so rasche und pünkt-
liche Vollziehung gefunden, wie die reichsgerichtliche Sentenz gegen Lüttich, darüber geben uns die Quellen jener Zeit freilich
keine Aufklärung.

*) S. Häberlin's Staatsarchiv III. 102 ff.

Sechster Abschnitt.

Der Feldzug von 1793.

Mit dem Falle von Mainz war der deutsche Boden von den Franzosen wieder befreit; es fragte sich nun, wie weit man den Angriff gegen sie ausdehnen würde. Nach dem Zustande des französischen Heeres und nach den letzten Erfahrungen bei den Kämpfen vom Juli schien es kein verwegenes Beginnen, mit den nun vereinigten Streitkräften von Mainz aus der Moselarmee auf dem Fuße zu folgen, sie über die Saar zurückzubrängen und allenfalls durch das Lothringische nach dem Unterelsaß in den Rücken der Rheinarmee vorzubringen, um sie zum Verlassen der Linien bei Weissenburg zu nöthigen. Allerdings war in den Frankfurter Verabredungen über den Feldzug eine solche Offensive nicht vorgesehen, vielmehr die Wiedereinnahme von Mainz als die Hauptaufgabe der preußischen Kriegführung am Mittelrhein betrachtet worden. Diese militärischen Verabredungen stützten sich zudem auf politische Verhältnisse, deren Bedeutung schon in der zurückhaltenden Kriegführung vom Mai bis Juli und noch in dem, was folgte, zu erkennen war. Preußen hatte ja aufgehört, mitleitende Kriegsmacht zu sein; es stellte nur ein Hülfscorps und half mit diesem die französische Invasion vom Boden der deutschen Rheinufer verbrängen. In diesem Sinne waren einst die Verabredungen zu Frankfurt getroffen worden. Nun, da die deutsche Gränzfestung wieder erobert, der Feind bis an die Saar und Lauter zurückgebrängt war, schien die wichtigste Arbeit gethan; der deutsche Boden war ja gereinigt, Eroberungen auf Kosten Frankreichs zu machen, schien mehr ein österreichisches als preußisches Interesse. Nicht als wenn man dem geradezu entgegen gewesen wäre, aber man glaubte sich nicht berufen, die erschöpften Finanzen Preußens dafür einzusetzen, zumal in einem Augenblick, wo ein preußisches Interesse der bringendsten Art im Osten auf dem Spiele stand.

Solchen Ansichten begegnen wir bei den einflußreichsten Persönlichkeiten der damaligen preußischen Politik; Haugwitz, Lucchesini, Manstein, und in zweiter Linie die Minister in Berlin, so verschieden sonst diese Männer unter sich und zu einander stehen, sind doch in dieser Hauptfrage im Ganzen einerlei Meinung. „Wenn das Haus Oesterreich, schrieb Haugwitz schon im März*), die Niederlande wieder erobern kann, desto besser für Oesterreich und für uns; wir wünschen es aufrichtig, aber ob es mit unserer Hülfe, oder nur mit den eigenen österreichischen Kräften geschieht, das ist uns politisch ganz gleichgültig. Indessen dürfen Sie sicher sein, daß wir seine Sache nicht verlassen; nur dürfen wir nicht vergessen, daß es nicht an uns ist, voranzugehen. Unsere Entschädigungen sind allerdings gesichert und hängen nicht von den Chancen des Krieges ab; allein ich wiederhole es, wir werden die Sache unseres Verbündeten nicht verlassen, ihm unsere Hülfe leisten, aber sorgfältig vermeiden, die erste Rolle zu spielen."

Nun war um dieselbe Zeit in Wien ein Wechsel im Ministerium erfolgt, der den Grafen Philipp Cobenzl auf das italienische Departement beschränkte, Spielmann durch eine diplomatische Sendung beseitigte und die Leitung der auswärtigen Angelegenheiten an Baron Franz Thugut übertrug. Damit trat eine Persönlichkeit an's Ruder, der an den traurigen Geschichten der folgenden Jahre, an der herrschenden Verwirrung und Auflösung ihr reicher Antheil zufällt. Ein Mann von Geist und Talent, aber ohne jeden höheren sittlichen und politischen Grundsatz, cynisch in der Schätzung der Menschen, wie in der Wahl seiner Mittel, in der diplomatischen Schule der osmanischen Verhältnisse gebildet und später in den Unterhandlungen mit den Häuptern der Revolution gebraucht, verband der neue Lenker der österreichischen Politik die Neigungen eines orientalischen Veziers mit der jako-

---

*) Schreiben d. d. Frankfurt 9. März. (Aus der Tauenzien'schen Correspondenz.)

demnach), meinte der Herzog weiter, den Oesterreichern erklären: wenn sie eine Unternehmung gegen das obere Elsaß beabsichtig= ten, so werde man mit einem Theil der Preußen und den klei= neren Contingenten die Queich beobachten, mit der Armee die Vogesen zu umgehen suchen, auch Alles aufbieten, dem Feinde allen möglichen Abbruch zu thun. Solch ein Anerbieten, schließt der Herzog, werde dem König freie Hand lassen, so zu verfahren, wie es die Interessen Preußens geböten.*)

Ein Schreiben Mansteins,**) das die Vorschläge beantwortet, läßt die Ansicht des einflußreichen Generaladjutanten erkennen. „Der König, schreibt er, hat es noch nicht an der Zeit gehalten, sich über die künftigen Operationen auszusprechen, bevor der Kai= ser, für welchen man den Kampf führt und dem man einige Ent= schädigungen verschaffen will, sich sowol über die Natur und den Umfang dieser Entschädigungen, als über die Mittel, die er an= wenden will, ausgesprochen hat. Der König, der nur Hülfsmacht ist, will und darf nicht den Feldzugsplan auf sich nehmen; er er= wartet denselben vom Wiener Hofe und wird seine Mitwirkung theils von den Verhältnissen, theils von den Kräften und Stel= lungen des Feindes, sowie von der Stärke der Truppen abhängig machen, welche der Kaiser verwenden will.“ Die Gleichgültigkeit an einem Kampfe, der nach der Wiedereinnahme von Mainz Preußen keinen Reiz und Vortheil mehr gewährte, die finanzielle Bedrängniß, die eben durch die Kosten der Mainzer Belagerung mit jedem Tage gesteigert ward, die unruhige Sorge, welche die politische Wendung in Polen erweckte, dies Alles schwächte von Stunde zu Stunde die Lust an der Fortdauer des Krieges und ließ bei Manstein und Lucchesini jetzt schon den Wunsch nach Frieden offen hervortreten. Als sich damals Tauenzien befremdet darüber ausließ, daß Preußen nicht eine selbständige und rasche kriegerische Thätigkeit entwickle, verwies ihn Manstein eben auf

---

frontières de la France.“ Aus einem Schreiben des Herzogs, d. d. Edenkoben 21. Mai.

    *) „— — parcequ'elle laisse de la marge aux circonstances et les mains libres à S. M. d'agir selon ce qu'elle jugera être le plus de ses intérêts, lorsque le moment de l'exécution arrivera.“

    **) d. d. 24. Mai.

diese politischen Gründe. „Wir können, sagt er, dürfen uns müssen gerade nicht mehr und nicht weniger thun, als wir thun. Diese Art zu handeln gefällt uns Militärs nicht und am allerwenigsten dem König, welchem es wohl am Herzen liegt, einige Glorie zu erwerben; allein wenn denn doch zugegeben werden muß, daß der König nicht allein als General, sondern als König, der außer dem militärischen Gesichtspunkte auch andere zum Wohl seines eigenen Staates zu nehmende Rücksichten nöthig hat, handeln muß, so kann uns diese gene zwar nicht anders als weh thun: aber man muß sich derselben trotz Allem unterwerfen. Nun ist es von äußerster Wichtigkeit, daß wir unsererseits den Krieg nicht länger als bis zu Ende dieser Campagne führen (das heißt auf unsere Kosten); denn wir können es auf keinerlei Weise thun, ohne uns in großes Risico zu versetzen. Das zwingt uns, uns in nichts einzulassen, was uns zu weit führen könnte; drum dürfen auch nicht wir diejenigen sein, welche Vorschläge thun oder Operationen anfangen, die wir nicht vor dem Schluß dieser Campagne beendigen könnten. Wir müssen uns vielmehr platterdings in der Lage erhalten, daß, sowie der letzte December da ist, wir nirgends gebunden sind, sondern unser Buch zumachen können."

War man demnach im preußischen Lager darüber einig, daß Oesterreich eine Vergrößerung erhalten solle, so wünschte man doch mit der größten Lebhaftigkeit zu erfahren, welches denn im Grunde das Begehren des Wiener Hofes sei. Es war eine bekannte Sache, daß Oesterreich den gescheiterten Entwurf Josephs II., sich durch den bairischen Ländertausch abzurunden, in der Stille, aber um so eifriger, wieder aufgenommen hatte. Aber vergebens bemühte sich die preußische Diplomatie, darüber etwas Sicheres zu erfahren. Lucchesini bittet z. B. Tauenzien,*) doch genau auf das Verfahren Oesterreichs in Belgien Acht zu haben, damit daraus entnommen werden könne, ob man in Wien geneigter sei, die Niederlande zu behalten oder Baiern einzutauschen? Wie dann der Prinz von Coburg Miene machte, im französischen Flandern Besitz zu ergreifen, ward ihm aus dem preußischen Hauptquartier bedeutet, man sei gern bereit, Erwerbungen, die der Verbündete Preußens machen wolle, zu fördern, aber man warte bis jetzt noch vergebens auf

---

*) Schreiben d. d. 12. Juni.

eine Erklärung von Wien, welches das künftige Schicksal der besetzten Gebiete sein solle und wie man sich in Bezug auf die Niederlande zu verhalten gedenke. *)

Was aus diesen Erörterungen als unzweifelhaft hervorging, war die Thatsache, daß sich die preußische Politik in der peinlichen Lage sah: entweder durch eine doppelte Kriegführung am Rhein und an der Weichsel den schon erschütterten Staatshaushalt vollends zu zerrütten, oder sich von dem Kriege am Rhein auf jede Weise loszumachen, damit sie ihren Interessen an der östlichen Gränze nachgehen könne. Die Last eines doppelten Krieges zu tragen, galt schon jetzt bei allen Staatsmännern und Diplomaten, die damals Einfluß übten, für etwas auf die Dauer Unausführbares; die Wahl stand also nur so: sollte man am Rhein die ganze Kraft aufwenden, um Oesterreich Vergrößerungen zu schaffen, indeß Rußland sich in Polen festsetzte, oder sollte man seine Kraft gegen Osten wenden und am Rhein nur eben so viel Thätigkeit entwickeln, als ohne große Opfer an Geld und Soldaten thunlich war? Aus den obigen Aeußerungen haben wir vernommen, daß die einflußreichsten Rathgeber des Königs, der Herzog von Braunschweig so gut wie Haugwitz, Lucchesini und Manstein, nicht im geringsten verschieden darüber dachten, welcher der beiden Wege einzuschlagen sei. Noch war die Verwicklung in Polen so drohend nicht geworden, daß sie die Gedanken, an die man sich im preußischen Lager zu gewöhnen anfing, schon zu Entschlüssen gereift hätte; aber im Laufe der nächsten Monate, seit August namentlich, trat dort die kritische Wendung ein, die rasch und augenblicklich auf die Dinge am Rhein herüberwirkte. Wir werden seiner Zeit davon zu berichten haben.

Nicht am Mittelrhein nur lähmte die Verschiedenheit der politischen Interessen die rasche, kriegerische Thätigkeit der Coalition, auch in den Niederlanden tritt den Erfolgen, die mit den Waffen errungen waren oder noch errungen werden konnten, ein ähnlicher Widerstreit hemmend entgegen. War auch die Katastrophe von Dumouriez's Abfall und Flucht nicht so durchgreifend benutzt

---

*) Aus einem königl. Schreiben an Tauenzien, d. d. 28. Juni.

worden, wie es bei der Auflösung der französischen Truppen damals durch Raschheit und Energie hätte geschehen können, so hatte sich doch das Uebergewicht der Verbündeten durchaus entschieden. Die österreichischen Niederlande waren wieder gewonnen, die noch erwarteten Verstärkungen, namentlich der Holländer und die von den Engländern gemietheten deutschen Contingente kamen allmälig an und es stand, zumal bei der moralischen Beschaffenheit der Gegner, dem Vorbringen auf's französische Gebiet nun kein Bedenken mehr im Wege. Der Prinz von Coburg begann mit der Blokade der Festung Condé. Vergebens suchten die Franzosen (Mai), die in Dampierre einen tapferen Führer erhalten, durch eine Reihe von Gefechten den Platz zu entsetzen; diese Kämpfe hatten für sie höchstens den Werth, die fast aufgelöste Armee wieder ans Feuer zu gewöhnen; sie endigten, als Coburg ihre Stellungen bei Famars mit Macht angriff, mit dem Siege der Verbündeten. Auch Valenciennes ward jetzt eingeschlossen und bombardirt; Entsatz zu bringen, vermochten die Franzosen hier so wenig, wie bei Condé. Am 10. Juli ergab sich Condé, durch Hunger zur Uebergabe gezwungen; am 28. fiel auch Valenciennes.

Ernster war zu keiner Zeit die Lage der französischen Republik gewesen, als in diesem Augenblick. Im Westen Frankreichs war der Bürgerkrieg in vollem Fortgang begriffen und bis jetzt fast überall siegreich gegen die republikanischen Waffen, das Innere zerrissen von Factionen, die Hauptstadt den Jakobinern, die Provinzen den Girondisten zugethan, die ersten Städte des Landes, Lyon, Bordeaux, Marseille u. s. w., entweder bereit, sich gegen Paris zu erheben oder schon in offenem Aufstande, die Armee zum großen Theile ohne Führer, überall geschlagen und entmuthigt, Geld keines in den Kassen und der Preis selbst der nothwendigsten Lebensbedürfnisse in stetem Steigen — das war das allgemeine Bild französischer Zustände, in einem Moment, wo eine feindliche Heereskraft von mehr als 250,000 Mann an den Gränzen des Landes stand und die ersten Festungen im Nordosten ihre Thore dem Feinde geöffnet hatten. Es ist eine verbreitete Meinung: es sei nur die unübertroffene Energie der Jakobiner gewesen, die in dieser Krisis Frankreich gerettet habe; und gewiß, was sich mit verzweifelten Mitteln des Schreckens und der revolutionären Erhitzung erreichen ließ, ist damals geschehen. Aber ehe die Hunderttausende im Felde

standen, die jetzt das Geheiß des Convents in die Feldlager trieb,
ehe die Waffen geschmiedet, die Geschütze gegossen, die Munition
geschaffen war, ehe Carnot's organisatorischer Geist diese ungeüb=
ten Haufen anfing zu Soldaten zu bilden, ehe sich in den Ar=
meen selber die natürlichen Talente Bahn brachen und die Leitung
der Heere errangen, bevor also die Früchte unerhörter Energie ge=
reift waren (und dies war erst im J. 1794 der Fall), konnte das
entscheidende Loos über Frankreich längst gefallen sein! Oder wi=
derspricht es irgend menschlicher Wahrscheinlichkeit, daß in diesem
Augenblicke äußerster Bedrängniß eine Macht von zweimalhundert=
tausend Mann, welche die Saar und Schelde überschritt und auf
die Hauptstadt losbrängte, vollkommen hingereicht hätte, im Bunde
mit den Aufständen im Westen, die jakobinische Macht zu über=
wältigen? Daß auch nicht einmal der kühne Versuch gemacht
ward, war nicht das Verdienst jakobinischer Energie, sondern nur
der Coalition selbst, die vom März bis August 1793 überall ver=
mocht hatte zu siegen, aber nirgends den Sieg entscheidend zu
benutzen. Und wäre es nur die Pedanterie einer hergebrachten
Methode gewesen, die in ganz ungewöhnlicher Lage, gegenüber
einem schlecht geübten und gerüsteten Gegner, die alten Regeln so
steif festhielt, wie wenn es der Besiegung eines ganz gleichstehen=
den Heeres galt, auch diese Methode hätte im entscheidenden Mo=
ment sich von der seltenen Eigenthümlichkeit der Verhältnisse zu
einem rascheren Tempo fortreißen lassen! Aber die Coalition war
in sich selber gespalten; denn jeder der Verbündeten folgte einem
anderen politischen Ziele. Die Idee eines Kampfes für das König=
thum war überall zurückgedrängt durch die unmittelbar bewegenden
Sonderinteressen. Wie es am Rhein im preußischen Lager aussah,
haben wir oben wahrgenommen; gern hätte Friedrich Wilhelm II.
seine Ehrenschuld gegen das französische Königthum gelöst, aber
ebenso gern diesen widerwärtigen Kampf beendet, dessen Last und
Kosten ihm im Osten die Russen vor die Thore der preußischen
Monarchie zu führen drohten. Wenn in den Niederlanden im
österreichischen Lager der Kriegseifer größer schien, so war der Grund
nur eben der, daß Oesterreich seine Vergrößerungen nicht im Osten
auf Kosten Polens, sondern im Westen auf Kosten Frankreichs
suchte. England hatte schon im April mit dürren Worten er=
klärt: daß ihm nur eine Sache am Herzen liege — die Einnahme

von Dünkirchen.*) Jetzt eben ward vor aller Welt enthüllt, wie hohl es mit dem angeblichen Kampfe für den legitimen Thron bestellt war; der Prinz von Coburg nahm von Condé wie von erobertem Gebiete Besitz und errichtete eine österreichische Regierungscommission, die sich dort häuslich einrichtete, wie wenn die Behauptung des französischen Flanderns schon eine ausgemachte Sache sei. Die Anfragen Preußens, die Protestationen des bourbonischen Kronprätendenten stellten dann nur den inneren Widerspruch eines Kampfes bloß, der für das Princip der öffentlichen Ordnung begonnen sein sollte und doch in einen Eroberungskrieg für ganz widerstreitende Interessen ausschlug.

Wie hätte es unter diesen Verhältnissen dazu kommen sollen, mit einer gemeinsamen Kraftanstrengung die ganze Heeresmacht nach Frankreich zu werfen und die Revolution in ihrem *gefährdetsten* Augenblick mit einem Schlage zu überwältigen? Am Mittelrhein erwartete man die Weisungen von Wien, um nicht durch ein Zeichen von Selbstthätigkeit aus der Rolle einer Hülfsmacht herauszutreten; in den Niederlanden hatte der Prinz Coburg keinen höheren Wunsch, als den Rest des Jahres sich um Lille festzusetzen, **) und die Engländer drängten mit Ungeduld darauf hin, daß man ihnen Dünkirchen erobere. Wir sehen nicht, daß der kaiserliche Feldherr sich dem widersetzte; vielmehr schien es, als wenn England zu befehlen hätte und Oesterreich nach den letzten Vorgängen nicht umhin könnte, dem zu folgen. Am 3. August fanden Conferenzen zu Herin statt; ***) der Herzog von York erklärte da auf Befragen: er müsse nach den von London erhaltenen Befehlen Dünkirchen angreifen, und sein Wunsch sei es daher, den

---

*) Le Colonel de Mack a été trouver le duc de York pour le solliciter à se porter sur Tournay: tout ce qu'il en a pu obtenir, c'est que cela seroit jusques au tems que Condé pourroit se rendre, n'ayant d'autre but que de s'emparer de Dunkerque. Le ministère anglais y tient absolument et le Colonel Murray a déclaré que c'était le grand motif qui eut décidé le parlement à consentir dans la guerre du Continent." (Aus einem Berichte Tauenzien's, d. d. 23. April.)

**) Nach einer handschriftl. Aufzeichnung: „geh. Betrachtungen über die künftigen Operationen der combinirten Armee, d. d. Rombins 9. Mai 1793."

***) S. darüber Graf Dohna, bei Feldzug der Preußen gegen die Franzosen in den Niederlanden im Jahre 1793. III. 155 ff.

Feind sogleich mit vereinigter Macht anzugreifen, dann sich nach Dünkirchen zu begeben, wozu er die Unterstützung von 15,000 Kaiserlichen verlange.

So geschah es. Vom 6. bis 8. August erfolgte auf die französischen Stellungen ein Angriff, der den Feind nöthigte, seine Position fast ohne Kampf zu verlassen und sich auf die Linie von Arras, Bapaume und Peronne zurückzuziehen. Der leichte Erfolg bewies am schlagendsten, wie wichtig es gerade jetzt war, die verbündeten Kräfte, denen die Franzosen offenbar nicht widerstehen konnten, ungetrennt zusammenzuhalten. Auch ward jetzt allgemein erwartet, die vereinigte Armee werde dem natürlichen Antriebe der Verhältnisse nachgeben, sich des Ueberganges über die Somme bemächtigen und direct gegen die französische Hauptstadt vorgehen, von der sie dann nur noch ein Zwischenraum von einigen zwanzig Meilen schied. Als sich das verbündete Heer nun mit einem Male trennte, York mit den Engländern, Hannoveranern, Hessen und 15,000 Oesterreichern nach Dünkirchen ging, Prinz Coburg Anstalten machte, Lequesnoy zu belagern, da war die Ueberraschung denn auch so allgemein, daß man es für nöthig hielt, in öffentlichen Blättern die Ansicht zu bekämpfen, welche für ein rasches Vorgehen auf Paris war. Die Armee — hieß es — sei nicht stark genug für ein solches Wagestück, und man dürfe die Erfahrungen des Feldzuges in die Champagne nicht vergessen, aber eben dieser Feldzug war ja nur deshalb gescheitert, weil man niemals im rechten Augenblick entschlossen zum Angriff vorgegangen war.

In dem Augenblick, wo die überlegene Macht der Verbündeten ihre Streitkräfte weit auseinanderzettelte und sich zur Belagerung von Dünkirchen und Lequesnoy vertheilte, waren schon dreißigtausend Mann gedienter Truppen unterwegs, um das französische Heer an der Somme zu verstärken, und jeder Tag steigerte dort die Kräfte des Widerstandes.*) Die thatkräftige Partei der Revolution hatte sich ihrer Gegner entledigt und schuf jetzt jene concentrirte, allmächtige Regierungsgewalt, die sie selber die „Organisation des Schreckens" nannte. Das Aufgebot in Masse, die unbeschränkte Requisition aller Hülfsmit-

---

*) S. Geschichte der Kriege in Europa seit 1792. Bd. II. S. 58.

tel des Krieges, koloffale Rüstungen an Waffen und Munition, gezwungene Anleihen, Einschüchterung aller Lässigen und Widerstrebenden durch die Guillotine gaben der herrschenden Partei eine Gewalt, wie sie niemals eine Regierung so besessen und so geübt hat. Der blutige Schrecken im Innern wandte zudem die Thätigkeit aller edleren Elemente nach Außen, wo bald die zusammenströmende Fülle vortrefflicher Kräfte in Carnot ihren Leiter und Organisator fand.

Während der Herzog von York sich im bedächtigen Schritt gegen Dünkirchen bewegte (er brauchte 9 Tage, um vierzehn Meilen zurückzulegen!) und die Einschließung dieses Platzes unter ziemlich ungünstigen Auspicien begonnen ward, hatten die Franzosen sich verstärkt und rüsteten sich, den schwächeren Theil des um Dünkirchen ausgebreiteten Heeres mit überlegener Macht anzugreifen. Am 6. September ward der hannoversche Feldmarschall Freitag von den Franzosen angegriffen und auf Hondscote zurückgedrängt. Am 7. dauerten die Gefechte fort und gestalteten sich am 8. zu einem lebhaften Treffen, in dem sich die Hannoveraner zwar, trotz der starken Ueberzahl des Feindes und der Ungunst des Terrains, auf welchem ihre Reiterei sich nicht entfalten konnte, vier Stunden auf's tapferste schlugen, aber zuletzt mit einem Verluste von dritthalbtausend Mann das Feld räumen mußten. Noch in der Nacht ward die Blokade von Dünkirchen aufgehoben und das Belagerungsgeschütz in den Händen des Feindes gelassen. Ein Glück noch für die Verbündeten, daß Houchard besser mit überlegener Macht zu siegen, als den Sieg zu verfolgen verstand. Wohl gelang es ihm noch (12. 13. Sept.), den Holländern eine Schlappe beizubringen, aber zwei Tage darauf wurden die nämlichen Truppen von Beaulieu mit geringeren Streitkräften bei Courtray geschlagen, Menin überrumpelt und der Feind bis unter die Mauern von Lille zurückgeworfen. Auch war indessen Lequesnoy gefallen. Das hatte die Gefahr, die nach dem Kampfe bei Hondscote gedroht, allerdings abgewendet; es war den Franzosen nicht gelungen, die getrennten Corps der Engländer, Holländer und Oesterreicher nach einander zu schlagen, aber es war auch das ganze Verhältniß des Kampfes geändert, und statt der Möglichkeit einer raschen Entscheidung die Aussicht auf einen weitläufigen Kampf eröffnet.

Zunächst ward im Kriegsrath der Verbündeten die Belagerung von Maubeuge beschlossen; von Natur stark und durch ein verschanztes Lager gedeckt, bildete dieser Platz den Hauptverbindungspunkt zwischen der Nordarmee der Franzosen und den Theilen des Ardennenheeres, die sich bei Givet und Philippeville sammelten. In den letzten Tagen des Septembers ward die Sambre überschritten und die Blokade von Maubeuge begonnen. Noch immer war die Ueberlegenheit der Verbündeten unzweifelhaft, nicht den Zahlen nach, aber in Bezug auf die Kriegstüchtigkeit der Truppen. Wohl schlugen sich die neuen Aufgebote der Franzosen mit Muth; der panische Schrecken der ersten Zeit war gewichen, der revolutionäre Fanatismus und die Energie des Regiments fingen an ihre Wirkungen zu üben, die Führung war nicht pedantisch, langsam und uneinig, sondern kühn, rasch zugreifend und durch einen entschlossenen Willen bestimmt, die Feldherren selber von einer Verantwortlichkeit belastet, die ihnen nur die Wahl zwischen dem Siege und der Guillotine ließ. Dies Alles freilich hätte nicht hingereicht, die taktische Ueberlegenheit der alliirten Truppen, ihre Kriegsübung, die Vortrefflichkeit einzelner Waffengattungen, namentlich der Reiterei, aufzuwiegen, wäre nicht durch die Unsicherheit und den Mangel an Eintracht in der obersten Leitung die Frucht aller dieser Vorzüge verscherzt worden.

Die revolutionäre Regierung hatte in Houchard ein bezeichnendes Exempel aufgestellt, wie sie die Verantwortlichkeit ihrer Feldherren verstand. Weil er den Sieg von Hondscote nicht glücklicher benutzt und sein Heer bei Courtray hatte zurückdrängen lassen, war er abgesetzt und guillotinirt worden. Der Oberbefehl über alle die Truppen, die von der Maas und den Ardennen an bis zur Meeresküste zerstreut waren, ging nun an Jourdan über, einen Feldherrn, der, wie sich später zeigte, damals allerdings sehr überschätzt worden ist, aber freilich an Raschheit und kühnem Entschluß dem Prinzen von Coburg jedenfalls überlegen war. Jourdan sollte Maubeuge entsetzen. Es scheint kaum zweifelhaft, daß dies nicht möglich war, wenn sich der Prinz dazu entschloß, einen Theil seines Heeres bei der Festung zurückzulassen und mit dem Gros den Franzosen entgegenzugehen; kostete es diesen doch Anstrengung genug, in den Kämpfen der folgenden Tage bei stärkerer Zahl über die gegen Avesnes hin vorgeschobene Observa

tionsarmee der Oesterreicher einige Vortheile zu erringen. Am
15. Oct. stand man sich bei Wattignies gegenüber; es gelang
den Franzosen aber nicht, die Oesterreicher aus ihren Stellungen
zu verdrängen. Am 16. ward der Kampf mit Lebhaftigkeit erneuert. Wattignies, auf welches die Franzosen unter Carnot's
Leitung die ganze Stärke ihres Angriffs richteten, ward genommen, verloren und wieder genommen. Aber in der Flanke der
Franzosen waren die Oesterreicher entschieden im Vortheil, hatten
ihn zurückgeworfen, ihm Gefangene und Geschütz abgenommen.
Gleichwol erschien es dem Prinzen zu gewagt, den Kampf von
Neuem aufzunehmen, und er ließ eine Armee, die sich gegen die
Ueberzahl tapfer und mit Erfolg geschlagen, kein einziges Geschütz
eingebüßt, aber 27 feindliche Kanonen genommen hatte — den
Rückzug antreten. Es wird versichert, im französischen Lager habe
man am Abend selber an den Rückzug gedacht und sei am Morgen ziemlich überrascht gewesen, als der Feind seine Stellungen
verlassen und die Belagerung von Maubeuge aufgegeben hatte.
Allerdings lautete Jourdans Schlachtbericht vom Abend des 16.
noch bescheiden genug, und erst der Anblick des unverhofften Erfolges hat, scheint es, ihn den triumphirenden Ton des Siegers
anschlagen lassen. Damit neigte der Feldzug des Jahres seinem
Ende zu; es gelang den Franzosen nicht mehr, weitere Vortheile
zu erfechten, vielmehr lernten sie, namentlich bei dem Ueberfall
von Marchiennes (30. Oct.), wo Kray seinen Ruf als General
begründete, die militärische Ueberlegenheit der Verbündeten vielfach
zu ihrem Schaden kennen. Die revolutionäre Regierung gab ihren
Plan auf, den Feldzug bis in den Winter fortzusetzen und die
Verbündeten ganz vom französischen Gebiete zu verdrängen; die
letzteren nahmen, als sie im Anfang November die Winterquartiere bezogen, ihre alten Linien im Hennegau und Westflandern
ein und stützten sich wie früher auf den Gürtel von Plätzen, der
sich von Charleroi bis Nieuport ausdehnt.

Der Feldzug in den Niederlanden, wie er im Jahr 1793
geführt ward, ist durch keine einzige größere Schlacht zum Nachtheil der deutschen Waffen bezeichnet, aber er besteht von Anfang
bis zu Ende aus verlorenen günstigen Gelegenheiten. Die ganze
Lage war fortan eine andere geworden; während die Verbündeten den Moment ihrer Ueberlegenheit nicht benutzt hatten,

sondern an Macht und Eintracht verloren, war durch die Erfolge bei Hondscote und Wattignies das Selbstvertrauen der Franzosen außerordentlich gesteigert; zugleich trugen die revolutionären Maßregeln ihre Früchte, Menschen und Kriegsmaterial strömten nun von allen Seiten zusammen, die Soldaten erlernten praktisch das Kriegshandwerk, indessen junge Feldherrntalente die verdrängten Generale der alten Schule ersetzten. Waren im Jahr 1793 die Verbündeten noch entschieden im Uebergewicht gewesen, und ungeachtet der Mißgriffe, die man begangen, ihnen nirgends eine Niederlage bereitet worden, so ließ sich fast mit Gewißheit voraussehen, daß das nächste Jahr eine unzweifelhafte Ueberlegenheit der revolutionären Armeen und Führer herausstellen werde. Die Erdrückung der widerstrebenden Factionen im Innern, namentlich das furchtbare Schicksal, welches den Besiegten zu Lyon und Toulon bereitet ward, gab jetzt schon den Beweis, daß die Gewalt der Revolution anfing, die Angriffskräfte der großen monarchischen Allianz zu überflügeln.

Am Mittelrhein war jenes Uebergewicht der deutschen Waffen noch entschiedener als in den Niederlanden. Die brauchbarsten französischen Truppen waren von dort zur Nordarmee abgeschickt worden; was übrig blieb und durch die neuen Aufgebote ergänzt ward, war den deutschen Heeren in keiner Weise gewachsen. Eine anerkannte militärische Autorität, Gouvion St. Cyr, hat uns mit der Treue eines Augenzeugen den Zustand der neuen Aufgebote, den Mangel aller fähigen Leitung und die gränzenlose Verworrenheit geschildert, wie sie bei der Rheinarmee in diesem Augenblicke herrschend war.*) Seine Mittheilungen stimmen in dem Ergebniß vollkommen mit dem Urtheil überein, das von sachkundiger deutscher Seite gefällt worden ist: daß aller revolutionäre Aufschwung und alle patriotische Begeisterung, die zudem vorerst nur in mäßigem Grade vorhanden war, nicht hingereicht hätte, vor einem energischen Angriff der in jeder Hinsicht überlegenen Gegnern Stand zu halten. Wenn jemals, so war uns hier die Gelegenheit gegeben, alte Scharten auszuwetzen und die trostlose Lage

---

*) Mémoires I. 80 ff.

I. 37

Frankreichs mit ähnlichem Erfolge zu benutzen, wie einst Ludwig XIV. die Agonien Deutschlands ausgebeutet hatte. Aber um
dies zu erreichen, hätte Deutschland selbst anders gestaltet sein
müssen, als es war. Durch den Dualismus zweier Großmächte
auseinander gehalten, deren jede die Vergrößerung der anderen
mit Eifersucht wahrnahm, von zwei unvereinbaren politischen Systemen geleitet, deren eines seine Eroberungen am Rhein, das andere an der Weichsel suchte, von dem Egoismus, der Zweideutigkeit und Ohnmacht der Mittleren und Kleineren vollends zerrüttet, war das deutsche Reich allerdings sehr wenig dazu angethan, Erfolge zu erringen, die nur durch e i n e n festen Willen und
eine rasche Action erfochten werden können.

Nach der Einnahme von Mainz war zunächst eine Pause in
den kriegerischen Bewegungen eingetreten. Es entsprang dieser
Stillstand wohl zum Theil aus der natürlichen Rothwendigkeit,
eine neue Aufstellung aufzusuchen, Magazine und Depots anzulegen, die Zufuhren zu organisiren — Anstalten, die nach der
Kriegsart der alten Schule ganz besonders weitläufiger Natur waren — aber die politischen Beweggründe des Zauderns waren doch
die entscheidenden. Preußens Aufmerksamkeit hatte sich vollends den
polnischen Dingen zugewandt, seine Abneigung, sich noch tiefer in
den Krieg am Rhein zu verwickeln, war ebenso unverkennbar, wie
seine Unruhe über die Thugut'sche Politik, die hartnäckig darüber
schwieg, was sie als Entschädigung für Oesterreich suche: ob
die Niederlande, ob den bairischen Ländertausch, ob Eroberungen
im Elsaß, oder dies Alles zusammengenommen? Eine hochsinnige
oder auch nur eine kühne und aus Klugheit aufrichtige Politik
in Wien hätte auch jetzt noch kein allzuschweres Spiel mit Preußen gehabt; gerade die Persönlichkeit des Königs war am ersten
dazu angelegt, sich über die Gränze ängstlicher Rücksichten fortreißen zu lassen. Aber Thugut's schlecht verhehlter Preußenhaß, sein
absichtliches Schweigen über das, was Oesterreich wollte, seine
zweideutigen Gänge in Polen gaben auch im preußischen Hauptquartiere der Politik das Uebergewicht, welche die Fortsetzung des
Krieges als äußerste Unklugheit, als nutzlose Aufopferung für
Oesterreich, als den Ruin des preußischen Staatshaushaltes ansah. So war denn zunächst vorsichtige Zurückhaltung die Maxime,
von der man ausging; nicht selbstthätig vorgehen, nur als Hülfs-

macht agiren, den weiteren Kriegsplan von Oesterreich, den Lehrbach bringen sollte, abwarten — das war, wie wir aus den
früheren Mittheilungen entnahmen, die schon seit Monaten von
Manstein und Lucchesini, ja selbst dem Herzog ausgegebene Parole. Auch jetzt, gleich nach dem Falle von Mainz, schrieb Manstein: „In Ansehung der ferneren Operationen kann vor Ankunft
des Freiherrn von Lehrbach nichts festgesetzt werden."*) So ganz
unbestritten war freilich dieser Orakelspruch des einflußreichen Generaladjutanten noch nicht. Vielmehr trieb den König sein natürlicher Kriegseifer auch jetzt dazu, wenigstens etwas zu unternehmen; er dachte an eine Bewegung gegen die Saar und an die
Blokade von Saarlouis. Es unterstützte ihn darin die Meinung
des Prinzen von Coburg, der schon, bevor ihm der Fall von
Mainz bekannt war, dies anrieth und durch das Vorgehen gegen
die Saar und Mosel seine eigenen Bewegungen am besten unterstützt sah. Geläng ihm selbst noch die Einnahme von Maubeuge und Philippeville, den Preußen die Eroberung von Saarlouis, so wäre dies, meinte er, „vor der ganzen Welt eine schöne
Campagne, denn man habe die Niederlande und das Reichsgebiet
zurückerobert, einige Erwerbungen in Feindes Land gemacht und
sich sichere Winterquartiere erworben." Eifrig griff der König den
Plan gegen Saarlouis auf, aber ehe es zur Ausführung ging,
hörte man von anderen Bewegungen des Feindes und zugleich
von der Ankunft des österreichischen Generals, des Prinzen Waldeck (Anf. August), der vielleicht Mittheilungen über den österreichischen Kriegsplan brachte.**)

---

*) S. Wagner S. 60. Ueber die Vorgänge bis zur Schlacht bei Pir-
masens verweisen wir auf die dort S. 60—103 abgedruckten Briefe. Außer
diesen und den bei Massenbach I. 188—192 abgedruckten Actenstücken haben wir
noch eine Anzahl anderer benutzt, worauf wir uns an den geeigneten Stellen
beziehen werden.

**) In einer Depesche Lucchesini's d. d. 30. Sept. heißt es darüber: Le
jour de la marche des troupes était fixé quand S. M. fut officiellement averti
de l'arrivée prochaine de Mgr. le prince de Waldeck qui fit même expressé-
ment requérir le Roi de suspendre tout mouvement sur la droite, parceque les
intentions de S. M. I. dont il était dépositaire dirigeaient ailleurs les opérations
de guerre pour le reste de la campagne Le Roi se prêta avec peine à pro-
longer l'inaction de son armée pour en compasser les mouvements d'après les
voeux de son auguste allié.

Indessen hatte sich Wurmser auf eigene Hand mit den Franzosen zu schaffen gemacht. Es standen jetzt von kaiserlichen Truppen, die französischen Emigrantencorps mit eingerechnet, über 32,000 Mann auf dem linken Rheinufer; mit ihnen begann nun Wurmser einen Separatkrieg gegen die Weissenburger Linien. Die Reihe von Verschanzungen, die man so nannte, dehnte sich vom Rhein bis nach Weissenburg hin aus; zum Schutz ihrer linken Flanke, die am zugänglichsten war, hatte ein Theil der Moselarmee sich in die Vogesen vorgeschoben und an mehreren Stellen, bei St. Ingbert, Blieskastel, Neuhornbach und auf dem Kamich, verschanzte Lager bezogen. Diese Linien zu nehmen war nicht allzuschwer, wenn man sie zugleich in der Front angriff und in der linken Flanke umging. Landau mußte dann zugleich beobachtet, die Moselarmee beschäftigt sein, also in jedem Falle Wurmsers Angriff durch eine zusammenhängende Bewegung der ganzen Armee unterstützt werden. Indeß dies abzuwarten dauerte Wurmsern zu lange; er zögerte nicht, gleich jetzt das zu beginnen, was er dann Monate lang fortsetzte; er griff nämlich vom Bienwald aus den Feind in der Fronte an und lieferte ihm eine Reihe von nutzlosen kleinen Gefechten; er ging, wie Massenbach spöttelt, „täglich im Bienwalde auf die Franzosenjagd." Allerdings war dieser kleine Krieg an der Lauter gerade so erfolglos, wie das unthätige Abwarten der Preußen am Haardtgebirge.

Nun kam der Prinz von Waldeck (6. August); es war der Augenblick, wo der König die Absicht gehabt, gegen die Saar vorzugehen. Der Prinz brachte zwar nicht den officiellen Kriegsplan des Wiener Hofes mit, aber sein Rath fiel in diesem Augenblicke immerhin ins Gewicht. Wurmser — rieth er — solle die Weissenburger Linien von vorn angreifen, die Preußen sie in der Flanke umgehen, auch Landau decken helfen, ja vielleicht sogar zu gleicher Zeit eine Demonstration gegen die Saar machen.*) Indessen würde ein österreichisches Corps

*) In der angeführten Depesche Lucchesini's heißt es darüber: Si la conviction de l'impossibilité de la réussite du premier plan, que Mgr. le Prince de W. lui proposa au nom du général Wurmser, obligea S. M. à une opposition que les événemens posterieurs n'ont que trop justifiée, une entière déférence et une disposition marquée de sa part à favoriser l'exécution du second font regretter à S. M., que Mgr. le Prince de W. n'ait point été dans le cas à

am Oberrhein den Fluß überschreiten und im Oberelsaß wirksam
in diese Bewegungen eingreifen. In der Hauptsache gingen die
Preußen darauf ein; wenigstens lautete die Antwort des Königs
zustimmend. Zwar waren die Truppenabtheilungen, die man zu
dem Flankenangriff in den Vogesen bestimmte, nicht eben beträchtlich und am wenigsten nach der Ansicht des Herzogs zureichend,
der die Umgehung der Linien für nicht so leicht hielt, aber die
preußische Armee setzte sich doch seit dem 11. August in Bewegung; was bisher an der Haardt gestanden, besetzte Edenkoben, um
Landau zu beobachten, die Corps des Herzogs, Kalkreuths und
Hohenlohe's gingen ins Gebirge vor, näherten sich Pirmasens
und drängten die Abtheilungen der Moselarmee, die dort ihre ver-
schanzten Stellungen hatten, zurück. Das genügte Wurmsern, um
nun um so eifriger seiner Kriegführung nachzugehen. Am 19.
griff er vom Bienwalde aus den Feind wieder an, schlug sich an
diesem und dem nächsten Tage tapfer mit ihm herum, aber natürlich ohne irgend einen bleibenden Erfolg, weil dazu weder seine
Kräfte noch seine Stellung hinreichte. Es war wieder die Franzosenjagd, welcher der alte Reitergeneral nachging, und deren
werthlosen Triumph er mit dem Verluste von mehreren Hundert
seiner Leute erkaufte. Der preußische Monarch verhehlte denn
auch seinen Unmuth darüber nicht, daß Wurmser so ohne Weiteres auf seine Hand den Krieg führte; er hätte seiner Natur nach
gern an dem Kampfe Theil genommen, aber er erfuhr erst im letzten Augenblicke, daß ein Angriff im Plane lag. Es entspann
sich darüber ein Briefwechsel, in welchem der König bei aller
Anerkennung von Wurmsers Tapferkeit und dem Bedauern, nicht
selber an dem Kampfe Theil genommen zu haben, doch seine Mißbilligung des eigenmächtigen Verfahrens unverblümt aussprach.
Man fühlte auch auf österreichischer Seite, daß diese ungebun-
dene Art Wurmsers nicht in der Ordnung sei; der Prinz von
Waldeck hielt für nöthig, zu versichern, daß er selber der Meinung gewesen, Wurmser habe sich über Alles vorher mit dem König benommen. „Glauben Ew. Maj. — schrieb er — einem
alten Soldaten, wie ich bin, und lassen Sie die gerechte Ungnade

---

donner la suite, qu'en quittant le quartier-général d'Edinghofen ce prince avait
fait entrevoir au Roi comme immanquable.

weder auf mich noch auf die kaiserliche Armee. fallen." Auch
Wurmser erklärte, er werde Alles aufbieten, was in seinen Kräften stehe, "um sich die allerhöchste Gnade zu erwerben", und bat
um einen Fingerzeig, "wie er solche zu erlangen sich wieder Hoffnung machen dürfe."*)

Zugleich ließ Wurmser durch Wartensleben anfragen, ob man
bei einem erneuerten Versuch sich der preußischen Unterstützung
versichert halten könne; mit dem Frontangriff der Kaiserlichen zugleich sollte eine Umgehung der Weissenburger Linien durch den
Herzog stattfinden. Nach dem, was vorausgegangen, mußte
man erwarten, daß der König von Preußen dazu nicht abgeneigt war; hatte er doch in seinen Briefen an Wurmser nicht
dessen Kampfeslust tadelnswerth gefunden, sondern nur die Eigenmächtigkeit, womit er seinem Kriegseifer nachging. Auch
ist es uns nach der Correspondenz, die uns vorliegt, nicht im
mindesten zweifelhaft, daß der König jetzt bereit war, darauf loszuge-
hen; aber es hielt ihn diesmal die Taktik der Friedenspolitiker zurück. Man erwarte — lautete der Bescheid, den Manstein (25. Aug.)
entwarf, **) — vorerst noch den Kriegsplan von Wien, wisse auch
nicht, ob ein solcher Angriff den von dort erwarteten Entwürfen entspreche. Zudem sei die Stellung des Feindes unbekannt, scheine
aber jedenfalls von der Art zu sein, daß eine kleine Unterstützung
des Herzogs nicht hinreiche; doch könne man immerhin bei dem
Herzog anfragen, "inwiefern er an der Sache etwas ausführbar
finde, um alsbann dem gemäß und mit Rücksicht auf die obwaltenden politischen Gegenstände, wovon dem Herrn Grafen von
Lehrbach durch den Herrn Marquis Lucchesini die nöthigen Eröffnungen geschehen werden, ein zweckmäßiges Resultat zu nehmen."
Auch des Herzogs hatte die Manstein-Lucchesinische Politik des
Zögerns sich diesmal zu versichern gewußt; sein Gutachten über
den Angriff (27. August) war voll strategischer Bedenklichkeiten
und, ohne es auszusprechen, sichtbar berechnet, dem König den

---

*) Beide Schreiben sind vom 26. August.

**) Das Schreiben ist bei Wagner S. 86—88 abgedruckt. Dem Concepte
das wir in Händen hatten, lag zugleich ein Billet Lucchesini's bei: "En ap-
prouvant de tout mon coeur cette excellente dépêche je ne prends que la
liberté de proposer le changement d'un seul mot. Er wollte statt politische
"Verhältnisse" das Wort "Gegenstände" gesetzt wissen.

Plan zu verleiben. Und doch war der Herzog selber nicht überzeugt; denn noch am nämlichen Tage sprach er es offen aus,
daß der Augenblick günstig sei, um dem Feinde eine Schlappe
beizubringen; wenn aber „politische Rücksichten die Offensivbewe-
gungen verböten, so solle man ihm wenigstens einen königlichen
Befehl als Legitimation verschaffen, sonst sehe er sich im voraus
der beißendsten Kritik ausgesetzt." Beim König aber war es nun
nicht schwer, die Vorschläge zum Angriff als unzeitig darzustellen; konnte sich doch Manstein auf des Herzogs eigenes Gutachten stützen, welches die Bewegung unzweideutig mißrieth.

Um den König gleichsam zu entschädigen, ward der früher
aufgegebene Entwurf, eine Bewegung nach der Saar zu machen
und Saarlouis zu bombardiren, von Neuem vorgenommen; die
Kaiserlichen sollten die Linie vom Haardtgebirge zum Rhein hin
decken, auch durch ein Corps von 8000 M. die Preußen verstärken, deren Hauptmacht sich dann gegen Saarlouis in Bewegung
setzen und durch eine lebhafte Beschießung die Festung zur Uebergabe zwingen wollte. Es wurde darüber mit Prinz Coburg verhandelt; noch immer, äußerte der König, sei der von Wien erwartete Feldzugsplan nicht eingetroffen und es gehe die schöne
Jahreszeit ungenützt verloren. Coburg war natürlich mit diesem
Vorschlage, der von Anfang an zu seinen Ansichten gestimmt,
vollkommen einverstanden; aber der Plan blieb, wie das erste
Mal, ein unvollendeter Entwurf.*)

Daß Wurmsers Vorschlag zu kämpfen abgewiesen ward, war
ein Sieg der Diplomatie und der diplomatisirenden Officiere, wie

---

*) In einem Briefe Mansteins an Tauenzien aus diesen Tagen ist dar-
über geklagt, daß man den Plan auf Saarlouis auszuführen sich früher durch
die „Waldeck'schen Windbeuteleien" habe abhalten lassen und Wurmser indessen seine vergeblichen und verlustvollen Versuche auf die Linien unternommen
habe. Drum, damit doch etwas geschehe, wolle man lieber jetzt noch den Plan
auf Saarlouis wieder aufnehmen. „In eine förmliche Belagerung läßt sich
der König auf keinen Fall jetzt mehr ein, sondern schlechterdings nur auf ein
Bombardement" — — „In der That kann man es dem König nicht verar-
gen, nicht in ein Mehreres entriren zu wollen, denn nach der Art, wie man
zu Werke gegangen (und wie man sich in andern Dingen betragen), ist es
in der That viel und muß einem die Sache so wie ihm am Herzen liegen, um
einmal noch dies zu thun." Was es mit den „andern Dingen" für eine
Bewandtniß hatte, werden wir unten bei den polnischen Angelegenheiten sehen.

Manstein, gewesen, und der alte Haudegen hatte wohl Ursache, darüber mißvergnügt zu sein. Aber daß er nun im Unmuth wieder auf eigene Faust Franzosenjagd hielt und nach den letzten so verständlichen Winken des Königs, nach seiner eigenen so unverhohlenen Abbitte, abermals in den alten Fehler der Eigenmächtigkeit verfiel, das war militärisch unter allen Umständen unzulässig. Indessen der Eindruck der jüngsten Erörterungen war so flüchtig, daß Wurmser sowol seine Stellung beibehielt, als fortfuhr, Anstalten zu einem Angriff zu treffen — und das in dem nämlichen Augenblick, wo sein Angriffsplan von den Preußen verworfen war. Darüber ward denn in den nächsten Tagen zwischen den beiden Hauptquartieren lebhaft hin und her correspondirt; der König sprach über Wurmsers „übereiltes“ Verfahren sich in herbem Tone aus, überließ ihm „zu thun, was er für gut finde“, stellte ihm aber auch die volle Verantwortung dafür anheim.*)

Es wäre ohne Zweifel besser gewesen, wenn der König dem kaiserlichen General befohlen hätte, so und nicht anders zu handeln; denn einem Manne wie Wurmser durfte man nicht anheimgeben, was er thun wollte; der nahm dies im Unmuth Ausgesprochene jedenfalls wörtlich. Vielleicht in der Hoffnung, wenn er einmal im Feuer sei, die Preußen mit fortzureißen, entschloß er sich nun, auf eigene Hand die Umgehung der feindlichen Linien zu versuchen, obwol ihm die preußische Hülfe ausdrücklich versagt war. Am 6. u. 7. Sept. ging eine Colonne von 4000 Mann unter General Pejaczewich durch das Dahner Thal gegen den ersten französischen Gebirgsposten (bei Bondenthal) vor, welcher den Zugang ins Lauterthal und zur linken Flanke der Weissenburger Linien beherrschte; dem König und dem Herzog von Braunschweig begnügte sich Wurmser sein Vorrücken zu melden, ohne über Plan und Ziel eine Mittheilung zu machen. **) Erst wie die Truppen im Dahner Thale standen, schickte man zum Herzog nach Pirmasens und verlangte seine Mitwirkung (10. Sept.). Sie ward vom Herzog versagt; bei dem König war aber der ritterliche Eifer, seinen Verbündeten nicht im Stiche zu lassen, doch

---

*) Schreiben des Königs d. d 29. August.
**) S. die Actenstücke bei Wagner. S. 94—107.

stärker als der Unmuth über Wurmser und die Einflüsterungen
der diplomatischen Kriegführung. „Ungeachtet das Benehmen des
Grafen Wurmser — schreibt er — unverantwortlich gewesen und
noch ist, so wird mich dieses doch nicht bewegen, das allgemeine
Beste aus den Augen zu setzen." Er selber werde, falls der österreichische Angriff gelinge, nach Pirmasens kommen, um die Moselarmee aus ihren Stellungen zu drängen und ins Unterelsaß vorgehen; schlage der Angriff fehl, so solle der Herzog wenigstens
Sorge tragen, den Rückzug der Kaiserlichen zu decken. Es ging
mit dem Angriff, wie es bei einer so wunderlich zwiespältigen
Kriegführung zu erwarten war. Pejaczewich schlug am Morgen
des 11. Sept. die Franzosen aus Bondenthal heraus, sah sich aber
am nächsten Tage mit Uebermacht angegriffen, und kaum gelang
es ihm, mit der Aufopferung von 1000 Mann Todten und Verwundeten sich zu behaupten. Eilig sandte er nun nach Pirmasens um Hülfe und der Herzog schickte ihm auch (13. September)
einige tausend Mann entgegen;*) ehe sie aber zur Stelle waren,
fand sich der kaiserliche General mit seiner Handvoll Leute am frühen Morgen des 14. von Neuem mit Uebermacht angegriffen, schlug
sich tapfer herum, bis sich seine Leute verschossen hatten und ihm
keine andere Wahl als der Rückzug blieb. Bis gegen Dahn hin
verfolgt, wandte er sich zum Hauptcorps zurück, nach seinem eigenen Eingeständniß mit beträchtlichem Verluste. Nicht im Gebirge
allein hatten die Franzosen angegriffen; auch im Bienwalde, bei
Bergzabern und Otterbach ward gefochten (12. Sept.); eine Entscheidung war nirgends gefallen, wohl aber hatte Wurmsers Kampflust den Kaiserlichen einige tausend Mann gekostet, ohne irgend
eine Frucht zu bringen.

Indessen war es auch bei Zweibrücken und Pirmasens lebendig geworden. Schon am 12. war es zu kleinen Plänkeleien gekommen; auf den 14. hatten die Franzosen einen Angriff gegen
die Preußen festgesetzt. Aus ihren Verschanzungen in den Voge-

---

*) Daß, wie Valentini S. 42 rügt, die Hülfsdemonstration nicht stärker
war, entsprang wohl daraus, daß der Herzog in Pirmasens selbst angegriffen
war; die Vorsicht der Kriegführung jener Zeit verbot eine stärkere Theilung
der Kräfte. Im Uebrigen machte dem Herzog die Lage Pejaczewich's ernstliche
Sorge, wie der Brief a. a. O. S. 105 beweist.

sen, namentlich aus den Lagern bei Hornbach und St. Ingbert, wollten sie aufbrechen, den Erbprinzen von Hohenlohe, der bei Zwei-brücken, und das Kalkreuth'sche Corps, das weiter westlich stand, durch Demonstrationen beschäftigen und mit einem raschen Ueberfall sich bei Pirmasens auf den Herzog werfen. Es moch-ten ungefähr 15,000 Mann sein, die Moreaur am Morgen des 14. Septembers gegen Pirmasens führte, und allerdings, wie die Gegner der damaligen Kriegstheorie nicht unterlassen anzumerken, war bei allen möglichen Vorsichtsmaßregeln gerade die außer Auge gelassen, die den Ueberfall des Feindes pariren konnte. Aber so-bald die Gefahr einmal da war, wurde der Herzog ein anderer; rasch formirte er seine Schlachtlinie, hielt die feindliche Kanonade ruhig aus und warf, als der Feind seine Sturmcolonnen entwickelte, sie mit dem entschiedensten Erfolge zurück. Vergebens suchten sich die Weichenden von Neuem zu sammeln; ein letzter Stoß reichte hin, ihre Flucht zu vollenden. Das glänzende Treffen, in wel-chem die Franzosen viertausend Mann (darunter die Hälfte Ge-fangene) und zwanzig Geschütze, die Preußen ungefähr 150 M. verloren, bewies sprechender als alles Andere, wie überlegen die deutschen Truppen den Franzosen, wie nachtheilig aber die Kriegs-künsteleien der gelehrten Strategen waren. Von allen den Vor-bereitungen, Absteckungen u. s. w., die man seit Wochen aus-geklügelt, hatte am Tage der Schlacht keine zum Erfolg etwas beigetragen; überrascht, beinahe überfallen, hatten sich die Preu-ßen rasch zur Schlacht formirt, und etwa drei Bataillone, unter-stützt durch die Reiterei (mehr kamen nicht ins Gefecht), hatten hingereicht, die Franzosen bis Neuhornbach, ja bis nach Bitsch und Pfalzburg vor sich her zu jagen. Dieselben methodischen Be-denklichkeiten waren es denn auch, welche die erfolgreiche Benutzung des Sieges bei Pirmasens hinderten. Es scheint ganz unzweifel-haft, daß eine kühne Verfolgung des geschlagenen Feindes ihn vollends vernichten mußte; auch der König schien es nicht anders anzusehen. Er hatte ja schon am 10., für den Fall, daß sich Pe-jaczewich im Gebirge festsetze, einen Angriff auf alle die Lager in den Vogesen vorgeschlagen, wie viel mehr jetzt, wo der Feind in wilder Flucht nach jenen Lagern hinrannte. Aber seine Mahnung war vergeblich; der Herzog blieb ruhig und schien einen neuen Angriff abzuwarten.

An demselben Tage, wo sich die Preußen bei Pirmasens so rühmlich schlugen, war im königlichen Hauptquartier der Vicepräsident des Wiener Hofkriegsraths, Feldzeugmeister Graf Ferraris, eingetroffen und hatte endlich — im Herbst — den so lange erwarteten Kriegsplan für den Sommer mitgebracht. Die Wünsche des österreichischen Cabinets gingen dahin, daß ein Angriff auf das Unterelsaß unternommen, übrigens die Operationen auf das Terrain, auf dem sich die Armeen ausbreiteten, beschränkt werden sollten. Die Blokade von Landau verstand sich dabei von selber. Der Angriff auf das Elsaß sollte mit einem Sturm auf die Weissenburger Linien beginnen, während zu gleicher Zeit die Preußen das Lager von Hornbach angreifen und so die linke Flanke des Feindes werfen würden. Zu Wurmsers Angriff sollte ein Theil der Oesterreicher vom rechten Rheinufer herübergezogen werden; die Preußen erwarteten noch das Knobelsdorff'sche Corps aus den Niederlanden, das in diesem Augenblick bei Trier angelangt war. Im Hauptquartier selbst schien eine regere Kriegslust angefacht; außer dem österreichischen Feldzeugmeister war auch ein britischer Diplomat, Lord Yarmouth, dort eingetroffen, der eben mit Hessen-Cassel einen neuen Subsidienvertrag (23. August) abgeschlossen und im Begriff war, ein Gleiches in Darmstadt zu thun. Der Landgraf von Hessen-Cassel, der einen großen Theil des Sommers um seine 40,000 Thaler vergeblich angeklopft, hatte geradezu gedroht, sich aus einem Kriege zurückzuziehen, bei dem er seine Rechnung nicht fand; drum war es hohe Zeit, daß England etwas für ihn that.*)

Der König selbst war jederzeit für die rasche militärische Action und es hätte auch jetzt, nach der Ansicht sachverständiger Beurtheiler, nichts Günstigeres geschehen können, als wenn man den Plan, den der König zehn Tage früher gehabt, wieder aufgenommen hätte. Darnach sollte die preußische Armee die Lager in den Vogesen nehmen und sich so zwischen die beiden französischen

*) In einer Depesche vom 28. Juli berichtet Lucchesini: Le baron de Waitz ajouta que son maître ayant perdu jusqu' à l'espoir le plus éloigné d'obtenir le bonnet électoral et croyant voir dans les procédés de la Cour de Vienne et des trois Electeurs ecclésiastiques peu de disposition à lui procurer la paix, de justes indemnités, il était fermement resolu à mettre des bornes à ses procédés généreux etc.

Heere, die Rhein- und Moselarmee, in die Mitte schieben. Es wurde ein Weg gewählt, der vorsichtiger aber minder wirksam war. Die französischen Colonnen, die in den Bogesenlagern, bei St. Ingbert, Blieskastel, Neuhornbach standen, sollten von ihrem linken Flügel aus angegriffen und so nach einander aufgerollt werden; im anderen Falle, fürchtete man, könne die Moselarmee plötzlich sich gegen Mainz wenden und dem verbündeten Heere seine Verbindungen abschneiden! Der verabredete Plan ward am 26. Sept. und den folgenden Tagen ausgeführt. Ein Angriff Kalkreuths auf das Lager bei Blieskastel hatte dessen Räumung zur Folge (26.), am nächsten Morgen erschien Hohenlohe im Rücken des Hornbacher Lagers, das nun ebenfalls verlassen ward. Der Feind ward in den nächsten Tagen gegen Saargemünd verfolgt, indessen er auch weiter nördlich (28. Sept.) aus der Stellung bei St. Ingbert herausgeschoben und nach einigen vergeblichen Gefechten über die Saar zurückgedrängt ward.

Der König hatte diesen letzten Gefechten noch beigewohnt; er war bei den Kämpfen um das Lager bei Neuhornbach so weit vorgegangen, daß man einen Augenblick um seine persönliche Sicherheit besorgt war. Jetzt, am Mittag des 29. Sept., verließ er die Armee, um sich in den östlichen Theil seiner Monarchie zurückzubegeben; seit dem 18. Sept. war das beschlossene Sache, in deren Geheimniß freilich nur sehr Wenige eingeweiht waren. Der Schlüssel dazu lag in den polnischen Angelegenheiten.

Die Einmischung in Polen war, wie wir uns erinnern, seit Herbst 1792 eine abgemachte Sache und es waren gleich auf dem Rückzug aus der Champagne die Befehle nach Osten gegangen, Truppen mobil zu machen, „zur Herstellung des Cordons in Polen."*) Am 4. Januar 1793 war dann zu Petersburg der Abschluß des Vertrags über die Besetzung Polens erfolgt; Marschall Möllendorff stand an der westlichen Gränze der Republik, bereit um die Mitte des Monats einzumarschiren, der russische

---

*) Königliche Cabinetsordre, d. d. Koblenz 8. Novemb. (Dies Actenstück, gleich wie die im Folgenden benutzten, sind dem handschriftl. Nachlasse des Feldmarschall v. Möllendorf entnommen.)

General Igelström näherte sich Grodno, und die Besetzung des Landes war für beide Feldherrn nur noch eine Frage der Zeit. Es war kein Zweifel mehr; das tragische Schicksal Polens war seiner Erfüllung nahe; die Politik der auswärtigen Intervention und ihrer Werkzeuge, der Targowiczer Verschworenen, ließ die Maske allmälig fallen. Eine Declaration Preußens vom 6. Jan. 1793*) gab eine denkwürdige Probe der Staatskunst jener Tage, deren Thaten schon schlimm genug, deren Scheingründe der Rechtfertigung aber noch viel schlimmer waren. Die Targowiczer Verschworenen waren darin als die Mehrheit der Nation behandelt, die Verfassung von 1791, um die Preußen einst die Polen beglückwünscht, war nun verdammt, die Polen angeklagt, „den heilsamen Absichten des russischen Hofes hartnäckigen Widerstand entgegengesetzt zu haben", ihre Verfassung und deren Anhänger waren mit dem französischen Jakobinismus und dessen Emissarien in einen Topf geworfen. Zu seiner Sicherheit allein lasse Preußen jetzt den General Möllendorff in mehrere Districte von Großpolen einrücken; diese Vorsichtsmaßregel habe nur die Absicht, die angränzenden preußischen Länder zu decken, die übelgesinnten Aufwiegler und Ruhestörer zu unterdrücken, Ordnung und Ruhe wiederherzustellen und den wohlgesinnten Einwohnern einen wirksamen Schutz zu verleihen. Am 16. ward diese Erklärung in Warschau übergeben; acht Tage später rückten aus Westpreußen, der Neumark und Schlesien die preußischen Truppen in Polen ein. Die Protestationen der Polen verhallten wirkungslos; die Preußen breiteten sich in den Woiwodschaften Posen, Gnesen und Kalisch ungehindert aus, besetzten die wichtigsten Plätze ohne Widerstand; nur Danzig wollte sich nicht unbedingt dem neuen Herrn hingeben, und als die äußern Werke der Stadt besetzt wurden, wagte ein Theil der Bevölkerung sich zu widersetzen. Der blutige Auftritt hatte aber keine andere Folge, als daß die Stadt am 3. April doch in preußische Hände überging. Mit den Russen hatte man sich verständigt; der preußische Geschäftsträger, von Buchholz, hatte sich mit Igelström benommen und der russische General hatte zugestimmt, daß die Preußen ihren Cordon von Czenstochau über Rawa, Sochaczew, gegen Zakroczyn und Willenberg zogen, die Russen

---

*) Abgedruckt im polit. Journal 1793. S. 76 ff.

ihnen dieses Terrain einräumten. Zwei Patente, ein preußisches vom 25. März, ein russisches vom 7. April, lösten dann jeden Zweifel; sie wiederholten die alten Anklagen und kündigten die förmliche Besitznahme der occupirten Landschaften als ein Gebot der eigenen Sicherheit an. Die preußische Verkündigung wandte sich an alle Stände und Einwohner der Woiwodschaften Posen, Gnesen, Kalisch, Sieradien, der Stadt und des Klosters Czenstochau, des Landes Wielun, der Woiwodschaft Lentschitz, der Landschaft Kujavien, des Landes Dobrzyn, der Woiwodschaften Rawa und Plozk, sowie der Städte Danzig und Thorn, erklärte ihnen, daß diese Gebiete der preußischen Monarchie einverleibt seien, und gebot den neuen Unterthanen, sich in der festgesetzten Frist zur Ablegung des Huldigungseides zu stellen. Am Jahrestag der Verfassung von 1791 nahm Rußland die Huldigung ein; vier Tage später Preußen. Die Gewaltthat gutzuheißen, sollte ein Reichstag zu Grodno zusammentreten, in welchem natürlich nur die noch nicht besetzten Gebiete vertreten und alle Elemente, die an der Verfassung von 1791 hingen, planmäßig ausgeschlossen waren. Auf den 17. Mai war dieser Rumpfreichstag einberufen, aber man hatte sich getäuscht, wenn man eine so leichte Zustimmung erwartete. Selbst in dieser Versammlung überwog der Widerstand gegen die neue Theilung, der Haß namentlich gegen Preußen, und das Bestreben, sich der Unterstützung des Auslandes gegen die beiden Theilungsmächte zu versichern. Es vergingen viele Wochen, ohne daß die preußisch-russische Diplomatie ihrem Ziele auch nur näher kam; mit Preußen wollte die Versammlung gar nicht, höchstens mit Rußland verhandeln; im Anfang Juli vertagte dann die Versammlung ihre Berathungen, unverkennbar in der Erwartung, daß vielleicht eine günstige Wendung von außen erfolge. Die Erwartung war so eitel, wie das Bemühen, den russischen Unterhändler zur Nachgiebigkeit zu stimmen. Derselbe legte am 13. Juli einen Vertragsentwurf vor, der die Abtretungen enthielt, und erklärte zugleich er werde jede Weigerung und selbst jedes Zögern der Annahme, wie eine Kriegserklärung betrachten. Das wirkte; „uns selbst überlassen, erklärte der Reichstag, alles auswärtigen Beistandes beraubt, haben wir keine andere Unterstützung, als eine sehr kleine Anzahl Truppen und geschwächte Schätze; von allen Seiten mit schrecklichen Gefahren umlagert, die mit jedem Tage wachsen, scheint uns die Menschlichkeit selbst einen Krieg zu untersagen, den wir nicht würden führen können." Am 22. Juli ward der Abtretungsvertrag mit Rußland unterzeichnet.

Wir haben diese bekannten Vorgänge in gedrängter Kürze zusammengefaßt und wollen nun aus unseren diplomatischen Quellen ihre Rückwirkung auf die kriegerischen Begebenheiten am Rhein nachweisen. Die ersten Monate des Jahres 1793 zeigten ein völlig ungetrübtes Einverständniß zwischen der preußischen und russischen Politik, und die Staatsmänner und Diplomaten Preußens zweifelten damals nicht an einer raschen und glücklichen Lösung der polnischen Wirren. Erst wie der sogenannte Reichstag zu Grodno zusammentrat und die Polen wohl gegen Rußland, aber nicht gegen Preußen sich nachgiebig bewiesen, da erwachten die ersten Bedenken. Wohl war es nicht auffallend, daß die polnische Erbitterung gegen Preußen, den Verbündeten von 1790, viel größer war als gegen Rußland; auch ließ sich ohne Mühe durchschauen, daß es Taktik der Polen war, den Russen eher nachzugeben, um an ihnen eine Hülfe gegen die Preußen zu finden, aber man war doch auch der Haltung von Rußland selber nicht völlig versichert. Ließ doch der russische Bevollmächtigte es ruhig geschehen, daß in den Verhandlungen der Polen Preußen auf's Heftigste angegriffen, die preußische Forderung von der russischen getrennt und die letztere für sich allein am 22. Juli gewährt ward.

Noch ehe so die ersten Keime des Mißtrauens gegen den moskowitischen Verbündeten erwachten, war Preußen über seinen andern Alliirten besorgt geworden, über Oesterreich. Man hatte in Berlin gehofft, Kaiser Franz werde sich den Declarationen der Theilungsmächte anschließen; es unterblieb. „Statt dessen — so berichtet Buchholz*) — hat sich der kaiserliche Geschäftsträger in Warschau leichter Reden bedient und gesagt, daß der Kaiser zu einer andern Zeit die Theilung nicht gestatten würde, sich aber gegenwärtig der Sache nicht widersetzen könne. Der General Igelström hat dieses sehr relevirt und mit dem Geschäftsträger eine ziemlich heftige Explication gehabt." Das schien von Wirkung; denn es verlautete bald, es sei von Wien die Weisung

---

*) Wörtlich aus einer Depesche an Möllendorff d. d. Grodno 8. Mai.

an den Gesandten ergangen, sich in gleichem Sinne mit den theilenden Mächten zu äußern. In persönlichen Schreiben, die Kaiser Franz an Katharina und Friedrich Wilhelm richtete, bestand der Kaiser darauf, „daß er sich in nichts einlassen könne, bevor man sich in Ansehung seiner Indemnitäten näher erklärt haben würde." Eben über diesen Punkt, die Entschädigung, erwartete aber Preußen die Erklärung Oesterreichs; wir wissen ja, daß der bairische Ländertausch von Neuem zur Sprache gebracht war, und es hatte jetzt allen Anschein, daß er den Widerstand nicht finden würde, wie acht Jahre vorher. Im Gegentheil sah man Oesterreich lieber in Baiern vergrößert, als an der Beute in Polen Theil nehmen. „Das bairische Project — schreibt Buchholz — werden die Höfe immer dem polnischen vorziehen, erstens, weil es einmal versprochen und halb abgeredet ist; zweitens, weil eine Einmischung einer dritten Macht in die polnische Theilung unseren ganzen Plan und unsere bisherigen Declarationen umstoßen würde; drittens, weil die nahe Gränze und Nachbarschaft des Kaisers geniren würde."

Das Schweigen Oesterreichs steigerte das Mißtrauen der preußischen Staatsmänner. Der Minister Schulenburg hält es z. B. für ausgemacht, daß Oesterreich selber in Polen Vergrößerungen suche und daher die Pläne Rußlands und Preußens mit größter Unruhe betrachte;*) der Gesandte Buchholz wies seinerseits darauf hin, daß die polnische Emigration, also der Anhang der Verfassung von 1791, immer noch seine Hauptstütze im Wiener Hofe finde. Daß die Politik Thugut's die Wendung der Dinge in Polen sehr ungern sah, daran konnte allerdings Niemand zweifeln; nur wird es immer schwer zu entscheiden sein, wie weit sie schon jetzt in ihren Contreminen gegen die russisch-preußischen Theilungspläne gegangen ist. Aber es war schon schlimm genug für das Einverständniß beider Mächte, daß man im Kreise der preußischen Diplomatie fest davon überzeugt war, in Oesterreich den eigentlichen Gegner in Polen zu haben; es wird in Gesandtschaftsberichten und Ministerialdepeschen von der „unterirdischen" Thätigkeit der österreichischen Politik wie von einer bekannten Sache gesprochen.

---

*) Schreiben an Möllendorff d. d. 16. Mai.

Dazu kam denn seit Juli 1793 das erwachende Mißtrauen gegen Rußland. Der Abschluß des Vertrags vom 22. Juli, o h n e Einschluß Preußens, erregte bei dem König die erste sichtbare Verstimmung; doch hieß es noch: „man muß die Eitelkeit einer Frau schonen und Geduld haben." Ein leiser Zweifel an dem guten Willen Rußlands stieg freilich schon in ihm auf und er wünschte recht dringend, daß die Umstände keine ernsthaften Schritte erfordern möchten. *) Dem preußischen Diplomaten aber, der in Grodno saß, erschien die Gesinnung Rußlands, soweit dessen Bevollmächtigter sie vertrat, mit jedem Tage bedenklicher; er klagt immer lauter über den nachtheiligen Einfluß, den seine Haltung auf die Verhandlungen übe. „Es ist schwer zu bestimmen — sagte er — ob er diese Gesinnung immer gehegt oder nur erst seit Kurzem angenommen hat.**) Rußland — heißt es dann weiter — habe sich in Polen soviel Einfluß wie möglich zu verschaffen gewußt, ihn aber niemals mit Preußen theilen wollen." „Ich bin hier — klagt Buchholz — ohne russischen Beistand isolirt und habe also Alles mit dem russischen Gesandten und durch ihn bewirken müssen, denn der Name „Preuße" ist hier äußerst verhaßt, weil man uns die vorige und die jetzige Theilung Polens zur Last legt." In Petersburg aber habe man geradezu gegen Graf Goltz geäußert: „es sei eben ein Spiel, Rußland habe das große Loos erhalten, die Andern müßten nun auch für sich sorgen."***) Aus allen diesen Sorgen spricht zugleich der vielleicht ungegründete Verdacht heraus, Oesterreich sei es, welchem man die „Umstimmung" Rußlands zu verdanken habe.

Vergegenwärtigen wir uns, daß dies die große Angelegenheit war, die den König in seinem Feldlager am Rhein beschäftigte, und daß alle diese Allarmbotschaften dort in die Berathungen des Kriegsraths hereinfielen, so wird die vorsichtige und abwartende Kriegführung keiner weiteren Erklärung bedürfen. „Wir stehen hier — schrieb Manstein einmal †) — noch ganz ruhig, dürften aber wohl nun Landau etwas näher rücken, ohne indessen zu

---

*) Königl. Cabinetsordre d. d. Dürkheim 1. Aug., welche eine Depesche von Buchholz d. d. 22. Juli beantwortete.

**) Depesche von Buchholz d. d. 29. August.

***) Schreiben Schulenburgs d. d. 24. August.

†) Schreiben an Buchholz d. d. 12. August.

I.   38

weit vorzugehen, indem wir vor allen Dingen die Ankunft des Grafen Lehrbach abwarten und sehen wollen, wie sich der österreichische Hof in Ansehung der polnischen Angelegenheiten nehmen wird, als welches uns allein bestimmen wird, mit mehr oder weniger Thätigkeit zu agiren." Nach dem Berichte eines andern Eingeweihten*) hatte der König, erzürnt über das lange Ausbleiben Lehrbachs, geradezu erklärt, keinen Schritt weiter zu gehen, bevor sich Oesterreich über seine Entschädigungsabsichten ausgesprochen und den Dingen in Polen seine Zustimmung gegeben habe.

So war durch diese Vorgänge schon im Sommer 1793 die Coalition in ihrem Innersten erschüttert und das Bündniß mit Oesterreich so sehr gelockert, daß es kein Wunder war, wenn all das diplomatische Flickwerk, womit man sie nachher von Neuem zu kitten suchte, kaum bis zum Frühjahr 1795 vorhielt. Die Sachen standen im August 1793 so, daß preußische Staatsmänner die Möglichkeit eines Krieges mit Polen, dem Rußland unthätig zuschaute, in Erwägung ziehen mußten. „Wenn dann auch — sagt einer — der russische Hof Beweggründe genug hat, sich nicht gegen uns zu erklären und gegen uns zu agiren, so wird es ihm doch nicht an Mitteln fehlen, uns indirect zu schaden."**) Eine solche Möglichkeit, mit erschöpften Finanzen einen Krieg an der Weichsel und einen am Rhein führen zu müssen, konnte einem denn allerdings, wie sich derselbe Staatsmann ausdrückt, „die Haare sträuben machen." Natürlich, daß der Krieg am Rhein immer lästiger erschien; Schulenburg spricht es einmal schon offen aus, was manche Andere im Stillen dachten. ***) „Hinge es von mir ab — sagt er — den Plan zu entwerfen, wie Preußen sich in der gegenwärtigen Lage zu verhalten hätte, so würde die Armee die französischen Gränzen den Augenblick verlassen, um sich gegen Jedermann, der uns zu attakiren Lust hätte, in Positur zu setzen. Auf diese Weise zögen wir uns auf der einen Seite aus einem verderblichen Spiel zurück, verbesserten vielleicht noch die Lage unserer polnischen Angelegenheiten und retteten

---

*) Schreiben Schulenburgs an Möllendorff d. d 18. u. 22. Aug
**) Schreiben desselben d. d. 28. Aug.
***) Schreiben an Möllendorff d. d 1. Sept.

unsere politische Consideration in Europa. Ein Schritt von der Art würde die benachbarten Höfe zum Nachdenken bringen und man würde so bald nicht wieder suchen uns hinter's Licht führen zu wollen." Aber nicht in den diplomatischen Kreisen allein, wo man des Krieges im Westen lange satt war, gibt sich diese tiefe Mißstimmung kund; es kommen von sehr unverdächtigen Seiten ähnliche Aeußerungen. Ein Mann wie Tauenzien z. B., der ohne diplomatische Seitengedanken die Dinge einfach als Soldat und Patriot ansah, der den Gedanken eines Separatfriedens rund abwies, *) ist doch sehr ärgerlich über den Gang der Dinge, über die Unthätigkeit des preußischen Heeres und ihre geheimen politischen Ursachen. **) „Die Welt weiß das nicht — sagt er — und urtheilt nach dem Schein; jeder fragt sich und mit Recht, was macht der König von Preußen mit seiner großen Armee? Und Niemand weiß, aus welcher Ursache sie nichts macht." Ueber die Politik Thuguts hat er ganz die gleiche Meinung wie Lucchesini, Manstein und Schulenburg.

Indessen waren die Dinge in Grodno während des Juli und August ziemlich auf demselben Punkte stehen geblieben und erst zu Ende August schien sich Rußland aus seiner Rolle des ruhigen Beobachters aufrichten zu wollen. Aber die Art, wie es geschah, enthüllte erst die tieferen Gründe der russischen Taktik und ihrer schlau berechneten Unthätigkeit. Preußen hatte beim Einmarsch der Truppen seine Forderungen an Gebiet etwas weiter ausgedehnt, als es der Petersburger Vertrag festsetzte, und die Demarcationslinie, die Möllendorff zog, entsprach dieser besseren Abrundung. Man glaubte der stillschweigenden Zustimmung Rußlands sicher zu sein und verwies an die großen Erwerbungen an Land, die Rußland selber zufielen. Gleichwol hatte die Zurückhaltung des russischen Unterhändlers gerade den Zweck, diese Forderung auf ein bescheideneres Maß herabzustimmen, und wenn er durch sein Schweigen die Versammlung zu Grodno in ihrem Widerstand bestärkte, so geschah es eben in der Hoffnung, Preußen

---

*) „Ich gestehe Ihnen, werther Freund, daß ich nicht absehe, wie wir uns aus diesem Kriege ziehen können, ohne daß ein allgemeiner Friede bewerkstelligt werde," heißt es in einem Briefe T.'s an Manstein d. d. 14. Sept.

**) Schreiben d. d. 5. Sept.

in seinen Bedingungen nachgiebiger zu machen. Indessen hatte sich Buchholz vergebens bemüht, es zu einer Unterhandlung über seinen Vorschlag zu bringen; die Polen setzten vielmehr bis zuletzt der Gewaltthat die Chicane entgegen, und wie der preußische Gesandte endlich die Vollmacht zur Unterhandlung über die Gebietsabtretung glaubte ertrotzt zu haben (Mitte August), so war es wieder nur eine Vollmacht — zur Abschließung eines Handelsvertrags mit Preußen.*) Jetzt erst, in den letzten Tagen des August, nahm der russische Botschafter wieder lebhaften Antheil an den Verhandlungen, erließ mit einem Male drohende Erklärungen an die Versammlung und nahm die Miene an, als wolle er die im Schloß versammelten Polen durch Aufstellung von zwei Grenadierbataillonen und vier Kanonen gewaltsam zur Nachgiebigkeit zwingen (2. Sept.). In der That ließen die Polen sich nun dazu bei, mit Preußen zu unterhandeln, aber es war wieder nicht der preußische Entwurf, den sie zu Grunde legten, sondern eine Modification, wie sie den russischen Wünschen entsprach und schon früher von Sievers war vorgelegt worden. Außer andern lästigen Auflagen waren darin die Abtretungen auf das Maß der Petersburger Bedingnisse zurückgeführt und der ganze Vertrag unter die Bürgschaft Rußlands gestellt. Die russische Politik hatte also ihr Interesse vortrefflich gewahrt; indem sie die Polen scheinbar mit den Waffen zur Annahme der preußischen Forderungen zwang, waren es doch nicht die preußischen, sondern nur ihre eignen Vorschläge, die sie durchzusetzen suchte.

Während dies in Grodno vorging, erließ der König an Möllendorff die Weisung, **) lieber auf die weiteren Ausdehnungen

---

*) Der Vertragsentwurf von Buchholz findet sich in polit. Journal von 1793. II. S. 921 ff. Ebendas. S. 926 der Antrag der ausgedehnteren Granzregulirung. Die daran sich knüpfenden Verhandlungen und Actenstücke f. S. 981—986.

**) Cabinetsordre d. d. 4. Sept Ein beiliegender Brief von Manstein besagt dasselbe. Ebenso eine Depesche Lucchesini's d. d. 5. Sept., worin es heißt: Il est évident, Mr. le Maréchal, que votre ligne de demarcation don noit aux acquisitions que le Roi vient de faire en Pologne un degre de perfection militaire et financiere, qui en rehaussait extrêmement le prix Il est également vrai, que si l'équité présidait aux conseils des grands seigneurs, l'Impératrice de Russie n'aurait pas du refuser au Roi une extention de limites, qui ne nuisait qu'à ces mêmes Polonais auxquels Elle a enlevé de si belles

des Gebietes zu verzichten, um nicht eine Entzweiung mit dem
russischen Hofe und vielleicht gar einen Krieg in Polen herbeizuführen. Gleiche Rathschläge kamen wenige Tage später aus
Berlin.*) Wohl sei es nicht zu verkennen, daß der russische
Gesandte seit der Unterzeichnung des eignen Vertrags „seine Se-
gel um ein Merkliches eingezogen und von dem früheren Einverständniß nach und nach abgewichen sei", auch wird diese Wendung der Thätigkeit der österreichischen Politik zugeschrieben; aber
man müsse doch Alles vermeiden, was Preußen in diesem Augenblicke mit beiden Kaiserhöfen überwerfen könne. „Vielmehr
— so schloß die Note — ist es dem Interesse des Königs und
den Regeln der Staatsklugheit gemäß, lieber einen minder vortheilhaften Tractat einzugehen, als die Zerschlagung der ganzen
Negotiation zu wagen und dadurch den Mächten, die uns unter
der Hand entgegengearbeitet haben, gewonnen Spiel zu geben."

Aber diese Rathschläge bezogen sich nur auf die Gränzbe-
stimmung, nicht auf den anstößigen Vorbehalt russischer Genehmigung und Bürgschaft — eine Bedingung, die den preußischen
Unterhändlern zu Grodno unannehmbar erschien. In dieser Bedrängniß tauchte der Gedanke auf, durch Friedrich Wilhelms II.
persönliche Intervention die Entscheidung zu beschleunigen **).
Es war weniger auf Krieg als auf eine kriegerische Demonstration abgesehen: die Welt sollte sehen, daß der König nöthigenfalls das Lager am Rhein verlassen würde, um seine Interessen
in Polen zu verfechten. Am 18. Sept. verkündete Friedrich Wil-

provinces, et qui n'ajoutait que peu de choses au lot qu'elle nous avait ad-
jugée précédemment. Mais V. E. connoit trop bien les grands et vrais intérêts
de la monarchie prussienne pour ne pas convenir avec moi qu'au prix de dé-
plaire à l'Impératrice au moment où elle paraît se détacher plus que jamais
de l'Autriche, il faut savoir s'imposer des petits sacrifices etc.

*) Depesche des Minist. des Ausw. d. d. 7. Sept.
**) In einem Schreiben vom 12. Sept. heißt es: „Wollte alsdann der
König für seine Person das Kriegstheater verlassen und hierher kommen, so
würde dies der Welt zeigen, daß seine Aufmerksamkeit auf die polnischen Dinge
gerichtet sei, und ohne stärkere Demonstrationen einen Eindruck machen, der
nicht anders als vortheilhaft für uns sein könnte, wenn auch Rußland und
Polen dadurch nicht zum Nachgeben bewogen würden, weil doch wenigstens
unsere politische Consideration gerettet sei, und dieser männliche Schritt auch
unsern Gegnern Achtung einflößen und Nachdenken verursachen würde."

helm dem Herzog von Braunschweig seinen Entschluß, zur Armee nach Polen abzugehen und sobald als möglich ins Gebiet der Republik einzurücken; „diese Bewegung müsse nothwendig geschehen, so lange die Versammlung in Grodno noch beisammen sei."*) Eine ausführliche Darlegung an Tauenzien**) war bestimmt, dem Prinzen von Coburg die Gründe dieser Wendung einleuchtend zu machen. Durch die letzten Vorgänge in Grodno — hieß es darin — sei die ausdrücklich zugesagte Gebietserweiterung in Polen in Frage gestellt worden; der König habe daher das wichtigste Interesse voranstellen und sich entschließen müssen, selbst nach Polen zu gehen, ***) jedoch werde er nicht unterlassen, durch persönliche Theilnahme an einem bevorstehenden Angriff bis zuletzt seine Anhänglichkeit an die Sache seiner Verbündeten zu bethätigen. Dann werde er aber gehen, jedoch so viel Truppen zurücklassen, als ihm wichtigere Beweggründe noch erlaubten einer „fremden Sache" zu widmen. Er habe Alles gethan für seine Verbündeten, und erst die Lauheit, womit man seine Opfer belohnt, habe ihn genöthigt, entweder eine geringere Thätigkeit zu entfalten, oder seine theuersten Interessen zu opfern. Das Alles solle Tauenzien dem Prinzen im rechten Lichte vorstellen, auch nicht verhehlen, wie befremdend für den König die Rolle der österreichischen Politik in Polen gewesen sei.†) Auch scheide er von dem Kriegsschauplatze am Rhein mit wenig Hoffnung auf Erfolge; denn es scheine nur zu un-

---

*) Aus einem königl. Schreiben an den Herzog d. d. 18. Sept, das mit dem bei Wagner S. 116 f. abgedruckten nicht identisch ist In einer eigenhändigen Nachschrift ist der im Text angeführte Zusatz beigefügt.

**) d. d 21. Sept.

***) „Menacé de voir méconnoitre leur droit (des dédommagements) ja du faire ceder l'accessoire au principal et je viens de me déterminer à m'arracher ici aux efforts que je consacrais à la cause de mes alliés pour aller en personne sur les frontieres et mes nouvelles provinces, veiller a leur conservation et au maintien de mes droits "

†) Toute fois en le convainquant que ce n'est pas a mes sentimens pour sa cour que mes resolutions ont tenu, il ne vous est pas defendu de regretter en présence de son A. S. que l'Autriche ait eu des raisons à prescrire un role passif à son ministre à Grodno et n'ait pu en pressant par l'expression puissante de sa volonté la conclusion des affaires de Pologne, conserver à la cause des justes ennemis de la France toute l'assistance que je leur avais vouée jusqu'ici "

zweifelhaft, daß das Verfahren Wurmsers in Wien seine feste Stütze hätte.

Am 29. Sept. reiste der König ab; inzwischen war in Polen die Entscheidung gefallen. Der russische Botschafter war, wie die Preußen vermutheten, in Folge eines Winkes von Petersburg, seit dem 23. Sept. in „wahrer Reaction" begriffen*) und unterstützte nun den ursprünglichen preußischen Vorschlag, ohne die später hinzugefügten Erweiterungen, aber auch ohne die ärgerlichen Clauseln der Polen. Die letzten Mittel, die man brauchte, waren an gehässiger Gewaltthat des ganzen Werkes würdig. Durch Verhaftung Einzelner, durch Absperren und militärisches Bedrohen der Uebrigen erzwang man endlich die stumme Genehmigung des Theilungsvertrages vom 25. Sept., wodurch das von Preußen besetzte Gebiet, im Umfang von mehr als tausend Quadratmeilen und mit einer Bevölkerung von ungefähr 1,100,000 Einwohnern, an Friedrich Wilhelm II. abgetreten ward. Außer Danzig und Thorn waren es die Woiwodschaften Posen, Gnesen, Kalisch, Lentschitz, Sieradien, das Land Cujavien und ein Theil von den Woiwodschaften Krakau, Rawa und Plocz, die unter dem Namen „Südpreußen" dem preußischen Staate einverleibt wurden. Das war, alles Unrechts ungeachtet, das daran haftete, eine schöne Abrundung nach Osten und eine gute Gränze gegen Rußland — aber freilich um so schlimmer, wenn dies Neuerworbene verloren ging und nur zu Rußlands Gunsten Polen beraubt ward!

So war zwar die polnische Verwicklung für's Erste gelöst, aber die Eindrücke, welche die letzte Krisis geweckt, wurden damit nicht verwischt. Die Coalition gegen Frankreich war gelockert und Preußen stand nur noch mit halbem Herzen bei dem Kampfe am Rhein. Die Erklärung vom 21. September, die wir oben angeführt, und deren Verfasser wohl Lucchesini war, lautet schon fast wie ein Absagebrief an die contrerevolutionäre Allianz; über Oesterreich wird darin Beschwerde geführt, die Sache in Polen als Preußens Hauptinteresse bezeichnet, der Krieg am Rhein schon eine fremde Angelegenheit genannt. Wohl war dies mehr die Sprache der Friedenspolitiker, als des Königs selber, und Friedrich Wilhelm II. nahm wenige Tage nach jener Note wieder mit aller

---

*) Aus einem Schreiben Meyerinks aus Grodno d. d. 23. Sept.

persönlichen Lebensgefahr an dem Kampfe Theil; aber damit
sich dies nicht wiederhole und des Königs persönliche Kampflust
die Combinationen seiner Diplomaten durchkreuze, sahen ihn Lucchesini und Manstein so gern das Lager verlassen. Auch wenn
seine Anwesenheit in Polen nicht mehr nöthig war, so erschien
ihnen doch seine Abwesenheit am Rhein sehr wünschenswerth;
denn in dem Bemühen, Preußen aus der Coalition herauszuwi-
ckeln, konnte seine persönliche Generosität nur stören.

Manstein und Lucchesini hatten ihren fertigen Plan, über den
sie sich aber für's Erste nur gegen vertrautere Freunde ausließen.
„Die Unterzeichnung des polnischen Cessionsvertrages, — äußerte
damals Manstein*) — verschafft uns den Vortheil, hier eine andere Sprache führen zu können, ja er setzt uns in die angenehme
Lage, diesen Winter mit unsern hiesigen Truppen (das Reichscontingent ausgenommen) zurückmarschiren zu können, oder aber
solche Forderungen zu machen, die uns mehr als entschädigen.“
Noch deutlicher spricht sich Lucchesini aus.**)   Der Abschluß der
polnischen Angelegenheit — sagt er — setzt den König in Stand,
fest und entschieden dem Wiener Hofe die Unmöglichkeit darzulegen, den Krieg in einem dritten Feldzuge auf seine Kosten fortzusetzen. Die Haltung dieses Hofes in Polen, seine Unentschlossenheit in Verfolgung der Kriegsoperationen, sein Plan uns zu
erschöpfen, um ihm Eroberungen in Frankreich zu schaffen, das
hat selbst denen die Augen geöffnet, welche sich über die anschei-
nende Aufrichtigkeit des österreichischen Cabinets gegen uns am
meisten verblendet hatten. Da ich selbst darüber nie eine andere
Meinung gehabt, so freue ich mich, daß auch unser erhabener
Herr seinen Verbündeten hat kennen lernen, bevor diese Erkenntniß um den Preis der höchsten Interessen der Monarchie erkauft
werden mußte. Mit Ehren aus dem kostspieligsten Krieg hervorgehen, den Preußen jemals geführt hat, aus den neuerworbenen
Provinzen Nutzen ziehen, die Lücken des Staatsschatzes ergänzen,
die theils durch nöthige Ausgaben, theils durch unsere Neigung,
an allen europäischen Händeln Theil zu nehmen, verursacht sind,
die Armee vervollkommnen, ohne sie zu sehr zu vermehren, für

---

*) Schreiben an Möllendorff d. d. 4. Sept
**) Depesche an Möllendorff d. d. 5 Sept.

die Vertheidigung der neuen Gränzen sorgen, die neuen Verbindungen mit Rußland mehr und mehr befestigen, im Stillen den Ehrgeiz unsers natürlichen Rivalen überwachen und uns
nicht von den Launen der englischen Politik abhängig machen —
das ist nach meiner Ansicht die glorreiche politische Laufbahn, die
unserem König zu verfolgen übrig bleibt.

So lautete das politische Programm, nach welchem Lucchesini fortan handelte und dessen Vertreter in des Königs nächster
Umgebung Oberst Manstein war. Das Band engerer Allianz zwischen Preußen und Oesterreich war darnach schon so gut wie gelöst:
die einflußreichsten Diplomaten Preußens sahen es selber so an,
und in Oesterreich war die Thugut'sche Politik freilich am wenigsten dazu angethan, über diese Kluft eine Brücke neuen Einverständnisses zu schlagen. In den Militärangelegenheiten galt damals der Adjutant des Kaisers, Rollin, ein Mann von geringem
Verdienst, als die einflußreichste Person; die Beseitigung des Lascy'schen Einflusses, die Erhebung von Ferraris zum Vicepräsiden-
ten des Hofkriegsraths, die Bekämpfung der preußischen Vorschläge,
Saarlouis zu blokiren, und die zwar nicht offene, aber doch unverkennbare Unterstützung Wurmsers — das Alles galt als eine
Wirkung des Uebergewichts, welches der militärische Höfling
übte. *) Man schien darüber im österreichischen Lager selbst —
wenigstens in den Niederlanden — mißvergnügt und mißbilligte
die Haltung Wurmsers; in der Regel rühmt sich der Bevollmächtigte
Preußens des Einverständnisses mit den militärischen Autoritäten,
mit welchen er verkehrte. Um so gespannter war bereits das Vernehmen zu den diplomatischen Persönlichkeiten; Graf Mercy —
schreibt Tauenzien — kann unsere polnische Acquisition noch gar
nicht beherzigen. Ein kleiner diplomatischer Zwischenfall enthüllte
bereits diesen wunden Fleck deutlich genug. In einem unter
österreichischem Einfluß stehenden Blatte war bemerkt, der Graf
Ferraris werde wahrscheinlich die preußische Armee bestimmen,
kräftiger zu agiren als bisher; Tauenzien fand dies „außerordent-

---

*) Aus einem Schreiben Tauenziens (d. d. 14. Sept.), der in der Um-
gebung und im Vertrauen des Prinzen von Coburg über Wien gewöhnlich
sehr genaue Nachrichten hatte. Dazu gehört eine Depesche desselben d. d.
26. Sept.

lich infolent" und richtete eine lebhafte Reclamation an den Gra=
fen Metternich, worin er mit Nachdruck hervorhob, daß Preußen
nur als Hülfsmacht zu handeln habe und seit Monaten vergeb=
lich von Wien den Kriegsplan erwarte, der seine weitere Thä=
tigkeit bestimmen sollte. Es ward ihm die verlangte Genugthuung
gegeben.

Ueber die Entschädigungsabsichten Oesterreichs war unter
diesen Umständen eine vertrauliche Eröffnung an Preußen nicht
zu erwarten. Doch wollte man seit Anfang September bestimmt
wissen, daß der Wiener Hof an England erklärt habe, auf den
bairischen Ländertausch verzichten und die Niederlande behalten zu
wollen. *) Das wäre also — äußert das preußische Ministerium
— eine völlige Umkehr in dem Entschädigungssystem Oesterreichs,
die nothwendig auf die Verlängerung des Krieges Einfluß
üben muß.

Für eine rasche und einträchtige Kriegführung am Rhein waren
dies ungünstige Auspicien, zumal da mit der Abreise des Königs
die letzte Persönlichkeit entfernt war, die über politische Beden=
ken und das vorhandene Mißtrauen auch wieder hinwegsah und im
entscheidenden Augenblick am liebsten auf den Feind losschlug.
Der Herzog war schon seiner bedächtigen Strategie nach zu so
raschen Entschlüssen nicht angelegt, zudem mit Wurmser gespannt
und gegen die Diplomatie im Lager doch nachgiebiger, als es zu
seiner eigenen Ueberzeugung stimmte. Er mißbilligte zwar im
vertrauten Kreise die Halbheit der Kriegführung, betonte mit Recht
den nachtheiligen Einfluß, den sie auf den Geist der Armee übe,
aber er ließ sich denn doch, wie wir bei einem früheren Anlasse
sahen, auch wieder dazu brauchen, mit seiner militärischen Auto=
rität die Kriegführung der Friedenspolitiker zu unterstützen. **)

Die nächste Zeit indessen nach des Königs Abreise verstrich
nicht ungenützt. Nachdem Graf Ferraris endlich mit den österreichi=
schen Vorschlägen gekommen war, verständigte man sich doch ohne
allzugroße Umschweife über eine gemeinsame Operation, die jenen

---

*) Depesche des Minist. des Auswärt. d. d 3. Sept.
**) S. oben S. 582 f.

Vorschlägen entsprach. Die Weissenburger Linien sollten von
Wurmser in der Front angegriffen, von dem Herzoge umgangen
und durch diese zusammenhängende Bewegung die Franzosen aus
ihren Stellungen herausgedrängt werden; zu gleicher Zeit wurde
dann Landau blokirt. Der Zustand der französischen Heere, von
denen die Moselarmee durch die letzten Gefechte zurückgeschoben
war, die Rheinarmee theils unter dem tollen Regiment der Conventscommissäre, theils unter der Anarchie kopfloser Führer litt,
versprach das Gelingen des Unternehmens sehr zu erleichtern; die
beiden verbündeten Führer wirkten diesmal nach Verabredung zusammen, nicht wie früher nach verschiedenen Richtungen auf eigne
Hand. Während die Preußen (11—14. Oct.) den linken Flügel
der Franzosen in den Vogesen zwischen Weissenburg und Bitsch aus
seinen Stellungen verdrängten und ein österreichisches Corps bei
Selz über den Rhein ging, um dem Feinde in die rechte Flanke zu
kommen, unternahm Wurmser am Morgen des 13. Octobers den
Hauptangriff, eroberte einzelne Schanzen, vertrieb die Franzosen
aus Lauterburg und Bergzabern und nahm am Abend Weissenburg
selbst. Mit einem Verluste von 750 Gefangenen, 28 Kanonen
und einer nicht unbedeutenden Zahl von Todten und Verwundeten gingen die Feinde in der Nacht gegen Hagenau hin zurück,
wurden am andern Tage hinter die Sur gedrängt, am 17. genöthigt auch Hagenau zu räumen und sich unter die Mauern von
Straßburg zurückzuziehen.

Bis hierher waren Wurmser und der Herzog einig gewesen;
was weiter folgte, zeigte wieder den alten Zwiespalt. Dem Herzog erschien als das natürlichste Unternehmen die Beschießung von
Landau und die Vorbereitung sicherer Winterquartiere: er dachte
diese hinter der Erbach und Blies zu finden und sein Heer dort
in der Richtung von Dahn über Pirmasens gegen die Saar hin
seine Winteraufstellung nehmen zu lassen. Drum schien ihm das
weite Vorgehen Wurmsers ins Elsaß bedenklich; den Wunsch desselben, er möge sich gegen einige elsassische Bergschlösser in Bewegung setzen, lehnte er ab und verlangte von Wurmser bei der
Belagerung von Landau mit einem Corps von 6000 Mann unterstützt zu werden. Ganz andere Ziele, als die Belagerung von
Landau und die Sicherung der Winterquartiere, hatte aber Wurmser im Auge.

Er sah sich nun endlich der Erfüllung seines Lieblingswun=
sches näher gebracht: das Elsaß den revolutionären Machthabern
zu entreißen, vielleicht von Straßburg selbst Besitz zu ergreifen.
Es scheint kaum zweifelhaft, daß an der Lebhaftigkeit, womit er
dies Ziel verfolgte, seine persönliche Stellung als Mitglied der
ortenauer Ritterschaft, seine Besitzungen und Verwandtschaften im
Elsaß größeren Antheil hatten, als die unbefangene Erwägung
der militärischen Lage.*) Denn er mochte sich doch wohl darüber
nicht täuschen, daß neuen langwierigen Operationen, wie die Be=
lagerung von Straßburg war, schon die Jahreszeit im Wege
stand; er hoffte aber offenbar den wichtigen Platz durch Einver=
ständnisse im Innern zu erlangen. Im Elsaß standen in diesem
Augenblick die Dinge allerdings so, daß durch eine geschickte po=
litische Taktik eine Gegenrevolution im königlichen Sinne zu be=
wirken war.**) Dem Jakobinismus, der hier vornehmlich von
den „Wälschen“, wie der Elsasser bis heute die Franzosen nennt,
getragen war, standen, zugleich von politischer und nationaler An=
tipathie bewegt, die gemäßigt demokratischen, die constitutionellen
und altroyalistischen Elemente gegenüber. Altroyalistisch war der
Rest des Adels, der Clerus und meistentheils der katholische Theil
der Landbevölkerung; constitutionell und girondistisch der ganze
Mittelstand, zumal in den Städten, die Straßburger Bürgerschaft
und überhaupt die Mehrzahl der protestantischen Bewohner. Wie
Wurmser die Weissenburger Linien genommen und auf Sulz
und Hagenau losging, regte sich zunächst die altroyalistische und
katholische Reaction in der Umgebung von Hagenau; man zog
mit weißen Fahnen den Oesterreichern entgegen, Viele nahmen
Dienste bei den Condéern, emigrirte Adelige und Geistliche kehrten
rasch zurück, von ihren Gütern und Stellen wieder Besitz zu er=
greifen. Dieselben Elemente waren es auch, die in Straßburg sel=

---

*) Im preußischen Lager galt dies als ausgemacht Auch schreibt Köcke=
ritz an den Herzog, nachdem er bei Wurmser gewesen, am 20. Oct.: „Ich
glaube, daß nicht sowol Eroberungsbegierde als eignes Interesse hier mit im
Spiele ist; er hat mir gestanden, daß, wenn er im Elsaß glücklich wäre, so
profitire er jährlich 40,000 Livres, welche ihm von seinen Gütern, so lange
die Revolution bestehet, entzogen werden.“
**) S. über das Folgende die Geschichte des Elsasses von Strobel und
Engelhard. VI. 221 ff.

ber dem Anmarſch der Oeſterreicher mit Ungebuld entgegenſahen, aber Wurmſer täuſchte ſich, wenn er von dem Einverſtändniß mit dieſer Partei ſich eine beſondere Verſtärkung, vielleicht die Ueber= gabe der Stadt verſprach. Seine Verbindung mit den Anhän= gern des alten Zuſtandes ſcheuchte die Conſtitutionellen zurück und entwaffnete ihre Thätigkeit für die Contrerevolution, indeß die jakobiniſchen Elemente eben dadurch zu größerer Energie ange= ſpornt wurden. Nun erſt fing in Straßburg ſelbſt die franzöſiſche Clubbemokratie an, ihre Schreckensherrſchaft durch den Pöbel, ihre Einſchüchterung des Mittelſtandes, ihre Reaction gegen das wi= berſtrebende deutſche Element im Volke durchzuſetzen; nun begann rückſichtslos die Maſchinerie des Terrorismus in Hausſuchungen, Verhaftungen, gezwungenen Anlehen und Mißhandlungen aller Mißliebigen ſich ſchrankenlos zu entwickeln. Die Einverſtändniſſe, die Wurmſer angeknüpft, wurden jetzt geſchickt dazu benutzt, das Daſein einer angeblichen Verſchwörung zu behaupten und unter dieſem wahrſcheinlich erdichteten Vorwande die Verwaltung, die Nationalgarde u. ſ. w. von den gemäßigten Elementen zu reini= gen. Zwei der blindeſten und gewaltthätigſten Werkzeuge des Pa= riſer Schreckensſyſtems, St. Juſt und Lebas, begannen ihre wilde Arbeit mit dieſen Epurationen und ſchritten ſchon in den erſten Tagen des Novembers auch zur Vollziehung von Bluturtheilen, denen bald eine Reihe der Tüchtigſten aus der Straßburger Bür= gerſchaft erlagen. Der Sieg der wälſchen Clubbemokratie über die deutſche Stadt war damit vollendet; der Royalismus ver= ſtummte, der nicht jakobiniſch geſinnte Mittelſtand hatte ſeine Häupter verloren.

Nach dieſem Mißlingen eines Handſtreiches auf Straßburg erſchien es freilich natürlicher, den knappen Reſt des Jahres noch auf die Eroberung von Landau zu wenden. Daß man nicht im November und December Landau und Straßburg zu= gleich belagern und daneben die feindliche Rhein= und Mo= ſelarmee im Schach halten konnte, darin hat, ſcheint uns, ſo weit wir als Laie urtheilen können, der Herzog von Braunſchweig vollkommen richtig geſehen; die Hartnäckigkeit, womit Wurmſer ſich bei Straßburg aufſtellte, indeſſen die Preußen Landau be= ſchoſſen, hatte ſchließlich allerdings nur den Erfolg, den der Her= zog prophezeit: die Oeſterreicher wurden aus dem Elſaß gedrängt und Landau zugleich von den Franzosen entsetzt. Ein Vorbote dieses unglücklichen Ausganges war der neu erwachte bittere Hader beider Feldherren. Der Herzog hatte, sich auf ein Versprechen der Oesterreicher berufend, 6000 Mann zur Unterstützung der Blokade von Landau verlangt; Wurmser schlug sie ab und erklärte, von einer Zusage nichts zu wissen, doch wolle er beim Hoffkriegsrath in Wien anfragen. Während dann der Herzog dem König über seine Noth nach Polen schrieb und von Czenstochau und Rawa die Antwort darüber erwartete, was an der Queich und Lauter geschehen sollte, kam von Wien der Bescheid, daß man sich zwar erinnere, wie von einer Mitwirkung bei der Belagerung von Landau die Rede gewesen, dies aber von den Umständen abhängig gemacht worden sei und diese Umstände eben jetzt nicht dazu riethen, die österreichische Armee, die Fortlouis belagere, Weißenburg und Hagenau besetzt halte, Straßburg bedrohe, durch Absendung eines Corps nach Landau zu schwächen. Noch immer hatte also Wurmser den Gedanken nicht aufgegeben, Straßburg zu gewinnen, obwol gerade jetzt dazu weniger Aussicht als je war; noch immer trug er sich mit dem Glauben, Eroberungen machen zu können, während bei diesem Zwiespalt der Kriegführung es als ein Wunder gelten konnte, wenn keine Niederlage erfolgte. Um Eroberungen zu machen, durch die Deutschland zu seinem verlorenen Gute zurückkam, dazu gehörte einmal eine andere Politik, als die Thugut=Lucchesinische, und dann eine andere Kriegführung, als sie bei dem Hader zwischen dem Herzog und Wurmser denkbar war. Die Proklamation des Letzteren vom 14. November, worin er den Elsassern die Aussicht eröffnete, wieder deutsch zu werden, war daher nach allen Seiten hin ein Mißgriff: sie erwarb ihm im Elsaß selber keine Sympathien, benahm aber den Preußen vollends die Lust, sich in gewagte Unternehmungen einzulassen, deren Zweck, wie sie sagten, nur „die Vergrößerung Oesterreichs" war. Schien es ja nach den Aeußerungen der Eingeweihten überhaupt zweifelhaft, ob Preußen noch an den Unternehmungen des künftigen Feldzuges Theil nehmen werde.

Es war unter diesen Umständen ganz unerwartet, daß der Herzog sich doch noch zu einem Angriff bewegen ließ; vielleicht hatte die Uebergabe von Fortlouis (14. Nov.) dazu beigetragen, seine Bedenken zu überwinden. Genug, er gab seine Einwilli=

gung zu einem Handstreich, durch den die Bergfestung Bitsch überfallen werden sollte. Gegen 2000 M. auserlesener Leute sollten,
durch Einverständnisse unterstützt, in der Nacht vom 16. auf den
17. Nov. die Festung überrumpeln, kamen auch glücklich bis an die
Wälle heran, aber doch nicht rasch und heimlich genug, um nicht
an dem Widerstand der überraschten Besatzung vollständig zu scheitern. Der mißlungene Angriff hatte über 500 Mann, also mehr
gekostet als manche Schlacht,*) und mochte dem Herzog vollends
die Lust an Wagnissen in diesem Winterfeldzuge verderben. Um
so weniger bedachte er sich jetzt, sich auf Kaiserslautern zurückzuziehen, um sich auf die Behauptung dieser Position zu beschränken. Wurmser aber blieb in seiner herausfordernden Stellung, seine
Vorposten bis über die Zorn, also wenige Stunden von Straßburg, vorgeschoben, und es kam zu keinem rechten Einverständniß,
wie die beträchtliche Lücke zwischen beiden Heeren am wirksamsten
auszufüllen sei. Der Herzog blieb beharrlich dabei, daß Wurmser sich zu weit vorgewagt habe und seine Stellung einem energischen Angriffe nicht gewachsen sei; der österreichische Führer
seinerseits fand die vom Herzog gewährte Unterstützung seines
rechten Flügels im Gebirge nicht stark genug. Doch hatten die
Preußen von Anweiler und Dahn her zehn Bataillone, zehn Escadrons und einige Batterien vorgeschoben, um die nach Weissenburg führenden Pässe zu decken.**)

In diesem Augenblick setzten sich die beiden Heere der Franzosen in Bewegung. Die Rheinarmee hatte in Pichegru, die Moselarmee in Hoche Führer erhalten, denen zwar noch alle Kriegs-
erfahrung fehlte, die aber in jedem Falle der Verworrenheit und
Impotenz gegenüber, die ihnen vorangegangen war, einen bedeutsamen Fortschritt ankündigten. Ein angeborenes militärisches Talent, wie es Hoche besaß, überwand sehr bald die Rohheit und
Unwissenheit des Naturalisten, die sich anfangs noch in ihm breit
machte, und streifte allmälig die revolutionären Extravaganzen ab,
womit er seine Feldherrnlaufbahn begann. Auch Pichegru wußte
von der Kriegskunst noch gar nichts, aber er hatte die Fähigkeit

---

*) In einer officiellen Verlustliste, die der Herzog an den König schickte,
sind 94 Todte, 139 Verwundete und 341 Vermißte angegeben.
**) S. die Correspondenz bei Wagner S. 181—192.

sie zu erlernen, er verstand es, Talente wie Desair und Gouvion
St. Cyr zu gebrauchen, und das war nach einer so lächerlichen
Probe von Unfähigkeit, wie der Vorgänger Carlin sie geliefert,
schon eine bemerkenswerthe Besserung. Beide Feldherren hatten
zudem den richtigen Instinct, wie man mit einer Revolutions-
armee Krieg führt; sie gingen mit unverdrossenem, verwegenem
Muthe auf den Feind los, machten Fehler auf Fehler, aber sie
lernten allmälig siegen, und die überängstliche Gelehrsamkeit der
alten Schule mußte vor dem kecken Naturalismus und dem gesunden Menschenverstand der jungen das Feld räumen.

Wurmser stand noch an der Zorn, als ihn Pichegru seit
dem 20. November mit Lebhaftigkeit anfing anzugreifen; doch behauptete der österreichische General seine Stellung gegen die nun
mit jedem Tage lebhaft erneuerten Neckereien. Der Herzog hatte
sich mit einigen zwanzig Bataillonen und 50 Escadronen seit
dem 23. in eine concentrirte Stellung bei Kaiserslautern gezogen
und den Erbprinzen von Hohenlohe nach dem Anweiler Thale
vorgeschoben. Es war ihm aus Polen die Weisung zugekommen,
die Truppen in die Winterquartiere zu führen; er hatte es unter den
obwaltenden Verhältnissen für's Erste noch verzögert. „Unter diesen
Umständen — schrieb er an den König (27. Nov.) — hängt Alles
davon ab, die jetzigen Stellungen vorerst und bis das Schicksal
von Landau entschieden sein wird, in Verbindung mit der kaiserlichen Armee zu behaupten, die Zugänge auf Weissenburg und
Landau zu decken, und so die Absicht des Feindes zu vereiteln, die
offenbar darauf hinzielt, Wurmser zurückzuwerfen und Landau zu
entsetzen." An dem Tage, wo der Herzog dies schrieb, war Hoche
mit der Moselarmee gegen ihn bereits auf dem Marsch; der revolutionäre General hielt den vorsichtigen Rückzug der Preußen
für Flucht und schrieb prahlerisch an Pichegru: „Endlich habe ich
die Feinde an der Kehle und morgen werde ich sie zu Ader
lassen."*) Er sollte indessen die blutige Erfahrung machen,
daß auch das Kriegshandwerk erlernt werden muß. Am 28. Nov.
kam es zu den ersten Gefechten; Hoche hatte ungefähr 40,000 M.

---

*) Mém. de Gouvion St. Cyr I. 155. Ueber die Schlacht selbst f. die Ge-
schichte der Kriege I 246 ff. Preuß. Militärwochenblatt von 1824. S. 2946 ff.
und die Bemerkungen Valentini's in den Erinnerungen S. 69.

mit sich, der Herzog nur 20,000; es schien dem französischen Feldherrn, der nun wie ein ächter Naturalist von allen Seiten mächtig auf den Feind losstieß, der Erfolg nicht zweifelhaft. Am Morgen des 29. begann der Kampf; der Kern des deutschen Heeres, Preußen und Sachsen, stand auf dem Kaisersberg und war geschützt durch starke Redouten, namentlich durch eine bei Moorlautern. Die letztere zu decken war eine preußische Abtheilung dort aufgestellt, deren Vorposten sich bis gegen Erlenbach ausdehnten. Hier erfolgte der feindliche Angriff; die Franzosen führten eine starke Batterie auf, setzten sich auf einer benachbarten Höhe fest und begannen um Mittag mit einer sehr ansehnlichen Colonne den Sturmangriff auf die Redoute von Moorlautern. Eine Zeitlang schwankte hier der Kampf, den die Franzosen an Zahl sehr überlegen und mit allem Ungestüm unternahmen; ein Bajonnetangriff der Preußen, unterstützt durch das Vorgehen der sächsischen Reiterei, durchbrach die feindlichen Reihen und warf sie in großer Unordnung in den Lautergrund hinab. Noch unglücklicher war eine zweite Angriffscolonne, die auf Erlenbach losging, aber rasch zurückgeworfen und durch eine glänzende Verfolgung der preußischen Reiterei völlig aufgelöst ward. Am Morgen des 30. Nov. erneuerten die Franzosen ihren Angriff auf Erlenbach und Moorlautern, aber nicht mit besserem Erfolge, als am Tage zuvor. Daß sie auf ihrem am Mittag angetretenen Rückzuge nur matt verfolgt wurden, hatten sie der Vorsicht des Herzogs zu verdanken. Hoche hatte an diesem Tage, während die Angriffe nördlich von der Stadt alle scheiterten, zugleich südlich auf dem andern Ufer der Lauter versucht vorzudringen und bedrohte auch durch einen heftigen Angriff eine dort aufgestellte Redoute; nun eilte der Herzog selbst dorthin und schickte Verstärkungen, durch die der Feind auch hier geworfen, aber die rasche Verfolgung der erfochtenen Vortheile auf der andern Seite geschwächt ward. Der Herzog — sagt ein sachkundiger Militär — nahm sein Cordonsystem auch mit auf das Schlachtfeld; einen Punkt oder Theil für den Augenblick preiszugeben und am andern Orte den mächtigern Vortheil zu gewinnen und zu verfolgen, war aus der damaligen Feldherrnkunst gänzlich verschwunden.

Der Verlust der drei Tage wird auf etwas über achthundert Deutsche, drei- bis viertausend Franzosen angegeben; das war aber auch der ganze Vortheil, den die Sieger davon trugen. Es war dem Herzog durch seinen Erfolg die Gelegenheit eröffnet, die Moselarmee ganz bei Seite zu drängen und sich mit Wurmser zu vereinigen; aber er nahm seine alten Stellungen wieder ein, indessen der bei Kaiserslautern überwundene Feldherr Carnots Eingebung folgte und die Anstalten traf, sich mit Pichegru zu vereinigen. Allerdings war die Lage des Herzogs eine ungemein peinliche; an sich widersprach dieser Winterfeldzug, in den ihn Wurmser zu verflechten suchte, seinen Feldherrnansichten, es schien ihm schon genug, die Truppen so lange den Winterquartieren zu entziehen. Dazu kam die völlige Ungewißheit der politischen Lage; er wußte nicht, wurde der Krieg fortgesetzt, wurde ein Theil der Armee abgerufen oder sollte im nächsten Feldzuge mit aller Energie mitgekämpft werden? Die Nachrichten von Berlin gaben ihm, wie wir aus Mansteins Briefen ersehen, durchaus keine Gewißheit.*) Da war bald vom Rückzug, bald von kräftiger Mitwirkung die Rede; einmal ward die Aussicht auf reiche Subsidien und Fortsetzung des Kampfes eröffnet, dann wieder davon gesprochen, daß man die Rüstungen für's nächste Jahr einstelle und bis auf 20,000 Mann das Heer vom Rhein abberufen werde. Wie mußte diese Unsicherheit der Dinge auf einen unentschlossenen Charakter, wie der Herzog war, einwirken! Seine Briefe sind denn auch voll Klagen über die Ungewißheit, in der man ihn lasse; er müsse — schreibt er am 5. Dec. — durchaus wissen,

---

*) Am 27. Nov. schrieb Manstein von Potsdam, es sei ganz gut, daß die Nachricht von der Abberufung eines Theils der Truppen verbreitet sei; das werde England und Oesterreich überzeugen, daß es Ernst sei. Zugleich wird aber geklagt, daß die Zögerung üble Folgen für den künftigen Feldzug haben werde, und am 5. Dec. schreibt Manstein: „Ich bin gewiß ganz Ihrer Meinung, es ist äußerst wichtig und höchst nothwendig, daß wir auch in künftiger Campagne mit aller rigueur cooperiren. Haugwitz ist ganz von meinem Sentiment und Niemand wird lieber als der König diesem beistimmen." Nur könne diese Mitwirkung durchaus nicht mehr auf preußische Kosten geleistet werden. Am 12. Dec. schreibt dann Manstein aus Berlin: „Noch leben wir immerfort in völliger Ungewißheit und es scheint selbst nach den zuletzt vom Marquis de Lucchesini eingegangenen Nachrichten, daß eben nicht sehr auf zu erhaltende Subsidien zu rechnen sein wird, als in welchem Falle Se. Maj. fest dabei bleiben, daß Sie mehr nicht als 20,000 Mann am Rhein lassen wollen" u. s. w.

welchen Antheil die preußische Armee an dem dritten Feldzuge nehmen werde. Es würde äußerst gefährlich sein, wenn durch den Mangel an Gewißheit das „so nöthige Retablissement der Armee bis über die Zeit verspätet werden sollte."

Da war es freilich zu erklären, wenn der Herzog jedes Wagniß einer Offensive von sich wies und sich beschränken wollte, die regellosen Angriffe des Feindes abzuschlagen und wo möglich Landau zur Uebergabe zu zwingen. Landau war von einem Corps, welches der Kronprinz befehligte, blokirt und schon in den letzten Tagen des October heftig beschossen worden; auch hoffte man durch Einverständnisse die Festung zu gewinnen. Vermittler dabei war ein bekannter literarischer Vagabund jener Tage, Friedrich Laukhard, der auf den Conventscommissär Denzel, seinen früheren Bekannten, einwirken sollte; es scheint aber, als habe der preußische Emissär nur eben die Gelegenheit benutzt, dem wider Willen ertragenen Soldatendienst zu entgehen, und eine Zeitlang die Rolle des Doppelspions gespielt. Gleichwol war seit Anfang December Landau in tiefer Bedrängniß; Briefe an den Convent, die den Preußen in die Hände fielen, machten es unzweifelhaft, daß die Uebergabe bald erfolgen müsse. Die ganze Sorge der preußischen Kriegführung war deshalb darauf gerichtet, diesen Vortheil sich zu sichern und jeden Versuch eines Entsatzes durch eine vorsichtige Defensive abzuwehren. Darum war der Herzog mißvergnügt über die weit vorgeschobene Stellung Wurmsers, welche dieses Ziel zu gefährden schien; drum brängte er darauf, daß der österreichische General sich in eine Position zurückziehe, die ihm näher und minder ausgedehnt war. Aber es scheint unter den Sachverständigen jetzt fast kein Zweifel mehr darüber zu bestehen, daß eben der Zweck, den sich der Herzog vorgesetzt, durch eine Angriffsschlacht am sichersten und vollständigsten zu erreichen war. Daß der König es ihm verzieh, wenn er statt der vorsichtigeren Stellung eine Schlacht gewann, das war gewiß; ja daß selbst der Friedenspolitik von Manstein, Haugwitz und Lucchesini eine solche Wendung nur förderlich sein konnte, war kaum zweifelhaft. Wie mächtig mußte es bei den damals schwebenden Verhandlungen über die Subsidien in die Wagschale fallen, wenn durch die Mitwirkung des preußischen Heeres noch in den letzten Stunden

39 *

vor dem Einzuge in die Winterquartiere eine Schlacht gewonnen und eine Festung erobert ward! *)

Aber es war sehr schwer, den Herzog davon zu überzeugen. Seine Briefe aus den ersten Decembertagen sind erfüllt mit Klagen über die ausgebreitete Stellung Wurmsers und über die Vereinzelung der preußischen Armee, die durch die verschiedenen Postirungen im Elsaß veranlaßt sei. „Die Ausdehnung der Stellungen — schreibt er — welche diese Armee von Lautereck bis Robt einnimmt, macht eine Linie von 22 Stunden aus, die nirgends stark und an manchen Orten weit schwächer besetzt ist, als die Beschaffenheit des Terrains und der Gegenstand des Postens es erforderte."**) Oder es wird geklagt über die Schwäche der Posten in den Vogesen, die bei einem Unfall, den Wurmser erleide, den unvermeidlichen Rückzug und die Preisgebung der Weissenburger Linien nach sich ziehen müsse. Diese Besorgnisse waren allerdings zum guten Theil begründet und es war, zumal nach der Vereinigung der beiden feindlichen Heere, ein Unfall unvermeidlich, wenn nicht einer der beiden deutschen Feldherren sich zur Nachgiebigkeit verstand. Entweder mußte Wurmser seine vorgeschobene Stellung mit einer festeren vertauschen, oder der Herzog seine vorsichtige Defensive verlassen und sich mit Wurmser vereinigen; geschah keines von Beiden, so erfüllte sich freilich des Herzogs Prophezeiung: Wurmser ward zurückgeworfen, die dünne Linie im Unterelsaß durchbrochen, Landau entsetzt.

Die Franzosen hatten indessen ihre gemeinsame Operation begonnen; ***) das Rheinheer griff Wurmser in der Front an, während die Moselarmee, durch tüchtige Truppen aus den Niederlanden verstärkt, über die Vogesenpässe ging, um die Stellung der Deutschen in der rechten Flanke zu erschüttern. Wurmser dehnte sich von Drusenheim über Bischweiler, Hagenau, Schweighausen, Merzweiler bis nach Reichshofen, Freschweiler und Werth in einer Vertheidigungslinie von etwa zwölf Stunden aus, die durch zahlreiche Feldverschanzungen gedeckt sein sollte; sein linker Flügel war

---

*) Unsere Ansicht stützt sich auf das Urtheil, welches die früher erwähnte Arbeit eines preußischen Militärs ausspricht.
**) Aus den Briefen des Herzogs d. d. 29. Nov., 1. Dec., 6. Dec.
***) S. die Correspondenz bei Wagner S. 194—231.

an den Rhein gelehnt, der rechte hatte seine Stützen in Reichs=
hofen, Lembach und der Scheerhohl, jenen Gebirgsposten, die den
Schlüssel zu den Weissenburger Linien bildeten. Ihre Lage und
ihre Besetzung deckte nicht nur Wurmsers rechte Flanke, sie stellte
auch die Verbindung her mit dem bei Dahn und Anweiler auf=
gestellten preußischen Corps unter Hohenlohe; ihr Verlust machte
seine bis über Hagenau vorgeschobene Stellung unhaltbar. Es
ist einleuchtend, daß eine solche Position gegen den combinirten
Angriff zweier an Zahl sehr überlegenen Armeen auf die Dauer
schwer zu behaupten war, auch wenn sich die Truppen noch so
tapfer schlugen. Seit den letzten zehn Tagen des November hatte der
Kampf nicht geruht; auch im December wiederholten sich die Ge=
fechte auf der Front wie in der rechten Flanke fast ununterbro=
chen Tag für Tag. So unverdrossen und ausdauernd sich die
Soldaten schlugen, die unausgesetzten Gefechte in schlechter Jah=
reszeit, der Aufenthalt unter freiem Himmel, die mangelhafte Ver=
pflegung mußte allmälig auch die beste Truppe materiell und mo=
ralisch erschüttern. Zudem hatten die Gefechte vom 20. November
bis zur Mitte December, so klein sie einzeln waren, ihre Opfer
gefordert; die Armee schmolz zusammen, viele Compagnien zählten
nur noch funfzig Mann, und man rechnete schon am 11. Dec.
über zehntausend Kranke und Verwundete. „Jeder unparteiische
Richter — schrieb damals Wurmser — wird die Unmöglichkeit
einsehen, mit einem Armeecorps, wie dermalen das meinige ist,
die Position von Drusenheim bis Lembach behaupten zu können.“
Er verlangte von dem Herzog, er solle entweder die Gebirgspo=
sten um Lembach übernehmen, oder ihm so viel Leute zur Ver=
stärkung schicken (3700 Mann), als ihm diese Besetzung kostete.
„Erhalte ich auf die eine oder andere Art keine schleunige Hülfe,
so muß ich mich förmlich declariren und gegen alle Verantwor=
tung feierlichst verwahren, daß ich, wenn mich der Feind mit Ueber=
macht attakirt, meine Position nicht behaupten kann.“

Wir können uns denken, wie der Bescheid des Herzogs dar=
auf lautete: er könne seine Armee, die schon auf 22 Stunden
ausgedehnt sei, nicht weiter zersplittern, wohl aber schien ihm alle
Gefahr beseitigt, wenn Wurmser den schon wiederholt gegebenen
Rath befolge und sich hinter die Sur zurückziehe. Darauf war denn
wieder Wurmsers Antwort die alte: er halte es für besser, bei Ha=

genau stehen zu bleiben. In diesem unlösbaren Widerspruch beharrten die zwei Feldherren und zudem fehlte nun nach der Abreise des Königs jede überlegene Autorität, welche einen gemeinsamen Entschluß hätte vermitteln können. Eine gereizte Stimmung sprach sich damals nicht aus; man sah es den beiden Führern an, daß jeder in bester Meinung seine Ansicht unverrückt festhielt. Der Herzog erklärte sich bereit zu helfen, wo er könne, schickte auch noch ein paar Bataillone in die Vogesen; das sei „aber auch das Aeußerste, was geschehen könne." Wurmser seinerseits bezeigte sich herzlich dankbar für jeden Beweis bereitwilliger Hülfe, den ihm der preußische Oberfeldherr gab.

Wäre der combinirte Angriff der beiden französischen Heere so gut ausgeführt worden, wie er entworfen war, so hätte schon jetzt, wo die beiden deutschen Feldherren mit einander erfolglos verhandelten, der Schlag gelingen müssen, der die Frucht des Feldzuges gekostet hat. Aber zum Glück erfolgten die französischen Angriffe anfangs vereinzelt und ohne Zusammenhang; am 8. Dec. warfen sie sich auf den Posten bei Reichshofen, den Hotze mit Ausdauer vertheidigte; zwei Tage später griffen sie die Stellungen im Gebirge zwischen Pirmasens und Weissenburg an, am 14. drängten sie auf Lembach los, und alle diese vereinzelten Angriffe wurden abgeschlagen. Bis über die Mitte des Monats behaupteten die Verbündeten ihre Stellungen.

Einen Augenblick schien es, als sollte das Einverständniß zwischen den zwei deutschen Feldherren erfolgen und der Herzog sich zur Nachgiebigkeit bequemen. „Nachdem der Vorschlag, hinter die Sur zurückzugehen, wiederholt vom Grafen Wurmser abgelehnt ist, — so schrieb er am 11. — so scheint mir das einzige sichere Mittel, die feindlichen Absichten zu vereiteln und den Truppen Ruhe zu verschaffen, dieses: den Feind mit Uebermacht anzugreifen und ihn tüchtig zu schlagen." Er wollte, wenn Wurmser dazu die Hand bot und vom rechten Rheinufer Unterstützung zu erwarten war, mit acht Bataillonen, 20 Escadronen und einigen Batterien dazu mitwirken. Wenige Tage nachher ward die Erfahrung gemacht, wie viel ein einträchtiges Zusammenwirken werth war. Am 15. und 16. Dec. griff der Feind mit besonderer Heftigkeit an; auf der Front bei Hagenau wie in der Flanke, bei Lembach, Werth, Reichshofen u. s. w. ward an diefen Tagen mit größter Hartnäckigkeit gefochten. Schon vorher hatte der Herzog einige Verstärkungen ins Gebirge geschickt, war dann selbst auf den Kampfplatz geeilt und half, während Wurmser sich bei Hagenau tapfer wehrte, die feindlichen Angriffe im Gebirge tüchtig abschlagen. Voll Freude dankte Wurmser für die zeitig geleistete Hülfe; „mit so unverbesserlich braven preußischen Truppen", schrieb er, „verbrübert mit den Kaiserlichen, könnte man gegen eine zwar an Zahl überlegene, aber in ihrem innerlichen Werth so nichtswürdige Horde noch ansehnliche Vortheile sammeln, wenn man sie gemeinschaftlich angreifen würde. Es ist E. D. ja bestens bewußt, wie sehr der Feind läuft, wenn man ihn attaquirt, und wie keck er wird, wenn man sich alle Tage von ihm angreifen läßt." Aber es kam doch zu keinem gemeinsamen Gesammtangriff, es überwog wieder das Bedenken, man könne in dem aufgeweichten Terrain mit dem Geschütz nicht fortkommen.

Zugleich hatte sich die Lage des kaiserlichen Feldherrn so gestaltet, daß er sich selber außer Stand erklärte, etwas Nachdrückliches zu unternehmen; auch die Stellung bei Hagenau schien nun nicht mehr zu behaupten. Wurmser kam nun selbst darauf zurück, sich hinter die Sur zu ziehen; auch dort freilich, erklärte er dem Herzog am 19. Dec., könne er sich nicht mehr halten, wenn nicht ein preußisches Corps die Deckung des Postens bei Lembach übernehme. Der Herzog erfüllte diesen Wunsch, von dessen Nothwendigkeit er sich selber überzeugt erklärte, und es schien demnach, als solle im letzten Augenblick die vorsichtige Strategie des preußischen Oberfeldherrn die Oberhand gewinnen. Aber es war zu spät, um sich den ganzen Vortheil dieser Vorsicht zu sichern. In dem Augenblick, wo die beiden Generale in einem leidlichen Einverständniß handelten, war der entscheidende Schlag erfolgt. Am 22. Dec. griff Hoche die Kaiserlichen und Reichstruppen bei Reichshofen, Freschweiler und Werth mit Macht an, nahm ihre Schanzen und drängte sie in verworrenem Rückzuge vor sich her. Damit war der rechte Flügel von Wurmsers Stellung umgangen, der Posten bei Lembach nicht mehr haltbar, der Rückzug Wurmsers unvermeidlich. Die Truppen waren auf's tiefste entkräftet und ohne Munition, zwei Bataillone und 17 Kanonen waren verloren. „E. Durchlaucht, schrieb ihr Führer, der tapfere Hotze, mögen mir erlauben, mit dem Rest meiner unglücklichen Brigade

mich diese Nacht auf die Anhöhe von Weissenburg zu ziehen." Auch
Wurmser war in vollem Rückzug auf Weissenburg, wo er am 24.
Dec. eintraf. Durch diese Unfälle verstärkt, trat nun die Erschöpfung ein, wie sie nach fast vierzigtägigem Gefechte unvermeidlich war.
Die Truppen waren entmuthigt und zerrüttet; Wurmser selbst war
von dieser Stimmung überwältigt und es erwachte in ihm mit
neuer Stärke der Unmuth über die Preußen, die in seinen Augen
die Schuld des Mißlingens trugen.

Die Rollen schienen mit einem Male wie vertauscht. Während Wurmser, der Mann des kecken Angriffs, schon vom Rückzug über den Rhein sprach, war der Herzog, nun da die Gefahr
ernstlich drängte, ein anderer geworden. Die Bedenken einer ängstlichen Strategie schwiegen jetzt, es rührte sich in ihm die muthige
Soldatenader seiner besten Tage. Es bleibe, meinte er, nun nichts
übrig, als eine Schlacht, durch die man den Feind zurückwerfe;
während Wurmsers Rückzug auf Weissenburg ließ er mit ihm eine
schriftliche Verabredung aufsetzen, daß Landau blokirt bleiben, der
Angriff des Feindes bei Weissenburg erwartet werden solle. Auch
wehrten die preußischen Abtheilungen auf der Scheerhohl die französischen Angriffe tapfer ab und es schien wenigstens möglich, die
Blokade von Landau fortzusetzen. Aber es fehlte an Lebensmitteln
und Holz; 18,000 Kranke lagen in Weissenburg, der Rest der Armee war abgerissen und erschöpft, die Landleute hatten tausendweis
ihre Heimath verlassen, so daß es an Fuhren fehlte, die Kranken
und Verwundeten fortzuschaffen. Der Herzog überzeugte sich durch
eigne Anschauung, daß dieser Armee keine große Anstrengung mehr
zuzumuthen war. So steckte man sich denn ein bescheideneres Ziel;
in einem Kriegsrath, der am 24. bei Weissenburg gehalten ward,
beschloß man, „wenn der morgende Tag nicht besonders glücklich
sei," diesen Platz zu räumen; die Kaiserlichen sollten hinter die
Lauter und Queich zurückgehen, die Preußen ihre Stellungen bei
Edenkoben nehmen. Es verstand sich dabei von selbst, daß die
Blokade von Landau aufgehoben ward.

Auch dieses bescheidene Ziel war schon in den nächsten Tagen nicht mehr zu erreichen; in einem Augenblick, wo Wurmser
einen Angriff für höchst bedenklich erklärte, erneuerten die Franzosen am 26. ihre heftigen Angriffe; die Kaiserlichen wurden geworfen. Ohne die Unterstützung des Herzogs, der jetzt überall zur

Stelle war, die Wankenden ermuthigte und in der allgemeinen Erschöpfung seine ganze Geistesgegenwart bewahrte, wäre Wurmser von Weissenburg abgeschnitten worden. Er stellte sich selber an die Spitze der letzten kaiserlichen Reservebataillone, es gelang ihm auch einen Moment, die ermatteten Truppen zu neuem Widerstande anzufeuern, aber es waren nur die letzten Anstrengungen vor der völligen physischen Erschöpfung. Noch immer hoffte der Herzog, die Armeen wenigstens zwischen Edenkoben, Speier und Germersheim zum Stehen zu bringen, aber schon redeten die Kaiserlichen unverhohlen vom Rückzug über den Rhein. „Es bedarf keiner Schilderung mehr, schrieb Wurmser, unsere Armee ist ruinirt; um sie nicht ganz aufzureiben, bleibt mir kein anderes Mittel, als mit dem Rest über den Rhein zu gehen." Dringend rieth der Herzog, nur noch einen Tag stehen zu bleiben, die Versprengten zu sammeln, Magazine und Kranke zu retten und dann die Stellungen hinter der Queich zu nehmen. Wegen Mangel an Brod und Fourage, erklärte Wurmser (27. Dec.), sei es ihm unmöglich länger zu bleiben, und setzte sich gegen Germersheim in Bewegung. Nun mußten auch die Preußen ihren Rückzug fortsetzen; die Vorstellungen ihres Führers an Wurmser, wenigstens den Rückzug über den Rhein zu verschieben, schienen vergeblich. „Ich bin in Verzweiflung, erwiederte Wurmser, diesen Wünschen nicht entsprechen zu können; meine Armee ist erschöpft, ohne Montur, ohne Schuhe und selbst ohne Lebensmittel." Der Herzog beschwor ihn „bei Allem was heilig war," seinen Rückzug nur einige Tage aufzuschieben; er hielt ihm das Schicksal Deutschlands und seinen eignen Feldherrnruhm vor Augen, den er durch das Verlassen des linken Rheinufers auf's Spiel setze. Er schickte Rüchel an ihn, mit dem Vorschlage, wenigstens sich auf die Rheinschanze bei Mannheim zu ziehen. Es scheint indessen außer Zweifel, daß Wurmsers Lage wirklich so trostlos war, wie er sie schilderte, und daß die Verzögerung des Rückzugs um wenige Tage das Aeußerste war, was er vermochte.*) Die Preußen bestanden

---

*) Nach dem Briefwechsel beider Feldherrn. Wurmser freilich beschuldigte in dem Pamphlet, das er nachher ausgeben ließ (s. bei Wagner S. 272—284), die Preußen, ihr eilfertiger Rückzug nach Edenkoben habe ihn genöthigt, über den Rhein zu gehen — eine Behauptung, gegen die seine eignen Briefe das beste Zeugniß geben. Aber in diesem Geiste ist der ganze Aufsatz geschrieben.

denn noch auf ihrem Rückzug eine Reihe kleiner Gefechte, doch
ohne daß der Feind sie hindern konnte, auf dem linken Ufer des
Rheines zu bleiben. In den ersten Tagen des neuen Jahres wurden von ihnen die Winterquartiere zwischen Rhein und Nahe bezogen; Wurmser hatte am 30. Dec. bei Philippsburg den Rhein
überschritten.

So war die Frucht des Feldzuges verloren und zu Dünkirchen,
Maubeuge, Toulon ein trauriges Seitenstück in Landau geliefert.
Bedenklicher als dies militärische Mißgeschick war die moralische
Rückwirkung der letzten Ereignisse. Die Coalition war an ihrer
zartesten Stelle zerrissen und der alte Hader zwischen Oesterreich
und Preußen mit aller Bitterkeit in den beiden Heeren wieder angefacht. Wurmser machte die Preußen allein für seine Niederlage
verantwortlich; die Preußen bezeichneten die Oesterreicher als die
Urheber ihres unfreiwilligen Rückzuges. In Zeitungen und Pam-
phleten, in widerwärtigen persönlichen Erörterungen — zuletzt gar
in Duellen gab sich die Entzweiung der beiden Armeen kund.
Wir reden natürlich nicht von dem Tagesgeschwätz, das die ab-
surdesten Anklagen erfand*), sondern eben nur von den Ansichten,
wie sie in den tonangebenden Kreisen beider Heere sich aussspra-
chen. Die Rechtfertigungsschrift, die von Wurmser ausging, gab
selber ein übles Exempel gehässiger Beschuldigungen; die militärischen Darlegungen von preußischer Seite antworteten im gleichen
Tone. In der Correspondenz, die uns vorliegt, spricht sich die
aufgeregteste Stimmung aus; nicht nur dem Eigensinn des österreichischen Feldherrn ward die Schuld der letzten Vorgänge angerechnet, sondern die braven, aber erschöpften Truppen selber mit
ungerechten Vorwürfen nicht verschont. Und was das Schlimmste
war: die Meinung, daß man des Krieges sich auf jede Weise
entledigen müsse, ward jetzt auch im preußischen Heere die überwiegende. Möchte doch, schrieb ein einflußreicher Officier, die All-
macht diesem verderblichen Kriege ein Ende machen, worin unser
Vaterland und unser König so labyrinthisch verflochten ist! Ich
wollte nur, äußert ein anderer, daß der König sich aus der Affaire zöge; denn ich glaube nicht, daß es möglich ist, daß man

---

*) Wie deren z. B. noch in Malmesbury's diaries (III. 33. Note 35)
einige wiederaufgewärmt sind.

uns ein Aequivalent für unsere Aufopferung geben kann. Diese
Stimmung breitete sich um so leichter aus, je ungünstiger nach
der damaligen preußischen Heereseinrichtung ein längerer Krieg
auf die ökonomischen Verhältnisse der höheren Officiere einwirkte.
Ein sachkundiger Augenzeuge ist der Meinung, daß höchstens noch
der Prinz von Hohenlohe, Rüchel, Blücher eifrig kriegerisch gesinnt, und auch diese von der Meinung nicht ganz frei waren,
daß der Krieg gegen das Interesse Preußens sei. General Kalkreuth, der von seiner bei Kaiserslautern erhaltenen Wunde in
Frankfurt genas und halb genesen durch Luxus von Tafel und
Witz ein glänzendes Haus machte, ließ sich laut vernehmen, daß
Friede werden müsse, denn die Preußen würden von den Oesterreichern hintergangen*). Die Wirkung dieser Dinge war nach
allen Seiten hin bedenklich. An sich wird ja die Lust zum Kriege
am besten durch den Erfolg gesteigert, während nichts leichter
ein Heer demoralisirt, als ein Kampf ohne Nerv und ohne Lorbeeren. Nun gaben höhere Officiere selbst das üble Beispiel politischen Klügelns und Raisonnirens; es war natürlich, wenn aus
einer kriegslustigen Armee immer mehr eine politisirende ward.

Diese allgemeine Verstimmung und Unlust am Kriege gab
sich am bezeichnendsten in der Haltung des Oberfeldherrn kund.
Er hatte schon um die Mitte December seine Entlassung gefordert,
der König hatte aber damals das Verlangen freundlich abgelehnt.
Er wiederholte es jetzt in den ersten Tagen des neuen Jahres
und die Gründe, womit er es motivirte, sprachen noch unumwun-
dener, als das Gesuch selbst. Er berief sich auf die Erfahrung,
daß Mangel an Einheit, Mißtrauen, Selbstsucht und der Geist
der Cabale seit zwei Feldzügen alle Maßregeln hätten scheitern
machen. Die Voraussicht, daß in den Augen der Kritik der Un-
schuldige werde mit den Schuldigen leiden müssen, und die Gewißheit, daß auch ein dritter Feldzug aus denselben Ursachen keine
besseren Früchte bringen werde, habe ihn zu einem Schritte bewogen, den die Klugheit wie die Ehre ihm gebiete. Wenn eine große
Nation, wie die französische, fügt er hinzu, durch Schrecken und
Begeisterung zu großen Thaten geführt wird, so sollte ein einziger
Wille, ein einziger Grundsatz alle Schritte der Verbündeten leiten;

---

*) S. (Valentini) Erinnerungen S. 79. 80.

allein wenn statt dessen jedes Heer für sich ohne festen Plan,
ohne Einheit, ohne Grundsatz und ohne Methode handelt, dann
müssen die Ergebnisse so sein, wie wir sie zu Dünkirchen, Maubeuge, Toulon und Landau erlebt haben. Diese Gründe sprachen
ebenso sehr für einen Rücktritt aus der Coalition, wie für den
Abschied des Herzogs. Verbittert und „moralisch krank", wie er
sich selber später gegen Malmesbury ausdrückte, machte er auch
keinen Hehl aus seinem Unmuth gegen die diplomatischen Rathgeber des Königs, deren klügelnde Berechnungen die rasche militärische Action gelähmt und durchkreuzt hätten. Eben darum sahen aber diese den Herzog ohne Bedauern zurücktreten.

Doch waren es die politischen Ursachen nicht allein, die ihren
Antheil am Mißlingen trugen. Wohl hatte der Widerstreit der
Interessen, wie er sich in den Niederlanden, z. B. bei dem Unternehmen auf Dünkirchen, kundgegeben, das Hin- und Herschwan-
ken zwischen Restaurations- und Eroberungspolitik, der Mangel
an Harmonie zwischen Oesterreich und Preußen und vor Allem
die Verwicklung in Polen zu dem traurigen Ergebniß mächtig
mitgewirkt, aber die Kriegskunst der Zeit, wie sie der Herzog vertrat, war darum doch von der Mitschuld nicht freizusprechen. Die
überlieferte Organisation, die Verpflegungsanstalten, die übertriebene Rücksicht auf Flanken- und Rückendeckung, die stete Sorge
umgangen zu werden, die Gewohnheit, alle möglichen Punkte
festzuhalten und die Heereskräfte in einem weiten Cordon zu zersplittern, das hat im Jahr 1793 zwar nicht den Sieg, aber sehr
oft die rasche und fruchtbare Benutzung des Sieges gehindert.
Die Truppen — die Oesterreicher wie die Preußen — waren den
Franzosen noch in jeder Hinsicht überlegen und wenn die Gefechte
bei Pirmasens, bei Kaiserslautern, um die Weissenburger Linien,
bei Hagenau auch keinen andern Erfolg hatten, so bezeugten sie
doch die volle Superiorität der alten Heere über die neuen revolutionären Horden. In einzelnen Gattungen, z. B. den leichten
Truppen, der Reiterei, lebte noch die ganze Tüchtigkeit und Ueberlieferung der Zeiten des siebenjährigen Krieges. Männer, wie der
Husarenoberst von Blücher — „le roi rouge" nannten ihn die
Franzosen damals — genossen denn auch beim Feinde einen sehr
wohlbegründeten Respect.

Dies Verhältniß ward schon zu Ende des Jahres 1793 ein

anderes, weil die Franzosen allmälig das Kriegshandwerk aus der Praxis erlernten. Sie machten aus der Noth eine Tugend und schufen sich eine Taktik, wie sie ihren Verhältnissen entsprach.*) In den zahllosen kleinen Gefechten, zumal auf durchschnittenem Terrain, übten die Neulinge ihre körperliche Gewandtheit und lernten ihren Waffen im vereinzelten Gefecht vertrauen. Die tapfern Veteranen der Verbündeten verschwendeten bald ihr Feuer vergeblich auf vereinzelte Plänkler, ließen sich wohl zuweit fortreißen, bis sie nach Verbrauch der Munition, auf einem unbekannten labyrinthischen Boden, von stärkeren feindlichen Haufen auf allen Seiten umschwärmt, zersprengt und zum verlustvollen Rückzug gezwungen wurden. Selbst die französische Reiterei, im Einzelgefecht anfangs dem Gegner nirgends gewachsen, griff wenigstens in geschlossenen Reihen tapfer und bisweilen auch glücklich an. Die Artillerie war wie immer ihre beste Waffengattung; es war daher System der französischen Generale, vieles und gut bedientes Geschütz schon aus großer Entfernung auf die Hauptangriffspunkte des Feindes zu vereinigen und unter dem Schutze dieses Feuers ihre ungeübten Truppen vorwärts zu bringen. Verlust des Geschützes und Verschwendung der Munition hatten sie nicht so hoch anzuschlagen, wie ihre Gegner; ja selbst die Opfer an Menschen hatten bei der ungeheuern Anspannung aller Kräfte der Nation für sie nicht so viel zu bedeuten. Griffen sie dann einen Punkt an, so theilten sie ihre überlegene Masse in viele kleine Colonnen, unterstützten sie durch Reserven, ließen die Ablösung sogar während des Gefechtes vornehmen, um durch immer frische Truppen die Kraft der Gegner zu ermüden. Ihre wahre Stärke war dem Gegner geschickt verborgen; er blieb dann wohl unentschlossen, ließ sich auch bisweilen durch einen Scheinangriff verblüffen und zu Fehlern verleiten. Die vielen kleinen Gefechte zersplitterten und ermüdeten, wie es in den letzten Kämpfen im Elsaß geschehen war, die taktisch überlegenen Gegner, bis dann ein nachdrücklicher allgemeiner Angriff sie endlich überwältigte. In dieser Art des Kampfes zeigten die Franzosen seit den letzten Wochen des Jahres 1793 eine erstaunliche Beharrlichkeit; wie wir es mit Wurmsers Armee

---

*) S. Oesterr. Militärzeitschrift 3. Heft und Preuß. Militärwochenblatt 1818. S. 606 ff.

gesehen haben, verwendeten sie viele Tage eine Reihe von Angriffen auf einen Punkt und entrissen zuletzt der Erschöpfung ihrer
tapfern Gegner Vortheile, die ihnen der eigentliche Kampf nicht
gegeben hätte.

Damit hing denn die neue Organisation des Heeres zusammen,
wie sie Carnot schuf. Die herrschende Lineartaktik, die auf langer
Uebung und künstlichen Evolutionen beruhte, ließ sich natürlich den
Massen, die der Convent zu den Fahnen trieb, so leicht nicht an-
bilden, und so lange im Geiste der überlieferten Taktik Linie gegen
Linie focht, waren die wohlgeschulten Truppen der alten europäischen
Heere den Franzosen überall überlegen. So verband denn Carnot
die neuen Elemente mit den Resten der alten Truppen, schuf aus
ihrer Mischung die neuen Halbbrigaden, kam darauf zurück, verschiedene Waffengattungen in einen Körper zu verschmelzen, und
führte diese Massen dann zum Angriff. Es galt den Feind durch
zahllose einzelne Schläge zu verwirren, zu ermüden und seine Verbindung zu zerreißen, bis der Moment gekommen war, mit einem
letzten gewaltigen Stoß die Kraft des Gegners zu zertrümmern.

Das Jahr 1793 hatte zum letzten Male das Uebergewicht
der alten Kriegskunst gezeigt; schon die letzten Wochen deuteten
auf einen Umschwung, wie ihn der folgende Feldzug gezeigt hat.
Es begann die Zeit einer neuen Kriegskunst, gegen die wir
Deutsche erst die alte austauschen mußten, bevor wir selber wieder
dauernd siegen lernten.

Siebenter Abschnitt.

Auflösung der Coalition.

Die letzten Erfolge hatten das Selbstvertrauen und den Uebermuth der Franzosen ins Ungemessene gesteigert; ihre Siegesberichte im Convent und die Prahlereien ihrer Tribunenredner legen davon Zeugniß ab.*) Es wurde damals so laut und so allgemein dieser Umschwung des Kriegsglücks dem Heldenmuthe der Franzosen, und nur diesem, zu Gute geschrieben, daß sich selbst in der geschichtlichen Ansicht der Nachgebornen die Ueberlieferung erhalten hat, einzig und allein vor der unwiderstehlichen Bravour des revolutionären Frankreichs hätten die Heere der andern Nationen das Feld räumen müssen. An Frieden war eben darum jetzt weniger als je zu denken. Die Revolution hatte ihren gefährlichsten Moment glücklich überstanden und war nun erst in der Lage, ihre ganze Angriffskraft zu entwickeln. Alle moderirten Parteien waren überwältigt; die Leute, die am Ruder standen, mußten um ihrer selbst willen die Fortdauer des Krieges wünschen. Nur der Krieg gab noch die Handhabe zu einer Verlängerung der Ausnahms- und Schreckenszustände; der Friede war der erste Schritt der Rückkehr zu regelmäßigen Verhältnissen, der erste Anfang einer Beruhigung der Revolution, wie sie von den gemäßigten Parteien im Stillen gewünscht ward. Mit diesem kriegerischen Interesse der

---

*) S. namentlich die Rede Barère's im Moniteur von 1794 S. 415. Wenn übrigens ein Officier aus Landau vor den Schranken des Convents erklären durfte: „il faudrait tout le papier de Paris pour recueillir touts les traits d'héroisme que je pourrois vous citer" und die Gascognade lauten Beifall erntete, so durfte man sich über nichts mehr verwundern.

herrschenden Faction traf aber das Verlangen republikanischer Propaganda und der eingewurzelte nationale Trieb nach Eroberungen
völlig zusammen.   Wenn es im Jahr 1793 einer feindlichen Heereskraft von beinahe 400,000 Mann und achtzig Kriegsschiffen,
trotz aller innern Zwietracht der Parteien, trotz der Vendée, der
Girondisten, trotz Lyons und Toulons nicht gelungen war, dem
Krieg eine günstige Wendung zu geben, wie viel ungünstiger standen
die Chancen jetzt, wo der Terrorismus die Parteien besiegt, Lyon
und Toulon überwältigt hatte, wo die riesenhaften Rüstungen
zum Kampfe erst vollendet, die zu den Fahnen getriebenen Massen
erst zu Soldaten geworden waren!   Frankreich hatte an Einheit
der Gewalt, an Selbstvertrauen, an Soldaten und Feldherrn eine
ungeheure Verstärkung erhalten; es handelte sich zunächst nicht
mehr um eine Invasion in Frankreich, sondern wahrscheinlich nur
um die Abwehr einer Invasion der Franzosen.

Wie ganz anders sah es im Lager der Coalition aus! Dort
war nur die britische Regierung ernstlich entschlossen, aus Gründen innerer wie äußerer Politik, der Ausbreitung der Revolution und dem Zuwachs an Macht, den Frankreich dadurch erwarb, mit äußerster Anstrengung entgegenzutreten.   Von den
übrigen Regierungen war höchstens Holland durch das oranische
Hausinteresse zu gleichem Eifer getrieben.   Wie es zwischen den
beiden deutschen Großmächten stand, haben uns die letzten Ereignisse gezeigt; ihr Einverständniß war gelöst, die beiden Heere in
bitterster Entzweiung, die Feldherrn, Staatsmänner und Diplomaten Beider eher wie Feinde als wie Alliirte gegen einander
gestimmt.   Der preußisch-österreichische Bund existirte thatsächlich
nicht mehr; die Coalition von 1792 war in voller Auflösung.
Noch war zwar Friedrich Wilhelm II. dem Gedanken an einen
Separatfrieden fern und auch Leute wie Manstein und Lucchesini
hüteten sich selbst in vertrautem Kreise, das bedenkliche Wort auszusprechen, aber darüber war in Preußen nur eine Meinung, daß
man den kostspieligen Krieg so wie bisher weder fortsetzen wolle
noch könne.   Seit Herbst 1793 herrscht darüber unter allen einflußreichen Personen nur eine Ansicht: daß ohne eine wirksame
Unterstützung mit Geld Preußen sich beschränken müsse, eben nur
sein Reichscontingent und keinen Mann mehr ins Feld zu stellen.
In der Reihe von Aktenstücken jener Zeit, die wir durchgelesen

haben, finden sich vertrauliche Ergießungen des Königs, seiner
Umgebung, seiner Diplomaten und seiner Feldherrn in Menge;
sie stimmen alle ohne Ausnahme in dem einen Punkte überein,
daß man sich zu sorglos in einen Krieg ohne Ausgang eingelassen und nun völlig außer Stande sei, nach Erschöpfung der
Staatsmittel dem Lande neue Lasten aufzuladen.

Es war ein vollständiger Irrthum, worin sich die Diplomatie der Seemächte und zum Theil auch die österreichische befand,
daß man diesen Erklärungen keinen rechten Glauben schenkte, sondern darin lieber einen Kunstgriff erblickte, höhere Subsidien zu
erlangen. *) Es ist im Gegentheil nichts begründeter gewesen,
als die finanzielle Bedrängniß Preußens, und nichts unzeitiger,
als die kaufmännische Zähheit, womit die britisch-holländische Unterhandlung die kostbarsten Momente verstreichen ließ — um ein
paarmalhunderttausend Pfund herunterzuhandeln! Zu Ende des
Jahres 1793 war Lucchesini nach Wien gegangen, um dort die
Lage der Dinge vorzustellen; in Berlin wurden dann Lehrbach und
Lord Malmesbury als die Unterhändler erwartet, die Preußen wieder fester mit der Coalition verknüpfen sollten. „Was diese Unterhandlungen angeht, schrieb der König in den letzten Tagen des
December, so kann man fest darauf zählen, daß, wie auch der
Ausgang sein möge, ich von den Grundsätzen nicht abweichen
werde, die mir durch die Nothwendigkeit und durch die Liebe zu
meinen Unterthanen auferlegt sind."

In London hatte man davon keine rechte Vorstellung; dort
war im Ministerium nur Lord Lougborough für eine reichliche
Unterstützung Preußens, Pitt und Grenville nicht, und wie jetzt
im November 1793 Lord Malmesbury nach Berlin geschickt ward,
hielt man es für genügend, an die früheren Verträge, namentlich
den von 1788 zu erinnern, die Abneigung gegen die Revolution
und den Jakobinismus anzurufen, an des Königs Redlichkeit und

---

*) Sie hielt auch, wie aus Lord Malmesbury's Correspondenz hervorgeht,
die Schilderungen von Wurmsers Rückzug und von dem Zustande seiner Armee
für übertrieben; das sollte auch ein Manöver sein, um sich im Preis zu steigern! Von diesen und ähnlichen Insinuationen ist die angeführte Correspondenz erfüllt und die sonst sehr schätzenswerthen Mittheilungen sind darum doch
nur mit großer Vorsicht zu gebrauchen.

I.   40

Bundestreue zu appelliren, kurz Preußen etwa wie einen säumigen, übelwollenden Schuldner zu behandeln, den man halb durch moralische Vorstellungen, halb durch Drohungen zur Zahlung anhält. Der gute Georg III., der einen wunderlichen Begriff von den Illuminaten haben mochte, legte dabei besonderen Werth darauf, daß dem preußischen Monarchen, den er für einen Illuminaten hielt, recht eindringlich ins Gewissen geredet würde. *) Von der Geldangelegenheit war nur so obenhin die Rede; wenn, hieß es in der Instruction, die Klagen Preußens über seine finanzielle Bedrängniß wirklich gegründet seien, so könne man sich darüber wohl arrangiren, doch ohne die gerechten Ansprüche, die aus den Verträgen flössen, aufzugeben.

In diesem Sinne faßte denn auch Malmesbury, der gewiegteste unter den britischen Diplomaten jener Tage, seine Aufgabe. Auf dem Wege nach Berlin ließ er sich mit Geschichten über den preußischen Hof die Ohren füllen, hörte von Mansteins verdächtigem Einfluß, von Luccheßnis Zugänglichkeit in Geldsachen und von neuen Liebesintriguen erzählen, in welche die Höflingsschaft zur Befestigung des eignen Einflusses den König verflochten habe. **) Die Aufzeichnungen, die uns der berühmte britische Staatsmann darüber hinterlassen hat, sind eine Blumenlese aller der Klatschereien über die Hofmisère, die Liebschaften und das Günstlingswesen, wovon die diplomatischen Salons jener Tage sich genährt haben. Mit diesem Eindruck ging Malmesbury nach Berlin; es galt, so meinte er, nur eine geschickte Einwirkung auf Weiber, Favoriten und Höflinge, und die wohlberechnete Sprödigkeit des preußischen Hofes ward überwunden. Daß in Preußen der Staatsschatz erschöpft war, alle Welt zum Frieden neigte und selbst die Armee und ihre Führer nur noch mit Widerwillen in den Kampf gingen, daß sich auch mit britischen Subsidien nur eine kurze Frist erlangen ließ, nach deren Verlauf dann Preußen doch vom Kampfplatz abtrat, davon hatte der Abgesandte des britischen Ministeriums, wie sich aus seinen eigenen Zeugnissen ergibt, auch nicht die leiseste Ahnung.

In den letzten Decembertagen hatte Malmesbury mit dem

---

*) S. die Instruction in den diaries and correspondence of James Harris first earl of Malmesbury. London 1845. III. 1—7.

**) S. Malmesbury III. 12—30. 43.

König die ersten Unterredungen; gleichzeitig war außer dem österreichischen Unterhändler auch der Prinz von Nassau im Namen
der russischen Kaiserin eingetroffen, die Vorstellungen der Coalition
zu unterstützen. Friedrich Wilhelm II. erklärte in der bestimmtesten
Weise, daß er nicht von dem Bunde zurücktreten wolle, aber es
fehlten ihm, das versichere er auf sein königliches Ehrenwort, die
Geldmittel zu einem dritten Feldzuge. Die Lasten des Landes
seien auf's äußerste gespannt, neue Steuern könne er nicht auf-
legen, ein Anlehen vertrage sich nicht mit der Natur des preußischen Staates. In demselben Sinne äußerten sich die Minister.
Im Verlauf der weitern Verhandlung tauchte dann der Vorschlag
Preußens auf: hunderttausend Mann ins Feld zu stellen, von
denen etwa drei Viertheile durch Subsidien der Verbündeten unterhalten würden. So wie die Dinge einmal lagen, erschien es jedenfalls im Interesse der Coalition, entweder rasch darauf einzugehen, oder kurzweg abzubrechen; nur eines war durchaus verkehrt, in dem Feilschen um einige hunderttausend Thaler die kostbarsten Momente zu verlieren. Gerade dies Letzte ist aber geschehen.
Statt rasch die Sache abzumachen, war man gerade auf diesen
Fall am wenigsten vorgesehen und wartete Wochen lang auf Instructionen. Zur Herstellung der innern Eintracht ward dann diese
Zeit nicht benutzt. Lucchesini, dessen innerste Meinung viel mehr
zum Frieden, als zu einem neuen Kriegsbündniß neigte, war als
Unterhändler für Wien nicht glücklich gewählt; noch weniger eignete sich Lehrbach für die Verhandlung in Berlin. Er hetzte nur
den britischen Diplomaten gegen Preußen*) und trug alle jene
Gerüchte und Ausstreuungen geschäftig herum, welche den Riß
zwischen den schon entzweiten Mächten unheilbar erweitern mußten.

Wie man im Kreise der preußischen Staatsmänner die Lage
ansah, darüber gibt ein vertrautes Schreiben aus jenen Tagen
genügenden Aufschluß.**) Die Alternative, den Krieg fortzusetzen,
oder sich allein zurückzuziehen, heißt es da, ist gleich gefährlich für
Preußen und es läßt sich sehr schwer sagen, welcher der beiden Wege
der verderblichere ist. Einen dritten Feldzug ohne genügende Un-

---

*) S. Malmesbury's Bemerkungen III 38. 48. Ueber die Verhandlungen
ebendas. 33 41.
**) Schreiben Schulenburgs an Lauentzien d. d. 11. Januar.

terstützung beginnen, hieße den Staat auf's äußerste erschöpfen, vielleicht ihn dem Ruin preisgeben, und selbst Länderentschädigungen, wenn sie uns nicht zu gleicher Zeit das nöthige Geld für den Krieg liefern, können uns nicht helfen. Wer kann auf der andern Seite die Folgen berechnen, wenn der König die Parthie verläßt? Ist dann nicht zu fürchten, daß der deutsche Süden, Belgien, selbst Holland überschwemmt und ausgeplündert werden? Ob aber der Krieg uns dagegen schützen und ein dritter Feldzug bessere Ergebnisse bringen wird, als die beiden ersten? Schwerlich. Ein allgemeiner Friede muß doch einmal geschlossen werden; könnte man auch nur eine Sicherheit gegen die Einfälle und die Propaganda der Revolution erhalten, dann wäre es immer noch besser, um diesen Preis recht bald einen Frieden zu schließen, als den Rest unserer Kräfte in vergeblichen Versuchen zu erschöpfen.

In dieser peinlichen Rathlosigkeit stand nur eines fest: die „absolute Unmöglichkeit", wie sich der König in einem Schreiben vom 11. Januar ausdrückte, den Kampf auf preußische Kosten fortzusetzen, und der Entschluß, wenn die Hoffnung auf Geldhülfe sich zerschlage, das ganze Heer bis auf das Reichscontingent zurückzuziehen. Aber je weniger diese Angelegenheit fortschritt, desto mißmuthiger ward die Stimmung. Von Wien ward berichtet, daß Wurmsers Gunst und der Einfluß seiner Beschützer fortdauere, daß man wenig geneigt sei, Subsidien zu bezahlen, vielmehr laut davon rede, das Bündniß zwischen Oesterreich und Preußen, „die Quelle alles Uebels", zu zerreißen.*) So verstrich Woche für Woche, ohne Aussicht auf Entscheidung, und doch wäre es hohe Zeit gewesen, den neuen Kriegsplan festzustellen. In dieser Noth kam man denn auf einen andern Ausweg: es sollte einstweilen vom 1. Februar an die Verpflegung des preußischen Heeres auf Reichskosten übernommen werden.**)

---

*) Nach Depeschen vom 11., 16. und 23. Januar.

**) In einem der angeführten Actenstücke heißt es darüber: Les lenteurs dangereuses que l'affaire souffre m'ont même déterminé à proposer à la Cour de Vienne un arrangement interimistique au moyen duquel il fut au moins pourvu à l'entretien de mon armée depuis le 1. février; à moins que cet arrangement ne puisse être réalisé soit aux dépens de la Cour de Vienne soit aux dépens de l'Empire germanique la nécessité la plus impérieuse me forcera à prendre les mesures pour la marche rétrograde de mes troupes etc.

Der Antrag ward Ende Januar an den Reichstag eingereicht; das Reich solle sich zur täglichen Ernährung des preußischen Heeres vom 1. Februar an verpflichten und die sechs vorderen Reichskreise einstweilen die Naturalverpflegung übernehmen. Die Aufnahme, die der Antrag fand, verhieß gleich anfangs wenig Erfolg. Zwar erklärte die kaiserliche Vertretung (26. Jan.), „aus freundschaftlicher Aufmerksamkeit wolle der Kaiser im gegenwärtigen Augenblick der preußischen Verpflegungsforderung nachstehen", aber es ward beinahe in demselben Augenblick ein kaiserliches Commissionsdecret (vom 20. Jan.) eingereicht, dessen Verhandlung das Ansinnen Preußens jedenfalls nicht beschleunigen konnte. Es war darin einmal gefordert, auf Mittel zu sinnen, wie die säumigen und ungehorsamen Reichsstände zur Stellung ihres Contingents angehalten werden könnten, dann war eine allgemeine Bewaffnung sämmtlicher deutscher Gränzbewohner in Vorschlag gebracht und überhaupt der patriotische Beirath des Reichstages auf's bringendste nachgesucht. Es lag auf der Hand, daß ein Antrag dem andern im Wege stehen mußte. Namentlich wollte sich Preußen mit dem Gedanken einer allgemeinen Volksbewaffnung nicht befreunden, und so ansprechend zu anderer Zeit der Vorschlag erscheinen mag, man wird sich doch schwer von der Besorgniß losmachen können, daß seine Durchführung an denselben Umständen scheitern mußte, welche die Zerrüttung des Reichs überhaupt verursachten. Wie diese Verhältnisse einmal waren, lag es allerdings näher, eine vorhandene Armee, wie die preußische, durch mäßige Opfer auf dem Kriegsschauplatze zu erhalten, als zu einer wahrscheinlich mißlungenen Copie der levée en masse seine Zuflucht zu nehmen.

In jedem Falle war es aber unzweifelhaft, daß die gehoffte Beschleunigung gerade in Regensburg am wenigsten zu erreichen war; Preußen hatte sich daher mittlerweile an die sechs vorderen Reichskreise direct gewandt und zugleich die Mitwirkung von Kurmainz angerufen. Auch hier war die Aufnahme keine günstige; statt Hülfe erntete Preußen bittere Klagen der Kleinen und den unverhohlenen Vorwurf, nicht das Reich, sondern der König von Preußen habe den Krieg angefangen. Diese Herren warteten, bis die Franzosen kamen, um diesen dann das Drei- und Vierfache von dem zu bewilligen, was jetzt für die Verpflegung deutscher Heere ver-

sagt ward. Bei Baiern z. B., das nachher 1796 die Moreau'sche
Armee sehr reichlich verpflegte, machte Preußen jetzt noch einen
besonders bringenden Versuch, stellte vor, daß Baiern seit einem
halben Jahrhundert im Frieden lebe, an sich ein reiches Land sei,
und sprach die prophetische Ahnung aus: „ein einziger kurzer
Streifzug kann unendlich mehr kosten, als die ganze Forderung des
Königs; wer sieht nicht ein, daß man alsdann zu spät bereuen
wird, sich ein sehr großes Ungemach zugezogen zu haben, weil
man das kleine zu übernehmen sich weigerte?" Aber alle diese
Vorstellungen waren erfolglos. *)

Die gehässigen Gerüchte, die dann gleichzeitig auftauchten,
Preußen wolle eine Säcularisation geistlicher Güter vornehmen,
oder stehe bereits mit Robespierre in Unterhandlung, waren ungegründet; sie schienen auch nur von den Kleinen in der Absicht
herumgetragen zu werden, die eigene Unthätigkeit mit diesen Anklagen zu entschuldigen. Eines dieser Gerüchte hat damals eine
gewisse Glaubwürdigkeit erlangt. Wie im Februar einige französische Commissaire wegen des Austausches der Gefangenen am Rhein
anlangten und in prahlerischem Aufzuge, mit den drei Farben ge-
schmückt, von preußischen Truppen escortirt, auch in Frankfurt von
Kalkreuth, dessen Meinung immer zu Frankreich neigte, zuvorkommend empfangen wurden, da konnte wohl das Gerücht sich befestigen: Preußen habe mit diesen Leuten Einverständnisse angeknüpft. Daß ein solcher Gedanke von Manstein und den andern
Friedenspolitikern nicht zurückgewiesen ward, erscheint uns eben so
gewiß, wie daß der König ausdrücklich jede nähere Besprechung
mit diesen Leuten vermieden wissen wollte. **)

---

*) Nach der angef. Reichstagscorrespondenz von 1794.

**) Am 22. Februar schrieb Manstein im Auftrag des Königs an Möllen-
dorff: „daß S. M. einigermaßen besorgt sind, daß die Ankunft der französischen Commissairs einen Verdacht bei unsern Alliirten erregen könnte, als wollte
man sich mit diesen Leuten noch weiter einlassen und vielleicht in einige Negotiationen entriren, als wozu sie wahrscheinlich auch wohl instruirt sein mögen,
als welches Ansehen S. M. schlechterdings evitiren wollen. Ich muß es natürlicher Weise ganz dahin gestellt sein lassen, in wiefern man die Aeußerungen
dieser Leute wenigstens anhören könnte, aber das dächte ich doch immer, daß
man sich mit ihrer Abfertigung nicht zu prefftren brauchte, indem, wenn auch
gleich wir Bedenken tragen müssen, uns auf irgend eine Weise mit diesen Leu-

So endete der Rundgang im Reiche für's erste mit gegenseitiger Verstimmung und dem sehr ernstlich gemeinten Drohen Preußens, es werde nun ohne Säumen seine Truppen bis auf 20,000 Mann zurückziehen. Nicht günstiger schien sich die Unterhandlung in Berlin selbst zu gestalten. Nachdem endlich am 5. Februar Malmesbury so instruirt war, daß die Verhandlungen über die Geldhülfe beginnen konnten, und sich dabei die Aussicht auf ein rasches Einverständniß eröffnete, fing Oesterreich, dem ein Fünftel der Zahlung angerechnet war, an zu zögern. Die Berichte von Wien lauteten seit Ende Februar sehr trostlos. War es, wie die Preußen glaubten, Thuguts Einfluß, war, wie Malmesbury vermuthete, vielleicht auch Lucchesini nicht ohne Schuld, genug, Oesterreich lehnte in milder Form das Ansinnen der Subsidien ab.*) Die Stimmung in Berlin war auf's äußerste gereizt; die Friedenspolitiker hielten den Moment für gekommen, im Verein mit England einen Weg zu Unterhandlungen mit Frankreich zu suchen,**) der König sah sich nun im Falle, die angedrohte Rückberufung seines Heeres zu vollziehen. Zu gleicher Zeit war am Rhein Graf Browne als Wurmsers Nachfolger angekommen; aus seinen Reden glaubte Möllendorff schließen zu müssen,***) daß die Thugutsche Politik die Preußen gerne ziehen sähe, um in Süddeutschland das Uebergewicht zu erlangen und Preußen nur die Wahl zu lassen zwischen einer Fortführung des Kampfes ohne Subsidien oder der Gehässigkeit, das Reich im Stich zu lassen. Ein letzter Versuch, durch die Sendung des Prinzen von Nassau nach Wien günstigere Entschlüsse zu bewirken, schlug fehl wie die früheren.

---

ten einzulassen, es denn doch vielleicht Mittel an die Hand geben könnte, daß die versammelten Kreise sich mit ihnen einließen, und vielleicht wäre durch diese die Neutralität des Reiches zu bewirken. Es ist ein bloßer particulairer Gedanke von mir." (Aus der Möllendorff'schen Correspondenz.) Vgl. damit die Erklärung des Königs bei Malmesbury III. 64.

*) S. Malmesbury III. 51—74.

**) Schreiben Mansteins an Möllendorff d. d. 24. Febr.

***) Schreiben Möllendorffs d. d. 18. Febr. En poursuivant ce plan la Cour Imp. a l'avantage de nous placer entre deux partis extrêmes, nuisibles ou ruineux pour la monarchie, l'un 1) de retirer l'armée, d'abandonner l'Empire à son sort, à l'ennemi et à l'Autriche et de le perdre immanquablement pour nous; l'autre 2) de continuer la guerre en renonçant à nos justes conditions,

So erfolgte denn, womit längst gedroht war: eine Cabinets-ordre vom 11. März wies Möllendorff an, mit der preußischen Armee abzuziehen und nur das vertragsmäßige Contingent von 20,000 Mann zurückzulassen. Möllendorff war darauf doch nicht gefaßt gewesen und seine Briefe sprechen es unumwunden aus, wie peinlich er von diesem Entschlusse berührt war. Die Verlegenheit, sagte er, ist groß für mich, und da nichts vorbereitet ist, wird die Verwirrung noch größer; aber auch im Reiche wird der Schrecken allgemein sein.*)

In der traurigen Lage, wie sie war, bei der tiefen innern Entzweiung Oesterreichs und Preußens, dem Egoismus und der Schwäche der Kleineren, der Lähmung des ganzes Reiches war dieser Entschluß gleichwol noch nicht der schlimmste von allen; man möchte vielmehr im deutschen wie im preußischen Interesse wünschen, es wäre dabei geblieben. Es lagen für Preußen Gründe genug vor, seine Theilnahme an dem Kriege auf ein bescheideneres Maß zu beschränken; viel besser, es ließ ein Contingent von 20,000 Mann am Rhein und blieb so mit der Sache des gesammten Deutschlands auch fernerhin verflochten, als daß es, durch britische Subsidien verlockt, noch einmal mit größerer Macht in einen Krieg eintrat, den doch seine einflußreichsten Staatsmänner nicht wollten, seine Finanzen nicht mehr ertrugen. Schlug dieser neue, ohne innern Eifer unternommene Versuch fehl, so gewann die Politik des Friedens um jeden Preis wahrscheinlich bald den Sieg und drängte die Monarchie Friedrichs des Großen in die unheilvollen Bahnen eines Separatfriedens.

Der Entschluß vom 11. März hatte das Lager der Coalition erschreckt. Die Diplomatie der Seemächte verdoppelte nun ihre Anstrengungen, der Kurfürst von Mainz suchte beim Reichstag günstigere Stimmungen zu erwecken, und auch im österreichischen Lager bemühten sich einzelne Persönlichkeiten, wie der Erzherzog Carl, der Prinz von Coburg, mit Eifer für das Festhalten Preußens bei der Coalition. Das Entscheidende geschah aber in Berlin selbst; wie Lord Malmesbury sah, daß es Ernst ward mit dem

---

d'y perdre sans fruits des frais énormes et de travailler ainsi gratuitement à notre ruine.

*) Schreiben Möllendorffs d. d. 16. März.

Rückzug, ging er über die enge Gränze seiner Instructionen hinaus und suchte um Alles die Vollziehung eines Entschlusses zu
hindern, der die Auflösung der Coalition enthielt. Noch gelangte
er zwar nicht zu einer förmlichen Uebereinkunft, aber er stimmte
doch den König günstiger, kam in leibliches Einvernehmen mit
Haugwitz und brachte es dahin, daß Preußen sich bereit erklärte,
im Haag weitere Unterhandlungen mit den Seemächten zu pflegen.*)
Malmesbury hielt es schon für eine günstige Wendung, daß die
Verhandlung nach dem Haag verlegt und damit allen den Einwirkungen der Friedenspolitik entzogen ward, die sich in Berlin
schon sehr fühlbar machten; mit guten Erwartungen reiste er am
23. März nach den Niederlanden ab. Der Abmarsch der Truppen
am Rhein hatte noch nicht begonnen, da nichts vorbereitet und
Möllendorff natürlich nicht allzueilig war. Im Anfang April
erfolgte denn auch die Erklärung des Königs, er habe, da die
Unterhandlungen mit England noch schwebten und in der Hoffnung auf die Unterstützung des Reichs, den Wünschen der Reichsstände, die Armee noch am Rhein zu lassen, nachgegeben. An
Möllendorff hatte Haugwitz aus dem Haag schon am 31. März
die Weisung ergehen lassen, den Abmarsch der Truppen zu sistiren.

So gelang es denn noch einmal, im Haag das gelockerte
Bündniß nothdürftig zusammenzukitten; die Seemächte waren in
der bringenden Sorge, Preußen ganz ausscheiden zu sehen, willi-
ger zum Zahlen geworden und Preußen ließ sich von dem lockenden Anblick der Subsidien noch einmal in die Wege einer Politik
zurücklenken, der es bereits innerlich entfremdet war. Eine unbefangene Betrachtung konnte sich kaum des Gedankens entschlagen,
daß der Vertrag, den jetzt am 19. April die Vertreter Englands
und Hollands mit Haugwitz abschlossen, der letzte Versuch sein
würde, die Coalition zusammenzuhalten, und welche Kraft sollte
ein Bund bewähren, den ein unter solchen Schmerzen geborener
Vertrag nur mit Mühe hatte zusammenknüpfen können? Um
das Fortschreiten, sagte der Vertrag vom 19. April, des anarchi-
schen und verbrecherischen Systems zu hemmen, wovon die bürgerliche Gesellschaft bedroht sei, versprach Preußen eine Armee von
62,400 M. aufzustellen, die gegen Ende Mai an dem Orte ihrer Be-

---

*) Malmesbury III. 75—81.

stimmung sein sollte. Diese Armee, von einem preußischen Feldherrn geführt, sollte nach einer militärischen Uebereinkunft zwischen
Großbritannien, Preußen und Holland da verwendet werden, wo
es den Interessen der Seemächte am zuträglichsten scheine. Dafür
versprachen diese vom 1. April an monatlich 50,000 Pfund Sterling zu bezahlen; außerdem 300,000 Pfund für die erste Ausrüstung, einen Zuschuß zur Verpflegung und noch einmal hunderttausend Pfund bei dem Rückmarsch der Truppen. Alle Eroberungen, welche durch dieses Heer gemacht würden, sollten im Namen
der beiden Seemächte erfolgen und auch ihnen zur Verfügung
stehen. *)

Man mochte diesen Vertrag drehen, wie man wollte, Preußen vermiethete darin seine Truppen an England und Holland
und trat also mit den deutschen Kleinstaaten, die aus solchen Verträgen längst ein Geschäft gemacht, in eine Linie. Die Armee
selbst, ohnehin gegen die Fortsetzung dieses Krieges gestimmt,
ward darüber unruhig und Möllendorff hielt es für nöthig, dem
durch einen ohne Zweifel sehr ungewöhnlichen Schritt zu begegnen. In einem öffentlichen Aufruf an das Heer widersprach er
dem Gerücht, die preußische Armee sei an die Seemächte vermie-
thet. Auch Haugwitz suchte schon vor dem Abschluß des Vertrages solchen Deutungen entgegenzuwirken.**) Hörte man aber die
Verhandlung im britischen Parlament und den Ton, worin Pitt
und Grenville der Opposition gegenüber rühmten, welch ein gutes
Geschäft es sei, für so billiges Geld so viel tausend Preußen er-
handelt zu haben, so konnte kein Zweifel darüber aufkommen, daß
der Vertrag dem moralischen Ansehen Preußens eine schlimmere

---

*) S. Martens recueil des traités V. 283 ff.

**) In einer Depesche an Möllendorff d. d 15. April heißt es: „Der Trac-
tat mit den Seemächten, über dessen Schließung jetzt unterhandelt wird, gründet sich auf die fernere Cooperation des Königs als mitagirender Macht,
so wie es die Würde unseres Staates erfordert. Es ist die Rede von einer
von uns zur Coalition zu stellenden Armee und die Subsidien, welche von den
Alliirten dafür gezahlt werden, können ebensowenig, als es im siebenjährigen
Kriege in Absicht der englischen Subsidien geschah, als ein Sold angesehen
werden, sondern sie sind vielmehr als eine Hülfe, ein Tribut zu betrachten, den
man in diesen gefahrvollen Zeiten einer militärischen Macht, wie die preußische
ist, zu reichen sich disponiret findet, um sie bei der Coalition zu erhalten "
(In der Haugwitzschen Correspondenz über den Haager Vertrag.)

Wunde beigebracht, als durch fünfzigtausend Pfund Sterling monatlich zu vergüten war. Viel besser wahrhaftig, Preußen ließ
sich durch die Erschöpfung seiner Finanzen, durch die bittern Erfahrungen der letzten Kriegsjahre, durch die Wirren in Polen und
die unermeßliche Schwierigkeit eines zwiefachen Krieges am Rhein
und an der Weichsel geradezu bestimmen, aus der Coalition aus-
zutreten, und beschränkte sich auf die Leistung seines reichsständischen
Contingents. Das wäre keine glorreiche und glänzende, aber eine
Politik gewesen, wie sie aus den Umständen entsprang. Ging
doch in der bunten Coalition, zum „Schutz der bedrohten bürgerlichen Gesellschaft", jedes einzelne Glied nur seinen persönlichen
Interessen nach und verfolgte sie im Nothfall auf Kosten sämmtlicher Mitverbündeten! Mit dem Vertrag vom 19. April aber
waren Subsidien, sonst nichts gewonnen. Man ließ sich bezahlen
für eine Hülfe, die doch nur mit halbem Willen geleistet ward,
half den Krieg verlängern, ohne damit einen erträglichen Frieden
zu erkaufen, und befand sich nach einem Feldzug von sechs Monaten in einer noch peinlicheren Alternative, als jetzt im Frühjahr 1794.

Der Vertrag litt zugleich an einer Zweideutigkeit, die den ganzen
Erfolg der verabredeten Hülfe in Frage stellte. Das preußische
Heer sollte „nach einem militärischen Einverständniß zwischen England, Preußen und den Generalstaaten dort verwendet werden, wo
es den Interessen der Seemächte am angemessensten erschien". Die
beiden Seemächte verstanden dies, wie sich bald zeigte, durchaus
so, daß sie die durch Subsidien bezahlte Hülfsmacht, ganz oder
getheilt, am Rhein oder in den Niederlanden, gebrauchen konnten,
wie sie wollten. Der preußische Oberfeldherr hatte davon keine
Ahnung; er legte den größten Nachdruck auf das „militärische Einverständniß" und machte natürlich von seiner Zustimmung den
Gang der weitern Operationen abhängig. War es Absicht, war
es Leichtsinn, genug Graf Haugwitz hatte, während er im Haag
jene Bedingung unterzeichnete, den Feldmarschall in seiner Auffassung durch die unzweideutigsten Erklärungen bestärkt. *) Als

---

*) Am 31. März schrieb Haugwitz an Möllendorff: „Wie und wo diese
Armee, vorausgesetzt daß wir die Mittel zur ferneren Cooperation erhalten,
künftig agiren soll, muß meines Dafürhaltens lediglich und allein einem mili-

Möllendorff nachher den Inhalt des Vertrags erfuhr, fand er selber, daß das eine übel gewählte Fassung sei.*) Die Deutung dieses unklaren Punktes hat dann die ersten Zerwürfnisse veranlaßt und ist eine der Hauptursachen gewesen, durch die das neue Bündniß und sein Zweck, die wirksame Hülfe Preußens, vereitelt worden ist.

So waren die vier ersten Monate des Jahres über dem Bemühen, die wankende Coalition zusammenzuhalten, verloren worden, ohne daß draußen im Feldlager etwas Erwähnenswerthes geschah. Wohl hat es in dieser Zeit an Planen und Planmachern nicht gefehlt, aber geschehen war natürlich nichts. In den Niederlanden hatte man schon zu Anfang des Jahres große Berathungen gepflogen, Mack war wieder als militärisches Factotum aufgetaucht, hatte sich nach England begeben und dort mit Staatsmännern und Soldaten die künftigen Kriegsoperationen erörtert. Es handelte sich um nichts Geringeres, als um die endliche Entscheidung des Kampfes durch ein paar gewaltige, kraftvolle Schläge. Mit einer Masse von 200,000 Mann sollte der Angriff an der Gränze

tärischen Concert überlassen werden". Dann am 15. April: „Der Ort, wo die solchergestalt zu stellende Armee zum gemeinschaftlichen Besten agiren soll, kann nie anders als durch ein concert militaire und in Uebereinstimmung eines entweder schon gemachten oder noch zu formirenden allgemeinen Operationsplanes bestimmt werden und hieraus erhellt die große Nothwendigkeit, daß ein solches militärisches Uebereinkommen der hiesigen Negotiation auf dem Fuße folge und so geschwind als möglich zum Schlusse gebracht werde". Aehnliche Aeußerungen in den Depeschen vom 20. und 24. April. Dann am 10. Mai: „Bei der im Haag abgeschlossenen Convention ist mit dem größten Fleiß der militärische Theil so allgemein und so wenig verbindlich als möglich abgefaßt worden; einmal weil wir alle, die wir die Negotiation zu betreiben hatten, von der Kriegskunst keine Kenntniß haben, hauptsächlich aber auch, damit dieser militärische Theil, nämlich die Bestimmung wo? und wie unsere Armee cooperiren soll? allein dem Ermessen E. E. vorbehalten bleiben möchte". (Aus der angef. Correspondenz.)

*) Und doch hatte ihm Haugwitz (Depesche vom 11. Juni) die Worte nur ungefähr so angegeben: conformement aux intérêts des puissances maritimes, während sie im Vertrag selber noch schärfer lauteten (là, où il sera jugé le plus convenable aux intérêts des Puissances maritimes.)

Flanderns unternommen, die Vertheidigungslinie von Landrecies, Cambray und Arras erobert und wenn auch noch nicht in diesem Feldzuge, doch in den ersten Monaten des nächsten durch den Angriff auf Paris selbst die Revolution überwältigt werden.*) Sowol dieser Plan als seine verschiedenen Abstufungen sind Entwurf geblieben; wir lassen daher die Debatten darüber, die Kritiken und Angriffe, die von anderer Seite dagegen erhoben wurden, unerwähnt. Selbst vorsichtige österreichische Beurtheiler sind der Ansicht, daß der Entwurf in seinen verschiedenen Gestalten sich vielfach auf „unzuverlässige Voraussetzungen und bedingte Umstände" gestützt — mit andern Worten, daß man, wo es auf die Durchführung im Einzelnen ankam, die Rechnung ohne den Wirth gemacht hatte. Am meisten galt dies von der Mitwirkung der preußischen Armee; zu einer Zeit, wo sie zum Abmarsch bereit stand oder doch ihre künftige Thätigkeit sehr im Dunkeln schwebte, wies ihr der Entwurf wichtige Rollen zu, die Marschall Möllendorff, von allen andern Bedenken abgesehen, mit der einfachen Erklärung beantworten konnte: daß er von den Unterhandlungen nichts wisse und nicht sagen könne, wie weit Preußen zu den künftigen Operationen mitwirken werde.**) Und wäre dies nur der einzige Rechnungsfehler gewesen! Aber wie die Zeit des Handelns kam, fehlte noch das preußische Corps, auf das man gerechnet, fehlten die Truppen an der Maas und waren die eignen Verstärkungen noch nicht vorhanden. Da blieb denn von dem kühnen Plane am Ende nichts stehen, als daß man dem Feinde mit dem Angriff zuvorkommen wolle.

Was sich jetzt auf französischer Seite den Niederlanden gegenüber an Streitkräften sammelte, betrug von den Ardennen an bis nach Dünkirchen gegen 300,000 Mann. Ein genialer Mann, wie Carnot, war bei der Leitung der Operationen thätig, das Commando der Nordarmee führte ein rasch entschlossener Feldherr, jungen, revolutionären Ursprungs, Pichegru, und unter ihm standen als Führer der einzelnen Abtheilungen eine Reihe von kühn aufstrebenden Talenten, von denen man nur Moreau, Macdonald, Vandamme, Kleber, Marceau, Championnet, Lefebvre und Berna-

---

*) S. Oesterr. milit. Zeitschrift 1831. II. S. 4 ff. Vergl. 1818. I. 266.
**) Oesterr. milit. Zeitschrift 1818. I. 280 f. 283 ff. 287.

botte zu nennen braucht. Durch diese Streitkräfte sollte die wichtigste Entscheidung des Krieges gegeben werden. Ein Angriff auf die Niederlande schien durch die geographische und politische Lage des Landes gleich begünstigt; es war ein offenes Land und die österreichische Verwaltung hatte es seit der Wiedereroberung nicht verstanden, die Sympathien der Bevölkerung fester an sich zu knüpfen. Was die Coalition diesem Angriffe entgegenzustellen hatte, war an Zahl lange nicht gewachsen*) und wohl auch an Fähigkeit der Führung nicht gleich; aber es waren immer noch die taktisch überlegenen Truppen, und wenn sie frühzeitig angriffen, war auch das Mißverhältniß der Zahl nicht zu groß, denn die Kräfte der Franzosen waren erst noch in Bewegung. Aus diesem Grunde wäre es ohne Zweifel besser gewesen, wenn man beim Anfange der guten Jahreszeit nicht mehrere Wochen mit leeren Festlichkeiten und militärischem Schaugepränge verloren hätte. Kaiser Franz II., von Thugut, Collorebo und Trautmannsborff begleitet, erschien im Anfang April persönlich in Brüssel, einmal, um den Nachbruck, womit man den Krieg führen wollte, thatsächlich an den Tag zu legen, bann auch wohl in der Absicht, den lau geworbenen royalistischen Enthusiasmus der belgischen Bevölkerung neu zu erwärmen. Die Festlichkeiten des Empfanges und der Hulbigung, die militärischen Schaustücke und Revuen dienten nun freilich nicht dazu, die Macht des Widerstandes gegen eine wild entfesselte revolutionäre Volkskraft zu steigern. Doch sollte, wenn das Alles vorüber war, die Anwesenheit des Monarchen auf die Anfänge des Feldzuges einwirken.

Am 16. April hielt der Kaiser Heerschau über den Kern der verbündeten Armee, die, einige achtzigtausend Mann stark, zwischen Valenciennes und Bavay aufgestellt war; in den nächsten Tagen begann der Angriff auf die vereinzelten französischen Abtheilungen. Die Angriffe waren glücklich, Landrecies wurde blokirt, die Franzosen aus ihren Stellungen verdrängt und ihre Versuche, Landrecies wieder zu entsetzen, waren vergeblich. Bei einem dieser Versuche, am 26., gelang es den Verbündeten, dem Feinde eine Schlappe beizubringen, die wieder recht anschaulich die militärische Ueberlegen-

---

*) Nach der österr. Militärzeitschr. betrug der Bestand der Armee ungefähr 160,000 Mann.

heit einzelner Waffengattungen über die Franzosen an den Tag
legte. Eine französische Colonne von ungefähr 30,000 Mann
und 80 Kanonen, die General Chapuy führte, rückte von Cambray her gegen das vom Herzog von York befehligte Corps vor,
überraschte die Vorposten, wagte sich aber zu unvorsichtig bis an
das Lager des Gegners vor. Zwei Reiterangriffe mit einem österreichischen Kuirassierregiment, einigen Escadrons Husaren und etwa
einem Dutzend englischer Reiterschwadronen zwischen Cateau und
Cambray ausgeführt, der eine vom Fürsten Carl Schwarzenberg, der
damals Oberst war, geleitet, reichten hin, das ganze feindliche
Corps in die Flucht zu jagen. In wenig Minuten war die französische Infanterie zersprengt, der Führer gefangen, dem Feinde
ein Verlust von 5—6000 Mann beigebracht und über 30 Geschütze abgenommen. Ein paar Tage später capitulirte auch Landrecies (30. April).

Nicht so glücklich war die verbündete Armee auf beiden Flü-
geln; der linke, an die Sambre angelehnt, ward in den letzten
Tagen des April von der überlegenen Macht der Franzosen zurückgedrängt; gegen den rechten in Westflandern wandte sich
Pichegru mit allem Nachdruck. In den lebhaften Gefechten, die
seit dem 26. April zwischen Lille und Courtray stattfanden, wurden die Verbündeten von der feindlichen Uebermacht geworfen und
nach einem unglücklichen Gefecht bei Moescron aus Menin hinausgedrängt. So brachten die ersten Ereignisse des Feldzuges keine
bestimmte Entscheidung; die Erfolge der Verbündeten bei Landrecies waren durch die Nachtheile in Westflandern und Namur ungefähr aufgewogen. Das Gros der Alliirten bei Landrecies verfolgte seinen Sieg nicht energisch; im Hauptquartier war man
bemüht, weitläufige Projecte auszukochen, in denen wieder Macks
Thätigkeit wahrzunehmen ist; die Politiker des Cabinets waren des
Krieges in Belgien müde und Thugut wünschte schon jetzt nichts
sehnlicher, als diesen undankbaren Boden zu verlassen, in Polen
der preußisch-russischen Vergrößerung entgegenzuarbeiten, Gebiets-
entschädigungen für Oesterreich lieber in Baiern als in Flandern zu
suchen. Indessen war in Westflandern der Kampf erneuert worden. Clerfayt, durch Yorks Corps verstärkt, schlug sich am 10.
und 11. Mai auf's hartnäckigste mit dem Feind herum, aber eine
Entscheidung ward nicht erfochten.

Diese vereinzelten Kämpfe waren hartnäckig und blutig, brachten aber keine Erfolge; sie mußten vielmehr einem Heere verderblich werden, dem nicht wie den Franzosen immer neue Massen zur Verfügung standen. Man entschloß sich daher im Hauptquartier der Verbündeten zu einem kraftvollen Streiche, der ganz Flandern mit einem Schlage frei machen und, wie Mack sich schmeichelte, Pichegru's Armee vernichten sollte. Es galt, die Verbindung der französischen Armee mit Lille abzuschneiden und Pichegru dann zu einer Schlacht zu nöthigen;*) ein Unternehmen, dessen Vorbereitungen ebenso rasch wie geheimnißvoll getroffen werden mußten. Es scheint nach dem Urtheil von Sachkennern unzweifelhaft, daß der Plan selbst in seiner Anlage so künstlich und verwickelt war, daß sich das Mißlingen mit Wahrscheinlichkeit voraussehen ließ, auch wenn nicht eine Reihe von zufälligen Umständen und unerwarteten Hindernissen die Ausführung gestört hätte. Durch einen raschen Angriff der Feinde unter Souham ward das complicirte Unternehmen mitten in der Arbeit durchkreuzt, und bevor die Vereinigung, die man wollte, erfolgt war, das isolirte Centrum der Alliirten bei Turcoing (18. Mai) geschlagen. Fast alle Geschütze gingen dabei verloren, der Herzog von York wäre beinahe selbst gefangen worden und ohne den tapfern und ausdauernden Widerstand, den einige österreichische Grenadierbataillons und das hessen-kasseler Leibregiment zwischen Lannoy und Leers leisteten, wären die flüchtigen Colonnen vielleicht völlig aufgelöst worden. Zwar ward der Sieg von Turcoing von den Franzosen nicht weiter verfolgt, vielmehr ward der Angriff, den sie wenige Tage später an einer Stelle bei Tournay auf die Alliirten machten (22. Mai), durch die wetteifernde Tapferkeit der deutschen und britischen Truppen blutig zurückgewiesen; aber es war doch der kühne Vernichtungsplan Macks im Entstehen erstickt worden und nichts davon zurückgeblieben, als eine bittere Verstimmung zwischen dem Herzog von York und dem Oberkommando, dem der englische Prinz die Schuld seiner Unfälle zuschrieb.

---

*) S. Geschichte der Kriege III. 181 f. Oesterr. militär. Zeitschr. 1818. III. 308. 312 f.

Am Rhein war, wie wir wissen, die preußische Armee der Leitung Marschall Möllendorffs übergeben worden. Wohl hatte der Herzog von Braunschweig eine Anwandlung von Reue darüber empfunden, daß er damals im Unmuth so rasch seinen Abschied gefordert, aber es war daran nichts mehr zu ändern.*) Die Friedenspartei in Berlin sah ohnedies seinen Rückzug nicht ungern; Möllendorff, den sie zum Nachfolger ausersehen, war ein Mann der alten antiösterreichischen Ueberlieferungen, kein Freund dieses Krieges, übrigens ohne den Anspruch, eine politische Rolle spielen zu wollen, er mußte also in jedem Falle erwünschter sein, als der Herzog. Unter welch peinlichen Schwankungen der Politik Möllendorff das Commando übernahm und wie die Ungewißheit der Lage in den ersten vier Monaten des Jahres seine ganze Thätigkeit lähmte, haben wir früher gesehen. Man legte ihm aus den Niederlanden Kriegspläne vor, zu denen er mitwirken sollte; er konnte darauf in Wahrheit nur erwiedern: er wisse selbst nicht, welche Entscheidung über seine Armee getroffen würde. Man verfügte dann in der Haager Convention über ihn und sein Heer, ohne ihn zu fragen, die Engländer und Holländer nahmen dort als eine Sache, die sich von selbst verstand, daß er bei den Operationen in Belgien mitwirken müsse, und doch hatte Möllendorff mehr als einmal mit den deutlichsten Worten erklärt, daß er aus militärischen Gründen dazu nie die Hand bieten werde. Was im Haag über ihn beschlossen war, kannte er geraume Zeit nur aus den Eröffnungen von Haugwitz, und diese mußten, wie wir sahen, ihn vollkommen in der Ueberzeugung bestärken, daß

---

*) Die Verstimmung des Herzogs theils über den Feldzug, theils über seinen klanglosen Rücktritt sprach sich unumwunden genug aus; sie scheint sogar nach den Mittheilungen von Malmesbury im Laufe der Zeit zugenommen zu haben. Manches herbe Wort, auch über den König selbst, das er gegen den englischen Diplomaten aussprach, entsprang indessen offenbar aus dem Mißbehagen, zur Unthätigkeit verurtheilt zu sein; in dem Augenblicke, wo er das Commando niederlegte, war wenigstens das Vernehmen zum König ungetrübt. Es liegt uns eine Correspondenz vom Febr. 1794 vor, worin Friedrich Wilhelm II. das Anerbieten des Herzogs, auch sein Regiment abzugeben, in überaus freundlicher Weise ablehnt und den Wunsch ausspricht, mit dem Herzog wieder einmal persönlich zusammenzutreffen. Darauf antwortete dieser: Daignez, Sire, me fixer le jour et l'endroit où je dois me rendre; j'obéirai à Vos ordres avec un empressement sans égal.

ohne seine militärische Zustimmung nichts werde unternommen
werden. Er betrachtete seine preußischen Truppen als Hülfsmacht,
die Seemächte sahen sie wie ein gemiethetes Contingent an, über
das nach ihrem Ermessen verfügt werden konnte.

Nach den Entwürfen, die von Mack ausgingen und die Unterstützung der Seemächte hatten, war Möllendorff ausersehen, zu
den belgischen Operationen unmittelbar mitzuwirken; nach seiner eigenen Ansicht hielt der preußische Feldmarschall eine Operation zwischen dem Rhein und der Saar für das allein Richtige. In einer militärischen Unterredung, die er um Mitte Mai mit dem kaiserlichen General von Seckendorf hatte und der auch Haugwitz beiwohnte,
stellte sich diese Meinungsverschiedenheit deutlich heraus. „Ich
habe ihm dargestellt, — schreibt darüber Möllendorff selbst *) —
wie ich die Wegnahme von Saarlouis für höchst nöthig halte,
nicht nur um die zwischen der Saar und Blies gelegenen deutschen Reichslande zu schützen, sondern auch mit mehr Sicherheit
zu den Operationen an der Maas mitzuwirken." — — „Sollte
dies nicht der Fall sein, so könnte ich mich auf nichts weiter
einlassen, als meinen rechten Flügel bis an die Mosel ziehen und
den Posten von Trier übernehmen, und alsdann in Verbindung
mit den Kaiserlichen das Reich zwischen Mannheim und Trier vor
jeder feindlichen Diversion schützen." Der kaiserliche General, der
Möllendorff als ein „vernünftiger und einsichtsvoller Mann"
erschien, ging auf die Ansichten des preußischen Feldherrn ein,
machte aber doch vom Standpunkte der Mack'schen Entwürfe seine
Einwendungen. Der Marschall blieb bei seiner Meinung und
war entschlossen, die Operationen zunächst mit einem Angriff auf
die feindlichen Armeen, die ihm gegenüber standen, zu beginnen.
Die Bewohner der Pfalz wünschten nichts sehnlicher, als die Vertreibung der Franzosen; die revolutionären Sympathien waren abgekühlt, die bittere Wirklichkeit französischer Aussaugung hatte die
Illusionen verdrängt. Der Zustand der revolutionären Armeen
war nach den Kämpfen vom December nichts weniger als blü-
hend **), und ohne die diplomatische Lähmung der Operationen hätte
ein rascher Angriff in den ersten Monaten des Jahres ohne Zwei-

---

*) An den Erbprinzen von Hohenlohe d. d. Mainz 17. Mai.
**) Gouvion St. Cyr II. 15. 218.

fel die besten Erfolge gehabt. Aber die unermüdlichen kleinen Plänkeleien ausgenommen, womit Blücher sich dem Feinde furchtbar
machte und seine rothen Husaren in kriegerischer Frische erhielt,
war nichts Bemerkenswerthes geschehen.

Am 22. Mai begann Möllendorff, von einer Abtheilung
Oesterreicher, die bei Mannheim über den Rhein gingen, unterstützt, seine Bewegungen; sie dehnten sich von Kusel und Mei-
senheim bis an den Rhein hin aus. Am 23. erfolgte, sorgfältig
combinirt und mit gewohnter Präcision vollführt, der allgemeine
Angriff auf die Linien der Franzosen; sie mußten die Stellung bei
Kaiserslautern räumen und wurden, troß des hartnäckigen Widerstandes, den Desaix an der Rehbach leistete, zum Rückzuge hinter
die Saar und Queich genöthigt. Vergebens versuchte Desaix ein
paar Tage später wieder bis zum Haardtgebirge vorzubringen
(28. Mai); ein kühner Reiterangriff Blüchers zwischen Kirweiler
und Edesheim schlug ihn zurück. Ohne daß die Infanterie zum
Gefecht kam, hatte der tapfere Reiteroberst mit seinen Husaren die
Feinde geworfen und ihnen 2 Fahnen, 6 Kanonen und ungefähr
400 Gefangene abgenommen. Der König ernannte den helden-
müthigen Mann, der schon in dieser trüben Zeit die Glorie des
preußischen Heeres war, zum Generalmajor und ertheilte ihm das
vacante Regiment Graf Golß, „welches er bisher so wohl geführt
hat, und bei welchem er auch ferner wesentliche Dienste zu leisten
nicht verfehlen wird."*)

So war mit einem einzigen Ruck das französische Heer vom
Haardtgebirge weggedrängt, auf die Vogesen zurückgeschoben, Kaiserslautern, Zweibrücken u. s. w. wiedergewonnen und fast dieselben Stellungen wieder erobert, welche die Preußen im vorigen
Jahre vor den Unfällen von Weissenburg inne gehabt hatten.
Daß der Erfolg nicht besser benußt ward, vielmehr eine Pause
von Monaten eintrat, war nicht die Schuld des Heeres und seines Führers, sondern der diplomatischen Gewebe, von welchen
alle kriegerischen Operationen jener Zeit auf's unheilvollste um-
flochten waren.

Der unglückliche Haager Tractat schien das Schicksal zu haben, von keiner Seite eine strenge Erfüllung zu finden. Nun

---

*) Königl. Cabinetsordre d. d. Hauptquartier Wola 4. Juni.

ohne
werde
ble
ba

... Gelber aus England aus; die Zahlung
.... hatte unmittelbar nach der Auswechs-
.... stattfinden sollen, und nun war in der
.... in dem Augenblicke, wo zu Mastricht über
.... der preußischen Truppen berathen ward, noch kein
.... Haugwitz ergriff das bereitwillig, um dem Abmar-
... Corps nach den Niederlanden entgegenzuwirken;
... Sinne des Vertrages das Heer erst etwa vier Wo-
... Zahlung als mobil anzusehen, wenn also das
... nächsten Zeit komme, auf seine Mitwirkung vor
... Juli nicht zu zählen.*) „Allerdings — schrieb er an Möllen-
... — ist die Deckung Hollands und die Erhaltung der Bar-
... Städte nicht nur für unsere Staaten und für ganz Europa
äußerst wichtig, sondern auch nach unserer Convention mit den
Seemächten eine Verpflichtung, aber dieser Zweck wird vorzüglich,
wie E. E. selbst mehrmals erleuchtet bemerkt haben, durch die
Deckung der Gegend von Mannheim und Mainz erreicht. Auf
welche Weise nun, militärisch betrachtet, vom 20. Juli an dazu
von unserer Seite wird weiter mitgewirkt werden können, dieses
zu beurtheilen steht E. E. allein zu." Indessen beeilte sich Malmesbury dafür zu sorgen, daß die Gelder flüssig wurden, und brachte
es auch dahin, daß in den Mastrichter Besprechungen Haugwitz
dem Abmarsche des preußischen Heeres nicht entgegen war.**)

Aber es war, den Friedenspolitikern schwerlich unerwünscht,
eine neue Krisis in Polen hinzugekommen. Aus kleinen Streifzügen war dort seit März ein Aufstand erwachsen, den weder die
russisch gesinnte Regierung, noch Graf Igelström mit den ihm zur

---

*) Depesche an Möllendorff d. d. Mastricht 11. Juni. „Da aus obigen
Gründen unsere Armee auf keinen Fall vor dem 20. Juli ihren jetzigen Standpunkt verlassen kann, indem sie nicht eher als mobil anzusehen ist, und da bei
den gegenwärtigen Umständen unmöglich vorausgesehen werden kann, wie alsdann die militärische Lage sein wird, von der doch alle weiteren Bewegungen
abhängen, so konnte auch schon aus diesem Grunde darüber jetzt keine Bestimmung erfolgen" u. s. w.

**) S. Malmesbury diaries III. 95 ff. Vergleicht man diese Mittheilungen
des britischen Diplomaten mit den Depeschen von Haugwitz an Möllendorff,
so ergibt sich unzweifelhaft, daß Haugwitz ein doppeltes Spiel spielte; dem
Briten gegenüber gab er nach, den preußischen Feldherrn ermuthigte er in seinem Widerstande.

Verfügung stehenden Truppen zu erdrücken vermochte. Kosciuszko organisirte von Krakau aus die Massenerhebung, schlug eine russische Truppenabtheilung und aus der Hauptstadt Polens selber drängte am Grünendonnerstage (17. April) ein blutiger Aufruhr die Russen hinaus. Die Revolution war in vollem Gange; es war noch nicht zu sagen, wie weit und mächtig ihre Ausbreitung sein würde. Unter dem Eindrucke dieser Nachrichten schrieb Möllendorff: „Mein Rath als wahrer Patriot ist, redlich in dieser Campagne Alles zu erfüllen; bei dem ersten polnischen Engagement zu declariren, daß, wenn die Campagne laut Tractat zu Ende, wir uns in Nichts weiter einlassen können, sondern unsere eigene Sicherheit suchen müssen." Aber auch in Berlin waren die polnischen Ereignisse von unmittelbarer Rückwirkung gewesen. Der König hatte, nach dem Abschluß des Haager Vertrages, den ernsten Willen gehabt, wieder selbst zu seiner Armee an den Rhein zu gehen, und sogar nach den ersten polnischen Nachrichten wollte er diesem Entschlusse noch folgen; die Friedenspolitiker hatten einen harten Stand und Manstein beklagte die Abwesenheit Lucchesinis aufrichtig, denn „das sei einer von denen, die mit ihm an einem Strange zögen."[*] Drum war es für sie die beste Unterstützung, daß die Dinge in Polen sich bedenklicher verwickelten und in der diplomatischen Welt von allerlei Diversionen geredet ward, die Dänemark und Schweden gegen Rußland und Preußen im Sinne hätten. Da war es denn nicht schwer, den König zu bestimmen, daß er, statt an den Rhein, nach Polen ging.

Diese Ereignisse gaben den militärischen Bedenken Möllendorffs gegen den Abmarsch in die Niederlande eine erhöhte Bedeutung; die Vollziehung des Haager Vertrages weckte nun politische Bedenken, die sich am bequemsten in Möllendorffs militärische Opposition kleiden ließen. „Wozu jetzt — fragten Haugwitz und Lucchesini — weitläufige Unternehmungen im Westen, bei dieser unmittelbaren Bedrängniß im Osten?" Sie bedauerten nun unumwunden, daß man den Haager Vertrag eingegangen; die ganze Coalition war eine Last; selbst das von Oesterreich nach dem Bundesvertrage zu stellende Hülfscorps von 20,000 M., meinte Lucchesini, solle man gar nicht verlangen; politische Motive sprä-

---

[*] Nach Briefen Mansteins vom 2. und 6. Mai.

chen dagegen. Es war natürlich nicht der polnische Aufstand
selber, der mit solcher Sorge erfüllte, sondern die andern Gefah=
ren, die in dessen Hintergrunde drohten. Daß dieser letzte
Versuch nationaler Verzweiflung nur das Ende Polens nach sich
ziehen werde, darüber täuschte sich Lucchesini keinen Augenblick;
wenn aber Rußland den Aufstand bewältigte, während Preußen
im Westen beschäftigt war, so war kaum daran zu zweifeln, daß
sich Katharina II. auch den Lohn jenes Sieges allein erwarb
und sich für Preußen dann die bedenklichste Consequenz der pol=
nischen Theilungen anfing zu erfüllen.*) Drum erschien jetzt mehr
als je der Friede im Westen den diplomatischen Leitern der preu=
ßischen Politik als eine Nothwendigkeit. „Wenn das Reich —
meinte Lucchesini**) — aus diesem Kriege ohne Verlust an Land
hervorgeht, England einen Theil seiner westindischen Eroberungen
an Frankreich zurückgibt, Oesterreich sich mit Entschädigungen am
linken Weichselufer begnügt, so kann Preußen noch mit Vortheil
aus einer Verwicklung hervorgehen, in welche uns die Gewandt=
heit der Emigranten und die schlaue Politik Kaiser Leopolds ge=
bracht hat.“

Was unter diesen Umständen bei den militärischen Conferen=
zen herauskommen würde, die zur nämlichen Zeit in Mastricht
stattfanden, ließ sich ungefähr erwarten. Auch wenn das Aus=
bleiben des englischen Geldes nicht, wie wir oben hörten, den
Grafen Haugwitz, der jenen Conferenzen beiwohnte, verstimmt
hätte, so gestaltete sich die politische Lage mit jedem Tage ungün=
stiger für die gemeinsamen Operationen in den Niederlanden, wie

---

*) „Si Catherine s'élevait tout-à-coup au dessus des difficultés que le pro-
jet de reconquérir la Pologne présente, et si décidant l'anéantissement de ce
pays elle tournerait vers cette action l'ambition qui la portait à songer a des
conquètes sur les Turcs; ne seroit-ce pas malheureux, que faute de moyens
pour partager les dangers de l'action, nous perdions le droit d'en partager dans
une parité parfaite les avantages. Voilà, Mr. le maréchal, ce qui (independamment des considérations militaires et politiques, que votre patriotisme a
souvent présenté avec un zele digne de Vous aux reflexions du Roi) me fait
regretter, que les Puissances maritimes ayent été assez généreuses envers nous,
pour faire décider la signature de la convention de la Hage.“ Aus einem
Schreiben Lucchesini's d. d. 9. Mai. Ueber das andere spricht sich ein Schrei=
ben d. d. 26. Mai aus.

**) Schreiben vom 25. Juni.

die Seemächte sie wollten. „Ich bin fest entschlossen — äußerte Möllendorff *) — das concert militaire falle aus, wie es will, unter keiner Bedingung mit meiner Einwilligung mit der Armee nach Flandern zu marschiren." Solche Aeußerungen kehren in jedem Schreiben des Feldmarschalls wieder. Er war mißvergnügt, daß die Dinge stillstanden und er nicht, wie es sein Wunsch war, gegen Saarlouis und Metz vorgehen konnte, aber 'er war fest entschlossen, seine Armee nicht theilen oder nach Flandern marschiren zu lassen. „Ich sehe am Ende gar nichts Kluges mehr bei dieser Campagne, und wir können froh sein, wenn wir alle die jetzt innehabenden Posten zu erhalten suchen, was aber gewiß nicht geschieht, wenn wir nach Flandern marschirten und die kaiserlichen Truppen dann natürlich am rechten Rheinufer zurückgingen, wo dann der zweite Theil von 1792 erfolgen würde."**) Dazwischen kamen denn Nachrichten, daß in den diplomatisch-militärischen Berathungen, an denen außer einer bekannten Feldherrnautorität, dem Lord Cornwallis, die Diplomatie der Seemächte Theil nahm, doch über die preußische Armee verfügt worden sei. „Obgleich ich mich — schrieb darauf der Marschall — stets alles Eigensinnes enthalten, werde ich mich solcher Anforderung doch widersetzen und wahrhaftig nicht ohne dreimal erneuerten Befehl von Sr. Maj. dem König einen Schritt in der Direction nach Flandern bewegen." Er klagt zugleich, daß Jeder nach Gefallen über ihn disponire und seine Lage dadurch nichts weniger als beneidenswerth geworden sei. „Alle Vorstellungen — meint er ein andermal — werden nichts fruchten und die Sache wird den nämlichen Ausgang gewinnen, den von Anfang an solche Coalitionen vieler Mächte genommen haben."

Für uns, denen zugleich Malmesburys Mittheilungen und die Correspondenz von Haugwitz vorliegen, ist es nun ganz klar, welch ein Spiel mit dem greisen Feldmarschall gespielt worden ist. Während ihn Haugwitz in seiner militärischen und persönlichen Abneigung, nach den Niederlanden zu ziehen, eher bestärkte als bekämpfte, und ihm unzählige Male wiederholte, es hänge die Entscheidung schließlich nur von ihm ab, hatte derselbe Haugwitz

---

*) Schreiben an Hohenlohe d. d. 13. Juni.
**) Schreiben vom 15. Juni. Vgl. die Briefe vom 16. 23. 26. Juni.

zu Maſtricht dazu geſtimmt, daß die Preußen nach Belgien marſchiren ſollten, davon aber wohlweiſlich dem preußiſchen Feldherrn
keine Silbe mitgetheilt.*) Wir begreifen, wie Möllendorff, durch
das Ausbleiben der Subſidien und die Vorgänge in Polen vollends beſtärkt, feſt bei ſeiner Meinung beharrte und ſich vollkommen im Rechte glaubte, am Rhein bleiben zu dürfen; aber wir
werden es eben ſo natürlich finden, daß die Diplomatie der Seemächte nach den Maſtrichter Conferenzen ihrerſeits von der Ueberzeugung ausging, daß Möllendorff nach Flandern marſchiren müſſe.
Dieſer Widerſpruch, den die Doppelzüngigkeit verſchuldet, mußte
ſich indeſſen bald löſen.

Er löſte ſich auf eine ſehr peinliche Weiſe. Am 20. Juni
erſchienen Malmesbury, Cornwallis und der Holländer Kinkel im
preußiſchen Hauptquartier; Haugwitz war nicht mitgekommen, er
hatte es rathſam gefunden, angeblich aus dringenden Urſachen
nach Berlin zu gehen. Dagegen waren als diplomatiſche Vertreter
Schulenburg und Hardenberg bei dem preußiſchen Feldherrn. In
einer langen Unterredung zu Kirchheim kam es denn zu heftigen
und unfreundlichen Erörterungen;**) Möllendorff war natürlich
erſtaunt, wie die Engländer im hohen Tone den Marſch nach den
Niederlanden als eine abgemachte Sache behandelten und nur über
die Art des Vollzuges ſich in Beſprechung einlaſſen wollten. Er
erklärte, wie es der Wahrheit gemäß war, nichts von dem gewußt
zu haben, was ſie mit einander in Maſtricht ausgemacht, bekämpfte mit ſeinen militäriſchen Einwürfen das Anſinnen des Ab-
marſches und ſah ſich darin inſofern unterſtützt, als Lord Cornwallis dazu ſchwieg und ſeinen Gründen nichts entgegenſetzte.
Um ſo lebhafter beſtand Malmesbury darauf, daß bei dem Ab-

---

*) Der britiſche Diplomat berichtet III. 96: Count Haugwitz declared
in the most positive manner His Prussian Majestys readiness to bring this army
wherever the maritime Powers thought it could be employed the most usefully
and he gave me the strongest assurances that his eagerness and zeal in the
cause were invariably the same. Wie Haugwitz aber an Möllendorff aus Maſtricht
am 11. Juni ſchrieb, haben wir oben S. 644 geſehen. Ein Brief Möllendorffs vom 16. Juni beweiſt, daß er über die Maſtrichter Zuſagen nichts
wußte, ſondern die erſte Andeutung darüber aus einem Briefe von Cornwallis erhielt.

**) S. Malmesbury III. 100—105.

schluß der Haager Convention wie bei den späteren Conferenzen nur von dem Abmarsch nach Belgien die Rede gewesen; sie seien nicht gekommen, darüber noch zu berathen, sondern nur das Beschlossene festzustellen. Wohl hatte Möllendorff als Soldat vollkommen Recht, wenn er es für eine verkehrte Ordnung ansah, daß eine fremde diplomatische Conferenz, ohne ihn zu fragen, über rein militärische Sachen entschied, aber es war eben so natürlich, daß sich Malmesbury und seine Begleiter auf die Zusagen beriefen, die ihnen im Haag und in Mastricht gegeben worden waren. Beide Theile ereiferten sich gegen einander ohne Noth; denn beide waren von einem Dritten düpirt worden.

Es fehlte nicht viel, so wäre man in offener Entzweiung geschieden, und mit knapper Noth nur verständigte man sich darüber, an die betheiligten Regierungen Bericht zu erstatten. *) Gegen Hardenberg, der unter den Anwesenden die Dinge am unbefangensten würdigte, sprach Möllendorff sein Bedauern aus, daß man ihn in eine so falsche Position gebracht, und fand, daß es außerordentlich schwer sei, in dieser Verlegenheit die rechte Parthie zu ergreifen. Sich mit den Seemächten zu entzweien, in einem Augenblicke, wo man auch Rußlands nicht sicher war und in Belgien und Holland eine französische Invasion drohte, das erschien natürlich als eine peinliche politische Perspective für Preußen. „Können wir uns", meinte Hardenberg, „auf Rußland ganz verlassen, so

---

*) Die Berichte Malmesburys hat er selber mitgetheilt; der Bericht, den Hardenberg an den König erstattete, stimmt in der Hauptsache damit überein. Dazu gehört denn ein Schreiben an Möllendorff d. d. Mannheim 24. Juni, auf das wir uns oben bezogen haben. Auf das Schreiben an Haugwitz, das Malmesbury (III. 103) mittheilt, liegt uns dessen Antwort d. d. 28. Juni vor. Er bestreitet die früheren mündlichen Abreden über den Abmarsch nach den Niederlanden nicht, fügt aber hinzu: La position dans laquelle nos troupes devront agir et le plan d'opération, qu'elles auront à suivre ne pouvaient y être réglés définitivement, tout dépendant à cet égard de la situation militaire telle qu'elle sera à l'époque surdite de la mobilité de notre armée et cette situation ne pouvait absolument être prévue avec quelque certitude. Darum habe man eine definitive Verständigung nur mit Möllendorff selber treffen können; auf seine Stimme müsse man Rücksicht nehmen, auf seine Talente und seinen Eifer dürfe man sich verlassen. „Je ne me permets qu'une seule observation: l'armée prussienne dans sa position actuelle résiste à l'ennemi et arrête ses progrès." Schließlich folgen dann wiederholte Klagen über die Säumigkeit der Zahlungen.

gewinnt die Sache allerdings ein günstigeres Ansehen für uns;
allein darin werden wir doch |Alle einig bleiben, daß die Rettung
Hollands äußerst wichtig bleibe und daß wir dem einmal mit den
Seemächten geschlossenen Tractat mit Treue und Glauben nach
aller Möglichkeit nachkommen müssen, wenn wir nicht dem Vorwurf einer insidieusen Politik uns noch mehr aussetzen und allgemein gehaßt und verlassen sehen wollen.“

Möllendorff faßte seine Gründe gegen den Abmarsch nach den
Niederlanden in einer Denkschrift zusammen, die er am 27. Juni
den Unterhändlern der Seemächte übergab. Die äußere Schwierigkeit des Marsches, zu dem man nicht vorbereitet sei, das Bedenken, die Armee so viele Wochen vom Kriegsschauplatz „verschwinden zu machen“, die Wichtigkeit der Stellung am Mittelrhein waren darin besonders hervorgehoben; man könne, meinte
der Marschall, die Operationen in den Niederlanden nicht wirksamer unterstützen, als durch eine glückliche Bewegung gegen das
Elsaß und Lothringen. Dazu kam denn, was in der Denkschrift
nicht gesagt war, die im preußischen Hauptquartier vorherrschende
Abneigung, unter Coburg und Mack zu stehen. Die Erklärung
der britisch-holländischen Unterhändler erfolgte ohne Säumen. Die
Mitwirkung in den Niederlanden, lautete der kühle Bescheid, sei
eine abgemachte Sache; darüber verhandle man nicht mehr, sondern
nur über die Art der Ausführung. Eine Weigerung sei einem
Bruch des Vertrages gleich zu achten.*) Möllendorff hatte indessen
Meyerinck nach Berlin geschickt und erwartete mit Sehnsucht von
dort die Entscheidung; es kam eine königliche Cabinetsordre vom
4. Juli, die Möllendorffs Widerspruch billigte. Ein Ministerial-
rescript, von Haugwitz unterzeichnet, sprach zugleich das Bedauern
aus, daß man sich den sehr gegründeten Einwendungen des Marschalls nicht gefügt, sondern sich auf eine Uebereinkunft bezogen
habe, die so niemals geschlossen worden sei. Die kriegerischen Ereignisse an der Sambre, hieß es in einem spätern Schreiben, machten
es erklärlich, daß an den Marsch der Preußen nach den Niederlanden weniger als je zu denken sei.

So war also das Haager Abkommen thatsächlich aufgehoben;

*) So lautet der in einem Schreiben Hardenbergs d. d. 28. Juni mitge-
theilte Bescheid. Die Denkschrift steht deutsch übersetzt bei Massenbach II. 255 ff.

England zahlte die versprochenen Subsidien nicht, Preußen ließ seine Truppen nicht dahin marschiren, „wo es den Interessen der Seemächte am meisten zu entsprechen schien." Die Vorgänge, wie wir sie nach den unverdächtigsten Quellen erzählt, ergeben, scheint uns, mit vollkommener Deutlichkeit, wie die Dinge so gekommen sind. Der Verlauf der folgenden Geschichte wird uns noch ausgiebiger darüber belehren, welch ein Unheil es für einen Staat ist, wenn leere, charakterlose Intriguanten die wichtigsten Geschäfte leiten.

Man mochte von dem politischen Ausgang dieser Dinge denken, wie man wollte, ein großer Nachtheil entsprang ganz unmittelbar aus dieser Verwicklung. Dieses Politisiren im Lager, dieses imperium in imperio, wie Malmesbury sagt, verdarb den Geist der Armee. Die Idee, daß der Krieg nothwendig sei — das gesteht selbst Massenbach ein — verschwand nach und nach aus den Köpfen; man fing an zu glauben, dieser Krieg sei schädlich. In den Kantonnirungen jener fruchtbaren Gegenden gewöhnte man sich an mancherlei Bequemlichkeiten; man lebte in einer Ruhe, die der Sicherheit des Friedens nahe kam. Wie sich das schon seit 1793 verbitterte Verhältniß zu den Oesterreichern gestaltete, läßt sich denken. Es wurde im preußischen Lager erzählt und geglaubt, Thugut stehe mit Robespierre in Verbindung, um plötzlich eine Schwenkung gegen Preußen zu machen, österreichische Officiere nähmen bei den Polen Dienste, und dergleichen mehr. Möllendorff selbst, dessen Schule die schlesischen und der siebenjährige Krieg gewesen waren, führt darüber Klage; „kein Vertrauen, keine Harmonie, kein Concert herrscht zwischen unsern Nachbarn und uns".

Die Franzosen ließen diese Zeit nicht unbenützt; sie waren während der sechswöchentlichen Unthätigkeit der Preußen eifrig bemüht, die Scharte vom Mai auszuwetzen. Sie hatten sich verstärkt, zwischen der Rhein- und Moselarmee eine bessere Verbindung hergestellt, die Führung war besser geworden. Die deutschen Truppen standen noch in den Linien, die sie im Mai besetzt hatten: sie standen von Westen nach Osten längs der Bergkette, welche die Vorläufer der Vogesen bilden. Einzelne Colonnen waren bis gegen die Saar hin vorgeschoben, während sich die Hauptlinie über Kaiserslautern, Edenkoben und zwischen Speier und Germersheim bis an den Rhein hin ausdehnte. Das preußische

Hauptquartier war in Kaiserslautern; die Höhen, die sich südlich erheben, z. B. bei Martinshöhe, bei Trippstadt, waren von ihnen besetzt. Dieser Linie gegenüber lag die Moselarmee in den alten Positionen bei Blieskastel, Zweibrücken und Hornbach; an sie angelehnt, im Anweiler Thal, und auf Landau gestützt die Rheinarmee. Ein Angriff, den die Franzosen am 2. und 3. Juli auf die Linie der Verbündeten machten, führte nicht zum Ziele; die Stellungen wurden behauptet. Aber schon jetzt meinte Möllendorff, er werde sich kaum mehr gegen den täglich anwachsenden Feind behaupten können. Unsere Posten im Gebirge, sagt er, haben zu wenig Consistenz und der Zusammenhang ist so ausgedehnt, daß der Feind, wenn er seinen Vortheil wahrzunehmen weiß, leicht mit Uebermacht auf irgend einem Punkte durchbringen kann.*) In der That wiederholten die Franzosen am 12. und 13. Juli ihren Angriff mit besserem Erfolge. Sie beschlossen, die größere Masse ihrer Truppen im Gebirge zu vereinigen, hier die Verbindung der beiden Hauptcorps zu durchbrechen und durch Umfassung ihrer Flügel sie zum Rückzug zu nöthigen. Bei Trippstadt, Johanneskreuz, auf dem Schänzel wurde an den beiden Tagen mit größter Hartnäckigkeit gefochten; vergebens schlugen sich die Preußen z. B. auf dem Schänzel gegen eine fast dreifach überlegene Masse mit äußerster Tapferkeit; die Gebirgsposten wurden verloren und die Armee zum Rückzug gezwungen. Die Oesterreicher lehnten sich nun wieder an Mannheim, die Preußen nahmen ihre Stellung in der Umgebung des Donnersbergs. Mancher treffliche Officier, wie der Major Borcke, der General Pfau hatten in den letzten Kämpfen ihren Tod gefunden; mit kaum fünf Bataillonen und neun Geschützen hatten sie die Stellung am Schänzel zwei Tage lang gegen immer erneuerte Angriffe vertheidigt, aber die erschöpften Truppen mußten weichen, das Geschütz — zum ersten Mal in diesem Kriege — dem Feinde überlassen werden. Ein trauriges Zeugniß, wie es schon mit der Kameradschaft zwischen Oesterreichern und Preußen stand, war das Wort Schulenburgs an Malmesbury**): „Wir waren überrascht über die sichtbare Schonung, welche der Feind gegen unsere Nachbarn geübt hat;

---

*) Schreiben an Hohenlohe vom 8. Juli.
**) III. 117.

er hat uns die Ehre angethan, seine ganze Stärke gegen uns zu wenden."

———

Indessen man sich im Hauptquartier zu Kirchheim über die Deutung des Haager Abkommens stritt, ward an der Sambre das Schicksal der Niederlande entschieden, und wie auch der Conflict zwischen Möllendorff und Malmesbury geschlichtet werden mochte, zur Rettung Belgiens kam die preußische Hülfe nun in jedem Falle zu spät.

Auch hier war es weniger der Waffenkampf, als die Diplomatie, die diesen Ausgang verschuldete, und zwar befand sich die Thugut'sche Politik ungefähr auf ähnlichen Wegen, wie Haugwitz, Lucchesini und Manstein. Nach dem ersten vielverheißenden Anfang des Feldzuges war eine tiefe Herabstimmung gefolgt; man fand, daß die Gesinnung der Belgier lau sei, die Unterstützung der Stände und Corporationen hinter den Zusagen weit zurückbleibe. Es war, wie wir uns erinnern, seit 1792 den Mächten zweifelhaft gewesen, wie weit es Oesterreich Ernst sei, Belgien zu behaupten und ob nicht die Erwerbung Baierns und eine Entschädigung in Polen seinen Wünschen mehr entspreche. Der preußische Bevollmächtigte Tauenzien war ausdrücklich angewiesen, darauf zu merken, wie weit es die kaiserliche Politik in ihren innern Maßregeln darauf anlege, sich in den Niederlanden dauernd zu behaupten, und die Wahrnehmungen, die er machte, ließen es als sehr zweifelhaft erscheinen. Jetzt, nach den geringen Erfolgen des Frühlingsfeldzugs, war Thugut mit sich einig, daß die Interessen Oesterreichs im Osten lägen und statt eines Krieges ohne Glück und ohne Ende in Belgien eine wachsame Theilnahme an den Vorgängen in Polen die nächste Aufgabe der österreichischen Politik sei. Daß Thugut nach Art und Gesinnung keine moralischen Bedenken hatte, die Coalition zu verlassen und sich mit Frankreich in Frieden auseinanderzusetzen, das ließ sich nach seinen Antecedentien erwarten; was Haugwitz und Lucchesini noch mit einer gewissen Scheu und Vorsicht vorbereiteten, das that er im Nothfalle mit cynischer Offenheit. Mit Ungeduld suchte er jetzt aus dem lästigen Kriege herauszukommen; es ging zwar nicht gut an, Belgien ohne Weiteres zu räumen, man mußte schon den Secmächten und Rußland gegenüber den Schein des Widerstandes retten, aber wenn die militärischen Ergebnisse nicht günstiger aus- fielen, als bisher, so wurde, das ließ sich mit Sicherheit erwarten, der Widerstand jedenfalls nicht auf's Aeußerste getrieben. Wir kön- nen nicht darüber entscheiden, ob es richtig ist, daß am 24. Mai zu Tournay eine förmliche Verabredung in dieser Richtung statt- gefunden hat, *) aber daß dies der eigentliche geheime Sinn der Politik Thuguts fortan war, dies ist nicht allein durch die über- einstimmende Ansicht der diplomatischen Kreise, sondern noch evi- denter durch den Gang der Ereignisse selber dargelegt.

Schon im Frühjahr galt es in den militärischen und diplo- matischen Regionen Preußens als eine ausgemachte Sache, daß die Eroberung der Niederlande nur den Zweck habe, ein Tausch- object für Baiern zu besitzen; **) seit sich die Ereignisse auf dem Schlachtfelde ungünstig wandten, sprachen die Oesterreicher selbst offen davon, die Gebiete am Rhein und an der Maas preiszugeben und sich anderwärts zu entschädigen.***) Nicht Thugut allein stand im Rufe, solche Meinungen zu hegen, sondern von Lascy ward zugleich berichtet, er werde dem Kaiser die Nothwendigkeit vor- stellen, auf irgend eine Weise Frieden zu schließen. Weder die Fi- nanzen, noch die Bevölkerung ertrügen einen vierten Feldzug; man müsse sich herauszuziehen und seinen Vortheil anderswo zu erlan- gen suchen. †)

Deutlicher noch als in diesen diplomatischen Gerüchten gab sich die politische Wendung im Felde selber kund. Der schlep-

---

*) Wie bekanntlich die Mémoires d'un homme d'état II. 417 ff. behaupten.

**) Nach einer Depesche Möllendorffs d. d. 13. März.

***) In einer Depesche Hardenbergs d. d. 24. Juni heißt es: Il me sera permis encore d'observer que les bruits sourds des projets de la Cour de Vienne d'abandonner les Pays bas et peut-être même le Brisgow à leur sort sont nour- ris par les discours des généraux autrichiens. L'on sait que c'est le systéme du Prince de Waldeck, qui vient de gagner la main du général Mack; son beau- frère le Prince de Nassau-Usingen à Francfort m'a parlé sur ce ton à moi- même il y a plus de quinze jours. In ähnlichem Sinne äußert sich eine Note des preußischen Ministeriums d. d. 12. Juli.

†) Bericht Luccesinis vom 21. Juni, wornach sich Lascy geäußert: il faut songer à tirer son épingle du jeu, laisser combattre les Anglais avec les trou- pes étrangères qu'ils ont à leur solde et songer plutôt à prendre part aux dé- pouilles de la Pologne.

pende und verworrene Gang der Kriegsoperationen ließ es höch=
stens zweifelhaft, ob mehr Abspannung oder Mangel an gutem
Willen daran Schuld sei. Das glückliche Treffen, das die Fran=
zosen am 13. Juni dem vom Hauptquartier verlassenen Clerfayt
lieferten, und die vier Tage später erfolgte Uebergabe von Ypern
waren die ersten Proben dieser matteren Kriegführung. Indessen
bereiteten die Franzosen sich zu einem entscheidenden Schlage an
der Sambre vor. Dort stand seit dem Frühjahr ungefähr zwi=
schen Namur und Maubeuge der linke Flügel der Verbündeten;
ihm gegenüber Charbonnier mit der Ardennenarmee, zu deren Ver=
stärkung Jourdan mit etwa 50,000 Mann von der Mosel heran=
zog. Vor seiner Ankunft ward an der Sambre lebhaft, aber mit
ungewissem Erfolge gefochten. Am 9. Mai waren die Franzosen
vorgerückt, hatten sich einiger Punkte links von der Sambre be=
mächtigt, wurden aber (18. Mai) in der Nähe von Maubeuge
geschlagen und über die Sambre zurückgeworfen. Der wilde Eifer
der Conventscommissäre im Lager — es waren St. Just und Le=
bas — hetzte die Truppen zu immer neuen Angriffen; am 20.
Mai suchten sie abermals auf dem linken Sambreufer festen Fuß
zu fassen, wurden aber am 24. von Neuem über den Fluß zurück=
geworfen. Indessen war freilich Jourdan bereits bei Arlon ange=
kommen und überschritt in den letzten Tagen des Monats bei Di=
nant die Maas.

Ein dritter Angriff der Franzosen (28. u. 29. Mai) hatte sie
wieder auf das linke Ufer der Sambre geführt und Charleroi war
von ihnen umzingelt worden. Schon am 3. Juni warfen sich
die Oesterreicher bei Gosselies auf die an Zahl überlegenen Fran=
zosen, drängten sie abermals über den Fluß und entsetzten Char=
leroi. Aber am nämlichen Tage hatte Jourdan sich mit der Ar=
dennenarmee vereinigt und übernahm den Oberbefehl über die nun
unter dem Namen Maas=Sambre=Armee verbundenen Truppen.
Es standen jetzt, wenn man ein Corps unter Scherer, das zwi=
schen Maubeuge und Thuin stand, hinzurechnete, über 100,000
Mann an der Sambre, denen die Verbündeten dort allerdings
kaum die Hälfte entgegenzustellen hatten. Am 12. Juni über=
schritt Jourdan den Fluß: es war der vierte Uebergang, den die
Franzosen versuchten; abermals gelang es dem concentrirten An=
griff der Oesterreicher, über die ausgedehnten Stellungen der Fran=

zofen Herren zu werden und in einem blutigen Gefechte (16. Juni)
sie über die Sambre zurückzuwerfen. Aber schon zwei Tage später standen sie von Neuem über dem Fluß, und Charleroi, mit einer schwachen Besatzung von 1800 Mann, ward abermals blokirt. Es war vorauszusehen, daß die Oesterreicher nicht stark genug waren, diesen übermächtigen und immer erneuerten Stößen auf
die Dauer Trotz zu bieten; wurden sie aber bewältigt, so stand
dem Feinde der Weg nach Brüssel offen und die Vereinigung mit
Pichegru in Westflandern machte dann den Rückzug der Verbündeten unvermeidlich.

Der Prinz von Coburg schickte erst einen Theil des bei Lan-
brecies zurückgebliebenen Corps an die Sambre und brach dann
(21. Juni) selbst von Tournay auf, um sich mit dem Sambre-
heere zu vereinigen. Er wollte den Franzosen ein Treffen liefern
und Charleroi entsetzen; zu dem einen war es freilich schon zu
spät, am 25. Juni, an dem Tage, wo der Prinz bei Nivelles auf
der weltgeschichtlichen Wahlstatt von Waterloo anlangte, hatte sich
der Platz ergeben. Ohne Kenntniß, heißt es, von diesem Vorfall
traf der Prinz die Anstalten, am folgenden Tage dem Feinde eine
Schlacht zu liefern, und setzte dazu ungefähr 50,000 Mann zum
größten Theil kaiserlicher Truppen in Bewegung. Vom frühen
Morgen an ward (26. Juni) auf denselben Ebenen, wo ungefähr
ein Jahrhundert früher Luxembourg einen Sieg erkämpft, auf
der Linie zwischen Fontaine-l'Evêque bis Fleurus gefochten; das
französische Heer stand in einem Halbkreise, gestützt auf Charleroi,
die Flügel bis an die Sambre ausgedehnt. Bis zum Mittag
schlug man sich hartnäckig, aber ohne Entscheidung; waren die
Kaiserlichen nicht an allen Stellen glücklich gewesen, so hatten
doch ihre meisten Colonnen Vortheile erfochten, zum Theil Terrain
gewonnen.*) Da gab der Prinz von Coburg den Befehl zum
Rückzug; es habe ihn, so hieß es, die erst jetzt erhaltene Kunde
von dem Verlust von Charleroi dazu bewogen. Allein die Vorgänge, die folgten, machten es sehr wahrscheinlich, daß dies nur
der Vorwand, der Rückzug bereits eine beschlossene Sache war.
Vergebens bot die Diplomatie der Seemächte Alles auf, den Rück-

---

*) S. die österr. Milit.-Zeitschrift 1820. I. 51 und die Bemerkungen in
der Geschichte der Kriege III. 230.

zug, der ihr nun selber wie eine vorher abgemachte Sache erschien, aufzuhalten; es ward wohl ihr zu Gefallen am **1. Juli** noch in einer Conferenz zu Braine la Leube beschlossen, die Niederlande „standhaft zu vertheidigen", aber der Rückzug doch unaufhaltsam fortgesetzt. Das feindliche Maassambreheer näherte sich (9. Juli) Brüssel, wo ihm zwei Tage später Pichegru mit der Norbarmee die Hand reichte. Rasch waren die Oesterreicher aus Namur, Löwen, Mecheln herausgedrängt, schon am 24. Juli der größte Theil der Armee über die Maas zurückgeschoben, drei Tage nachher Lüttich vom Feinde besetzt. Damit war der Zusammenhang zwischen Coburgs und Yorks Heeren zerrissen; indessen der österreichische Feldherr von Jourdan nach dem Rhein zu gedrängt ward, hatte der englische Prinz, von Pichegru verfolgt, Antwerpen räumen und sich nach Holland zurückziehen müssen.

Daß es so kommen würde, war den Eingeweihten schon auf dem Schlachtfelde von Fleurus nicht mehr zweifelhaft. Die Art, wie man den Rückzug beschloß, die sichtbaren Uebertreibungen in der Angabe des Verlustes, die Eilfertigkeit, womit Armee und Regierung zurückgingen, das Alles ließ es im Hauptquartier selbst als eine ganz ausgemachte Sache erscheinen, daß die Räumung Belgiens beschlossen sei.*) „Die Muthmaßungen, schreibt ein diplomatischer Beobachter, können nicht höher steigen, als die Wirklichkeit sie leider ausführt. Es sind keine Mißhelligkeiten, keine unvorhergesehenen Unglücksfälle, die Alles vereiteln; es sind berechnete, überdachte Pläne, die zu richtig verkettet sind, als daß man sie Zufall nennen könnte."**) Daß der Prinz von Coburg

---

*) Am Tage nach der Schlacht berichtete Graf Dönhoff (d. d. Brüssel 27. Juni): Ce ne sera que l'avenir qui dévoilera pleinement tout ce qui a été mis en mouvement depuis longtems et en exécution dans l'espace de douze heures — — — les Paysbas seront probablement perdus. La bataille d'hier où on a battu en se retirant, prouveroit même qu'on les quitte sans regrets. — — — Les Autrichiens renchérissent contre leur coutume sur le nombre des morts et des blessés et démontrent par ce calcul imaginaire l'impossibilité de retourner à la charge.

**) Aus einem Berichte Dönhoffs an Möllendorff d. d. Corray bei Wavre 6. Juli. Unter demselben Datum berichtet D. an den König: On ne cache plus qu'on abandonne les Pays-Bas. Le pays en est convaincu et les états n'entrevoyent que trop bien qu'ils en sont la cause. On parvient dans ce mo-

I. 42.

selber nicht zu ben am tiefsten Eingeweihten gehörte, ist wenigstens wahrscheinlich; aber in seiner Umgebung standen die Vertrauten Thuguts, namentlich Prinz Waldeck, der längst als einer
von benen galt, welche in ber Räumung ber Niederlande, in dem
Bemühen um Baiern und Polen die allein richtige Politik Oesterreichs sahen. Einzelne höhere Officiere machten auch kein Hehl
daraus, daß ber Rückzug mehr freiwillig als erzwungen sei.

Das Gerücht, Thugut habe bereits Einverständnisse mit
Frankreich angeknüpft, gewann eine solche Stärke, daß sich Preußen alle Mühe gab, der Sache auf die Spur zu kommen. Einer
ber scharfsichtigsten politischen Köpfe jener Zeit, Dohm, ging zu
bem Ende nach Brüssel, um sich selber mit Hülfe alter diplomatischer Connerionen und eigener Anschauung über die Lage in's
Klare zu setzen.*) Er kam gerade recht, um ben Rückzug von
Fleurus und die Anstalten zur Flucht in Brüssel mit eigenen Augen zu sehen. Alle Schritte der Regierung beim Abzug, die sichtbare Gleichgültigkeit gegen die Zukunft des Landes, auch einzelne
unverblümte Andeutungen, daß Oesterreich zu erschöpft sei, um
diese entfernte Provinz zu halten, ließen keinen Zweifel zu, daß
die Preisgebung des Landes und der Rückzug bis zum Rhein
eine beschlossene Sache war; die mäßige Verfolgung des Rückzugs
durch den Feind galt als die Folge eines Uebereinkommens; das
sollte — Dohm bezeichnet es als ein „zuverlässiges Factum" —
Graf Metternich vor seiner Abreise von Brüssel ganz offen gesagt
haben und Mercy d'Argenteau der Unterhändler gewesen sein.
Den Wunsch nach Frieden, berichtet Dohm weiter, habe Oesterreich schon im Frühjahr gehabt und sich damals mit der Hoffnung
getragen, ihn durch eine energische Offensive rasch zu erreichen;
seit das Kriegsglück sich ungünstig gewendet, habe man sich entschlossen, dies schwer zu vertheidigende Gebiet, Belgien, aufzugeben und sich seine Entschädigungen in Baiern und Polen zu su-

---

ment à son but, en le faisant manquer aux autres, mais on a lieu de douter,
que la réoccupation sera aussi facile qu'on le calcule. Bekannt ist, daß auch
die Zeitungen jener Tage, in denen die österreichische Politik sich vernehmen
ließ, barüber ziemlich unverblümte Aeußerungen thaten. S. Polit. Journal
1794. S. 802.

*) Das Folgende nach dem handschriftl. Bericht von Dohm d. d. Cöln
8. Juli.

chen. Ja es heiße, man werde sich diesen Ersatz mit der zurück-
kehrenden Armee selbst holen.

Damit stimmt die Haltung des Prinzen von Coburg zusammen. Nachdem der Rückzug unaufhaltsam fortgesetzt, Landrecies,
Lequesmoy, Valenciennes, Condé von den Franzosen wieder gewonnen waren, forderte der Prinz seinen Abschied, und die Gründe,
womit er dies Gesuch motivirte, zeugten von noch tieferem Unmuth, als ihn zu Anfang des Jahres der Herzog von Braunschweig bei seinem Rücktritte ausgesprochen. Ein General von
Kopf und Herz, sagt der Prinz,*) könne unmöglich seinen Wünschen gemäß handeln, wo „eine Art von cabaleuser Desorganisa-
tion die Oberhand gewinne." Er klagt dann die Art der österreichischen Kriegführung in herbem Tone an; sein Sündenregister
reicht bis zu dem Augenblick zurück, wo Oesterreich in der Champagne die Preußen zu schwach unterstützt, ja er wirft die Hauptschuld des Mißlingens von 1793 auf Wurmser und seine Gön-
ner. In einer solchen Lage bleibe „einem treuen Manne nichts
übrig, als den Stab niederzulegen, den er gern mit Lorbeeren um-
wunden dem Kaiser überreicht hätte."

Während so der kaiserliche Oberfeldherr selbst die bitterste Anklage gegen die Thugut'sche Politik erhob, als deren Opfer er sich
ansah, hörte Dohm während seines Aufenthaltes in Brüssel nur
Anklagen gegen Preußen. Das Ausbleiben Möllendorffs und
die laue Stimmung der Brabanter — so lautete, wie verabredet,
dort das Urtheil — seien die einzigen Ursachen der Unfälle in
den Niederlanden.

Nach diesen Ereignissen hatte die Streitfrage, ob Möllendorff
nach Belgien ziehen solle oder nicht, ihre Bedeutung verloren; um
die Katastrophe von Fleurus und von dem was folgte abzuwehren,
wäre er jedenfalls zu spät gekommen, auch wenn er damals in
den Conferenzen zu Kirchheim (20. Juni) sich nach dem Wunsch
der Seemächte sofort auf den Marsch begeben hätte. Seine Weigerung war also ohne Einfluß auf die Ereignisse an der Sambre
gewesen und der Zank zwischen ihm und der Diplomatie der See-

---

*) In einer handschr. Copie seines Entlassungsgesuchs an den Kaiser.

42*

mächte hatte nur eben die Folge gehabt, die Haager Uebereinkunft vollends zu lockern. Daß nun in einer königlichen Cabinetsordre vom 4. Juli die Weigerung gebilligt ward, war nach dem Ereignisse bei Fleurus natürlich.

Aber dieselbe königliche Ordre gab auch wieder den Beweis, daß Friedrich Wilhelm II., wenn er nur den eigenen Eingebungen folgte, am besten berathen war. Weder das Mißgeschick an der Sambre und das Ausbleiben der englischen Hülfsgelder, noch die allgemeine Desertion, die schon wie ansteckend wirkte, waren für den König zureichende Gründe, das Reich ungedeckt zu lassen. Er folgte wieder seiner natürlichen Uneigennützigkeit und wies Möllendorff an, für's Erste, was auch geschehen möge, mit der Armee zum Schutz des Reiches am Rhein stehen zu bleiben. Das war natürlich der Politik, die Haugwitz im Ministerium vertrat, ganz entgegen, und auch die Finanzlage Preußens stand solch großmüthigen Entschlüssen im Wege. Es sei „schlechterdings unmöglich", erklärte Haugwitz am 10. Juli, *) die Armee länger auf eigene Kosten zu erhalten, und selbst die erste Sendung der britischen Gelder, die eben angekommen, reiche höchstens auf zwei Monate hin. In der Lage, wie sie sei, die Armee jedenfalls am Rhein zu lassen, sei höchst bedenklich, und wenn man dazu die Neigung blicken lasse, würden die Engländer mit ihren Zahlungen noch nachlässiger werden. Wenn die Haager Convention völlig aufgelöst werde, so bleibe kein anderer Ausweg offen, als vom Mittelrhein abzuziehen und eine Stellung zu nehmen, die Mastricht und Wesel decke und die weiteren Folgen der Eroberung Belgiens und vielleicht auch Hollands abhalte. Darüber solle sich der Marschall mit Malmesbury verständigen. Eine Cabinetsordre vom 25. Juli bestätigte dann diese Meinung. Es war darin Möllendorff anheimgestellt, die Maßregeln zu nehmen, welche er zur Deckung Hollands und der westfälischen Lande für nöthig erachte. Sei es doch allerdings ganz ausgemacht, „daß Preußen den Krieg bis zu Ende dieses Feldzuges unmöglich aus eigenen Mitteln bestreiten könne, und es bliebe also, wenn die englischen Subsidien eingehalten würden, nichts übrig, als, übereinstimmend mit den früheren

---

*) Schreiben an Möllendorff d. d. 10. Juli.

Erklärungen von der Unmöglichkeit einer weitern Mitwirkung, die Armee in die preußischen Staaten zurückzuziehen."

In den nämlichen Tagen, wo diese Weisung in Berlin beschlossen ward, gaben die Armeen am Mittelrhein wieder ein Lebenszeichen von sich. Die beiden Feldherren, Möllendorff und Herzog Albert von Sachsen-Teschen, verständigten sich am 26. Juli in einer Conferenz zu Schwetzingen über die Maßregeln, wie sie durch die jüngsten Vorgänge in den Niederlanden geboten seien; die Diplomatie der Seemächte nahm dabei die Miene an, ganz unbetheiligt zu sein und die getroffene Verabredung als etwas zu betrachten, was nur die beiden Feldherren anginge. Es solle — das war der Hauptinhalt der Schwetzinger Uebereinkunft — der Prinz von Coburg aufgefordert werden, mit äußerster Anstrengung die Maas zu behaupten, die Armeen am Mittelrhein wollten es dann als ihre eifrige Sorge betrachten, die Mosel und namentlich Trier zu decken. Indessen der Erbprinz von Hohenlohe mit einem gemischten Corps von Kaiserlichen und Preußen Mainz schütze, sollte Möllendorff mit dem Rest des preußischen Heeres rechts gegen die Mosel ziehen, die Deckung von Coblenz übernehmen und im „widrigsten Falle" mit seinen Truppen die Karthause bei Trier besetzen. Der kaiserliche General Blankenstein, der mit einem Corps von ungefähr 7000 Mann Trier hielt, ward angewiesen, im Falle er mit Uebermacht angegriffen würde, sich auf Wittlich zurückzuziehen und in jedem Falle die Position zwischen dem linken Moselufer und dem Rhein auf das hartnäckigste zu vertheidigen. Vielleicht könne auch der Prinz von Coburg den an der Ourte stehenden Feldmarschalllieutenant Melas weiter vorschieben. Alle diese Bewegungen waren jedoch davon abhängig gemacht, daß der Prinz die Maaslinie festhalte. *) Man war im Begriff,

---

*) Möllendorff erklärte sich mit dem Inhalt völlig einverstanden, fügte aber seiner Unterschrift die Clausel bei: „Da ich den Uebergang des Prinzen von Coburg über den Rhein für das größte Unglück ansehe, davon Gründe zu weitläufig anzuführen, der wichtigste aber der bei Verlust der Benutzung des Rheinstromes entstehende Mangel an Subsistenz für die Armee ist, auch die Entblößung der kön. Provinzen am linken Rheinufer nach sich ziehen muß, so bin ich genöthigt, in allem Betracht als erste Bedingung dieses Concerts die Behauptung des linken Rheinufers von Seiten des Prinzen von Coburg anzusehen, sonst ich mich von denen Verbindungen lossagen muß und durch

die neuen Stellungen einzunehmen, als die Nachricht einkam, daß überlegene feindliche Kräfte sich an der Saar und Mosel in Bewegung setzten, um Trier zu nehmen. Den General Blankenstein zu verstärken, wurden dann zwei preußische Abtheilungen unter Kalkreuth und Köhler abgesandt; Kalkreuth brach aus seinen Stellungen in der Nähe von Kreuznach am 5. August auf; wie er sich aber Trier näherte, erfuhr er, daß Blankenstein schon auf dem Rückzug nach Wittlich sei. Am 9. rückten die Franzosen in Trier ein. Dadurch war die Verbindung der Heere am Rhein mit Luxemburg verloren, ihr Zusammenhang mit dem Prinzen von Coburg wenigstens gefährdet; die schon vorhandene Verstimmung erhielt zugleich neuen Stoff, denn die Kaiserlichen warfen den Preußen vor, sie seien zu spät zu Hülfe gekommen, und diese antworteten mit dem Vorwurf, die Kaiserlichen seien zu früh gewichen — eine widrige Debatte, die sogar in die Tagesblätter überging.

Man machte nun Pläne, wie Trier wieder zu gewinnen sei, und vielleicht konnte damit den Kaiserlichen an der Maas wirklich Luft gemacht, das Vordringen der Feinde aufgehalten werden; allein unter den Verhandlungen darüber vergingen mehrere Wochen und erst Mitte September setzte man sich in Bewegung, um, von der niederländischen Armee unterstützt, die Stellungen der Franzosen anzugreifen. Da traf noch während des Marsches die Nachricht ein, daß die Kaiserlichen das rechte Maasufer geräumt hätten und an der Ourte geschlagen seien; das Unternehmen ward also aufgegeben. Besser hatte mittlerweile der Erbprinz von Hohenlohe seine Zeit benutzt. Ihm war nur die Aufgabe zugefallen, während des Zuges auf Trier die französische Rheinarmee zu be-

---

Entblößung der kön. Provinzen mit der unter meinem Commando stehenden Armee die hiesige Gegend zu verlassen und nach dem Niederrhein zu eilen gezwungen wäre." Der Prinz antwortete darauf (2. Aug.) mit der Versicherung, „alle zwischen der Maas und dem Rhein mögliche Positionen auf's äußerste zu vertheidigen"; für den „unwahrscheinlichen Fall, daß er gleichwol genöthigt würde, das linke Rheinufer zu verlassen", bat er den Marschall, „keinem ausgestreuten Allarm Gehör zu geben", da er in solch einem widerwärtigen Falle ihn sofort durch Couriere davon benachrichtigen würde. Möllendorff erklärte sich (Schreiben vom 9. Aug.) dadurch für beruhigt. (Aus der M'schen Correspondenz.)

schäftigen; unter seinen Händen ward aus diesem Auftrag noch
eine letzte glänzende Waffenthat, bevor die preußischen Truppen
auf beinahe zwei Jahrzehnte dem linken Rheinufer den Rücken
wandten. Er machte am 17. Sept. nur eine Recognoscirung,
ging dann zum Angriff vor und vergalt in einer Reihe glücklicher
Gefechte (18—20. Sept.), in denen wieder Blücher mit der Rei=
terei hervorragte, den Franzosen ihren Erfolg vom Juli, schlug sie
aus ihren Stellungen zurück und drängte sie, zum Theil in völli=
ger Auflösung, über Kaiserslautern hinaus gegen die französische
Gränze hin. Aber dieses letzte Treffen von Kaiserslautern weckte
im Hauptquartier keine rechte Freudigkeit mehr, und die Friedens=
politiker hielten, so wie die Dinge einmal standen, den Sieg für
überflüssig. Der Marschall war, wie wir aus seiner Correspon=
denz ersehen, mit bangen Sorgen über den Gang der Dinge in
Polen, über den Rückzug in den Niederlanden erfüllt; die Gesand=
ten der Seemächte bestürmten ihn mit dem Verlangen, auf das
linke Moselufer zu gehen und damit den weiteren Rückzug der
Kaiserlichen aufzuhalten; der Herzog von York schickte einen seiner
Adjutanten, den Major von Hardenberg, einen Bruder des Mi=
nisters, an den Rhein, um bei Möllendorff Rath und Hülfe zu
holen, während dieser selber sehnsüchtig auf Weisungen aus Ber=
lin wartete;*) — in diesen drängenden Verlegenheiten erschien denn
allerdings der extemporirte Sieg wie ein „hors d'oeuvre" und es
war jetzt am wenigsten zu erwarten, daß man ihn mit Kraft ver=
folgen würde. Vielmehr erhielt der Erbprinz die Weisung, seine
alte Stellung wieder einzunehmen, und er stand denn auch acht
Tage, nachdem er die Franzosen in den Westrich gejagt, wieder
ruhig an der Pfriem bei Alzei und Pfeddersheim.

Die Vorfälle in den Niederlanden stimmten allerdings wenig
zu der Zusage Coburgs, die Maaslinie auf's äußerste vertheidigen
zu wollen. Zu Ende August war die kaiserliche Armee, noch über
80,000 Mann stark, hinter der Maas von Roermonde an bis
Mastricht und an der Ourte aufgestellt. Der Prinz von Coburg
nahm jetzt in ähnlicher Verstimmung, wie vor ihm der Herzog
von Braunschweig, seine Entlassung und Clerfayt ward sein Nach=

---

*) Nach zwei Schreiben Hardenbergs d. d. 21. Sept. und 1. Oct. und
einer Note von Malmesbury und Kinkel d. d. 30. Sept.

folger. In deſſen Sinne lag es wohl, eine angreifende Bewegung zu verſuchen, aber die Franzoſen waren an Zahl überlegen und voll Siegeszuverſicht. Schon am 17. und 18. Sept. erkämpften ſie den Uebergang über die Ourte, brängten einen Theil der Oeſter-reicher bis an die Vesdre zurück und zwangen die ganze Armee, ihre Stellung an der Maas aufzugeben. Jetzt ſollte die Roer ihre Vertheidigungslinie werden, aber die Franzoſen verfolgten ihr Uebergewicht mit äußerſter Raſchheit und Energie. Schon am 25. Sept. ſtanden ſie bei Aachen; in den erſten Octobertagen an der Roer. Die hartnäckigen Gefechte, welche die Oeſterreicher dort am 2. Oct. beſtanden, vermochten doch nicht ihre Stellung zu halten; am Abend ſahen ſie den Uebergang von den Franzoſen erzwungen und ihren linken Flügel bedroht. Clerfayt ging nun nach dem Rhein zurück; die Franzoſen folgten. Schon am 6. October zogen ſie in Cöln ein; ein paar Tage ſpäter beſetzte Marceau Bonn, Laponnier Coblenz. Die Oeſterreicher bezogen auf dem rechten Rheinufer, von Düſſeldorf bis über die Lahn hin ausgedehnt, ihre Winterquartiere; Maſtricht, vom Feind heftig be-ſchoſſen, mußte am 4. November capituliren.

Indeſſen war es dem Corps unter dem Herzog von York, das ſich nach Holland gewendet, noch ſchlimmer ergangen. Piche-gru war zu Anfang September von Antwerpen aufgebrochen, um die Verbündeten, deren Vorhut hinter dem Flüßchen Dommel ſtand, anzugreifen. Die einzelnen Gefechte, welche die gemietheten Trup-pen, z. B. die Darmſtädter bei Bortel lieferten, bewährten wieder die Waffentüchtigkeit deutſcher Soldaten auf's rühmlichſte, aber die Führung war kläglich, das holländiſche Heerweſen befand ſich in voller Auflöſung. Der Herzog von York führte, ohne daß er dazu gedrängt war, ſeine 30,000 Mann über die Maas hinüber (Mitte Sept.) und ſah ruhig zu, wie die Franzoſen ohne Brücken und ſchweres Geſchütz Miene machten, Crevecoeur und Herzogen-buſch einzuſchließen. Nach einer Beſchießung von wenig Stun-den ergab ſich Crevecoeur und die Franzoſen wandten ſich nun mit dem dort gewonnenen Geſchütz gegen Herzogenbuſch, das ſchon am 15. Oct. dem Feind ſeine Thore öffnete. Venlo folgte dem Beiſpiel, ohne daß ein Schuß fiel, wenig Tage ſpäter. Kaum war der Herzog von noch weiterem Rückzug abzuhalten; doch ließ er es geſchehen, daß die Franzoſen die Maas überſchritten (18. Oct.), und zog sich über die Waal zurück; Nymwegen ward dann dem Feinde so unrühmlich wie die andern Plätze preisgegeben. Der alte Parteihaß von 1787 regte sich jetzt und gab sich auch in der Zerfallenheit des holländischen Kriegswesens kund. Kein Zweifel: wenn ein strenger Winter die natürlichen Schutzwehren des Landes unbrauchbar machte, so war es ein leichtes Stück, die ganze Republik, die, in zwei Parteien zerrissen, von französischen Sympathien und Agenten unterwühlt war, ohne Blutvergießen zu erobern.

Nicht erfreulicher als diese Vorfälle im Westen lauteten die Nachrichten aus Osten. Wir haben der polnischen Ereignisse vom Frühjahre bereits in Kürze gedacht; indessen hatte der Aufstand mächtig zugenommen und eine neue Last des Krieges auf Preußen gewälzt. Schon im Mai waren 50,000 Mann aus Schlesien eingerückt, hatten dem weitern Vordringen Kosciusko's bei Szczekoczyn eine Schranke gesetzt (Anfang Juni). Krakau war den Preußen in die Hände gefallen, aber die ganze Wucht des Kampfes lag auf Preußen, Rußland zögerte, seine schwachen Heereskräfte zu verstärken, von Oesterreich her beunruhigte Thuguts nun offenkundiges Bemühen, den Kampf im Westen zu verlassen und durch die Einmischung in Polen für Oesterreich Vergrößerungen zu gewinnen. Der König selbst war auf den Kampfplatz geeilt, aber sein Eifer, dem Kriege dort eine rasche Entscheidung zu geben, mußte an den Dimensionen des Landes, an dessen Art und Cultur scheitern. Seit Juli stand das preußische Heer vor Warschau und machte vergebliche Anstrengungen, die Stadt, die jetzt der Mittelpunkt des Aufstandes geworden, zu überwältigen. Die Lage der Armee auf diesem undankbaren Boden ward mit jedem Tage peinlicher; der Mangel an Lebensmitteln, Krankheiten und die Unsicherheit aller Communicationen trug wohl mehr zum Mißlingen bei, als die Leitung des Krieges selbst. Zu dem Allem, der Langsamkeit der russischen Rüstung, der zweideutigen Haltung von Thuguts Politik kam denn seit Ende August ein Aufstand in Südpreußen, der die so theuer erkaufte neue Erwerbung rasch in die revolutionäre Bewegung verflocht und die Lage der preußischen Politik allerdings auf's peinlichste verwickelte. Der gute Rath Hertzbergs, der damals in wohlmeinendem Eifer den König mit Briefen bestürmte und seine Dienste anbot, vermochte freilich aus die-

ser Krisis nicht zu helfen. Wohl war in seinen Briefen Alles rich=
tig und scharf hervorgehoben, was sich gegen die Verderblichkeit
der Auflösung Polens sagen ließ, auch der unaufhaltsame Fort=
schritt der Franzosen über Belgien, Holland, den Rhein und den
deutschen Süden treffend vorausgesagt und mit Grund der Zwei=
fel erhoben, ob dann Preußen wohl im Stande sein würde, zu=
gleich in den Niederlanden, am Rhein, in Oberdeutschland und
in Polen den Krieg zu führen? Aber daß er sich zutraute, wie
in der Blüthezeit von Friedrichs II. Ansehen, durch Denkschriften
die europäische Welt mit sich zu verständigen, die Mächte zur An=
erkennung der fränkischen Republik zu bewegen und damit der
im vollen Laufe begriffenen kriegerischen Propaganda der Revolu=
tion Halt zu gebieten, diese seltsame Ueberschätzung war nur bei
einem Manne erklärlich, der sein Leben lang ein starkes Selbstge=
fühl in sich getragen, der durch viele Jahre der Macht und des
Gelingens von seiner staatsmännischen Unfehlbarkeit vollkommen
überzeugt war, und der mit Grund den Augenblick, wo er das Ru=
der unfreiwillig verlassen, als den Anfang eines Rückganges der
preußischen Politik bezeichnen durfte. Wir begreifen wohl, wie
unbequem dem König im Lager bei Opalin die ungebetenen Leh=
ren seines ehemaligen Ministers kommen mußten; es war schwer
zu sagen, was ihn darin peinlicher berühren mochte: die vielfach
zutreffenden Wahrheiten, oder das eitle Selbstvertrauen des Mini=
sters, daß er allein der Mann sei, der helfen könne? Der König
antwortete in herb abweisendem Tone (20. Juli) und verbat sich
den Rath Hertzbergs ungnädiger, als dies der greise Staatsmann
verdient hatte. Denn auch zu diesem letzten Fehlschritte trieb ihn bei
aller Selbstüberhebung doch nur die eifrigste Sorge um die Macht
des Staates, dem er sein Leben gewidmet; die jetzt seine Stelle
im Rathe des Königs einnahmen, waren zudem am wenigsten ge=
eignet, die Erinnerung an die guten und glücklichen Tage Hertz=
bergs zu verwischen.

Wir müssen uns alle diese Eindrücke, die Nachrichten vom
Niederrhein und aus Holland, die Kunde von der vergeblichen
Belagerung Warschaus und dem Aufstande in Südpreußen, wie
sie nun im September in raschen Schlägen aufeinander folgten,
vergegenwärtigen, um die Stimmung Möllendorffs zu begreifen,
und wie wenig er dazu angethan war, nach dem Erfolge Hohen=

lofes bei Kaiserslautern noch zu kühnem Angriffe vorzugehen. „Der König selbst — heißt es in einem Briefe des Marschalls vom 25. Sept. — schreibt mir nichts, ebenso wenig Lucchesini und Manstein, wie es in Polen aussieht. Ich gestehe, daß ich nichts davon begreife, noch weniger, daß ich keine positiven Instructionen erhalte, was in allen diesen mißlichen Umständen zu machen und wie unsere eigenen Provinzen zu decken seien." Die Botschaft, daß Clerfayt wirklich über den Rhein gegangen, versetzte ihn dann, wie er sich selber ausdrückt, in volle „Bestürzung."

Noch deutlicher als im Feldlager war in dem Kreise der Diplomatie die Auflösung der Coalition zu erkennen. Einen regen Eifer für ihre Erhaltung bewies nur noch Pitt; er schickte zu Ende Juli den Grafen Spencer nach Wien, Sir Arthur Paget nach Berlin, um Oesterreich und Preußen noch beim Kriege festzuhalten. Preußen sollte zu größerer Thätigkeit angespornt, Oesterreich von dem völligen Rückzuge abgehalten, im Nothfalle durch neue Subsidien an die britische Politik geknüpft werden. Wie wollte sich aber von Neuem ein dauernder Bund knüpfen, bei der inneren Entzweiung, welche die einzelnen Verbündeten trennte? Preußen sah in Oesterreich und in der neuesten Wendung von Thuguts Politik sich offen Schach geboten; seit der polnische Aufstand um sich griff, ward der österreichische Staatsmann so unverhohlen der Mitschuld angeklagt, daß es darüber zwischen ihm und Lucchesini sogar zu diplomatischen Erörterungen kam. Zwischen England und Preußen war aber ein Ton der Entfremdung eingetreten, der für die neue Eintracht wenig Hoffnung gab; Preußen beschwerte sich über die säumige Zahlung der Subsidien, England über die Unthätigkeit der preußischen Waffen; Klagen und Gegenklagen wurden in einem Tone vorgebracht, der eher den offenen Bruch, als ein neues Einverständniß ankündigte. *)

Die Frage eines besondern Friedens mit Frankreich ward im Kreise der preußischen Diplomaten ernsthaft erwogen; Möllen-

---

*) S. Malmesbury III. 124—128.

dorff hatte nach dem Rückzuge von Fleurus und Dohms bedenklichen Mittheilungen sich darüber geradezu an Manstein und Lucchesini gewandt. Der Letztere erklärte,*) er für seine Person sehe
nichts dabei, mit Robespierre zu verhandeln; Mazarin habe sich
auch mit Cromwell einlassen müssen. Aber einmal würde man
beim König einem unbesiegbaren Widerwillen begegnen, und dann
sei auch politisch ein solcher Schritt jetzt nicht rathsam. „Durch
einen Separatfrieden würden wir allen unseren Verpflichtungen
untreu werden; wollten wir das Reich zulassen, so würde die Unterhandlung öffentlich werden, wir dadurch unser Ziel nicht erreichen, wohl aber die Kaiserin von Rußland, von Oesterreich angeregt, unsern Entwürfen in Polen sich ungünstiger als je zeigen.
Beschränken wir uns darauf, bei den andern Mächten friedliche
Gesinnungen zu wecken und in jedem Falle den Subsidienvertrag
nicht über dies Jahr zu verlängern, so geben wir dem Uebelwol-
len keine Blöße und haben Aussicht auf feste und bleibende Verbindungen."**)

In Wien, wohin sich Lucchesini in der Absicht begab, den
Erfolg der britischen Sendung zu beobachten, fand er die Stimmung so, daß er nur darüber im Zweifel blieb, ob Thugut es
mehr auf eine Friedensverhandlung abgesehen habe, oder auf neue
englische Hülfsgelder? Der österreichische Staatsmann widersprach
dem Gerüchte einer geheimen Verabredung mit Frankreich aufs
Bestimmteste; man schob das Entstehen der Gerüchte auf die Thätigkeit eines zweideutigen Menschen, von dem es zweifelhaft war,
ob er Agent oder Spion sei, und mit welchem allerdings Graf
Metternich und Mercy d'Argenteau sich in Brüssel in Unterredungen eingelassen hatten.***). Dagegen nahm Lucchesini den entschiedenen Eindruck mit, daß das Project der Erwerbung Baierns
wieder an der Tagesordnung sei. Die britischen Verhandlungen
aber ließen ein klares Ende nicht voraussehen; wohl übten die

---

*) Schreiben an Möllendorff d. d. Opalin 19. Juli.

**) Die Stelle lautet wörtlich: „nous donnons point de prises à la mal-
veillance et nous devons bien compter qu'un gouvernement à l'abri des intrigues étrangères serоit entraîné par ses interêts vers des liaisons solides et per-
manentes avec la Prusse.

***) Depesche L.'s d. d. Wien 24. Juli.

Subsidienanerbietungen Spencers auf Thugut ihre Wirkung; allein es blieb vorläufig bei allgemeinen Verheißungen, die es doch wieder zweifelhaft machten, ob der österreichische Staatsmann nicht eine Verständigung mit der französischen Republik vorzog.

Diese Erfahrungen, zusammengenommen mit den kriegerischen Vorgängen in den Niederlanden, mußten die Wagschale zu Gunsten des Friedens sinken machen; Möllendorff drängte darauf nicht weniger lebhaft als Lucchesini. Es galt nur vor Allem, den Widerstand des Königs zu überwinden. Aus den Papieren, die uns vorliegen, glauben wir entnehmen zu dürfen, daß im Anfange August, also einem sehr kritischen Augenblicke der polnischen Verwicklung, Lucchesini es zuerst mit dem Vorschlage einer Verhandlung mit Frankreich beim König versucht hat. Friedrich Wilhelm II. lehnte das Ansinnen, dazu die Hand zu bieten, in bestimmtester Weise ab. „Niemand — äußerte er — werde ihn dazu bringen, daß er sich durch die ersten Eröffnungen herabwürdige."*) Aber so weit brachte es Lucchesini doch, daß der König sich nicht abgeneigt erklärte, auf Vorschläge, die an ihn kämen, einzugehen, und daß er dem geschmeidigen Italiener die Vermittlung derselben überließ. Für Lucchesini, der seit lange auf den Frieden hingearbeitet, war eine solche Erlaubniß natürlich der erwünschte Handgriff für Anknüpfung der Verhandlungen. Zugleich kam Möllendorff auf eine Auskunft, die den Weg zu Verhandlungen bahnen konnte. Wegen des Austausches der Gefangenen sollte durch Major Meyerink mit den Franzosen verhandelt und dieser Anlaß zu weiteren Vorschlägen benutzt werden. Um den König dafür zu stimmen, vermied es die Friedenspartei sorgfältig, von einem Separatfrieden zu sprechen; Preußen sollte jedenfalls das Reich mit in den Frieden einschließen, gleichsam der Vermittler eines Reichs-

---

*) „Le Roi m'a déclaré — de la manière la plus solennelle, que jamais aucun de ses serviteurs ne le porteroit à se déshonorer par de premières ouvertures; mais il souhaite enfin que l'occasion les fasse naître d'ailleurs et tout en me défendant sans retour tout ce qui feroit paraître son nom dans les propositions préparatoires de la paix il m'a permis d'employer personellement toutes les ressources de la politique et du zèle pour en amener quelqu'une pendant mon séjour à Vienne. Je sens comme je le dois Monsieur l'importance de la vocation à laquelle je suis depuis ce moment appelé et j'entends le cri de la patrie. (Aus einem Schreiben L.'s d. d. 14. Aug.)

friedens werden. Nur so könne Holland gerettet und der reißende
Fortschritt der französischen Waffen aufgehalten werden.*)

Indessen die Verhandlungen in Wien nicht vorwärts schritten, erfolgten die Ereignisse, die wir kennen: die unglücklichen Gefechte an der Maas und Roer, der Aufstand in Südpreußen, die
Aufhebung der Belagerung von Warschau. Der König verließ
jetzt den mühevollen und unfruchtbaren Kriegsschauplatz in Polen; die letzten Ereignisse waren für die Friedenspolitiker die beste
Unterstützung gewesen und Friedrich Wilhelm verbarg nun nicht
mehr, daß er aus diesem endlosen doppelten Kampfe herauszukommen wünsche. Auf dem Rückwege sandte er von Breslau aus
Lucchesini nach Wien, um dort zu erklären, daß Oesterreich jetzt,
da Preußen angegriffen sei, nach dem Bundesvertrag vom 7. Febr.
1792 ein Hülfscorps von 20,000 Mann zu stellen habe; wenn,
wie fast sicher zu erwarten, man in Wien dazu nicht geneigt war,
sollte er auf die Abberufung einer gleichen Zahl Preußen von der
Rheinarmee vorbereiten. Auch des Friedens wegen hatte Lucchesini den Auftrag in Wien anzupochen.**) Die Unterredungen,
die kurze Zeit vorher Hardenberg in Frankfurt mit Lord Malmesbury pflog, mußten ohnedies die Aussicht auf ein mögliches Einverständniß mit den Seemächten sehr herabstimmen.***)

Am Rhein hatte Möllendorff eben noch mit dem Herzog von
Sachsen-Teschen Verabredungen getroffen über die Operationen,
die man ergreifen wollte, um wenigstens das linke Rheinufer zu
behaupten. Es hatten darüber (1—5. Oct.) viele Verhandlungen
stattgefunden und war auch ein leidliches Einverständniß erreicht,
als die niederschlagende Kunde von dem bereits erfolgten Ueber-
gange Clerfayts über den Rhein eintraf und nun alle diese kaum

---

*) (Le roi) a infiniment goûté l'idée que vous lui avez suggérée, Mr. le
maréchal, de devenir le médiateur entre l'Empire et la France, qui ameneroit
naturellement à moyenner une paix générale qui est à mon avis l'unique voie
de sauver le stadthoudérat en Hollande et peutêtre tous les gouvernements de
l'Europe de la subversion dont ils sont menacés. (Schreiben L.'s v. S. Sept.)

**) S. Depesche L.'s d. d. Breslau 25. Sept., worin es am Schluß
heißt: S. M. se livre de jour en jour davantage au désir d'amener la fin de la
guerre, si ce n'est pas une paix formelle, du moins par une longue trêve.
Voilà le second objet de mon prompt voyage à Vienne.

***) S. Malmesbury III. 132.

gebornen Pläne in der Geburt erstickte. Die gleichzeitigen Nachrichten aus Polen kamen denn diesen Eindrücken sehr zu Hülfe.
„Im Vertrauen — schrieb Möllendorff am 10. Oct. an den Erbprinzen von Hohenlohe — Sie müssen sich aber nichts merken
lassen, schildert mir der König die schlechte Lage der polnischen
Sachen und zeigt mir die Detachirung eines Corps dahin, wornach ich meine allgemeinen Arrangements machen soll. Folglich
müssen wir uns zusammenziehen und concentrirte Positionen nehmen.“ In diesem Augenblicke war denn auch der Marschall, so
lebhaft auch der österreichische Feldherr in ihn drang, nicht mehr
dazu zu bewegen, einzelne Corps zu detachiren oder sich auf neue
Operationen einzulassen. Gleich nachher traf durch einen Courier der Befehl des Königs ein: „so viel als möglich jedes ernste
Gefecht zu meiden, indem es allen Anschein hätte, daß der Tractat mit England gebrochen würde und man nicht unnützer Weise
Leute aufopfern wolle.“*) Daß England seine Subsidienzahlungen
eingestellt, gab einen erwünschten Anlaß, den Haager Vertrag als
gebrochen und jede weitere Verbindlichkeit als aufgehoben anzusehen. In herbem Tone erklärte dies Möllendorff den Gesandten
der Seemächte (21. Oct.); ebenso lauteten die Eröffnungen, die
der preußische Gesandte in London und Harbenberg dem Lord
Malmesbury wenige Tage später machten. In denselben Tagen
begann der Rückmarsch der Preußen auf das rechte Rheinufer.
Ein Theil des Heeres brach nach Polen auf; nach Westen zu
sollten die westfälischen Gebiete gegen einen französischen Einfall
gedeckt werden.

Indessen hatte die erste Annäherung an die französische Republik stattgefunden; die Friedenspartei in Preußen hatte natürlich nicht versäumt, die Erlaubniß, die der König Lucchesini gegeben, in ihrem Sinne zu benutzen. Seitdem Robespierre gestürzt war, schien zudem ein Hinderniß beseitigt, das mit am
meisten Anstoß gegeben hatte. So begann man denn zunächst

---

*) Schreiben Möllendorffs an Hohenlohe d. d. 14. Oct. Ein Schreiben
Harbenbergs d. d. 12. Oct. kündigte die Verweigerung der Subsidienzahlungen und den bevorstehenden Bruch mit den Seemächten an.

durch untergeordnete Agenten auf neutralem Boden die ersten Einverständnisse anzuknüpfen; ohne daß von beiden Seiten Jemand
officiell verflochten war, kam es doch zu einzelnen Besprechungen
welche die erste Annäherung vorbereiteten. Ein Agent, den Möllendorff schickte, und ein in den deutschen Dingen sehr bewander-
ter Mann, der mit der französischen Gesandtschaft in der Schweiz
zusammenhing, waren diese ersten Unterhändler.

Auch an einer andern Stelle wurden, ohne daß Preußen den
Anfang zu machen schien, die Friedenswünsche laut. Auf dem
Reichstage war die Kriegslust längst abgekühlt. Warum hätten auch,
da Preußen zum Frieden drängte, Oesterreich selbst mit neuen englischen Subsidien nicht beim Kampfe festzuhalten schien, die Mittleren und Kleineren allein kriegerisch gesinnt sein sollen! Wir kennen ja die Noth, die man bei den Meisten gehabt, daß auch
nur die ersten Verpflichtungen gegen das Reich erfüllt wurden,
und wie beharrlich einzelne Reichsstände auch während des heftigsten Kampfes sich auf der Linie der Neutralität hatten zu erhalten suchen. Einer von diesen, Pfalzbaiern, ließ zu Regensburg zuerst den Wunsch nach Frieden vernehmen; in gleichem
Sinne entfaltete für Kurmainz der bewegliche und wandelbare
Coadjutor Carl Theodor von Dalberg seine Thätigkeit. Am 20.
October kam von Kurmainz ein förmlicher Antrag auf Friedensverhandlungen, die der Kaiser, im Einverständniß mit Preußen,
einleiten sollte; auch hatte Dalberg bereits mit der französischen
Gesandtschaft in der Schweiz Berührungen gesucht. Der Antrag
fand im Reichstage eifrige Fürsprecher; im Kurcollegium unterstützten ihn nicht nur Brandenburg und Pfalzbaiern, sondern
auch Kurcöln; auch im Fürstenrath ward er mit sichtbarer Genugthuung aufgenommen. Entschiedener Widerspruch kam nur
von Oesterreich und von Hannover, das durch England bestimmt
war; der Politik Thuguts, wie der Pitts, mußte bei den damals
noch schwebenden Verhandlungen über die neue Herstellung
der Coalition ein Antrag wie der Dalberg'sche allerdings sehr unbequem kommen. Doch konnte die Einsprache Oesterreichs und
Hannovers nicht hindern, daß der kurmainzische Vorschlag rascher,
als es sonst Brauch war, verhandelt und am 22. Dec. zum Beschluß erhoben wurde.

Es war das der Augenblick, wo die Eroberung Hollands bevor-

stand und die französische Republik dort ihre erste Probe des neuen
revolutionären Systems der Eroberung und Ausbeutung ablegte.
Als 1672 eine ähnliche Gefahr bevorstand, war dies der Anfang
einer antifranzösischen Allianz von monarchischen und republikanischen Staaten geworden; jetzt löste sich der lockere Bund der
europäischen Könige. Damals gab der große Kurfürst das Zeichen des Widerstandes für die Unabhängigkeit der europäischen
Staaten; jetzt gab Preußen das Signal zum Frieden mit dem
westlichen Feinde. Damals zog Brandenburg, das eigene Land
dem schwedischen Gegner preisgebend, an den Rhein; jetzt zog es
seine Heere zurück, um erst nach zwanzig Jahren voll von Drangsa-
len und blutigen Kämpfen den deutschen Strom wieder mit seinen
siegreichen Waffen zu begrüßen. Inzwischen war Oesterreich noch
einmal festgehalten bei der Coalition, freilich nicht aus besseren
Beweggründen, wie die waren, aus denen Haugwitz und Lucchesini
Preußens Ausscheiden bewirkten. Die englischen Subsidien von
sechs Millionen Pfund Sterling und die Hoffnung, wie auch der
Krieg sich wenden möge, jedenfalls in Baiern oder Polen eine
Entschädigung zu finden, gaben bei Thugut doch am Ende den
Ausschlag für die Coalition. Die übrigen Stände des Reichs
waren fast ohne Ausnahme kriegsmüde und sahen mit Ungeduld
dem Frieden entgegen, dessen Vermittlung nun in Preußens Hand
gelegt war.

Seit den Vorgängen in Regensburg war Preußen in der Lage,
die Unterhandlungen aus dem Dunkel geheimer Besprechungen von
untergeordneten Agenten zu officieller Bedeutung zu erheben. Im
Anfang December ward Graf Golz zum Friedensunterhändler ernannt, der Legationsrath Harnier ihm beigegeben; noch bevor das
Jahr zu Ende ging, traf die preußische Friedensgesandtschaft in
Basel ein. Die Unterhandlungen, wie der Wohlfahrtsausschuß
wollte, in Paris gleichsam unter dessen Aufsicht zu führen, dazu
verstand sich Preußen nicht, wohl aber ging Harnier zu Anfang
des neuen Jahres nach Paris, um sich mit dem Wohlfahrtsausschuß persönlich auseinanderzusetzen. Aus den Aeußerungen des
preußischen Diplomaten konnten die Franzosen sich überzeugen, daß
es Preußen Ernst war mit dem Frieden; es schwand allmälig das
Mißtrauen, daß die Friedensverhandlungen nur eine geschickte
Kriegslist sein sollten.

I

Den Erklärungen der Franzosen war das Verdienst der Aufrichtigkeit nicht abzusprechen; die Grundlinien der künftigen Politik Frankreichs traten darin unverhüllt hervor. Man forderte den
Rhein als „natürliche Gränze", stellte den deutschen Fürsten, auf
deren Kosten die Abtretung des linken Ufers folgte, eine Entschädigung in Aussicht, entweder zum Nachtheil Oesterreichs oder durch
Säcularisation geistlicher Stifter. Die kleineren Fürsten könnten
sich durch Preußen vertreten lassen, auch sei Frankreich bereit, mit
ihnen gesondert zu verhandeln. *) Es ist nicht schwer, darin den
Gedanken der folgenden französischen Politik zu erkennen: das mit
England verknüpfte Oesterreich aus Westdeutschland hinauszudrängen, für die Herstellung des eigenen Einflusses dort eine Brücke an
Preußen zu finden, das Reich in seine Sonderinteressen aufzulösen und sich die kleineren Fürsten im Süden und Westen zu Schütz-
lingen und Verbündeten heranzubilden. Die Dreitheilung Deutschlands in ein österreichisches, preußisches und rheinbündisch-fran-
zösisches, wie sie eilf Jahre später durchgeführt worden ist, war in
diesen Umrissen eigentlich schon angedeutet.

Daß die Politik der Friedensmänner in Preußen auf solche
Bedingungen eingehen würde, konnte nicht mehr zweifelhaft sein,
wenn man die peinliche Unthätigkeit betrachtete, womit Preußen
der Krisis in Holland zusah. Drohte sich doch hier die französische Eroberung schon bis an die Gränzen des eigenen Landes vorzuschieben; die politische Ueberlieferung wie dynastische Bande
sprachen gleich lebhaft dafür, da man für Holland oder wenigstens
das Haus Oranien eintrat, und doch ließ man es geschehen, daß
der Erbstatthalter floh, das Land mit französischen Formen über-
zogen, ihm französische Contributionen abgezwungen, das ganze
Werk der Restauration von 1787 vernichtet und die damals Ver-
triebenen zurückgerufen wurden. Was blieb darnach Preußen zu
verweigern noch übrig?

Wieder war es die polnische Sache, die in diesem Augenblick recht verhängnißvoll eingegriffen und die letzten Bedenken
überwunden hat. Wir erinnern uns, wie Rußland fast unthätig
es Preußen überließ, den beschwerlichen Sommerfeldzug gegen die
polnische Volkserhebung zu führen, die vergebliche Belagerung

---

*) S. Manuscrit de l'an III. S. 49.

von Warschau zu unternehmen und sich durch einen Aufstand im
eignen polnischen Gebiete bedrängen zu lassen. Die Frucht dieser
Anstrengungen, die der Besitz von Warschau hatte sichern sollen,
war eben durch das Mißlingen dort vereitelt worden; Preußen
hatte (im Herbst) ermüdet den Kampfplatz verlassen müssen. Statt,
wie man gehofft, durch Bewältigung des Aufruhrs auch den
Preis des Sieges zu ernten, mußte man seine Kraft in einer
Menge kleiner undankbarer Kämpfe vergeuden. Diesen Moment
hatte Rußland erwartet; rasch rückte jetzt ein ansehnliches Heer
unter Suwarow vor, lieferte den Polen die letzten Entscheidungs-
schlachten bei Brecze (19. Sept.) und Maciejowice (10. Oct.),
drängte auf Warschau los und nahm die polnische Hauptstadt
im Sturm. Der ungeheure Menschenverlust kam bei dem russischen Feldherrn kaum in Vergleich mit dem Dienste, den er mit
dieser schnellen Entscheidung der Politik seiner Kaiserin leistete.
War Preußen im Sommer die Rolle zugefallen, den im vollen
Aufschwunge begriffenen Aufstand zu bekämpfen, so hatte ihn
nun Rußland, als er schon in Abnahme war, glücklich überwältigt; der traurige Ruhm und mit ihm der Vortheil dieses Sieges
fiel Rußland zu. Daß es diesen Vorsprung gegen Preußen treu-
los benutzte, lag in der Natur der Dinge; die polnische Sache
war ja von vornherein nicht dazu angethan, Proben ehrlicher Politik abzulegen. Aber es war doch in dieser Reihe unerhörter
Vorgänge, wie die polnische Sache sie bietet, eine immer noch auffallende Episode, wie Katharina II. jetzt die letzte Theilung vornahm. Nicht mit Preußen, das die Last des Krieges getragen,
sondern mit Oesterreich, das keinen Schwertstreich gegen den polnischen Aufstand geführt, schloß sie jetzt (3. Jan. 1795) ein Abkommen, wodurch über den Rest von Polen verfügt ward. Nach
diesem Theilungsplane, auf den wir später noch mit einem Worte
kommen werden, erhielt Rußland den Löwenantheil; zwei Stücke,
die zusammen dem russischen nicht gleich kamen, fielen an Oesterreich und Preußen, und zwar erhielt letzteres davon die Hälfte,
die etwas größer, aber menschenleerer war. Die Thugut'sche Politik hatte also in Polen vollständig gesiegt; Preußen war in be-
leidigender Weise umgangen, Thugut hatte die Abrundung erlangt,
die er Oesterreich für die Räumung der Niederlande zugedacht.
Mit diesem Stück Polen und den neuen britischen Subsidien war

die österreichische Politik noch einmal für die Sache der Coalition gewonnen worden.

Der Eindruck dieser Lösung, die treffliche Abrundung, die sich Rußland geschaffen, das Verlangen, Preußen solle die von ihm besetzten Palatinate Sandomir und Krakau an Oesterreich abtreten — der Eindruck dieser Vorgänge war in Preußen der allerpeinlichste. Lebhafter als je verwünschte jetzt Lucchesini die „verhängnißvolle Allianz" mit Oesterreich, die Preußen in den französischen Krieg gestürzt, damit sich indessen Rußland und Oesterreich in seinem Rücken ausbreiten konnten, und die Urheber der Reichenbacher Politik, unter denen er obenan seinen Schwager Bischofswerder nennt, werden nachträglich von ihm noch verdammt. Er wünscht nichts eifriger, als einen raschen Frieden mit Frankreich, damit die Heere nach Osten marschiren könnten; Rußland würde dann wohl weniger zubringlich, Oesterreich etwas coulanter werden. Aber das sei eben der Grund, warum Thugut Alles aufbiete, den Frieden zu hindern.*)

Der dies schrieb und seine gleichgesinnten Freunde hatten die Scheu vor dem Frieden mit Frankreich lange überwunden; nur der König war noch bedenklich. Den Erfahrungen in Polen kam aber bald noch Anderes zu Hülfe. In den ersten Tagen des Februar machte Toskana seinen Frieden mit der französischen Republik, Spanien rüstete sich, das Gleiche zu thun. Ein Zweig des öster= reichischen Kaiserhauses und eine bourbonische Königslinie traten mit dem Wohlfahrtsausschusse in Verhandlung und schlossen mit den „régicides" von 1793 ihren Frieden; die monarchische Soli= barität, in deren Namen man vor drei Jahren ins Feld gezogen, war also auch äußerlich zerstört, nachdem sie längst aufgehört der innere Beweggrund des Bundes gegen die Revolution zu sein. Es war nur allzuwahr, was Lucchesini damals schrieb: „Die Dinge liegen so, daß Jeder nur an sein eigenes Heil denken darf; darum predige ich offen den Frieden. Auch sind bei uns die Minister, Man= stein und die öffentliche Stimme für den Frieden. Nur der König kann sich von dem Vorurtheile noch nicht losmachen, das ihn mit diesem unseligen Kriege verknüpft." Die Dinge in Polen, das Ver= hältniß zu Oesterreich, das Ausbleiben der englischen Subsidien

---

*) Schreiben an Möllendorff d. d. 17. Jan.

hätten, meint Lucchesini, wohl hinreichen können, den Monarchen „auf andere Grundsätze zu bringen." Allerdings war der König noch keineswegs der Friedenspolitik unbedingt hingegeben; er betrachtete die angeknüpften Verhandlungen als Versuche, die auch mißlingen könnten, drum erfordere es die Vorsicht, sich für alle Fälle auf die Fortdauer des Krieges vorzubereiten.*) Er wünschte daher den österreichischen Kriegsplan genauer zu kennen; es fanden darüber (4. Febr.) Besprechungen zu Heidelberg, im Hauptquartier des Herzogs von Sachsen-Teschen statt.**) Darnach war es der Plan des Kaisers, durch ein österreichisches Heer den Oberrhein von Basel bis Mainz, durch eine Reichsarmee die Strecke von Mainz bis etwa zur Sieg zu decken; dies, hatte man in Wien geäußert, und die daran angeschlossene Stellung der Preußen in Westfalen „werde den Absichten beider Höfe am besten entsprechen." Von Seiten Preußens ward dabei erklärt, daß das noch zurückgelassene Corps etwa noch bis Ende März da wo es stand — zwischen Gernsheim und dem Main — verbleiben werde.

An diesen letzten freilich dünnen Fäden hing noch die Hoffnung Englands und Oesterreichs, den Frieden zu vereiteln, über den nun seit Ende Januar Golz und Barthelemy förmlich in Basel verhandelten. Auch schienen die ersten Erörterungen jener Hoffnung noch günstig. Preußen verlangte vor Allem einen Waffenstillstand, um bei den kleineren Fürsten den Frieden vorzubereiten, dann die Neutralität von Mainz, das sei für Preußen eine Ehrensache. Zwar ließen andere Andeutungen darüber keinen Zweifel, daß man bereit war, im Frieden die Reichsfestung preiszugeben, aber jetzt sollte es nicht geschehen. Weder der Waffenstillstand noch die Neutralität von Mainz fand bei den Franzosen Eingang; darüber stockte die kaum begonnene Verhandlung. Zugleich war Graf Golz gleich anfangs erkrankt und starb im Anfang Februar; eine neue Störung, welche die Politik der Coalition nicht ohne Hoffnung betrachtete. Noch suchte die britische Diplomatie alle Hebel in Bewegung zu setzen; sie hat sogar der Gräfin Lichtenau eine große Geldsumme angeboten, wenn sie den

---

*) S. das Schreiben vom 5. Jan. bei Massenbach II. 299 f. Damit stimmt ein handschr. Schreiben d. d. 20. Jan.

**) Nach einem handschr. Rapport d. d. Großgerau 5. Febr.

Frieden hindere, ist aber, nach der Versicherung der Gräfin, damit
von ihr abgewiesen worden! Darnach hätte sich freilich die briti=
sche Politik in dem Irrthum befunden, es handle sich nur um eine
Hofintrigue, während jetzt Alles zum Frieden brängte: die Stimmen
der Staatsleute und Feldherren, die finanzielle Erschöpfung, die
bittern Erinnerungen aus Polen. Auch Oesterreich gab die Par=
thie noch nicht verloren; es erbot sich, den Frieden gemeinsam mit
Preußen vorzubereiten, das heißt, Thugut, jetzt von Neuem im
Dienste der Kriegspolitik, suchte die Hand im Spiel zu haben,
um das Gelingen der Verhandlung zu vereiteln. Im Reiche hielt
entweder die Lethargie Alles nieder, oder es tauchten patriotische
Vorschläge auf, denen nur eben die Macht der Vollziehung fehlte.
Auch der Fürstenbund hat, wie wir sehen werden, damals wieder
einmal gespukt.

Die ablehnende Antwort auf diese Versuche lag zum Theil in
der Ernennung eines neuen Gesandten nach Basel und noch deutli=
cher in den Vorbereitungen zum Abmarsch des größten Theiles der
Truppen vom Rhein (Febr.). Doch behielt man, für den Fall
des Mißlingens, immer noch einen schmalen Weg in's Lager der
Coalition offen. Mit einer unverkennbaren Absichtlichkeit wurden
die Aeußerungen des Königs, die den Frieden noch als ungewiß
bezeichneten, weiter getragen. Auch die Persönlichkeit des neuen
Gesandten in Basel stimmte damit zusammen; Hardenberg galt
nicht für einen Anhänger des Friedens um jeden Preis. Er hatte
seine Ansicht schon früher (13. Jan.) in einer Denkschrift darge=
legt, *) deren Summe dahin ging: daß ein allgemeiner Friede
das Wünschenswertheste, aber auch Unwahrscheinlichste, die Fort=
setzung des Krieges für Preußen fast unmöglich und eine Samm=
lung neuer Kräfte im Frieden das bringendste Bedürfniß sei. Aber
die Gedanken einer Allianz mit Frankreich, womit man in Basel
sehr zudringlich hervortrat, wies Hardenberg wenigstens für den
Augenblick als mit der Ehre und Politik gleich unverträglich zu=
rück. Vielmehr müsse Preußen suchen, für sich und die Reichs=
stände, die seine Vermittlung verlangt, die Neutralität zu gewin=
nen, den bisherigen Alliirten die Gründe offen darlegen, warum
man so handeln müsse, und sich mit ihnen so wenig als möglich

---

*) S. Massenbach II. 316 f.

entzweien. Hardenberg trug sich dabei freilich noch mit dem Gedanken, daß man die Rheingränze nicht opfern müsse; der Friede, wie er ihn wollte, war demnach die Neutralität des größten Theils vom Reich, und zwar ohne wesentliche Opfer erkauft.

Mit diesen Ansichten stand Hardenberg der Coalition schon näher als Lucchesini oder Haugwitz. Nach der Eroberung Hollands war ohnedies der Widerspruch gegen die Friedenspolitik wieder laut geworden, es tauchten Entwürfe auf, die freilich ebenso rasch bei Seite gelegt wurden, und man deutete sogar einen Augenblick den Abmarsch der Truppen nach Westfalen als den Anfang einer kriegerischen Bewegung. Unter diesen Eindrücken suchte sich Hardenberg, ehe er nach Basel ging, dem britischen Unterhändler zu nähern und ihn davon zu überzeugen, daß das wichtigste Hinderniß des Krieges für Preußen immer noch die Geldnoth sei. Auch kamen beide, trotz der bittern Entzweiung vom October, so weit mit einander in's Reine, daß Malmesbury noch einmal versprach, seine Regierung darüber zu hören, indeß Hardenberg die Unterhandlung in Basel nicht allzuschnell betreiben wollte. *) So sollte die Entscheidung noch einmal verzögert werden, damit England Zeit zu einem neuen Subsidienvertrag gewinne, und in der That sehen wir die bekannten Unterhändler, Spencer und Paget, noch einmal thätig, auch Malmesbury in Verhandlung mit seinem Ministerium; allein bis sich darüber eine sichere Aussicht auf Erfolg zeigte, war auch zu Basel der Friede schon abgeschlossen.

Die Unterhandlungen waren in Basel, ehe Hardenberg eintraf (18. März), weit genug vorgerückt; Harnier war nicht unthätig gewesen. Man hatte preußischer Seits den Waffenstillstand fallen lassen und sich auch an den Gedanken der Rheingränze gewöhnt. Nur über die Form gingen beide Theile noch auseinander; Preußen wollte darüber mündliche Zusagen geben, aber nichts in den Vertrag gesetzt, sondern auf die allgemeine Pacification verschoben wissen. Preußen, hieß es, habe kein Recht, über das linke Rheinufer zu verfügen; man solle nicht Forderungen stellen, welche ehrenrührig für einen Staat seien. Die französischen Unterhändler schienen diesen Einwänden nicht unzugänglich, aber der Wohl-

---

*) S. **Malmesbury** diaries III. 204 ff. 229 ff. 244.

fahrtsausschuß beharrte darauf, daß die Bedingung förmlich in
den Vertrag übergehe. Man glaubte in Basel darüber schon einig
zu sein, als die Forderung von Paris bestimmter wiederholt ward,
und es drohte darüber, vor Hardenbergs Ankunft, fast zum Bruch
zu kommen. *) Andere Schwierigkeiten erwuchsen aus der Forderung Preußens, gegen jede Schwächung seines Gebietes eine
Sicherheit zu erlangen, und aus dem Vorschlag der Neutralität
Norddeutschlands.**) Wir erinnern uns, daß Hardenberg schon in
der Denkschrift vom Januar etwas Aehnliches vor Augen gehabt:
die Neutralität Preußens „mit Einschluß derjenigen Reichsstände,
die seine Hülfe und Vermittlung angerufen hatten". Den Franzosen kam dieser Vorschlag sehr unbequem; sie wollten sich wohl
die Vermittlung Preußens für die kleineren Staaten gefallen lassen, aber dieselben nicht mit einem Satze für neutral erklärt sehen.
Es erwachte in Paris einen Augenblick die Sorge, es sei Preußen mit dem Frieden nicht Ernst; ein Mißtrauen, das indessen
durch Barthelemy's Erklärung, es sei dies das einzige Hinderniß
des Friedens, beseitigt ward. Die Nachricht Barthelemy's traf
fast zusammen mit den Anzeichen des gewaltsamen Aufstandes,
der am 12. Germinal die ganze Existenz der französischen Regierung bedrohte und ihr den Erfolg eines solchen Friedensschlusses doppelt werth machte. So genehmigte der Wohlfahrtsausschuß schnell,
was er anfangs entschlossen war zu verweigern; auch Hardenberg durfte nicht länger zögern, wenn er nicht neues Mißtrauen
wecken wollte. Man einigte sich nun leicht über die Form des
Vertrages, in dessen geheime Artikel die anstößigen Punkte verwiesen wurden. Am 5. April ward der Friede unterzeichnet.

Nach dem öffentlichen Vertrag schlossen Preußen und die
französische Republik Frieden mit einander; Frankreich verpflichtete
sich, die preußischen Gebiete auf dem rechten Rheinufer binnen 14
Tagen zu räumen, die auf dem linken Ufer hielt es besetzt; die
endgültigen Feststellungen sollten bis zum allgemeinen Frieden verschoben bleiben. Die Verkehrsverhältnisse sollten auf den Fuß,
auf dem sie sich vor dem Kriege befanden, zurückgeführt werden;

---

*) Nach einem Bericht Meyerinks an Möllendorff d d. 7. März.
**) Abschrift einer Note des Wohlfahrtsausschusses an Barthelemy d d. 26.
ventôse.

zu diesem Ende solle auch für den Norden Deutschlands die Freiheit des Verkehrs wieder hergestellt und der Schauplatz des Krie-
ges von dort entfernt werden. Die Auswechslung der Gefangenen erstreckte sich auch auf die Contingente von Sachsen, Kurmainz,
Pfalzbaiern und beiden Hessen. Endlich ward — und dies hatte
noch Hardenberg zuletzt durchgesetzt — die Friedensvermittlung
Preußens zu Gunsten derjenigen Reichsstände angenommen, welche
Preußen schon darum angerufen haben oder noch anrufen werden.
Es sollten namentlich binnen drei Monaten nach Ratification des
Vertrages von Frankreich alle diejenigen Fürsten und Stände auf
dem rechten Rheinufer nicht als Feinde behandelt werden, für
welche Preußen sich verwenden werde. Doch fügte die französische
Regierung den Nachtrag hinzu, daß dies von Oesterreich nicht gelte.

In den geheimen Artikeln versprach Preußen, weder gegen
Holland noch gegen ein anderes von französischen Truppen besetz-
tes Gebiet etwas Feindliches zu unternehmen. Frankreich verbürgte für den Fall, daß es seine Gränze beim allgemeinen Frieden bis an den Rhein ausdehne, Preußen eine Entschädigung,
die den abgetretenen Gebieten am linken Rheinufer entspreche.
Wenn auch das pfalzzweibrückische Gebiet an Frankreich falle, versprach die Republik die Schuld von 1,500,000 Thalern, die Preußen an den Herzog zu fordern hatte, auf sich zu nehmen. Damit,
wie es im öffentlichen Vertrag versprochen war, Norddeutschland
vom Kriege unberührt bleibe, sollte eine Demarcationslinie gezogen
werden, welche die französischen Kriegsoperationen nicht überschreiten dürften; die hinter dieser Linie gelegenen Gebiete sollten von
Frankreich als neutral angesehen, aber auch von ihnen die Neutralität streng eingehalten werden. Im Falle Hannover sich
weigere, solle Preußen zur bessern Garantie dieser Neutralität das
Land in Verwahrung nehmen. *)

---

*) In einer Abschrift, die Hardenberg an Möllendorff schickte, besteht der
Vertrag aus folgenden Theilen: zuerst dem öffentlichen Tractat, wie er bei
Martens VI. 495 ff. abgedruckt ist; dann folgen (gleichlautend mit dem Abdruck
im Manuscrit de l'an trois) als Separatartikel die Bestimmungen über die Demarcationslinie und den Einschluß der Grafschaft Sayn in dieselbe; ferner als
„articles séparés et secrets" die übrigen und zwar zuerst die auch im Manuscrit oben anstehenden beiden Sätze, dann ebenfalls damit gleichlautend die Bestimmung wegen Zweibrücken und der Zusatz zu Artikel 11 („les dispositions

Hardenberg sprach sich über den Abschluß des Friedens sehr befriedigt aus; er glaubte erreicht zu haben, was zu erreichen war. „Ich halte, schrieb er, *) den Frieden für sicher, vortheilhaft und ehrenvoll; für sicher, weil die Neutralität des größeren Theils von Deutschland, besonders des nördlichen, festgesetzt und für die übrigen Reichsstände ebenfalls ein dreimonatlicher Waffenstillstand ausgemacht ist, wodurch bald das ganze Reich neutral sein wird. Für vortheilhaft, weil wir einen verderblichen und kostbaren, über unsere Kräfte gehenden Krieg endigen, dem Lande die Wohlfahrt des Friedens wiedergeben, besser im Stande sind, in Polen die Sachen gut zu beendigen, ferner weil wir Frankreichs Allianz und Freundschaft in der Folge für uns erhalten und im Falle Frankreich das linke Rheinufer behält, wir nichts verlieren, sondern durch die zugesicherte Gebietsentschädigung eine gute Entschädigung erhalten können; endlich weil uns sogar die an Zweibrücken geliehenen Gelder gesichert sind. Ich halte ihn für ehrenvoll und vortheilhaft zugleich, weil der Einfluß, welchen uns die angenommene Vermittlung und Neutralität gegenüber dem Reich gibt, nicht nur uns viel Nutzen schaffen kann, sondern auch rühmlich ist und ein großes Uebergewicht gegen den Wiener Hof gewährt. Gott gebe nun, daß dieses Beispiel recht allgemein wirken und allgemeine Ruhe hergestellt sein möge!"

Wir theilen diese Aeußerungen mit, weil einem Manne, der den vielberufenen Frieden von Basel abgeschlossen hat, wohl auch das Wort zur Rechtfertigung seines Werkes gegönnt werden darf. Für uns Nachgeborene liegt freilich der beste Maßstab dafür, was der Friede an „Sicherheit, Vortheil und Ehre" gewährt hat, in dem Gange der folgenden Begebenheiten. Wie der Friede selbst

---

de l'article 11 du présent traité ne pourront s'étendre aux états de la maison d'Autriche".) Daran schließt sich endlich ein Blatt mit den geheimen Artikeln, die im Manuscrit fehlen: 1. Dans le cas que le gouvernement d'Hanovre se refusât à la neutralité, S. M. le Roi de Prusse s'engage à prendre l'Electorat d'Hanovre en depôt, afin de garantir d'autant plus efficacement la république française de toute entreprise hostile de la part de ce gouvernement. 2. quoique le passage des troupes soit françaises soit de l'Empire ou autrichiennes par la ville de Francfort soit stipulé par l'article 1er de la convention du . . . ., il ne pourra être placée ni garnison française ni autrichienne dans cette ville

*) Aus einer Depesche an Möllendorff d. d. 6 April.

kein vereinzeltes, ja nicht einmal ein unerwartetes Ereigniß, son=
dern das Resultat einer Entwicklung von Jahren gewesen ist, so
wird auch die nun folgende Geschichte am sichersten bewähren kön=
nen, wie weit die Schöpferfreude Hardenbergs über sein Werk
berechtigt war.

Die drei Kriegsjahre, die der Friede von 1795 abschloß, hat=
ten die gesammte Lage Deutschlands umgestaltet. Die Ohnmacht
und Hülflosigkeit des Reiches war nun greller als je vor aller
Welt aufgedeckt, dessen Auflösung um ein gutes Stück näher ge=
bracht. Die neue Dreiheit, auf die Frankreich in Basel hindeu=
tete, Oesterreich im Osten, Preußen im Norden, der französische
Einfluß im Süden und Westen, verkündete die äußere Staaten=
ordnung, welcher Deutschland zunächst entgegenging. Frankreich
war an den Rhein mitten in's deutsche Gebiet vorgerückt, Ruß=
land hatte im Osten den Zwischenraum, der es von Deutsch=
land trennte, übersprungen; die unsichern Vergrößerungen aus der
polnischen Beute, womit sich Oesterreich und Preußen hatten ab=
finden lassen, waren unberechenbar theuer erkauft durch den Fort=
schritt Rußlands nach Westen und durch die Ausbreitung Frank=
reichs, die eben auch nur aus der Zersplitterung der deutschen
Kräfte in der polnischen Krisis hervorgegangen war. Der Zauber
der alten militärischen Ueberlieferung und ihrer überlegenen Kraft
war dahin; es kam eine neue Zeit der Kriege und Siege, deren
Geheimniß wir erst erlernen mußten. Der Bund der beiden deut=
schen Großmächte, aus dem faulen Frieden von Reichenbach her=
vorgegangen und nur aus einer unklaren Tendenzpolitik, nicht
aus natürlichen Interessen damals abgeschlossen, war, wie es das
Schicksal solcher Verbindungen ist, rasch gelöst worden und in die
bitterste Entzweiung umgeschlagen. Diesen verderblichen Zwiespalt
auszugleichen, dazu waren aber in Wien wie in Berlin die staats=
männischen Persönlichkeiten jener Tage weniger als jemals ange=
than; in beiden lebte wohl der Groll und das Mißtrauen, welche
in der Epoche Friedrichs II. und Maria Theresia's Oesterreich und
Preußen getrennt hatten, aber das war auch die einzige Ueberliefe=
rung, die ihnen aus jener bedeutenden Zeit geblieben war.

Lightning Source UK Ltd.
Milton Keynes UK
UKHW02f1829170818
327365UK00014B/1438/P